A CHEGADA DO
TERCEIRO REICH

3ª edição
3ª reimpressão

RICHARD J. EVANS

A CHEGADA DO TERCEIRO REICH

Tradução
Lúcia Brito

CRÍTICA

Copyright © Richard J. Evans, 2003
Copyright © Editora Planeta do Brasil, 2010, 2014, 2017
Todos os direitos reservados.
Título original: *The Coming of the Third Reich*

Preparação: Tulio Kawata
Revisão: Tulio Kawata e Angela Viel
Diagramação: Nobuca Rachi
Capa: Compañía
Imagem de capa: Hulton Archive / Stringer

CIP-BRASIL. CATALOGAÇÃO NA PUBLICAÇÃO
SINDICATO NACIONAL DOS EDITORES DE LIVROS, RJ

E93c
3. ed.

Evans, Richard J., 1947-
 A chegada do Terceiro Reich / Richard J. Evans ; tradução Lúcia Brito. - 3. ed. - São Paulo : Planeta, 2016.

 Tradução de: The coming of the third reich
 ISBN 978-85-422-0873-3

 1. Nazismo - História. 2. Alemanha - História - 1871-1918. 3. Alemanha - História - 1918-1933. I. Título.

16-37737   CDD: 943.08
                                   CDU: 94(100)'1939-1945'

Ao escolher este livro, você está apoiando o manejo responsável das florestas do mundo

2022
Todos os direitos desta edição reservados à
Editora Planeta do Brasil Ltda.
Rua Bela Cintra, 986 – 4º andar – Consolação
São Paulo-SP – 01415-002
www.planetadelivros.com.br
faleconosco@editoraplaneta.com.br

Para Matthew e Nicholas

Sumário

Lista de imagens	9
Lista de mapas e gráficos	13
Prefácio	15

1	O LEGADO DO PASSADO	37
	Peculiaridades alemãs	39
	Evangelhos do ódio	60
	O espírito de 1914	82
	Mergulho no caos	102
2	O FRACASSO DA DEMOCRACIA	121
	As fraquezas de Weimar	123
	A grande inflação	150
	Guerras culturais	167
	Os capazes e os incapazes	191
3	A ASCENSÃO DO NAZISMO	207
	Revolucionários boêmios	209
	O golpe da cervejaria	231
	Reconstruindo o movimento	252
	As raízes do comprometimento	276
4	RUMO À TOMADA DO PODER	293
	A Grande Depressão	295

A crise da democracia	312
A vitória da violência	333
Decisões fatais	358

5 CRIANDO O TERCEIRO REICH — 379
- Começa o terror — 381
- Incêndio do Reichstag — 402
- Democracia destruída — 427
- Colocando a Alemanha na linha — 454

6 A REVOLUÇÃO CULTURAL DE HITLER — 473
- Notas dissonantes — 475
- O expurgo das artes — 489
- "Contra o espírito não alemão" — 504
- Uma "revolução de destruição"? — 529

Bibliografia — 553
Notas — 597
Índice onomástico — 661

Lista de imagens

Os créditos das fotografias são fornecidos entre parênteses.

1. O memorial de Bismarck em Hamburgo (copyright © Ullstein Bilderdienst, Berlim).
2. Cartão-postal antissemita do "único hotel de Frankfurt livre de judeus", 1887.
3. Tropas alemãs avançando pela Bélgica em 1914 (copyright © Imperial War Museum, Q 53446).
4. Prisioneiros de guerra alemães capturados pelos aliados na batalha de Amiens, agosto de 1918 (copyright © Imperial War Museum, Q 9271).
5. Aviões de combate alemães desmanchados em cumprimento ao Tratado de Versalhes de 1919 (copyright © Simon Taylor).
6. Batalha de rua em Berlim durante o levante espartacista de janeiro de 1919 (copyright © Hulton Getty).
7. Brigadas Livres com um "guarda vermelho" que estão prestes a executar durante a repressão do Soviete de Munique, em maio de 1919 (copyright © Mary Evans Picture Library).
8. Cartaz enfocando as agressões supostamente cometidas por tropas coloniais francesas durante a ocupação do Ruhr em 1923 (copyright © Bildarchiv Preussischer Kulturbesitz).
9. A hiperinflação de 1923: "Tantos milhares de notas de marcos por apenas um dólar!" (copyright © Bettman/Corbis).
10. Capa de uma publicação satírica alemã enfocando as agruras econômicas impostas pelo Tratado de Versalhes (copyright © Bildarchiv Preussischer Kulturbesitz).

11. Otto Dix, *A Metrópole*, 1927-28 (fotografia de Bridgeman Art Library e copyright © DACS, 2003).
12. Camisas-pardas nazistas durante o golpe da cervejaria, novembro de 1923 (copyright © Hulton Getty).
13. Hitler relaxando com amigos numa cervejaria de Munique, 1929 (copyright © Bildarchiv Preussischer Kulturbesitz).
14. Hitler conduzindo uma passeata em um dos primeiros comícios do Partido Nazista em Weimar, 1926 (copyright © Süddeustcher Verlag, Munique).
15. Camisas-pardas em um comício ao ar livre, 1930 (copyright © Hulton Getty).
16. Bairro pobre comunista de Hamburgo durante uma campanha eleitoral, em 1932 (copyright © Simon Taylor).
17. Camisas-pardas marchando com camisas brancas, expondo a futilidade da proibição dos uniformes por Brüning, dezembro de 1930 (copyright © Mary Evans Picture Library).
18. Pôster pacifista de 1930: o voto na direita significa guerra.
19. A violência da imagem visual: (a) pôster eleitoral nazista, 1928 (copyright © Simon Taylor); (b) pôster eleitoral comunista, 1932 (copyright © Christel Gerstenberg/Corbis); (c) pôster social-democrata, 1930 (copyright © Simon Taylor); (d) pôster do Partido Popular, 1932 (copyright © Simon Taylor).
20. Pôsteres eleitorais, setembro de 1930 (copyright © Bildarchiv Preussischer Kulturbesitz).
21. Pôster social-democrata alertando para a violência dos nazistas, janeiro de 1931 (copyright © Bildarchiv Preussischer Kulturbesitz).
22. Nazistas usando megafones para gritar *"Heil* Hitler!" durante a campanha eleitoral de março de 1933 (copyright © Hulton Getty).
23. Hitler encontrando-se com grandes empresários logo após ser nomeado chanceler do Reich, em janeiro de 1933 (copyright © AKG, Londres).
24. Comunistas e social-democratas detidos por camisas-pardas aguardam seu destino, março de 1933 (copyright © Ullstein Bilderdienst, Berlim).

25. Social-democratas sendo registrados na chegada ao campo de concentração de Oranienburg (copyright © AKG, Londres).
26. Cartaz de propaganda nazista promovendo uma imagem positiva dos campos de concentração, 14 de maio de 1933.
27. Caricatura: "escultor da Alemanha" cria um novo gigante alemão pronto para dominar o mundo (copyright © Bildarchiv Preussischer Kulturbesitz).
28. Periódico satírico nazista *A Urtiga* retrata a fuga dos mais destacados escritores e intelectuais da Alemanha como um triunfo da nação alemã.
29. Estudantes nazistas queimam livros judaicos e esquerdistas diante da Universidade de Berlim, em 10 de maio de 1933 (copyright © AKG, Londres).
30. Camisas-pardas colam adesivos na vitrina de uma loja judaica durante o boicote de 1º de abril de 1933 (copyright © Hulton-Deutsch Collection/Corbis).
31. Cartão-postal nazista de 1933 traça uma linha direta de Frederico, o Grande, da Prússia, passando por Bismarck, até Hitler.

Fez-se todo o esforço para se encontrar os detentores dos direitos autorais, mas isso não foi possível em todos os casos. Notificada, a editora de bom grado retificará quaisquer omissões na primeira oportunidade.

Lista de mapas e gráficos

1. A unificação da Alemanha, 1864-1871 — 48-9
2. A expansão alemã na Primeira Guerra Mundial — 94-5
3. O Tratado de Versalhes — 106
4. A República de Weimar — 132
5. A divisão religiosa — 138
6. As nacionalidades no Império dos Habsburgo, 1910 — 216
7. Os nazistas na segunda eleição de 1924 para o Reichstag — 256
8. Os nazistas na eleição de 1928 para o Reichstag — 268
9. O desemprego em 1932 — 322
10. Os comunistas na eleição de 1930 para o Reichstag — 324
11. Os nazistas na eleição de 1930 para o Reichstag — 326
12. A eleição presidencial de 1932. Primeiro turno — 348
13. A eleição presidencial de 1932. Segundo turno — 350
14. Os nazistas na eleição de julho de 1932 para o Reichstag — 362
15. Os nazistas na eleição de novembro de 1932 para o Reichstag — 368
16. As eleições regionais, 1931-1933 — 374
17. Os nazistas na eleição de março de 1933 para o Reichstag — 412
18. As universidades alemãs em 1933 — 514

Todos os mapas pertencem a András Bereznay: www.historyonmaps.com

Gráfico 1. A votação nazista nas eleições para o Reichstag, 1924-33 — 536

Prefácio

I

Este é o primeiro de três livros sobre a história do Terceiro Reich. Narra a história de suas origens no Império bismarckiano no século XIX, na Primeira Guerra Mundial e nos amargos anos pós-guerra da República de Weimar. Segue adiante, recontando a ascensão dos nazistas ao poder por meio de uma combinação de sucesso eleitoral e grande violência política nos anos da grande depressão econômica de 1929 a 1933. Seu tema central é como os nazistas conseguiram estabelecer uma ditadura de partido único na Alemanha dentro de um período muito curto e aparentemente com pouca resistência do povo alemão. Um segundo livro tratará do desenvolvimento do Terceiro Reich de 1933 a 1939. Vai analisar suas instituições centrais, descrever como funcionou e como era viver nele, e relatar sua ofensiva para preparar o povo para uma guerra que reinstalaria a Alemanha na posição de poder dominante na Europa. A guerra em si é o tema do terceiro e último livro, que tratará da rápida radicalização das políticas de conquista militar, mobilização e repressão social e cultural, e extermínio racial do Terceiro Reich, até seu final em colapso e destruição totais em 1945. Um capítulo de conclusão examinará a consequência da curta história de doze anos do Reich e seu legado para o presente e o futuro.

Esses três livros dirigem-se em primeiro lugar a pessoas que não sabem nada sobre o assunto, ou que sabem um pouco e gostariam de saber mais. Espero que os especialistas encontrem algo de interesse, mas eles não são os leitores principais a quem esses livros se destinam. O legado do Terceiro Reich foi largamente discutido na mídia nos últimos anos. Continua a atrair ampla atenção. Reparação e compensação, culpa e desculpa tornaram-se temas políticos e morais delicados. Imagens do Terceiro Reich e museus e memoriais chamando a atenção para o impacto da Alemanha nazista entre 1933 e 1945 estão ao nosso redor. No entanto, com frequência falta o embasamento para tudo isso na história do Terceiro Reich. É o que esses três livros almejam proporcionar.

Qualquer um que embarque em um projeto como este deve inevitavelmente começar perguntando-se se de fato é necessário escrever mais uma história da Alemanha nazista. Será que já não chega? Será que tanta coisa já não foi escrita que pouco existe para se acrescentar? Sem dúvida, poucos tópicos históricos foram objeto de pesquisa tão intensiva. A mais recente edição da bibliografia padrão sobre nazismo, publicada pelo infatigável Michael Ruck, em 2000, lista mais de 37 mil itens; a primeira edição, lançada em 1995, listava meros 25 mil. Esse espantoso aumento no número de títulos é um testemunho eloquente do abundante, contínuo e infindável fluxo de publicações sobre o assunto.[1] Nenhum historiador pode ter esperança de dominar a maior parte de uma literatura tão assoberbante. De fato, alguns acharam o volume de informações disponível tão intimidante, aparentemente tão impossível de coligir, que desistiram em desepero. Como resultado, houve de fato surpreendentemente poucas tentativas de escrever uma história que dê uma visão geral do Terceiro Reich. É verdade que, nos últimos anos, viu-se a publicação de alguns excelentes e breves esboços sintéticos, notadamente de Norbert Frei e Ludolf Herbst,[2] alguns tratamentos analíticos estimulantes, em especial *Inside Nazi Germany*, de Detlev Peukert,[3] e algumas proveitosas coleções de documentos, das quais a antologia inglesa em quatro volumes editada com extensos comentários de Jeremy Noakes é o destaque.[4]

Mas podem-se contar nos dedos de uma mão a quantidade de histórias que deem uma visão em larga escala da Alemanha nazista escritas para o público em geral. A primeira delas, e de longe a mais bem-sucedida, foi *Ascensão e queda do Terceiro Reich*, de William L. Shirer, publicada em 1960. O livro de Shirer provavelmente vendeu milhões de cópias nas mais de quatro décadas desde o lançamento. Jamais ficou fora de catálogo e continua sendo a primeira opção para muita gente que quer uma história geral da

Alemanha nazista boa de se ler. Existem fortes motivos para o sucesso do livro. Shirer era um jornalista americano que enviou reportagens da Alemanha nazista até os Estados Unidos entrarem na guerra, em dezembro de 1941; ele possuía um olho jornalístico para contar detalhes e esclarecer incidentes. Seu livro é pleno de interesse humano, com muitas citações impressionantes dos atores do drama, e foi escrito com todo o faro e o instinto dos despachos de um repórter do *front*. Contudo, foi universalmente criticado por historiadores profissionais. O erudito alemão refugiado Klaus Epstein falou em nome de muitos quando destacou que o livro de Shirer apresentava um relato "inacreditavelmente grosseiro" da história alemã, fazendo parecer que tudo levou inevitavelmente à tomada nazista do poder. Tinha "lacunas flagrantes" em sua cobertura. Concentrava-se excessivamente em política de alto escalão, política exterior e eventos militares, e mesmo em 1960 não estava "de maneira alguma a par do que se sabia sobre o período nazista". Passado meio século, o comentário é ainda mais justificado que no tempo de Epstein. Portanto, não obstante todas as suas virtudes, o livro de Shirer realmente não pode transmitir uma história da Alemanha nazista que atenda às demandas do leitor do início do século XXI.[5]

Um tipo inteiramente diferente de exame foi fornecido pelo cientista político alemão Karl Dietrich Bracher, em *The German Ditactorship* [A ditadura alemã], publicado em 1969. Foi a conclusão dos estudos pioneiros e ainda hoje valiosos de Bracher sobre a queda da República de Weimar e a tomada nazista do poder, e seu ponto forte é a origem e o crescimento do nazismo e sua relação com a história alemã, exatamente as áreas em que Shirer é mais fraco. Quase metade do livro é dedicada a esses assuntos; o restante contém uma cobertura de certo modo menos extensa sobre a estrutura política do Terceiro Reich, política estrangeira, economia e sociedade, cultura e artes, o regime do período de guerra e o colapso do sistema nazista. A despeito dessa desigualdade, sua cobertura é magistral e abalizada, e permanece um clássico. A grande virtude do tratamento de Bracher é a clareza analítica e a determinação em explicar, relatar e interpretar tudo que cobre. É um livro ao qual se pode voltar repetidamente com proveito. Entretanto, não é apenas desigual no tratamento do assunto, é também declaradamente acadêmico na abordagem; com frequência é difícil para o leitor; e, como não poderia deixar de ser, foi ultrapassado pelas pesquisas em muitas áreas durante as três últimas décadas e meia.[6]

Se Shirer representava o lado popular e Bracher o lado acadêmico de obras sobre a Alemanha nazista, um autor recente fez com sucesso uma ponte entre os dois. Nos dois volumes de *Hitler*, o historiador britânico Ian Kershaw encaixa com êxito a vida de Hitler na história moderna alemã e mostra como a ascensão e a queda do ditador estão ligadas a fatores históricos mais amplos. Mas o *Hitler* de Kershaw não é uma história da Alemanha nazista. De fato, ao acompanhar o crescente isolamento de Hitler durante a guerra, seu foco torna-se inevitavelmente cada vez mais estreito à medida que avança. Concentra-se nas áreas a que Hitler devotou mais atenção, ou seja, política externa, guerra e raça. Por definição, não pode adotar as perspectivas de gente comum ou tratar com atenção as várias áreas com que Hitler não se preocupava de modo direto.[7] Um dos principais objetivos do presente livro e dos dois volumes seguintes é, portanto, cobrir amplo âmbito dos principais aspectos da história do Terceiro Reich: não apenas política, diplomacia e questões militares, mas também sociedade, economia, política racial, polícia e justiça, literatura, cultura e artes, com amplitude que por vários motivos falta às abordagens anteriores, para reunir todos esses aspectos e mostrar como se relacionavam.

O sucesso da biografia de Kershaw demonstrou que a pesquisa sobre a Alemanha nazista é uma atividade internacional. O mais recente relato geral de grande fôlego lançado sobre o assunto, *The Third Reich: A New History*, também é de um historiador britânico, Michael Burleigh. De saída, convence os leitores da violência no coração do regime nazista em extensão e grau que nenhum outro livro consegue fazer. Com excessiva frequência, reclama Burleigh com razão, os autores acadêmicos pintam um quadro um tanto pálido, quase abstrato, dos nazistas, como se as teorias e debates sobre eles fossem mais importantes que as pessoas em si. Seu livro corrige o equilíbrio de modo dramático. O objetivo principal de Burleigh era produzir uma história moral do Terceiro Reich. *The Third Reich: A New History* concentra-se basicamente em assassinatos em massa, resistência e colaboração, violência e coerção política, crimes e atrocidades. Ao fazer isso, reafirma de maneira poderosa uma visão da Alemanha nazista como uma ditadura totalitária que nos últimos anos tem sido atenuada com excessiva frequência. Mas omite quaisquer considerações detalhadas sobre política externa, estratégia militar, economia, mudança social, cultura e artes, propaganda, mulheres e família, e muitos outros aspectos da Alemanha nazista que foram objeto de pesquisas recentes. Além disso, ao priorizar o julgamento moral, tende a reduzir a explicação e a análise. A ideologia nazista, por exemplo, é desprezada como "conversa fiada", "bobagem pretensiosa" e assim por diante, para realçar a imoralidade de os alemães abandonarem o dever moral de pensar. Mas há algo a ser dito por uma abordagem diferente que, como a de Bracher, leva essas ideias a sério, por mais repulsivas ou ridículas que possam parecer a um leitor moderno, e explica como e por que tanta gente na Alemanha veio a acreditar nelas.[8]

Esta história tenta combinar as virtudes de relatos anteriores como os citados. Em primeiro lugar, é, como o livro de Shirer, um relato narrativo. Almeja contar a história do Terceiro Reich em ordem cronológica e mostrar como uma coisa levou a outra. A história narrativa esteve fora de moda por muitos anos nas décadas de 1970 e 1980, uma vez que historiadores de toda parte fizeram abordagens analíticas oriundas basicamente das ciências sociais. Mas uma recente variedade de histórias narrativas de larga escala mostrou que isso pode ser feito sem o sacrifício do rigor analítico ou do poder explicativo.[9] Como o livro de Shirer, este também tenta dar voz às pessoas que viveram nos anos dos quais ele trata. A distorção partidária do meio histórico acadêmico alemão sob os nazistas, o culto da personalidade e a veneração da liderança pelos autores de história do Terceiro Reich fizeram os historiadores alemães depois da Segunda Guerra Mundial reagir omitindo por completo as personalidades individuais da história. Nos anos 1970 e 1980, sob influência da história social moderna, o interesse estava sobretudo nas estruturas e processos mais amplos.[10] A obra gerada com isso aumentou nosso entendimento sobre a Alemanha nazista de modo incomensurável. Mas os seres humanos reais quase desapareceram de vista na busca pelo entendimento intelectual. Assim, um dos objetivos deste livro foi colocar os indivíduos em cena de novo; e ao longo de todo ele tentei o máximo possível mencionar citações escritas e faladas pelos contemporâneos e justapor o cenário narrativo e analítico mais amplo do livro às histórias de homens e mulheres reais, desde o topo do regime até o cidadão comum capturado pelo drama dos eventos.[11]

Relatar a experiência de indivíduos demonstra, mais do que tudo, a complexidade das escolhas que precisaram fazer e a difícil e muitas vezes obscura natureza das situações que confrontaram. As pessoas da época não podiam ver as coisas com tanta clareza quanto nós, dotados do conhecimento do que aconteceu depois: não podiam saber em 1930 o que estava por vir em 1933, não podiam saber em 1933 o que estava por vir em 1939 ou 1942 ou 1945. Se tivessem sabido, sem dúvida as escolhas teriam sido diferentes. Um dos maiores problemas de escrever história é se imaginar de volta ao mundo do passado, com todas as dúvidas e incertezas que as pessoas encararam ao lidar com um futuro que, para o historiador, se tornou passado. O desenrolar dos acontecimentos, que parece inevitável em retrospectiva, de modo algum parecia assim na época, e, ao escrever este livro, tentei recordar o leitor repetidamente de que as coisas poderiam ter tomado rumos muito diferentes dos que tomaram em vários pontos da história da Alemanha na segunda metade do século XIX e na primeira metade do século XX. Conforme Karl Marx observou certa vez de forma memorável, as pessoas fazem a sua história, mas não sob condições de sua escolha. Essas condições incluem não só o contexto histórico em que vivem, mas também a forma como pensam, as pressuposições sobre as quais agem e os princípios e as crenças que influenciaram seu comportamento.[12] Uma meta central deste livro é recriar todas essas coisas para uma leitura moderna, e lembrar os leitores de que, para citar outro célebre aforismo sobre história, "o passado é um país estrangeiro: fazem as coisas de modo diferente por lá".[13]

Por todos esses motivos, a mim parece inadequado a uma obra de história dar-se ao luxo de julgamento moral. Primeiro, isso é não histórico; depois, é arrogante e presunçoso. Não posso saber como eu teria me comportado se vivesse sob o Terceiro Reich, quando mais não seja porque, se tivesse vivido naquela época, eu teria sido uma pessoa muito diferente da que sou hoje. Desde o início dos anos 1990, o estudo histórico da Alemanha nazista, e cada vez mais o de outros temas também, foi invadido por conceitos e abordagens derivados da moralidade, religião e lei. Isso poderia ser apropriado para se chegar a julgamento a respeito de se conceder ou não compensação a um indivíduo ou grupo por sofrimento a que foi submetido sob o nazismo ou, por outro lado, forçar a reparação de uma forma ou outra do sofrimento inflingido a outros, e nesses contextos não só é legítimo, mas também importante aplicá-los. Mas eles não fazem parte de uma obra de história.[14] Conforme Ian Kershaw observou, "para alguém de fora, não alemão, que jamais experienciou o nazismo, talvez seja excessivamente fácil criticar, esperar padrões de comportamento que eram quase impossíveis de se atingir nas circunstâncias".[15] A essa distância no tempo, o mesmo princípio também é válido para a maioria dos alemães. Assim, tentei tanto quanto possível evitar usar uma linguagem que traga consigo uma bagagem moral, religiosa ou ética. O propósito deste livro é entender; cabe ao leitor julgar.

Entender como e por que os nazistas chegaram ao poder é tão importante hoje quanto sempre foi; talvez até mais, à medida que a memória se desvanece. Precisamos entrar na mente dos nazistas. Precisamos entender por que seus opositores fracassaram em detê-los. Precisamos apreender a natureza e o funcionamento da ditadura nazista depois de estabelecida. Precisamos decifrar os processos por meio dos quais o Terceiro Reich mergulhou a Europa e o mundo em uma guerra de ferocidade sem paralelo que chegou ao fim com seu colapso cataclísmico. Houve outras catástrofes na primeira metade do século XX, mais notavelmente talvez o reinado de terror deflagrado por Stálin na Rússia nos anos 1930. Mas nenhuma teve um efeito tão profundo ou duradouro. A partir da entronização da discriminação racial e do ódio no centro de sua ideologia até o lançamento de uma guerra de conquista implacável e destrutiva, o Terceiro Reich marcou a consciência do mundo moderno como nenhum outro regime, quem sabe felizmente, jamais conseguiu. A história de como a Alemanha, um país estável e moderno, em tempo menor que a duração de uma única vida, levou a Europa à ruína e ao desespero moral, físico e cultural tem lições de sensatez para todos nós; mais uma vez, lições a serem tiradas pelo leitor deste livro, e não dadas pelo autor.

II

Explicar como isso aconteceu ocupou historiadores e comentaristas de muitos estilos desde o início. Intelectuais dissidentes e refugiados como Konrad Heiden, Ernst Fraenkel e Franz Neumann publicaram análises sobre o Partido Nazista e o Terceiro Reich durante os anos 1930 e 1940 que ainda valem a pena ser lidas, e tiveram efeito duradouro em orientar a direção das pesquisas.[16] Mas a primeira tentativa real de colocar o Terceiro Reich em seu contexto histórico depois do evento foi escrita pelo principal historiador alemão da época, Friedrich Meinecke, logo após o fim da Segunda Guerra Mundial. Meinecke atribuiu a culpa pela ascensão do Terceiro Reich, antes de mais nada, à crescente obsessão alemã por poder mundial do final do século XIX em diante, começando com Bismarck e tornando-se mais intensa na era do *Kaiser* Guilherme II e da Primeira Guerra Mundial. Um espírito militarista havia se espalhado pela Alemanha, julgou ele, dando ao exército uma maléfica e decisiva influência sobre a situação política. A Alemanha havia adquirido impressionante poderio industrial, mas isso fora alcançado por meio da concentração excessiva em uma educação técnica restrita, à custa de uma instrução moral e cultural mais ampla. "Estávamos procurando o que havia de 'positivo' na obra de Hitler", escreveu Meinecke sobre a elite de classe média alta a que ele pertencia, e foi honesto o bastante para acrescentar que encontraram algo que pensavam ir ao encontro das necessidades da época. Mas tudo aquilo veio a se revelar uma ilusão. Olhando em retrospecto no decurso de uma vida longa o bastante para ele lembrar da unificação da Alemanha sob Bismarck em 1871 e tudo o que aconteceu dali até a queda do Terceiro Reich, Meinecke concluiu experimentalmente que havia algo falho na Nação-Estado alemã desde o momento de sua fundação em 1871.

As reflexões de Meinecke, publicadas em 1946, foram importantes tanto por suas limitações quanto por sua brava tentativa de repensar as crenças políticas e aspirações de uma vida. O velho historiador ficou na Alemanha ao longo do Terceiro Reich, mas, ao contrário de muitos outros, jamais aderiu ao Partido Nazista, tampouco escreveu ou trabalhou a seu favor. Mas, ainda assim, ele era limitado pelas perspectivas do nacionalismo liberal em que foi criado. Para ele, a catástrofe foi, como o título de suas reflexões de 1946 coloca, uma catástrofe *alemã*, não uma catástrofe judaica, uma catástrofe europeia ou uma catástrofe mundial. Ao mesmo tempo, ele deu primazia, como os historiadores alemães haviam feito por muito tempo, à diplomacia e às relações internacionais no ocasionamento da catástrofe, em vez de aos fatores sociais, culturais ou econômicos. Para Meinecke, o problema jazia essencialmente não no que ele se referiu de passagem como a "loucura racial" que se apoderou da Alemanha sob o nazismo, mas na maquiavélica política de poder do Terceiro Reich e no lançamento de um comando para a dominação do mundo que por fim levou à sua destruição.[17]

A despeito de todas as impropriedades, a tentativa de entendimento de Meinecke levantou uma série de questões-chave que, conforme ele previu, continuaram a ocupar as pessoas desde então. Como uma nação avançada e altamente culta como a Alemanha pôde ceder à força brutal do nacional-socialismo tão rápida e facilmente? Por que houve tão pouca resistência séria à tomada nazista? Como pôde um partido insignificante da direita radical ascender ao poder com subitaneidade tão dramática? Por que tantos alemães fracassaram em perceber as consequências potencialmente desastrosas de ignorar a natureza violenta, racista e assassina do movimento nazista?[18] As respostas para essas questões variaram amplamente ao longo do tempo, entre historiadores e comentaristas de diferentes nacionalidades, e de uma posição política para outra.[19] O nazismo foi apenas uma de uma série de ditaduras violentas e implacáveis estabelecidas na Europa na primeira metade do século XX, uma tendência tão disseminada que um historiador referiu-se à Europa dessa era como um "Continente Sombrio".[20] Isso, por sua vez, levanta questões sobre até que ponto o nazismo estava enraizado na história alemã, e até que ponto, por outro lado, foi produto do desenrolar de acontecimentos europeus mais amplos, e a extensão em que compartilhava características centrais de origem e domínio com outros regimes europeus da época.

Tais considerações comparativas sugerem ser questionável presumir que fosse de algum modo menos provável uma sociedade economicamente avançada e culturalmente sofisticada cair em um abismo de violência e destruição do que uma sociedade inferior. O fato de a Alemanha ter produzido um Beethoven, a Rússia um Tolstói, a Itália um Verdi ou a Espanha um Cervantes foi inteiramente irrelevante para o fato de todos esses países terem experienciado ditaduras brutais no século XX. A existência de grandes realizações culturais ao longo de séculos não tornam a degenerescência na barbárie política mais inexplicável do que sua ausência; cultura e política simplesmente não se impõem uma à outra de maneira tão simples e direta. Se a experiência do Terceiro Reich nos ensina alguma coisa, é que o amor por música, arte e literatura de grande qualidade não provê as pessoas de nenhum tipo de imunidade moral ou política contra a violência, a atrocidade ou a subserviência à ditadura. De fato, muitos comentaristas de esquerda de 1930 em diante argumentaram que a natureza avançada da cultura e sociedade alemãs foi em si a principal causa do triunfo do nazismo. A economia alemã era a mais poderosa da Europa, a sociedade alemã era a mais altamente desenvolvida. A iniciativa capitalista havia atingido escala e grau de organização sem precedentes na Alemanha. Os marxistas argumentaram que isso significou que o conflito de classes entre os donos do capital e aqueles que eles exploravam havia crescido até chegar ao ponto de ruptura. Desesperados para preservar seu poder e seus lucros, os grandes empresários e seus sequazes usaram toda a influência e todos os meios de propaganda de que dispunham para criar um movimento de massa dedicado a servir a seus interesses – o Partido Nazista – e depois alçá-lo ao poder e se beneficiar quando ele lá estivesse.[21]

Esse ponto de vista, elaborado com considerável sofisticação por uma enorme variedade de estudiosos marxistas desde a década de 1920 até a de 1980, não deve ser descartado de pronto como mera propaganda; ele inspirou um vasto leque de trabalhos eruditos consistentes ao longo dos anos de ambos os lados da Cortina de Ferro que dividiu a Europa durante a Guerra Fria entre 1945 e 1990. Mas, como uma explicação ampla e geral, incorre em várias petições de princípio. Mais ou menos ignorou as doutrinas raciais do nazismo, e fracassou por completo em explicar o fato de os nazistas direcionarem um ódio tão maligno aos judeus não apenas na retórica, mas também na realidade. Dados os consideráveis recursos dedicados pelo Terceiro Reich a perseguir e destruir milhões de pessoas, inclusive muitas que eram impecavelmente de classe média, produtivas e bem de vida, e em não poucos casos capitalistas, é difícil ver como o fenômeno do nazismo poderia ser reduzido a produto de uma luta de classe contra o proletariado ou a uma tentativa de preservar o sistema capitalista que tantos judeus contribuíram para sustentar na Alemanha. Além disso, se o nazismo foi o resultado inevitável da chegada do capitalismo imperialista de monopólio, como então se pode explicar o fato de ter surgido apenas na Alemanha e não em outras economias capitalistas avançadas semelhantes, como Inglaterra, Bélgica ou Estados Unidos?[22]

Foi exatamente essa a pergunta que muitos não alemães fizeram durante a Segunda Guerra Mundial, e que pelo menos alguns alemães colocaram a si mesmos logo depois. Sobretudo nos países que já haviam experimentado uma guerra contra os alemães em 1914-18, muitos comentaristas argumentaram que a ascensão e o triunfo do nazismo foram os inevitáveis produtos finais de séculos de história alemã. Segundo essa visão, formulada por escritores tão diversos quanto o jornalista americano William L. Shirer, o historiador britânico A. J. P. Taylor e o erudito francês Edmond Vermeil, os alemães sempre rejeitaram a democracia e os direitos humanos, rebaixaram-se diante de líderes fortes, rejeitaram o conceito de cidadão ativo e entregaram-se a vagos, mas perigosos, sonhos de dominar o mundo.[23] De forma curiosa, isso ecoou a versão nazista da história alemã, na qual os alemães também se mantinham fiéis a esses traços fundamentais por algum tipo de instinto racial básico, mas haviam se alienado deles por influências estrangeiras, como a Revolução Francesa.[24] No entanto, conforme muitos críticos apontaram, essa visão simplista levanta no mesmo momento a questão sobre por que os alemães não sucumbiram a uma ditadura de estilo nazista bem antes de 1933. Essa visão ignora o fato de que havia fortes tradições liberais e democráticas na história alemã, tradições que encontraram expressão em revoltas políticas, como a Revolução de 1848, quando regimes autoritários foram derrubados por toda a Alemanha. E isso torna mais difícil, em vez de mais fácil, explicar como e por que os nazistas chegaram ao poder, pois ignora a ampla oposição ao nazismo que existia na Alemanha até mesmo em 1933, e assim impede-nos de fazer a pergunta crucial de por que a oposição foi vencida. Sem reconhecer a existência de tal oposição ao nazismo dentro da Alemanha, a dramática história da ascensão do nazismo ao predomínio deixa por completo de ser um drama: torna-se meramente a realização do inevitável.

Foi fácil demais para os historiadores olhar a história alemã em retrospecto a partir do ponto de observação de 1933 e interpretar quase qualquer coisa que aconteceu nela como uma contribuição para a ascensão e triunfo do nazismo. Isso levou a todo tipo de distorções, com alguns historiadores pegando citações selecionadas de pensadores alemães como Herder, o apóstolo do nacionalismo no final do século XVIII, ou Martinho Lutero, o fundador do protestantismo no século XVI, para ilustrar o que argumentavam ser traços alemães de desprezo por outras nacionalidades e obediência cega à autoridade dentro de suas fronteiras.[25] Contudo, ao olhar a obra de pensadores como esses mais de perto, descobrimos que Herder pregava a tolerância e a simpatia para com outras nacionalidades, enquanto Lutero é famoso por insistir no direito da consciência individual de rebelar-se contra a autoridade espiritual e intelectual.[26] Além disso, embora as ideias tenham poder próprio, este poder é sempre condicionado, ainda que indiretamente, por circunstâncias sociais e políticas, um fato que historiadores que generalizaram sobre o "caráter alemão" ou a "mente alemã" esqueceram com frequência por demais excessiva.[27]

Uma corrente de pensamento diferente, às vezes apresentada pelos mesmos escritores, enfatizava não a importância da ideologia e a crença na história alemã, mas sua pouca importância. Foi dito às vezes que os alemães não tinham interesse real em política e nunca se acostumaram com o toma-lá-dá-cá do debate político democrático. Contudo, de todos os mitos da história alemã mobilizados para justificar o advento do Terceiro Reich em 1933, nenhum é menos convincente que o da "Alemanha não política". Em grande parte criado pelo romancista Thomas Mann durante a Primeira Guerra Mundial, esse conceito subsequentemente tornou-se um álibi para a classe média instruída da Alemanha, que pôde absolver-se da culpa por apoiar o nazismo aceitando a crítica pela ofensa menos grave de ter falhado em se opor a ele. Historiadores de várias categorias afirmaram que a classe média alemã retirou-se da atividade política após a derrocada de 1848 e se refugiou nos negócios ou na literatura, na cultura e nas artes. Alemães cultos colocavam eficiência e sucesso acima de moralidade e ideologia.²⁸ Contudo, existe farta evidência do contrário, como haveremos de ver ao longo deste livro. Do que quer que a Alemanha tenha sofrido nos anos 1920, não foi de falta de comprometimento e crença políticos; quiçá tenha ocorrido o oposto.

Não é de surpreender que historiadores alemães considerassem tais generalizações amplas e hostis sobre o caráter alemão altamente questionáveis. Na sequência da Segunda Guerra Mundial, eles tentaram de tudo para rebater as críticas apontando as mais largas raízes europeias da ideologia nazista. Chamaram atenção para o fato de que Hitler não era alemão, mas austríaco. E aduziram paralelos com outras ditaduras da época, da Itália de Mussolini à Rússia de Stálin. Com certeza, argumentaram, à luz do colapso geral da democracia europeia no período de 1917 a 1933, o advento dos nazistas deveria ser visto não como a culminação de um longo conjunto de acontecimentos históricos unicamente alemães, mas sim como o colapso da ordem estabelecida na Alemanha e em todos os outros lugares sob o impacto cataclísmico da Primeira Guerra Mundial.²⁹ Segundo essa visão, a ascensão da sociedade industrial levou as massas ao palco da política pela primeira vez. A guerra destruiu a hierarquia social, os valores morais e a estabilidade econômica pela Europa. Os impérios Habsburgo, alemão, tsarista e otomano entraram em colapso, e os novos Estados democráticos que surgiram em sua esteira rapidamente caíram vítimas da demagogia de agitadores inescrupulosos que seduziram as massas a votar por sua própria escravização. O século XX tornou-se uma era de totalitarismo, culminando na tentativa de Hitler e Stálin de estabelecer um novo tipo de ordem política baseada, por um lado, no controle policial total, terror e supressão implacável e assassinato de oponentes reais ou imaginários aos milhões, e, por outro, na mobilização e no entusiasmo contínuo das massas estimuladas por sofisticados métodos de propaganda.³⁰

Embora seja bem fácil ver como tais argumentos serviram aos interesses de expoentes ocidentais da Guerra Fria nos anos 1950 e 1960 por igualar implícita ou explicitamente a Rússia de Stálin à Alemanha de Hitler, o conceito de ambas como variedades de um mesmo fenômeno passou por uma espécie de *revival* há pouco tempo.³¹ E com certeza não há nada de ilegítimo em comparar os dois regimes.³² A ideia de totalitarismo como um fenômeno político geral remonta ao início da década de 1920. Foi usada em um sentido positivo por Mussolini, que, junto com Hitler e Stálin, reivindicou o controle total da sociedade envolvendo a efetiva recriação da natureza humana na forma de um "novo" tipo de ser humano. Mas, quaisquer que sejam as semelhanças entre esses vários regimes, as diferenças entre as forças que jazem por trás das origens, ascensão e eventual triunfo do nazismo e stalinismo são notavelmente diferentes para que o conceito de totalitarismo explique muita coisa nessa área. No fim das contas, é mais proveitoso usá-lo como descrição do que como explicação, e ele provavelmente é melhor para ajudar a entender como as ditaduras do século XX comportavam-se ao atingir o poder do que em esclarecer como chegaram lá.

Por certo existem algumas semelhanças entre Rússia e Alemanha antes da Primeira Guerra Mundial. Ambas as nações eram governadas por monarquias autoritárias, amparadas por uma burocracia poderosa e uma forte elite militar, confrontando a rápida mudança social ocasionada pela industrialização. Ambos os sistemas políticos foram destruídos pela profunda crise da derrota da Primeira Guerra Mundial, e ambos foram sucedidos por um breve período de democracia dominada por conflitos antes que tais conflitos fossem resolvidos pelo advento das ditaduras. Mas também havia muitas diferenças cruciais, sendo a principal delas o fato de que os bolcheviques fracassaram por completo em conquistar o nível de apoio público de massa em eleições livres que forneceu a base essencial para os nazistas chegarem ao poder. A Rússia era atrasada, predominantemente camponesa, carecendo das funções básicas de uma sociedade civil e de uma tradição política representativa. Era um país dramaticamente diferente da Alemanha industrialmente avançada e muito instruída, com suas tradições há muito cultivadas de instituições representativas, do papel da lei e da cidadania politicamente ativa. Com certeza, é verdade que a Primeira Guerra Mundial destruiu a velha ordem por toda a Europa. Mas a velha ordem diferia substancialmente de um país para outro, e foi destruída de modos diferentes, com consequências diferentes. Se estamos procurando um outro país com desenvolvimento comparável, então, como veremos, a Itália, outra nação recém-unificada no século XIX ao lado da Alemanha, é um local muito melhor para se começar do que a Rússia.

Ao se buscar uma explicação para as origens e ascensão do nazismo na história alemã, corre-se inegavelmente o risco de fazer todo o processo parecer inevitável. Contudo, quase a cada passo as coisas poderiam ter sido diferentes. O triunfo do nazismo estava longe de uma conclusão prévia até os primeiros meses de 1933. Contudo, tampouco foi um acidente histórico.[33] Aqueles que argumentaram que o nazismo chegou ao poder como parte de um amplo conjunto de acontecimentos essencialmente europeus estão certos por um lado. Mas deram pouquíssima atenção ao fato de que o nazismo, embora longe de ser um resultado inevitável do curso da história alemã, com certeza utilizou-se de tradições políticas e ideológicas e acontecimentos que eram de natureza especificamente alemã para ter sucesso. Essas tradições podem não retroceder até Martinho Lutero, mas com certeza podem ser rastreadas no modo como a história alemã desenrolou-se ao longo do século XIX, e sobretudo no processo pelo qual o país transformou-se em um estado unificado sob Bismarck em 1871. Assim, faz sentido começar nesse ponto, como fez Friedrich Meinecke em suas reflexões de 1946, ao buscar motivos pelos quais os nazistas chegaram ao poder depois de pouco mais de seis décadas e forjaram tamanha devastação na Alemanha, Europa e no mundo com tão pouca oposição da maioria dos alemães. Como veremos ao longo deste e dos dois volumes seguintes, existem muitas respostas diferentes para essas questões, abrangendo desde a natureza da crise que se abateu sobre a Alemanha no início da década de 1930 até o modo como os nazistas estabeleceram e consolidaram seu domínio ao alcançar o poder, e compará-las umas com as outras não é tarefa fácil. Contudo, o fardo da história alemã inegavelmente desempenhou um papel, e é, portanto, com a história alemã que este livro tem que começar.

III

O início do século XXI é um momento particularmente bom para se empreender um projeto desse tipo. A pesquisa histórica sobre o Terceiro Reich passou por três fases principais desde 1945. Na primeira, do fim da guerra até o meio da década de 1960, houve uma pesada concentração em se responder às questões colocadas primariamente neste volume. Cientistas políticos e historiadores como Karl Dietrich Bracher produziram obras importantes sobre o colapso da República de Weimar e a tomada nazista do poder.[34] Nas décadas de 1970 e 1980, o foco mudou para a história do período que vai de 1933 a 1939 (tema do segundo volume deste estudo), auxiliado pelo retorno de grande quantidade de documentos capturados nos arquivos alemães pela custódia aliada. Em particular, Martin Broszat e Hans Mommsen produziram uma série de estudos precursores sobre as estruturas internas do Terceiro Reich, argumentando contra a visão predominante de que era um sistema totalitário no qual as decisões tomadas no alto, por Hitler, eram implementadas até embaixo, e examinando o complexo de centros de poder adversários cuja rivalidade, afirmaram, impulsionou o regime a adotar políticas continuamente mais radicais. A obra deles foi complementada por uma grande quantidade de novas pesquisas sobre a história da vida cotidiana sob o nazismo, concentrando-se em particular nos anos até a eclosão da Segunda Guerra Mundial.[35] Desde a década de 1990, as pesquisas entraram numa terceira fase, na qual houve foco específico no período 1939-45 (tema do terceiro volume deste estudo). A descoberta de novos documentos nos arquivos do antigo bloco soviético, o crescente destaque público dado à perseguição e ao extermínio pelos nazistas de judeus e outros, de homossexuais a "antissociais", de trabalhadores escravos a deficientes, geraram uma grande quantidade de novos e importantes conhecimentos.[36] Parece a época certa, portanto, para se tentar uma síntese que reúna os resultados dessas três fases de pesquisa, e tirar vantagem da grande quantidade de material novo, dos diários de Joseph Goebbels e Victor Klemperer aos registros dos encontros do gabinete alemão e da agenda de compromissos de Heinrich Himmler, que se tornaram disponíveis há pouco.

Para qualquer historiador, uma tarefa como essa é um empreendimento ousado, se não temerário ou até imprudente – duplamente para um historiador que não seja alemão. Contudo, estive pensando nas questões históricas tratadas neste livro por muito anos. Meu interesse pela história alemã foi despertado inicialmente por Fritz Fischer, cuja visita a Oxford na minha época de estudante do bacharelado foi um momento de importante significado intelectual. Mais tarde, em Hamburgo, fazendo pesquisas para meu doutorado, tive condições de compartilhar um pouco da extraordinária excitação gerada por Fischer e sua equipe, cuja abertura da questão da continuidade na história moderna alemã criou uma verdadeira sensação de comoção, até mesmo de cruzada, entre os historiadores alemães mais jovens que ele reuniu à sua volta. Naquele tempo, no início da década de 1970, eu estava interessado principalmente nas origens do Terceiro Reich na República de Weimar e no Império guilhermino; só mais tarde vim a escrever sobre o modo como a Alemanha nazista incitou acalorada controvérsia entre os historiadores modernos alemães, e a fazer alguma pesquisa documental por mim mesmo sobre o período 1933-45, como parte de um projeto mais abrangente sobre a pena de morte na história moderna alemã.[37] Ao longo desses anos, tive a sorte de ser ajudado de muitas maneiras por uma grande variedade de amigos e colegas alemães, notadamente Jürgen Kocka, Wolfgang Mommsen, Volker Ullrich e Hans-Ulrich Wehler. Numerosas, muitas vezes longas estadas na Alemanha, generosamente custeadas por instituições como a Fundação Alexander von Humboldt e o Serviço de Intercâmbio Acadêmico Alemão ajudaram-me a ter, espero, melhor entendimento da história e cultura alemãs do que em meu início no começo da década de 1970. Poucos países poderiam ter sido mais generosos ou mais abertos a forasteiros desejosos de estudar seu passado problemático e incômodo. E a comunidade de especialistas em história alemã na Grã-Bretanha foi um apoio constante o tempo todo; de início, durante meu tempo em Oxford, Tim Mason foi uma particular fonte de inspiração, e Anthony Nicholls guiou minhas pesquisas com destreza. Claro que, no fim das contas, nada disso poderá jamais compensar o fato de eu não ser nativo alemão; mas talvez a inevitável distância que resulta de ser estrangeiro possa conceder também certa imparcialidade, ou pelo menos uma diferença de perspectiva que pode equilibrar em alguma medida a óbvia desvantagem.

Embora eu tenha escrito sobre as origens, consequências e historiografia do Terceiro Reich, pesquisado parte de sua história nos arquivos e lecionado para universitários em um curso de evolução lenta baseado em documentos pelo período de mais de vinte anos, só na década de 1990 fui impelido a dedicar minha atenção a isso em tempo integral. Portanto, serei sempre grato a Anthony Julius, por me pedir para atuar como testemunha especializada no caso de difamação movido por David Irving contra Deborah Lipstadt e seus editores, e a toda a equipe de defesa, e mais especialmente ao advogado principal, Richard Rampton QC, e meus assistentes de pesquisa Nik Wachsmann e Thomas Skelton-Robinson por muitas horas de discussão proveitosa e provocativa sobre vários aspectos da história do Terceiro Reich que vieram à tona durante o caso.[38] Foi um privilégio estar envolvido em um caso cuja importância acabou revelando-se maior do que qualquer um de nós esperava. Tirando isso, uma das maiores surpresas do trabalho que fizemos no caso foi a descoberta de que muitos aspectos dos temas com que estávamos lidando ainda eram surpreendentemente mal documentados.[39] Tão importante quanto isso foi descobrir que não havia realmente um relato detalhado e de grande abrangência sobre o contexto histórico mais amplo das políticas nazistas para os judeus na história geral do Terceiro Reich em si, a despeito da existência de muitos relatos excelentes sobre essas políticas dentro de uma estrutura mais limitada. Essa noção da crescente fragmentação do conhecimento sobre a Alemanha nazista foi reforçada quando, logo depois, me pediram para tomar parte no Conselho Consultivo sobre Espoliação do governo britânico, avaliando reivindicações de restituição de objetos culturais injustamente alienados de seus donos originais no período 1933-45. Era uma outra área em que responder a questões especializadas às vezes dependia de conhecimento histórico sobre o contexto mais amplo; contudo, não havia nenhuma história geral da Alemanha nazista que eu pudesse enviar aos outros membros do conselho para ajudá-los. Ao mesmo tempo, minha confrontação direta com essas importantes dimensões legais e morais da experiência nazista por meio do trabalho nesses dois contextos muito diferentes convenceram-me mais do que nunca da necessidade de uma história do Terceiro Reich que não tomasse o julgamento moral ou legal como sua estrutura de referência.

Essas, então, são algumas das razões pelas quais escrevi este livro. Elas podem ajudar a explicar algumas de suas características distintivas. Para começar, em uma história como esta, dirigida ao público leitor em geral, é importante evitar termos técnicos. Visto que este é um livro para leitores de língua inglesa, traduzi os termos alemães para equivalentes em inglês em quase todos os casos. Manter o alemão é uma forma de mistificação, até de romantização, que deve ser evitada. Existem apenas três exceções. A primeira é *Reich*, que em alemão, conforme explica o capítulo 1, possui ressonâncias particulares intraduzíveis, muito além do equivalente "império", junto com seu termo associado *Reichstag*, referente ao parlamento nacional alemão. *Reich* é uma palavra que deve ser familiar a todo leitor de língua inglesa, e seria artificial falar, por exemplo, de "Terceiro Império" em vez de "Terceiro Reich", ou do "incêndio do Parlamento" em vez de "incêndio do Reichstag". O título *Kaiser* também foi mantido em preferência ao tosco equivalente "imperador", porque também desperta memórias históricas específicas e poderosas. Algumas outras palavras ou termos em alemão associados ao Terceiro Reich também alcançaram popularidade em inglês, mas com isso divorciaram-se de seu significado original. *Gauleiter,* por exemplo, significa apenas tirano nazista, de modo que, para dar um significado mais preciso, traduzi como "líder regional". De modo semelhante, Hitler é sempre mencionado não como *Führer*, mas pelo equivalente do termo, "líder". E, embora todo mundo esteja familiarizado com o título *Mein Kampf* do livro de Hitler, provavelmente poucos sabem que isso significa *Minha luta*, a menos que saibam alemão.

    Um dos objetivos da tradução é permitir que os leitores de língua inglesa adquiram uma sensação do que essas coisas de fato significavam; não eram meros títulos ou palavras, mas carregavam uma pesada bagagem ideológica com eles. Algumas palavras alemãs não possuem um equivalente exato em inglês, e optei por ser inconsistente em minha tradução, vertendo *national* em variações de "nacional" ou "nacionalista" (tem a conotação de ambas) e um termo similarmente complexo, *volk*, como "povo" ou "raça", de acordo com o contexto. As traduções nem sempre são minhas, mas quando as tirei de versões existentes em língua inglesa sempre as confrontei com os originais, e em alguns casos fiz alterações. Leitores especializados que sabem alemão provavelmente vão achar tudo isso deveras irritante; para eles é aconselhável ler a edição em alemão deste livro, publicada simultaneamente com o título de *Das Dritte Reich, I: Aufstieg,* por Deutsche Verlags-Anstalt.

De modo semelhante, tendo em mente que não se trata de uma monografia acadêmica especializada, tentei limitar o máximo possível as notas de fim de texto. Elas destinam-se principalmente a permitir que os leitores verifiquem as afirmações feitas no texto; não pretendem fornecer referências bibliográficas completas para os tópicos em consideração, nem incluem, com pouquíssimas exceções, discussão de pormenores de interesse secundário. Contudo, tentei apontar para o leitor interessado a leitura adicional relevante, caso ele queira dedicar-se a um tópico em profundidade maior do que seria possível neste livro. Quando existe tradução em inglês de um livro alemão, tentei citá-la nesta edição, em vez do original alemão. Para manter as notas dentro de certos limites, foi fornecida apenas informação necessária para se localizar a fonte, isto é, autor, título e subtítulo, local e data da publicação. O mercado editorial moderno é um negócio global, com as principais empresas baseadas em vários países diferentes, de modo que foi citado apenas o lugar principal de publicação.

Um dos problemas mais difíceis de escrever sobre a Alemanha nazista é colocado pela impregnação da linguagem da época pela terminologia nazista, conforme notou Victor Klemperer há bastante tempo em seu estudo clássico do que chamou de *Lingua tertii Imperii*, a linguagem do Terceiro Reich.[40] Alguns historiadores distanciam-se disso colocando todos os termos nazistas entre aspas, ou acrescentando algum epíteto reprovador – como "Terceiro Reich" ou até "o assim chamado 'Terceiro Reich'". Contudo, adotar um desses procedimentos em um livro como este comprometeria seriamente a leitura. Embora não fosse necessário dizer isso, também ressalto aqui que a terminologia nazista empregada neste livro simplesmente reflete seu uso naquela época; não deve ser interpretada como aceitação, muito menos aprovação do termo em questão como uma forma válida de denotar aquilo a que se refere. No que diz respeito ao Partido Nazista, usei letra inicial maiúscula para Partido; quando se faz referência a outros partidos, utilizei a minúscula; de modo semelhante, a Igreja é a organização formal dos cristãos, uma igreja é um prédio; Fascismo denota o movimento italiano liderado por Mussolini, fascismo é o fenômeno político genérico.

Se tudo isso deixar o texto mais claro e agradável de ler, terá cumprido seu propósito. E se o livro em si for, espero, fácil de seguir, então muito do crédito deve ir para os amigos e colegas que gentilmente concordaram em ler o primeiro esboço em pouco tempo, eliminaram muitas impropriedades e extirparam erros, em particular Chris Clark, Christine L. Corton, Bernhard Fulda, *Sir* Ian Kershaw, Kristin Semmens, Adam Tooze, Nik Wachsmann, Simon Winder e Emma Winter. Bernhard Fulda, Christian Goeschel e Max Horster checaram as notas e localizaram documentos originais; Caitlin Murdock fez o mesmo para as autobiografias dos camisas-pardas armazenadas na Instituição Hoover. Bernhard Fulda, Liz Harvey e David Welch gentilmente forneceram alguns documentos-chave. Tenho uma enorme dívida de gratidão para com todos por seu auxílio. Andrew Wylie foi um agente soberbo, cujo poder de persuasão garantiu a este livro os melhores editores; Simon Winder, da Penguin, foi um ponto de apoio em Londres, e tornou um prazer trabalhar próximo dele no livro. Em Nova York, Scott Moyers sustentou-me com seu entusiasmo e ajudou imensamente com seus sagazes comentários sobre o manuscrito, e, na Alemanha, Michael Neher realizou um milagre de organização ao conseguir lançar a edição alemã tão depressa. Foi um prazer trabalhar mais uma vez com os tradutores Holger Fliessbach e Udo Rennert, e também com András Bereznáy, que desenhou os mapas. Sou grato também a Chloe Campbell, da Penguin, que colocou grande empenho em ajudar na pesquisa de imagens, obtendo permissões e rastreando originais para as ilustrações; a Simon Taylor por seu generoso auxílio em fornecer algumas das imagens, a Elizabeth Stratford pela meticulosa edição do texto final, e às equipes de produção e *design* das duas editoras por montarem o livro.

Finalmente, minha maior dívida é, como sempre, com minha família, Christine L. Corton, pelo apoio prático e conhecimento em publicação de livros, e a nossos filhos Matthew e Nicholas, a quem esses volumes são dedicados, por me apoiarem durante um projeto que lida com eventos difíceis e às vezes terríveis que todos nós tivemos a sorte de não haver experimentado em nossas vidas.

Richard J. Evans
Cambridge, julho de 2003

1
O legado do passado

Peculiaridades alemãs

I

É errado começar com Bismarck? Em vários níveis, ele foi uma figura-chave no advento do Terceiro Reich. Por um lado, o culto à sua memória nos anos seguintes à sua morte encorajou muitos alemães a ansiarem pela volta da liderança forte que seu nome representava. Por outro, suas ações e políticas da metade para o final do século XIX ajudaram a criar um legado ominoso para o futuro alemão. Não obstante, ele era uma figura complexa e contraditória em muitos sentidos, tanto europeu quanto alemão, tanto moderno quanto liberal. Nisso também seu exemplo apontou para o emaranhado entre o velho e o novo que era tão característico do Terceiro Reich. Vale a pena recordar que apenas cinquenta anos separaram a fundação do império alemão de Bismarck em 1871 dos triunfos eleitorais dos nazistas em 1930-32. Que havia uma conexão entre os dois parece impossível negar. É aqui, e não nas remotas culturas religiosas e nos estados hierárquicos da Reforma ou do "despotismo esclarecido" do século XVIII que encontramos o primeiro momento real da história alemã possível de se relacionar diretamente ao advento do Terceiro Reich em 1933.[1]

Nascido em 1815, Otto von Bismarck fez sua reputação como o selvagem do conservadorismo alemão, dado a declarações brutais e ações violentas, jamais temeroso de declarar com clareza vigorosa o que espíritos mais cautelosos temiam dizer em voz alta. Vindo de um ambiente tradicional e aristocrático, enraizado tanto na classe *junker* da nobreza proprietária de terras quanto na nobreza do funcionalismo público, para muitos ele parecia representar o prussianismo de forma extrema, com todas as virtudes e vícios. Seu domínio sobre a política alemã na segunda metade do século XIX foi brutal, arrogante, completo. Ele não escondia o desprezo pelo liberalismo, socialismo, parlamentarismo, igualitarismo e muitos outros aspectos do mundo moderno. Contudo, isso pareceu não causar dano à reputação quase mítica de criador do império alemão que adquiriu após a morte. No centenário de seu nascimento, em 1915, quando a Alemanha estava em meio aos combates da Primeira Guerra Mundial, um liberal humanista como o historiador Friedrich Meinecke conseguia obter conforto, até mesmo inspiração, na imagem do "Chanceler de Ferro" como um homem de força e poder: "É o espírito de Bismarck", escreveu ele, "que nos proíbe de sacrificar nossos interesses vitais e nos forçou à heroica decisão de assumir a prodigiosa luta contra Oriente e Ocidente, para falar com Bismarck: 'Como um sujeito forte, que tem dois belos punhos à disposição, um para cada oponente'".[2] Ali estava o grande e decisivo líder, cuja falta muitos alemães sentiram de forma aguda naquela conjuntura crucial dos destinos de seu país. Eles viriam a sentir a ausência de um líder assim de forma ainda mais aguda nos anos após o fim da guerra.

Contudo, na realidade, Bismarck era uma personalidade bem mais complexa do que a imagem rude promovida por seus acólitos depois de sua morte. Ele não era o apostador imprudente que corria riscos da lenda póstuma. Posteriormente, pouquíssimos alemães lembravam que Bismarck foi o responsável por definir a política como "a arte do possível".[3] Sempre insistiu que sua técnica consistia em calcular o rumo que os eventos estavam tomando, e então tirar vantagem disso para seus propósitos. Ele mesmo colocou isso de forma mais poética: "Um chefe de Estado não pode criar nada por si mesmo. Deve esperar e escutar até ouvir os passos de Deus soando através dos eventos; então pular e agarrar a bainha de suas vestes".[4] Bismarck sabia que não podia forçar os eventos dentro de nenhuma forma. Então – para usar outra de suas metáforas favoritas –, se a arte da política consistia em navegar o barco do Estado ao longo da correnteza do tempo, em que direção fluía a correnteza na Alemanha do século XIX? Por mais de um milênio antes de o século começar, a Europa central estivera estilhaçada em miríades de Estados autônomos, alguns deles poderosos e bem organizados, como Saxônia e Baviera, outros eram "cidades livres" pequenas ou medianas, ou principados e feudos diminutos que consistiam em pouco mais que um castelo e uma propriedade de tamanho modesto. Tudo isso foi reunido no chamado Sacro Império Romano da Nação Germânica, fundado por Carlos Magno em 800 e dissolvido por Napoleão em 1806. Esse foi o famoso "Reich de Mil Anos" que, em última análise, tornou-se a ambição dos nazistas emular. Na época em que caiu sob o peso das invasões de Napoleão, o Reich estava em uma situação lamentável; as tentativas de se estabelecer um grau significativo de autoridade central haviam falhado, e Estados-membros poderosos e ambiciosos, como Áustria e Prússia, haviam desenvolvido crescente propensão de lançar seu peso ao redor como se o Reich não existisse.

Quando a poeira baixou após a derrota de Napoleão em Waterloo em 1815, os países europeus implantaram uma organização sucessora do Reich na forma da Confederação Germânica, cujas fronteiras eram mais ou menos as mesmas e incluía, como antes, as partes da Áustria de língua alemã e tcheca. Por um tempo, o sistema policial estabelecido pelo chanceler austríaco, príncipe de Metternich, manteve com sucesso a tampa sobre o caldeirão em ebulição da atividade liberal e revolucionária que fervilhava entre uma ativa minoria de pessoas instruídas antes de 1815 pelos franceses. Contudo, por volta da metade da década de 1840, uma nova geração de intelectuais, advogados, estudantes e políticos locais havia ficado insatisfeita com a situação. Eles passaram a acreditar que o jeito mais rápido de livrar a Alemanha de suas muitas tiranias, grandes e pequenas, era varrer os Estados-membros individuais da Confederação e substituí-los por um Estado alemão único embasado em instituições representativas e garantir os direitos e liberdades elementares – liberdade de expressão, liberdade de imprensa – que ainda eram negados em muitas partes da Alemanha. O descontentamento popular gerado pela pobreza e inanição da "Fome de 1840" deu-lhes a chance. Em 1848, a revolução irrompeu em Paris e se alastrou pela Europa. Os governos existentes na Alemanha foram varridos, e os liberais chegaram ao poder.[5]

Os revolucionários rapidamente organizaram eleições na Confederação, inclusive na Áustria, e um Parlamento nacional devidamente congregado em Frankfurt. Depois de muita deliberação, os deputados votaram uma lista de direitos fundamentais e estabeleceram uma Constituição alemã conforme a linha liberal clássica. Mas foram incapazes de adquirir o controle sobre os exércitos dos dois Estados principais, Áustria e Prússia. Isso mostrou-se decisivo. No outono de 1848, os monarcas e generais dos dois Estados recuperaram sua fibra. Recusaram-se a aceitar a nova Constituição, e, após uma onda de atividade radical-democrata revolucionária varrer a Alemanha na primavera seguinte, eles dissolveram o Parlamento de Frankfurt à força e mandaram seus membros para casa. A revolução estava acabada. A Confederação foi restabelecida, e os líderes revolucionários foram detidos, encarcerados ou obrigados a se exilar. A década seguinte foi vista pela maioria dos historiadores como um período de profunda reação, quando valores liberais e liberdades cívicas foram esmagados sob o tacão férreo do autoritarismo alemão.

Muitos historiadores julgaram a derrota da Revolução de 1848 um evento crucial na história alemã moderna – o momento, na famosa frase do historiador A. J. P. Taylor, em que "a história alemã atingiu a hora da virada e fracassou em aproveitá-la".[6] Contudo, a Alemanha não embarcou em uma "trilha especial" direta ou constante rumo ao nacionalismo agressivo e à ditadura política depois de 1848.[7] Houve muitas voltas e reviravoltas evitáveis ao longo do caminho. Para começar, no início da década de 1860, a sorte dos liberais havia passado por uma transformação dramática mais uma vez. Longe de ser um retorno completo à velha ordem, o arranjo pós-revolucionário buscou contentar muitas das exigências liberais, ao mesmo tempo que detia tanto a concessão da unificação nacional quanto a soberania parlamentar. Julgamento por júri em tribunal público, igualdade perante a lei, liberdade de empreendimento empresarial, abolição das formas mais objetáveis de censura literária e de imprensa pelo Estado, o direito de reunião e associação e muito mais estavam em vigor em quase todas as partes da Alemanha no fim dos anos 1860. E o crucial é que muitos Estados haviam instituído assembleias representativas, nas quais os deputados eleitos tinham liberdade de debate e desfrutavam de pelo menos alguns direitos sobre a legislação e a arrecadação de receitas do Estado.

Foi precisamente esse último direito que os ressurgentes liberais usaram na Prússia em 1862 para barrar o aumento de impostos até o Exército ficar sob o controle da legislatura, o que fatalmente não ocorrera em 1848. Isso colocou uma grave ameaça ao financiamento da máquina militar prussiana. A fim de lidar com a crise, o rei prussiano nomeou o homem que viria a se tornar o personagem dominante na política alemã pelos trinta anos seguintes: Otto von Bismarck. Nessa época, os liberais, acertadamente, haviam concluído que não havia chance de unificar a Alemanha, como em 1848, em uma Nação-Estado que incluísse a Áustria de língua alemã. Isso significaria a dissolução da monarquia de Habsburgo, que abrangia imensas faixas de território, da Hungria ao norte da Itália, que ficavam fora das fronteiras da Confederação Germânica e incluíam muitos milhões de pessoas que falavam outras línguas que não o alemão. Mas os liberais também julgaram que, seguindo-se à unificação da Itália em 1859-60, tinha chegado a vez deles. Se os italianos tinham dado jeito de criar sua Nação-Estado, então com certeza os alemães seriam capazes de fazer o mesmo.

Bismarck pertencia a uma geração de políticos europeus, como Benjamin Disraeli na Grã-Bretanha, Napoleão III na França e Camillo Cavour na Itália, preparados para usar meios radicais, até mesmo revolucionários, para atingir fins fundamentalmente conservadores. Ele reconheceu que as forças do nacionalismo não deveriam ser contrariadas. Mas também viu que, após as frustrações de 1848, muitos liberais estavam preparados para sacrificar ao menos alguns de seus princípios liberais no altar da unidade nacional para conseguir o que queriam. Em uma série de movimentos rápidos e implacáveis, Bismarck aliou-se aos austríacos para se apoderar dos disputados ducados de Schleswig-Holstein do reino da Dinamarca; a seguir, maquinou uma guerra por sua administração entre Prússia e Áustria, que acabou em vitória completa a favor das forças prussianas. A Confederação Germânica entrou em colapso, seguindo-se a criação de uma instituição sucessora chamada por Bismarck, na falta de termo mais imaginativo, de Confederação Germânica do Norte, sem os austríacos ou seus aliados alemães do sul. Imediatamente, a maioria dos liberais prussianos, sentindo que o estabelecimento de uma Nação-Estado estava a caminho, perdoou Bismarck por sua política (executada com sublime desdém pelos direitos parlamentares nos últimos quatro anos) de cobrar impostos e financiar o Exército sem aprovação parlamentar. Eles o incentivaram enquanto tramava outra guerra, com os franceses, que acertadamente temiam que a criação de uma Alemanha unida implicaria o fim de sua predominância na política de poder europeia, de que haviam desfrutado ao longo de década e meia.[8]

Ao esmagamento dos exércitos franceses em Sedan e outros locais seguiu-se a proclamação de um novo império germânico no Salão dos Espelhos do antigo palácio real francês de Versalhes. Construído por Luís XIV, o "Rei Sol", no auge de seu poder há quase duzentos anos, o palácio agora era transformado em um símbolo humilhante da impotência e da derrota francesas. Foi um momento-chave na história da Alemanha moderna e, na verdade, da Europa. Para os liberais, parecia a realização de seus sonhos. Mas havia um preço alto a ser pago por eles. Diversas características da criação de Bismarck tiveram consequências ominosas para o futuro. Antes de mais nada, a decisão de chamar o novo estado de "Reich alemão" inevitavelmente evocou lembranças de seu predecessor de mil anos, o poder dominante na Europa por tantos séculos. Alguns de fato referiram-se à criação de Bismarck como o "Segundo Reich". O uso da palavra implicou também que, onde o Primeiro Reich havia fracassado, em face da agressão francesa, o Segundo tivera êxito. Entre os muitos aspectos da criação de Bismarck, o Reich alemão, que sobreviveram à guerra em 1918, o uso continuado do termo "Império Germânico", *Deutsches Reich*, pela República de Weimar e todas as suas instituições estava longe de ser o menos significativo. A palavra "Reich" evocava entre os alemães cultos uma imagem que ressoava muito além das estruturas institucionais criadas por Bismarck: o sucessor do Império Romano; a visão do Império de Deus aqui na terra; a universalidade de sua reivindicação de suserania; em um sentido mais prosaico, mas não menos poderoso, o conceito de um Estado germânico que incluiria todos os de língua alemã na Europa central – "um Povo, um Reich, um Líder", como viria a propor o *slogan* nazista.[9] Sempre restou na Alemanha quem considerasse a criação de Bismarck apenas uma realização parcial da ideia de um verdadeiro Reich alemão. De início, suas vozes foram abafadas pela euforia da vitória. Mas, com o tempo, viriam a crescer em número.[10]

A Constituição que Bismarck concebeu para o novo Reich alemão em 1871 ficou muito aquém em vários sentidos dos ideais sonhados pelos liberais em 1848. Diferente de todas as constituições alemãs modernas, carecia de qualquer declaração de princípios sobre direitos humanos e liberdades civis. Colocando em termos formais, o novo Reich era uma confederação livre de Estados independentes, muito parecido com seu predecessor. O grande líder era o imperador ou *Kaiser*, título tomado do antigo dirigente do Sacro Império Romano e, em última análise, derivado do termo latino "césar". Ele tinha amplos poderes, inclusive para a declaração de guerra e paz. As instituições do Reich eram mais fortes que as do antigo, com um Parlamento nacionalmente eleito, o Reichstag – o nome, derivado do Sacro Império Romano, foi outro elemento que sobreviveu da cisão revolucionária de 1918 –, e várias instituições administrativas centrais, mais notadamente o Ministério das Relações Exteriores, às quais foram agregadas outras com o passar do tempo. Mas a Constituição não conferia ao Parlamento nacional o poder de eleger ou exonerar governantes e seus ministros, e aspectos-chave da tomada de decisão política, a começar pelos assuntos de guerra e paz e sobre a administração do Exército, eram reservados ao monarca e seu séquito mais chegado. Ministros do governo, incluindo o chefe da administração civil, o chanceler do Reich – cargo criado por Bismarck e detido por ele por uns vinte anos –, eram servidores civis, não políticos de partidos, e submissos ao *Kaiser*, não ao povo ou a seus representantes parlamentares. Com o tempo, a influência do Reichstag cresceu, embora não muito. Com exagero apenas moderado, o grande pensador revolucionário Karl Marx descreveu o Reich de Bismarck em uma frase enrolada que capturou muitas de suas contradições internas como "um despotismo militar burocraticamente construído, vestido com formas parlamentares, misturado com um elemento de feudalismo e ao mesmo tempo já influenciado pela burguesia".[11]

II

O poder dos militares e em particular dos grupos de oficiais prussianos não foi simplesmente um produto de tempos de guerra. Provinha de uma longa tradição histórica. Nos séculos XVII e XVIII, o Estado prussiano em expansão organizou-se largamente em linhas militares, com o sistema neofeudal dos proprietários de terra – os famosos *junkers* – e servos entrelaçando-se esmeradamente com o sistema de recrutamento militar para oficiais e soldados.[12] Esse sistema foi desmantelado com o fim da servidão, e o prestígio nacional do Exército foi gravemente afetado por uma série de derrotas esmagadoras nas guerras napoleônicas. Em 1848, e de novo em 1862, os liberais prussianos estiveram perto de colocar o Exército sob o controle parlamentar. Foi sobretudo para proteger a autonomia do corpo de oficiais prussianos da interferência liberal que Bismarck foi nomeado em 1862. Na mesma hora, ele anunciou que "as grandes questões do momento não são decididas por discursos e resoluções da maioria – esse foi o grande erro de 1848 e 1849 –, mas a ferro e sangue".[13] Bismarck cumpriu a palavra. A guerra de 1866 destruiu o reino de Hanover, incorporando-o à Prússia, e excluiu a Áustria e a Boêmia da Alemanha após estas terem desempenhado por séculos o papel principal nos destinos germânicos, ao passo que a guerra de 1870-71 tirou a Alsácia-Lorena da França e colocou-a sob a suserania direta do império alemão. É com certo fundamento que Bismarck foi descrito como um "revolucionário branco".[14] A força e a ação militares criaram o Reich; e ao fazê-lo varreram instituições legítimas, retraçaram fronteiras de estados e derrubaram tradições há muito estabelecidas com um radicalismo e uma impiedade que lançaram uma longa sombra sobre o desenvolvimento subsequente da Alemanha. Desse modo, também legitimaram o uso da força para fins políticos em um grau muito além do que era comum na maioria dos outros países, exceto quando tencionavam conquistas em outras partes do mundo. O militarismo no Estado e na sociedade viria a desempenhar uma parte importante na corrosão da democracia alemã na década de 1920 e no advento do Terceiro Reich.

Bismarck providenciou para que o Exército fosse virtualmente um Estado dentro do Estado, com acesso próprio e imediato ao *Kaiser* e sistema próprio de autogoverno. O Reichstag tinha direito apenas de aprovar seu orçamento a cada sete anos, e o ministro da Guerra era encarregado do Exército, e não o Legislativo. Os oficiais desfrutavam de muitos privilégios sociais e outros mais, e esperavam a deferência de civis quando se encontravam na rua. Não é de surpreender que a ambição de muitos profissionais burgueses fosse ser admitido como oficial da reserva; ao passo que, para as massas, o serviço militar compulsório gerava familiaridade com códigos de conduta militar e ideais e valores militares.[15] Em tempos de emergência, o Exército estava autorizado a estabelecer a lei marcial e suspender liberdades civis, um ato considerado com tamanha frequência no período guilhermino que alguns historiadores, com exagero desculpável, descreveram os políticos e legisladores da época como vivendo sob a ameaça permanente de um golpe de Estado vindo de cima.[16]

O Exército teve impacto sobre a sociedade de várias maneiras, mais intensivamente na Prússia e depois de 1871, de modo mais indireto, pelo exemplo prussiano, também em outros estados germânicos. Seu prestígio, adquirido em vitórias colossais nas guerras de unificação, era enorme. Oficiais subalternos, isto é, homens que permaneciam depois que o período de serviço militar compulsório acabava e serviam no Exército por certo número de anos, tinham direito automático a um emprego no serviço público quando finalmente deixavam as armas. Isso significava que a vasta maioria dos policiais, carteiros, ferroviários e outros funcionários de baixo escalão do Estado eram ex-soldados que haviam sido socializados no Exército e se comportavam no estilo militar com o qual haviam se acostumado. O manual de uma instituição como a força policial concentrava-se em impor modelos militares de comportamento, insistia que o público devia ser mantido à distância e assegurava que, em passeatas e demonstrações de massa, a multidão provavelmente fosse tratada mais como uma força inimiga do que como uma reunião de cidadãos.[17] Os conceitos militares de honra estavam difundidos o bastante para assegurar a vitalidade contínua do duelo entre civis, até mesmo na classe média, embora isso também fosse comum na Rússia e na França.[18]

Ao longo do tempo, a identificação do corpo de oficiais com a aristocracia prussiana enfraqueceu, e os códigos militares aristocráticos foram ampliados por novas formas de militarismo popular, incluindo, no início da década de 1900, a Liga Naval e os clubes de veteranos.[19] Na época da Primeira Guerra Mundial, a maioria das posições-chave no corpo de oficiais era ocupada por profissionais, e a aristocracia era dominante principalmente em áreas tradicionais de prestígio social e esnobismo, como a cavalaria e as guardas, de modo muito parecido com o que acontecia em outros países. Mas a profissionalização do corpo de oficiais, acelerada pelo advento de

As abreviações referem-se a pequenas partes dos estados cujos nomes também aparecem no mapa por extenso.

Mapa 1. A unificação da Alemanha, 1864-1871

O LEGADO DO PASSADO   49

Mapa da Prússia e da formação do Reich alemão

- SUÉCIA
- MAR BÁLTICO
- R. Memel
- Königsberg
- Danzig
- Stettin
- MECKLENBURG-STRELITZ
- Berlim
- Posen
- R. Vístula
- IMPÉRIO RUSSO
- R. Oder
- (POLÔNIA)
- SAXÔNIA
- Dresden
- Breslau
- R. Elba
- Praga
- Königgrätz
- BOÊMIA
- MORÁVIA
- GALÍCIA
- IMPÉRIO AUSTRÍACO (a partir de 1867, MONARQUIA AUSTRO-HÚNGARA)
- HUNGRIA
- R. Danúbio
- ÁUSTRIA
- Viena
- Salzburgo

Legenda:
- Reino da Prússia, 1864
- Domínio dinamarquês até 1864, soberania austro-prussiana em 1864, da Prússia 1865-66
- Estados alemães anexados pela Prússia, 1866
- Outros membros da Confederação Germânica do Norte, 1867
- Estados alemães do sul, 1870
- Anexados da França pelo Reich alemão, 1871
- Fronteira da Confederação Germânica até 1866
- Fronteiras, 1866
- Fronteira do Reich alemão, 1871

novas tecnologias militares, da metralhadora e do arame farpado ao aeroplano e o tanque, não o tornou mais democrático. Pelo contrário, a arrogância militar foi fortalecida pela experiência colonial, quando forças armadas alemãs debelaram implacavelmente rebeliões de povos nativos como os hererós na África alemã do sudoeste (hoje Namíbia).[20] Em 1904-7, em um ato de genocídio deliberado, o Exército alemão massacrou milhares de homens, mulheres e crianças hererós e mandou muitos mais para o deserto, onde morreram de fome. De uma população de cerca de 80 mil antes da guerra, os hererós declinaram para meros 15 mil por volta de 1911 como resultado dessas ações.[21] Em uma parte ocupada do império alemão, como a Alsácia-Lorena, anexada da França em 1871, o Exército frequentemente se comportava como força conquistadora encarando uma população hostil e refratária. Alguns dos exemplos mais flagrantes de tal comportamento deram origem a um acalorado debate no Reichstag em 1913, no qual os parlamentares aprovaram um voto de desconfiança ao governo. Claro que isso não forçou o governo a renunciar; todavia, ilustrou a crescente polarização de opinião sobre o papel do Exército na sociedade alemã.[22]

A extensão em que Bismarck deu jeito de controlar os impulsos mais selvagens do Exército e refrear seu desejo por anexações territoriais maciças no rastro de suas vitórias militares não foi percebida por muita gente na época. De fato, particularmente após sua renúncia forçada em 1890, emergiu o mito – encorajado também pelo ex-chanceler descontente e seus seguidores – de Bismarck como um líder carismático que cortou impiedosamente os nós górdios da política e resolveu as grandes questões da época à força. Foram as guerras revolucionárias de Bismarck na década de 1860 que permaneceram na memória pública alemã, não as duas décadas subsequentes, nas quais ele tentou manter a paz na Europa a fim de permitir ao Reich alemão firmar-se. Conforme o diplomata Ulrich von Hassell, um líder da resistência conservadora a Hitler em 1944, confidenciou a seu diário durante uma visita à velha residência de Bismarck, em Friedrichsruh:

> É lamentável o quão falsa é a imagem que criamos dele para o mundo, como político da violência de coturnos, em um prazer infantil pelo fato de alguém finalmente ter levado a Alemanha a uma posição de in-

fluência outra vez. Na verdade, seu grande talento era para a alta diplomacia e a moderação. Ele entendeu de maneira singular como conquistar a confiança do mundo, o exato oposto de hoje.[23]

O mito do líder ditatorial não era a expressão de um aspecto antigo e arraigado do caráter germânico; era uma criação muito mais recente.

Ele foi alimentado no início do século XX pela memória pública da dura atitude de Bismarck contra aqueles que considerava inimigos internos do Reich. Na década de 1870, reagindo às tentativas do papa de fortalecer seu controle sobre a comunidade católica por meio do *Sílabo dos erros* (1864) e da Declaração da Infalibilidade Papal (1871), Bismarck inaugurou o que os liberais apelidaram de "luta pela cultura", uma série de leis e medidas policiais com o objetivo de colocar a Igreja Católica sob o controle do Estado prussiano. O clero católico recusou-se a cooperar com leis que exigiam que passassem por treinamento em instituições do Estado e submetessem decretos clericais à aprovação do Estado. Não demorou muito para aqueles que infringiam as novas leis serem perseguidos pela polícia, detidos e mandados para a prisão. Na metade da década de 1870, 989 paróquias não tinham um responsável, 225 padres estavam na prisão, todas as ordens religiosas católicas, com exceção daquelas envolvidas em enfermagem, haviam sido suprimidas, dois arcebispos e três bispos haviam sido removidos do cargo e o bispo de Trier havia morrido pouco depois de ser solto, após nove meses na cadeia.[24] O mais perturbador ainda é que esse pesado assalto às liberdades civis de cerca de 40% da população do Reich foi estimulado pelos liberais alemães, que consideravam o catolicismo uma ameaça tão grave à civilização que justificava medidas extremas como essas.

A luta finalmente esmoreceu, deixando a comunidade católica como inimiga acerba do liberalismo e da modernidade, e determinada a provar sua lealdade ao Estado, inclusive por meio do partido político que montou a fim de, inicialmente, defender-se da perseguição, o chamado Partido de Centro. Mas, antes mesmo de esse processo estar concluído, Bismarck desferiu outro golpe contra as liberdades civis com a Lei Antissocialista, aprovada pelo Reichstag após duas tentativas de assassinato do velho *Kaiser* Guilherme I em 1878. Na verdade, o inexperiente movimento socialista da Alemanha não tinha nada a ver com os supostos assassinos e era uma organização cumpridora da lei, depositando sua fé no caminho parlamentar para o poder. Entretanto, os liberais mais uma vez foram persuadidos a abandonar seus princípios pelo que lhes foi apresentado como o interesse nacional. As reuniões socialistas foram banidas, os jornais e revistas socialistas foram impedidos de circular, o partido socialista foi proscrito. A pena capital, antes suspensa na Prússia e outros estados germânicos importantes, foi reintroduzida. Seguiram-se detenções em massa e o aprisionamento generalizado de socialistas.[25]

As consequências da Lei Antissocialista foram, em todo caso, de alcance ainda maior que as da luta contra a Igreja Católica. A lei também fracassou por completo em seu objetivo imediato de reprimir os supostos "inimigos do Reich". Os socialistas não podiam ser legalmente impedidos de participar das eleições parlamentares como indivíduos, e, à medida que a industrialização da Alemanha se acelerava e a classe operária industrial crescia ainda mais depressa em números, os candidatos socialistas conquistavam uma crescente cota dos votos. Após a prescrição da lei, em 1890, os socialistas reorganizaram-se no Partido Social-Democrata da Alemanha. Às vésperas da Primeira Guerra Mundial, o partido possuía mais de 1 milhão de membros, a maior organização política do mundo. Nas eleições de 1912, a despeito da tendência embutida no sistema eleitoral em favor do eleitorado rural conservador, o Partido Social-Democrata ultrapassou o Partido de Centro como a maior bancada no Reichstag. A repressão da Lei Antissocialista havia levado-o para a esquerda, e do começo da década de 1890 em diante aderiu ao rígido credo marxista, segundo o qual as instituições existentes da Igreja, Estado e sociedade, da monarquia e do corpo de oficiais às grandes empresas e à Bolsa de Valores deveriam ser destruídas em uma revolução proletária que implantaria uma república socialista. O apoio dos liberais à Lei Antissocialista fez os social-democratas desconfiarem de todos os partidos "burgueses" e rejeitarem qualquer ideia de cooperar com os apoiadores políticos do capitalismo ou os expoentes do que consideravam uma mera reforma paliativa do sistema político existente.[26] Imenso, altamente disciplinado, sem tolerância à dissidência e aparentemente imbatível em sua marcha rumo ao domínio eleitoral, o movimento social-democrata infundiu terror no coração das respeitáveis classes média e alta. Escancarou-

-se um profundo abismo entre os social-democratas de um lado e todos os partidos "burgueses" do outro. Essa divisão política intransponível haveria de perdurar até a década de 1920 e desempenhar papel essencial na crise que enfim levou os nazistas ao poder.

Ao mesmo tempo, contudo, o partido estava determinado a fazer tudo que pudesse para permanecer dentro da lei e não dar nenhuma desculpa para a frequente ameaça de reintrodução da lei de banimento. Dizem que Lênin certa vez comentou, em um raro lampejo de humor, que os social-democratas alemães jamais poderiam desencadear uma revolução exitosa na Alemanha porque, quando chegassem às estações de trem para tomá-las de assalto, primeiro entrariam na fila de modo ordeiro para comprar os bilhetes. O partido adquiriu o hábito de esperar que as coisas acontecessem em vez de agir para fazê-las acontecer. Sua estrutura institucional pesadamente elaborada, sua organização cultural, seus jornais e revistas, seus *pubs*, seus bares, seus clubes esportivos e aparato educacional, com o tempo vieram a proporcionar todo um estilo de vida para seus membros e a constituir um conjunto de benefícios adquiridos que poucos no partido estavam preparados a comprometer. Como uma instituição cumpridora da lei, o partido levava fé nos tribunais para evitar a perseguição. Contudo, permanecer dentro da lei não era fácil, mesmo depois de 1890. Armações fraudulentas insignificantes da polícia eram apoiadas por juízes e promotores públicos conservadores e por tribunais que continuavam a considerar os social-democratas revolucionários perigosos. Por volta de 1914, poucos porta-vozes ou editores de jornal social-democratas não haviam passado várias temporadas na cadeia depois de condenados por crime de lesa-majestade ou insulto a oficiais do Estado; criticar o monarca ou a polícia, ou mesmo servidores civis que dirigiam o país ainda podia ser tachado de ofensa à lei. Combater os social-democratas tornou-se a atividade de toda uma geração de juízes, promotores públicos do Estado, chefes de polícia e oficiais do governo antes de 1914. Esses homens, e a maioria de seus patronos de classe média e alta, jamais aceitaram os social-democratas como um movimento político legítimo. Aos olhos deles, o objetivo da lei era preservar as instituições existentes do Estado e da sociedade, não agir como um árbitro neutro entre grupos políticos opostos.[27]

Os liberais sem dúvida não ajudavam a remediar a situação. Haviam sofrido pesadas perdas de votos e assentos no Reichstag ao longo das décadas de 1880 e 1890, embora conseguissem manter uma boa parcela de apoio nas aldeias e cidades da Alemanha. Outro problema era o fato de terem rachado repetidas vezes ao longo do final do século XIX, e, mesmo depois de os grupos mais à esquerda terem unido as forças outra vez em 1910, ainda assim restaram dois partidos liberais principais, o Partido Nacional Liberal e o Progressista, cujas diferenças remontavam à recusa deste último em perdoar Bismarck por cobrar impostos na Prússia sem autorização parlamentar na década de 1860. Porém, as coisas também estavam divididas à direita do espectro político, pois não havia um só Partido Conservador, mas dois, visto que aqueles que haviam apoiado a independência da Prússia dentro das instituições do Reich em 1871 – anátema para a nobreza prussiana reacionária, os *junkers* – mantinham uma identidade separada dos chamados "conservadores livres". Além disso, esses dois partidos predominantemente protestantes do norte alemão tinham que disputar com um partido ainda maior de direita, o Partido de Centro, cujo antimodernismo e apoio ao Reich era amenizado pela defesa da previdência social e atitude crítica em relação ao domínio colonial alemão na África. Assim, a Alemanha antes de 1914 não tinha dois partidos políticos principais, mas seis – os social-democratas, os dois partidos liberais, os dois grupos de conservadores e o Partido de Centro, refletindo, entre outras coisas, as múltiplas divisões da sociedade alemã por região, religião e classe social.[28] Em uma situação em que havia um Executivo forte não responsável diretamente pela legislatura, isso enfraquecia as probabilidades de a política partidária ser capaz de desempenhar um papel determinante no Estado.

III

Longe de causar uma desilusão geral com a política, a competição entre todos esses partidos políticos rivais ajudou a esquentar a atmosfera política até atingir dimensões positivamente febris por volta de 1914. O sufrágio universal masculino nas eleições para o Reichstag, respaldado por um voto mais ou menos secreto e regras estritas de decoro eleitoral, deu aos votantes confiança no sistema eleitoral. A participação dos eleitores atingiu espantosos 85% dos qualificados a votar na eleição para o Reichstag em 1912.[29] Todas as evidências indicam que os eleitores levavam seu dever a sério e pensavam cuidadosamente em como conciliar sua posição ideológica com o cenário político mais amplo quando era preciso – como acontecia com frequência – votar pela segunda vez em pleitos decisivos sob o sistema de representação proporcional adotado pela Constituição alemã para as eleições do Reichstag. O sistema eleitoral, garantido por dispositivos legais e salvaguardas, abriu espaço para o debate democrático e convenceu milhões de alemães de muitos matizes políticos de que a política pertencia ao povo.[30] Além disso, a imprensa diária na Alemanha imperial era quase inteiramente política, com cada jornal ligado de forma explícita a um ou outro dos vários partidos e colocando seu ponto de vista em quase tudo que publicava.[31] Política não era apenas o assunto principal nas conversas entre as elites e a classe média, mas era um ponto central de discussão nos *pubs* e bares da classe operária e orientava até mesmo a escolha das atividades de lazer das pessoas.[32]

Após o início do século XX, a discussão e o debate políticos voltaram-se cada vez mais para o tópico do lugar da Alemanha na Europa e no mundo. Os alemães estavam cada vez mais cientes do fato de que a criação do Reich de Bismarck era incompleta de várias maneiras. Para começar, incluía substanciais minorias étnicas e culturais, legado dos séculos anteriores de engrandecimento do estado e de conflito étnico. Havia dinamarqueses ao norte, pessoas de língua francesa na Alsácia-Lorena e um pequeno grupo eslavo chamado sorábio na Alemanha central; mas sobretudo havia milhões de poloneses habitando partes do antigo reino da Polônia, anexado pela Prússia no século XVIII. Já sob Bismarck, o Estado tentou progressivamente germanizar essas minorias, atacando o uso de suas línguas na escola e encorajando ativamente o povoamento por alemães étnicos. Às vésperas da Primeira Guerra Mundial, o uso do alemão era obrigatório em reuniões públicas por todo o Reich, e as leis agrárias estavam sendo reformadas de modo a despojar os poloneses de seus direitos econômicos fundamentais.[33] A noção de que as minorias étnicas tinham o direito de ser tratadas com o mesmo respeito que a maioria da população era uma visão sustentada apenas por uma diminuta e decrescente parcela de alemães. Mesmo os social-democratas julgavam a Rússia e o leste eslavo terras atrasadas e bárbaras por volta de 1914, e tinham pouca ou nenhuma simpatia pelos esforços dos trabalhadores de língua polonesa da Alemanha em se organizar na defesa de seus direitos.[34]

Olhando para o mundo além da Alemanha e da Europa, os chanceleres do Reich que assumiram o cargo depois de Bismarck viam seu país como uma nação de segunda classe quando comparada com Grã-Bretanha e França, ambas possuidoras de importantes impérios ultramarinos que atravessavam o mundo. Retardatária nesse cenário, a Alemanha só teve condições de pegar as sobras e migalhas deixadas por potências coloniais que haviam largado na frente. Tanganica, Namíbia, Togo, Camarões, Nova Guiné, algumas ilhas do Pacífico e o porto livre chinês de Jiaozhou eram virtualmente todos os territórios que compunham o império ultramarino da Alemanha às vésperas da Primeira Guerra Mundial. Bismarck os considerava pouco importantes e deu o consentimento para sua aquisição com grande relutância. Mas seus sucessores vieram a adotar um ponto de vista diferente. O prestígio e a posição da Alemanha no mundo exigiam, como colocou Bernhard von Bülow, secretário de Relações Exteriores no final da década de 1890, depois chanceler do Reich até 1909, "um lugar ao sol". A largada foi dada com a construção de uma imensa frota de guerra, cuja meta de longo prazo era conquistar concessões coloniais dos britânicos, senhores do mais vasto império ultramarino, ameaçando, ou mesmo levando a cabo, a danificação ou a destruição da força principal da Marinha britânica em uma confrontação titânica no mar do Norte.[35]

Esses sonhos cada vez mais ambiciosos de poder mundial eram articulados sobretudo pelo *Kaiser* Guilherme II, homem bombástico, presunçoso e extremamente loquaz que não perdia uma oportunidade de expressar seu desprezo pela democracia e direitos civis, seu desdém pelas opiniões dos outros e sua crença na grandeza da Alemanha. O *Kaiser*, como muitos daqueles que o admiravam, havia crescido após a Alemanha ser unificada. Tinha pouca percepção da rota precária e aventureira pela qual Bismarck havia efetuado a unificação em 1871. Seguindo os historiadores prussianos de sua época, ele via todo o processo como historicamente predeterminado. Nada sabia da nervosa apreensão sobre o futuro da Alemanha que havia levado Bismarck a adotar uma política exterior tão cautelosa nas décadas de 1870 e 1880. O caráter do *Kaiser* era reconhecidamente errático demais, sua personalidade era volúvel demais, para ele ter realmente qualquer efeito consistente na condução dos assuntos de Estado, e com muitíssima frequência seus ministros viam-se trabalhando para se opor à sua influência em vez de implementar seus desejos. Suas constantes declarações de que ele era o grande líder de que a Alemanha precisava serviam apenas para chamar atenção para suas deficiências a esse respeito, e também desempenharam um papel para fomentar o mito nostálgico da determinação e da astúcia de Bismarck. Muitos alemães passaram a fazer o contraste entre a liderança de Estado impiedosa e amoral de Bismarck, na qual o fim justificava os meios e o estadista podia dizer uma coisa enquanto fazia ou se preparava para fazer outra, e o palavreado bombástico impulsivo e a falta de tato imponderada de Guilherme.[36]

Personalidades à parte, todas essas características da Alemanha que Bismarck criou também podiam ser observadas em maior ou menor grau em outros países. Na Itália, o exemplo carismático de Garibaldi, líder das forças populares que ajudaram a unir a nação em 1859, proporcionou um modelo para o ditador Mussolini tempos depois. Na Espanha, o Exército era tão livre de controle político quanto na Alemanha, e na Itália, como na Alemanha, ele reportava-se ao soberano em vez de ao Legislativo. Na Áustria-Hungria, o serviço público tinha a mesma força, e as instituições parlamentares eram ainda mais limitadas em seu poder. Na França, grassava um conflito Igreja-Estado que não ficava muito atrás da "luta pela cultura" alemã em sua ferocidade ideológica. Na Rússia, um conceito equivalente ao do Reich também era aplicado à política doméstica e às relações da Rússia com seus vizinhos mais próximos.[37] O regime tsarista da Rússia reprimiu os socialistas ainda mais severamente que o alemão e não ficava um centímetro atrás das autoridades germânicas no ímpeto para assimilar os poloneses, milhões dos quais também estavam sob seu domínio. Embora definido, o liberalismo era fraco em todos os principais estados da Europa oriental e central por volta de 1914, não apenas no Reich alemão. A cena política era ainda mais fragmentada na Itália do que na Alemanha, e a crença de que a guerra era justificável para se atingir metas políticas, em particular a criação de um império territorial, era comum a muitas potências europeias, conforme a eclosão da Primeira Guerra Mundial viria a mostrar com terrível clareza em agosto de 1914. Por todo o continente, as forças crescentes da democracia ameaçavam a hegemonia das elites conservadoras. O final do século XIX e o início do XX foram a era do nacionalismo não só na Alemanha, mas em toda a Europa, e a "nacionalização das massas" também estava ocorrendo em outros países.[38]

Contudo, em nenhuma outra nação da Europa a não ser na Alemanha todas essas condições estavam presentes ao mesmo tempo e na mesma extensão. Além disso, a Alemanha não era um país europeu qualquer. Muito foi escrito pelos historiadores sobre vários aspectos do suposto atraso da Alemanha nesse tempo, seu alegado *deficit* de valores cívicos, sua discutível estrutura social antiquada, sua classe média aparentemente pusilânime e sua aristocracia de aspecto neofeudal. Não era essa a visão da maioria dos contemporâneos naquela época. Bem antes da eclosão da Primeira Guerra Mundial, a Alemanha era a economia mais rica, poderosa e avançada do continente. Nos últimos anos de paz, a Alemanha respondia por dois terços da produção de aço da Europa continental, metade da produção de carvão e linhita, e produzia 20% mais energia que Grã-Bretanha, França e Itália juntas.[39] Em 1914, com uma população de cerca de 67 milhões, o império alemão controlava recursos humanos muito maiores que qualquer outra potência da Europa continental, com exceção da Rússia. Em comparação, Reino Unido, França e Áustria-Hungria tinham naquela época uma população de 40 a 50 milhões cada um. A Alemanha era líder mundial na maioria das indústrias modernas, tais como química, farmacêutica e elétrica. Na agricultura, o uso maciço de fertilizantes artificiais e maquinário agrícola havia transformado a eficiência das propriedades rurais do norte e leste em 1914, e, na época, a Alemanha era responsável por um terço da produção mundial de batatas, por exemplo. O nível de vida havia melhorado a passos largos desde a virada do século, senão antes. Os produtos das grandes empresas industriais alemãs, como Krupp e Thyssen, Siemens e AEG, Hoechst e Basf, eram famosos no mundo inteiro pela qualidade.[40]

Vista nostalgicamente a partir da perspectiva dos primeiros anos entreguerras, a Alemanha antes de 1914 parecia uma enseada de paz, prosperidade e harmonia social. Contudo, por baixo da superfície próspera e autoconfiante, era nervosa, inconstante e abalada por tensões internas.[41] Para muitos, o simples ritmo da mudança econômica e social era amedrontador e desnorteante. Velhos valores pareciam estar desaparecendo em um rebuliço de materialismo e ambição desenfreada. A cultura modernista, da pintura abstrata à música atonal, contribuía para o senso de desorientação em alguns setores da sociedade.[42] A hegemonia há muito estabelecida da aristocracia rural prussiana, que Bismarck tanto tentou preservar, era solapada pela impetuosa corrida da sociedade alemã rumo à era moderna. Valores, hábitos e modos de comportamento burgueses haviam triunfado no âmbito das classes alta e média da sociedade por volta de 1914; contudo, elas eram ao mesmo tempo desafiadas pela crescente autoafirmação da classe operária industrial, organizada no imenso movimento trabalhista social-democrata. A Alemanha, diferente de qualquer outro país europeu, havia se tornado uma Nação-Estado não antes da revolução industrial, mas no seu auge; e com base não em um estado único, mas em uma federação de muitos estados diferentes cujos cidadãos alemães eram unidos principalmente por uma língua, cultura e etnia comuns. Estresses e tensões criados pela rápida industrialização entrelaçavam-se com ideias conflitantes sobre a natureza do Estado e nação alemães e seu lugar no contexto mais amplo da Europa e do mundo. A sociedade alemã não entrou na condição de nação em uma situação totalmente estável em 1871. Ela dividiu-se pelo rápido aprofundamento dos conflitos internos que foram crescentemente exportados para as tensões não solucionadas do sistema político que Bismarck havia criado.[43] Essas tensões encontraram vazão em um nacionalismo cada vez mais vociferante, misturado com doses alarmantes de racismo e antissemitismo agudos, que viriam a deixar um legado maléfico para o futuro.

Evangelhos do ódio

I

No final de 1889, um diretor de escola primária, Hermann Ahlwardt, encarava a perspectiva da ruína financeira. Nascido em 1846 em uma família empobrecida da Pomerânia, ele viu que a renda que obtinha em sua baixa posição na hierarquia educacional da Prússia era pequena demais para cobrir suas consideravelmente altas despesas cotidianas. Em desespero, cometeu um crime que pareceu quase deliberadamente calculado para chocar a sensibilidade de seus superiores: roubou dinheiro dos fundos angariados para pagar a festa de Natal das crianças da escola. Seu delito logo foi descoberto, e ele foi demitido do cargo. Muitas pessoas ficariam arrasadas com esse tipo de desastre e subjugadas por sensações de culpa e remorso. Mas não Hermann Ahlwardt. "O diretor", como logo ficaria conhecido pelo público em geral, decidiu partir para a ofensiva. Olhando ao redor em busca de alguém para culpar por seus infortúnios, sua atenção rapidamente focou-se nos judeus.[44]

Naquele tempo, a comunidade judaica da Alemanha era um grupo altamente aculturado e bem-sucedido, distinguindo-se dos outros alemães sobretudo pela religião.[45] Ao longo do século XIX, as restrições civis que atingiam os não cristãos nos estados alemães haviam sido gradualmente removidas, do mesmo modo que a discriminação religiosa formal havia sido abolida em outros países – na Grã-Bretanha, por exemplo, por meio da emancipação católica em 1829. Os últimos impedimentos legais que restavam para direitos legais plenos e iguais foram eliminados com a unificação alemã em 1871. Agora que o casamento civil havia sido introduzido no lugar das cerimônias religiosas em toda a Alemanha, o número de casamentos entre judeus e cristãos começou a crescer rapidamente. Em Breslau, por exemplo, havia 35 casamentos judaico-cristãos para cem casamentos puramente judaicos por volta de 1915, contra apenas nove no final da década de 1870. Muito poucos cônjuges cristãos de tais casamentos provinham de famílias de judeus convertidos, e os casamentos estavam espalhados por toda a escala social. Em 1904, 19% dos judeus de Berlim e 13% das judias eram casados com cristãos. Em Düsseldorf, um quarto de todos os judeus tinham cônjuges cristãos na metade da década de 1900, subindo para um terço em 1914. Às vésperas da Primeira Guerra Mundial, havia 38 casamentos entre judeus e cristãos para cada cem casamentos puramente judaicos; em Hamburgo, o número chegava a 73. Os judeus também começaram a se converter para o cristianismo em números crescentes; 11 mil converteram-se nas primeiras sete décadas do século XIX, e 11,5 mil nas três décadas seguintes. Entre 1880 e 1919, uns 20 mil judeus foram batizados. O sucesso dissolvia lentamente a identidade da comunidade judaica como um grupo religioso fechado.[46]

Os cerca de 600 mil judeus praticantes que viviam no império alemão eram uma minoria minúscula em uma sociedade esmagadoramente cristã, constituindo em torno de 1% da população total. Excluídos por séculos das fontes tradicionais de riqueza, como a propriedade de terras, permaneceram fora das altas posições do Reich, pois a discriminação social informal continuou a negar-lhes um lugar em instituições-chave como o Exército, universidades e postos mais elevados do serviço público; na verdade, seu acesso a tais instituições declinou nas décadas de 1890 e 1900.[47] Judeus convertidos sofriam tanto com o antissemitismo no cotidiano que muitos mudavam os nomes para algo que soasse mais cristão.[48] Cem mil judeus alemães reagiram à discriminação no século XIX emigrando, notadamente para os Estados Unidos; mas a maioria ficou, em especial quando a economia começou a crescer rápido perto do final do século. Aqueles que permaneceram concentraram-se nas aldeias maiores e nas cidades, com um quarto dos judeus alemães vivendo em Berlim por volta de 1910, e quase um terço em 1933. Nas cidades, eles aglomeravam-se em bairros específicos; quase metade dos judeus de Hamburgo vivia nas duas zonas de classe média de Harvestehude e Rotherbaum em 1885; quase dois terços dos judeus de Frankfurt habitavam em quatro das catorze zonas da cidade em 1900; 70% dos judeus de Berlim viviam em cinco bairros do centro e do oeste, sendo a maioria esmagadora de classe média, por volta de 1925. Mesmo nas cidades com as maiores populações judaicas – Berlim, Breslau e Frankfurt –, eles constituíam uma minoria muito pequena, não somando mais que 4,3%, 6,4% e 7,1% da população, respectivamente, em 1871.[49]

Muitos judeus acharam um lugar nos negócios e em profissões mais qualificadas. Junto com a família Rothschild de grandes banqueiros emergiram muitas outras financeiras importantes de proprietários judeus, tais como a firma bancária de Bleichröder, a quem Bismarck confiou suas finanças pessoais.[50] Novos tipos de varejo, como as lojas de departamento, das quais havia em torno de duzentas antes da Primeira Guerra Mundial, com frequência eram de proprietários judeus, como a família Tietz ou os irmãos Wertheim.[51] Os homens judeus eram particularmente bem representados na medicina, advocacia, ciência e pesquisa, ensino universitário, jornalismo e artes.[52] De minoria religiosa em ostracismo, a comunidade judaica lentamente transformava-se em um dentre muitos grupos étnicos de uma sociedade cada vez mais multicultural, ao lado de minorias como poloneses, dinamarqueses, alsacianos, sorábios e outras. Como os demais grupos, possuía um crescente número de instituições representativas seculares, notadamente a Associação Central de Cidadãos Alemães de Fé Judaica, fundada em 1893. Entretanto, diferente da maioria dos outros grupos, em geral a comunidade judaica era bem-sucedida economicamente, e, em vez de ter partido político próprio, seus membros tendiam a se filiar aos partidos políticos dominantes, em especial à esquerda e ao centro do espectro político, às vezes ocupando posições de liderança. A maior parte dos judeus tinha forte identificação com o nacionalismo alemão, e, se os partidos liberais eram-lhes especialmente atraentes, um dos motivos era o apoio inequívoco à criação de uma Nação-Estado alemã.[53] Assim, no geral, a história judaica no final do século XIX era uma história de sucesso, e os judeus estavam associados sobretudo aos acontecimentos mais modernos e progressistas da sociedade, cultura e economia.[54]

Situações como essas fizeram dos judeus o alvo para agitadores descontentes e inescrupulosos como Hermann Ahlwardt. Para os insatisfeitos e fracassados, aqueles que se sentiam deixados de lado pelo carro de Jagrená da industrialização e ansiavam por uma sociedade mais simples, mais ordenada, mais segura, mais hierarquizada, como imaginavam ter existido no passado não muito distante, os judeus simbolizavam a modernidade cultural, financeira e social. Em nenhum lugar a situação correspondia tanto a esse retrato quanto em Berlim, cidade adotada por Ahlwardt. Em 1873, a economia da cidade sofreu um golpe duríssimo quando a ciranda frenética de gasto e investimento que havia acompanhado a fundação do Reich chegou a um final abrupto. Uma depressão econômica mundial, desencadeada pela falência dos investimentos em ferrovia nos Estados Unidos, provocou uma onda de bancarrotas e insolvência empresarial na Alemanha. Pequenas empresas e oficinas foram especialmente atingidas. Em sua incompreensão das forças mais amplas que estavam destruindo seu meio de vida, aqueles mais gravemente afetados acharam fácil acreditar nas afirmações de jornalistas católicos e conservadores de que os financistas judeus eram os culpados.

À medida que a depressão avançava, Adolf Stöcker, pregador da corte, juntou-se aos jornalistas. Homem de origem humilde que se empenhou em uma cruzada para reconquistar as classes operárias da influência da social-democracia, Stöcker fundou um Partido Social Cristão que disputou as eleições da década de 1880 com uma plataforma explicitamente antissemita. A nova causa teve o auxílio de Max Libermann von Sonnenberg, que ajudou a organizar uma petição nacional pela remoção dos judeus dos cargos públicos em 1880. Particularmente extremista era Ernst Henrici, cuja retórica era tão veemente que provocou tumultos na aldeia de Neustettin, na Pomerânia, culminando com o incêndio da sinagoga local. Foi na direção desse movimento que Hermann Ahlwardt gravitou no final da década de 1880, desforrando-se de sua desgraça em um livro que culpava as maquinações dos agiotas judeus por seus infortúnios financeiros e sugeria que os judeus eram todo-poderosos na sociedade alemã. Para azar de Ahlwardt, comprovou-se que a evidência que ele forneceu para as alegações, na forma de documentos mostrando que o governo alemão estava a serviço do banqueiro judeu Gerson von Bleichröder, haviam sido escritos por ele mesmo, e Ahlwardt foi condenado a quatro meses de prisão. Mal saiu, armou outro conjunto de alegações sensacionalistas e igualmente infundadas, declarando dessa vez que um fabricante de armas judeu havia fornecido ao exército rifles deliberadamente defeituosos, a fim de fomentar uma conspiração franco-judaica para debilitar o efetivo militar alemão. Como era de se prever, essas alegações renderam outra sentença de prisão a Ahlwardt, dessa vez de cinco meses.[55]

Mas ele jamais a cumpriu. Pois, nesse ínterim, teve sucesso em persuadir os camponeses de um distrito eleitoral marcadamente rural de Brandenburgo a elegê-lo para o Reichstag. Percorrendo as fazendas, ele falou aos lavradores que os infortúnios deles, provocados de fato por uma depressão mundial nos preços agrícolas, haviam sido causados pelos judeus, uma distante e para eles obscura minoria religiosa que vivia muito longe, nas grandes cidades e centros financeiros da Europa e do Reich. Um assento no Reichstag garantiu imunidade parlamentar a Ahlwardt. Seu sucesso testemunhou o apelo de tal demagogia com os eleitores rurais, e de fato outros antissemitas, como o bibliotecário Otto Böckel, de Hesse, tiveram êxito em se eleger também, oferecendo ainda medidas concretas aos camponeses, como organizações cooperativas para superar suas dificuldades econômicas. No início da década de 1890, percebeu-se que a ameaça desses antissemitas à hegemonia eleitoral do Partido Conservador alemão nos distritos rurais era tão séria que o próprio partido, alarmado por uma política do governo que parecia prejudicar ainda mais os interesses dos agricultores, aprovou em seu programa um pedido de combate à "influência judaica amplamente desagregadora e importuna em nossa vida popular", conforme a conferência de Tivoli em 1893.[56]

No fim, isso mostrou-se um momento decisivo nos destinos do conjunto heterogêneo de políticos antissemitas da Alemanha. Embora outro agitador antissemita, Theodor Fritsch, tenha feito uma tentativa séria de juntar as várias correntes de antissemitismo político e dirigir o apelo do movimento à classe média baixa urbana descontente com a economia, o egotismo de figuras como Böckel impediu que ocorresse uma união real, e os antissemitas dividiram-se em disputas mutuamente destrutivas. A influência de Fritsch seria exercida de outra maneira. Ele continuou a publicar inúmeros textos populares antissemitas que eram muito lidos até e após sua morte em setembro de 1933, quando ocupava um assento no Reichstag como representante do Partido Nazista. Ao longo dos anos pré-guerra, contudo, ele permaneceu uma figura política marginal. No início da década da 1900, os antissemitas haviam sido enfraquecidos pela eficiente coalizão do movimento social cristão de Berlim com o Partido Conservador, e bloqueados nos setores católicos pela disposição do Partido de Centro em se engajar em uma retórica antissemita de tipo semelhante. Políticos independentes como Böckel e Ahlwardt perderam seus assentos, e seus partidos, junto com as organizações antissemitas de bases urbanas, como a de Fritsch, desapareceram no nada. Ahlwardt desentendeu-se até com outros antissemitas por causa da violência de sua linguagem. Ele foi para os Estados Unidos por um tempo e na volta devotou-se a combater os males da maçonaria. Em 1909, estava de novo na prisão, dessa vez por chantagem; evidentemente, suas contínuas dificuldades financeiras levaram-no a tentar soluções criminosas ainda mais diretas que antes. Enfim morreu, de modo um tanto anticlimático, em um acidente de trânsito em 1914.[57]

II

Ahlwardt era um extremista, mas, sob certos aspectos, não era um representante atípico de um novo tipo de antissemitismo que estava surgindo na Alemanha e outros locais da Europa no final do século XIX. O antissemitismo tradicional enfocava a religião não cristã dos judeus e obtinha seu poder político da sanção bíblica. O Novo Testamento culpava os judeus pela morte de Cristo, condenando-os à desaprovação eterna ao declarar que de bom grado haviam concordado em deixar o sangue de Cristo ser derramado sobre eles e seus descendentes. Como minoria não cristã em uma sociedade governada por crenças cristãs e instituições cristãs, os judeus eram alvos óbvios e fáceis de ódio popular em tempos de crise, como a peste negra na metade do século XIV, quando multidões enfurecidas por toda a Europa os culparam pela mortandade que afligiu tantos da população e realizaram incontáveis atos de violência e destruição contra os judeus. Não foi por acaso que a história do antissemitismo moderno começou com o pregador da corte

Adolf Stöcker. A hostilidade cristã em relação aos judeus proporcionou uma plataforma de lançamento decisiva para o antissemitismo moderno, ainda mais porque, com frequência, abrigava um forte elemento de preconceito racial e se incluía no antissemitismo racial de várias maneiras. Mas, no final do século XIX, estava cada vez mais fora de moda, pelo menos em sua forma mais pura e mais tradicional, especialmente visto que os judeus estavam deixando de ser uma minoria religiosa fácil de identificar e começando a se converter e casar dentro da sociedade cristã em ritmo crescente. Em busca de um bode expiatório para suas dificuldades econômicas na década de 1870, demagogos e escritorezinhos de classe média baixa voltaram-se para os judeus não como minoria religiosa, mas racial, e começaram a defender não a assimilação total dos judeus na sociedade alemã, mas sua exclusão total.[58]

O crédito por essa virada, se é que crédito é a palavra certa, em geral é dado a Wilhelm Marr, obscuro escritor cujo panfleto *A vitória do judaísmo sobre o germanismo de um ponto de vista não confessional*, publicado em 1873, foi o primeiro a insistir que, conforme ele colocou em obra posterior: "Não deve haver dúvida aqui sobre o alarde de preconceitos religiosos quando se trata de uma questão de raça e quando a diferença está no 'sangue'".[59] Tomando emprestadas as teorias da moda do racista francês conde Joseph Arthur de Gobineau, Marr contrastou os judeus não com os cristãos, mas com os alemães, insistindo que eram duas raças distintas. Os judeus, declarou ele, haviam adquirido o controle na luta racial e estavam virtualmente comandando o país; não era de espantar, pois, que os honestos artesãos e pequenos empresários alemães estivessem sofrendo. Marr foi adiante, inventando a palavra "antissemitismo" e, em 1879, fundando a Liga de Antissemitas, a primeira organização do mundo a ter essa palavra em seu nome. Dedicava-se, como dizia ele, a reduzir a influência judaica na vida alemã. Seu texto desferia uma nota apocalíptica pessimista. Em seu "Testamento", ele proclamou: "A questão judaica é o eixo em torno do qual gira a roda da história do mundo", indo adiante para registrar sombriamente sua visão: "Todo nosso desenvolvimento social, comercial e industrial é construído em cima de uma visão de mundo judaica".[60]

As raízes do desespero de Marr eram antes de mais nada pessoais. Em dificuldades financeiras constantes, ele foi gravemente atingido pelos problemas financeiros da década de 1870. Sua segunda esposa, que era judia, ajudou-o financeiramente até morrer, em 1874; sua terceira esposa, de quem ele se divorciou após um breve e desastroso relacionamento, era semijudia, e ele a culpava em parte pela falta de dinheiro, visto que precisava pagar a ela somas substanciais para a criação dos filhos de ambos. A partir daí, Marr concluiu – elevando audaciosamente sua experiência pessoal a regra geral da história do mundo – que a pureza racial era admirável, e mistura racial era uma receita para a calamidade. Dadas essas raízes muito pessoais de antissemitismo, não é de surpreender que Marr não ficasse mais intimamente envolvido em atividade política; a Liga de Antissemitas foi um fracasso, e ele se recusou a apoiar os partidos antissemitas porque os considerava conservadores demais.[61] Mas a ele logo juntou-se uma variedade de outros escritores como propagandistas do novo antissemitismo racial. O revolucionário Eugen Dühring, por exemplo, igualou o capitalismo a judeus e argumentou que o socialismo tinha de ser atingido sobretudo para tirar a influência financeira e política dos judeus. O historiador nacionalista Heinrich von Treitschke argumentou que os judeus estavam minando a cultura alemã e popularizou a frase "os judeus são nosso infortúnio", palavras que se tornariam um *slogan* para muitos antissemitas nos anos seguintes, inclusive para os nazistas. Escritores como esses estavam longe de ser figuras marginais como o tipo representado por Ahlwardt. Eugen Dühring, por exemplo, exerceu uma atração sobre o movimento socialista poderosa o bastante para Friedrich Engels redigir o famoso tratado *Anti-Dühring*, em uma tentativa bem-sucedida de combater sua influência dentro do movimento operário socialista em 1878. A história da Alemanha de Heinrich von Treitschke foi uma das mais lidas no século XIX, e suas diatribes contra o que ele via como materialismo e desonestidade judaicos suscitou uma reação em massa de seus colegas professores em Berlim, incluindo o classicista Theodor Mommsen, o patologista Rudolf Virchow e o historiador Gustav von Droysen, que se juntaram a muitos outros acadêmicos alemães para condenar o "ódio racial e fanatismo" de seu colega em termos inequívocos.[62]

Tais reações eram um lembrete de que, não obstante a influência em rápido crescimento dos escritores antissemitas, a maioria da opinião respeitável na Alemanha, de esquerda e direita, classe média e classe operária, permanecia contrária ao racismo desse tipo. Todas as tentativas de fazer o povo alemão engolir ideias antissemitas obtiveram pouco sucesso. A classe operária alemã em particular e seu principal representante político, o Partido Social-Democrata (a maior organização política da Alemanha, com mais cadeiras no Reichstag que qualquer outro partido depois de 1912, e o maior número de votos em eleições nacionais muito antes disso), eram resolutamente contrários ao antissemitismo, que consideravam atrasado e antidemocrático. Até mesmo os membros comuns do partido rejeitavam os *slogans* de ódio antissemita. Conforme um agente da polícia que escutava conversas políticas em *pubs* e bares de Hamburgo em 1898 ouviu um trabalhador comentar:

> O sentimento nacional não deve degenerar em uma nação colocar-se acima de outra. Pior ainda se uma considera os judeus uma raça secundária, e por isso luta contra a raça. O que os judeus podem fazer se descendem de outra linhagem? Sempre foram um povo oprimido, por isso se espalharam (pelo mundo). Para o social-democrata, é evidente que ele quer a igualdade de todos com um espírito humano. Os judeus não são os piores nem de longe.[63]

Outros trabalhadores, em outras ocasiões, foram ouvidos a extravasar desprezo sobre os antissemitas, condenar a violência antissemita e apoiar o desejo judeu de igualdade civil. Tais visões eram inteiramente típicas dos trabalhadores no ambiente do movimento operário antes de 1914.[64]

A pior coisa de que os social-democratas poderiam ser acusados é de não terem levado a sério o bastante a ameaça representada pelo antissemitismo, e terem permitido que uns poucos estereótipos antissemitas se infiltrassem em um pequeno número de caricaturas impressas em suas revistas de lazer.[65] Em algumas regiões, social-democratas e antissemitas apoiavam-se mutuamente no segundo turno das eleições, mas isso não implicava aprovação aos princípios uns dos outros, era apenas o desejo de criar uma causa comum temporária como partidos em protesto contra as elites estabelecidas.[66] Em umas poucas cidadezinhas e aldeias atrasadas, principalmente no interior rural do leste, acusações medievais de assassinato ritual às vezes eram lançadas contra judeus locais e conquistavam certo apoio popular, causando até demonstrações de protesto em algumas ocasiões. Nenhuma delas jamais foi provada nos tribunais. Pequenos negociantes, lojistas, artesãos e fazendeiros camponeses eram mais inclinados a antissemitismo público que a maioria, continuando uma tradição de antissemitismo popular organizado que pode ser remontada pelo menos até a Revolução de 1848 em algumas áreas, embora não em sua forma racista moderna.[67] Mas, entre as classes médias educadas, a maior parte de negociantes e profissionais não judeus trabalhavam bem felizes com colegas judeus, cuja representação nos partidos liberais era forte o bastante para impedir que estes adotassem quaisquer dos argumentos centrais ou atitudes dos antissemitas. Os partidos antissemitas permaneceram um fenômeno de protesto marginal e quase desapareceram depois da virada para o século XX.

Não obstante, seu declínio e queda foram em certa medida enganosos. Um dos motivos para o desaparecimento está na adoção de ideias antissemitas pelos partidos maiores – os conservadores e o Partido de Centro –, cujos eleitores incluíam os grupos de classe média baixa economicamente a perigo a quem os antissemitas haviam atraído no início. Os conservadores basearam-se nas políticas antissemitas contidas em seu programa de Tivoli de 1893 e continuaram a exigir a redução do que julgavam influência subversiva dos judeus na vida pública. Seus preconceitos antissemitas atraíram grupos significativos na sociedade rural protestante no norte da Alemanha e os artesãos, lojistas e pequenos negociantes representados na ala social cristã do partido. Para o Partido de Centro, muito maior, embora admissivelmente menos influente sob o Reich, os judeus, ou uma imagem distorcida e polêmica deles, simbolizavam o liberalismo, o socialismo, a modernidade – todas as coisas que a Igreja rejeitava. Tal visão agradava a grande quantidade de camponeses e artesãos do partido e foi disseminada por grupos autônomos de protesto entre o campesinato católico, cujas ideias não eram diferentes das de Otto Böckel; era compartilhada também por boa parte da hierarquia da Igreja pelo mesmo motivo. No Vaticano, o antissemitismo religioso e racial fundiu-se a certas diatribes antijudaicas publicadas por escritores do clericado em alguns jornais e revistas ultramontanos mais linha-dura.[68]

Além disso, o preconceito antissemita era poderoso o bastante nas camadas mais altas da sociedade, tribunais, serviço público, Exército e universidades para constituir um lembrete permanente aos judeus de que eles eram membros menos iguais da nação alemã.[69] Os antissemitas tiveram êxito em colocar "a questão judaica" na agenda política, de modo que, em nenhum momento, a participação judaica em instituições sociais essenciais deixou de ser um tema de discussão e debate. Entretanto, tudo isso era relativamente no nível inferior, mesmo pelos padrões da época. Certa vez, um historiador especulou sobre o que aconteceria se um viajante do tempo de 1945 voltasse para a Europa pouco antes da Primeira Guerra Mundial e dissesse a um contemporâneo inteligente e bem informado que dentro de trinta anos uma nação europeia faria uma tentativa sistemática de matar todos os judeus da Europa e exterminaria quase 6 milhões no processo. Se o viajante do tempo convidasse o contemporâneo a adivinhar qual seria a nação, as chances eram de que ele indicasse a França, onde o caso Dreyfus recentemente havia levado a uma deflagração maciça de virulento antissemitismo popular. Ou poderia ser a Rússia, onde as "Centenas Negras" tsaristas haviam massacrado grande quantidade de judeus no rastro da fracassada Revolução de 1905.[70] Dificilmente ocorreria a ele que a Alemanha, com sua comunidade judaica altamente aculturada e sua comparativa falta de antissemitismo político público ou violento, seria a nação a lançar a campanha de extermínio. As políticas antissemitas ainda ficavam muito à margem. Mas algumas alegações da propaganda antissemita estavam começando a ganhar ouvidos na política dominante – por exemplo, a ideia de que algo chamado "espírito judeu" era de algum modo "subversivo", ou que os judeus supostamente tinham "excessiva" influência em áreas da sociedade como jornalismo e direito. Além disso, os partidos antissemitas haviam introduzido um novo estilo de política demagógica e agitadora das massas que se livrara das restrições costumeiras do decoro. Isso também permanecia à margem, mas agora se tornara possível proferir em sessões parlamentares e encontros eleitorais ódios e preconceitos que na metade do século XIX teriam sido julgados totalmente impróprios em discursos públicos.[71]

O que a década de 1880 e o início da seguinte estavam testemunhando essencialmente, somado a essa domesticação do antissemitismo, era o agrupamento, nas margens da vida política e intelectual, de muitos dos ingredientes que mais tarde entrariam na potente e eclética fermentação ideológica do nacional-socialismo. Um papel-chave nesse processo foi desempenhado por escritores antissemitas como o popular romancista Julius Langbehn, cujo livro *Rembrandt como educador* (publicado em 1890) proclamava o artista holandês Rembrandt um tipo racial clássico do norte alemão e pleiteava o retorno da arte alemã a suas raízes raciais, um imperativo cultural que mais tarde seria adotado com grande entusiasmo pelos nazistas. Esses autores desenvolveram uma linguagem de veemência e violência em suas diatribes contra os judeus. Para Langbehn, os judeus eram um "veneno para nós e terão de ser tratados como tal"; "os judeus são apenas uma praga passageira e uma epidemia de cólera", definiu ele em 1892. O livro de Langbehn teve quarenta reedições em pouco mais de um ano e continuou um *best-seller* bastante tempo depois, combinando ataques chulos àquilo que o autor chamava de "judeus e idiotas, judeus e patifes, judeus e meretrizes, judeus e professores, judeus e berlinenses" com um chamamento à restauração de uma sociedade hierárquica conduzida por um *"Kaiser* secreto" que um dia emergiria das sombras para restaurar a Alemanha à sua antiga glória.[72]

Tais ideias foram assimiladas e elaboradas pelo círculo que se reuniu em torno da viúva do compositor Richard Wagner em Bayreuth. Wagner havia feito daquela cidade no norte da Baviera seu lar até morrer em 1883, e seus dramas épicos musicais eram apresentados todos anos no teatro lírico que ele havia construído especialmente com esse propósito. Eles destinavam-se a propagar mitos nacionais pseudogermânicos, nos quais figuras heroicas das lendas nórdicas serviam de modelo de líderes para o futuro alemão. Wagner havia sido um antissemita cultural já no início da década de 1850, alegando em seu famoso livro *Judaísmo na música* que o "espírito judaico" era inimigo da profundidade musical. Seu remédio era a completa assimilação dos judeus na cultura alemã e a substituição da religião judaica, de toda religião de fato, por impulsos estéticos seculares do tipo que ele despejava em dramas musicais. Mas, perto do fim da vida, sua visão assumiu um tom racista crescente sob a influência da segunda mulher, Cosima, filha do compositor Franz Liszt. No final da década de 1870, ela registrava em seu diário que Wagner, cuja observação da civilização era nitidamente pessimista naquele tempo, tinha lido o tratado antissemita de Wilhelm Marr de 1873 e concordado amplamente. Em consequência dessa mudança de posição, Wagner não mais desejava a assimilação dos judeus na sociedade alemã, mas sua exclusão. Em 1881, discutindo a peça clássica *Nathan, o sábio*, de Lessing, e um incêndio desastroso no Teatro Ring de Viena, em que mais de quatrocentas pessoas morreram, muitas delas judias, Cosima anotou que seu marido disse "em um chiste contundente que todos os judeus deveriam queimar em uma apresentação de *Nathan*".[73]

Após a morte de Wagner, sua viúva transformou Bayreuth em uma espécie de santuário onde um bando de seguidores dedicados cultivava a memória sagrada do mestre falecido. A visão do círculo que ela reuniu em torno de si em Bayreuth era antissemita raivosa. O círculo de Wagner fez de tudo para interpretar as óperas do compositor como lançando heróis nórdicos contra vilões judeus, embora a música também pudesse ser interpretada de muitas outras maneiras, é claro. Entre suas principais figuras estavam Ludwig Schemann, um erudito isolado que traduziu o tratado de Gobineau sobre desigualdade racial para o alemão em 1898, e o inglês Houston Stewart Chamberlain, nascido em 1855, que se casou com uma das filhas de Wagner e no devido tempo publicou uma biografia admirável do grande homem. Enquanto Cosima e seus amigos propagavam suas ideias por meio da publicação periódica do *Jornal de Bayreuth*, Schemann circulava pelo país discursando em encontros antissemitas e fundando uma variedade de organizações racistas radicais, mais notadamente a Sociedade Gobineau, em 1894. Nenhuma delas teve grande sucesso. Mas o patrocínio de Schemann ao teórico racial francês ainda assim fez muito ao colocar na moda o termo "ariano" de Gobineau entre os racistas alemães. Usado originalmente para denotar os ancestrais comuns daqueles que falam línguas germânicas, como inglês e alemão, o termo logo adquiriu um uso contemporâneo, ao Gobineau apresentar seu argumento de que a sobrevivência racial só poderia ser assegurada pela pureza racial, tal como estaria supostamente preservada no campesinato germânico ou "ariano", e que a mistura racial acarretava declínio cultural e político.[74]

Contudo, foi Chamberlain quem teve maior impacto, com seu livro *As fundações do século XIX*, publicado em 1900. Nessa obra etérea e mística, Chamberlain retratou a história em termos de uma luta pela supremacia entre as raças germânica e judaica, os dois únicos grupos raciais que conservavam a pureza original em um mundo de miscigenação. Contra os germânicos heroicos e cultos eram lançados os judeus cruéis e mecanicistas, que, desse modo, Chamberlain elevou a uma ameaça cósmica à sociedade humana, em vez de simplesmente desprezá-los como um grupo marginal ou inferior. Ligada à luta racial havia uma luta religiosa, e Chamberlain devotou um bocado de esforços a tentar provar que a cristandade era essencialmente germânica e que Jesus, a despeito de toda evidência, não havia sido judeu coisa nenhuma. A obra de Chamberlain impressionou muitos de seus leitores com o apelo à ciência para apoiar seus argumentos; sua contribuição mais importante a esse respeito foi fundir antissemitismo e racismo com darwinismo social. O cientista inglês Charles Darwin sustentou que os reinos animal e vegetal estavam sujeitos à lei da seleção natural, na qual os mais capacitados sobrevivem e os mais fracos ou menos adaptados sucumbem, assegurando assim o melhoramento das espécies. Darwinistas sociais aplicaram esse modelo também à raça humana.[75] Aqui já estavam agrupadas, portanto, algumas das ideias-chave que mais tarde seriam adotadas pelos nazistas.

III

Chamberlain não estava sozinho na exposição de tais opiniões. Uma variedade de autores, cientistas e outros contribuíram para o surgimento, na década de 1890, de uma nova variante do darwinismo social, inflexível, seletiva, que enfatizava não a evolução pacífica, mas a luta pela sobrevivência. Um representante típico dessa escola de pensamento foi o antropólogo Ludwig Woltmann, que em 1900 argumentou que a raça ariana ou germânica representava o ápice da evolução humana e era, por isso, superior a todas as outras. Portanto, afirmou, "a raça germânica foi selecionada para dominar a terra".[76] Mas outras raças, sustentou ele, estavam impedindo que isso acontecesse. Os alemães, na visão de alguns, precisavam de mais "espaço vital" – a palavra alemã era *Lebensraum* –, e isso teria que ser obtido à custa de outros, mais provavelmente dos eslavos. Não porque o país estivesse literalmente superpovoado – não havia evidência disso –, mas porque aqueles que promoviam tais visões estavam tomando a ideia de territorialidade do reino animal e aplicando-a à sociedade humana. Alarmados com o crescimento das florescentes cidades da Alemanha, buscavam a restauração de um ideal rural no qual colonos alemães seriam senhores sobre camponeses eslavos "inferiores", exatamente como haviam feito, conforme os historiadores estavam começando a contar, no leste da Europa central na Idade Média.[77] Essas visões da política internacional como uma arena de luta entre diferentes raças pela supremacia ou sobrevivência haviam se tornado comuns na elite política da Alemanha na época da Primeira Guerra Mundial. Homens como Erich von Falkenhayn, ministro da Guerra, Alfred von Tirpitz, secretário da Marinha, Kurt Riezler, conselheiro do chanceler do Reich Bethmann Hollweg, e Georg Alexander von Müller, chefe do Gabinete da Marinha Imperial, viam a guerra como um meio de preservar ou garantir a raça germânica contra latinos e eslavos. A guerra, conforme colocou celebremente o general Friedrich von Bernhardi em um livro publicado em 1912, era uma "necessidade biológica": "Sem guerra, raças inferiores ou degeneradas sufocariam com facilidade o crescimento de elementos saudáveis florescentes, e sobreviria uma decadência universal". A política externa não devia mais ser conduzida entre Estados, mas entre raças. Aqui estava um início do rebaixamento da importância do Estado, que desempenharia papel importante na política externa nazista.[78]

O sucesso na guerra, uma preocupação em alta entre líderes e políticos do centro para a direita na Alemanha após a virada para o século XX, também exigia (para alguns) a tomada de providências positivas para causar a melhora da raça. Um aspecto da virada seletiva no darwinismo social durante a década de 1890 foi colocar ênfase maior que antes na "seleção negativa". Era muito bom melhorar a raça por meio de melhor moradia, nutrição saudável, higiene e saneamento e políticas assemelhadas, alguns argumentavam. Mas isso pouco faria para combater a influência do abandono pela sociedade do princípio da luta pela sobrevivência em função do cuidado dos fracos, dos doentes e dos inadequados. Tal política, argumentavam alguns cientistas médicos, cujas visões eram reforçadas pelo surgimento da nova ciência da genética, estava causando a crescente degeneração da raça humana. Ela precisava ser combatida por uma abordagem científica da reprodução que reduziria ou eliminaria os fracos e melhoraria e multiplicaria os fortes. Entre os que argumentavam conforme essa linha de pensamento estava Wilhelm Schallmayer, cujo ensaio defendendo uma abordagem eugênica para a política social ganhou o primeiro lugar em uma competição nacional organizada pelo empresário da indústria Alfred Krupp em 1900. Alfred Ploetz era outro nome da área médica que pensava que o auge da evolução humana até ali havia sido alcançado pelos alemães. Ele sugeriu que os espécimes inferiores deveriam ser mandados para o *front* se houvesse uma guerra, de modo que os incapazes fossem eliminados primeiro. O mais lido de todos foi Ernst Haeckel, cuja popularização de ideias darwinianas, *O enigma do universo*, tornou-se um *best-seller* estrondoso quando publicado em 1899.[79]

Contudo, seria um equívoco ver essas opiniões como se formassem uma ideologia coerente ou unificada, ainda mais uma que apontasse em linha reta para o nazismo. Schallmayer, por exemplo, não era antissemita e rejeitou com veemência qualquer ideia de superioridade da raça "ariana". Tampouco Woltmann era hostil aos judeus, e sua atitude fundamentalmente positiva em relação à Revolução Francesa (cujos líderes, de modo implausível ele alegou que eram racialmente germânicos, como todas as outras grandes figuras históricas) estava longe de ser compatível com os nazistas. De sua parte, Haeckel com certeza argumentou que a pena capital deveria ser usada em larga escala para eliminar criminosos da cadeia da hereditariedade. Também defendeu a morte de doentes mentais por meio de injeções químicas e eletrocutamento. Haeckel também era racista e pronunciou o veredito de que nenhuma raça de cabelo encaracolado jamais havia efetuado nada de valor histórico. Mas, por outro lado, achou que a guerra seria uma catástrofe genética porque mataria os melhores e mais bravos homens do país. Em consequência, os discípulos de Haeckel, organizados na assim chamada "Liga Monista", tornaram-se pacifistas, rejeitando por completo a ideia de guerra – uma doutrina que não os fazia queridos pelos nazistas. Muitos deles sofreriam um bocado por seus princípios quando enfim veio a guerra em 1914.[80]

As obras de Ploetz foram as que mais perto chegaram de prefigurar a ideologia nazista. Ploetz condimentou suas teorias com uma forte dose de antissemitismo e colaborou com grupos de supremacistas nórdicos. Ainda assim, antes da Primeira Guerra Mundial parece haver pouca evidência de que Ploetz considerasse a raça "ariana" superior às outras, embora um de seus colaboradores mais próximos, Fritz Lenz, com certeza achasse. Ploetz assumiu uma linha impiedosamente meritocrática de planejamento eugênico, argumentando, por exemplo, que uma junta médica deveria assistir a todos os nascimentos e determinar se o bebê estava apto a sobreviver ou deveria morrer por ser fraco ou inadequado. O darwinista Alexander Tille defendeu abertamente a morte dos mental e fisicamente incapazes e concordou com Ploetz e Schallmayer na crença de que as doenças das crianças deveriam ser deixadas sem tratamento, de modo que os fracos pudessem ser eliminados da cadeia da hereditariedade. Em 1905, Ploetz e Ernst Rüdin, seu cunhado por um tempo e defensor das mesmas opiniões, fundaram a Sociedade de Higiene Racial para propagar seus pontos de vista. Ela rapidamente obteve influência entre as classes médica e da saúde. Gobineau havia sido um conservador sob muitos aspectos e achava que o ideal eugênico estava personificado na aristocracia. Esses pensadores alemães tomaram um rumo muito mais inflexível e potencialmente mais revolucionário, considerando com frequência os traços hereditários largamente independentes da classe social.[81]

Às vésperas da Primeira Guerra Mundial, suas ideias haviam se espalhado de uma forma ou outra para áreas como medicina, assistência social, criminologia e direito. Desviantes sociais, como prostitutas, alcoólicos, ladrões baratos, vagabundos e assemelhados, eram cada vez mais considerados hereditariamente maculados, e reivindicações entre os especialistas para tais pessoas serem esterilizadas à força tornaram-se clamorosas demais para não chamar atenção. Tamanha foi a influência dessas ideias sobre o sistema previdenciário que até mesmo os social-democratas puderam levar a sério a proposta de Alfred Grotjahn de ligar melhorias na habitação e na assistência social à esterilização compulsória dos insanos, "preguiçosos" e alcoólicos.[82] Acontecimentos como esse refletiam a crescente influência do setor médico sobre especialidades que cresciam rapidamente, como criminologia e assistência social. Os triunfos da ciência médica alemã na descoberta de bacilos que causavam doenças como cólera e tuberculose no século XIX haviam lhe dado um prestígio sem precedente, bem como inadvertidamente provido os antissemitas de toda uma nova linguagem para expressar seu ódio e temor dos judeus. Como resultado, havia provocado ampla medicalização da sociedade, na qual gente comum, inclusive uma crescente proporção da classe operária, havia começado a adotar práticas de higiene, tais como lavar-se regularmente, desinfetar banheiros, ferver a água de beber e outros. O conceito de higiene começou a se disseminar da medicina para outras áreas da vida, inclusive não só "higiene social", mas também, de modo crucial, "higiene racial".

É certo que, não obstante a discussão e o debate sobre esses assuntos, o efeito que tais ideias tiveram sobre as políticas do governo e sua implementação antes de 1914 não foram muito grandes. Além do sistema científico, os propagandistas da reprodução de uma super-raça ariana loira, como o pretenso Lanz von Liebenfels, editor de *Ostara: Jornal para Pessoas Loiras*, atraíam apenas um submundo de extremistas políticos e diminutas seitas políticas excêntricas.[83] Todavia, a despeito de todas essas qualificações, o surgimento dessas ideias, junto com o crescente papel desempenhado por elas no debate público, foi um elemento significativo nas origens da ideologia nazista. Diversos princípios fundamentais uniram quase todos dessa turba heterogênea de cientistas, médicos e propagandistas da higiene racial. O primeiro era que a hereditariedade desempenhava papel significativo na determinação do caráter e comportamento humanos. O segundo, que decorria disso, era que a sociedade, conduzida pelo Estado, deveria manejar a população a fim de aumentar a eficiência nacional. Os "capazes" tinham que ser persuadidos, ou forçados, a procriar mais, os "incapazes" a procriar menos. Em terceiro, como quer que esses termos fossem entendidos, o movimento de higiene racial introduziu uma ominosa categorização racional e científica das pessoas entre as que eram "valiosas" para a nação e as que não eram. "Baixa qualidade" – a palavra alemã era *minderwertig*, literalmente, "sem valor" – tornou-se um termo trivial usado por assistentes sociais e pessoal médico para muitos tipos de desviantes sociais antes da Primeira Guerra Mundial. Ao rotular as pessoas dessa maneira, os higienistas sociais abriram caminho para o controle, o abuso e, por fim, o extermínio dos "sem valor" pelo Estado, por meio de medidas como esterilização forçada e até execução, o que alguns deles no mínimo já defendiam antes de 1914. Por fim, tal abordagem racionalista tecnocrática do manejo da população pressupunha uma abordagem inteiramente secular e instrumental da moralidade. Preceitos cristãos como a santidade do matrimônio e a paternidade, ou o valor igual de cada ser dotado de uma alma imortal, foram jogados pela janela. O que quer que fossem essas ideias, não eram tradicionais ou de ar retrógrado. De fato, alguns de seus proponentes, como Woltmann e Schallmayer, julgavam-se à esquerda em vez de à direita do espectro político, embora suas ideias fossem compartilhadas por bem poucos social-democratas. A higiene social nasceu fundamentalmente de um novo ímpeto para a sociedade ser governada por princípios científicos independente de todas as outras considerações. Representou uma nova variante do nacionalismo alemão, uma que talvez jamais fosse compartilhada por conservadores ou reacionários, ou endossada pelas igrejas cristãs ou, na verdade, por qualquer forma de religião organizada ou estabelecida.[84]

Antissemitismo e higiene racial seriam componentes-chave da ideologia nazista. Ambos faziam parte de uma secularização geral do pensamento no final do século XIX, aspectos de uma rebelião muito mais ampla contra o que um número crescente de escritores e pensadores estavam passando a ver como complacência teimosa e estultificante das atitudes liberais burguesas que haviam dominado a Alemanha no meio do século. A satisfação pessoal de muitos alemães educados e de classe média com a obtenção da condição de nação na década de 1870 estava dando lugar a uma variedade de insatisfações nascidas de uma sensação de que o desenvolvimento espiritual e político da Alemanha havia parado e precisava de um novo empurrão. Isso foi expresso com vigor pela palestra inaugural do sociólogo Max Weber, na qual ele classificou a unificação de 1871 de "brincadeira juvenil" da nação alemã.[85] O profeta mais influente de tais visões foi o filósofo Friedrich Nietzsche, que vituperou contra o conservadorismo ético de seu tempo em uma prosa poderosa e vigorosa. De muitos modos, era uma figura comparável a Wagner, que ele admirou imensamente por boa parte de sua vida. Como Wagner, era uma personalidade complexa, e sua obra podia ser interpretada em uma ampla variedade de sentidos. Seus textos argumentavam em favor da libertação do indivíduo das restrições morais convencionais da época. Antes de 1914, em geral foram interpretados como um chamamento à emancipação pessoal. Tiveram forte influência sobre variados grupos liberais e radicais, inclusive, por exemplo, o movimento feminista, no qual uma das figuras mais imaginativas, Helene Stöcker, redigiu numerosos ensaios em prosa subnietzschiana, declarando que a mensagem do mestre era de que as mulheres deveriam ser livres para desenvolver sua sexualidade fora do casamento, com o auxílio de anticoncepcionais mecânicos e direitos iguais para filhos ilegítimos.[86]

Contudo, outros tiraram uma lição completamente diferente dos trabalhos do grande filósofo. Nietzsche era um vigoroso oponente do antissemitismo, era profundamente crítico da adoração vulgar de poder e sucesso que, na sua opinião, havia resultado da unificação da Alemanha pelo poderio militar em 1871, e pretendia que seus conceitos mais famosos, como a "vontade de poder" e o "super-homem", se aplicassem apenas à esfera dos pensamentos e ideias, não da política e da ação. Mas o poder de sua prosa permitiu que tais expressões fossem muito facilmente reduzidas a *slogans*, destacadas de seu contexto filosófico e aplicadas de maneiras que ele teria desaprovado imensamente. Seu conceito de um ser humano ideal, liberto de restrições morais e triunfando sobre os fracos pela força de vontade, poderia ser apropriado sem muita dificuldade por aqueles que acreditavam, ao contrário dele, na reprodução da raça humana de acordo com critérios raciais e eugênicos. Fundamental para tais interpretações foi a influência de sua irmã Elisabeth Förster, que vulgarizou e popularizou suas ideias, enfatizando seus aspectos brutais e elitistas, e as tornou palatáveis para os nacionalistas de extrema direita. Escritores como Ernst Bertram, Alfred Bäumler e Hans Günther reduziram Nietzsche a um profeta do poder, e seu conceito do super-homem a um apelo pela vinda de um grande líder alemão livre de restrições morais ou da teologia cristã.[87]

Outros, recorrendo a estudos antropológicos alemães de sociedades nativas na Nova Guiné e outras partes do império colonial alemão, levaram o elitismo espiritual de Nietzsche um passo adiante e clamaram pela criação de uma nova sociedade governada por uma associação de homens, uma elite de jovens vigorosos que governariam o Estado como uma irmandade medieval de cavaleiros. Nessa visão de mundo profundamente misógina, as mulheres não teriam nenhum papel a desempenhar, exceto procriar a elite do futuro, uma crença compartilhada de maneira menos radical por muitos eugenistas e higienistas raciais. Escritores acadêmicos, como Heinrich Schurtz, propagaram a ideologia de uma associação de homens por meio de uma variedade de publicações, mas esta teve maior efeito em setores como o movimento jovem, no qual rapazes, na maioria de classe média, dedicavam-se a longas caminhadas em comunhão com a natureza, entoando canções nacionalistas ao redor de fogueiras e vertendo desprezo em cima dos políticos sérios, da moralidade hipócrita e da artificialidade social do mundo adulto. Escritores como Hans Blüher, fortemente influcienciados pelo movimento jovem, chegaram a extremos ainda maiores em seu apelo para que o Estado fosse organizado segundo linhas antidemocráticas e conduzido por um grupo intimamente ligado de homens heroicos unidos por laços homoeróticos de amor e afeto. Defensores de tais ideias começaram a fundar organizações conspiratórias pseudomonásticas já antes da Primeira Guerra Mundial, notadamente a Ordem Germânica, estabelecida em 1912. No mundo dessas diminutas seitas seculares, simbolismo "ariano" e ritual desempenhavam papel central, pois seus membros aproveitaram as runas e o culto ao Sol como emblemas essenciais da condição germânica e adotaram o símbolo indiano da suástica como uma figura "ariana", sob a influência de Alfred Schuler, poeta de Munique, e do teórico de raças Lanz von Liebenfels, que hasteou uma bandeira com suástica em seu castelo na Áustria em 1907. Por mais estranhas que fossem ideias como essas, sua influência sobre muitos rapazes de classe média que passaram pelas organizações do movimento jovem antes da Primeira Guerra Mundial não deve ser subestimada. Quando mais não seja, elas contribuíram para uma ampla revolta contra a convenção burguesa na geração nascida entre as décadas de 1890 e 1900.[88]

    O que tais correntes de pensamento enfatizavam fazia um agudo contraste com as virtudes burguesas de sobriedade e autodomínio, e era diametralmente oposto aos princípios sobre os quais repousava o nacionalismo liberal, tais como liberdade de pensamento, governo representativo, tolerância para com as opiniões dos outros e direitos fundamentais do indivíduo. A maioria dos alemães muito provavelmente ainda acreditava nessas coisas na virada do século. Com certeza, o partido político mais popular da Alemanha, o Social-Democrata, considerava-se guardião dos princípios que os liberais alemães, na sua visão, haviam falhado de forma muito notável em defender. Os próprios liberais ainda eram uma força e tanto a ser levada em conta, e houve até sinais de um modesto renascimento liberal nos últimos anos de paz antes de 1914.[89] Mas, já por volta dessa época, tentativas sérias haviam começado a consolidar algumas das ideias do nacionalismo extremista, antissemitismo e revolta contra as convenções em uma nova síntese, e a dar a ela uma forma organizada. O turbilhão político de ideologias radicais do qual o nazismo por fim emergiria já rodopiava com força bem antes da Primeira Guerra Mundial.[90]

O espírito de 1914

I

Do outro lado da fronteira, na Áustria de língua alemã, uma outra versão de antissemitismo radical era propiciada por Georg Ritter von Schönerer, filho de um engenheiro de ferrovias que havia recebido um título de nobreza do imperador Habsburgo como recompensa por seus serviços ao Estado. No ano seguinte à sua derrota pela Prússia em 1866, a monarquia Habsburgo havia se reestruturado em duas metades iguais, Áustria e Hungria, ligadas pela pessoa do imperador, Francisco José, e sua administração central em Viena. Essa administração era composta por uma maioria esmagadora de pessoas de língua alemã, e os cerca de 6 milhões de austríacos germânicos resignavam-se com sua expulsão da Confederação Germânica identificando-se fortemente com os Habsburgo e se considerando o grupo dominante do império. Mas Schönerer não estava satisfeito com isso. "Se ao menos pertencêssemos ao império alemão!", exclamou ele no Parlamento austríaco em 1878. Radical e próspero dono de terras, Schönerer era proponente do sufrágio universal masculino, da completa secularização da educação, da nacionalização das ferrovias – reflexo talvez da ocupação de seu pai – e do apoio do Estado aos pequenos agricultores e artesãos. Considerava os húngaros e todas as outras nacionalidades na monarquia dos Habsburgo como freios ao progresso dos germânicos, que, pensava ele, ficariam muito melhor econômica e socialmente em união com o Reich alemão.[91]

Com o passar do tempo, a crença de Schönerer na superioridade racial germânica aliou-se a uma intensa e crescente forma de antissemitismo. Ele aumentou os onze pontos de seu programa nacionalista germânico de Linz, de 1879, com um décimo segundo ponto em 1885, exigindo "a remoção da influência judaica de todos os setores da vida pública" como pré-condição para as reformas que queria efetuar. A presença de Schönerer no Parlamento austríaco permitiu-lhe fazer campanha contra a influência dos judeus, por exemplo, nas companhias ferroviárias, e lhe garantiu imunidade processual quando usou de linguagem excessiva para condená-los. Fundou uma série de organizações para propagar suas ideias, e uma delas, a Associação Pangermânica, teve êxito em conseguir eleger 21 deputados para o Parlamento em 1901. A associação logo se dividiu em meio a amargas altercações entre as lideranças. Mas seu exemplo gerou outras organizações antissemitas. Sua arenga constante sobre a suposta influência maligna dos judeus fez com que fosse mais fácil para um cínico político comunal como Karl Lueger usar de demagogia antissemita para conquistar apoio suficiente para tomar posse como prefeito de Viena em nome do ascendente Partido Social Cristão, de direita, em 1897. Lueger ocupou o cargo pela década seguinte, estampando sua influência sobre a cidade de modo indelével por meio de uma mistura de populismo para atiçar a turba e imaginativa reforma municipal socialmente progressista.[92]

Schönerer jamais desfrutou desse tipo de apoio popular. Mas se o antissemitismo de Lueger, embora influente, era essencialmente oportunista – "Eu decido quem é judeu", disse ele celebremente certa vez, quando criticado por jantar com judeus influentes em Viena –, Schönerer era visceral e inflexível. De fato, ele proclamou o antissemitismo "o maior avanço do século".[93] Com o passar do tempo, suas ideias ficaram ainda mais extremadas. Descrevendo-se como pagão, Schönerer encabeçou um movimento anticatólico sob o *slogan* "Longe de Roma" e cunhou a saudação pseudomedieval *"Heil!"* – "Salve!" –, usando-a no Parlamento em 1902, para ultraje geral dos deputados, quando concluiu um discurso declarando sua lealdade à família real alemã em vez da austríaca: "Salve os Hohenzollern!". Os seguidores de Schönerer chamavam-no de *Führer* [Líder], outro termo que seu movimento provavelmente introduziu no vocabulário político da extrema direita. Ele propôs renomear as festas anuais e os meses do ano com termos alemães, como "Yulefest" (Natal) e "Haymoon" (junho). Mais excêntrica ainda foi a proposta para um novo calendário com datas a partir da derrota de um exército romano pelos cimbros germânicos na batalha de Noreia em 118 a.C. Schönerer fez, de fato, um festival (não muito bem-sucedido) para inaugurar o novo milênio com o ano de 2001 n.N. (iniciais de *nach Noreia*, "depois de Noreia").[94]

Schönerer era um antissemita racial intransigente. "Religião é tudo igual, a culpa é racial", era um de seus típicos e astuciosos *slogans*. Seu extremismo meteu-o em apuros com as autoridades em mais de uma ocasião, notadamente em 1888, quando uma notícia falsa de jornal sobre a morte do *Kaiser* Guilherme I levou-o a entrar intempestivamente no escritório do jornal culpado e atacar funcionários fisicamente. Depois de Schönerer brindar em público a Guilherme como "nosso glorioso imperador", o ultrajado imperador Habsburgo, Francisco José, destituiu-o do título de nobreza, enquanto o Parlamento cassou sua imunidade, de modo que pudesse cumprir pena de quatro meses de cadeia. Isso não o impediu de declarar, logo após ser solto, que "ansiava pelo dia em que o Exército alemão marcharia sobre a Áustria e a destruiria". Tal extremismo fez com que Schönerer jamais saísse realmente da periferia política. Em 1907, de fato, ele fracassou em garantir a reeleição para o Parlamento austríaco, e o número de deputados que seguia sua linha minguou para três. Schönerer talvez estivesse mais interessado em divulgar ideias do que em conquistar poder. Mas ele teria considerável influência sobre o nazismo mais tarde.[95]

O antissemitismo na Áustria estava longe de ser um fenômeno isolado do antissemitismo alemão. A língua e a cultura comuns com a Alemanha, e o fato de a Áustria ter sido parte do "Sacro Império Romano da Nação Germânica" por mais de mil anos e a seguir da Confederação Germânica até a rude expulsão por Bismarck em 1866, significava que influências políticas e intelectuais cruzavam a fronteira sem muita dificuldade. Schönerer, por exemplo, era discípulo confesso do antissemita alemão Eugen Dühring. Cidadãos do Reich alemão, particularmente no sul católico, que olhavam para Viena como inspiração, não podiam deixar de reparar na combinação de Lueger de reforma social, lealdade católica e retórica antissemita. A definição racial dos judeus de Schönerer, seu culto do mito "ariano", seu paganismo declarado e a aversão pela cristandade, sua crença na superioridade dos germânicos e desprezo por outras raças, especialmente pelos eslavos, eram compartilhados em parte pelos antissemitas mais extremados dentro do império alemão. Nenhuma de suas ideias poderia ser vista como estranha; em essência, faziam parte da mesma corrente extremista de pensamento. O pangermanismo de Schönerer condenava-o ao fracasso enquanto a monarquia dos Habsburgo continuasse a existir. Mas, se ela viesse a cair, então suas minorias de idioma alemão seriam confrontadas de modo agudo com a questão de se queriam juntar-se ao Reich alemão ou formar um Estado separado próprio. Nessa eventualidade, o pangermanismo teria seu valor reconhecido.

II

No Reich alemão, a ascensão do *Kaiser* Guilherme II em 1888 levou rapidamente a um sério enfraquecimento da posição de Bismarck como chanceler do Reich. Quando os dois divergiram sobre a renovação ou a prescrição da Lei Antissocialista, com suas múltiplas restrições às liberdades civis, Bismarck foi forçado a renunciar. A prescrição da lei deu origem a uma nova série de movimentos sociais e políticos em todas as partes do espectro político. Novas figuras vívidas apareceram na cena política, contrastando com a opacidade dos sucessores imediatos de Bismarck como chanceler, Caprivi e Hohenlohe. Entre eles houve pelo menos um que atraiu a admiração exatamente como o tipo de herói que os nacionalistas germânicos procuravam. Carl Peters era um aventureiro colonial clássico do final do século XIX, cujas façanhas logo viraram lenda. Quando o relutante Bismarck adquiriu colônias alemãs nominais em 1884, Peters saiu para transformar suas conquistas no papel em conquistas reais. Ao alcançar a costa do leste africano, organizou uma expedição e partiu para o interior, onde concluiu uma série de acordos com governantes nativos. Como era de seu feitio, não se deu ao trabalho de consultar o governo alemão sobre isso, e Bismarck repudiou os acordos quando tomou ciência deles. Peters meteu-se em mais encrenca quando foi revelado que não só havia maltratado seus carregadores, mas também mantido relações sexuais com mulheres africanas. Relatos de sua má conduta chocaram a opinião burguesa. Mas isso não impediu Peters de perseguir seu objetivo de fundar um grande império alemão na África.[96]

A imaginação fértil e o espírito inquieto de Peters levaram-no a fundar uma variedade de organizações, inclusive uma Sociedade para Colonização Alemã em 1884, que se fundiu a um grupo de propósito semelhante em 1887 para formar a Sociedade Colonial Alemã. Tamanha era a proeminência de Peters, combinada com a influência de seus apoiadores, que Bismarck sentiu-se obrigado a reconhecer seu empreendimento no leste africano e declarar um protetorado alemão sobre as áreas que ele havia explorado, o primeiro passo para a criação da colônia alemã de Tanganica. Em 1890, contudo, o sucessor de Bismarck, Leo von Caprivi, concordou em entregar alguns territórios que Peters havia reivindicado, mais notadamente a ilha de Zanzibar, para os britânicos em troca da cessão da ilha de Heligolândia, no mar do Norte, para a Alemanha. Ultrajado, Peters participou de um encontro organizado no início de 1891 por um grupo de nacionalistas, incluindo o jovem funcionário público Alfred Hugenberg, que mais tarde desempenharia papel decisivo na ascensão e no triunfo do nazismo. Eles fundaram a Liga Geral Germânica, renomeada Liga Pangermânica em 1894. A meta da nova organização era pressionar vigorosamente pela expansão germânica no exterior e a germanização de minorias nacionais em casa. A ela juntou-se em 1894 a Sociedade para as Fronteiras do Leste; esse grupo, que possuía laços relativamente estreitos com o governo em comparação com os pangermânicos, devotava-se à destruição da identidade polonesa nas províncias alemãs do leste. Outra organização parecida fundada em 1881 em reação às lutas pelos idiomas oficiais na monarquia dos Habsburgo foi a Associação da Escola Alemã, que buscava preservar a língua alemã em áreas de povoamento alemão fora das fronteiras do Reich; mais tarde foi renomeada de Associação para Germanismo no Exterior, em reconhecimento à substancial ampliação de sua jurisdição para cobrir todos os aspectos da cultura germânica no resto do mundo.[97]

Mais associações nacionalistas viriam a seguir. A mais significativa talvez fosse a Liga da Marinha, fundada em 1898 com dinheiro do fabricante de armas Krupp, que tinha um interesse óbvio em que a construção de uma grande marinha de guerra alemã fosse aprovada pelo Reichstag na época. Dentro de uma década, ela fazia encolher todos os outros grupos nacionalistas, com seus membros totalizando bem acima de 300 mil, contando-se as organizações afiliadas. Em contraste, os outros grupos de pressão nacionalistas raramente conseguiam superar os cerca de 50 mil membros, e os pan-germânicos pareciam permanentemente encalhados abaixo da marca dos 20 mil.[98] A maior parte desses grupos de pressão eram comandados por agitadores profissionais, como August Keim, um oficial do Exército cujas atividades jornalísticas causaram-lhe problemas nas promoções. Tais homens era proeminentes em diversas associações nacionalistas e com frequência proporcionavam-lhes o ímpeto radical; Keim, por exemplo, era figura destacada tanto na Liga da Marinha quanto na Liga de Defesa e fundou outras associações menos conhecidas, como a Liga de Prevenção à Emancipação das Mulheres (1912), que tinha por meta mandar as mulheres de volta para casa para dar à luz mais filhos para o Reich.[99]

Junto com esses marginais havia notáveis descontentes em busca de novo escoadouro para seu ímpeto político em um mundo cada vez mais democrático, onde a deferência às pessoas de posses e educadas que havia sustentado o bom êxito eleitoral dos nacionais liberais e outros partidos mais à direita da década de 1860 à de 1880 não mais funcionava de forma efetiva. Muitos desses agitadores haviam adquirido seu *status* dando duro para conseguir um diploma universitário e depois subindo lentamente pelas classes menos elegantes do serviço público. Ali também um grau de ansiedade social era uma importante força impulsora. Identificação – talvez identificação excessiva – com a nação alemã dava a todas essas figuras de destaque nas associações nacionalistas, qualquer que fosse seu passado, um senso de orgulho e inclusão, e um objeto de comprometimento e mobilização.[100] A filiação a essas várias organizações com frequência também era sobreposta, e era bastante comum duas ou mais delas formarem causa comum em uma luta política específica a despeito das frequentes rivalidades pessoais e políticas.

Junto às metas específicas que cada organização tinha em mira e independentemente das frequentes rixas internas que as afligiam, as associações nacionalistas em geral concordavam que o trabalho de Bismarck para construir a nação germânica estava lamentavelmente incompleto e precisava ser forçado à conclusão com urgência. Também começaram a achar cada vez mais que as lideranças do Reich estavam falhando nesse dever. As crenças dos nacionalistas foram desnudadas de forma particularmente dramática em 1912, quando o dirigente da Liga Pangermânica, o advogado Heinrich Class, escrevendo sob pseudônimo, publicou um manifesto de título impressionante: *Se eu fosse o Kaiser*. Ele não era modesto em suas metas. Class fez saber que, se tivesse o poder exercido por Guilherme II, antes de tudo trataria dos inimigos internos do Reich, os social-democratas e os judeus. A vitória social-democrata nas eleições do Reichstag ocorrida naquele ano era, bradou ele, resultado de uma conspiração judaica para minar a nação. Os judeus estavam subvertendo a arte alemã, destruindo a criatividade germânica, corrompendo as massas alemãs. Se ele fosse o *Kaiser*, escreveu Class, os judeus perderiam imediatamente os direitos civis e seriam classificados de estrangeiros. Os social-democratas seriam banidos e seus líderes, deputados, editores de jornal e secretários sindicais seriam expulsos da Alemanha. A votação para o Reichstag seria reestruturada de modo a conceder maior poder de voto para pessoas educadas e de posse e só aos melhores homens seria permitido ocupar cargos. Assembleias nacionais e festas patrióticas arregimentariam as massas para a causa nacional.[101]

A pacificação interna, argumentavam os nacionalistas, incluiria a supressão da cultura das minorias, como a dos poloneses nas províncias do leste da Prússia, desalojando-os de suas terras, banindo o uso de seu idioma e se necessário usando de força para submeter os supostamente inferiores e incivilizados "eslavos". Liderados por Class, os pangermânicos e seus aliados defendiam uma escalada armamentista maior ainda do que aquela já encaminhada pelas Leis da Marinha de 1898 em diante. A isso se seguiria uma guerra na qual a Alemanha conquistaria a Europa e anexaria áreas de idioma alemão como Suíça, Países Baixos, Bélgica, Luxemburgo e Áustria. Os pangermânicos deixaram de lado qualquer consideração pelas outras nacionalidades que habitavam essas zonas, e passaram por cima das diferenças linguísticas e culturais que tornavam improvável que até mesmo os separatistas flamengos da Bélgica, que dizer outros tipos de dissidentes políticos, os apoiassem. Acrescentaram a Romênia por motivos estratégicos. E notaram que as possessões belgas e holandesas além-mar, incluindo, por exemplo, o Congo, proporcionariam a base para um novo império colonial imenso que excederia de longe o império britânico. Servindo-se ecleticamente de Nietzsche, Langbehn, Darwin, Treitschke e outros escritores, e com frequência vulgarizando suas ideias no processo, distorcendo-as fora de seu contexto ou simplificando-as a ponto de torná-las irreconhecíveis, os pangermânicos e seus aliados nacionalistas embasaram sua ideologia em uma visão de mundo que tinha luta, conflito, superioridade étnica "ariana", antissemitismo e vontade de poder como crenças centrais.[102]

Entretanto, ao mesmo tempo que nutriam essas ambições quase ilimitadas para a dominação germânica do mundo, a Liga Pangermânica e outras associações nacionalistas também emitiam forte nota de alarme, até mesmo de desânimo, sobre o estado atual e perspectivas futuras da Alemanha. O povo alemão, acreditavam, estava cercado de inimigos, de "eslavos" e "latinos" rodeando a Alemanha por fora a judeus, jesuítas, socialistas e agitadores e conspiradores subversivos variados minando-a por dentro. O racismo pangermânico era expresso no uso linguístico por meio do qual reduziam cada nação a uma simples entidade racial de atitude uniforme – "germânica", "eslava", "anglo-saxã" ou "judia". Outras raças estavam procriando mais que os alemães e ameaçando "inundá-los"; ou, como os franceses, estavam em declínio e exercendo portanto uma influência corrompedora por meio de sua decadência. Os nacionalistas extremos retratavam-se como vozes no ostracismo político; a menos que fossem ouvidos, seria tarde demais. Perigo desesperador exigia remédios desesperados. A situação só poderia ser salva por meio do retorno às raízes raciais da nação germânica – camponeses, artesãos autônomos e pequenos negociantes, e a tradicional família nuclear. As grandes cidades eram antros de imoralidade e desordem não germânica. Eram necessárias medidas fortes para restaurar a ordem, a decência e um conceito adequado de cultura germânica. Para que a nação fosse salva, era preciso um novo Bismarck, duro, implacável, sem medo de implantar políticas agressivas em casa e no exterior.[103]

Com o passar do tempo, as associações nacionalistas tornaram-se mais loquazes nas críticas ao governo alemão pelo que consideravam sua fraqueza em casa e no exterior. Lançadas à ação aos trancos em razão da vitória social-

-democrata na eleição de 1912, que se seguiu ao que consideraram um resultado humilhante para a Alemanha na crise internacional do Marrocos no ano anterior, as usualmente briguentas associações nacionalistas uniram forças em apoio à recém-fundada Liga de Defesa, que almejava fazer pelo Exército o que a Liga da Marinha tinha feito pela armada. A nova organização era bem mais independente do governo que a Liga da Marinha; compartilhava plenamente das visões dos pangermânicos e atingiu 90 mil membros dois anos depois da fundação em 1912, dando aos pangermânicos o tipo de base maciça que sempre haviam fracassado em criar para si. Enquanto isso, os pangermânicos lançaram uma campanha em conjunto com a Sociedade Colonial para persuadir o governo a parar de reconhecer a validade de casamentos entre colonizadores alemães e africanos negros nas colônias. Membros proeminentes do Partido Conservador começaram a trabalhar com os pangermânicos. Em agosto de 1913, a Liga Agrária, um enorme grupo de pressão de grandes e pequenos proprietários rurais com laços muito estreitos com os conservadores, juntou-se à Associação Central de Industrialistas Alemães e à organização nacional dos artesãos e artífices para formar o "Cartel das Propriedades Produtivas". O cartel não só atingiu a marca de milhões de membros, como incorporou muitas das metas e crenças centrais dos pangermânicos, inclusive o corte de poder ou a eliminação do Reichstag, a supressão dos social-democratas e a implantação de uma política externa agressiva disposta inclusive a lançar uma grande guerra de conquista.[104]

Esses grupos de pressão nacionalistas extremistas não eram produto de nenhum tipo de estratégia manipuladora das elites guilherminas; eram um movimento genuinamente populista de mobilização política vindo de baixo. Mas não tinham absolutamente nenhum eleitorado na classe operária; o mais baixo que sua reserva de apoio chegava na escala social era até os trabalhadores e funcionários de escritório, dos quais um sindicato, o virulentamente antissemita Sindicato Nacional Alemão dos Empregados do Comércio, vituperava contra os interesses de negócios judeus que supunham manter os salários de seus membros baixos e atacavam a intrusão das mulheres em cargos de secretaria ou administrativos como produto das tentativas judaicas de destruir a família alemã.[105] Porém, a nova proeminência das associações nacionalistas a partir de 1912 colocou uma grande pressão sobre o governo alemão. Esta ficou ainda maior quando os pangermânicos conquistaram novos amigos na impresa de direita. Um dos apoiadores dos pangermânicos, o general da reserva Konstantin von Gebsattel, impressionado com *Se eu fosse o Kaiser*, compôs um longo memorando pedindo uma luta contra as "maquinações judias e agitação das massas pelos líderes social-democratas", um Reich que "não fosse parlamentarista", um *Kaiser* que realmente mandasse em vez de ser apenas um chefe nominal e que conduzisse uma política externa agressiva com "punho blindado" e imunidade que restringisse a influência das massas ao mínimo.

Pelas propostas apresentadas no memorando, os judeus deveriam ser tratados como estrangeiros, impedidos de adquirir terra e destituídos de sua propriedade se emigrassem. Seriam excluídos de carreiras profissionais subordinadas ao Estado, como serviço público, advocacia, universidades e Exército. Aos olhos de Gebsattel, é claro que o batismo não fazia diferença para o fato de alguém ser judeu; qualquer um com mais de um quarto de "sangue judeu" nas veias seria tratado como judeu e não como alemão. A "imprensa judia" seria fechada. Tudo isso era necessário, disse ele, porque a vida da Alemanha no todo estava dominada pelo "espírito judeu", que era superficial, negativo, destrutivamente crítico e materialista. Estava na hora de o verdadeiro espírito germânico ressurgir – profundo, positivo e idealista. Tudo isso seria executado por meio de um efetivo golpe de Estado de cima para baixo, garantido pela declaração de estado de sítio militar e pela introdução da lei marcial. Gebsattel e seu amigo Heinrich Class, o líder pangermânico, consideraram o memorando de tom moderado. A alegada moderação tinha um motivo: a ideia era enviá-lo ao príncipe Frederico Guilherme, herdeiro do trono, conhecido pela simpatia à causa nacionalista. Este, por sua vez, encaminhou-o com entusiasmo ao pai e ao homem que então detinha o ministério de Estado antes ocupado por Bismarck, o chanceler do Reich Theobald von Bethmann Hollweg.[106]

De modo cortês, mas firme, Bethmann e o *Kaiser* rejeitaram as ideias de Gebsattel, considerando-as impraticáveis e de fato perigosas para a estabilidade da monarquia. O chanceler do Reich admitiu que a "Questão Judaica" era uma área em que havia "grandes perigos para o desenvolvimento posterior da Alemanha". Mas, prosseguiu, as soluções draconianas de Gebsattel não podiam ser levadas a sério. O *Kaiser* jogou mais água fria nas propostas avisando seu filho de que Gebsattel era um "entusiasta esquisito", cujas ideias com frequência eram "positivamente infantis". Ainda assim, admitiu que, embora fosse economicamente desaconselhável expulsar os judeus da Alemanha, era importante "excluir a influência judaica do Exército e da administração pública e limitá-la tanto quanto possível em todas as atividades de arte e literatura". Além disso, considerou o *Kaiser*, na imprensa "o judaísmo tinha encontrado sua zona de caça mais afortunada", embora uma restrição geral da liberdade de imprensa como a defendida por Gebsattel fosse, pensava ele, contraproducente. Assim, os estereótipos antissemitas haviam penetrado nos níveis mais altos do Estado, reforçados no caso do *Kaiser* pela leitura de *As fundações do século XIX*, de Houston Stewart Chamberlain, que ele louvava como um toque de despertar para a nação germânica. Além disso, à medida que os pangermânicos intensificavam, desimpedidos, suas críticas ao chanceler tanto em público quanto nos bastidores, Bethmann sentia-se cada vez mais coagido a adotar uma linha dura em sua política externa, com resultados decisivos na crise que levou à deflagração da Primeira Guerra Mundial em agosto de 1914.[107]

III

Como outras nações europeias, a Alemanha entrou na Primeira Guerra Mundial com ânimo otimista, na plena esperança de vencer, mais provavelmente em um tempo relativamente curto. Militares como o ministro da Guerra, Erich von Falkenhayn, esperavam um conflito mais longo e até temiam que a Alemanha eventualmente fosse derrotada. Mas sua visão de especialista não se transmitiu às massas ou, de fato, a muitos dos políticos em cujas mãos estava o destino da Alemanha.[108] O sentimento de invencibilidade era sustentado pelo imenso crescimento da economia alemã ao longo das décadas anteriores e ficou mais exaltado com as formidáveis vitórias do Exército alemão no *front* oriental em 1914-15. Uma invasão inicial russa do leste da Prússia levou o chefe do Estado-Maior Geral alemão a indicar um general reformado, Paul von Hindenburg, nascido em 1847 e veterano da guerra de 1870-71, para assumir a campanha com o auxílio de seu chefe do Estado-Maior, Erich Ludendorff, um especialista técnico e engenheiro militar de origens não nobres que havia conquistado reputação por si mesmo com o ataque a Liège no início da guerra. Os dois generais induziram os exércitos invasores russos para uma armadilha e os aniquilaram, seguindo-se a isso uma série de vitórias adicionais. No final de setembro de 1915, os alemães haviam conquistado a Polônia, infligido perdas enormes às tropas russas e as forçado a retroceder mais de quatrocentos quilômetros das posições que haviam ocupado no ano anterior.

Essas façanhas fizeram a reputação de Hindenburg como um general virtualmente invencível. Logo desenvolveu-se um culto ao herói em torno dele, e sua presença imponente e impassível parecia proporcionar um elemento de estabilidade em meio à sorte cambiante da guerra. Mas, na verdade, ele era um homem de visão e habilidade políticas limitadas. Hindenburg agiu de muitas maneiras como uma fachada para seu vigoroso subordinado Ludendorff, cujas ideias sobre a condução da guerra eram muito mais radicais e implacáveis. Os triunfos da dupla no leste contrastavam agudamente com o impasse no oeste, onde, poucos meses depois da deflagração da guerra, uns 8 milhões de soldados encaravam-se ao longo de setecentos quilômetros de trincheiras do mar do Norte à fronteira da Suíça, incapazes de penetrar em grau significativo nas linhas inimigas. O terreno macio permitia-lhes construir linhas de profundas trincheiras defensivas uma após a outra. Emaranhados de arame farpado impediam o avanço do inimigo. Plataformas para metralhadoras ao longo de toda linha dizimavam qualquer tropa do lado oposto que tivesse êxito em se aproximar o bastante para ser alvejada. Ambos os lados lançavam recursos crescentes nesse esforço fútil. Em 1916, a tensão começou a se fazer sentir.

Em todas as principais nações combatentes houve troca de liderança no meio da guerra, refletindo a perceptível necessidade de maior energia e impiedade na mobilização da nação e seus recursos. Na França, Clemenceau chegou ao poder, na Grã-Bretanha, Lloyd George. Na Alemanha, como era típico, não foi um político civil radical, mas os dois generais mais

Mapa 2. A expansão alemã na Primeira Guerra Mundial

O LEGADO DO PASSADO 95

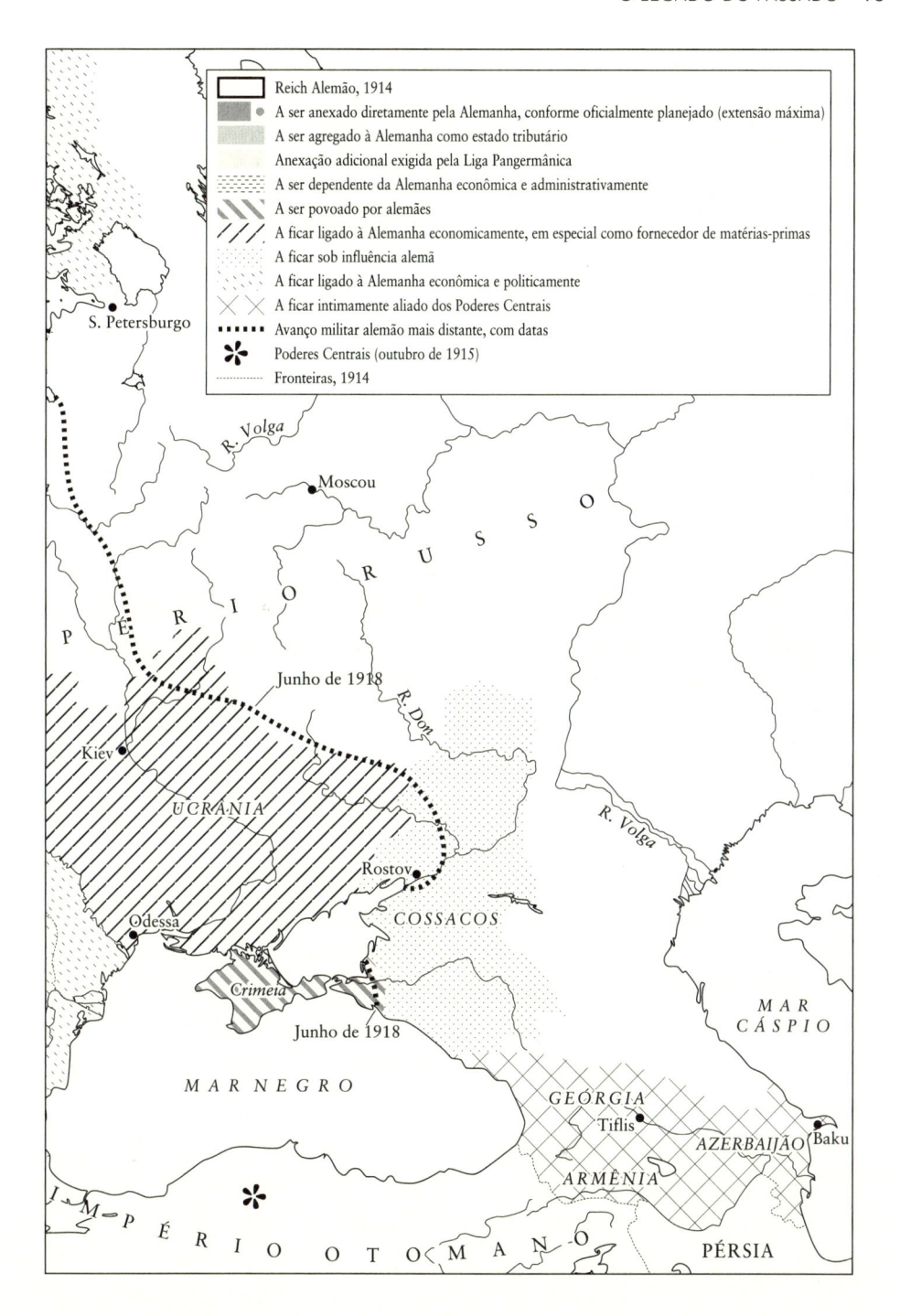

Reich Alemão, 1914
A ser anexado diretamente pela Alemanha, conforme oficialmente planejado (extensão máxima)
A ser agregado à Alemanha como estado tributário
Anexação adicional exigida pela Liga Pangermânica
A ser dependente da Alemanha econômica e administrativamente
A ser povoado por alemães
A ficar ligado à Alemanha economicamente, em especial como fornecedor de matérias-primas
A ficar sob influência alemã
A ficar ligado à Alemanha econômica e politicamente
A ficar intimamente aliado dos Poderes Centrais
Avanço militar alemão mais distante, com datas
Poderes Centrais (outubro de 1915)
Fronteiras, 1914

S. Petersburgo

R. Volga

Moscou

IMPÉRIO RUSSO

Junho de 1918

R. Don

Kiev

UCRÂNIA

R. Volga

Odessa

Rostov

COSSACOS

Crimeia

Junho de 1918

MAR CÁSPIO

MAR NEGRO

GEÓRGIA
Tiflis
AZERBAIJÃO
Baku
ARMÊNIA

IMPÉRIO OTOMANO

PÉRSIA

bem-sucedidos, Hindenburg e Ludendorff, que tomaram as rédeas do poder em 1916. O "Programa Hindenburg" tentou galvanizar e reorganizar a economia alemã para submetê-la ao objetivo principal de vencer a guerra. Comandado por outro general de classe média, Wilhelm Groener, o Ministério da Guerra cooptou sindicatos e políticos civis para a tarefa de mobilização. Mas isso era um anátema para os industriais e os outros generais. Groener logo foi dispensado. Deixando os políticos civis de lado, Hindenburg e Ludendorff estabeleceram uma "ditadura silenciosa" na Alemanha, com o comando militar nos bastidores, repressão severa às liberdades civis, controle central da economia e generais dando as cartas na formulação das metas da guerra e na política externa. Todos esses acontecimentos proporcionariam antecedentes significativos para a sina mais drástica que se abateria sobre a democracia e a liberdade civil alemãs menos de duas décadas depois.[109]

A guinada para um andamento mais impiedoso da guerra foi contraproducente em mais de um sentido. Ludendorff ordenou uma exploração econômica sistemática das áreas da França, da Bélgica e da Europa oriental e central ocupadas por tropas alemãs. A memória dos países ocupados custaria caríssimo aos alemães no final da guerra. As inflexíveis e ambiciosas metas de guerra dos generais indispuseram muitos alemães do centro liberal e da esquerda. E a decisão do começo de 1917 de empreender campanha irrestrita no Atlântico a fim de cortar o abastecimento britânico proveniente dos Estados Unidos apenas provocou os americanos para que entrassem na guerra do lado dos aliados. A partir de 1917, a mobilização da economia mais rica do mundo começou a pesar intensamente em favor dos aliados, e, no fim do ano, tropas americanas chegavam ao *front* ocidental em número cada vez maior. O único aspecto realmente brilhante do ponto de vista alemão era a série contínua de sucessos no leste.

Mas estes também tiveram um preço. A pressão militar inexorável do exército alemão e seus aliados no leste rendeu frutos no começo de 1917, no colapso da administração ineficiente e impopular do tsar Nicolau II e sua substituição por um governo provisório nas mãos dos liberais russos. Contudo, estes não se mostraram mais capazes que o tsar em mobilizar os enormes recursos da Rússia para uma guerra vencedora. Com uma situação próxima da fome em casa, caos na administração e derrota e desespero crescentes no *front*, o ânimo em Moscou e São Petersburgo era cada vez mais contrário à guerra, e a já precária legitimidade do governo provisório começou a evaporar-se. O maior beneficiado com essa situação foi o único agrupamento político da Rússia que oferecia oposição consistente à guerra desde o começo: o Partido Bolchevique, grupo extremista marxista firmemente organizado, implacavelmente coerente, cujo líder, Vladimir Ilitch Lênin, havia argumentado o tempo todo que uma derrota na guerra era a forma mais rápida de provocar uma revolução. Agarrando a oportunidade, ele organizou um golpe repentino, no outono de 1917, que deparou com pouca resistência imediata.

A "Revolução de Outubro" logo degenerou em caos sangrento. Quando os oponentes dos bolcheviques tentaram um contragolpe, o novo regime respondeu com um violento "terror vermelho". Todos os outros partidos foram suprimidos. Foi estabelecida uma ditadura centralizada sob a liderança de Lênin. O recém-formado Exército Vermelho, comandado por Leon Trótski, travou uma encarniçada guerra civil contra os "brancos", que almejavam restabelecer o regime tsarista. Seus esforços não conseguiram ajudar o tsar, que os bolcheviques logo executaram junto com sua família. A organização da polícia política bolchevique, a Tcheca, suprimiu implacavelmente os oponentes do regime de todos os setores do espectro político, dos socialistas moderados mencheviques, anarquistas e camponeses sociais revolucionários à esquerda até os liberais, conservadores e tsaristas à direita. Milhares foram torturados, mortos ou brutalmente aprisionados nos primeiros campos daquilo que se tornaria um vasto sistema de confinamento na década de 1930.[110]

O regime de Lênin por fim triunfou, vencendo os "brancos" e seus apoiadores e estabelecendo o controle sobre boa parte do antigo império tsarista. O líder bolchevique e seus sucessores foram em frente para construir sua versão de Estado e sociedade comunistas, com a socialização da economia representando, pelo menos na teoria, a posse comum da propriedade, a abolição da religião garantindo uma consciência secular socialista, o confisco da riqueza privada criando uma sociedade sem classes, e o estabelecimento do "centralismo democrático" e da economia planejada, dando poderes ditatoriais sem precedentes para a administração central em Moscou. Tudo isso, contudo, estava acontecendo em um Estado e uma sociedade que Lênin sabia serem economicamente atrasados e carentes de recursos modernos. Em sua visão, economias mais avançadas, como a da Alemanha, possuíam sistemas sociais mais desenvolvidos, nos quais era ainda mais provável que irrompesse uma revolução do que na Rússia. De fato, Lênin acreditava que a revolução russa dificilmente conseguiria sobreviver, a menos que revoluções bem-sucedidas do mesmo tipo ocorressem em outros lugares.[111]

Assim, os bolcheviques formaram a Internacional Comunista ("Comintern") para propagar sua versão de revolução pelo resto do mundo. Fazendo isso, poderiam obter vantagem do fato de os movimentos socialistas em muitos países terem se dividido quanto às questões levantadas pela guerra. Na Alemanha em particular, o outrora monolítico Partido Social-Democrata, que começou apoiando a guerra como uma operação basicamente defensiva contra a ameaça do leste, foi tomado de dúvidas crescentes à medida que começou a ficar clara a escala das anexações exigidas pelo governo. Em 1916, o partido dividiu-se em facções pró e antiguerra. A maioria continuou a apoiar a guerra com reservas e a propagar reformas moderadas em vez de uma revolução completa. Entre a minoria de "social-democratas independentes", uns poucos, liderados por Karl Liebknecht e Rosa Luxemburgo, fundaram o Partido Comunista alemão em dezembro de 1918. A minoria, enfim, uniu-se a eles em massa no início da década de 1920.[112]

Seria difícil exagerar o medo e o terror que esses eventos espalharam entre muitas partes da população da Europa ocidental e central. As classes média e alta ficaram alarmadas com a retórica radical dos comunistas e viram seus pares da Rússia perder as propriedades e desaparecer em câmaras de tortura e campos de prisioneiros da Tcheca. Os social-democratas ficaram aterrorizados pela perspectiva de deparar com a mesma sina dos socialistas moderados mencheviques e os social-revolucionários do setor rural em Moscou e São Petersburgo caso os comunistas chegassem ao poder em seu país. Desde o início, os democratas de todas as partes estavam cientes de que o comunismo pretendia suprimir os direitos humanos, desmantelar as instituições representativas e abolir as liberdades civis. O terror levou-os a crer que o comunismo deveria ser detido a qualquer custo em seus países, até mesmo por meios violentos e revogação das liberdades civis que eles se comprometiam a defender. Aos olhos da direita, comunismo e social-democracia equivaliam aos dois lados de uma mesma moeda, e um não parecia uma ameaça menor que o outro. Na Hungria, um breve regime comunista sob Béla Kun tomou o poder em 1918, tentou abolir a Igreja e foi rapidamente derrubado pelos monarquistas liderados pelo almirante Miklós Horthy. O regime contrarrevolucionário procedeu à instauração de um "terror branco", no qual milhares de bolcheviques e socialistas foram detidos, brutalmente maltratados, aprisionados e mortos. Os eventos na Hungria deram à Europa central a primeira amostra dos novos níveis de violência e conflito políticos que viriam a emergir a partir das tensões criadas pela guerra.[113]

Na Alemanha, a ameaça do comunismo ainda parecia relativamente remota no início de 1918. Lênin e os bolcheviques depressa negociaram um muito necessário acordo de paz para garantir a si mesmos o fôlego de que precisavam para consolidar o poder recém-conquistado. Os alemães conduziram uma árdua barganha, anexando imensas faixas de território dos russos no Tratado de Brest-Litovsk no início de 1918. À medida que grande quantidade de tropas alemãs eram transferidas do agora supérfluo *front* oriental para reforçar uma nova ofensiva de primavera no *front* ocidental, a vitória final parecia estar logo à frente. Em sua proclamação anual ao povo alemão em agosto de 1918, o *Kaiser* garantiu a todos que o pior da guerra havia passado. Isso era bem verdade, mas não no sentido que ele pretendia.[114] Pois a enorme sangria que a ofensiva de primavera de Ludendorff causou no Exército da Alemanha abriu caminho para os aliados, reforçados pela imensa quantidade de novas tropas e provisões americanas, romperem as linhas alemãs e avançarem rapidamente pelo *front* ocidental. O moral do Exército alemão começou a entrar em colapso e quantidades cada vez maiores de tropas começaram a desertar ou se render aos aliados. Os golpes finais vieram quando a Bulgária, aliada alemã, pediu paz, e os exércitos de Habsburgo no sul começaram a se desmantelar em face dos renovados ataques italianos.[115] No final de setembro, Hindenburg e Ludendorff foram obrigados a informar ao *Kaiser* que a derrota era inevitável. Um forte recrudescimento da censura assegurou que os jornais continuassem por mais um tempo a divulgar uma perspectiva de vitória final, quando na realidade isso já havia desaparecido há muito. Assim, as ondas de choque propagadas pela notícia da derrota da Alemanha foram ainda maiores.[116] Elas mostraram-se fortes demais para o que restava do sistema político do império que Bismarck havia criado em 1871.

O nazismo foi forjado nesse caldeirão de guerra e revolução. Meros quinze anos separaram a derrota da Alemanha em 1918 do advento do Terceiro Reich em 1933. Contudo, houve muitas voltas e reviravoltas ao longo do caminho. O triunfo de Hitler não havia sido de forma alguma tornado inevitável em 1918, assim como não foi pré-programado pelo curso prévio da história alemã. A criação do Reich alemão e sua ascensão ao poderio econômico e ao *status* de grande potência haviam criado expectativas em muita gente, expectativas que, àquela altura, estava claro que o Reich e suas instituições eram incapazes de preencher. O exemplo de Bismarck como líder supostamente implacável e duro que não tinha medo de usar de violência e trapaça para chegar a seus objetivos estava presente na mente de muitos, e a determinação com que ele havia agido para refrear a ameaça democratizante do catolicismo político e do movimento operário socialista era largamente admirada nas classes médias protestantes. A "ditadura silenciosa" de Hindenburg e Ludendorff havia posto em prática os preceitos de comando autoritário implacável em um momento de suprema crise nacional em 1916 e criado um precedente fatídico para o futuro.

O legado do passado alemão era um fardo pesado sob muitos aspectos. Mas não tornou a ascensão e o triunfo do nazismo inevitáveis. As sombras lançadas por Bismarck poderiam eventualmente ter se dissipado. Contudo, quando a Primeira Guerra Mundial chegou ao fim, essas sombras haviam se intensificado de modo quase imensurável. Os problemas legados ao sistema político alemão por Bismarck e seus sucessores foram infinitamente piorados pelos efeitos da guerra; e a esses problemas somaram-se outros que pressagiaram ainda mais dificuldades para o futuro. Sem a guerra, o nazismo não teria emergido como uma força política séria, nem tantos alemães buscariam de forma tão desesperada uma alternativa autoritária aos políticos civis que pareciam ter falhado de maneira tão notável com a Alemanha na hora da necessidade. As apostas com que todos jogavam em 1914-18 eram tão altas que tanto a direita como a esquerda estavam preparadas para tomar medidas de um extremismo sonhado apenas por figuras marginais da política antes da guerra. Recriminações em massa sobre onde deveria recair a responsabilidade pela derrota da Alemanha apenas aprofundaram o conflito político. Sacrifício, privação e morte em uma escala tremenda levaram alemães de todas as inclinações a procurar amargamente o motivo para isso. A quase inimaginável despesa financeira da guerra criou um vasto fardo econômico para a economia mundial, do qual ela não teve como se safar por outros trinta anos, e tal fardo caiu mais pesadamente em cima da Alemanha. As orgias de ódio nacional a que todas as nações haviam se entregado durante a guerra deixaram um terrível legado de amargura para o futuro. Contudo, enquanto as tropas alemãs vagueavam para casa, e o regime do *Kaiser* preparava-se de modo relutante para dar posse a um sucessor democrático, ainda parecia haver tudo pelo que jogar.

Mergulho no caos

I

Em novembro de 1918, a maioria dos alemães esperava que, uma vez que a guerra havia chegado ao fim antes de os aliados pisarem em solo alemão, os termos em que a paz se basearia seriam relativamente moderados. Durante os quatro anos anteriores, havia grassado o debate sobre a extensão de território que a Alemanha deveria buscar anexar após a obtenção da vitória. Até mesmo as metas oficiais do governo para a guerra haviam incluído a adjudicação de uma extensão substancial de território na Europa ocidental e oriental e o estabelecimento da completa hegemonia alemã sobre o continente. Os grupos de pressão de direita foram muito mais longe.[117] Dada a extensão do que os alemães esperavam ganhar em caso de vitória, seria de esperar que tivessem percebido o que corriam risco de perder em caso de derrota. Mas ninguém estava preparado para os termos de paz com que a Alemanha foi forçada a concordar no armistício de 11 de novembro de 1918. Todas as tropas alemãs foram forçadas a recuar para o leste do Reno, a frota alemã teve que se render aos aliados, uma enorme quantidade de equipamento militar precisou ser entregue, o Tratado de Brest-Litovsk teve que ser repudiado e a Frota de Alto-Mar alemã foi obrigada a se render aos aliados junto com todos os submarinos alemães. Nesse ínterim, para garantir a submissão, os aliados mantiveram o bloqueio econômico à Alemanha, piorando uma já medonha situação de desabastecimento de alimentos. O embargo não foi abandonado até julho do ano seguinte.[118]

Essas condições foram sentidas de forma quase geral na Alemanha como uma humilhação nacional injustificada. O ressentimento aumentou enormemente pelas ações tomadas, sobretudo pelos franceses, para impor as condições. A severidade dos termos do armistício era vivamente realçada pelo fato de muitos alemães recusarem-se a acreditar que suas forças armadas haviam sido realmente derrotadas. Muito depressa, ajudado e incitado por altos oficiais do Exército, um mito fatal adquiriu popularidade entre largas camadas da opinião pública ao centro e à direita do espectro político. Pegando a deixa do drama musical *O crepúsculo dos deuses*, de Richard Wagner, muita gente começou a acreditar que o Exército havia sido derrotado apenas porque, como Siegfried, o herói destemido de Wagner, tinha sido apunhalado nas costas pelos inimigos domésticos. Hindenburg e Ludendorff, os líderes militares alemães, afirmaram logo depois da guerra que o Exército tinha sido vítima de uma "campanha demagógica secreta e planejada" que havia fadado todos seus esforços heroicos ao fracasso no final. "Um general inglês disse corretamente: o Exército alemão foi apunhalado pelas costas".[119] O *Kaiser* Guilherme II repetiu a frase em suas memórias, escritas na década de 1920: "Durante trinta anos, o Exército foi meu orgulho. Por ele vivi, nele trabalhei, e agora, após brilhantes quatro anos e meio de guerra com vitórias sem precedentes, ele foi forçado ao colapso pela punhalada nas costas da adaga dos revolucionários, no instante em que a paz estava ao alcance!".[120] Até mesmo os social-democratas contribuíram para essa lenda confortadora. Quando as tropas voltaram a Berlim em 10 de dezembro de 1918, o líder do partido, Friedrich Ebert, disse: "Nenhum inimigo sobrepujou vocês!".[121]

A derrota na guerra provocou o colapso imediato do sistema político criado por Bismarck quase meio século antes. Após a revolução russa de fevereiro de 1917 ter apressado o fim do tsarismo, Woodrow Wilson e os aliados ocidentais começaram a proclamar que a meta principal da guerra era tornar o mundo seguro para a democracia. Portanto, ao concluir que a guerra estava irremediavelmente perdida, Ludendorff e a liderança do Reich defenderam uma democratização do sistema político do império alemão a fim de aumentar a possibilidade de que termos de paz razoáveis, até mesmo favoráveis, fossem aceitos pelos aliados. Como subproduto longe de incidental, Ludendorff também calculou que, se os termos não fossem tão aceitáveis para o povo alemão, o ônus de concordar com eles seria, dessa forma, colocado sobre os políticos democráticos em vez de sobre o *Kaiser* ou os líderes do Exército. Um novo governo foi formado sob o príncipe Max von Baden, um liberal, mas mostrou-se incapaz de controlar a Marinha, cujos oficiais tentaram fazer-se ao mar em um lance para salvar sua honra e cair lutando uma última batalha desesperançada contra a frota inglesa. Como era de esperar, os marinheiros amotinaram-se; em poucos dias os levantes haviam se espalhado para a população civil, e o *Kaiser* e todos os príncipes, do rei da Bavária ao grão-duque de Baden, foram forçados a abdicar. O Exército simplesmente dissolveu-se quando o armistício de 11 de novembro foi concluído, e os partidos democráticos foram deixados, como Ludendorff havia pretendido, para negociar, se é que negociar seria a palavra, os termos do Tratado de Versalhes.[122]

Como resultado do tratado, a Alemanha perdeu um décimo da população e 13% do território, inclusive a Alsácia-Lorena, cedida de volta à França após quase meio século sob domínio alemão, junto com os territórios fronteiriços de Eupen, Malmédy e Moresnet. O Sarre foi separado da Alemanha, sendo administrado por uma comissão montada pela Liga das Nações, com a promessa de que seu povo poderia depois decidir se queria fazer parte da França; lógico que era esperado que no fim quisessem, pelo menos se os franceses não tivessem nada que ver com aquilo. A fim de garantir que as forças armadas alemãs não entrassem na Renânia, tropas britânicas, francesas e, por menos tempo, americanas foram destacadas para lá em números consideráveis por boa parte da década de 1920. O norte de Schleswig foi para a Dinamarca, e, em 1920, Memel foi para a Lituânia. A criação de um novo estado polonês, revertendo as partilhas do século XVIII em que a Polônia fora devorada pela Áustria, Prússia e Rússia, significou para a Alemanha a perda de Posen, de boa parte do oeste da Prússia e da Alta Silésia. Danzig tornou-se uma "cidade livre" sob controle nominal da recém-fundada Liga das Nações, precursora da Organização das Nações Unidas, estabelecida após a Segunda Guerra Mundial. A fim de dar acesso ao mar à Polônia, o acordo de paz talhou um "corredor" de terra separando o leste da Prússia do resto da Alemanha. As colônias ultramarinas da Alemanha foram tomadas e redistribuídas para serem administradas pela Liga das Nações.[123]

Igualmente significativa, e igualmente chocante, foi a recusa das potências vitoriosas em permitir a união da Alemanha e da Áustria de língua alemã, que teria representado a efetivação dos sonhos dos radicais de 1848. Como as nações componentes do império Habsburgo desmembraram-se bem no fim da guerra para formar as Nações-Estados da Hungria, Tchecoslováquia e Iugoslávia, ou para se unir a velhas ou novas Nações-Estados, como Polônia e Romênia, a maioria dos cerca de 6 milhões de nativos de língua alemã deixados na Áustria propriamente dita, espremidos ao longo dos Alpes entre Alemanha e Itália, consideraram que o melhor era juntar-se ao Reich alemão. Quase ninguém considerava o remanescente da Áustria viável política ou economicamente. Durante décadas, a maioria de sua população havia se visto como grupo étnico dominante na monarquia multirracial dos Habsburgo, e aqueles que, como Schönerer, haviam defendido a solução de 1848 – separar-se do resto e se unir ao Reich alemão – tinham sido confinados à periferia dos lunáticos. Agora, porém, a Áustria estava subitamente desligada de outras regiões, sobretudo da Hungria, da qual outrora havia sido muito dependente em termos econômicos. Estava sobrecarregada por uma nova capital, Viena, cuja população, inchada por burocratas da casa dos Habsburgo e administradores militares subitamente supérfluos, constituía mais de um terço do total de habitantes do novo estado. O que antes havia sido excentricidade política agora parecia fazer sentido. Até mesmo os socialistas austríacos pensavam que a união ao Reich alemão, mais avançado, deixaria o socialismo mais perto de sua efetivação do que tentar lançar-se a isso sozinho.[124]

Além disso, o presidente americano Woodrow Wilson havia declarado, nos célebres "14 Pontos" em que desejava que as potências aliadas trabalhassem, que cada nação deveria ser capaz de determinar seu futuro, livre da interferência de outros.[125] Se isso aplicava-se a poloneses, tchecos e iugoslavos, então com certeza se aplicaria também aos alemães. Mas não. Os aliados perguntaram-se pelo que haveriam lutado se o império alemão terminasse a guerra com 6 milhões de pessoas a mais e uma quantidade considerável de território adicional, inclusive uma das maiores cidades da Europa? Assim, a união foi vetada. De todas as cláusulas do Tratado, essa pareceu a mais injusta. Proponentes e críticos da posição aliada podiam debater sobre os mé-

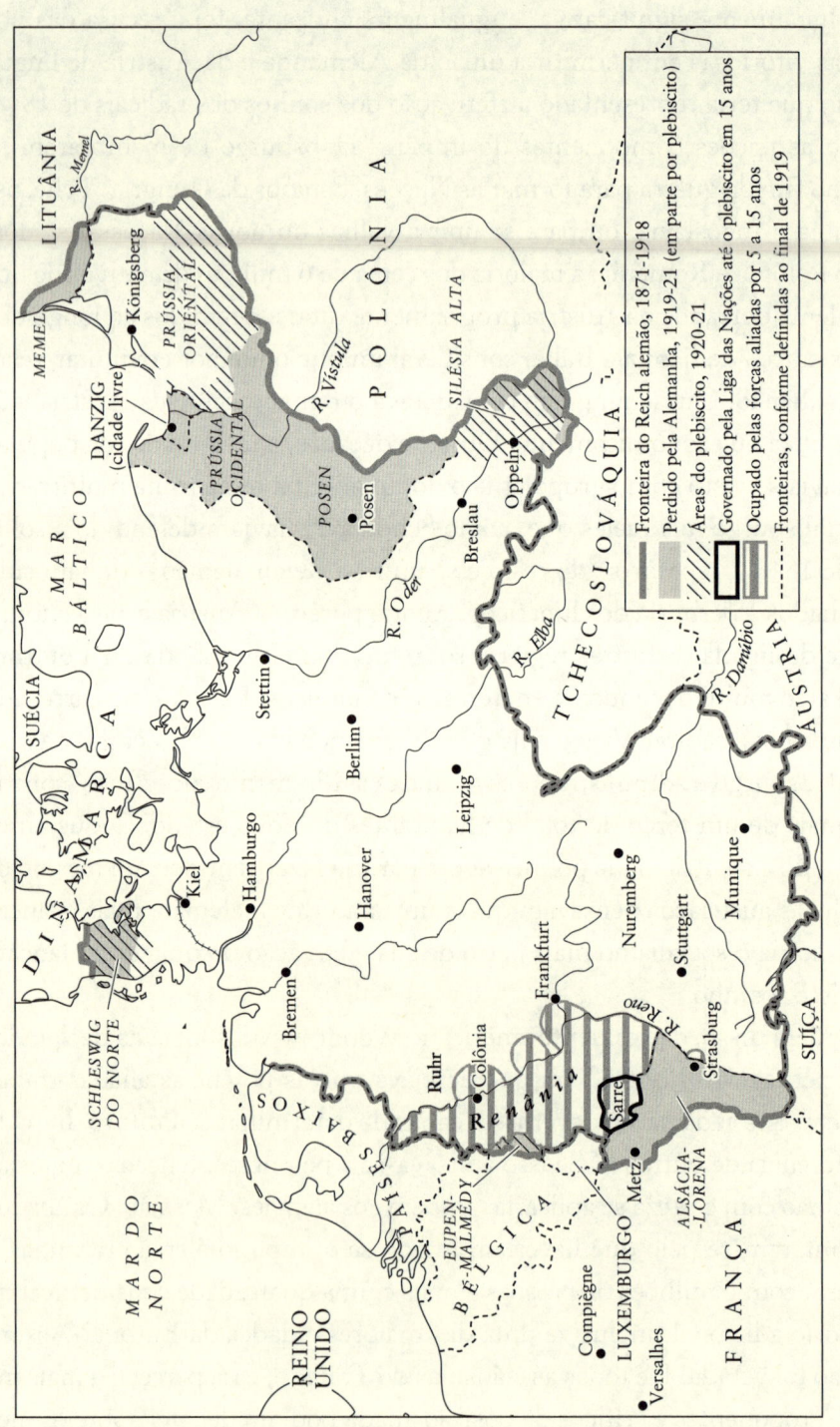

Mapa 3. O Tratado de Versalhes

ritos das outras cláusulas e questionar a imparcialidade dos plebiscitos que decidiram a questão territorial em lugares como a Alta Silésia; mas, no caso austríaco, não havia espaço para argumento nenhum. Os austríacos queriam a união; os alemães estavam preparados para aceitar a união; o princípio de autonomia nacional exigia a união. O fato de os aliados proibirem a união permaneceu uma fonte constante de amargura na Alemanha e condenou a nova "República da Alemanha-Áustria", como era conhecida, a duas décadas de existência dominada por conflitos e abalada por crises nas quais poucos de seus cidadãos chegaram a acreditar em sua legitimidade.[126]

Muitos alemães perceberam que os aliados justificaram a proibição da união alemã-austríaca, assim como muito mais no Tratado de Versalhes, com o Artigo 231, que obrigava a Alemanha a aceitar a "culpa exclusiva" pela deflagração da guerra em 1914. Outros artigos igualmente ofensivos para os alemães ordenavam o julgamento do *Kaiser* e muitos outros por crimes de guerra. De fato, foram cometidas atrocidades significativas pelas tropas alemãs durante as invasões da Bélgica e do norte da França em 1914. Mas os poucos julgamentos que ocorreram em Leipzig, perante um tribunal alemão, fracassaram quase invariavelmente porque o Judiciário alemão não aceitou a legitimidade da maioria das acusações. Dos novecentos supostos criminosos de guerra inicialmente indiciados para julgamento, apenas sete foram enfim declarados culpados, enquanto dez foram absolvidos, e o restante jamais passou por um julgamento pleno. Enraizou-se na Alemanha a ideia de que todo o conceito de crimes de guerra, de fato toda a noção de leis de guerra, era uma invenção polêmica dos vitoriosos aliados baseada em propaganda mentirosa sobre atrocidades imaginárias. Isso deixou um legado fatal para as atitudes e conduta das forças armadas alemãs durante a Segunda Guerra Mundial.[127]

O real objetivo do Artigo 231, contudo, era legitimar a imposição pelos aliados de reparações financeiras punitivas à Alemanha a fim de compensar franceses e belgas em particular pelo prejuízo causado por quatro anos e três meses de ocupação alemã. Eles apoderaram-se de mais de 2 milhões de toneladas de navios mercantes, 5 mil locomotivas e 136 mil vagões, 24 milhões de toneladas de carvão e muito mais. Indenizações financeiras deveriam ser pagas em ouro por um período de anos que se estendia pelo futuro distante.[128] Para o caso de isso não impedir a Alemanha de financiar uma reconstrução de seu poderio armado, o tratado também obrigava o Exército a ficar restrito a um contingente máximo de 100 mil e bania o uso de tanques, artilharia pesada e o recrutamento. Seis milhões de rifles alemães, mais de 15 mil aviões, mais de 130 mil metralhadoras e uma grande quantidade de outros equipamentos militares tiveram que ser destruídos. A marinha de guerra alemã foi efetivamente desmantelada e proibida de construir qualquer embarcação grande, e a Alemanha não tinha permissão para possuir nenhuma força aérea. Esses foram os termos apresentados aos alemães como condição para a paz pelos aliados ocidentais em 1918-19.[129]

II

Tudo isso foi recebido com horror incrédulo pela maioria dos alemães.[130] O senso de ultraje e incredulidade que varreu as classes média e alta alemãs como uma onda de choque foi quase geral e teve impacto maciço também sobre muitos operários apoiadores dos social-democratas moderados. A força e o prestígio internacionais da Alemanha vinham em curso ascendente desde a unificação em 1871, de modo que a maioria dos alemães sentiu de repente que o país havia sido brutalmente expulsa da categoria das grandes potências e coberta com o que consideravam uma vergonha indevida. O Tratado de Versalhes foi condenado como uma paz ditada, imposta de forma unilateral sem possibilidade de negociação. O entusiasmo que muitos alemães de classe média haviam demonstrado pela guerra em 1914 virou um ardente ressentimento quanto aos termos da paz quatro anos depois.

Na verdade, o acordo de paz criou novas oportunidades para a política externa alemã na Europa central e oriental, onde os outrora poderosos impérios Habsburgo e Romanov haviam sido substituídos por um amontoado rixento de pequenos estados instáveis como Áustria, Tchecoslováquia, Hungria, Polônia, Romênia e Iugoslávia. As cláusulas territoriais do tratado eram amenas comparadas com as que a Alemanha teria imposto ao resto da Europa em caso de vitória, conforme o programa esboçado pelo chanceler alemão Bethmann Hollweg, em setembro de 1914, havia claramente indicado no início, e o Tratado de Brest-Litovsk, concluído com os russos derrotados, na primavera de 1918, havia demonstrado vividamente na prática. Uma vitória alemã também teria levado à apresentação de uma enorme conta de reparações aos aliados derrotados, sem dúvida muitas vezes maior do que aquela que Bismarck enviou à França após a guerra de 1870-71. As contas indenizatórias que a Alemanha teve que pagar de 1919 em diante não iam além dos recursos do país e não eram exorbitantes, dada a destruição desenfreada infligida à Bélgica e à França pelos exércitos de ocupação alemães. De muitas maneiras, o acordo de paz de 1918-19 foi uma corajosa tentativa de casar princípio e pragmatismo em um mundo dramaticamente alterado. Em outras circunstâncias, poderia ter tido uma chance de sucesso. Mas não nas circunstâncias de 1919, quando praticamente quaisquer termos de paz teriam sido condenados pelos nacionalistas alemães, que achavam que haviam sido injustamente despojados da vitória.[131] A longa ocupação militar aliada de partes do oeste da Alemanha, junto ao vale do Reno, do final da guerra até quase o final da década de 1920, também suscitou ressentimento disseminado e intensificou o nacionalismo alemão nas áreas atingidas. Um social-democrata nascido em 1888 e antes pacifista, mais tarde relatou: "Senti a coronha do rifle dos franceses e me tornei patriota de novo".[132] Embora britânicos e americanos tenham estacionado tropas em uma larga área da Renânia, foram os franceses, tanto ali quanto no Sarre, que despertaram maior ressentimento. Eles causaram ultraje particular pelo banimento de canções e festas patrióticas alemãs, encorajamento de movimentos separatistas na região e a exclusão de grupos nacionalistas radicais. Um mineiro do Sarre afirmou que os novos donos franceses das minas estatais manifestavam sua germanofobia por meio do tratamento ríspido aos trabalhadores.[133] A resistência passiva, particularmente entre funcionários estatais subalternos patriotas, como empregados das ferrovias, que se recusavam a trabalhar para as novas autoridades francesas, encorajava o ódio aos políticos de Berlim que haviam aceitado esse estado de coisas e a rejeição da democracia alemã por fracassar em fazer qualquer coisa a respeito.[134]

Mas, se o acordo de paz ultrajou a maioria dos alemães comuns, isso não foi nada perto do efeito que teve sobre os apóstolos do nacionalismo extremista, notadamente os pangermânicos. Os pangermânicos haviam saudado a deflagração da guerra em 1914 com entusiasmo irrestrito, beirando o êxtase. Para homens como Heinrich Class, era a realização do sonho de uma vida. As coisas pareciam enfim estar indo do jeito deles. Os planos imensamente ambiciosos de anexação territorial e hegemonia europeia traçados pela Liga Pangermânica antes da guerra pareciam então ter uma chance de se tornar realidade, visto que o governo, conduzido por Bethmann Hollweg, traçou um conjunto de metas de guerra que chegavam bem próximo às da liga em âmbito e objetivo. Grupos de pressão como os industriais e partidos como os conservadores, todos clamavam por extensos territórios novos a serem acrescentados ao Reich alemão após a vitória.[135] Mas a vitória não veio, e a oposição às anexações cresceu. Nessas circunstâncias, Class e os pangermânicos começaram a perceber que precisavam fazer outra tentativa séria de ampliar sua base de apoio para fazer pressão sobre o governo de novo. Mas, enquanto experimentavam vários esquemas de aliança com outros grupos para essa finalidade, foram subitamente passados para trás por um novo movimento, lançado por Wolfgang Kapp, um ex-funcionário público, dono de propriedades rurais e sócio de Alfred Hugenberg, empresário magnata e membro fundador dos pangermânicos. Para Kapp, nenhum movimento nacionalista teria sucesso sem uma base maciça; em setembro de 1917, lançou o Partido da Pátria alemão, cujo programa centrava-se nas metas de anexação da guerra, mudanças constitucionais autoritárias e outros esteios da plataforma pangermânica. Respaldada por Class, por industriais, pelo ex-ministro da Marinha Alfred von Tirpitz e de fato por todos os grupos anexacionistas, inclusive o Partido Conservador, a nova organização apresentou-se como estando acima da rixa político-partidária, comprometida apenas com a nação alemã, não com nenhuma ideologia abstrata. Professores, pastores protestantes, oficiais do Exército e muitos outros aderiram à causa. Dentro de um ano, o Partido da Pátria afirmava ter nada menos que 1,25 milhão de membros.[136]

Mas nem tudo estava indo tão bem como parecia. Para começar, o número de membros era inflado por muita contagem dupla de pessoas que estavam listadas tanto como indivíduos quanto como membros de organizações eleitorais, de modo que o verdadeiro número de integrantes não passava de 445 mil, de acordo com um memorando interno de setembro de 1918. A seguir, Class e os pangermânicos depressa foram deixados de lado, pois as lideranças acharam que essa associação poderia deter potenciais apoiadores de partes menos extremistas do espectro político. O Partido da Pátria colidiu com grande oposição dos liberais e deparou com imensa desconfiança do governo, que proibiu oficiais e tropas de se filiarem a ele e disse aos funcionários públicos que não deveriam ajudar de modo algum. As ambições do partido de recrutar a classe operária foram frustradas tanto pelos social-democratas, que dispararam críticas mortíferas contra sua ideologia divisória, quanto pelos feridos de guerra, cuja participação (por convite) em um encontro do Partido da Pátria em Berlim, em janeiro de 1918, levou a irado diálogo com os oradores e resultou nos superpatriotas da plateia expulsando-os do encontro, e a polícia sendo chamada para apartar a briga. Tudo isso apontou para o fato de que o Partido da Pátria era, na prática, outra versão dos movimentos ultranacionalistas prévios, ainda mais dominado que estes pelos notáveis da classe média. Não fez nada de novo para conquistar o apoio da classe operária, não teve quaisquer porta-vozes da classe operária e, apesar de toda a demagogia, carecia por completo de apelo popular. Ficou firmemente dentro dos limites da política respeitável, absteve-se de violência e revelou, mais do que qualquer coisa, a falência das ambições políticas da Liga Pangermânica, falência confirmada quando esta provou-se incapaz de lidar com o novo mundo político da Alemanha pós-guerra e caiu em obscuridade sectária após 1918.[137]

III

O que transformou a cena nacionalista extremista não foi a guerra em si, mas a experiência de derrota, revolução e conflito armado ao final da guerra. Ali, um papel poderoso foi desempenhado pelo mito da "geração do *front*" de 1914-18, soldados ligados por um espírito de companheirismo e sacrifício pessoal por uma causa heroica que superava todas as diferenças políticas, regionais, sociais e religiosas. Escritores como Ernst Jünger, cujo livro *Tempestades de aço* tornou-se um *best-seller*, celebraram a experiência do combatente e cultivaram o rápido crescimento da nostalgia pela união dos anos de guerra.[138] Esse mito exerceu um apelo poderoso em especial sobre as classes médias, para quem as privações compartilhadas, tanto na realidade quanto em espírito, com operários e camponeses nas trincheiras durante a guerra proporcionaram material para celebração literária nostálgica no pós-guerra.[139] Muitos soldados ressentiram-se com amargura da deflagração da revolução em 1918. Unidades retornando do *front* às vezes eram desarmadas e detidas por conselhos de operários e soldados nas cidades por onde passavam.[140] Alguns combatentes foram convertidos ao nacionalismo radical quando os revolucionários os insultavam em vez de os aplaudir no retorno, forçando-os a arrancar suas dragonas e abandonar a lealdade à bandeira imperial preta-branca-vermelha. Conforme um desses veteranos mais tarde recordou:

> Em 15 de novembro de 1918, eu estava a caminho do hospital em Bad Neuheim rumo à minha guarnição em Brandenburgo. Enquanto seguia mancando com o auxílio de minha bengala pela estação Potsdam em Berlim, um bando de homens uniformizados, ostentando braçadeiras vermelhas, pararam-me e exigiram que eu entregasse minhas dragonas e insígnias. Em resposta, brandi minha bengala; mas minha rebelião logo foi subjugada. Fui jogado (ao chão?), e apenas a intervenção de um oficial da ferrovia salvou-me da situação humilhante. A partir dali, ardeu em mim o ódio contra os criminosos de novembro. Tão logo minha saúde melhorou um pouco, uni forças com os grupos devotados a aniquilar a rebelião.[141]

Outros soldados experienciaram uma volta ao lar "ignominiosa" e "humilhante" em uma Alemanha que havia derrubado as instituições pelas quais eles haviam lutado. Um deles mais tarde perguntou: "Foi para isso que a tenra juventude da Alemanha foi dizimada em centenas de batalhas?".[142] Outro veterano, que perdeu a perna em combate e estava em um hospital militar em 9 de novembro de 1918, relatou:

Jamais esquecerei a cena de quando um companheiro sem um braço entrou no quarto e se atirou na cama chorando. A ralé vermelha, que nunca ouviu um zunido de bala, havia atacado-o e arrancado todas suas insígnias e medalhas. Berramos de raiva. Para esse tipo de Alemanha sacrificamos nosso sangue e nossa saúde, e enfrentamos com bravura todos os tormentos do inferno e um mundo de inimigos durante anos.[143]

"Quem nos traiu?", perguntou um outro, e a resposta não demorou muito para vir: "Bandidos que queriam reduzir a Alemanha a um matadouro... estrangeiros diabólicos".[144]

Tais sentimentos não eram generalizados entre as tropas, e a experiência da derrota não tornou todos os veteranos bucha de canhão para a extrema direita. Grandes quantidades de soldados haviam desertado no fim da guerra, confrontados pela força esmagadora dos oponentes aliados, e não mostravam desejo de continuar lutando.[145] Milhões de soldados da classe operária voltaram para seu ambiente político prévio, entre os social-democratas, ou gravitaram na direção dos comunistas.[146] Alguns grupos de pressão dos veteranos eram inflexíveis em que jamais desejariam que alguém mais ou eles mesmos passassem de novo pelo tipo de experiências a que haviam sido submetidos entre 1914-18. Contudo, no fim, ex-soldados e seus ressentimentos desempenharam papel crucial em fomentar um clima de violência e descontentamento após a guerra acabar, e o choque do ajuste às condições de tempos de paz empurrou muitos para a extrema direita. Aqueles que já eram politicamente socializados em tradições conservadoras e nacionalistas encontraram suas visões radicalizadas no novo contexto político da década de 1920. Também na esquerda, a disposição para usar a violência foi condicionada pela experiência, real ou vicária, da guerra.[147] À medida que aumentava a distância da guerra, o mito da "geração do *front*" difundia uma sensação de que os veteranos que se haviam sacrificado tanto pela nação durante a guerra mereciam tratamento muito melhor do que de fato tiveram, um sentimento naturalmente compartilhado por muitos dos próprios veteranos.[148]

A mais importante das associações de veteranos compartilhava plenamente desses ressentimentos e fazia vigorosa campanha pela volta do velho sistema imperial sob o qual havia lutado. Conhecida como "Capacetes de Aço: Liga dos Soldados do *Front*", foi fundada em 13 de novembro de 1918 por Franz Seldte, proprietário de uma pequena fábrica de água gasosa em Magdeburg. Nascido em 1882, Seldte havia sido membro ativo de uma confraria estudantil de duelo antes de lutar no *front* ocidental, onde foi condecorado por bravura. Em uma reunião pública inicial, quando membros da plateia duvidaram de seu compromisso com a causa nacionalista, Seldte abanou efusivamente para eles com o coto do braço esquerdo, que perdera na batalha do Somme. Cauteloso e conservador por instinto, preferia enfatizar a função primária dos Capacetes de Aço como uma fonte de apoio financeiro para velhos soldados alquebrados em tempos difíceis. Ele sucumbiu facilmente à influência de personalidades mais fortes, em especial aquelas cujos princípios eram mais firmes que os seus. Uma dessas figuras era seu companheiro de liderança dos Capacetes de Aço, Theodor Duesterberg, outro ex-oficial do Exército que havia lutado no *front* ocidental antes de assumir uma série de tarefas do Estado-Maior, em particular a ligação com potências aliadas, como Turquia e Hungria. Duesterberg, nascido em 1875, havia sido educado em uma escola de cadetes do Exército e era um oficial prussiano do modelo clássico, obcecado com disciplina e ordem, inflexível e rígido em suas visões políticas e, como Seldte, completamente incapaz de se ajustar a um mundo sem o *Kaiser*. Assim, ambos acreditavam que os Capacetes de Aço deveriam ficar "acima da política". Mas, na prática, isso significava que queriam superar as divisões partidárias e restaurar o espírito patriótico de 1914. Em 1927, o manifesto de Berlim da organização anunciou: "Os Capacetes de Aço declaram guerra contra toda frouxidão e covardia, que visam a enfraquecer e destruir a consciência de honra do povo alemão por meio da renúncia ao direito de defesa e à disposição para a defesa". Condenava o Tratado de Versalhes e exigia sua revogação, queria a restauração da bandeira nacional preta-branca-vermelha do Reich de Bismarck, e atribuía os problemas econômicos da Alemanha "à deficiência de espaço vital e território no qual trabalhar". Para implementar esse programa, era necessária uma liderança forte. O espírito de camaradagem nascido na guerra tinha que proporcionar a base para a unidade nacional que superaria as atuais diferenças partidárias. Na metade da década de 1920, os Capacetes de

Aço gabavam-se de ter uns 300 mil membros. Eram uma presença formidável e decididamente militarista quando realizavam marchas e comícios nas ruas; em 1927, de fato, nada menos que 132 mil membros em uniformes militares participaram de uma parada em Berlim como demonstração de lealdade à velha ordem.[149]

Para a maioria dos alemães, assim como para os Capacetes de Aço, o trauma da Primeira Guerra Mundial, e acima de tudo o choque da derrota inesperada, parecia não ter cura. Quando os alemães referiam-se a "tempos de paz" depois de 1918, não se tratava da época em que estavam de fato vivendo, mas ao período anterior ao início da Primeira Guerra Mundial. A Alemanha fracassou em fazer a transição de tempos de guerra para tempos de paz após 1918. Em vez disso, permaneceu em pé de guerra; em guerra consigo mesma e em guerra com o resto do mundo, pois o choque do Tratado de Versalhes uniu virtualmente todas as partes do espectro político em uma soturna determinação de derrubar suas cláusulas centrais, recuperar os territórios perdidos, pôr fim ao pagamento de indenizações e restabelecer mais uma vez a Alemanha como a potência dominante na Europa central.[150] Os modelos militares de conduta haviam se espalhado pela sociedade e cultura alemãs antes de 1914, mas depois da guerra penetraram tudo, a linguagem da política ficou permeada de metáforas de campanha militar, o partido oposto era um inimigo a ser esmagado, e luta, terror e violência tornaram-se amplamente aceitos como armas legítimas na luta política. Os uniformes estavam por todo lado. Invertendo uma frase famosa de Carl von Clausewitz, teórico militar do início do século XIX, a política tornou-se uma continuação da guerra por outros meios.[151]

A Primeira Guerra Mundial legitimou a violência em um grau que nem mesmo as guerras de unificação de Bismarck em 1864-70 haviam logrado. Antes da guerra, os alemães – ainda que de crenças políticas muitíssimo divergentes e agudamente opostas – eram capazes de discutir suas diferenças sem recorrer à violência.[152] Depois de 1918, porém, as coisas ficaram inteiramente diferentes. A mudança de clima já podia ser observada nos procedimentos parlamentares. Estes permaneceram relativamente decorosos sob o império, mas, depois de 1918, degeneraram com a maior frequência para inconvenientes embates aos berros, com cada lado mostrando franco desprezo pelo outro, e a mesa sendo incapaz de manter a ordem. Bem pior, contudo, era a situação nas ruas, onde todos os lados organizaram esquadrões armados de capangas; brigas e altercações tornaram-se coisa comum, e espancamentos e assassinatos eram largamente utilizados. Aqueles que levavam a cabo tais atos de violência não eram apenas ex-soldados, mas também homens no final da adolescência que haviam sido jovens demais para lutar na guerra e para quem a violência civil tornou-se uma forma de se legitimar diante do poderoso mito da geração mais velha de soldados do *front*.[153] Nada incomum foi a experiência do jovem Raimund Pretzel, filho de um próspero funcionário público de alto escalão, que mais tarde relembrou que ele e os amigos de escola brincavam de jogos de guerra o tempo todo de 1914 a 1918, acompanhavam as reportagens sobre as batalhas com ávido interesse; com toda sua geração, ele "experienciou a guerra como um grande jogo eletrizante e fascinante entre nações, que proporcionava muito mais excitação e satisfação emocional do que qualquer coisa que a paz pudesse oferecer; e isso", acrescentou ele na década de 1930, "tornou-se agora a visão subjacente do nazismo".[154] Guerra, conflito armado, violência e morte com frequência eram conceitos abstratos para eles, matança era algo sobre o que haviam lido e processado em suas mentes adolescentes sob a influência de uma propaganda que apresentava isso como um ato heroico, necessário e patriótico.[155]

Não demorou muito para que os partidos políticos se associassem a esquadrões armados e uniformizados, tropas paramilitares para servir de guardas nos encontros, impressionar o público ao marchar em formação militar pelas ruas, e intimidar, espancar e em certos casos matar membros de unidades paramilitares associadas a outros partidos políticos. O relacionamento entre políticos e paramilitares era com frequência carregado de tensão, e as organizações paramilitares sempre mantinham maior ou menor grau de autonomia; ainda assim, seu matiz político em geral era bastante nítido. Os Capacetes de Aço, aparentemente apenas uma associação de veteranos, não deixavam dúvida sobre suas funções paramilitares quando desfilavam pelas ruas ou metiam-se em rixas com grupos rivais. Suas afinidades com a direita linha-dura tornaram-se mais fortes a partir da metade da década de 1920, quando assumiram uma postura mais radical, banindo membros judeus a despeito do fato de a associação ter o intento de amparar todos os ex-soldados do *front*, e havia muitos veteranos judeus que precisavam de seu apoio tanto quanto quaisquer outros. Os nacionalistas também fundaram suas "ligas de luta", que tinham mais chances de dobrar a seus propósitos do que os confusos e divididos Capacetes de Aço. Em 1924, os social-democratas assumiram papel de liderança na fundação da Bandeira Negra-Vermelha-Dourada do Reich, significando lealdade à república ao incorporar as cores da bandeira ao seu nome, embora associada ao conceito bem mais ambivalente de Reich; e os comunistas montaram a Liga de Combatentes da Frente Vermelha, em que o termo "Frente Vermelha" em si era uma notável incorporação de uma metáfora militar à luta política.[156] Na extrema direita havia outras "ligas de combate" menores, matizando-se em grupos ilegais conspiratórios como a "Organização Escherich", intimamente associada aos Capacetes de Aço, e a "Organização Cônsul", que pertencia a um mundo sombrio de assassinatos políticos e homicídios por vingança. Bandos de homens uniformizados marchando pelas ruas e se lançando uns contra outros em enfrentamentos físicos brutais tornaram-se uma cena corriqueira na República de Weimar, aumentando a atmosfera geral de violência e agressão na vida política.[157]

A revolução alemã de 1918-19 não resolveu os conflitos que borbulhavam no país na fase final da guerra. Poucos ficaram inteiramente satisfeitos com os resultados da revolução. Na extrema esquerda, revolucionários liderados por Karl Liebknecht e Rosa Luxemburgo viram nos eventos de novembro de 1918 a oportunidade de criar um Estado socialista governado pelos conselhos de operários e soldados que haviam brotado por todo o país à medida que o velho sistema imperial se desintegrava. Com o modelo da revolução bolchevique de Lênin na Rússia diante de seus olhos, eles seguiram pressionando com planos para uma segunda revolução a fim de completar sua obra. De sua parte, os social-democratas convencionais temiam que os revolucionários pudessem instituir o tipo de "terror vermelho" que agora existia na Rússia. Temendo por suas vidas, e cientes da necessidade de impedir que o país caísse em completa anarquia, sancionaram o recrutamento de bandos paramilitares fortemente armados que consistiam de uma mistura de veteranos de guerra e homens mais jovens, conhecidos como Brigadas Livres, para acabar com quaisquer levantes revolucionários posteriores.

Nos primeiros meses de 1919, quando a extrema esquerda encenou um levante parcamente organizado, as Brigadas Livres, incitadas pelos social-democratas convencionais, reagiram com violência e brutalidade sem precedentes. Liebknecht e Luxemburgo foram assassinados e revolucionários foram dizimados ou sumariamente executados em uma série de cidades alemãs onde haviam assumido o controle ou pareciam ser uma ameaça. Esses eventos deixaram um legado permanente de amargura e ódio na esquerda política, piorado por outra importante explosão de violência política na primavera de 1920. Um exército vermelho de operários, formado inicialmente por social-democratas de esquerda e comunistas para defender as liberdades civis na região industrial do Ruhr diante de uma tentativa de golpe de direita em Berlim, começou a avançar para exigências políticas mais radicais. Uma vez que a tentativa de golpe havia sido derrotada por uma greve geral, o exército vermelho foi debelado por unidades das Brigadas Livres, respaldadas pelos social-democratas convencionais e apoiadas pelo Exército regular, no que de fato elevou-se a uma guerra civil regional. Bem mais que mil membros do exército vermelho foram chacinados, a maioria deles prisioneiros "abatidos a tiros ao tentar escapar".[158]

Esses eventos fadaram qualquer tipo de cooperação entre social-democratas e comunistas ao fracasso desde o primeiro momento. Medo mútuo, recriminações mútuas e ódio mútuo entre os dois partidos excediam de longe qualquer propósito em potencial que pudessem ter em comum. O legado da Revolução de 1918 dificilmente era menos fatídico na direita. A violência extrema contra a esquerda havia sido legitimada, quando não encorajada, pelos social-democratas moderados; mas isso de modo algum eximiu-os de ser alvos quando as Brigadas Livres voltaram-se contra seus senhores. Muitos dos membros das Brigadas Livres eram ex-oficiais do Exército cuja crença no mito da "punhalada nas costas" era inabalável. A profundidade do ódio das Brigadas Livres pela revolução e seus apoiadores era quase ilimitada. A linguagem de sua propaganda, suas memórias, suas representações fictícias das ações militares em que haviam tomado parte exalavam um espírito raivoso de agressão e vingança, com frequência beirando o patológico. Acreditavam que os "vermelhos" eram uma massa inumana, como um bando de ratos, uma torrente venenosa jorrando sobre a Alemanha, exigindo medidas de violência extrema para ser refreada.[159]

Seus sentimentos eram compartilhados em maior ou menor grau por grande número de oficiais regulares e pela maioria dos políticos de direita. Grandes quantidades de jovens estudantes e outros que haviam deixado de participar da guerra afluíam agora para essa bandeira. Para eles, socialistas e democratas de qualquer matiz não passavam de traidores – os "criminosos de novembro" ou "traidores de novembro", como logo foram apelidados, os homens que haviam sido os primeiros a apunhalar o Exército pelas costas, e então, em novembro de 1918, haviam cometido o crime duplo de derrubar o *Kaiser* e assinar o armistício. De fato, para alguns políticos democráticos, assinar o Tratado de Versalhes foi equivalente a assinar a própria sentença de morte, pois as Brigadas Livres formaram esquadrões secretos de extermínio para descobrir e matar aqueles que consideravam traidores da nação, inclusive o político democrata Walther Rathenau, o líder socialista Hugo Haase e o proeminente deputado do Partido de Centro Matthias Erzberger.[160] A violência política atingiu novos patamares em 1923, ano marcado não só pela sangrenta repressão de um levante comunista em Hamburgo, mas também pelas batalhas a tiros entre grupos políticos rivais em Munique e confrontos armados envolvendo separatistas respaldados por franceses na Renânia. No início da década de 1920, extremistas de esquerda como Karl Plättner e Max Hölz levaram a cabo campanhas de roubo armado e "expropriação" que terminaram apenas quando foram detidos e condenados a longas penas na prisão.[161]

Foi nessa atmosfera de trauma nacional, extremismo político, conflito violento e sublevação revolucionária que o nazismo nasceu. A maioria dos elementos que entraram em sua ideologia eclética já era corrente na Alemanha antes de 1914 e havia se tornado ainda mais familiar ao público durante a guerra. O dramático colapso da Alemanha no caos político perto do final de 1918, um caos que perdurou por vários anos após a guerra, forneceu o aguilhão para traduzir ideias extremistas em ação violenta. A mistura estonteante de ódio, medo e ambição que havia intoxicado um pequeno número de pangermânicos de repente adquiriu um elemento extracrucial:

a disposição, até mesmo determinação, de se usar força física. A humilhação nacional, o colapso do império de Bismarck, o triunfo da social-democracia, a ameaça do comunismo, tudo pareceu justificar para alguns o uso de violência e assassinato para implementar as medidas que pangermânicos, antissemitas, eugenistas e ultranacionalistas vinham defendendo desde antes da virada do século para a nação germânica se recuperar.

Contudo, tais ideias ainda continuaram sendo de uma minoria mesmo depois de 1918, e o uso da força física para torná-las eficazes ainda era restrito a uma fatia extremista diminuta. A sociedade e os políticos alemães foram polarizados em extremos pelo colapso de 1918-19, e não convertidos a um entusiasmo geral pelo nacionalismo extremista. E o terreno central da política ainda era ocupado de modo crucial por pessoas e partidos comprometidos com a criação de uma democracia parlamentar estável e operante, reforma social, liberdade cultural e oportunidade econômica para todos. O colapso do Reich guilhermino foi a chance deles também, e eles a agarraram com vontade. Antes que o ultranacionalismo pudesse irromper na política dominante, teve que esmagar as barreiras criadas pela primeira democracia alemã, a República de Weimar.

2
O fracasso da democracia

As fraquezas de Weimar

I

Medo e ódio regiam os dias na Alemanha ao final da Primeira Guerra Mundial. Batalhas com armas de fogo, assassinatos, revoltas, massacres e inquietação civil negavam aos alemães a estabilidade necessária para que uma nova ordem democrática pudesse florescer. Contudo, alguém tinha que tomar as rédeas do governo após a abdicação do *Kaiser* e o colapso do Reich criado por Bismarck. Os social-democratas meteram-se na brecha. Um grupo de lideranças do movimento operário emergiu da confusão do início de novembro de 1918 para formar um Conselho dos Delegados do Povo. Unindo ao menos por um breve período as duas alas do movimento social-democrata (a maioria, que havia apoiado a guerra; e os independentes, que haviam se oposto), o conselho foi liderado por Friedrich Ebert, funcionário de longa data do Partido Social-Democrata. Nascido em 1871, filho de um alfaiate, tornou-se seleiro e entrou na política por meio de suas atividades sindicais. Trabalhou na equipe editorial do jornal social-democrata em Bremen, e em 1893 abriu um *pub* na cidade, que, como muitas instituições, funcionava como centro para organizações operárias locais. Em 1900, Ebert era ativo na política municipal e, como líder dos social-democratas locais, fez muita coisa para aumentar a efetividade do partido. Em 1905, foi eleito secretário do comitê central nacional do partido em Berlim e, em 1912, entrou para o Reichstag.

Ebert conquistou o respeito de seu partido não como grande orador ou líder carismático, mas como negociador calmo, paciente e sutil que parecia sempre reunir as diferentes facções do movimento operário. Era um pragmatista típico da segunda geração de líderes social-democratas, aceitando a ideologia marxista do partido, mas concentrando seus esforços na melhoria de vida da classe trabalhadora dia após dia por meio de sua perícia em áreas como direito trabalhista e seguridade social. Seu trabalho duro foi o principal responsável pela remodelação e aumento de eficiência da administração e da máquina eleitoral do partido antes da guerra, e coube a ele grande parte do crédito pela famosa vitória do partido nas eleições do Reichstag em 1912. Com a morte do líder de longa data do partido, August Bebel, em 1913, Ebert foi eleito líder conjunto do partido ao lado de Hugo Haase, mais radical. Como muitos organizadores social-democratas, Ebert colocava a lealdade ao partido acima de quase tudo, e seu ultraje com a recusa de Haase e outros que se opunham à guerra de seguir as decisões da maioria no partido foi um fator importante para persuadi-lo a provocar a expulsão deles. Liderados por Haase, os dissidentes formaram os social-democratas independentes em 1917 e atuaram a partir de vários pontos de vista para lutar contra a guerra. Ebert acreditava em disciplina e ordem, compromisso e reforma, e trabalhou duro para efetivar uma cooperação com o Partido de Centro e os liberais de esquerda durante a guerra, a fim de forçar a administração do *Kaiser* a aceitar o parlamentarismo. Sua meta principal em 1918-19 foi formulada pela preocupação característica do administrador sensato: manter os serviços essenciais funcionando, deter o colapso da economia e restaurar a lei e a ordem. Ele foi convertido à opinião de que o *Kaiser* deveria abdicar apenas por perceber que, caso isso não acontecesse, eclodiria uma revolução social e, conforme acrescentou em conversa com o último chanceler do *Kaiser*, príncipe Max de Baden: "Não quero isso, de fato abomino tal coisa como o pecado".[1]

Em vez de revolução, Ebert queria democracia parlamentarista. Em colaboração com o Partido de Centro e os liberais de esquerda, agora renomeados democratas, Ebert e seus associados no Conselho de Delegados do Povo organizaram eleições em âmbito nacional para uma Assembleia Constituinte no início de 1919, contra a oposição de elementos mais radicais que contavam com os conselhos de operários e soldados para formar a base de um tipo de administração no estilo soviético. Muitos eleitores comuns da Alemanha, quaisquer que fossem suas visões políticas privadas, viram o voto nos três partidos democráticos como a melhor forma de evitar a criação de um soviete alemão e de afastar a ameaça de uma revolução bolchevique. Portanto, não é de surpreender que os social-democratas, democratas liberais de esquerda e o Partido de Centro tenham obtido maioria total nas eleições para a Assembleia Constituinte. Esta reuniu-se no começo de 1919 na cidade de Weimar, no centro da Alemanha, há muito associada com a vida e a obra do poeta, romancista e dramaturgo alemão do século XVIII e início do XIX Johann Wolfgang von Goethe.[2] A Constituição aprovada em 31 de julho de 1919 era em essência uma versão modificada da estabelecida por Bismarck para seu novo Reich quase meio século antes.[3] No lugar do *Kaiser* havia um presidente do Reich que seria eleito, como o presidente dos Estados Unidos, por voto popular. Isso não só lhe conferiria legitimidade independente nas tratativas com o Legislativo, como também encorajaria o uso de amplos poderes de emergência a ele concedidos pelo artigo 48 da Constituição. Em tempos difíceis, poderia governar por decreto e usar o Exército para restaurar a lei e a ordem em qualquer estado federado que julgasse estar sob ameaça.

O poder de governar por decreto foi planejado apenas para emergências excepcionais. Mas Ebert, como primeiro presidente da República, fez uso muito extensivo desse poder, empregando-o nada menos do que em 136 ocasiões diferentes. Depôs governos legitimamente eleitos na Saxônia e Turíngia quando, em sua opinião, ameaçaram fomentar a desordem. De modo mais perigoso ainda, emitiu um decreto antedatado durante a guerra civil de 1920 no Ruhr aplicando a pena de morte para ofensas à ordem pública e legitimando retrospectivamente muitas das execuções sumárias que já haviam sido praticadas contra membros do exército vermelho por unidades das Brigadas Livres e do Exército regular.[4] É significativo que, em ambas as ocasiões, os poderes foram usados para reprimir ameaças percebidas à república a partir da esquerda, ao passo que virtualmente não foram usados contra o que muitos viam como uma ameaça muito maior representada pela direita. Não havia virtualmente nenhuma salvaguarda efetiva contra o abuso do artigo 48, uma vez que o presidente podia ameaçar usar o poder a ele conferido pelo artigo 25 para dissolver o Reichstag se este rejeitasse um decreto presidencial. Além disso, os decretos podiam ser usados em qualquer caso para criar um fato consumado ou provocar uma situação na qual o Reichstag tivesse poucas opções a não ser aprová-los (embora jamais se tivesse pretendido, os decretos podiam ser usados para, por exemplo, intimidar e suprimir a oposição ao governo no poder). Em algumas circunstâncias, sem dúvida é provável que houvesse poucas alternativas a algum tipo de governo por decreto. Mas o artigo 48 não incluía cláusulas adequadas para a reafirmação última do poder do Legislativo em tal eventualidade; e Ebert usou-o não só para emergências, mas também em situações não emergenciais em que dirigir a legislação por meio do Reichstag teria sido difícil demais. No fim, o uso excessivo e o ocasional mau uso do artigo por Ebert ampliaram sua aplicação a ponto de se tornar uma ameaça em potencial às instituições democráticas.[5]

O feito de Ebert em trazer a República de Weimar à existência é inegável. Contudo, ele selou muitos compromissos precipitados que mais tarde viriam a assombrar a república de várias maneiras. Sua preocupação com uma transição suave da guerra para a paz levou-o a colaborar intimamente com o Exército sem exigir nenhuma mudança em seu corpo de oficiais furiosamente monarquista e ultraconservador, o que ele, com certeza, estava em condições de fazer em 1918-19. Contudo, a boa vontade de Ebert de fazer concessões à velha ordem de nada adiantou para torná-lo benquisto por aqueles que lamentavam o término do velho regime. Ao longo dos anos na presidência, ele foi submetido a uma impiedosa campanha de calúnia pela imprensa de direita. Para aqueles que pensavam que um chefe de Estado devesse possuir uma dignidade olímpica e distante, longe das coisas ordinárias do cotidiano, uma fotografia de jornal largamente divulgada da silhueta rechonchuda e atarracada do presidente do Reich em férias na praia com amigos, vestido apenas com calções de banho, o expôs ao ridículo e desdém. Outros oponentes da imprensa investigativa de direita tentaram manchá-lo por meio de associação a escândalos financeiros. Ebert, talvez de forma tola, respondeu disparando nada menos que 173 processos por difamação contra os responsáveis, sem obter reparação nenhuma vez sequer.[6] Em um julgamento realizado em 1924, no qual o acusado foi processado por chamar Ebert de traidor do país, o tribunal multou o homem na quantia de dez marcos porque, conforme concluiu, Ebert havia de fato se revelado um traidor do país ao manter contato com trabalhadores em greve nas indústrias bélicas no último ano da guerra (embora ele tivesse feito isso, na verdade, para negociar um final rápido para a greve).[7] A infindável onda de ódio despejada em cima de Ebert pela extrema direita teve efeito não só de minar sua posição, mas também de esgotá-lo em termos pessoais, mental e fisicamente. Obcecado por tentar limpar seu nome de todas essas manchas, Ebert descuidou de uma apendicite supurada que poderia ter sido tratada com muita facilidade pela ciência médica da época e morreu aos 54 anos, em 28 de fevereiro de 1925.[8]

As eleições seguintes para o cargo de presidente foram um desastre para as perspectivas democráticas da República de Weimar. A influência maléfica da fragmentação política e da falta de legimitidade de Weimar se fez sentir, uma vez que no primeiro turno nenhum dos candidatos parecia vencedor; assim, a direita recrutou a figura relutante do marechal-de-campo Paul von Hindenburg como ponto de reagrupamento para seus apoiadores divididos. No segundo turno subsequente, se os comunistas ou a ala autônoma do Partido de Centro da Baváia tivesse votado no oponente mais apoiado de Hindenburg, o político católico Wilhelm Marx, o marechal-de-campo poderia ter sido derrotado. Mas, graças ao egotismo, sobretudo dos bávaros, ele foi eleito por ampla maioria. Símbolo por excelência da velha ordem militar e imperial, Hindenburg era um homem corpulento, fisicamente imponente, cuja aparência de estátua, uniforme militar, medalhas de guerra e reputação lendária – na maior parte imerecida – por vencer a grande Batalha de Tannenberg e comandar o destino militar da Alemanha dali em diante, transformaram-no em figura destacada e muito reverenciada, sobretudo pela direita. A eleição de Hindenburg foi saudada pelas forças de direita como um símbolo da restauração. "Em 12/5", registrou em seu diário o acadêmico conservador Victor Klemperer (um observador alarmado e pouco indulgente), "enquanto *Hindenburg* prestava juramento, havia bandeiras negro-branco-vermelhas por todo lado. A bandeira do Reich só em prédios públicos". Oito em cada dez bandeiras imperiais que Klemperer observou na ocasião eram, disse ele, pequeninas, do tipo usado por crianças.[9] Para muitos, a eleição de Hindenburg foi um grande passo de afastamento da democracia de Weimar na direção da restauração da velha ordem monárquica. Circularam rumores de que Hindenburg havia julgado necessário pedir permissão ao ex-*Kaiser* Guilherme, então no exílio na Holanda, antes de assumir o cargo de presidente. O boato não era verdadeiro, mas dizia muito sobre a reputação de Hindenburg, e se espalhou.[10]

Uma vez no cargo, e influenciado por seu forte senso de dever, Hindenburg, para surpresa de muitos, seguiu a Constituição ao pé da letra; mas, à medida que se passavam os sete anos do mandato e ele avançava para os oitenta anos, tornava-se cada mais impaciente com as complexidades dos eventos políticos e cada vez mais suscetível à influência de seu círculo de conselheiros mais chegados, no qual todos compartilhavam sua crença instintiva de que a monarquia era o único poder soberano legítimo do Reich alemão. Persuadido da justeza do uso dos poderes presidenciais de emergência pelo exemplo de seu predecessor, Hindenburg começou a sentir que uma ditadura conservadora exercida em nome dele era a única saída para a crise em que a república havia caído no início da década de 1930. Assim, qualquer que seja a influência que a eleição de Hindenburg tenha tido em curto prazo para conciliar os oponentes da república com sua existência, em longo prazo foi um rematado desastre para a democracia de Weimar. No mais tardar em 1930, tinha ficado claro que o poder presidencial estava nas mãos de um homem que não tinha fé nas instituições democráticas e nenhuma intenção de defendê-las de seus inimigos.[11]

II

Além do cargo de presidente do Reich, a constituição de Weimar estipulava um Legislativo nacional, chamado, como antes, de Reichstag, mas agora eleito por todas as mulheres adultas, bem como por todos os homens adultos, e por uma forma mais direta de representação proporcional do que a usada antes de 1918. Na verdade, os eleitores votavam no partido de sua escolha, e cada partido era aquinhoado com um número de cadeiras no Reichstag correspondendo exatamente à proporção dos votos recebidos na eleição. Assim, a um partido que recebesse 30% dos votos caberiam 30% dos assentos e, o que era mais preocupante, um partido que recebesse 1% dos votos teria direito a 1% dos assentos. Com frequência foi dito que tal sistema favoreceu partidos pequenos e grupos periféricos, e sem dúvida é verdade. Contudo, os partidos extremistas jamais alcançaram uma votação combinada de mais de 15%, de modo que, na prática, raras vezes foi necessário que os partidos maiores os levassem em conta ao formar um governo. A representação proporcional teve efeito mesmo foi em nivelar as chances dos partidos maiores na competição pelos votos, pois, se estivesse em vigor um sistema eleitoral do tipo o vencedor leva tudo, os partidos maiores teriam se saído melhor, e teria sido possível formar governos de coalizão mais estáveis, com um número menor de parceiros de coalizão, quem sabe assim persuadindo um maior número de pessoas sobre as virtudes do parlamentarismo.[12]

Daquela maneira, as mudanças de governo na República de Weimar eram muito frequentes. Entre 13 de fevereiro de 1919 e 30 de janeiro de 1933 houve nada menos que vinte gabinetes diferentes, cada um durando em média 239 dias, ou pouco menos que oito meses. Foi dito algumas vezes que os governos de coalizão contribuíram para o governo instável, pois os diferentes partidos estavam constantemente altercando-se por causa de ofensas e políticas. Também contribuiu para um governo fraco, uma vez que tudo o que conseguiam combinar era pelo mínimo denominador comum e pela linha de menor resistência. Contudo, o governo de coalizão na República de Weimar não era produto apenas da representação proporcional. Também provinha das duradouras e profundas fissuras dentro do sistema político alemão. Todos os partidos que haviam dominado a cena imperial sobreviveram na República de Weimar. Os nacionalistas eram formados pelo amálgama do velho Partido Conservador com outros grupos menores. Os liberais fracassaram em superar suas diferenças e permaneceram divididos em esquerda (democratas) e direita (Partido do Povo). O Partido de Centro permaneceu mais ou menos inalterado, embora sua seção da Baviera tenha se separado para formar o Partido do Povo Bávaro. À esquerda, os social-democratas tiveram que encarar um novo rival na forma do Partido Comunista. Mas nada disso era produto única ou basicamente da representação proporcional. O meio político do qual esses vários partidos emergiram existia desde os primórdios do império de Bismarck.[13]

Esse ambiente, com jornais, clubes e sociedades de partidos, era extraordinariamente rígido e homogêneo. Já antes de 1914, isso havia resultado na politização de áreas da vida que eram muito mais livres de identificação ideológica em outras sociedades. Assim, se um alemão qualquer quisesse entrar para um coro de vozes, por exemplo, em algumas regiões ele teria que escolher entre um coro católico ou protestante, em outras entre um coro socialista ou nacionalista; o mesmo aplicava-se a clubes de ginástica, ciclismo, futebol e outros. Antes da guerra, um membro do Partido Social-Democrata poderia levar virtualmente toda sua vida no âmbito do partido e suas organizações: poderia ler um jornal social-democrata, ir a um *pub* ou bar social-democrata, pertencer a um sindicato social-democrata, pegar livros na biblioteca social-democrata, ir a festivais e peças social-democratas, casar-se com uma mulher que pertencesse à organização de mulheres social-democratas, inscrever os filhos no movimento jovem social-democrata e ser sepultado com o auxílio de um fundo para funerais dos social-democratas.[14] Coisa parecida poderia ser dita do Partido de Centro (que podia contar com a organização em massa de apoiadores na Associação Popular para uma Alemanha Católica, no movimento do Sindicato Católico, e clubes de lazer e sociedades católicos de todos os tipos), e também de outros partidos em certa medida.[15] Esse ambiente político-cultural nitidamente definido não desapareceu com o advento da República de Weimar.[16] Mas o surgimento do lazer comercial de massa, da "imprensa de variedades", baseada em sensacionalismo e escândalo, do cinema, dos romances baratos, dos salões de baile e de atividades de lazer de todos os tipos na década de 1920 começou a proporcionar fontes alternativas de identificação para os jovens, que desse modo ficaram menos vinculados aos partidos políticos que as gerações anteriores.[17] A geração mais velha de ativistas políticos era excessivamente atrelada à sua ideologia política particular para achar fácil chegar a acordo e cooperar com outros políticos e seus partidos. Em contraste com a situação de depois de 1945, não havia a fusão de grandes partidos políticos em unidades maiores e mais eficientes.[18] Portanto, assim como em vários outros aspectos, a instabilidade política das décadas de 1920 e 1930 devia-se mais a desdobramentos das políticas das eras bismarckiana e guilhermina do que a disposições inovadoras da Constituição de Weimar.[19]

Ao contrário do que alguns afirmaram, a representação proporcional não encorajou a anarquia política, facilitando dessa forma a ascensão da extrema direita. Um sistema eleitoral baseado no modelo o vencedor leva tudo, no qual o candidato que ganha a maioria dos votos em cada distrito eleitoral conquista a vaga automaticamente, poderia muito bem ter dado ao Partido Nazista ainda mais cadeiras do que as obtidas nas últimas eleições da República de Weimar, embora seja impossível saber ao certo, uma vez que as táticas eleitorais dos partidos teriam sido diferentes sob tal sistema, e seus supostos efeitos benéficos nas fases iniciais da existência da república poderiam ter reduzido o conjunto da votação nazista mais tarde.[20] De modo semelhante, o efeito desestabilizador da cláusula da Constituição sobre referendos ou plebiscitos foi com frequência exagerado; outros sistemas existiram de modo perfeitamente adequado com tal cláusula, e, em todo caso, o número de plebiscitos que de fato ocorreram foi muito pequeno. As campanhas relacionadas a eles com certeza ajudaram a manter a atmosfera política superaquecida da república em ponto de ebulição. Mas plebiscitos nacionais tinham pouco efeito político direto, a despeito de um plebiscito provincial ter tido sucesso em derrubar um governo democrático em Oldenburg em 1932.[21]

De todo modo, a instabilidade governamental de Weimar em si foi muitas vezes exagerada, pois as frequentes trocas de governo escondiam continuidades de longo prazo em ministérios específicos. Alguns cargos, notadamente o Ministério da Justiça, eram usados como artigo de barganha em negociações intrapartidárias de coalizão e por isso viram a sucessão de muitos diferentes ministros, sem dúvida colocando mais poder que o habitual nas mãos de funcionários públicos do alto escalão, que lá ficavam o tempo todo, embora sua liberdade de ação fosse reduzida pela devolução de muitas funções da administração judiciária aos estados federados. Mas outros tornaram-se prerrogativa particular de um político específico ao longo de toda a instabilidade das formações de coalizão, com isso tornando mais fácil formular e implementar políticas fortes e decisivas. Gustav Streseman, o principal nome do Partido do Povo, por exemplo, foi ministro de Relações Exteriores em nove administrações sucessivas e permaneceu no cargo por um período ininterrupto de mais de seis anos. Heinrich Brauns,

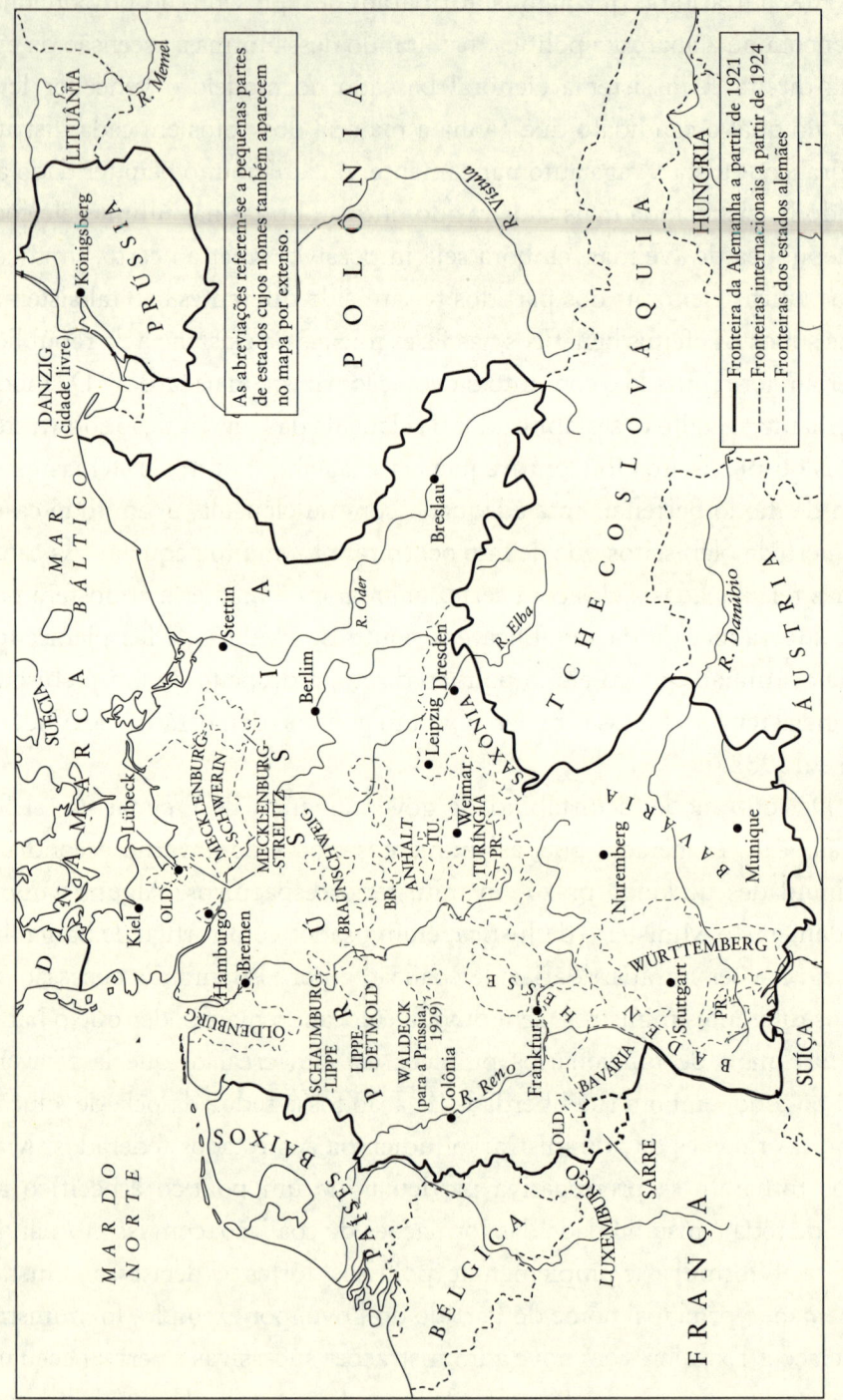

Mapa 4. A República de Weimar

um deputado do Partido de Centro, foi ministro do Trabalho em doze gabinetes sucessivos, de junho de 1920 a junho de 1928. Otto Gessler, um democrata, foi ministro do Exército em treze governos sucessivos, de março de 1920 a janeiro de 1928. Tais ministros tiveram condições de executar políticas de longo prazo, independentemente da contínua reviravolta de liderança experimentada pelos governos em que serviam. Outros ministérios também foram ocupados pelos mesmos políticos ao longo de dois, três ou quatro diferentes governos.[22] Não por acaso, foi nessas áreas que a república teve condições de desenvolver suas políticas mais fortes e consistentes, sobretudo nos campos de relações exteriores, trabalho e previdência social.

Contudo, a capacidade do governo do Reich de agir firme e decisivamente sempre foi comprometida por outra cláusula da Constituição, isto é, a decisão de continuar com a estrutura federal que Bismarck havia imposto ao Reich em 1871 no esforço para dourar a pílula da unificação para príncipes alemães, como o rei da Baviera e o grão-duque de Baden. Os príncipes foram depostos sem a menor cerimônia em 1918, mas seus estados permaneceram. Agora estavam equipados com instituições democráticas parlamentares, mas ainda retinham boa dose de autonomia em áreas-chave da política doméstica. O fato de alguns estados, como a Baviera, terem uma história e uma identidade remontando a muitos séculos encorajava-os a obstruir as políticas do governo do Reich quando não gostavam delas. Por outro lado, o imposto direto agora estava nas mãos do governo do Reich, e muitos estados menores dependiam de verbas de Berlim quando se metiam em dificuldades financeiras. Tentativas de secessão do Reich poderiam parecer ameaçadoras, em especial nos primeiros e conturbados anos da república, mas na realidade jamais foram fortes o bastante para serem levadas a sério.[23] Problemas piores podiam ser causados pelas tensões entre a Prússia e o Reich, visto que o estado prussiano era maior que todo o resto junto; mas, ao longo da década de 1920 e começo da de 1930, a Prússia foi comandada por governos moderados pró-república, o que constituiu um importante contrapeso ao extremismo e instabilidade de estados como a Baviera. Portanto, quando todos esse fatores são levados em conta, não parece que o sistema federal, apesar de todas as tensões não resolvidas entre o Reich e os estados, fosse um fator preponderante para minar a estabilidade e a legitimidade da República de Weimar.[24]

III

No fim das contas, a Constituição da Alemanha de Weimar não era pior que as constituições da maioria dos países na década de 1920, sendo um bocado mais democrática do que muitas. Suas cláusulas mais problemáticas poderiam não ter importado tanto se as circunstâncias tivessem sido diferentes. Mas a fatal ausência de legitimidade de que a república padecia multiplicou em muitas vezes as falhas da Constituição. Três partidos estavam identificados com o novo sistema político – o Social-Democrata, o liberal Partido Democrático Alemão e o Partido de Centro. Depois de obter larga maioria de 76,2% dos votos em janeiro de 1919, esses três partidos somados conquistaram apenas 48% dos votos em junho de 1920, 43% dos votos em maio de 1924, 49,6% em dezembro de 1924, 49,9% em 1928 e 43% em setembro de 1930. Assim, de 1920 em diante, estavam em permanente minoria no Reichstag, suplantados em número por deputados cuja lealdade era para com os inimigos da república à direita e à esquerda. E o apoio desses partidos da "coalizão de Weimar" à república era, na melhor das hipóteses, muitas vezes mais teórico do que prático, e, na pior delas, duvidoso, comprometido ou sem absolutamente nenhuma utilidade política.[25]

Os social-democratas eram considerados por muitos o partido que havia criado a república, e com frequência eles mesmos diziam isso. Contudo, nunca foram muito felizes como partido do governo, tomaram parte em apenas oito dos vinte gabinetes de Weimar e só ocuparam o posto de chanceler do Reich em quatro deles.[26] Permaneceram fechados no modelo ideológico marxista dos anos pré-guerra, ainda esperando que o capitalismo fosse derrubado e a burguesia substituída pelo proletariado como classe dominante. Mas a Alemanha da década de 1920 era inegavelmente uma sociedade capitalista, e, para muitos social-democratas, desempenhar um papel de liderança no governo parecia ajustar-se de modo muito desconfortável com o radicalismo verbal de sua ideologia. Desacostumados da experiência de governo, excluídos da participação política por duas gerações antes da guerra, viam a experiência de colaborar com políticos "burgueses" como algo doloroso. Não podiam livrar-se de sua ideologia marxista sem perder grande parte do apoio eleitoral na classe operária; por outro lado, contudo, uma política mais radical, como formar um exército vermelho com uma milícia de operários em vez de contar com as Brigadas Livres, com certeza teria tornado impossível sua participação nos governos burgueses de coalizão e desencadeado a fúria do Exército sobre suas cabeças.

A maior força dos social-democratas jazia na Prússia, o estado que cobria mais da metade do território da República de Weimar e continha 57% de sua população. Ali, em uma região basicamente protestante, com grandes cidades como Berlim e zonas industriais como o Ruhr, eles dominavam o governo. Sua política era fazer da Prússia um bastião da democracia de Weimar e, embora não buscassem reformas com vigor ou consistência, removê-los do poder no maior estado da Alemanha tornou-se um importante objetivo dos inimigos da democracia de Weimar no início da década de 1930.[27] No Reich, porém, sua posição era muito menos dominante. Sua força no início da república deveu-se em muito ao apoio de eleitores da classe média que julgavam que um Partido Social-Democrata forte ofereceria a melhor defesa contra o bolchevismo por meio da efetivação de uma transição rápida para a democracia parlamentarista. À medida que a ameaça decresceu, sua representação no Reichstag também caiu, de 163 cadeiras em 1919 para 102 em 1920. A despeito da substancial recuperação mais adiante – 153 cadeiras em 1928 e 143 em 1930 –, os social-democratas perderam de modo permanente quase 2,5 milhões de votos e, após receber 38% dos votos em 1919, rondaram em torno dos 25% pelo resto da década de 1920 e início da seguinte. Não obstante, permaneceram um movimento político imensamente poderoso e bem organizado, que fazia jus à lealdade e à devoção de milhões de trabalhadores da indústria pelo país. Se havia um partido que merecia ser chamado de baluarte da democracia na República de Weimar, era o Social-Democrata.

O segundo braço da "coalizão de Weimar", o Partido Democrático Alemão, era um participante um tanto mais entusiasmado do governo, atuando em virtualmente todos os gabinetes da década de 1920. Afinal de contas, tinha sido um democrata, Hugo Preuss, o principal autor da muito difamada constituição de Weimar. Mas, embora tenha conquistado 75 cadeiras na eleição de janeiro de 1919, perdeu 36 delas na eleição seguinte, em junho de

1920, e caiu para 28 cadeiras na eleição de maio de 1924. Vítima da guinada à direita dos eleitores de classe média, nunca se recobrou.[28] A reação às perdas depois das eleições de 1928 foi desastrosa. Conduzidos por Erich Koch--Weser, figuras de liderança do partido juntaram-se em julho de 1930 a um ramo paramilitar do movimento jovem conhecido como Ordem da Juventude Alemã e alguns políticos individuais de outros partidos de classe média para transformar os democratas no Partido do Estado. A ideia era criar um bloco centrista forte que deteria o fluxo dos votos burgueses para os nazistas. Mas a fusão foi precipitada, e encerrou a possibilidade de junção com outros grupos políticos maiores. Alguns, na maioria democratas de esquerda, desaprovaram a manobra e renunciaram. À direita, a Ordem da Juventude Alemã perdeu o apoio entre muitos de seus próprios membros. Os destinos eleitorais do novo partido não melhoraram, e apenas 14 deputados o representaram no Reichstag depois das eleições de setembro de 1930. Na prática, a fusão significou uma guinada brusca à direita. A Ordem da Juventude Alemã compartilhava do ceticismo de boa parte do movimento jovem quanto ao sistema parlamentarista, e sua ideologia tinha mais do que uma pincelada de antissemitismo. O novo Partido do Estado continuou a manter a coalizão social-democrática à tona na Prússia até as eleições estaduais de abril de 1932, mas sua meta agora, anunciada pelo historiador Friedrich Meinecke, era efetuar uma mudança no equilíbrio do poder político, no Reichstag e nos estados, rumo a um governo forte e unitário do Reich. Assim, nisso também uma firme erosão do apoio empurrou o partido para a direita; mas o único efeito disso foi aniquilar o que quer que o distinguisse de outras organizações políticas mais eficientes que argumentavam em favor do mesmo tipo de posionamento. Os complicados esquemas constitucionais do Partido do Estado não só sinalizavam sua falta de realismo político, mas também seu enfraquecido comprometimento com a democracia de Weimar.[29]

Dos três partidos da "coalizão de Weimar", só o Partido de Centro manteve seu apoio do início ao fim, de cerca de 5 milhões de votos, ou 85 a 90 cadeiras no Reichstag, incluindo as do Partido do Povo Bávaro. O Partido de Centro foi também um peça-chave em todas as coalizões de governo de junho de 1919 até o fim e, com forte interesse em legislação social, provavelmente tem tanto direito de afirmar ter sido a força motriz por trás da criação da previdência social de Weimar quanto o Social-Democrata. Conservador em termos sociais, devotou muito tempo ao combate da pornografia, da prevenção da gravidez e outros males do mundo moderno, e a defender os interesses católicos no sistema escolar. Seu calcanhar de aquiles era a inevitável influência exercida sobre ele pelo papado. Como chefe da Igreja Católica, o papa Pio XI estava cada vez mais preocupado com o avanço dos ateus comunistas e socialistas na década de 1920. Junto com seu núncio na Alemanha, Eugenio Pacelli, que na sequência tornou-se o papa Pio XII, desconfiava profundamente do liberalismo político de muitos políticos católicos e via a virada para uma forma de política mais autoritária como o modo mais seguro de preservar os interesses da Igreja da ameaça imponente da esquerda ímpia. Isso levou à assinatura de uma concordata com o regime fascista de Mussolini na Itália em 1929 e, mais tarde, ao apoio da Igreja à ditadura "clérico-fascista" de Engelbert Dollfuss na guerra civil austríaca de 1934 e dos nacionalistas sob o general Franco na Guerra Civil Espanhola que começou em 1936.[30]

Com tais sinais sendo emitidos pelo Vaticano até mesmo na década de 1920, as perspectivas para o catolicismo político na Alemanha não eram boas. Tornaram-se marcadamente piores em dezembro de 1928, quando um íntimo colaborador do núncio papal Pacelli, o prelado Ludwig Kaas, um padre que também era deputado no Reichstag alemão, conseguiu eleger-se líder do Partido de Centro como candidato de meio-termo durante uma briga entre facções de direita e esquerda pela sucessão do dirigente que estava de saída, Wilhelm Marx. Contudo, sob a influência de Pacelli, Kaas voltou-se cada vez mais para a direita, arrastando muitos políticos católicos consigo. À medida que desordem e instabilidade crescentes começaram a se apoderar do Reich em 1930 e 1931, Kaas, agora visitante assíduo do Vaticano, começou a trabalhar com Pacelli em uma concordata na linha do acordo recém-concluído com Mussolini. Assegurar a futura existência da Igreja em uma situação daquelas era imprescindível. Como muitas outras lideranças políticas católicas, Kaas considerou que isso só seria possível realmente em um Estado autoritário no qual a repressão policial esmagasse a ameaça da esquerda. "Nunca", declarou Kaas em 1929, "o clamor pela liderança em grande escala ecoou de forma mais vívida e impaciente pela

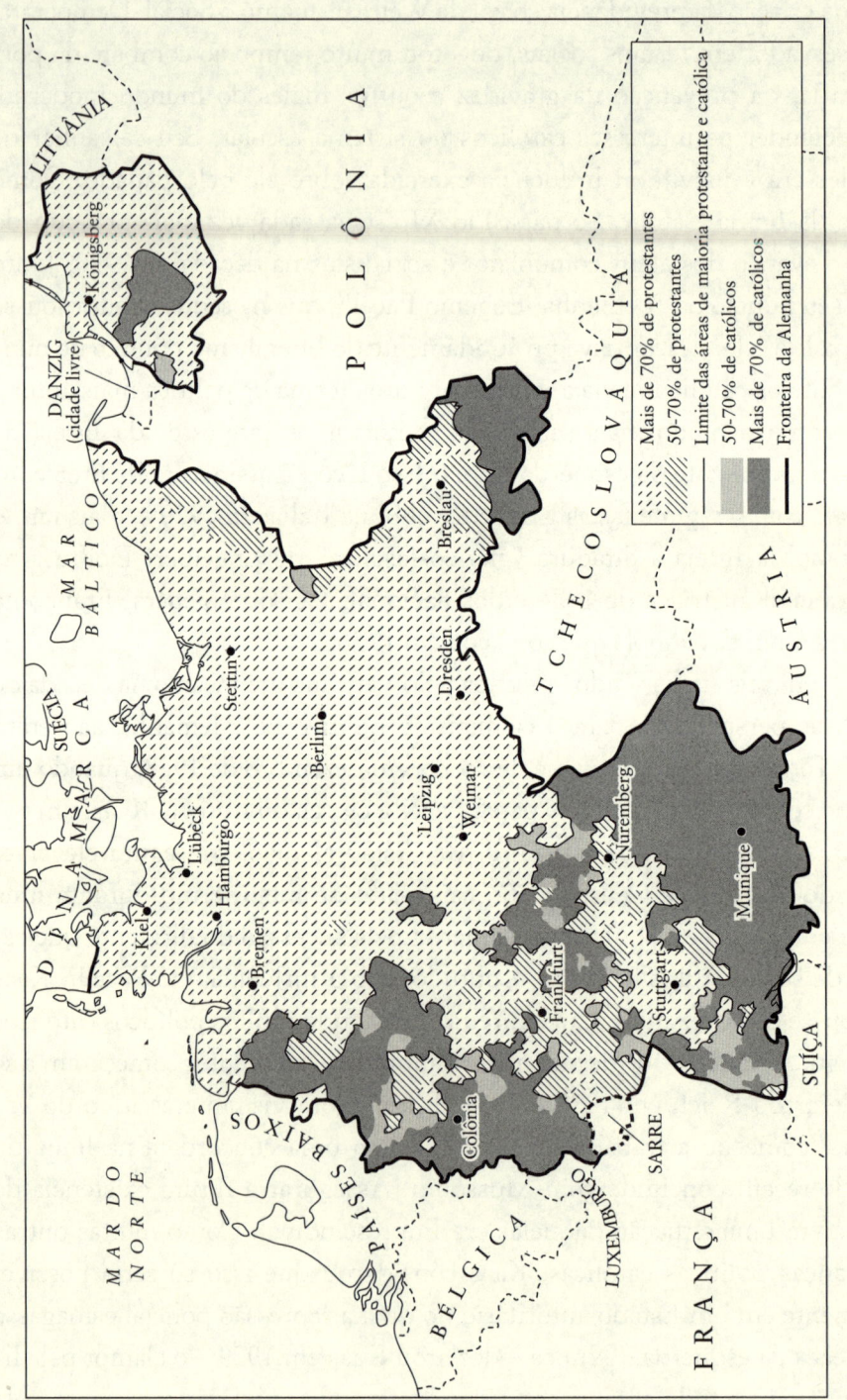

Mapa 5. A divisão religiosa

alma do povo alemão como nos dias em que a pátria e sua cultura estiveram em tamanho perigo que a alma de todos nós foi oprimida".[31] Entre outras coisas, Kaas exigiu independência muito maior para o Executivo em relação ao Legislativo na Alemanha. Outra liderança política do Partido de Centro, Eugen Bolz, ministro-presidente de Württemberg, colocou de modo mais rude quando disse à esposa no começo de 1930: "Há muito tempo sou da opinião de que o Parlamento não pode resolver problemas políticos internos graves. Se um ditador por dez anos fosse uma possibilidade, eu iria querer".[32] Muito antes de janeiro de 1933, o Partido de Centro deixara de ser o baluarte da democracia de Weimar que havia sido outrora.[33]

Assim, até mesmo os principais sustentáculos políticos da democracia na República de Weimar estavam esfacelando-se no final da década de 1920. Para além deles, a paisagem democrática era ainda mais desolada. Nenhum dos outros partidos oferecia apoio sério à república e suas instituições. À esquerda, ela era confrontada pelo fenômeno de massa dos comunistas. No período revolucionário de 1918 a 1921, eles eram um grupo de elite firmemente coeso com pouco apoio eleitoral, mas quando os social-independentes, destituídos do elemento unificador da oposição à Primeira Guerra Mundial, separaram-se em 1922, grande número deles uniu-se aos comunistas, que assim tornou-se um partido de massa. Já em 1920, as forças combinadas dos social-democratas independentes e dos comunistas conquistaram 88 assentos no Reichstag. Em maio de 1924, os comunistas conquistaram 62 cadeiras e, após uma pequena queda mais adiante naquele ano, chegaram a 54 em 1928 e 77 em 1930. Em maio de 1924, 3,25 milhões de pessoas deram seu voto para o partido, e foram mais de 4,5 milhões em setembro de 1930. Todos esses eram votos para a destruição da República de Weimar.

Ao longo de todas as voltas e reviravoltas de sua política durante a década de 1920, o Partido Comunista da Alemanha jamais se desviou da crença de que a república era um Estado burguês cujos objetivos primários eram a proteção da ordem econômica capitalista e a exploração da classe operária. Tinha a esperança de que o capitalismo entrasse em colapso e a república "burguesa" fosse substituída por um Estado soviético na linha russa. Era dever do Partido Comunista fazer com que isso acontecesse o mais rapidamente possível. Nos primeiros anos da república isso significava preparar-se para uma "revolução de outubro" na Alemanha por meio de uma revolta armada. Mas, após o fracasso do levante de janeiro de 1919 e do colapso ainda mais catastrófico dos planos para um levante em 1923, essa ideia foi adiada. Dirigido cada vez mais a partir de Moscou, onde o regime soviético, sob a crescente influência de Stálin, apertava sua garra financeira e ideológica nos partidos comunistas de todas as partes na segunda metade da década de 1920, o Partido Comunista alemão não teve opção a não ser virar para uma rota mais moderada no meio da década, só para retornar a uma posição radical, "esquerdista", no final da década. Isso significou não apenas recusar se unir aos social-democratas na defesa da república, mas até mesmo colaborar ativamente com os inimigos da república a fim de derrubá-la.[34] De fato, a hostilidade do partido à república e suas instituições fez ainda com que se opusesse a reformas que poderiam ter levado a república a se tornar mais popular entre a classe trabalhadora.[35]

A oposição implacável à república por parte da esquerda era mais do que equilibrada pela animosidade raivosa da direita. O maior e mais significativo desafio de direita a Weimar foi armado pelos nacionalistas, que ganharam 44 cadeiras no Reichstag em janeiro de 1919, 71 em junho de 1920, 95 em maio de 1924 e 103 em dezembro de 1924. Isso tornou-os maiores do que qualquer outro partido, com exceção do Social-Democrata. Em ambas as eleições de 1924, eles conquistaram cerca de 20% dos votos. Uma em cada cinco pessoas que depositaram votos nas urnas dessas eleições fizeram-no para um partido que havia deixado claro que, de saída, considerava a República de Weimar completamente ilegítima e pedia a restauração do Reich de Bismarck e o retorno do *Kaiser*. Isso era expresso de muitas formas diferentes, desde a campanha nacionalista pela velha bandeira imperial preta, branca e vermelha no lugar das novas cores republicanas preta, vermelha e dourada, à anuência tácita e certas vezes explícita quanto ao assassinato de políticos republicanos essenciais por grupos de conspiradores armados aliados às Brigadas Livres. A propaganda e as políticas dos nacionalistas muito contribuíram para disseminar as ideias radicais de direita entre o eleitorado na década de 1920 e preparar o caminho para o nazismo.

Durante a década de 1920, os nacionalistas foram parceiros em dois governos de coalizão, mas não foi uma experiência feliz. Renunciaram a um governo depois de dez meses, e, quando entraram em outro gabinete na metade do tempo de mandato, foram forçados a fazer concessões que deixaram muitos membros do partido profundamente insatisfeitos. Perdas severas nas eleições de outubro de 1928, quando a representação dos nacionalistas no Reichstag caiu de 103 para 73 cadeiras, convenceu a ala direitista do partido de que estava na hora de uma linha menos conciliatória. O dirigente partidário tradicionalista, conde Westarp, foi afastado e substituído pelo barão da imprensa, industrial e nacionalista radical Alfred Hugenberg, que havia sido um luminar do movimento pangermânico desde seu início, na década de 1890. O programa do Partido Nacionalista em 1931, esboçado sob influência de Hugenberg, era nitidamente mais direitista que os anteriores. Exigia, entre outras coisas, a restauração da monarquia de Hohenzollern, serviço militar compulsório, uma política externa forte direcionada para a revisão do Tratado de Versalhes, o retorno das colônias ultramarinas perdidas e o estreitamento de laços com germânicos que viviam em outras partes da Europa, especialmente Áustria. O Reichstag deveria manter apenas papel supervisor e uma "voz crítica" na legislação, e ser unido a "um corpo representativo estruturado conforme classes profissionais nas esferas econômica e cultural" na linha do Estado corporativo criado na época na Itália fascista. E seguia o programa: "Resistimos ao espírito subversivo não alemão em todas as suas formas, quer proveniente de círculos judaicos ou outros. Somos enfaticamente contrários à prevalência judaica no governo e na vida pública, uma prevalência que emergiu de modo ainda mais contínuo desde a revolução".[36]

Sob Hugenberg, os nacionalistas também se afastaram da democracia partidária interna e se aproximaram do "princípio de liderança". O novo líder partidário realizou esforços vigorosos para fazer a política do partido sozinho e dirigir a delegação nacionalista nas votações do Reichstag. Vários deputados do Reichstag opuseram-se a isso, e uma dúzia deles desligou-se do partido em dezembro de 1929 e outros mais em junho de 1930; em protesto, juntaram-se a grupos extremistas de direita. Hugenberg aliou o partido com a extrema direita na tentativa de obter um referendo popular para votar contra o Plano Young, um acordo internacional agenciado pelos americanos para reagendar os pagamentos indenizatórios em 1929. O fracasso da campanha encarniçada apenas convenceu Hugenberg da necessidade de oposição ainda mais extrema à República de Weimar e sua substituição por um Estado autoritário nacionalista, voltando aos gloriosos dias do império de Bismarck. Nada disso deu certo. O esnobismo e o elitismo dos nacionalistas impediram-nos de conquistar uma verdadeira adesão em massa e deixaram seus apoiadores vulneráveis aos agrados da demagogia verdadeiramente populista praticada pelos nazistas.[37]

Menos extremista, mas apenas marginalmente menos veemente na oposição à república, era o Partido Popular, de menor tamanho, herdeiro dos velhos nacional-liberais pró-bismarckianos. Conquistou 65 cadeiras na eleição de 1920 e ficou em torno de 45 a 50 pelo resto da década, atraindo cerca de 2,7 a 3 milhões de votos. A hostilidade do partido à república era parcialmente mascarada pela decisão de seu líder, Gustav Stresemann, de reconhecer as realidades políticas do momento e aceitar a legitimidade dela, mais por necessidade do que convicção. Embora Stresemann jamais tivesse a plena confiança de seu partido, seus poderes de persuasão eram consideráveis. Muito em função de suas habilidades consumadas de negociação, o Partido Popular fez parte da maioria dos gabinetes da república, ao contrário dos nacionalistas, que permaneceram na oposição na maior parte da década de 1920. Contudo, isso significava que a maioria dos governos formados após a fase inicial da existência da república continha pelo menos alguns ministros que eram dúbios, para dizer o mínimo, sobre o direito de Weimar existir. Além disso, Stresemann, já em dificuldades com seu partido, caiu doente e morreu em outubro de 1929, sendo assim removida a principal influência moderada da liderança partidária.[38] Desse ponto em diante, o partido também gravitou rapidamente na direção da extrema direita.

Portanto, mesmo na metade da década de 1920, o sistema político parecia extremamente frágil. Em outras circunstâncias, poderia ter sobrevivido. De fato, em retrospecto, o período de 1924-28 foi descrito por muitos como "Os Anos Dourados de Weimar". Mas a ideia de que a democracia estava no caminho de se estabelecer na Alemanha naquela época é uma ilusão criada pela percepção posterior. Na realidade, não havia sinal de que ela estivesse ficando mais segura, pelo contrário: o fato de os dois maiores partidos burgueses, o Partido de Centro e o Nacionalista, logo caírem nas mãos de inimigos declarados da democracia foi nefasto para o futuro, mesmo sem os choques que viriam. Outro sinal de fragilidade era a lealdade do Partido Popular à República de Weimar dever-se toda à persistência e à liderança inteligente de um homem, Gustav Stresemann. Nem mesmo as circunstâncias relativamente favoráveis de 1928 fizeram os partidos da "coalizão de Weimar" ter sucesso em obter a maioria no Reichstag. A sensação disseminada após 1923 de que a ameaça de uma revolução bolchevique havia recuado significou que os partidos burgueses não estavam mais tão dispostos a fazer concessões aos social-democratas no interesse de preservar a república como um baluarte contra o comunismo.[39] E, de forma ainda mais ominosa, organizações paramilitares, como os Capacetes de Aço, estavam começando a estender sua luta das ruas para as tribunas na tentativa de conquistar mais influência para suas visões antirrepublicanas. Enquanto isso, a violência política, embora menor que a guerra civil aberta que caracterizou muito da fase inicial da república, ainda continuou em nível alarmantemente alto ao longo da metade da década de 1920.[40] O fato brutal é que, mesmo em 1928, a República estava tão longe de alcançar estabilidade e legitimidade quanto sempre esteve.

IV

A República de Weimar também foi enfraquecida pelo fracasso em conquistar o apoio irrestrito do Exército e do funcionalismo público; ambos acharam extremamente difícil ajustar-se à transição do Reich autoritário para a república democrática em 1918. Para a liderança do Exército em particular, a derrota de 1918 colocou uma ameaça alarmante. Guiado por um de seus oficiais mais inteligentes e sagazes, general Wilhelm Groener, o Estado-Maior Geral concordou com os social-democratas majoritários sob Friedrich Ebert de que a ameaça do conselho revolucionário de operários e soldados seria mais bem rechaçada se eles trabalhassem em equipe para garantir uma democracia parlamentar estável. Do ponto de vista de Groener, isso era um ato de oportunismo, não de fé. Assegurava a preservação do velho corpo de oficiais nas minguadas condições do Exército alemão após o Tratado de Versalhes. O efetivo do Exército foi restrito a 100 mil, sendo proibido de usar tecnologia moderna, como tanques, e uma força militar alistada em massa teve que dar lugar a uma pequena força profissional. Groener foi de encontro à feroz oposição de muitos reacionários do Exército por fazer concessões aos social-democratas, assim como seu parceiro no diálogo, o especialista militar dos social-democratas, Gustav Noske, foi de encontro à crítica feroz dos colegas de partido por permitir que o corpo de oficiais permanecesse intacto em vez de substituí-lo por uma estrutura e equipe mais democráticas.[41] Mas, nas circunstâncias desesperadas de 1918, a linha deles no fim venceu.

Em um curto período, porém, os conselhos de operários e soldados haviam sumido da cena política, e a necessidade de conciliação com as forças da democracia pareceu ter perdido a urgência para muitos líderes dos oficiais. Isso ficou dramaticamente claro em março de 1920, quando unidades das Brigadas Livres, protestando contra sua desativação iminente, marcharam sobre Berlim e derrubaram o governo eleito em um lance para restaurar um regime autoritário nas linhas da velha monarquia. Conduzidos pelo ex--funcionário público pangermânico e luminar do velho Partido da Pátria, Wolfgang Kapp, os revoltosos também foram apoiados por elementos dentro das forças armadas em várias regiões. Quando o chefe do Exército, general Walther Reinhardt, tentou garantir a lealdade das forças ao governo, foi afastado em favor do general Hans von Seeckt, mais à direita. Seeckt prontamente proibiu todas as unidades do Exército de se opor aos conspiradores e se fez de cego em relação àqueles que os apoiavam. Na sequência, mandou o Exército cooperar na sangrenta repressão do levante armado dos operários contra o golpe no Ruhr. Seeckt havia sido hostil à república desde o começo. Altivo, autoritário e inacessível, com suas credenciais de alta categoria anunciadas pelo monóculo que usava sobre o olho esquerdo, ele era o epítome das tradições da classe dos oficiais prussianos. Mas também era um político realista, que viu que as possibilidades de derrubar a república à força eram limitadas. Por isso, almejou manter o Exército unido e livre de controle parlamentar, à espera de dias melhores. Nisso teve pleno apoio de seus colegas oficiais.[42]

Sob a liderança de Seeckt, o Exército conservou em sua "bandeira de guerra" as velhas cores imperiais – preto, branco e vermelho. Seeckt fazia uma distinção aguda entre o Estado alemão, que incorporava o ideal abstrato do Reich, e a república, que ele considerava uma aberração temporária. O general Wilhelm Groener, mentor de Seeckt, descreveu o Exército em 1928 como o "único poder" e um "elemento de poder dentro do Estado que ninguém pode menosprezar".[43] Sob a liderança de Seeckt, o Exército estava longe de ser uma organização neutra, pairando distante da rixa político-partidária, dissesse Seeckt o que dissesse.[44] Seeckt não hesitou em intervir contra o governo eleito quando acreditou que este ia contra os interesses do Reich. Considerou até mesmo assumir ele próprio a Chancelaria em certa ocasião, com um programa que visava a centralizar o Reich e frear a autonomia prussiana, à abolição dos sindicatos e sua substituição por "câmaras profissionais" (muito parecidas com as criadas por Mussolini na Itália) e, no geral, a "supressão de todas as tendências direcionadas contra a existência do Reich e contra a autoridade legítima do Reich e do Estado, pelo uso dos meios de poder do Reich".[45] No fim, ele teve êxito em derrubar o governo, mas não conseguiu tornar-se chanceler; isso foi deixado para um de seus sucessores, general Kurt von Schleicher, integrante do grupo de conselheiros próximos de Seeckt nos anos em que este assumiu o comando do Exército.

Agindo como bem entendia na maior parte do tempo, o Exército fez o que pôde durante a década de 1920 para ludibriar as restrições colocadas pelo Tratado de Versalhes. Armando uma causa comum nos bastidores com outra grande potência diminuída e ressentida, a União Soviética, as lideranças do Exército arranjaram sessões de treinamento clandestino na Rússia para oficiais ansiosos em aprender como usar tanques e aviões e dispostos a se engajar em experimentos com gás tóxico.[46] Foram feitos arranjos secretos para treinar tropas auxiliares, na tentativa de contornar o limite de 100 mil imposto pelo tratado sobre o efetivo do Exército, e o Exército estava constantemente de olho nos paramilitares como uma reserva militar em potencial.[47] Esses e outros subterfúgios, incluindo treinamento com simulacros de tanques, deixaram claro que o Exército não tinha intenção de se ater aos termos do acordo de paz de 1919 e que se livraria da restrição assim que as circunstâncias permitissem. Longe de ser conduzidas exclusivamente por conservadores prussianos experimentados, essas burlas clandestinas do tratado eram organizadas sobretudo por especialistas de mentalidade moderna, impacientes com as coações da política democrática e dos acordos internacionais.[48] A deslealdade do Exército e as repetidas intrigas de seus oficiais da liderança contra governos civis eram um mau agouro para a viabilidade da república em uma crise real.[49]

Se a primeira democracia da Alemanha não podia esperar muito apoio de seus funcionários militares, tampouco podia ter esperança de apoio dos funcionários civis que havia igualmente herdado do velho Reich alemão. O serviço público era de imensa importância porque cobria uma área muito ampla da sociedade e incluía não só funcionários trabalhando na administração central do Reich, mas também aqueles empregados estatais que haviam assegurado cargos, *status* e emolumentos originalmente planejados para administradores de alto escalão. Incluía funcionários trabalhando para os estados federados, para empresas estatais como as ferrovias e os correios, e para instituições do Estado como universidades e escolas, de modo que mestres universitários e professores do ensino secundário também se enquadravam nessa categoria. O número de funcionários públicos nesse sentido amplo era enorme. Abaixo desse nível relativamente elevado havia milhões de servidores públicos vivendo de salários ou ordenados pagos por instituições estatais. A ferrovia estatal alemã era de longe a maior empregadora individual na República de Weimar, com 700 mil pessoas trabalhando para ela no final da década de 1920; era seguida pelos correios, com 380 mil. Acrescentando-se membros da família, dependentes e pensionistas, cerca de 3 milhões de pessoas contavam com a ferrovia para seu sustento.[50] No final da década de 1920, havia no total 1,6 milhão de servidores públicos na Alemanha, e metade deles trabalhava para o próprio Estado, e a outra metade para serviços de utilidade pública, como as ferrovias. Com um número tão grande de empregados estatais, é claro que o setor do funcionalismo estatal era extremamente diversificado em termos políticos, com centenas de milhares de empregados pertencendo a sindicatos socialistas, partidos políticos liberais ou grupos de pressão de ampla e variada orientação política.

Um milhão de funcionários públicos pertencia à liberal Liga dos Servidores Civis alemã em 1919, embora 60 mil tenham saído para formar um grupo mais direitista em 1921 e outros 350 mil tenham se separado para formar um sindicato no ano seguinte. Portanto, os funcionários públicos não eram em sentido algum hostis à república de maneira uniforme desde o início, apesar do treinamento e da socialização nos anos do Reich guilhermino.[51]

Como personagem principal da administração revolucionária da transição, Friedrich Ebert apelou em 9 de novembro de 1918 para que todos os servidores públicos e empregados estatais continuassem a trabalhar a fim de evitar a anarquia.[52] A maioria esmagadora permaneceu. O plano de carreira e os deveres dos servidores públicos mantiveram-se inalterados. A Constituição de Weimar tornou-os indemissíveis. Como quer que parecesse na teoria, na prática esse passo tornava virtualmente impossível demitir servidores públicos, dada a extrema dificuldade de provar em juízo que haviam violado seu juramento de fidelidade.[53] Como instituição oriunda de Estados autoritários e burocráticos do final do século XVIII e início do XIX, muito anteriores ao advento dos parlamentos e dos partidos políticos, o funcionalismo público de alto escalão em particular há muito estava acostumado a se considerar a verdadeira classe governante, sobretudo na Prússia. Até 1918, por exemplo, todos os ministros de governo haviam sido funcionários públicos designados pelo monarca, não pelo Reichstag ou pelas assembleias legislativas dos estados federados. Em alguns ministérios do Reich, em que havia rápida troca de ministros sob a república, o servidor público mais graduado podia deter enorme poder, como Curt Jöel no Ministério da Justiça, que trabalhou virtualmente ao longo de toda a república, ao passo que nada menos que dezessete ministros da Justiça entraram e saíram antes de ele mesmo tornar-se ministro em 1930. Para tais homens, a continuidade administrativa era o preceito supremo do dever, passando por cima de todas as considerações políticas. O que quer que possam ter pensado em caráter privado sobre o golpe de Kapp em março de 1920, os servidores públicos do alto escalão em Berlim, inclusive funcionários das finanças, seguiram no trabalho, em desafio às ordens dos golpistas de deixar o serviço.[54]

A neutralidade dos servidores públicos nessa ocasião deveu-se em grande parte à sua escrupulosa e característica insistência quanto aos deveres impostos pelo juramento de fidelidade. Mais adiante, em 1922, o governo introduziu uma nova lei destinada a vincular os servidores públicos ainda mais intimamente à república e impor sanções disciplinares àqueles que se associassem a seus inimigos. Mas essa medida foi relativamente inócua. Apenas na Prússia houve um empenho sério, conduzido por Carl Severing e Albert Grzesinski, social-democratas que se sucederam como ministros do Interior, de substituir antigos administradores imperiais, sobretudo nas províncias, por social-democratas e outros leais à república.[55] Contudo, mesmo os esforços prussianos em criar um serviço público leal aos princípios da democracia, bem como imbuído de um senso de dever em servir o governo vigente mostraram-se insuficientes no fim. Como Severing e Grzesinski pensaram que os partidos deveriam estar representados no alto escalão do funcionalismo público de modo semelhante à sua posição nos gabinetes prussianos de coalizão, isso significou que grande número de cargos importantes eram detidos por homens de partidos como o Partido de Centro, Partido Popular e, em certo grau, do Partido do Estado, cuja lealdade à república foi rapidamente tornando-se mais tênue do final da década de 1920 em diante. No resto da Alemanha, inclusive no serviço público do Reich, até mesmo esse grau de reforma mal foi tentado, que dirá alcançado, e o serviço público era muito mais conservador, e até mesmo em parte francamente hostil à república.[56]

O problema, porém, não foi tanto que o alto escalão do funcionalismo estivesse ajudando ativamente a minar a república; foi, isso sim, que Weimar fez muito pouco para garantir que funcionários públicos de qualquer nível ficassem comprometidos de modo ativo com a ordem política democrática e resistissem a tentativas para derrubá-la. E aqueles funcionários públicos ativamente hostis à república – provavelmente uma minoria, considerando-se o todo – foram capazes de sobreviver com relativa impunidade. Assim, por exemplo, um funcionário público prussiano graduado, nascido em 1895 e membro do Partido Nacionalista depois de 1918, fundou uma variedade de grupos extremistas para servidores públicos e outros, almejando de forma explícita combater "o Reichstag, o quartel-general vermelho", frustrar as políticas dos "pérfidos e ímpios social-democratas", opor-se ao "poder imperialista mundial" da Igreja Católica e por fim lutar contra "todos os judeus". Seu antissemitismo, bastante latente antes de 1918, tornou-se explícito depois da revolução. Dali em diante, ele recordou mais tarde, "sempre que um judeu andava de modo impertinente na (ferrovia) elevada ou no trem e não aceitava minha repreensão sem impertinência adicional, eu ameaçava atirá-lo para fora do trem em movimento... se ele não calasse a boca imediatamente". Em certa ocasião, ele ameaçou trabalhadores "marxistas" com uma arma. Era, obviamente, um exemplo extremo de funcionário público contrário à república. Contudo, não foi demitido, apenas punido duas vezes e teve a promoção negada, apesar de ser julgado uma vez por perturbação da paz. Ele escreveu: "Sempre considerei uma fraqueza de meus inimigos políticos no serviço público que me deixassem escapar impune com tanta facilidade todas as vezes". A pior coisa que aconteceu a ele durante a república foi o bloqueio de suas perspectivas de carreira.[57]

Não pode haver muita dúvida de que, mesmo no bastião republicano da Prússia, a maioria dos funcionários públicos tinha pouca lealdade genuína à Constituição a que havia jurado fidelidade. Na verdade, caso a república fosse ameaçada de destruição, pouquíssimos deles pensariam em sair em seu auxílio. A devoção ao dever os manteve trabalhando quando o Estado foi desafiado, como no golpe de Kapp em 1920, mas também os manteria trabalhando quando o Estado fosse derrubado. Havia ali uma outra instituição central cuja lealdade era a um conceito abstrato de Reich, em vez de a princípios concretos de democracia. Nisso, bem como em outros aspectos, Weimar foi fraca em legitimidade política desde o início.[58] A república foi acossada por problemas intransponíveis de violência política, assassinatos e conflitos inconciliáveis sobre seu direito de existir. Não era amada nem defendida por seus servidores no Exército e na burocracia. Foi acusada por muitos pela humilhação nacional do Tratado de Versalhes. E teve também que encarar enormes problemas econômicos, começando pela gigantesca inflação monetária que tanto dificultou a vida de muitos nos anos em que ela estava tentando se estabelecer.

A grande inflação

I

Mesmo o reacionário mais empedernido poderia eventualmente ter aprendido a tolerar a república se ela tivesse proporcionado um nível razoável de estabilidade econômica e uma renda decente e sólida para seus cidadãos. Mas desde o início ela foi assediada por fracassos econômicos de uma dimensão sem precedentes na história alemã. Tão logo teve início a Primeira Guerra Mundial, o governo do Reich teve que começar a pegar dinheiro emprestado para pagar os gastos militares. De 1916 em diante, as despesas excederam de longe a receita que o governo havia conseguido angariar com empréstimos ou, na verdade, com qualquer outra fonte. Muito naturalmente, a expectativa era deduzir as perdas anexando ricas áreas industriais a oeste e leste, forçando as nações derrotadas a pagar largas indenizações financeiras e impondo uma nova ordem econômica de domínio alemão sobre uma Europa conquistada.[59] Mas essas expectativas espatifaram-se. A Alemanha foi a nação derrotada no evento, e foi ela que teve de pagar a conta. Isso deixou as coisas muito piores que antes. O governo vinha imprimindo dinheiro sem recursos econômicos para bancá-lo. Antes da guerra, o dólar valia apenas pouco mais de quatro marcos em papel-moeda no câmbio em Berlim. Em dezembro de 1918, precisavam-se de quase duas vezes mais marcos para comprar um dólar americano. A cotação continuou a cair até mais de 12 marcos por dólar em abril de 1919 e 47 no final do ano.[60]

Sucessivos governos da República de Weimar foram capturados em uma armadilha política que pelo menos em parte era de sua própria autoria. A necessidade de exportar receitas do governo para outros países na forma de pagamentos indenizatórios significava um escoadouro adicional de recursos numa época em que os débitos dos tempos de guerra ainda tinham que ser pagos e os recursos econômicos e o mercado doméstico da Alemanha haviam encolhido. Áreas industriais densamente habitadas na Lorena e na Silésia haviam sido removidas sob os termos do Tratado de Versalhes. Em 1919, a produção industrial era apenas 42% do que havia sido em 1913, e o país estava produzindo menos da metade dos grãos que produzia antes da guerra. Despesas vultosas eram exigidas para custear o ajuste à economia de tempos de paz e prover medidas de assistência para ex-soldados em busca de emprego ou sem condições de encontrá-lo por causa de incapacitação pela guerra. Contudo, se qualquer governo buscasse cobrir a lacuna aumentando impostos, seria imediatamente acusado pelos inimigos da direita nacionalista de impor taxas para fazer frente às contas de indenização dos aliados. Em vez disso, pareceu politicamente mais astuto para a maioria dos governos dizer às potências estrangeiras que os problemas monetários da Alemanha só seriam resolvidos pela abolição das reparações, ou ao menos pelo reagendamento para um nível mais aceitável. A energia e a agressividade com que muitos governos alemães perseguiram essa política variaram, e durante 1920 e 1921 o despencamento do marco diante do dólar foi detido mais de uma vez. Ainda assim, em novembro de 1921, os alemães que quisessem comprar um dólar americano teriam que pagar 263 marcos por ele, e em julho de 1922 o custo quase havia dobrado de novo, e estava em 493 marcos.[61]

Uma inflação dessa escala teve efeitos diferentes nos diferentes participantes do jogo econômico. A habilidade de pegar dinheiro emprestado para comprar mercadorias, equipamentos, instalações industriais e coisas do tipo, e pagar quando valia uma fração do montante original, ajudou a estimular a recuperação industrial depois da guerra. No período até a metade de 1922, as taxas de crescimento econômico na Alemanha foram altas, e o desemprego baixo. Sem essa base de virtualmente pleno emprego, uma greve geral, como a que frustrou o golpe de Kapp em março de 1920, teria sido muito mais difícil de se propagar. As taxas reais da tributação também eram baixas o bastante para estimular a demanda. A economia alemã manejou a transição para os tempos de paz com mais eficiência do que algumas economias europeias em que a inflação foi menos marcante.[62]

Mas a recuperação foi construída sobre areia. Pois, a despeito de umas poucas folgas temporárias no processo, a inflação mostrou-se incessante. Eram necessários mais de mil marcos para comprar um dólar americano em agosto de 1922, 3 mil em outubro e 7 mil em dezembro. O processo de desvalorização monetária estava adquirindo vida própria. As consequências políticas foram catastróficas. O governo alemão não mais podia fazer os pagamentos indenizatórios exigidos, visto que tinham que ser em ouro, cujo preço no mercado internacional já não podia ser bancado. Além disso, no final de 1922, as remessas de carvão para a França, outra parte do programa de reparações, estavam seriamente atrasadas. Assim, tropas francesas e belgas ocuparam o principal distrito industrial alemão, o Ruhr, em janeiro de 1923, a fim de se apoderar do carvão que faltava e forçar os alemães a cumprir suas obrigações conforme o tratado. Quase na mesma hora, o governo em Berlim proclamou uma política de resistência passiva e não cooperação com os franceses a fim de negar aos ocupadores facilidades para acumular para si os frutos da produção industrial do Ruhr. A contenda só foi suspensa lá pelo fim de setembro. A resistência passiva tornou a situação econômica pior. Quem quisesse comprar um dólar em janeiro de 1923 teria que pagar mais de 17 mil marcos por ele; em abril, 24 mil; em julho, 353 mil. Isso era hiperinflação em uma escala verdadeiramente assombrosa, e a cotação do dólar em marcos pelo resto do ano é mais bem representada em números que logo tornaram-se mais compridos do que qualquer coisa encontrada até mesmo numa lista telefônica: 4.621.000 em agosto; 98.860.000 em setembro, 25.260.000.000 em outubro, 2.193.600.000.000 em novembro, 4.200.000.000.000 em dezembro.[63] Os jornais em breve começaram a informar seus leitores sobre a nomenclatura dos grandes números, o que variava de modo confuso de um país para outro. Para os franceses, observou um, o milhão de milhão era trilhão, ao passo que "para nós, por outro lado, 1 trilhão é igual a 1 milhão de bilhão (1.000.000.000.000.000.000),* e devemos apenas confiar em Deus para que não entremos nesses ou em valores numéricos ainda mais altos com nossa moeda diária, meramente por causa da superlotação que isso causaria nos asilos para lunáticos".[64]

---

* No Brasil, um sextilhão. (N. T.)

No seu auge, a hiperinflação pareceu aterrorizante. O dinheiro perdeu o significado quase por completo. As máquinas impressoras eram incapazes de dar conta da produção de notas promissórias bancárias de denominações cada vez mais astronômicas, e os municípios começaram a imprimir seu próprio dinheiro de emergência, usando apenas um lado do papel. Os empregados juntavam seus salários em cestas de compra ou carrinhos de mão, de tão numerosas que eram as notas promissórias bancárias necessárias para perfazer seus pagamentos, e na mesma hora corriam para as lojas para comprar mantimentos antes que a arremetida contínua do valor do dinheiro os deixasse fora do alcance. O estudante Raimund Pretzel mais tarde lembrou como, no final de cada mês, seu pai, um servidor público graduado, juntava seu salário, corria para comprar um bilhete de temporada para o trem, de modo que pudesse ir para o trabalho no mês seguinte; emitia cheques para as despesas regulares; levava toda família para cortar o cabelo; então entregava o que sobrava para sua esposa, que ia ao mercado atacadista local e comprava montes de gêneros alimentícios não perecíveis com os quais eles teriam que viver até entrar o ordenado seguinte. Pelo resto do mês, a família não tinha absolutamente nenhum dinheiro. As cartas tinham que ser enviadas com as notas promissórias bancárias da denominação mais recente grampeadas no envelope, visto que selos postais do valor correto não podiam ser impressos rápido o bastante para acompanhar o ritmo do aumento de preços. O correspondente alemão do *Daily Mail* britânico reportou, em 29 de julho de 1923: "Nas lojas, os preços são datilografados e colocados a cada hora. Por exemplo, um gramofone, às dez da manhã, custava 5 milhões de marcos, mas, às três da tarde, custava 12 milhões de marcos. Um exemplar do *Daily Mail* comprado na rua ontem custava 35 mil marcos, mas hoje custa 60 mil marcos".[65]

Os efeitos mais graves e dramáticos eram nos preços da comida. Uma mulher sentada em um café poderia pedir uma xícara de café por 5 mil marcos e ser solicitada a dar 8 mil marcos para o garçom uma hora mais tarde, quando se levantasse para pagar. Um quilo de pão de centeio, carro-chefe da dieta alemã cotidiana, custava 163 marcos em 3 de janeiro de 1923, acima de dez vezes esse valor em julho, 9 milhões de marcos em 1 de outubro, 78 bilhões de marcos em 5 de novembro e 233 bilhões duas semanas mais tarde, em 19 de novembro.⁶⁶ No auge da hiperinflação, mais de 90% das despesas de uma família típica eram com comida.⁶⁷ Famílias com renda fixa começaram a vender suas posses para ter o que comer. As lojas começaram a armazenar comida na expectativa de aumentos de preço imediatos.⁶⁸ Incapazes de bancar as necessidades mais básicas, multidões começaram a se amotinar e saquear lojas de alimentos. Irromperam tiroteios entre bandos de mineiros, que se lançaram à zona rural para limpar os campos, e fazendeiros que tentavam proteger suas lavouras e ao mesmo tempo não estavam dispostos a vendê-las por inúteis notas promissórias bancárias. O colapso do marco tornou difícil, se não impossível, importar suprimentos do exterior. A ameaça de fome, em particular na área ocupada pelos franceses, onde a resistência passiva estava prejudicando o sistema de transporte, era muito real.⁶⁹ A desnutrição causou aumento imediato nas mortes por tuberculose.⁷⁰

Nada atípica foi a experiência do acadêmico Victor Klemperer, cujos diários oferecem uma penetrante visão pessoal do âmbito mais amplo da história alemã desse período. Vivendo muito ao deus-dará de contratos temporários para lecionar, Klemperer, um veterano da guerra, ficou satisfeito ao receber uma pequena gratificação de guerra adicional em fevereiro de 1920, mas, conforme reclamou, "o que de início era uma pequena renda agora é apenas uma gorjeta".⁷¹ Ao longo dos meses seguintes, o diário de Klemperer foi cada vez mais preenchido com cálculos financeiros à medida que a inflação ganhava velocidade. Já em março de 1920, ele estava encontrando "forrageadores, gentinha com mochilas" nos trens nos arredores de Munique.⁷² Com o passar do tempo, Klemperer pagou contas cada vez mais fantásticas "com uma espécie de fatalismo obtuso".⁷³ Em 1920, ele enfim obteve uma nomeação permanente na Universidade Técnica de Dresden. Mas isso não trouxe segurança financeira. A cada mês, ele recebia um salário cada vez mais astronômico com pagamentos atrasados para compensar a inflação desde o último pagamento. Apesar de receber um salário de quase 1 milhão de marcos no fim de maio de 1923, ainda assim não teve como pagar as contas de gás e impostos. Todos os que ele conhecia estavam calculando como fazer dinheiro especulando na Bolsa de Valores. Até Klemperer fez uma tentativa, mas seu primeiro ganho, 230 mil marcos, foi eclipsado pelo de seu colega, professor Förster, "um dos piores antissemitas, agitadores teutônicos e patriotas da universidade", que diziam estar fazendo meio milhão de marcos por dia jogando nos mercados.[74]

Frequentador assíduo de cafés, Klemperer pagou 12 mil marcos por um café com bolo em 24 de julho; em 3 de agosto, ele observou que um café e três bolos custaram-lhe 140 mil marcos.[75] Na segunda-feira, 28 de agosto, Klemperer registrou que poucas semanas antes havia obtido dez ingressos para o cinema, um de seus maiores prazeres na vida, por 100 mil marcos. "Logo depois, o preço subiu de modo imensurável, e mais recentemente nosso assento de 10 mil marcos já custava 200 mil. Ontem à tarde", ele prosseguiu, "fui comprar novo estoque. As fileiras do meio na parte da frente já custavam 300 mil marcos", e eram o segundo ingresso mais barato da casa; um aumento de preço adicional já havia sido anunciado para a quinta-feira seguinte, três dias depois.[76] A 9 de outubro, ele registrava: "Nossa ida ao cinema ontem custou 104 milhões, incluindo o dinheiro da passagem".[77] A situação levou-o, como a muitos outros, às raias do desespero:

> A Alemanha está desmoronando de maneira sinistra, passo a passo... O dólar está em mais de 800 milhões; a cada dia, sobe mais 300 milhões que na véspera. Tudo isso não é apenas algo que se lê no jornal, mas tem um impacto imediato na vida pessoal. Por quanto tempo ainda teremos algo para comer? Onde teremos que apertar nossos cintos a seguir?[78]

Klemperer gastava mais e mais tempo afobando-se atrás de dinheiro, e em 2 de novembro escreveu:

> Ontem esperei pelo dinheiro na tesouraria da universidade a manhã toda, até quase as duas horas e no fim não consegui nenhum tostão, nem mesmo o que faltava do pagamento de outubro, visto que o dólar subiu ontem de 65 para 130 bilhões, de modo que hoje terei que pagar minha conta de gás e outras coisas pelo dobro do preço de ontem. No caso do gás, é provável que isso faça uma diferença de uns bons 150 bilhões.[79]

Tumultos por comida irrompiam em Dresden, ele registrou, alguns com um tom antissemita, e Klemperer começou a temer que sua casa fosse arrombada na busca frenética por mantimentos. Era impossível trabalhar. "As questões de dinheiro consomem grande parte do tempo e deixam os nervos em frangalhos."[80]

A Alemanha estava emperrando. Empresas e municípios não tinham mais condições de pagar seus trabalhadores ou comprar acessórios para serviços de utilidade pública. Em 7 de setembro, sessenta das noventa linhas de bonde de Berlim deixaram de operar.[81] A situação, era óbvio, não podia continuar assim. O país foi resgatado da situação-limite por uma combinação de manobras políticas astutas e reformas financeiras sagazes. Começando seu longo período de serviço como ministro de Relações Exteriores em agosto de 1923, Gustav Stresemann, que combinou o ministério com a Chancelaria do Reich nos primeiros meses, deu início a uma política de "cumprimento", negociando a retirada dos franceses do Ruhr em setembro em troca de uma garantia de que a Alemanha honraria seus pagamentos indenizatórios, acontecesse o que acontecesse. Como resultado, a comunidade internacional concordou em rever o sistema de indenização, e um plano traçado por um comitê sob a presidência do especialista financeiro americano Charles Dawes foi negociado e aprovado no ano seguinte.

O Plano Dawes não apresentou nenhuma perspectiva de fim para os pagamentos, mas ao menos implantou uma série de arranjos para garantir que os pagar fosse uma proposta prática, e nos cinco anos seguintes de fato foram pagos sem muitos problemas.[82] A política de Stresemann não lhe granjeou aplausos da direita nacionalista, que resistia a qualquer concessão ao princípio das indenizações. Mas a amplitude da hiperinflação àquela altura convenceu a maioria das pessoas de que essa era a única política realista, uma visão que provavelmente não teriam tido cerca de um ano antes.[83] No *front* financeiro, o governo de Stresemann nomeou Hjalmar Schacht, um astuto financista com fortes conexões políticas, para chefiar o banco central estatal, o Reichsbank, em 22 de dezembro de 1923. Uma nova moeda já havia sido emitida em 15 de novembro, o *rentenmark*, cujo valor estava vinculado ao preço do ouro.[84] Schacht implantou várias medidas para defender o *rentenmark* da especulação e, à medida que a nova moeda, logo rebatizada de *reichsmark*, tornou-se mais amplamente disponível, substituiu a antiga e alcançou aceitação geral.[85] A inflação acabou.

Outros países foram afetados pela inflação pós-guerra, mas nenhum de forma tão grave quanto a Alemanha. No auge da inflação, que variou de país para país, os preços chegaram a 14 mil vezes mais que no nível pré-guerra na Áustria, 23 mil vezes mais na Hungria, 2,5 milhões de vezes mais na Polônia e 4 milhões de vezes mais na Rússia, embora a inflação de lá não fosse estritamente comparável à dos demais, uma vez que os bolcheviques haviam retirado a economia soviética do mercado mundial em larga escala. Essas taxas eram ruins o bastante. Mas, na Alemanha, os preços chegaram a níveis bilhões de vezes maiores que no pré-guerra, uma derrocada que entrou para os anais da história econômica como a maior inflação de todos os tempos. Era digno de nota que todos esses países não haviam lutado do lado vencedor da guerra. Cada país enfim estabilizou sua moeda, mas sem muita relação com as outras. Nenhum novo sistema financeiro internacional surgido na década de 1920 comparava-se às elaboradas instituições e acordos que viriam a governar as finanças internacionais depois da Segunda Guerra Mundial.[86]

II

As consequências tanto da hiperinflação quanto da forma como ela chegou ao fim foram muito grandes. Contudo, os efeitos de longo prazo sobre a situação econômica da população da Alemanha são difíceis de mensurar. Pensava-se que ela havia destruído a prosperidade econômica da classe média. Mas a classe média era um grupo muito variado em termos econômicos e financeiros. Quem investiu dinheiro em bônus de guerra ou outros empréstimos perdeu, mas quem tomou emprestada uma grande quantia de dinheiro como uma hipoteca para uma casa ou apartamento teve a possibilidade de acabar adquirindo a propriedade por virtualmente nada. Com frequência, essas duas situações estavam unidas em um grau ou outro na mesma pessoa. Mas, para aqueles que dependiam de renda fixa, os resultados foram ruinosos. Os credores estavam exasperados. A coesão econômica e social da classe média despedaçou-se, enquanto ganhadores e perdedores confrontavam-se por meio das novas divisões sociais. O resultado foi uma fragmentação crescente dos partidos políticos da classe média na segunda metade da década de 1920, deixando-os indefesos diante dos ataques demagógicos da extrema direita. E, crucialmente, à medida que os efeitos deflacionários da estabilização começaram a pegar firme, todos os grupos sociais sentiram o aperto. A memória popular fundiu os efeitos da inflação, da hiperinflação e da estabilização em uma única catástrofe econômica na qual virtualmente todos os grupos da sociedade alemã eram perdedores.[87] Victor Klemperer era um personagem típico nesse processo. Quando veio a estabilização, o "medo da desvalorização monetária súbita, a pressa maluca de ter que comprar estavam acabados", mas a "destituição" entrou no lugar deles, pois, com a nova moeda, Klemperer não possuía virtualmente nada de valor e praticamente não tinha dinheiro algum. Depois de toda sua especulação, concluiu ele de modo lúgubre: "Minhas ações mal valem cem marcos, minhas reservas de dinheiro em casa são quase a mesma coisa, e isso é tudo – meu seguro de vida está total e completamente perdido. Papéis de 150 milhões são = 0,015 *pfennig*".[88]

À medida que o dinheiro perdia o valor, mercadorias tornaram-se a única coisa que valia a pena ter, e uma enorme onda de crimes assolou o país. Condenações por furto, que haviam somado 115 mil em 1913, atingiram 365 mil em 1923. Sete vezes mais infratores foram condenados por receptação de mercadorias roubadas em 1923 do que em 1913. A situação dos pobres era tão desesperadora já em 1921 que um jornal social-democrata relatou que, de cem homens mandados para a prisão de Plötzensee de Berlim, oitenta não tinham meias, sessenta estavam sem sapatos, e cinquenta não tinham sequer uma camisa sobre as costas.[89] Os furtos nas docas de Hamburgo, nos quais os trabalhadores tradicionalmente pegavam para si uma parte das cargas que eram pagos para carregar e descarregar, atingiram níveis sem precedentes. Há relatos de que os trabalhadores recusavam-se a carregar algumas mercadorias pelo fato de que não poderiam usar nenhuma delas. Os sindicatos relataram que muitos trabalhadores iam ao cais apenas para roubar e que qualquer um que tentasse impedi-los era surrado.

Café, farinha, *bacon* e açúcar eram o butim preferido. Na verdade, os trabalhadores forçavam progressivamente o pagamento em espécie, à medida que os ordenados em dinheiro declinavam em valor. O fenômeno tornou-se tão difundido que algumas empresas de marinhas mercantes estrangeiras começaram a descarregar mercadorias em outros locais em 1922-23.[90] Uma economia semelhante de furto e escambo começou a substituir transações em dinheiro também em outros comércios e outros centros.

A violência, ou a ameaça de violência, às vezes fazia-se evidente de maneira espetacular. Gangues de até duzentos jovens fortemente armados eram vistas tomando celeiros de assalto na zona rural e levando a produção embora. Contudo, a despeito da atmosfera de criminalidade mal e mal controlada, as condenações por lesão corporal caíram de 113 mil em 1913 para meras 35 mil em 1923, e houve queda comparável em outras categorias de crime não relacionadas de forma direta a furto. Parecia que quase todo mundo estava concentrado em roubar pequenas quantidades de comida e mantimentos para se manter vivo. Houve relatos de moças vendendo-se por pacotes de manteiga. A amargura e o ressentimento por causa dessa situação eram ampliados pelo fato de que algumas pessoas estavam tendo lucros enormes por meio de negociação ilícita de moeda, contrabando nas fronteiras, especulação e movimentação ilegal de mercadorias. Agentes do mercado negro e especuladores haviam se tornado objetos de denúncia por demagogos populistas antes mesmo de a inflação galopante virar hiperinflação. E então tornaram-se objetos do ódio popular. Havia uma sensação difundida de que os especuladores faziam festa a noite inteira enquanto lojistas e artesãos honestos estavam tendo que vender a mobília de suas casas para comprar um pedaço de pão. Os valores morais tradicionais pareciam estar em declínio junto com os valores monetários tradicionais.[91] A descida ao caos – econômico, social, político, moral – parecia ser total.[92]

Dinheiro, renda, solidez financeira, ordem econômica, regularidade e previsibilidade estavam no coração dos valores burgueses e da existência burguesa antes da guerra. Agora, tudo isso parecia ter sido levado de roldão junto com o sistema político de aparência igualmente sólida do Reich guilhermino. Um cinismo amplamente difundido começou a se revelar na cultura de Weimar, a partir de filmes como *Dr. Mabuse – O jogador* até livros como *Confissões do impostor Felix Krull,* de Thomas Mann (escrito em 1922, mas deixado de lado e só concluído mais de trinta anos depois). Foi em parte como consequência da inflação que a cultura de Weimar desenvolveu um fascínio por criminosos, fraudadores, jogadores, manipuladores, ladrões e vigaristas de todos os tipos. A vida parecia um jogo de azar, a sobrevivência era uma questão do impacto arbitrário de forças econômicas incompreensíveis. Numa atmosfera dessas, começaram a abundar teorias de conspiração. O jogo, fosse numa mesa de carteado ou na Bolsa de Valores, tornou-se uma metáfora para a vida. Muito do cinismo que deu à cultura de Weimar sua agudeza na metade da década de 1920 e fez muita gente por fim ansiar pela volta do idealismo, sacrifício pessoal e dedicação patriótica provinha dos efeitos desorientadores da hiperinflação.[93] A hiperinflação virou um trauma cuja influência afetou o comportamento dos alemães de todas as classes por muito tempo depois. Nos setores mais conservadores da população, somou-se à sensação de um mundo de pernas para o ar, primeiro pela derrota, depois pela revolução e agora pela economia. Destruiu a fé na neutralidade da lei como um regulador social entre devedores e credores, ricos e pobres, e minou as noções de imparcialidade e equidade que se supunha que a lei mantivesse. Rebaixou a linguagem da política, já levada à ênfase hiperbólica excessiva pelos eventos de 1918-19. Emprestou novo poder ao estoque de imagens fantasiosas do mal, não só do criminoso e do jogador, mas também do especulador e, fatalmente, do manipulador de finanças judeu.[94]

III

Entre os grupos geralmente considerados ganhadores nas convulsões econômicas do início da década de 1920 estavam os grandes industriais e financistas, fato que causou ressentimento difundido contra "capitalistas" e "especuladores" em muitas esferas da sociedade alemã. Mas os empresários alemães não estavam tão certos de ter ganho tanto. Muitos deles olhavam com nostalgia para o império guilhermino, um tempo em que o Estado, a polícia e os tribunais haviam mantido o movimento operário acuado e as empresas eram ouvidas pelo governo em questões-chave de política econômica e social. Por mais equivocada que essa visão cor-de-rosa do passado pudesse ser, permanecia o fato de que os grandes negócios de fato haviam ocupado uma posição privilegiada antes da guerra, a despeito de ocasionais irritações com a interferência do Estado na economia.[95] A rapidez e a escala da industrialização da Alemanha tinham não só transformado o país na maior potência econômica da Europa continental em 1914, mas criado também um setor de negócios notável por seus empreendimentos e pelo destaque público de seus dirigentes e empresários. Homens como o fabricante de armas Krupp, os magnatas do ferro e do aço Stumm e Thyssen, o armador Ballin, os chefes da companhia de eletricidade Rathenau e Siemens, e muitos mais, eram bem conhecidos, ricos, poderosos e politicamente influentes.

Tais homens tinham a tendência, com ênfase variável, em resistir à sindicalização e a rejeitar a ideia de negociação coletiva. Durante a guerra, porém, abrandaram o antagonismo, sob o impacto da interferência crescente do Estado nas relações trabalhistas, e em 15 de novembro de 1918 empresas e sindicatos, representados respectivamente por Hugo Stinnes e Carl Legien, assinaram um pacto estabelecendo uma nova estrutura de negociação coletiva, incluindo o reconhecimento das oito horas de jornada diária. Ambos os lados tinham interesse em rechaçar a ameaça da socialização impetuosa da extrema esquerda, e o acordo preservou a estrutura existente dos grandes negócios ao mesmo tempo em que concedeu igual representação aos sindicatos em uma rede nacional de comitês de negociação conjunta. Assim como outros elementos do sistema guilhermino, as grandes empresas aceitaram a república porque pareceu a forma mais provável de rechaçar algo pior.[96]

As coisas, então, não pareciam tão ruins para as empresas durante os primeiros anos da república. Uma vez que entenderam que a inflação continuaria, muitos empresários industriais compraram enormes quantidades de maquinário com dinheiro emprestado que estaria desvalorizado na época em que tivessem que o devolver. Mas isso não significou, como alguns afirmaram, que eles levaram a inflação adiante por terem visto vantagens para si. Pelo contrário, muitos ficaram confusos a respeito do que fazer, sobretudo durante a hiperinflação de 1923, e os ganhos que obtiveram em todo o processo não foram tão espetaculares quanto se alegou com frequência.[97] Além disso, a deflação aguda, decorrência inevitável da estabilização monetária, trouxe sérios problemas para a indústria, que em muitos casos havia investido em mais fábricas do que o necessário. As falências multiplicaram-se, o enorme império industrial e financeiro de Hugo Stinnes colapsou, e grandes companhias buscaram refúgio em uma onda de fusões e cartéis, mais notadamente a Siderúrgicas Unidas, formada em 1924 a partir de várias companhias industriais de peso, e o gigante I. G. Farben, o Cartel das Tinturas alemão, criado no mesmo ano pelas indústrias químicas Agfa, Basf, Bayer, Griesheim, Hoescht e Weiler-ter-Meer, para formar a maior corporação da Europa e a quarta maior do mundo, atrás da General Motors, United States Steel e Standard Oil.[98]

Fusões e cartéis destinavam-se não só a alcançar domínio de mercado, mas também cortar gastos e aumentar a eficiência. As novas empresas deram grande importância à racionalização da produção, no estilo da supereficiente Ford Motor Company dos Estados Unidos. O "fordismo", como era conhecido, automatizou e mecanizou a produção sempre que possível no interesse da eficiência. Foi acompanhado de um ímpeto para se reorganizar o trabalho de acordo com os novos estudos americanos de tempo e movimento, conhecido como "taylorismo", muito debatido na Alemanha durante a segunda metade da década de 1920.[99] Mudanças nessa linha chegaram a atingir um grau espetacular na indústria de mineração de carvão no Ruhr, onde 98% do carvão era extraído por trabalho manual antes da guerra, mas apenas 13% em 1929. O uso de perfuradoras pneumáticas para escavar o carvão e de esteiras transportadoras para levá-lo à zona de carregamento combinado com uma reorganização das práticas de trabalho gerou aumento da produção anual de carvão por mineiro de 255 toneladas em 1925 para 386 toneladas em 1932. Tal incremento na eficiência permitiu às companhias mineradoras reduzir o tamanho da força de trabalho muito depressa, de 545 mil em 1922 para 409 mil em 1925 e 353 mil em 1929. Processos semelhantes de racionalização e mecanização ocorreram em outras áreas da economia, notadamente na indústria automotiva, em rápida expansão.[100] Contudo, em outras áreas, como a produção de ferro e aço, o incremento da eficiência foi alcançado não tanto pela mecanização e modernização quanto pelas fusões e monopólios. A despeito de toda discussão e debate sobre "fordismo", "taylorismo" e coisas do tipo, boa parte da indústria alemã ainda tinha um ar muito tradicional no final da década de 1920.[101]

Em todo caso, o ajuste à nova situação econômica depois da estabilização significou redução, corte de custos e perda de empregos. A situação ficou pior pelo fato de que um número relativamente grande de nascidos nos mesmos períodos nos anos pré-guerra agora estava entrando no mercado de trabalho, mais do que substituindo os mortos na guerra ou na devastadora epidemia de gripe que assolou o mundo logo depois. O censo trabalhista de 1925 revelou que havia 5 milhões de pessoas a mais na força de trabalho disponível que em 1907; o censo seguinte, realizado em 1931, mostrou 1 milhão ou mais adicional. No final de 1925, sob os impactos duplos da racionalização e do crescimento geral da população, o desemprego alcançou 1 milhão; em março de 1926, superou os 3 milhões.[102] Nas novas circunstâncias, as empresas perderam a boa vontade para chegar a um acordo com os sindicatos. Estabilização significava que os patrões não tinham mais condições de repassar os custos do aumento salarial aumentando os preços. A estrutura organizada de negociação coletiva que havia sido acordada por empregadores e sindicatos durante a Primeira Guerra Mundial se desfez. Foi substituída por relações gradualmente mais acrimoniosas entre empresas e mão de obra, na qual o espaço de manobra dos trabalhadores ficou cada vez mais restrito. Contudo, os empregadores continuavam a se sentir insatisfeitos no ímpeto de cortar custos e aumentar a produtividade por causa da força dos sindicatos e dos obstáculos legais e institucionais colocados em seu caminho pelo Estado. O sistema de arbitragem implantado pela República de Weimar virava o jogo em favor dos sindicatos durante as disputas trabalhistas, ou assim julgavam os patrões. Quando uma disputa acirrada sobre salários na indústria de ferro e aço do Ruhr foi resolvida por arbitragem compulsória em 1928, os empregadores recusaram-se a pagar o pequeno aumento de salário que havia sido concedido e mantiveram mais de 200 mil metalúrgicos do lado de fora das fábricas por quatro semanas. Os trabalhadores não apenas foram respaldados pelo governo do Reich, conduzido pelos social-democratas em uma grande coalizão formada anteriormente naquele ano, como também receberam compensação paga pelo Estado. Para os patrões, começou a parecer que toda a estrutura de Weimar estava alinhada contra eles.[103]

Do ponto de vista dos empresários, as coisas ficaram piores em razão das obrigações financeiras que o Estado colocou sobre eles. A fim de tentar aliviar as piores consequências da estabilização para os trabalhadores e prevenir a repetição do quase colapso da dotação para a previdência social que havia ocorrido durante a hiperinflação, o governo introduziu um elaborado esquema de seguro-desemprego em estágios nos anos de 1926 e 1927. Destinado a amparar uns 17 milhões de trabalhadores contra os efeitos da perda de emprego, a mais substancial dessas leis, promulgada em 1927, exigia as mesmas contribuições de empregadores e empregados, e estabeleceu um fundo estatal para enfrentar crises maiores, quando o número de desempregados excedesse a cifra que estava destinado a prover. Visto que esta era de apenas 800 mil, era óbvio que o esquema ficaria em sérias dificuldades caso os números fossem mais altos. De fato, eles excederam o limite antes mesmo de o plano entrar em vigor.[104] Esse sistema de previdência representou uma crescente intervenção do Estado na economia, e não surpreende que as empresas não tenham gostado. O sistema empilhava gastos extras ao forçar a contribuição dos empregadores para planos de benefícios dos empregados e impunha um fardo crescente de taxação sobre a atividade empresarial e sobre os próprios empresários bem de vida. Os mais hostis de todos eram os empresários da indústria pesada do Ruhr. Restrições legais quanto ao horário de trabalho impediam-nos, em muitos casos, de utilizar a fábrica sem interrupção. As contribuições para o benefício do desemprego eram vistas como mutilantes. Em 1929, a organização nacional dos industriais anunciou sua opinião de que o país não mais podia bancar esse tipo de incentivo e clamou por cortes colossais nas despesas do Estado acompanhados do término formal das negociações com os trabalhadores, que haviam preservado as grandes empresas na época da revolução de 1918. As alegações de que era o sistema previdenciário, em vez da situação da economia internacional, que estava causando os problemas eram exageradas, para dizer o mínimo; mas o novo espírito de hostilidade em relação aos sindicatos e aos social-democratas entre muitos patrões na segunda metade da década de 1920 era inequívoco.[105]

As grandes empresas já estavam desiludidas com a República de Weimar no final da década de 1920. A influência de que ela havia desfrutado antes de 1914, e ainda mais durante a guerra e na era de inflação pós-guerra, parecia agora drasticamente reduzida. Além disso, sua popularidade, outrora muito elevada, havia sofrido gravemente em resultado de escândalos financeiros e outros que vieram à tona durante a inflação. As pessoas que perderam suas fortunas em investimentos duvidosos procuraram alguém para culpar. Em 1924-25, tal busca de bode expiatório enfocou Julius Barmat, empresário russo-judeu que havia colaborado com lideranças social-democratas na importação de gêneros alimentícios logo após a guerra, e a seguir investido os créditos obtidos do banco estatal prussiano e dos correios em especulação financeira durante a inflação. Quando os negócios dele entraram em colapso no fim de 1924, deixando débitos de 10 milhões de reichsmarks, a extrema direita aproveitou a oportunidade para lançar uma campanha de imprensa marrom acusando lideranças social-democratas, como o ex-chanceler Gustav Bauer, de receber propina. Escândalos financeiros desse tipo foram explorados de modo mais geral pela extrema direita para respaldar alegações de que a corrupção judaica estava exercendo influência indevida sobre a república e causando ruína financeira para muitos alemães comuns de classe média.[106]

O que as empresas podiam fazer para remediar essa situação? Seu espaço de manobra política era limitado. Desde o começo da república, as empresas buscaram isolar a indústria da interferência política e garantir influência política, ou pelo menos boa vontade, por meio de doações financeiras aos partidos "burgueses", notadamente o Nacionalista e o Partido Popular. Os grandes interesses com frequência tinham um domínio financeiro sobre os principais jornais por meio de investimentos, mas isso raras vezes se traduzia em manifestação direta de ideias políticas. Quando o proprietário intervinha com frequência na política editorial, como no caso de Alfred Hugenberg (cujo império de imprensa e meios de comunicação expandiu-se rapidamente durante a República de Weimar), isso muitas vezes tinha pouco a ver com os interesses políticos do empresariado. De fato, no início da década de 1930, os líderes empresariais estavam tão irritados com o radicalismo de direita de Hugenberg que tramavam para removê-lo da liderança do Partido Nacionalista. Longe de falar em uma só voz sobre as questões que as afetavam, as empresas estavam divididas de alto a baixo não apenas na política, como sugere o exemplo de Hugenberg, mas também no interesse econômico. Assim, enquanto as companhias de ferro, aço e mineração do Ruhr eram furiosamente contrárias à previdência estatal de Weimar e ao sistema de negociação coletiva do governo, companhias como Siemens ou I. G. Farben, as gigantes dos setores mais modernos da economia, estavam mais dispostas a fazer concessões. Sempre existiu algum conflito de interesses entre as indústrias voltadas à exportação, que se saíram relativamente bem durante os anos de estabilização e retração, e as indústrias que produziam basicamente para o mercado doméstico, que mais uma vez incluíam os magnatas do ferro e aço do Ruhr. Mesmo entre estes últimos, porém, havia sérias diferenças de opinião, com Krupp opondo-se à posição linha-dura adotada pelos patrões na greve dos empregadores de 1928.[107] No final da década de 1920, as empresas estavam divididas em sua política e confinadas pelas restrições colocadas sobre elas pelo Estado de Weimar. Haviam perdido muito da influência política de que haviam gozado durante a inflação. Essa frustração com a república logo irromperia em franca hostilidade por parte de alguns de seus representantes mais influentes.

Guerras culturais

I

Os conflitos que dilaceravam Weimar eram mais do que meramente políticos ou econômicos. Sua qualidade visceral derivava em muito do fato de que não eram decididos em batalhas apenas nos parlamentos e eleições, mas permeavam todos os aspectos da vida. Indiferença política dificilmente foi uma característica da população alemã nos anos que levaram ao Terceiro Reich. As pessoas possivelmente sofriam de um excesso de engajamento e comprometimento políticos. Uma indicação disso pode ser encontrada nas taxas extremamente altas de comparecimento às eleições – nada menos que 80% do eleitorado na maioria dos pleitos.[108] As eleições não deparavam com nada de indiferença, que se alega ser o sinal de uma democracia madura. Pelo contrário, durante as campanhas eleitorais, em muitas partes da Alemanha cada centímetro disponível de paredes externas e colunas de publicidade parecia coberto de pôsteres, em cada janela havia bandeiras penduradas, cada prédio era engrinaldado com as cores de um ou outro partido político. Isso ia muito além do senso de dever que diziam ter movido os eleitores rumo às urnas nos anos pré-guerra. Parecia não haver área da sociedade ou da política imune à politização.

Em lugar algum isso era mais óbvio que na imprensa. Nada menos que 4.700 jornais apareceram na Alemanha em 1932, 70% deles diários. Muitos eram locais, com circulação pequena, mas alguns, como o liberal *Frankfurter Zeitung* [Gazeta de Frankfurt], eram publicações importantes e de reputação internacional. Tais órgãos formavam apenas uma pequena parte da imprensa com tendência política, que somava cerca de um quarto de todos os jornais. Quase três quartos dos jornais de tendência política eram leais ao Partido de Centro ou seu equivalente no sul, o Partido Popular Bávaro, ou ao Social-Democrata.[109] Os partidos políticos davam grande valor a seus jornais diários. *Vorwärts* [Avante] dos social-democratas e *Rote Fahne* [Bandeira Vermelha] dos comunistas eram peças-chave dos respectivos aparatos da propaganda partidária e encabeçavam uma estrutura complexa de revistas semanais, jornais locais, periódicos ilustrados em papel-cuchê e publicações especializadas. Um organizador de propaganda jornalística, como o chefe de imprensa comunista Willi Münzenberg, podia conquistar uma reputação quase mítica como criador e manipulador de mídia.[110] Na ponta oposta do espectro político, um *status* igualmente legendário foi ocupado por Alfred Hugenberg, que, como presidente do conselho da fábrica de armas Krupp, havia comprado a empresa jornalística Scherl em 1916. Dois anos depois, adquiriu uma grande agência de notícias por meio da qual abastecia amplos setores da imprensa com histórias e editoriais durante os anos de Weimar. No final da década de 1920, Hugenberg tinha se tornado proprietário também da UFA, gigantesca companhia produtora de filmes. Hugenberg usou seu império de mídia para propagar suas próprias e virulentas ideias nacionalistas pelo país, e para espalhar a mensagem de que estava na hora de se restaurar a monarquia. No final da década de 1920, sua reputação era tal que se referiam a ele como o "rei não coroado" da Alemanha e "um dos homens mais poderosos" do país.[111]

Contudo, fosse o que fosse que as pessoas pensassem, um poder de mídia desse tipo não se traduzia diretamente em poder político. O domínio da mídia por Hugenberg não teve absolutamente nenhum efeito em deter o inexorável declínio dos nacionalistas depois de 1924. Jornais políticos, em geral, tinham pequenas circulações: em 1929, por exemplo, *Bandeira Vermelha* vendia 28 mil cópias por dia, *Avante* 74 mil, e *Der Tag* [O Dia], de Hugenberg, pouco mais de 70 mil. Não eram números impressionantes por nenhum tipo de raciocínio. Além do mais, as vendas de *Bandeira Vermelha* caíram para 15 mil assim que a votação comunista começou a aumentar no início da década de 1930. No todo, a circulação da imprensa francamente política caiu aproximadamente um terço entre 1925 e 1932. Os diários liberais de altos nível e qualidade também perderam circulação.[112] A *Gazeta de*

Frankfurt, provavelmente o mais prestigioso dos diários liberais de qualidade, escorregou de 100 mil em 1915 para 71 mil em 1928. Como os editores de jornais perceberam muito bem, muitos leitores da imprensa liberal pró-Weimar votavam em partidos contrários à república. O poder político de editores e proprietários aqui também parecia limitado.[113]

O que estava solapando a imprensa política era, acima de tudo, a ascensão dos chamados "jornais de variedades", tabloides baratos e sensacionalistas que eram vendidos na rua, particularmente à tarde e no início da noite, em vez de depender de assinantes regulares. Fartamente ilustrados, com cobertura maciça de esporte, cinema, noticiário local, crimes e escândalos, esses jornais davam ênfase ao entretenimento em vez de à informação. Contudo, também podiam ter uma orientação política, como o *Nachtausgabe* [Edição Noturna], de Hugenberg, cuja circulação cresceu de 38 mil em 1925 para 202 mil em 1930, ou o *Welt am Abden* [Mundo Vespertino], de Münzenberg, cujas vendas alçaram-se de 12 mil em 1925 para 220 mil em 1930. De modo geral, para a imprensa pró-Weimar foi difícil acompanhar tal competição, embora o império jornalístico Ullstein, de orientação liberal, tenha produzido os bem-sucedidos *Tempo* (145 mil em 1930) e *BZ am Mittag* [BZ ao Meio-Dia] (175 mil no mesmo ano). Os social-democratas foram incapazes de competir nesse mercado.[114] Foi nesse nível que a política da imprensa teve um impacto real. Os folhetins de escândalos minaram a república com sua exposição sensacionalista de erros financeiros reais ou imaginários da parte de políticos pró-Weimar; as ilustrações podiam transmitir o contraste com os dias do império. A publicidade maciça dada pela imprensa popular ao julgamento de assassinatos e investigações policiais criou a impressão de uma sociedade afogando-se numa onda de crimes violentos. Nas províncias, jornais locais aparentemente não políticos, muitas vezes abastecidos por agências de notícias de direita, tinham efeito semelhante, embora mais discreto. O império jornalístico de Hugenberg pode não ter salvado os nacionalistas do declínio, mas sua arenga constante sobre as iniquidades da república foram outro fator para debilitar a legitimidade de Weimar e convencer as pessoas de que era preciso algo mais no lugar dela. No fim, portanto, a imprensa teve algum efeito em manobrar a mente dos eleitores, influenciando-os sobretudo contra a democracia de Weimar de uma forma genérica.[115]

O surgimento da imprensa popular sensacionalista era apenas uma entre muitas novidades e, para algumas pessoas, inquietantes evoluções do cenário dos meios de comunicação e da cultura na década de 1920 e início da seguinte. A literatura experimental, a "poesia concreta" dos dadaístas, os romances modernistas de Alfred Döblin, as peças de crítica social de Bertolt Brecht, o jornalismo mordaz e polêmico de Kurt Tucholsky e Carl von Ossietzky, tudo dividia os leitores entre uma minoria que respondia ao desafio do novo e uma maioria que considerava tais obras "bolchevismo cultural". Junto à vibrante e radical cultura literária de Berlim havia outro mundo literário, que apelava ao setor nacionalista conservador das classes médias, enraizado na nostalgia pelo passado bismarckiano perdido e profetizando sua volta com o ansiado colapso da República de Weimar. Particularmente popular era *A decadência do Ocidente*, de Oswald Spengler, que dividia a história humana em ciclos naturais de primavera, verão, outono e inverno e localizava a Alemanha do início do século XX no inverno, caracterizado pelas "tendências de um cosmopolitismo urbano irreligioso e não metafísico", no qual a arte sofria "preponderância de formas de arte estrangeiras".

Na política, de acordo com Spengler, o inverno era reconhecível pelo governo de massas cosmopolitas inorgânicas e pelo colapso de formas estabelecidas de Estado. Spengler conquistou muitos adeptos com sua afirmação de que isso anunciava o começo iminente de uma nova primavera "de intuição agrícola" e governada por uma "estrutura orgânica de existência política", conduzindo a "poderosas criações de uma alma desperta, abarrotada de sonhos".[116] Outros escritores deram ao período de renascimento por vir um novo nome, que seria adotado com entusiasmo pela direita radical: Terceiro Reich. Esse conceito foi popularizado pelo escritor neoconservador Arthur Moeller van den Bruck, cujo livro com esse título foi publicado em 1923. O ideal do Reich, proclamou ele, havia surgido com Carlos Magno e ressuscitado sob Bismarck, e era o oposto do governo de partido que caracterizava a República de Weimar. No presente, escreveu ele, o Terceiro Reich era um sonho; seria necessária uma revolução nacionalista para torná-lo realidade. Os partidos políticos que haviam dividido a Alemanha seriam então eliminados. Quando o Terceiro Reich finalmente chegasse, englobaria todos os grupamentos políticos e sociais em um renascimento nacional.

Restauraria a continuidade da história alemã, recriando sua glória medieval; seria o "Reich final".[117] Outros escritores, como o jurista Edgar Jung, adotaram esse conceito e defenderam uma "revolução conservadora" que ocasionaria "o Terceiro Reich" no futuro próximo.[118]

Abaixo desse nível de abstração um tanto rarefeita havia muitos outros escritores que de um jeito ou de outro glorificavam as alegadas virtudes que, na visão deles, a República de Weimar negava. O ex-oficial do Exército Ernst Jünger propagou o mito de 1914 e em *Tempestades de aço*, seu popular livro, exaltou a imagem das tropas da linha de frente que haviam encontrado seu verdadeiro ser apenas no exercício do sofrimento e da violência e na imposição de dor.[119] As Brigadas Livres geraram todo um cânone de romances celebrando o ódio dos veteranos aos revolucionários, muitas vezes expresso em termos de gelar o sangue, retratando assassinato e lesão corporal como a expressão última de uma masculinidade ressentida em busca de vingança pelo colapso de 1918 e pela chegada da revolução e da democracia.[120] No lugar dos débeis compromissos da democracia parlamentar, autores como esses, e muitos outros, proclamavam a necessidade de uma liderança forte, implacável, intransigente, dura, disposta a abater os inimigos da nação sem remorso.[121] Outros olhavam para trás, para um mundo rural idílico no qual as complexidades e a "decadência" da vida urbana moderna estavam inteiramente ausentes, como no romance *Die Dithmarsher*, de Adolf Bartels, que vendeu mais de 200 mil cópias em 1928.[122]

Tudo isso expressava um sentimento disseminado de crise cultural, e não só entre as elites conservadoras. Claro que muitos aspectos da cultura e da mídia modernista já estavam em evidência antes da guerra. A arte de vanguarda havia invadido a consciência pública com obras de expressionistas como Ernst Ludwig Kirchner, August Macke ou Emil Nolde e pintores abstratos como Wassily Kandinsky, nascido na Rússia, mas sediado em Munique. A música atonal e expressionista emanava da Segunda Escola de Viena de Schoenberg, Webern, Berg e Zemlinsky, enquanto o drama sexualmente explícito na forma de peças como *O despertar da primavera*, de Frank Wedekind, já havia causado enorme furor. No Reich guilhermino, tinha havido disputas constantes sobre os limites do adequado na literatura e sobre a ameaça representada por livros supostamente impatrióticos e subversivos, ou pornográficos e imorais, muitos dos quais eram sujeitos a proibições impostas pela polícia.[123]

O sentimento de crise cultural que o surgimento da arte e da cultura modernistas gerou entre as classes médias após a virada do século foi mantido sob controle durante o regime guilhermino, e em suas formas mais extremas permaneceu confinado a uma pequena minoria. Porém, depois de 1918, tornou-se muito mais disseminado. O fim, ou pelo menos o abrandamento, da censura, que havia sido muito severa durante a guerra e sempre ativa durante o período guilhermino, encorajou a mídia a se aventurar em áreas que anteriormente eram tabu. O teatro tornou-se o veículo para a experimentação radical e agitação e a propaganda de esquerda.[124] Técnicas de reprodução e impressão mais baratas facilitaram a publicação de jornais e revistas ilustrados de baixo custo para o mercado de massa. A controvérsia girou em particular sobre a Bauhaus de Weimar, criada pelo arquiteto Walter Gropius em uma fusão da Academia de Arte de Weimar e da Escola de Artes e Ofícios de Weimar. Um centro educacional que buscava unir arte de alto gabarito com *design* prático, tinha em sua equipe Wassily Kandinsky, Oskar Schlemmer, Paul Klee, Theo van Doesberg e László Moholy-Nagy. Seus estudantes boêmios, homens e mulheres, eram impopulares entre os habitantes da cidade, e seus *designs* radicalmente simples, limpos e ultramodernos eram condenados pelos políticos locais como devendo mais às formas de arte de raças primitivas do que a qualquer coisa germânica. O financiamento estatal foi retirado em 1924 e a Bauhaus mudou-se para Dessau, mas continuou sendo perseguida pela controvérsia, especialmente sob seu novo diretor, Hannes Meyer, cujas simpatias pelo comunismo levaram à sua substituição pelo arquiteto Mies van der Rohe em 1930. Mies expulsou os estudantes comunistas e substituiu o antigo *ethos* comunitário da Bauhaus por um regime mais estruturado, até mesmo autoritário. Mas a maioria nazista eleita para o conselho da cidade, em novembro de 1931, fechou-a depois de uma inspeção oficial feita por Paul Schulze-Naumburg, autor ultraconservador de um livro sobre *Arte e raça*. A Bauhaus mudou-se então para uma fábrica em Berlim, mas daí em diante não passou de uma sombra do que havia sido. O destino da Bauhaus ilustra o quanto era difícil para a cultura de vanguarda receber aceitação oficial, mesmo na atmosfera culturalmente mais branda da República de Weimar.[125]

Novos meios de comunicação aumentaram a sensação de que os antigos valores culturais estavam sob ameaça. O rádio começou a imprimir uma verdadeira marca como instituição cultural popular durante esse período: foram registrados 1 milhão de ouvintes, em 1926, e outros 3 milhões, em 1932, e as ondas estavam abertas a uma ampla variedade de opiniões, inclusive de esquerda. Os cinemas já funcionavam em cidades maiores antes de 1914, e, na década de 1920, os filmes atraíam audiências em massa, que aumentaram ainda mais com a chegada dos filmes falados no fim da década. Filmes expressionistas como *O gabinete do dr. Caligari,* com seus famosos cenários distorcidos, e películas carregadas de erotismo, como *A caixa de Pandora,* estrelada pela atriz americana Louise Brooks, instigaram um senso de desorientação estética em muitos conservadores culturais. *O Anjo Azul,* uma sátira mordaz sobre a convenção burguesa, baseado em um livro de Heinrich Mann e estrelado por Emil Jannings e Marlene Dietrich, enfrentou problemas com a companhia produtora, a UFA de Hugenberg, em parte por retratar o erotismo cínico e manipulador de sua personagem feminina central.[126] O filme baseado no romance de Erich Maria Remarque, *Nada de novo no front,* suscitou uma furiosa campanha por parte de ultranacionalistas que julgaram sua mensagem pacifista antipatriótica.[127]

A cultura burguesa havia sustentado ideais meigos de beleza, elevação espiritual e pureza artística que pareciam escarnecidos pelas manifestações do dadaísmo, enquanto a "Nova Objetividade" *(Neue Sachlichkeit,* literalmente "nova trivialidade") colocava eventos e objetos do cotidiano em destaque, na tentativa de estetizar a vida urbana moderna. Isso não era para o gosto de todo mundo. Em vez de se perder em pensamentos portentosos inspirados pelo mundo mítico do ciclo do *Anel* ou pelo ritual religioso do drama musical *Parsifal,* de Wagner, os frequentadores burgueses de ópera, em seus trajes a rigor, eram agora confrontados com a Ópera de Kroll produzindo *Notícias do dia,* de Paul Hindemith, na qual uma diva nua canta uma ária sentada em uma banheira. Junto com Richard Strauss, melífluo compositor do romantismo tardio da Alemanha e principal nome do sistema, outrora um *enfant terrible,* mas agora compositor de óperas ligeiras e emocionalmente pouco exigentes, como *Intermezzo* e *A Helena Egípcia,* as plateias eram expostas à obra-prima expressionista *Wozzeck,* de Alban

Berg, ambientada entre os pobres e oprimidos do início do século XIX e incorporando música atonal e padrões da fala cotidiana. O compositor conservador Hans Pfitzner atingiu um ponto sensível quando denunciou tais tendências como sintomas de degeneração nacional e as atribuiu a influências judaicas e bolchevismo cultural. A tradição musical alemã, bradou ele, tinha que ser protegida de tais ameaças, que se tornaram mais acentuadas pela nomeação pelo governo prussiano do atonalista Arnold Schoenberg, áustrio-judeu, para lecionar composição na academia estatal de música em Berlim, em 1925. A vida musical era essencial à identidade burguesa na Alemanha, provavelmente mais do que em qualquer outro país europeu; tais acontecimentos atingiam-na em cheio.[128]

Segundo essa visão, uma ameaça ainda maior era representada pela influência americana do *jazz*, que encontrou espaço em obras como *A ópera dos três vinténs*, com música de Kurt Weill e libreto de Bertolt Brecht. Uma cáustica denúncia sobre a exploração, ambientada num mundo de ladrões e criminosos, disparou ondas de choque pelo mundo cultural com sua primeira encenação, em 1928; efeito semelhante foi produzido por *Johnny spielt auf*, de Ernst Krenek, que estreou em 1927 e trazia um músico negro como protagonista. Muitos compositores modernistas consideraram o *jazz* um estímulo para renovar sua arte. Era principalmente uma forma de arte popular, é claro, tocada em vários estilos numa miríade de casas noturnas e bares, sobretudo em Berlim, penetrando em salões de baile, teatros de revista e hotéis. As turnês de *big bands* e dançarinas, como as Tiller Girls, animavam a cena de Berlim, enquanto os mais audaciosos podiam passar a noite em um clube como o Eldorado, "um supermercado do erotismo", conforme o chamou o compositor popular Friedrich Hollaender, e ver Anita Berber executar danças pornográficas com nomes como "Cocaína" e "Morfina" para uma audiência liberalmente salpicada de travestis e homossexuais, até sua morte prematura em 1928 por abuso de drogas. Os *shows* de cabaré acrescentavam a tudo isso um elemento de sátira política mordaz contra o autoritarismo, e enfureciam os pomposos conservadores com piadas sobre os "sentimentos nacionalistas e religiosos de cristãos e alemães", conforme um deles reclamou encolerizado. A ira dos moralistas convencionais era atiçada por danças como o tango, o *foxtrot* e o *charleston*, enquanto a retórica racista era dirigida aos músicos negros (embora houvesse pouquíssimos deles, e a maioria fosse contratada apenas como bateristas ou dançarinos para emprestar um sabor exótico à exibição).

O destacado crítico de música Alfred Einstein chamou o *jazz* de "a mais repulsiva traição contra toda música ocidental civilizada", enquanto Hans Pfitzner, em um ataque acrimonioso ao Conservatório de Frankfurt por incluir *jazz* no currículo, esbravejou contra seu suposto primitivismo como produto do que chamou de "sangue de negro" e "expressão musical do americanismo".[129] O *jazz* e o *swing* pareciam ser a crista de uma onda de americanização cultural, na qual fenômenos tão amplamente diversos, como os filmes de Charlie Chaplin e os métodos industriais modernos do "fordismo" e "taylorismo", eram vistos por alguns como uma ameaça à suposta identidade histórica da Alemanha. A produção em massa acenou com a perpectiva do consumo de massa, com grandes lojas de departamento oferecendo uma assombrosa variedade de mercadorias internacionais, enquanto redes de lojas estrangeiras como a Woolworth colocavam pelo menos algumas delas ao alcance da família operária comum. Projetos de habitação popular e *designs* para a vida moderna desafiavam o ideal conservador baseado no estilo rural e incitavam debate feroz. Para os críticos culturais de direita, a influência da América, símbolo por excelência da modernidade, mostrava a necessidade premente de ressuscitar o modo de vida germânico, as tradições germânicas, os laços germânicos com o sangue e a terra.[130]

Os alemães mais velhos sentiam-se especialmente alienados, em parte pela nova atmosfera de liberdade cultural e sexual que se seguiu ao fim da censura oficial e do controle policial em 1918, simbolizada por muitas das casas noturnas de Berlim. Um oficial do Exército, nascido em 1878, mais tarde recordou:

> Ao voltar para casa, não mais encontrávamos gente alemã decente, mas uma ralé açodada pelos instintos mais baixos. Quaisquer virtudes que outrora se encontrassem entre os alemães pareciam ter afundado para todo o sempre na torrente de lama... Promiscuidade, pouca vergonha e corrupção governavam supremas. As mulheres alemãs pareciam ter esquecido seus modos alemães. Os homens alemães pareciam ter es-

quecido seu senso de honra e honestidade. Escritores judeus e a imprensa judaica podiam "andar à solta", com impunidade, arrastando tudo para a sarjeta.[131]

O sentimento de que a ordem e a disciplina haviam sido varridos pela revolução, e de que as degenerações moral e sexual estavam tomando conta da sociedade era encontrado tanto à esquerda quanto à direita. Social-democratas e comunistas com frequência adotavam uma visão deveras puritana sobre relacionamentos pessoais, colocando o compromisso político e o autossacrifício acima da realização pessoal, e muitos ficavam chocados pela cultura francamente hedonista de muitos jovens em Berlim e outros lugares durante os "Loucos Anos 20". A comercialização do lazer, com cinema, imprensa de tabloides, salões de baile e rádios, estava alienando muitos jovens dos valores mais rígidos e tradicionais da cultura do movimento operário.[132]

A liberdade sexual desfrutada de modo evidente pelos jovens nas grandes cidades era um alvo particular de desaprovação da geração mais velha. Nisso também houve precursores antes da guerra. O surgimento de um amplo e ruidoso movimento feminista havia acostumado o público e a imprensa com mulheres falando francamente sobre todos os assuntos, ocupando pelo menos alguns cargos de responsabilidade e conquistando espaço no mundo. No Dia Internacional da Mulher Proletária, 8 de março, as cidades maiores viam demonstrações anuais nas ruas em favor do sufrágio feminino de 1910 em diante, e até mesmo as feministas da classe média encenaram uma procissão, ainda que em carruagens, em 1912. Junto com a finalmente vencedora campanha pelo sufrágio feminino veio, ainda que de parte de uma minoria de feministas, exigências de satisfação sexual, direitos iguais para mães solteiras e fornecimento de informação gratuita sobre prevenção da gravidez. As ideias de Freud, com sua tendência a atribuir causas sexuais para as ações e desejos humanos, já eram discutidas antes da guerra.[133] Berlim em particular, à medida que crescia rapidamente para o tamanho e *status* de uma metrópole cosmopolita, já se havia tornado um centro para uma variedade de subculturas sociais e sexuais, inclusive uma florescente cena *gay* e lésbica.[134]

Os críticos ligavam essas tendências com aquilo que viam como o iminente declínio da família, causado em especial pela crescente independência econômica das mulheres. O rápido surgimento de um setor de serviços na economia, com novas possibilidades de emprego para as mulheres, desde cargos de vendedora em grandes lojas de departamento até a função de secretária no mundo de escritórios em expansão (impulsionada pela poderosa influência feminilizante da máquina de escrever), criava novas formas de exploração, mas também possibilitava a um crescente número de jovens solteiras uma independência financeira e social de que não haviam desfrutado antes. Isso ficou ainda mais notório depois de 1918, quando havia 11,5 milhões de mulheres trabalhando, que representavam 36% da população ativa. Embora não fosse de maneira alguma uma mudança dramática em relação à situação antes da guerra, muitas delas agora estavam em empregos públicos conspícuos, como condutoras de bonde, atendendo em lojas de departamento e, mesmo que fossem apenas um punhado, em profissões universitárias, médicas e ligadas à justiça.[135] O aumento da competição feminina por empregos masculinos, e um medo mais geral entre nacionalistas de que o vigor da Alemanha estivesse se exaurindo pela queda no índice de natalidade que se havia estabelecido por volta da virada do século, fundiram-se com ansiedades culturais mais abrangentes para produzir um repuxo que já estava se tornando evidente antes de 1914.[136] Havia uma crise de masculinidade discernível na Alemanha antes da guerra, quando nacionalistas e pangermânicos começaram a clamar para que as mulheres voltassem para casa e para a família a fim de cumprir seu destino de produzir e educar mais crianças para a nação. A incisiva reação ao desafio feminista significou que as feministas foram forçadas à defensiva, começaram a marginalizar seus apoios mais radicais e a ressaltar cada vez mais suas impecáveis credenciais nacionalistas e seu desejo de não ir longe demais nas exigências de mudança.[137]

Depois de 1918, as mulheres foram emancipadas e ficaram em condição de votar e se candidatar em todos os níveis, dos conselhos locais ao Reichstag. Foi-lhes concedido formalmente o direito de ingressar nas principais profissões, e o papel que desempenhavam na vida pública era muito mais proeminente do que havia sido antes da guerra. De igual maneira, a hostilidade dos supremacistas masculinos, que acreditavam que o lugar da mulher era dentro de casa agora se fazia ouvir muito mais amplamente. Sua desaprovação era reforçada pela exibição muito mais franca da sexualidade do que antes da guerra na atmosfera liberada das grandes cidades. Ainda mais chocante para os conservadores era a campanha pública pelos direitos dos *gays* por parte de indivíduos como Magnus Hirschfeld, fundador do aparentemente inofensivo Comitê Científico-Humanitário em 1897. De fato, Hirschfeld era abertamente homossexual, e propagava em numerosas publicações a ideia controversa de que os homossexuais eram um "terceiro sexo" cuja orientação era produto de fatores congênitos em vez de ambientais. Seu comitê dedicava-se à abolição do parágrafo 175 do Código Criminal do Reich, que condenava a "atividade indecente" entre homens adultos. O que incitou a ira dos conservadores foi o fato de, em 1919, o governo estadual social-democrata da Prússia ter dado a Hirschfeld uma grande subvenção para transformar seu comitê informal em Instituto da Ciência Sexual, financiado pelo estado, com sede no elegante distrito de Tiergarten, no centro da capital. O instituto oferecia aconselhamento sexual, realizava sessões populares de perguntas e respostas sobre tópicos como "qual a melhor maneira de fazer sexo sem fazer um bebê?" e patrocinava a campanha pela reforma de todas as leis regulando o comportamento sexual. Hirschfeld logo desenvolveu um amplo círculo de contatos internacionais, organizado na Liga Mundial para a Reforma Sexual, da qual o instituto era o quartel-general efetivo na década de 1920. Ele era a força impulsora por trás da difusão do controle de natalidade público e privado e das clínicas de aconselhamento sexual na República de Weimar. Não é de surpreender que fosse repetidamente difamado pelos nacionalistas e nazistas, cuja tentativa de apertar a lei ainda mais, com o apoio do Partido de Centro, foi derrotada por uma margem estreita de votos de comunistas, social-democratas e democratas no Comitê de Reforma da Lei Criminal do Reichstag em 1929.[138]

A hostilidade nacionalista era impulsionada por mais do que um tosco conservadorismo moral. A Alemanha havia perdido 2 milhões de homens na guerra, e assim a taxa de natalidade estava em rápido declínio. Entre 1900 e 1925, o número de nascidos vivos por mil mulheres abaixo dos 45 anos caiu bruscamente, de 280 para 146. As leis restringindo a venda de camisinhas foram abrandadas em 1927, e no início da década de 1930 havia mais de 1.600 máquinas de venda em locais públicos, com uma empresa de Berlim produzindo sozinha 25 milhões de camisinhas por ano. Foram abertos centros de aconselhamento sexual, oferecendo informação sobre prevenção da gravidez, e muitos deles, como o instituto de Hirschfeld, foram fundados ou, em alguns casos, de fato operados pelo governo prussiano e outros governos regionais, para ultraje dos conservadores morais. O aborto era muito mais controverso, em parte pelos sérios riscos médicos que implicava, mas nisso também a lei foi relaxada, e em 1927 o crime foi reduzido de delito grave para contravenção. A estrondosa condenação do controle de natalidade pela encíclica papal *Casti Connubii* em dezembro de 1930 colocou mais lenha na fogueira dos debates, e em 1931 cerca de 1.500 comícios e demonstrações foram realizados em uma maciça campanha comunista contra os males dos abortos clandestinos.[139]

Para muita gente, tais campanhas pareciam parte de um complô deliberado para destruir a fertilidade e a fecundidade da raça alemã. Tudo isso não seria, perguntavam-se os conservadores e nacionalistas radicais, a consequência da emancipação feminina e da defesa moralmente subversiva da sexualidade isenta de qualquer desejo de procriar? Para os nacionalistas, as feministas não pareciam muito melhores do que traidores nacionais por encorajar as mulheres a trabalhar fora de casa. Contudo, as próprias feministas estavam pouca coisa menos alarmadas com a nova atmosfera de liberação sexual. A maior parte delas criticava duramente o padrão duplo de moralidade antes da guerra – liberdade para os homens, pureza para as mulheres – e defendia um padrão único de comedimento sexual para ambos os sexos. Seu puritanismo, expresso em campanhas contra livros pornográficos e filmes e pinturas sexualmente explícitos, e na condenação de moças que prefeririam salões de baile a grupos de leitura, pareciam ridículas para muitas mulheres da geração mais jovem, e, no final da década de 1920, as organizações feministas tradicionais, já destituídas de sua causa principal devido à obtenção do sufrágio universal, reclamavam do envelhecimento de seus quadros de associadas e do fracasso em ter apelo entre as jovens.[140] O feminismo estava na defensiva, e as mulheres de classe média que eram sua base de sustentação estavam desertando de seu ambiente liberal tradicional para partidos de direita. O movimento feminista sentiu a necessidade de se defender das acusações de minar a raça alemã, insistindo no apoio à revisão nacionalista do Tratado de Versalhes, ao rearmamento, aos valores familiares e ao autocontrole sexual. O tempo haveria de mostrar que o apelo do extremismo de direita para as mulheres não foi menos potente do que para os homens.[141]

II

Os jovens, e especialmente os adolescentes do sexo masculino, já estavam desenvolvendo um estilo cultural característico antes da Primeira Guerra Mundial. Um papel-chave nisso foi desempenhado pelo "movimento jovem", um conjunto díspar, mas em rápida expansão, de clubes informais e sociedades que enfocavam atividades como excursões a pé, em comunhão com a natureza, cantando canções folclóricas e versos patrióticos ao redor de fogueiras. Claro que todos os partidos políticos tentaram recrutar os jovens, em especial depois de 1918, proporcionando-lhes organizações próprias – a Juventude de Bismarck dos nacionalistas, por exemplo, ou a Liga Windthorst do Partido de Centro –, mas o impressionante sobre o movimento jovem em geral era sua independência das instituições políticas formais, muitas vezes combinada com desprezo por aquilo que suas lideranças viam como comprometimentos morais e desonestidades da vida política adulta. O movimento fomentou uma desconfiança em relação à cultura moderna, à vida na cidade e às instituições políticas formais. Muitos, se não a maioria dos grupos jovens, vestiam uniformes paramilitares na linha dos escoteiros, e tinham mais do que um toque de antissemitismo, com frequência recusando-se a admitir judeus em seus quadros. Alguns sublinhavam a necessidade de pureza moral e rejeitavam fumo, bebida e ligações com garotas. Outros, como vimos, eram supremacistas masculinos. Mesmo que a responsabilidade do movimento jovem em pavimentar o caminho para o nazismo tenha sido exagerada pelos historiadores, a maioria das organizações jovens independentes era hostil à república e a seus políticos, com visão nacionalista e de caráter e aspirações militaristas.[142]

A influência do movimento jovem, que foi mais forte na classe média protestante, quase não foi combatida pelo impacto do sistema educacional sobre os jovens alemães. "Todo o conjunto dos alunos secundaristas é nacionalista", relatou Victor Klemperer em 1925. "Eles aprendem isso dos professores."¹⁴³ Mas a situação era talvez um pouco mais complicada do que ele imaginava. Sob o Reich guilhermino, a influência pessoal do *Kaiser* era exercida para substituir as tradições liberais da educação alemã, baseada em modelos clássicos, por lições patrióticas enfocando a história e a língua alemãs. Em 1914, muitos professores eram nacionalistas, conservadores e monarquistas, e os livros didáticos e as lições seguiam o mesmo tipo de linha política. Mas uma minoria considerável também sustentava uma variedade de opiniões de centro liberal e esquerda. Além disso, na década de 1920, estados dominados pelos social-democratas, notadamente a Prússia, fizeram esforços vigorosos para persuadir as escolas a educar seus alunos como cidadãos exemplares, leais às instituições democráticas da nova república, e a atmosfera no sistema escolar mudou de acordo com isso. Milhões de jovens saíram da escola como comunistas ou social-democratas convictos, ou concederam sua lealdade ao Partido de Centro, além dos outros milhões que aderiram a visões conservadoras ou à política de direita radical. No fim, nem os professores liberais ou social-democratas nem os conservadores e monarquistas parecem ter exercido muita influência sobre a visão política de seus alunos, e muitas de suas ideias políticas eram descartadas por seus pupilos como carentes de qualquer relevância em relação ao que percebiam como realidade da vida cotidiana sob a República de Weimar. Para os rapazes que subsequentemente se tornaram nazistas, o início do comprometimento político com frequência jazia mais em rebelião política contra a rigidez do sistema escolar do que na inspiração de professores nazistas ou protonazistas. Um estudante nacionalista nascido em 1908 lembrou que estava sempre em choque com os professores "porque desde criança eu detestava submissão servil"; ele admitiu ter sido politizado por um professor nacionalista, mas ao mesmo tempo comentou que o ensinamento de seu ídolo "fazia um forte contraste com todo o resto que era ensinado na escola"; outro alimentou um rancor de longo prazo contra sua antiga escola, que o puniu repetidas vezes por insultar colegas judeus.¹⁴⁴

A adesão política dos jovens à extrema direita ficava mais óbvia nas universidades da Alemanha, muitas delas centros de ensino famosos, com tradição que remontava à Idade Média. Alguns professores esquerdistas conseguiram garantir cargos sob a República de Weimar, mas eram poucos. As universidades ainda eram instituições de elite depois da guerra e atraíam quase todos seus estudantes das classes médias. Para os homens, os grupos estudantis de duelo, conservadores, monarquistas e nacionalistas, eram particularmente poderosos. Alguns deles desempenharam papel ativo na violência que acompanhou a supressão das revoltas revolucionárias ocorridas em 1919-21. Para neutralizar sua influência, estudantes de todas as universidades estabeleceram instituições representativas democráticas de um tipo adequado à nova república no início de 1919, as Uniões Gerais de Estudantes. Todos os estudantes tinham que pertencer a elas, e tinham direito de votar em representantes para seus órgãos de governo.[145]

As uniões de estudantes formaram uma associação nacional e começaram a ter alguma influência em áreas como bem-estar estudantil e reforma universitária. Mas elas também caíram sob a influência da extrema direita. Sob o impacto dos eventos políticos, desde a aceitação final do Tratado de Versalhes em 1919 à invasão francesa do Ruhr em 1923, novas gerações de estudantes afluíram em massa para as associações nacionalistas e se congregaram nas hostes das agremiações estudantis tradicionais. Em breve, chapas de candidatos de direita eram eleitas para todas as uniões estudantis, enquanto a desilusão dos estudantes com a nova democracia da Alemanha crescia à medida que a inflação deixava suas rendas sem valor e a superlotação tornava as condições nas universidades ainda mais insuportáveis. O número de estudantes cresceu rapidamente, de 60 mil em 1914 para 104 mil em 1931, inclusive pelo impacto da mudança demográfica. Os governos injetaram dinheiro para ampliar o acesso, e as universidades tornaram-se uma rota significativa de mobilidade social ascendente para os filhos de funcionários públicos de baixo escalão, pequenos empresários e em certa extensão até de trabalhadores manuais. Os problemas financeiros da república forçaram muitos estudantes a trabalhar enquanto faziam a universidade, criando ressentimento adicional. Já em 1924, porém, as chances do cada vez mais volumoso número de graduados encontrar um posto no mercado de trabalho começaram a declinar; a partir de 1930, eram quase inexistentes.¹⁴⁶

A maioria dos professores universitários, conforme suas declarações coletivas públicas de apoio às metas de guerra alemãs em 1914-18 haviam mostrado, também eram fortemente nacionalistas. Muitos contribuíram para a atmosfera intelectual de direita com preleções denunciando o Acordo de Paz de 1919. Somaram a isso resoluções e decisões administrativas atacando o que viam como uma ameaça dos estudantes judeus "racialmente estrangeiros" que chegavam às universidades vindos do leste. Muitos escreveram em termos alarmistas sobre a perspectiva que se avizinhava (que existia à solta na imaginação deles) de áreas inteiras de matérias das universidades sendo dominadas por professores judeus, e estruturaram a política de contratação de acordo com isso. Em 1923, uma onda maciça de ultraje nacionalista varreu as universidades alemãs quando a França ocupou o Ruhr, e grupos estudantis assumiram papel ativo em incitar a resistência. Muito antes do final da década de 1920, as universidades haviam se tornado ninhos da extrema direita. Criava-se uma geração de graduados que se via como uma elite, como os diplomados ainda se veem em uma sociedade na qual apenas uma proporção muito pequena da população consegue entrar na universidade; mas uma elite que, no rastro da Primeira Guerra Mundial, colocou a ação acima do pensamento, e o orgulho nacional acima do saber abstrato; uma elite para a qual racismo, antissemitismo e ideias de superioridade alemã eram quase uma segunda natureza; uma elite que estava determinada a combater os débeis compromissos de uma democracia liberal supertolerante com a mesma dureza que seus antecessores haviam mostrado na Primeira Guerra Mundial.¹⁴⁷ Para esses rapazes, a violência parecia uma resposta racional para os desastres que haviam tomado conta da Alemanha. Para os mais inteligentes e altamente instruídos, a geração mais velha de ex--soldados parecia ter cicatrizes emocionais em excesso e ser por demais desordenada: o que se fazia necessário eram sobriedade, planejamento e total impiedade na causa da regeneração nacional.¹⁴⁸

Todas essas influências, no fim das contas, eram secundárias no que dizia respeito à maioria daqueles estudantes contemporâneos. Bem mais importante para eles era a avassaladora experiência de desarranjo político, privação econômica, guerra, destruição, luta civil, inflação, derrota nacional e ocupação parcial por potências estrangeiras, uma experiência compartilhada por jovens nascidos por volta da década que levou à Primeira Guerra Mundial. Um jovem escriturário nascido em 1911 mais tarde escreveu:

> Não fomos poupados de nada. Sabíamos das preocupações em casa e as sentíamos. A sombra da necessidade jamais abandonava nossa mesa e nos fazia calar. *Fomos rudemente arrancados da infância e não nos mostraram o caminho certo.* A luta pela vida nos alcançou muito cedo. Miséria, vergonha, ódio, mentiras e guerra civil gravaram-se em nossa alma e nos amadureceram cedo.[149]

A geração nascida entre a virada do século e a deflagração da Primeira Guerra Mundial foi de fato uma geração do incondicional, pronta para qualquer coisa; em mais de um aspecto, viria a desempenhar um papel decisivo no Terceiro Reich.

III

A cultura radicalmente modernista de Weimar era obcecada, de maneira e grau que muita gente da classe média devia considerar insalubres, por comportamento desviante, assassinato, atrocidade e crime. Os vívidos desenhos de um artista como George Grosz eram cheios de cenas violentas de estupro e assassinos sexuais em série, tema encontrado também na obra de outros artistas da época. Assassinos eram personagens centrais em filmes como *M*, de Fritz Lang, peças como *A ópera dos três vinténs*, de Bertolt Brecht, e romances como a obra-prima modernista de Alfred Döblin, *Berlin Alexanderplatz*. O julgamento de assassinos em série reais, como Fritz Haarmann ou Peter Kürten, "o vampiro de Düsseldorf", eram sensações nacionais nos meios de comunicação, com farta cobertura da imprensa a serviço dos interesses de uma massa de leitores que acompanhava cada volteio dos acontecimentos. A corrupção tornou-se um tema central até de romances sobre Berlim escritos por visitantes estrangeiros, como em *Os destinos do sr. Norris,* de Christopher Isherwood. O criminoso tornou-se objeto de fascínio, bem como de temor, alimentando ansiedades respeitáveis a respeito da ordem social e contribuindo para a repulsa da classe média à inversão de valores que parecia estar no centro da cultura modernista. A imensa publicidade dada aos assassinos em série convenceu muita gente não só de que a pena de morte deveria ser rigorosamente aplicada contra tais indivíduos "bestiais", mas também de que a censura precisava ser reintroduzida para deter a celebração desses tipos na cultura popular e na imprensa barata diária.[150] Nesse ínterim, a inflação e a desordem dos anos pós-guerra viram o surgimento do crime organizado em escala que quase rivalizava com a Chicago da época, particularmente em Berlim, onde as "associações para fraudes" do borbulhante submundo criminoso eram celebradas em filmes como *M.*[151]

A sensação de que o crime estava fora de controle era amplamente compartilhada entre aqueles cuja tarefa era manter a lei e a ordem que muita gente achava que agora estavam sob ameaça. Todo o sistema judicial do período guilhermino foi transportado inalterado para a era de Weimar; os códigos civil e criminal ficaram quase inteiramente sem retificações, e tentativas de liberalizá-los, com a abolição da pena de morte, por exemplo, não deram em nada.[152] Como antes, o Judiciário era um corpo de homens treinados para o papel de juiz desde o início, e não nomeados para o Judiciário após uma carreira relativamente longa no tribunal (como na Inglaterra, por exemplo). Muitos juízes em exercício durante os anos de 1920, portanto, eram membros do Judiciário há décadas e haviam absorvido seus valores e atitudes fundamentais na era do *Kaiser* Guilherme II. A posição deles foi fortalecida durante a república, visto que era um princípio básico da nova democracia, como outros, que o Judiciário fosse independente do controle político, um princípio rápida e indiscutivelmente ancorado nos artigos 102 e 104 da Constituição. Assim como o Exército, portanto, o Judiciário teve condições de operar por larga margem de tempo sem qualquer interferência política real.[153]

Os juízes eram ainda mais independentes porque a maioria deles considerava as leis promulgadas pelas assembleias legislativas em vez de por um monarca divinamente ordenado não mais neutras, e sim, como o presidente da Confederação de Juízes Alemães (que representava 8 mil dos quase 10 mil juízes alemães) colocou: "Lei de partido, de classe e bastarda... uma lei de mentiras". "Onde vários partidos exercem o governo", ele reclamou, "o resultado são leis de concessão. Essas constituem leis misturadas, expressam as contradições dos partidos governantes, perfazem uma lei bastarda. Toda majestade está tombada. A majestade da lei também".[154] Talvez houvesse alguma justificativa na reclamação de que os partidos políticos estavam explorando o sistema judicial para seus objetivos e criando novas leis com um viés político específico. Os partidos de extrema direita e de esquerda mantinham departamentos específicos devotados à atividade cínica de produzir capital político a partir dos julgamentos, e possuíam uma equipe de advogados políticos que desenvolveram uma bateria de técnicas altamente sofisticadas e totalmente inescrupulosas para transformar procedimentos da corte em sensacionalismo político.[155] Sem dúvida, isso contribuiu para desacreditar ainda mais a justiça de Weimar aos olhos de muitos. Contudo, também se podia considerar que os próprios juízes, no contexto alterado do advento de uma democracia parlamentar, exploravam os julgamentos para seus propósitos políticos. Depois de anos, de fato décadas, tratando os críticos social-democratas e liberais de esquerda do governo do *Kaiser* como criminosos, os juízes ficaram relutantes em reajustar suas atitudes quando a situação política mudou. Sua lealdade estava não com a nova república, mas com o mesmo ideal abstrato do Reich a que seus pares no corpo de oficiais continuavam a servir; um ideal construído largamente sobre memórias do sistema autoritário do Reich bismarckiano.[156] Talvez fosse inevitável que, nos numerosos julgamentos políticos surgidos dos profundos conflitos políticos dos tempos de Weimar, eles ficassem esmagadoramente a favor dos infratores de direita que também alegavam estar agindo em nome daquele ideal, e se animassem em processar aqueles da esquerda que não o faziam.

Na metade da década de 1920, o estatístico de esquerda Emil Julius Gumbel publicou números mostrando que 22 assassinatos políticos cometidos por agressores de esquerda do final de 1919 à metade de 1922 levaram a 38 condenações, inclusive dez execuções e sentenças de prisão de 15 anos em média por pessoa. Em contraste, os 354 assassinatos políticos que

Gumbel computou como cometidos por agressores de direita no mesmo período levaram a 24 condenações, nenhuma execução e sentenças de prisão de apenas quatro meses em média por pessoa; 23 assassinos de direita que confessaram seus crimes foram absolvidos pelos tribunais.[157] Claro que essas estatísticas podem não ser totalmente corretas. E houve anistias frequentes de "prisioneiros políticos" acordadas por partidos extremistas no Reichstag com apoio suficiente de outros políticos para serem aprovadas, de modo que muitos infratores políticos eram soltos após cumprir um tempo relativamente curto de prisão. Mas o que importava no comportamento dos juízes era a mensagem que transmitia ao público, uma mensagem sustentada pelos numerosos processos contra pacifistas, comunistas e outras pessoas de esquerda por traição ao longo dos anos de Weimar. De acordo com Gumbel, enquanto apenas 32 pessoas haviam sido condenadas por traição nas últimas três décadas de paz do Reich bismarckiano, mais de 10 mil mandados por traição foram emitidos nos quatro anos – também relativamente pacíficos – do início de 1924 ao final de 1927, resultando em 1.071 condenações.[158]

Um número substancial de casos nos tribunais tratava de pessoas corajosas o bastante para expor os armamentos e manobras secretos do Exército na imprensa. Talvez o exemplo mais famoso seja o do editor pacifista e de esquerda Carl von Ossietzky, que em 1931 foi condenado a 18 meses de prisão por publicar em sua revista, *O Cenário Mundial (Die Wetlbühne)*, um artigo revelando que o Exército alemão estava treinando com aeronaves de combate na Rússia soviética, um ato ilegal pelos termos do Tratado de Versalhes.[159] Outro caso igualmente célebre envolveu o jornalista de esquerda Felix Fechenbach. Sua infração, cometida em 1919, foi ter publicado arquivos bávaros de 1914 referentes à deflagração da Primeira Guerra Mundial, porque isso – na opinião da corte – havia prejudicado os interesses da Alemanha nas negociações de paz por sugerir um elemento de responsabilidade alemã. Fechenbach foi sentenciado a 11 anos de prisão em Munique por um assim chamado Tribunal Popular, um organismo de emergência montado para ministrar justiça sumária a saqueadores e assassinos durante a revolução bávara de 1918.[160] Esse tribunal foi adaptado para lidar com casos de "traição" durante a contrarrevolução do ano seguinte. Tal tribunal não foi extinto até 1924, apesar de banido pela Constituição de Weimar cinco anos antes. A criação desses tribunais, com seu desvio do sistema legal normal, inclusive a ausência de qualquer direito de apelação contra os vereditos e a atribuição implícita da justiça pelo "povo" em vez de pela lei, estabeleceu um precedente de mau agouro para o futuro, e seria adotada outra vez pelos nazistas em 1933.[161]

A fim de tentar combater essas influências, os social-democratas deram jeito de passar uma Lei de Proteção da República em 1922; a Corte de Estado que dela resultou pretendia remover o julgamento dos infratores políticos de direita de um Judiciário por demais solidário e colocá-lo nas mãos de pessoas indicadas pelo presidente do Reich. O Judiciário logo conseguiu neutralizá-la, e a medida teve pouco efeito no padrão geral dos vereditos.[162] Friedrich Ebert e os social-democratas, embora supostamente comprometidos com o combate à pena de morte como uma questão de princípio político, inseriram-na na Lei de Proteção da República e concederam aprovação retroativa a execuções sumárias realizadas durante as desordens civis no período imediato ao pós-guerra. Ao fazer isso, facilitaram para um futuro governo a introdução de leis draconianas semelhantes para a proteção do Estado e para confundir um princípio central da justiça – de que nenhuma punição pode ser aplicada retroativamente por infrações não vigentes na época em que as ações foram cometidas.[163] Esse também foi um perigoso precedente para o futuro.

Os tribunais regulares não perdiam muito tempo com os princípios enunciados na Lei para a Proteção da República. De modo quase invariável, os juízes mostravam leniência em relação a um acusado se ele alegasse ter agido por motivos patrióticos, fosse qual fosse o crime.[164] O golpe de Kapp de 1920, por exemplo, levou à condenação de apenas um dos participantes da tentativa armada de derrubar um governo eleito de forma legítima, e mesmo ele foi sentenciado a não mais que um breve período de confinamento em um forte porque os juízes consideraram seu "patriotismo altruísta" um fator atenuante.[165] Em 1923, quatro homens ganharam em sua apelação à Corte do Reich, a autoridade judicial suprema do país, estabelecida há muito, contra uma sentença de três meses de prisão para cada um por gritarem as seguintes frases em um encontro da Ordem Jovem Alemã, um grupo jovem de direita, em Gotha: "Não precisamos de uma república de judeus, fora com a república de judeus!". No julgamento, a Corte do Reich declarou de modo um tanto inconvincente que o significado daquelas palavras não era claro:

> Eles poderiam referir-se à nova ordem legal e social na Alemanha, em cujo sistema a participação de judeus alemães e estrangeiros era destacada. Poderiam referir-se também ao poder excessivo e à influência excessiva que um grupo de judeus, que é pequeno em relação à população total, na realidade exerce na visão de grandes camadas do povo... Não ficou explicitamente estabelecido que os acusados gritaram insultos à forma de Estado constitucionalmente ancorada do Reich, apenas que gritaram insultos à presente forma do Estado do Reich. Desse modo, a possibilidade de um erro legal não está excluída.[166]

A distinção entre dois tipos de Estado feita pela Corte do Reich e a insinuação de que a República de Weimar era apenas um tipo de aberração temporária que não estava "constitucionalmente ancorada" mostrou muito claramente com quem estava a verdadeira lealdade dos juízes. Tais vereditos não podiam deixar de ter efeito. Julgamentos políticos e de fato outros também eram eventos importantes na República de Weimar, assistidos por grande quantidade de pessoas nas galerias populares, relatados em detalhe e com trechos textuais pela imprensa, e debatidos apaixonadamente nas assembleias legislativas, nos clubes e nas sociedades. Vereditos como esse só podiam servir de conforto para os oponentes de extrema direita da república e para ajudar a minar sua legitimidade.

A tendência direitista e antirrepublicana do Judiciário também era compartilhada pelos promotores públicos. Ao considerar quais acusações apresentar contra infratores de direita, ao lidar com contestações, ao examinar testemunhas, até mesmo ao estruturar suas falas de abertura e encerramento, os promotores tratavam, com frequência, crenças e intenções nacionalistas como fatores atenuantes. Dessas várias maneiras, juízes e promotores, polícia, diretores de presídio e carcereiros, administradores legais e agentes da lei de todos os tipos minavam a legitimidade da república por meio da tendência em favor de seus inimigos. Mesmo que não planejassem deliberadamente sabotar a nova democracia, mesmo que a aceitassem como uma necessidade inevitável por uns tempos, o efeito de sua conduta era disseminar a suposição de que ela de algum modo não representava a verdadeira essência do Reich alemão. Poucos deles parecem ter sido democratas convictos ou comprometidos em tentar fazer a república dar certo. Se a lei e seus administradores estavam contra, que chance teria a república?

Os capazes e os incapazes

I

Se houve alguma realização pela qual a República de Weimar pudesse reivindicar a lealdade e a gratidão das massas, foi a criação de uma nova previdência social estatal. Claro que a Alemanha não carecia de instituições de previdência antes de 1914, particularmente desde que Bismarck havia criado seguro de saúde, seguro para acidentes e pensões para idosos em uma tentativa de afastar as classes operárias da social-democracia. Os planos de Bismarck, elaborados e prolongados nos anos seguintes à sua saída do gabinete, foram pioneiros na época e não podem ser menosprezados como simples ninharias em prol do autoritarismo governamental. Alguns deles, notadamente o sistema de seguro de saúde, cobriram milhões de trabalhadores em 1914 e incorporaram um elemento substancial de autonomia que deu a muitos destes a chance de participação eleitoral. Contudo, nenhum desses planos chegou nem perto da base da escala social, na qual o auxílio aos pobres administrado pela polícia, trazendo consigo a privação de direitos civis, inclusive o direito ao voto, foram a norma até o fim do período guilhermino. Ainda assim, mesmo ali, o funcionamento do sistema foi reformado e padronizado em 1914, e a nova profissão de assistente social que surgiu amparada pelas reformas bismarckianas ocupava-se em avaliar e regularizar os pobres, empregados e destituídos, bem como o trabalhador comum.[167]

Com base nessa versão moderna do paternalismo burocrático prussiano, contudo, a República de Weimar erigiu uma estrutura bem mais elaborada e abrangente, combinando, não sem tensão, as influências gêmeas do catolicismo social e da filantropia protestante por um lado, e do igualitarismo social-democrata por outro.[168] A Constituição de Weimar em si era cheia de extensas declarações de princípios sobre a importância da vida familiar e a necessidade de o Estado ampará-la, o dever do governo de proteger os jovens do mal, o direito dos cidadãos ao trabalho e a obrigação da nação de proporcionar a todos um lar decente.[169] Com base em tais princípios, uma grande quantidade de legislação tramitou pelo Reichstag, desde leis tratando do bem-estar dos jovens (1922) e juizados de menores (1923) a regulamentações proporcionando auxílio e treinamento profissional para inválidos da guerra (1920), decretos substituindo o auxílio aos pobres pela previdência pública (1924) e acima de tudo, como vimos, a provisão prevista em lei de benefícios aos desempregados em 1927. Programas já existentes de seguro de saúde, pensões e assemelhados foram aperfeiçoados e estendidos a todos. Programas habitacionais de grande porte, muitos deles socialmente inovadores, foram implementados, com mais de 300 mil casas novas ou reformadas sendo entregues apenas entre 1927 e 1930. O número de leitos nos hospitais aumentou 50% desde os anos pré-guerra, e a profissão médica também se expandiu de acordo. Doenças infecciosas declinaram agudamente, e uma rede de clínicas e instituições de assistência social agora amparava indivíduos socialmente vulneráveis, desde mães solteiras a jovens que se metiam em problemas com a polícia.[170]

A criação de um sistema de previdência livre e abrangente e a garantia do direito de todos os cidadãos a ele foi uma das maiores realizações da República de Weimar, talvez a mais importante. Mas, a despeito de toda elaboração, ela no fim falhou em cumprir as promessas grandiosas feitas pela Constituição de 1919; e a lacuna entre a promessa e o concretizado acabou tendo um efeito importante sobre a legitimidade da república aos olhos de muitos de seus cidadãos. Primeiro, as dificuldades econômicas que a república enfrentou quase desde o princípio colocaram um fardo sobre seu sistema previdenciário que este era incapaz de suportar. Havia um número imenso de pessoas que requeriam amparo como resultado da guerra. Uns 13 milhões de homens alemães serviram nas Forças Armadas entre 1914 e 1918. Mais de 2 milhões deles foram mortos. De acordo com uma estimativa, isso foi o equivalente a uma morte para cada 35 habitantes do Reich. Foi quase o dobro da proporção das mortes pela guerra no Reino Unido, em que morreu um soldado para cada 66 habitantes, e quase três vezes à da Rússia, na qual houve uma morte pela guerra para cada 111 habitantes. Ao final do conflito, mais da metade das mulheres alemãs era viúva de guerra e 1 milhão de crianças alemãs não tinham pai. Cerca de 2,7 milhões de homens voltaram da guerra com ferimentos, amputações e incapacitações, para formar uma fonte permanente de descontentamento, na medida em que os políticos prometiam recompensas por seus serviços e a nação falhava em materializá-las.

O governo aumentou os impostos sobre os mais ricos para tentar fazer frente aos gastos, até a carga tributária real virtualmente dobrar em relação à receita nacional real, de 9% em 1913 para 17% em 1925, conforme uma estimativa confessamente tendenciosa.[171] Contudo, isso não bastou de modo algum para cobrir as despesas, e os governos não ousavam ir mais além com medo de serem acusados de aumentar o imposto de renda para pagar reparações e desagradar ainda mais aqueles que pagavam a maior parte dos tributos. A economia não só teve que suportar a carga do seguro-desemprego depois de 1927, como em 1926 ainda estava pagando pensões a quase 800 mil ex-soldados inválidos e 360 mil viúvas de guerra, e amparando mais de 900 mil crianças sem pai, e tudo isso em cima de um sistema já existente de amparo estatal aos idosos. O pagamento de pensões atingiu uma proporção nas despesas do Estado mais alta do que qualquer coisa, com exceção das reparações.[172] Por fim, o sistema de previdência fomentava uma já inchada burocracia do Reich e dos estados federados, cujo tamanho aumentou 40% entre 1914 e 1923, quase dobrando o custo *per capita* da administração pública no processo.[173] Um gasto maciço desses teria sido viável em uma economia em expansão, mas, na situação econômica dilacerada da República de Weimar, simplesmente não era possível sem imprimir dinheiro e alimentar a inflação, como aconteceu entre 1919 e 1923, ou, a partir de 1924, cortando os pagamentos, reduzindo os quadros de pessoal das instituições previdenciárias e impondo vistoria cada vez mais severa da situação financeira dos requerentes.

Com isso, muitos requerentes logo perceberam que o sistema de previdência não estava pagando tanto quanto eles precisavam. Os administradores locais eram especialmente avarentos, visto que as instituições locais arcavam com uma proporção bastante grande da carga financeira dos pagamentos previdenciários. Com frequência exigiam que os requerentes entregassem suas economias ou propriedades como condição para receber o apoio. Detetives da previdência informavam sobre fontes de renda ocultas e encorajavam os vizinhos a apresentar denúncias contra aqueles que se recusassem a revelá-las. Além disso, as agências da previdência, carecendo do pessoal necessário para processar um grande número de pedidos com rapidez, causavam demoras infindáveis na resposta às petições de amparo enquanto se correspondiam com outras agências para ver se os requerentes haviam recebido benefícios prévios, ou tentavam transferir o encargo de sustentá-los para algum outro lugar. Assim, a administração da previdência de Weimar logo se tornou um instrumento de discriminação e controle, e os funcionários deixavam claro para os requerentes que estes receberiam apenas o mínimo que lhes era devido, e inquiriam de forma invasiva sobre suas condições pessoais para se certificar de que era o caso de ampará-los.

Nada disso fazia a república querida por aqueles a quem ela pretendia ajudar. Queixas, filas, brigas a socos, até manifestações estavam longe de ser incomuns dentro e fora dos escritórios da previdência. Uma percepção penetrante do tipo de problemas que o sistema previdenciário confrontava e o modo como lidava com eles é fornecido pelo exemplo de Adolf G.,[174] um seleiro e estofador. Nascido em 1892, Adolf lutou na guerra de 1914-18 e sofreu uma grave lesão – porém, não em uma batalha heroica contra o inimigo, mas de um coice de cavalo em seu estômago. Aquilo exigiu nada menos que seis cirurgias intestinais no início da década de 1920. Um antigo acidente industrial e uma família com seis filhos colocava-o em categorias adicionais de direito à previdência, além do ferimento sofrido durante o serviço militar. Incapaz de achar um trabalho após a guerra, ele devotou-se, em vez disso, a fazer campanha por amparo estatal. Mas as autoridades locais de Stuttgart exigiram como condição para a continuidade de seu benefício pelo acidente depois de 1921 que ele entregasse seu radiorreceptor e antena, visto que esses eram proibidos no abrigo municipal onde ele vivia. Quando se recusou a fazê-lo, foi despejado com a família, gesto ao qual respondeu com uma vigorosa campanha redigindo cartas às autoridades, inclusive ao Ministério do Trabalho em Berlim. Adquiriu uma máquina de datilografar para deixar as cartas mais legíveis e tentou obter outros tipos de benefícios, tendo em conta sua situação de inválido de guerra e pai de uma grande família. O conflito foi crescendo. Em 1924, foi preso por um mês e meio por participar de uma tentativa de aborto, presumivelmente porque ele e a mulher acharam que, naquelas circunstâncias, seis filhos eram o bastante; em 1927, foi multado por comportamento afrontoso; em 1930, seus benefícios foram cortados e restritos a certas finalidades como a compra de roupas, enquanto sua pensão para moradia era paga diretamente ao senhorio; em 1931, foi acusado de fraude previdenciária por tentar fazer um dinheirinho extra como vendedor de roupas usadas, e outra vez, em 1933, por trabalhar como artista de rua. Ele aproximou-se de organizações políticas de direita e de esquerda a fim de obter ajuda. Uma tentativa de tentar persuadir as autoridades de que precisava de três vezes mais comida que um homem comum porque a lesão no estômago o incapacitava de digerir a maioria do que ele comia foi rejeitada com formalidade pétrea. Em 1931, quando não aguentava mais, escreveu ao Ministério do Trabalho em Berlim comparando os funcionários da previdência de Stuttgart com a nobreza despótica da Idade Média.[175]

O que enraivecia o um tanto obsessivo Adolf G. não era apenas a pobreza em que ele e sua família estavam condenados a viver, mas ainda mais os insultos à sua honra e posição mesmo nas camadas mais baixas da sociedade alemã por um aparato previdenciário que parecia determinado a questionar seus motivos e direitos para buscar um amparo que ele achava que merecia. A burocracia previdenciária anônima e presa às regras insultava sua individualidade. Tais sentimentos estavam longe de ser incomuns entre os requerentes da previdência, particularmente quando seus pedidos de amparo resultavam de sacrifícios que haviam feito durante a guerra. O enorme abismo entre as promessas públicas da República de Weimar de um sistema de previdência genuinamente universal baseado na necessidade e no direito e a dura realidade da discriminação banal, intromissão e insulto a que muitos requerentes eram expostos por parte das agências de previdência nada fazia para fortalecer a legitimidade da Constituição na qual essas promessas estavam entronizadas.[176]

Entretanto, o fato de longe mais ominoso era que as agências de saúde e previdência, determinadas a criar formas racionais e cientificamente informadas de lidar com a privação social, comportamento desviante e crime, com a meta última de eliminá-los da sociedade alemã nas gerações vindouras, encorajavam novas políticas que limitavam as liberdades civis dos pobres e dos deficientes. À medida que a administração da previdência se transformava em uma enorme burocracia, as doutrinas de higiene racial e biologia social, já espalhadas entre os profissionais da previdência antes da guerra, começaram a adquirir maior influência. A crença em que a hereditariedade desempenhava certo papel em muitos tipos de desvio social, não só deficiência mental e incapacidade física, mas também alcoolismo crônico, criminalidade miúda persistente e até mesmo "idiotia moral" em grupos como os de prostitutas (das quais muitas de fato eram forçadas ao trabalho no sexo por circunstâncias econômicas), endureceu na forma de dogma. Cientistas médicos e administradores sociais começaram a compilar elaborados fichários dos "associais", como os desviantes então costumavam ser chamados. Os reformistas penais liberais afirmavam que, enquanto alguns reclusos das penitenciárias poderiam ser regenerados para a sociedade pelo tipo certo de programa educacional, uma grande quantidade deles era completamente incorrigível, em boa parte devido à degeneração de caráter herdada.[177] A polícia também desempenhava seu papel, identificando um amplo número de "criminosos profissionais" e "infratores habituais" para serem colocados sob vigilância intensiva. Isso com frequência tornava-se uma profecia que se autocumpria, pois a vigilância e a identificação deixavam os presos liberados sem chance de se engajar em uma atividade honesta. Somente em Berlim, a coleção de digitais da polícia ultrapassava meio milhão de fichas dos dez dedos em 1930.[178]

A disseminação de tais ideias pelos mundos profissionais da medicina, da lei, da administração penal e da assistência social tiveram consequências muito reais. Psicólogos chamados para avaliar a saúde mental de criminosos condenados começaram a usar critérios biológicos, como no caso do vagabundo desempregado Florian Huber, condenado por assalto à mão armada na Baviera em 1922: "Huber", concluiu uma avaliação psicológica do rapaz, que havia sofrido graves lesões em ações de guerra e ganho a Cruz de Ferro, embora em outros aspectos não se possa provar que seja hereditariamente prejudicado, demonstrou alguma evidência física de degeneração: a estrutura de sua fisionomia é assimétrica a ponto de o olho direito estar situado marcadamente mais para baixo que o esquerdo, possui uma tendência para a estridência, lóbulos da orelha alongados e acima de tudo é gago desde a juventude.[179]

Isso foi tomado como evidência não só de que ele era incapaz de ir a julgamento, mas de que era incorrigível e deveria, portanto, ser executado, o que de fato foi. Funcionários da lei de muitas partes da Alemanha agora faziam uso constante de termos como "verme" ou "peste" para descrever criminosos, denotando uma nova forma, biológica, de conceitualizar a ordem social como uma espécie de corpo, do qual parasitas danosos e micro-organismos estranhos tinham que ser removidos para que ele vicejasse. Na busca de formas mais precisas e abrangentes de definir e aplicar tais conceitos, um especialista médico, Theodor Viernstein, fundou um Centro de Informação Criminal Biológica na Baviera em 1923, para reunir informação sobre todos os infratores criminosos conhecidos, suas famílias e meio de origem, e com isso identificar cadeias hereditárias de comportamento desviante. No final da década, Viernstein e seus colaboradores haviam coletado um vasto catálogo de casos e estavam a caminho de realizar seu sonho. Logo centros semelhantes haviam sido fundados na Turíngia, em Württemberg e na Prússia. Muitos especialistas achavam que, uma vez que essas dinastias de seres humanos "inferiores" tivessem sido mapeadas, a esterilização compulsória era a única maneira de impedir que se reproduzissem.[180]

Em 1920, dois desses especialistas, o advogado Karl Binding e o psiquiatra forense Alfred Hoche, deram um passo mais além crucial e afirmaram em um pequeno livro, no qual cunharam a frase "uma vida indigna da vida", que aquilo que chamaram de "existências de lastro", pessoas que não passavam de uma carga para a comunidade, deveriam simplesmente ser mortas. Os doentes incuráveis e os retardados mentais estavam custando milhões de marcos e ocupando milhares de leitos muito necessários nos hospitais, argumentaram. Desse modo, os médicos deviam ter permissão para dar fim a eles. Essa foi uma nefasta nova etapa no debate sobre o que fazer com os doentes mentais, os deficientes, os criminosos e os desviantes. Na República de Weimar, isso ainda deparou com a arrebatada hostilidade da maioria dos médicos. A insistência fundamental da república nos direitos dos indivíduos impediu que até mesmo a doutrina da esterilização compulsória obtivesse qualquer tipo de aprovação oficial, e muitos médicos e funcionários da previdência ainda duvidavam da legitimidade ética ou da eficácia social de tal política. A influência muito considerável da Igreja Católica e seus órgãos de assistência social também orientou com firmeza contra tais políticas. Enquanto as circunstâncias econômicas possibilitassem imaginar que as aspirações sociais da república poderiam um dia ser realizadas, o debate em andamento sobre esterilização compulsória e "eutanásia" involuntária permaneceria sem decisão.[181]

II

Os alemães da classe média reagiram à Revolução de 1918 e à República de Weimar de muitas e variadas maneiras. Talvez o relato mais detalhado que tenhamos da reação de um homem é a partir dos diários de Victor Klemperer, cuja experiência da inflação já observamos. Em muitos aspectos, Klemperer era o típico alemão instruído de classe média que queria apenas levar sua vida e relegava a política a uma parte relativamente pequena dela, embora votasse nas eleições e sempre tivesse interesse sobre o que estava acontecendo no mundo político. Sua carreira não foi inteiramente convencional, tampouco destacadamente bem-sucedida. Depois de ganhar a vida escrevendo em jornais, Klemperer havia se voltado para o mundo universitário, qualificando-se pouco antes da guerra com as duas teses obrigatórias, a primeira sobre literatura alemã, a segunda sobre literatura francesa. Como um recém-chegado e forasteiro relativo, foi obrigado a começar a carreira acadêmica em um cargo na Universidade de Nápoles, de onde observou preocupado a deterioração da situação internacional antes de 1914. Apoiou a declaração de guerra da Alemanha em 1914 e considerou justa a causa alemã. Voltou à Alemanha e se alistou, serviu no *front* ocidental e foi afastado por invalidez em 1916, trabalhando até o final da guerra no gabinete de censura do Exército.

Como outros alemães de classe média, Klemperer viu suas esperanças de uma carreira estável destroçadas com a derrota da Alemanha. Para um homem assim, apenas o retorno a condições ordeiras e políticas podia proporcionar a base para uma renda constante e um emprego permanente em uma instituição acadêmica.[182] Os eventos dos últimos dois meses de 1918 foram inquietantes para ele em mais de um aspecto. Klemperer escreveu no diário:

> O jornal agora relata muita vergonha, desastre, colapso, coisas antes consideradas impossíveis, que eu, cheio a ponto de explodir, apenas aceito obtusamente, mal leio... Depois de tudo que vi e ouvi, sou da opinião de que a Alemanha inteira irá para o Diabo se seu *Mau-Conselho* de Soldados e Trabalhadores, essa ditadura de desatinos e ignorância não forem varridos de uma vez. Minhas esperanças estão depositadas em qualquer general do Exército que esteja voltando do campo.[183]

Trabalhando temporariamente em Munique, ele ficou alarmado com as extravagâncias do governo revolucionário no início de 1919 – "eles falam de liberdade com entusiasmo e sua tirania fica ainda pior" – e registrou as horas dispendidas em bibliotecas tentando fazer o trabalho acadêmico enquanto as balas das Brigadas Livres invasoras zuniam do lado de fora.[184] O que Klemperer queria era normalidade e estabilidade; contudo não as teria. Em 1920, como vimos, ele conseguiu obter uma cadeira na Universidade Técnica de Dresden, onde lecionou literatura francesa, pesquisou e escreveu, editou um periódico e tornou-se cada vez mais frustrado ao ver homens mais jovens obterem cargos importantes em instituições melhores. Em muitos aspectos, ele era um típico conservador moderado de seu tempo, patriota, burguês, alemão por completo em suas atitudes culturais e identidade, e acreditava na noção de caráter nacional, que expressou extensamente em sua obra sobre a literatura francesa do século XVIII.

Contudo, ele era diferente em um aspecto crucial. Pois Victor Klemperer era judeu. Filho de um pregador da extremamente liberal Sinagoga Reformista de Berlim, foi batizado como protestante, um do crescente número de judeus alemães aculturados dessa maneira. Foi uma decisão mais social que religiosa, visto que ele não parece ter tido uma fé religiosa muito forte de nenhum tipo. Em 1906, forneceu evidência adicional de aculturação casando-se com uma alemã não judia, a pianista Eva Schlemmer, com quem veio a compartilhar de muitos interesses intelectuais e culturais, acima de tudo, talvez, o entusiasmo pelo cinema. O casal permaneceu sem filhos. Não obstante, ao longo de todas as vicissitudes da década de 1920, foi o casamento que deu estabilidade à vida dele, a despeito dos cada vez mais frequentes acessos de problemas de saúde do casal, talvez exagerados por uma crescente hipocondria.[185] Ao longo dos anos 1920, ele viveu uma vida estável, ainda que não completamente boa, perturbada desde o início por temores de uma guerra civil, embora isso jamais se tenha materializado e parecesse menos provável depois de 1923.[186] Ele encheu o diário com registros sobre trabalho, férias, diversões, relacionamento com a família, amigos, colegas e outros aspectos da rotina cotidiana. "Com frequência me pergunto", escreveu em 10 de setembro de 1927, "por que escrevo um diário tão detalhado", pergunta para a qual não tinha uma resposta real; era simplesmente uma compulsão – "Não consigo deixar quieto".[187] Publicar era duvidoso. Então qual era o propósito? "Apenas coletar a vida. Impressões, conhecimento, leituras, eventos, tudo. E não pergunte por que ou para quê."[188]

    Klemperer às vezes deixava escapar que sentia sua carreira bloqueada pelo fato de ser judeu. A despeito de sua crescente produção de trabalhos sobre a história literária francesa, estava empacado na Universidade Técnica de Dresden sem perspectiva de transferência para uma instituição universitária importante. "Existem universidades reacionárias e liberais", ele anotou em 26 de dezembro de 1926: "As reacionárias não contratam nenhum judeu, as liberais sempre têm dois judeus e não contratam um terceiro".[189] O crescimento do antissemitismo na República de Weimar também colocou problemas à posição política de Klemperer. "Está se tornando gradativamente claro", ele escreveu em setembro de 1919, "como o antissemitismo significa um obstáculo novo e intransponível para mim. E me alistei como voluntário na guerra! Agora estou aqui sem saber para onde ir, batizado e nacionalista".[190] Klemperer, com sua visão política conservadora, era deveras incomum entre os profissionais judeus de classe média. O crescente antissemitismo raivoso dos nacionalistas alemães, com cuja linha política geral Klemperer simpatizava bastante, impossibilitou que ele os apoiasse, apesar de toda sua nostalgia dos tempos pré-guerra do Reich bismarckiano e guilhermino. Como muitos alemães, Klemperer via-se "apático e indiferente" ao contemplar os violentos conflitos político-partidários da República de Weimar.[191] Instintivamente hostil à esquerda, não obstante Klemperer foi obrigado a registrar em março de 1920, ao saber das notícias sobre o golpe de Kapp em Berlim:

> Minha inclinação pela direita sofreu imensamente... como resultado do antissemitismo permanente. Eu adoraria ver os golpistas de agora no paredão, realmente não consigo desenvolver nenhum entusiasmo pelo Exército rebelado, e absolutamente nada por estudantes imaturos e desordeiros – mas tampouco pelo governo "legal" de Ebert, e menos ainda pela esquerda radical. Considero todos eles repugnantes.

"Que tragicomédia aflitiva", escreveu ele, "que uns 5 mil a 8 mil soldados possam derrubar o Reich inteiro".[192]

Talvez de forma surpreendente para alguém que devotou a vida profissional ao estudo da literatura francesa, ele era muito a favor de que fosse travada outra guerra contra a França – quem sabe como resultado de suas experiências no *front* ocidental durante a guerra, e ainda mais como resultado de seu evidente ultraje com o Tratado de Versalhes. Mas isso parecia pouco possível durante a República de Weimar. Em 20 de abril de 1921, escreveu:

> A monarquia é minha bandeira, anseio pelo velho poder alemão, o tempo todo quero entrar em choque com a França outra vez. Mas que tipo de companhia repugnante tem-se com os racistas alemães! Será ainda mais repugnante se a Áustria juntar-se a nós. E tudo que sentimos hoje era sentido com maior ou menor justificativa pelos franceses depois de 70. E eu não teria me tornado professor sob Guilherme II, e, não obstante...[193]

Já em 1925, ele considerava a eleição de Hindenburg um desastre em potencial, comparável ao assassinato do arquiduque Francisco Ferdinando em 1914. "Fascismo por toda parte. Os horrores da guerra foram esquecidos, o terror russo está levando a Europa a reagir."[194] Com o passar do tempo, Klemperer ficou farto da constante excitação política. Em agosto de 1932, quando a República de Weimar entrava em sua turbulenta fase final, ele escreveu:

> E tem mais: não preciso escrever a história de minha época. E a informação que forneço é enfadonha, estou em parte afastado, em parte cheio de um medo ao qual não quero me render, completamente sem entusiasmo por qualquer partido. A coisa toda é sem sentido, indigna, miserável – ninguém desempenha um papel por si mesmo, todo mundo é fantoche... Hitler chegando – ou que outro? E o que será de mim, o professor judeu?

Em vez disso, ele preferia escrever sobre o gatinho preto que entrou na casa deles e na mesma hora tornou-se o animal de estimação.[195] Sob influência não apenas da situação política ameaçadora, mas também da grave depressão clínica e das frequentes enfermidades de sua mulher, Klemperer escreveu cada vez menos, e, no final de 1932, parecia prestes a abandonar o diário de vez.

O pessimismo político de Klemperer devia-se em muito aos problemas pessoais que estava experimentando. Contudo, sua atitude era compartilhada por muitos judeus alemães patriotas e liberal-conservadores que se sentiam desconfortáveis em meio aos conflitos da República de Weimar. Além disso, sua aversão pelos extremos da política e inquietação com a violência e o fanatismo que o cercavam com certeza eram características de muitos alemães de classe média, qualquer que fosse sua origem. A etnia judaica não só fazia com que ele sofresse certa discriminação adversa, mas também lhe conferia um olhar penetrante e sardônico de acontecimentos políticos nefastos para o futuro, conforme corretamente adivinhava. Contudo, não sofreu excessivamente devido ao antissemitismo, não experienciou nenhuma violência; de fato, não registrou um único exemplo de insulto pessoal em seu diário naquele tempo. Em termos formais, judeus como Klemperer desfrutaram de muito mais liberdade e igualdade sob a República de Weimar do que jamais tiveram antes. A república abriu novas oportunidades para judeus no serviço público, na política e nas profissões, bem como no governo: um ministro de Relações Exteriores judeu como Walther Rathenau teria sido algo impensável sob o Reich guilhermino, por exemplo. Os setores da imprensa que pertenciam a judeus, em particular os jornais controlados pelas duas empresas judias liberais de Mosse e Ullstein, que juntas produziam mais de metade dos jornais vendidos em Berlim na década de 1920, apoiavam intensamente as instituições liberais da república. A recém-descoberta liberdade das artes em relação à censura e à desaprovação oficial levaram muitos escritores, pintores e músicos judeus ao destaque como apóstolos da cultura modernista, na qual se misturaram facilmente com personalidades não judaicas como o compositor Paul Hindemith, o poeta e dramaturgo Bertolt Brecht, ou os artistas Max Beckmann e George Grosz. Os judeus assinalaram seu apoio à república votando em especial nos democratas, e em menor extensão nos partidos de esquerda.[196]

Por outro lado, em parte como reação a esses acontecimentos, a década de 1920 também testemunhou um alargamento e aprofundamento das correntes de antissemitismo na política e na sociedade alemãs. Mesmo antes da guerra, os pangermânicos e outros da direita haviam lançado propaganda acusando os judeus de minar a nação alemã. Esse tipo de teoria da conspiração racista era mais do que compartilhado por líderes militares como Ludendorff. Isso encontrou expressão notória durante a guerra no chamado censo judeu de outubro de 1916, ordenado por altos oficiais do Exército que, com ele, esperavam obter apoio para recusar a admissão de judeus no corpo de oficiais quando a guerra acabasse. A meta era revelar a natureza covarde e desleal dos judeus mostrando com estatísticas que os judeus estavam sub-representados no Exército e que aqueles que haviam se alistado estavam super-representados em serviços burocráticos. O censo de fato mostrou o contrário: muitos judeus alemães, como Victor Klemperer, eram nacionalistas em seu âmago e se identificavam intensamente com o Reich. Os judeus alemães estavam super-representados em vez de sub-representados nas Forças Armadas e no *front*. Frustrando assim as expectativas dos oficiais antissemitas, os resultados do censo foram suprimidos. Mas o conhecimento de que havia sido encomendado causou muita raiva entre os judeus alemães, mesmo que aquela atitude não fosse compartilhada pela maioria dos soldados rasos.[197]

Depois da guerra, a crença amplamente disseminada pela direita de que o Exército alemão havia sido "apunhalado pelas costas" pelos revolucionários em 1918 traduziu-se facilmente em demagogia antissemita. Homens como Ludendorff evidentemente acreditavam que haviam sido "os judeus" que tinham dado a punhalada, que conduziam instituições subversivas como o Partido Comunista, que haviam concordado com o Tratado de Versalhes, que haviam implantado a República de Weimar. Na verdade, é óbvio que o Exército alemão foi derrotado militarmente em 1918. Não houve, como vimos, nenhuma punhalada pelas costas. Lideranças políticas que assinaram o Tratado, como Matthias Erzberger, não eram absolutamente judeus. Se judeus como Rosa Luxemburgo estavam super-representados na liderança do Partido Comunista, ou, como Eugen Leviné nos levantes revolucionários em Munique no início de 1919, eles não estavam agindo como judeus, mas como revolucionários, ao lado de muitos outros não judeus (como Karl Liebknecht, que muitos direitistas instintivamente pensavam ser judeu devido a sua visão política ultraesquerdista). A maioria dos judeus alemães apoiava os sólidos partidos liberais de centro ou, em menor grau, os social-democratas, em vez da esquerda revolucionária, cujo ativismo violento chocava e consternava um cidadão respeitável como Klemperer. Não obstante, os eventos de 1918-19 deram um impulso ao antissemitismo na direita, convencendo muitos hesitantes de que as teorias conspiratórias racistas sobre os judeus no fim das contas eram corretas.[198]

Junto com a propaganda de extrema direita, colocando os judeus como bodes expiatórios para as catástrofes de 1918-19, surgiu também uma forma mais popular de antissemitismo, dirigida em particular aos especuladores da guerra e ao pequeno número de financistas que conseguiram enriquecer depressa em meio à agonia da inflação. O antissemitismo sempre havia aumentado em tempos de crise econômica, e as crises econômicas da República de Weimar minimizavam qualquer coisa que a Alemanha tivesse testemunhado anteriormente. Uma nova fonte de conflito surgiu do ritmo crescente da imigração de refugiados judeus escapando da violência antissemita e da guerra civil na Rússia. Havia talvez uns 80 mil "judeus do leste" na Alemanha antes da Primeira Guerra Mundial, e sua chegada, junto com um número muito maior de operários imigrantes da Polônia e outros lugares, havia levado o governo do Reich a introduzir um tipo praticamente único de lei de cidadania em 1913, permitindo apenas àqueles que pudessem mostrar antepassados alemães requerer nacionalidade alemã.[199] Depois da guerra, houve um fluxo renovado à medida que a revolução bolchevique varria a Rússia, incitando *pogroms* antissemitas e matança em enorme escala pelos rivais tsaristas da revolução. Embora os imigrantes fossem rapidamente aculturados e relativamente poucos em número, ainda assim compunham um alvo fácil para o ressentimento popular. No auge da hiperinflação, a 6 de novembro de 1923, um repórter de jornal observou graves distúrbios em um bairro de Berlim com elevada proporção de imigrantes judeus vindos do leste:

> Por todas as ruas laterais uma turba uivante. O saque tem lugar sob o abrigo da escuridão. Uma loja de sapatos na esquina da rua da Cavalaria é pilhada, os cacos das vidraças jazem pela rua. De repente, soa um apito. Em uma longa corrente humana, cobrindo toda a largura da rua, avança um cordão policial. "Esvaziem a rua!", grita um oficial. "Vão para suas casas!" A multidão move-se adiante lentamente. Com o mesmo grito por toda parte: "Espanquem os judeus até a morte!". Os demagogos manipularam as pessoas famintas por tanto tempo que elas assaltam as desgraçadas criaturas que possuem um negócio miserável no porão da rua da Cavalaria... é o ódio racial inflamado, não a fome, que as leva à pilhagem. Rapazes seguem imediatamente todo transeunte de aparência judaica a fim de assaltá-lo no momento oportuno.[200]

Tamanha explosão pública de violência era sintomática da nova disposição dos antissemitas, assim como de muitos outros grupos extremistas da política alemã, para incitar ou empregar ativamente a violência e o terror para conquistar seus objetivos, em vez de se contentar, como basicamente havia sido antes de 1914, com meras palavras. O resultado foi uma onda de incidentes ainda mal documentados de violência pessoal contra judeus e suas propriedades, ataques a sinagogas e atos de profanação executados em cemitérios judeus.²⁰¹

Não foi apenas uma disposição sem precedente de traduzir preconceito veemente em ação violenta que distinguiu amplamente o antissemitismo pós--1918 daquele do pré-guerra. Embora na República de Weimar a maioria dos alemães ainda rejeitasse o uso de força física contra os judeus, a linguagem do antissemitismo estava embutida no discurso político dominante como nunca antes. A "punhalada pelas costas", os "traidores de novembro", a "república judaica", a "conspiração judaico-bolchevique" para minar a Alemanha – todos esses e muitos *slogans* demagógicos semelhantes podiam ser lidos regularmente nos jornais, fosse como expressões de opinião editorial ou na reportagem de incidentes políticos, discursos e julgamentos. Podiam ser ouvidos dia após dia nas assembleias legislativas, onde a retórica dos nacionalistas, o segundo maior partido depois dos social-democratas nos anos intermediários da república, era disparada com frases antissemitas. Estas eram mais extremistas e empregadas com mais frequência do que haviam sido as usadas pelos conservadores antes da guerra, e eram amplificadas por grupos dissidentes de direita que juntos desfrutavam de muito mais apoio que os partidos antissemitas de Ahlwardt, Böckel e assemelhados. Intimamente aliada a muitos desses grupos estava a Igreja Protestante alemã, profundamente conservadora e nacionalista por convicção e também propensa a explosões de antissemitismo; mas o antissemitismo católico também adquiriu novo vigor na década de 1920, animado pelo temor do desafio do bolchevismo, que já havia lançado ataques violentos contra a cristandade na Hungria e na Rússia no final da guerra. Havia enormes fatias do eleitorado alemão de direita e centro que desejavam ardentemente o renascimento da glória e do orgulho nacional alemães depois de 1918. Como resultado, estavam convencidos em maior ou menor grau de que isso tinha que ser atingido pela superação do espírito de subversão "judeu" que supostamente fizera a Alemanha cair de joelhos ao final da guerra.²⁰² A sensibilidade de muitos alemães ficou tão embotada por essa corrente de retórica antissemita que eles fracassaram em reconhecer que não havia nada de excepcional em um novo movimento político que emergiu após o fim da guerra para colocar o antissemitismo bem no cerne de suas crenças sustentadas de modo fanático: o Partido Nazista.

3
A ascensão do nazismo

Revolucionários boêmios

I

Quando Kurt Eisner foi solto da cela 70 da prisão de Stadelheim, em Munique, por uma anistia geral proclamada em outubro de 1918, havia poucos indicativos de que se tornaria uma das lideranças revolucionárias da Alemanha. Mais conhecido como crítico de teatro, ele personificava o estilo de vida boêmio associado ao bairro de Schwabing, de Munique, perto do centro da cidade.[1] Sua aparência refletia sua vida boêmia. Baixinho e de barba cerrada, andava vestido com uma capa preta e um chapelão também preto de aba larga; um par de óculos com aro de aço empoleirava-se em seu nariz. Eisner não era nativo da Baviera, mas oriundo de Berlim, onde nasceu em uma família judia de classe média em 1867. Identificava-se com a direita periférica do Partido Social-Democrata, tendo perdido o emprego no jornal local no início da década de 1900 por causa do apoio aos "revisionistas" que queriam que os social-democratas abandonassem o marxismo. Contudo, como muitos "revisionistas", Eisner opunha-se à guerra. Assumiu um papel de liderança na formação do Partido Social-Democrata Independente, contrário à guerra, e na sequência organizou uma série de greves em janeiro de 1918 para tentar pôr fim ao conflito.[2]

Quando as coisas começaram a desabar em 7 de novembro de 1918, foi Eisner que, graças a seu dom para a retórica e desdém pela convenção política, assumiu a liderança em Munique. Enquanto os social-democratas da maioria propunham uma marcha política tradicional pela capital da Baviera em uma manifestação ordeira pela paz, conduzida por uma banda de música e ostentando bandeiras, Eisner pulou sobre o palanque dos oradores e disse à multidão para ocupar os quartéis do Exército e tomar o controle da cidade. Acompanhado de um grupo de seguidores, Eisner foi em frente sem deparar com resistência por parte dos soldados. Obtendo autorização do conselho revolucionário local de operários e soldados, Eisner proclamou a Bavária uma república e estabeleceu um governo revolucionário composto por social-democratas da maioria e independentes, com ele mesmo na chefia. Mas seu governo fracassou por completo nas tarefas básicas de manter o suprimento de comida, proporcionar empregos, desmobilizar as tropas e manter o sistema de transportes funcionando. Os camponeses conservadores da Bavária, irados pelos eventos de Munique, estavam retendo os gêneros alimentícios, e os aliados haviam requisitado a maior parte das locomotivas. Os operários começaram a importunar Eisner e a berrar contra ele nas sessões. No gabinete, um dos membros disse irritadamente a Eisner: "Você é um anarquista... Você não é um homem de Estado, você é um tolo... Estamos sendo arruinados por mau comando".[3] Não é de surpreender, portanto, que as eleições realizadas em 12 de janeiro tenham resultado na vitória esmagadora dos social-democratas da maioria e na derrota humilhante dos independentes de Eisner.

Eisner era tudo o que a direita radical da Bavária odiava: boêmio e berlinense, judeu, jornalista, defensor da paz durante a guerra e um agitador que havia sido preso pelo papel nas greves de janeiro de 1918. De fato, com seu secretário, o jornalista Felix Fechenbach, chegou a publicar documentos secretos e incriminadores dos arquivos bávaros sobre a deflagração da guerra. Ele era, em resumo, a figura sobre a qual a legenda "punhalada nas costas" podia ser projetada. Em 21 de fevereiro de 1919, a execração da extrema direita encontrou sua expressão última quando um jovem estudante aristocrata, o conde Anton von Arco-Valley, deu dois tiros à queima-roupa em Eisner enquanto ele seguia a pé pela rua a caminho do Parlamento da Bavária, matando-o na hora.[4] O assassinato desencadeou uma tempestade de violência na capital bávara. Os guardas de Eisner atiraram na mesma hora e feriram Arco-Valley, que foi cercado por uma multidão irada; apenas a pronta intervenção de Fechenbach salvou-o do linchamento ali mesmo. Enquanto o assassino ferido era despachado para a mesma cela da prisão de Stadelheim que Eisner havia ocupado no ano anterior, um dos admiradores socialistas de Eisner adentrou no Parlamento pouco depois, sacou uma arma e, à vista de todos os outros deputados na sala de debates, disparou dois tiros no crítico mais severo de Eisner, o líder social-democrata da maioria, Erhard Auer, que sobreviveu por um triz aos ferimentos. Enquanto isso, ironicamente, o esboço de um documento de renúncia era descoberto no bolso de Eisner. O assassinato havia sido completamente inútil.

Nesse ínterim, temendo mais violência, o Parlamento da Bavária suspendeu suas sessões e, sem uma votação, os social-democratas da maioria declararam-se o governo legítimo. Formou-se um gabinete de coalizão chefiado por um até então obscuro social-democrata da maioria, Johannes Hoffmann, que foi incapaz de restaurar a ordem, enquanto maciças demonstrações de rua seguiam-se ao funeral de Eisner. No vácuo de poder que se sucedeu, foram distribuídas armas e munições aos conselhos de operários e soldados. As notícias da deflagração de uma revolução comunista na Hungria galvanizaram de repente a extrema esquerda para a declaração de um Conselho da República, no qual o Parlamento seria substituído por um regime no estilo soviético.[5] Mas o líder do novo Conselho da República da Bavária não era um Lênin. Mais uma vez, um literato boêmio teve que assumir a frente, dessa vez na forma de um autor de teatro em vez de um crítico. Com apenas 25 anos, Ernst Toller havia feito nome como poeta e dramaturgo. Mais para anarquista que para socialista, Toller recrutou homens de mentalidade semelhante para seu governo, inclusive outro dramaturgo, Erich Mühsam, e um conhecido escritor anarquista, Gustav Landauer. Confrontado pelo apoio irrestrito dos conselhos de operários e soldados de Munique ao que a sagacidade de Schwabing logo apelidou de "o regime dos anarquistas de café", o gabinete social-democrata da maioria de Hoffmann fugiu para Bamberg, no norte da Bavária. Enquanto isso, Toller anunciou uma reforma abrangente das artes, e seu governo declarou a Universidade de Munique aberta a todos os candidatos, exceto aqueles que quisessem estudar história, abolida como hostil à civilização. Outro ministro anunciou que o fim do capitalismo seria ocasionado pela emissão de dinheiro grátis. Franz Lipp, o comissário de Relações Exteriores, telegrafou a Moscou para se queixar de que "o fugitivo Hoffmann havia levado com ele as chaves do banheiro de meu ministério" e declarou guerra a Württemberg e à Suíça "porque esses cães não me emprestaram imediatamente sessenta locomotivas. Estou certo", acrescentou ele, "de que seremos vitoriosos".⁶

Uma tentativa do governo de Hoffmann de derrubar o Conselho da República com uma força improvisada de voluntários foi facilmente sufocada pelo "Exército Vermelho" recrutado entre os membros armados dos conselhos de operários e soldados. Entretanto, vinte homens morreram nas trocas de tiros, e a situação agora estava ficando claramente muito mais perigosa. No mesmo dia em que ocorreu a luta, comunistas organizados pelos bolcheviques russos Max Levien e Eugen Leviné afastaram bruscamente os "anarquistas de café". Sem esperar pela aprovação do Partido Comunista alemão, estabeleceram um regime bolchevique em Munique e abriram um canal de comunicação com Lênin, que educamente perguntou se já haviam tratado de nacionalizar os bancos. Levien, que fora pego por acaso na Alemanha na deflagração da guerra em 1914 e se alistara no Exército alemão, seguiu as ordens de Lênin e começou a prender membros da aristocracia e da classe média alta como reféns. Enquanto a principal igreja de Munique era transformada em templo revolucionário presidido pela "Deusa da Razão", os comunistas deram início à expansão e ao treinamento de um Exército Vermelho que logo somava 20 mil homens bem armados e bem pagos. Uma série de proclamações anunciou que a Baviera seria a ponta de lança da bolchevização da Europa; os trabalhadores tinham que receber treinamento militar, e todas as armas de posse privada deveriam ser entregues sob pena de morte.⁷

Tudo isso assustou o governo de Hoffmann bem mais que o regime de uma semana dos anarquistas de café havia feito. Avultava-se o espectro de um eixo de regimes bolcheviques revolucionários em Budapeste, Munique e possivelmente também Viena. Estava claro que os social-democratas da maioria em Bamberg precisavam de uma força de combate séria a seu dispor. Hoffmann contratou uma força de 35 mil soldados das Brigadas Livres sob a liderança do coronel bávaro Franz Ritter von Epp, respaldada por unidades militares regulares que incluíam um trem blindado. Essas unidades estavam equipadas com metralhadoras e outros armamentos militares pesados. Munique já estava um caos, com uma greve geral debilitando a produção e os serviços públicos paralisados. Pilhagem e furto espalhavam-se pela cidade, que agora também estava sitiada pelas Brigadas Livres. Anunciaram que não haveria misericórdia: qualquer um que fosse encontrado em Munique portando armas seria abatido imediatamente. Aterrorizados, os conselhos de operários e soldados de Munique aprovaram um voto de desconfiança nos comunistas, que tiveram de renunciar, deixando a cidade sem governo. Nessa situação, uma unidade em pânico do Exército Vermelho começou a cometer atos de represália contra os reféns aprisionados em uma escola local, o Ginásio Luitpold. Estes incluíam seis membros da Sociedade Thule, uma seita pangermânica e antissemita fundada perto do fim da guerra. Nomeada em homenagem ao suposto local da pureza "ariana" última, a Islândia ("Thule"), a seita usava o símbolo da suástica "ariana" para denotar suas prioridades raciais. Com raízes na "Ordem Germânica" pré-guerra, outra organização conspiratória de extrema direita, era dirigida pelo pretenso barão von Sebottendorf, que na realidade era um falsificador condenado, conhecido pela polícia como Adam Glauer. A sociedade incluía pessoas que viriam a ser proeminentes no Terceiro Reich.[8] Sabia-se que Arco-Valley, o assassino de Kurt Eisner, havia tentado tornar-se membro da Sociedade Thule. Em um ato de vingança e desespero, os soldados do Exército Vermelho enfileiraram dez reféns, colocaram-nos diante de um pelotão de fuzilamento e abateram-nos. Entre os executados estavam o príncipe de Thurn e Taxis, a jovem condessa von Westarp e mais dois aristocratas, bem como um professor idoso que havia sido preso por fazer um comentário desfavorável sobre um cartaz revolucionário. Cinco prisioneiros capturados das Brigadas Livres invasoras completaram o grupo.

A notícia desses fuzilamentos enfureceu os soldados além de qualquer medida. Ao marcharem sobre a cidade, virtualmente sem resistência, sua vitória transformou-se em um banho de sangue. Líderes revolucionários como Eugen Leviné foram presos e fuzilados sumariamente. O anarquista Gustav Landauer foi levado para a prisão de Stadelheim, onde soldados transformaram seu rosto numa massa disforme a coronhadas de rifle, deram-lhe dois tiros e o mataram a pontapés no pátio da prisão, deixando o corpo apodrecer por dois dias antes de removê-lo. Ao passar por uma reunião de uma sociedade de artesãos católicos a 6 de maio, uma unidade das Brigadas Livres cujos membros estavam bêbados, avisada por um informante de que os homens reunidos eram revolucionários, prenderam-nos, levaram-nos para um porão nas proximidades, surraram-nos e mataram o total de 21 dos homens inocentes, após o que despojaram os corpos de objetos de valor. Muitas outras pessoas foram "abatidas ao tentar escapar", mortas após serem denunciadas como ex-comunistas, chacinadas após delatadas por suposta posse de armas ou arrastadas para fora de casas de onde supostamente haviam sido disparados tiros e executadas ali mesmo. No fim das contas, até mesmo as estimativas oficiais somaram o total de seiscentos mortos nas mãos dos invasores; observadores não oficiais calcularam o total em uma cifra duas vezes mais elevada.[9] Depois do banho de sangue, moderados como os social-democratas de Hoffmann, a despeito de terem autorizado a ação, não tiveram muitas chances em Munique. Um governo contrarrevolucionário "branco" enfim assumiu o poder e tratou de julgar os revolucionários que restavam, enquanto perdoava os soldados das Brigadas Livres, dos quais uns poucos foram condenados com as sentenças mais leves por suas atrocidades assassinas. Munique tornou-se um parque de diversões para seitas políticas extremistas, na medida em que virtualmente cada um dos grupos sociais e políticos da cidade ardia em ressentimento, medo e desejo de vingança.[10] A ordem pública havia mais ou menos sumido.

Tudo isso era profundamente perturbador para os oficiais que agora encaravam a tarefa de reconstruir um Exército regular a partir das ruínas do antigo. Não é de surpreender que, considerando o fato de que os conselhos de operários e soldados haviam desfrutado de considerável influência entre as tropas, aqueles que comandavam o novo Exército estivessem preocupados em garantir que os soldados recebessem o tipo correto de doutrinamento político e que os muitos grupinhos políticos que brotavam em Munique não representassem uma ameaça à nova ordem política pós-revolucionária. Entre aqueles que foram enviados para receber doutrinamento político em junho de 1919 havia um cabo de trinta anos de idade que estava no Exército da Baváris desde o início da guerra e havia permanecido ao longo de todas as vicissitudes da social-democracia, anarquia e comunismo, tomando parte nas demonstrações, usando uma braçadeira vermelha junto com o restante de seus camaradas e desaparecendo de cena com a maioria deles quando receberam ordens de defender Munique contra as forças invasoras nas semanas anteriores. Seu nome era Adolf Hitler.[11]

II

Hitler foi tanto o produto das circunstâncias quanto de qualquer outro fator. Se as coisas tivessem sido diferentes, ele poderia jamais ter chegado à proeminência política. No tempo da revolução da Bavária, ele era um obscuro soldado raso que até então não havia tomado parte em nenhum tipo de política. Nascido em 20 de abril de 1889, era o exemplo vivo do conceito étnico e cultural de identidade nacional sustentado pelos pangermânicos, pois não era alemão de nascimento ou por cidadania, mas austríaco. Pouco se sabe de sua infância, juventude e crescimento, e muito, caso não a maior parte, do que foi escrito sobre o início de sua vida é altamente especulativo, distorcido ou fantástico. Sabemos, entretanto, que seu pai, Alois, trocou o nome de sua mãe, Maria Schicklgruber, de quem ele nasceu fora do casamento em 1837, pelo do padrasto, Johann Georg Hiedler ou Hitler em 1876. Não há evidência de que qualquer dos ancestrais de Hitler fosse judeu. Johann Georg reconheceu de livre vontade sua real paternidade do pai de Hitler. Alois era um inspetor da alfândega em Braunau am Inn, um oficial inferior mas respeitável do governo austríaco. Casou-se três vezes; Adolf foi o único filho do terceiro casamento a sobreviver à infância além de Paula, sua irmã mais jovem. "Psico-historiadores" valorizaram as subsequentes alusões de Adolf ao pai frio, rígido, disciplinador e às vezes violento e à mãe, Klara, terna e muito amada, mas nenhuma de suas conclusões pode significar nada mais que especulação.[12]

O que fica claro é que a família de Hitler mudava-se com frequência, trocando de casa diversas vezes antes de se instalar em 1898 em um subúrbio de Linz, que Adolf depois sempre considerou sua cidade natal. O jovem Hitler foi mal na escola e não gostava dos professores, mas também não parece ter se sobressaído entre os colegas. Ele claramente não era talhado para a vida comum e rotineira e o trabalho árduo do serviço público que seu

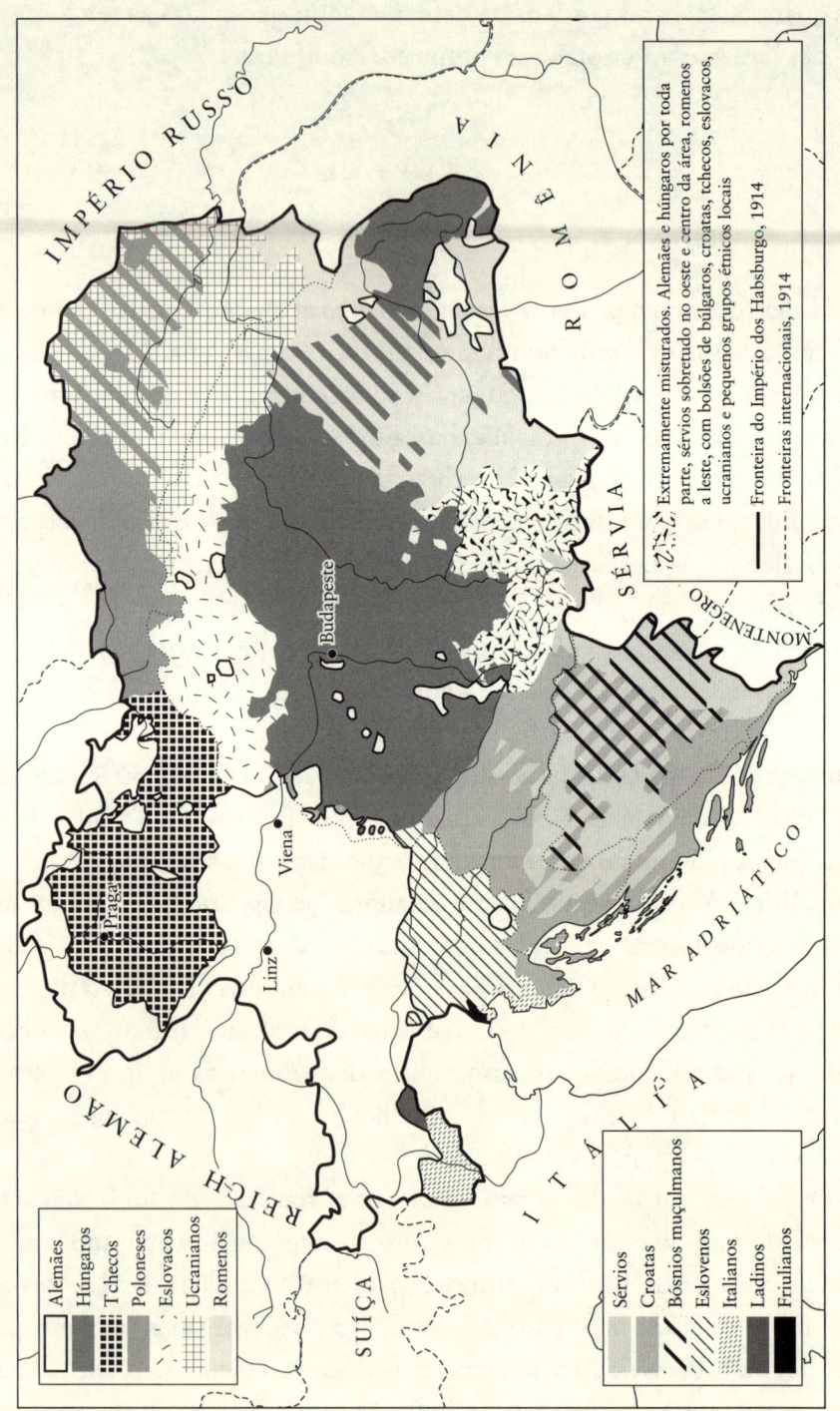

Mapa 6. As nacionalidades no Império dos Habsburgo, 1910

pai planejava para ele. Depois da morte do pai no início de 1903, ele morou num apartamento em Linz, cuidado pela mãe, pela tia e por sua irmã mais moça, e sonhava fazer carreira como artista enquanto passava o tempo desenhando, conversando com amigos, indo à ópera e lendo. Mas, em 1907, ocorreram dois eventos que puseram fim a essa ociosa vida de fantasia. Sua mãe morreu de câncer de mama, e seu pedido de ingresso na Academia Vienense de Artes foi rejeitado sob a alegação de que sua pintura e desenho não eram bons o bastante; ele se sairia melhor, disseram, como arquiteto. Com certeza, seu forte era o desenho e a pintura de prédios. Ficou particularmente impressionado com a arquitetura pesada, opressiva e historicista dos prédios públicos na Ringstrasse de Viena, construídos como expressões simbólicas de poder e solidez numa época em que as verdadeiras fundações políticas da monarquia dos Habsburgo começavam a se esfacelar.[13] Desde o começo, os prédios interessaram Hitler principalmente como afirmações de poder. Ele conservou esse interesse por toda a vida. Mas carecia de aplicação para se tornar um arquiteto. Tentou ingressar na Academia de Artes de novo, e foi rejeitado pela segunda vez. Desapontado e emocionalmente carente, mudou-se para Viena. Provavelmente, levou consigo duas influências políticas de Linz. A primeira foi o pangermanismo de Georg Ritter von Schönerer, cujos apoiadores na cidade eram particularmente numerosos, e, ao que parece, na escola que Hitler frequentou. E a segunda foi um entusiasmo voraz pela música de Richard Wagner, a cujas óperas ele assistiu com frequência em Linz; ficou intoxicado pela romantização do mito e da lenda germânicos e pela descrição de heróis que não conheciam o medo. Armado dessas crenças e confiante em seu futuro destino como um grande artista, passou os cinco anos seguintes na capital austríaca.[14]

O relato subsequente de Hitler sobre esse período concedeu-lhe uma coerência retrospectiva que não parece ter possuído na realidade. Mais uma vez, existe pouca evidência independente confiável sobre o que ele fez ou pensou. Mas umas poucas coisas parecem bastante claras. Primeiro, incapaz de se conformar com o fracasso em entrar na Academia de Artes, Hitler concebeu um ódio violento pela convenção burguesa, pelo sistema, por regras e regulações. Em vez de treinar ou ingressar em um emprego regular, ele viveu uma vida ociosa, caótica, boêmia e gastou as economias indo a óperas de Wagner. Quando o dinheiro acabou, foi forçado a dormir ao relento ou encontrar quartos para passar a noite em albergues. As coisas só melhoraram quando recebeu um dinheiro da tia e começou a vender pequenas pinturas, principalmente cópias, que lhe proporcionaram condições de morar em um abrigo para homens, onde alugou um quarto barato e podia usar a biblioteca e a sala de leitura. Ficou ali por três anos, vivendo uma vida ao estilo das camadas mais periféricas da cultura boêmia.

As visões políticas que Hitler havia assimilado em Linz fortaleceram-se quando ele encontrou o pangermanismo de Schönerer, que havia sido tão influente em Linz, em uma forma mais direta. Hitler sem dúvida odiava a monarquia dos Habsburgo e sua capital, cujas instituições haviam-lhe negado a realização de suas ambições artísticas. Como resultado, ele achava irresistivelmente atraente a exigência de Schönerer de que as áreas de língua alemã da Áustria fossem absorvidas pelo império alemão. Para ele, a mistura racial de Viena era repulsiva; apenas uma nação racialmente homogênea poderia ser bem-sucedida. Mas percebeu que Schönerer era incapaz de conquistar o apoio das massas. Isso era um feito de Karl Lueger, prefeito de Viena, cuja demagogia antissemita revelava, na opinião de Hitler, um verdadeiro entendimento do homem. Hitler não poderia ignorar o antissemitismo cotidiano do tipo de jornais disponíveis na sala de leitura do abrigo em que vivia, e os panfletos antissemitas baratos que mais tarde ele descreveu ter lido nessa época. E seu entusiasmo por Wagner, a cujas óperas assistiu centenas de vezes nesse período, só podem ter fortalecido suas visões políticas. Virtualmente todos os seguidores de Schönerer, Wagner e Lueger eram antissemitas nessa época, muitos deles de forma raivosa, e não existia motivo para Hitler ser exceção. O fato de vender suas pinturas para comerciantes judeus e pegar dinheiro emprestado de companheiros judeus do abrigo para homens não significa que não fosse antissemita. Não obstante, é provável que seu antissemitismo na época tivesse uma qualidade abstrata, quase teórica; seu ódio aos judeus só se tornou visceral, pessoal e extremo ao fim da Primeira Guerra Mundial.[15]

Algumas das páginas mais interessantes da obra biográfica posterior de Hitler, *Minha luta* (*Mein Kampf*), descrevem a excitação que ele experienciou ao assistir às manifestações de massa social-democratas em Viena.

Considerava o marxismo dos social-democratas abominável e julgava a propaganda deles repleta de calúnias e mentiras asquerosas e perversas. Por que então as massas acreditavam nisso em vez de nas doutrinas de alguém como Schönerer? Sua resposta era que os social-democratas eram intolerantes com outras visões, reprimiam-nas dentro da classe operária tanto quanto podiam, projetavam-se com simplicidade e vigor e ganhavam as massas à força. "A psique das grandes massas", ele escreveu, "não é receptiva a nada que seja desanimado e fraco... As massas amam um comandante mais do que um solicitante". Ele acrescentou: "Obtive um entendimento idêntico da importância do terror físico em relação ao indivíduo e às massas... Terror no local do emprego, na fábrica, no salão de reuniões e por ocasião de demonstrações de massa sempre será bem-sucedido, a menos que combatido por igual terror". Os social-democratas, concluiu ele, "comandam os fracos de mente e de força. Eles sabem como criar a ilusão de que esse é o único jeito de se preservar a paz e ao mesmo tempo, furtiva mas firmemente, conquistam uma posição atrás da outra, às vezes com chantagem silenciosa, às vezes por furto de fato...". Tudo isso pode ter sido em certa medida racionalização retrospectiva, visto que Hitler projetava seus sentimentos e objetivos de volta ao movimento de massa mais bem-sucedido da Áustria de sua juventude. Mas, para qualquer um que vivesse em Viena antes de 1914, com certeza não havia como escapar do poder dos social-democratas sobre as massas, e é sensato supor que Hitler ficasse impressionado e aprendesse com aquilo, mesmo que rejeitasse as doutrinas que eles propunham.[16]

Contudo, talvez a lição política mais importante que ele obteve de seu período em Viena tenha sido um profundo desprezo pelo Estado e pela lei. Não há motivo para descrer da afirmação posterior de que, como seguidor de Schönerer, ele considerava a monarquia dos Habsburgo a opressora da raça germânica, forçando-a a se misturar com outras e lhe negando a chance de se unir aos alemães do Reich. "Se a espécie em si está em risco de ser oprimida ou totalmente eliminada", ele escreveu, "a questão da legalidade é reduzida a uma regra subordinada". Autopreservação racial era um princípio mais elevado que o da legalidade, que com frequência poderia não passar de um manto para a tirania. Quaisquer meios eram justificados nessa luta. Além disso, o "Estado podre" dos Habsburgo era completamente dominado pelo parlamentarismo, um sistema político pelo qual Hitler adquiriu desprezo duradouro ao passar um bocado de tempo na galeria pública do Parlamento da Áustria, onde partidos de nacionalidades rivais gritavam uns com os outros e se xingavam, cada um na sua língua, impedindo que se realizasse grande coisa. Ele concebeu especial ódio pelos tchecos, que eram especialmente turbulentos. O erro de Schönerer era tentar atingir sua meta pelo Parlamento, pensava ele. Hitler concluiu que apenas um líder forte eleito pelo povo de forma direta poderia conseguir fazer alguma coisa.[17]

Não existe indicativo, porém, de que Hitler pensasse em si mesmo como esse líder antes de 1914, ou até mesmo que considerasse entrar na política. Pelo contrário, ainda estava apegado à ideia de se tornar artista. A abjeta miséria financeira que o fracasso em atingir sua ambição provocou foi de certo modo aliviada pela herança do espólio do pai, que ele recebeu aos 24 anos, a 20 de abril de 1913. Hitler concluiu seus negócios em Viena rapidamente e partiu para a Alemanha, dando assim expressão prática ao pangermanismo que havia assimilado de Schönerer. Mais tarde, descreveu, com total aparência de sinceridade, a felicidade que sentiu quando se mudou para Munique, deixando para trás o vívido e, para ele, repulsivo cosmopolitismo racial da capital austríaca e a sensação de confusão política e declínio que caracterizavam o sistema político dos Habsburgo. Não valia a pena, pensava, lutar por aquele sistema, e um dos motivos para partir foi evitar o serviço militar, ao qual logo estaria sujeito. Agora que estava na Alemanha, ele sentia-se em casa.

Alugou uma peça nos limites de Schwabing e retomou o tipo de vida que tinha levado em Viena, copiando postais de prédios famosos de Munique em aquarela e vendendo o bastante para ter uma parca renda. Como outros boêmios de Schwabing, passava boa parte do tempo em cafés e cervejarias, mas era um estranho no mundo boêmio real, bem como no mundo da sociedade respeitável, pois, enquanto homens como Eisner, Toller, Landauer ou Mühsam estavam fortemente envolvidos com o teatro, discutindo utopias anarquistas ou fazendo seus nomes como poetas e escritores, Hitler seguia sem rumo como em sua existência anterior e não fez nenhuma tentativa de adquirir em Munique o treinamento artístico que lhe fora negado em Viena. E, enquanto o sistema de arte oficial permanecia próximo dele, a vanguarda não oficial que gerava muita excitação nos cafés mais na moda de Schwabing, com pintores como Wassily Kandinsky, Paul Klee, Franz Marc, August Macke e o grupo Cavaleiro Azul, rompia com a convenção e avançava para o expressionismo e a abstração. A vanguarda despertou apenas incompreensão e irritação em Hitler. Sua prática artística limitava-se a esmeradas e desanimadas reproduções de prédios; seu gosto em arte jamais foi além do tipo convencional de representações de inspiração clássica que eram o feijão com arroz da academia à qual ele tanto quisera entrar em Viena.[18] Entretanto, o que Hitler compartilhava com os boêmios de Schwabing era o desprezo interior pela convenção e pelas regras da burguesia, e a crença de que a arte podia mudar o mundo.

Hitler foi resgatado de sua existência como boêmio na periferia da vida cultural pela deflagração da Primeira Guerra Mundial. Existe uma fotografia dele, com o rosto radiante de excitação, em meio à multidão que se aglomerou no centro de Munique em 2 de agosto para celebrar a declaração de guerra. Três dias depois, ele se alistou como voluntário no Exército bávaro. No caos e na confusão dos primeiros dias de guerra, quando havia quantidades enormes de voluntários, parece que ninguém pensou em verificar se ele era ou não cidadão alemão. Foi recrutado no dia 16 de agosto e enviado quase imediatamente para o *front* ocidental. Essa foi, ele escreveu mais tarde, uma "libertação dos sentimentos dolorosos de minha juventude". Pela primeira vez, tinha uma missão em que podia acreditar e seguir, e um grupo de companheiros unidos com os quais podia se identificar. Seu coração "transbordou de alegria orgulhosa" pelo fato de que agora estava lutando pela Alemanha.[19] Permaneceu com seu regimento pelos quatro anos seguintes, atuando como mensageiro, sendo promovido a cabo e conquistando duas condecorações por bravura, a segunda delas a Cruz de Ferro, Primeira Classe, ironicamente por recomendação de um oficial judeu. Pouco depois, foi atingido em um ataque com gás tóxico, coisa frequente em ambos os lados nos estágios finais da guerra. Temporariamente cego, foi enviado para um hospital militar em Pasewalk, na Pomerânia, nordeste alemão, para se recuperar. Lá, no devido tempo, ficou sabendo da derrota alemã, do armistício e da revolução.[20]

Em *Minha luta*, Hitler descreveu isso como "a maior vilania do século", a negação de todas as suas esperanças, tornando todos os seus sacrifícios vãos. Ao ficar sabendo das novidades, "tudo ficou negro diante de meus olhos", voltou cambaleando para seu dormitório e chorou. Não há motivo para duvidar de que tenha sido um trauma terrível para ele. A memória de 1918 viria a desempenhar um papel central em todo seu pensamento e ação subsequentes. Como o desastre havia acontecido? Buscando uma explicação, Hitler agarrou-se avidamente à história da "punhalada nas costas" que se espalhava rapidamente. Os judeus, que ele já via com desconfiança e aversão, deviam ser os culpados, pensou. Todas as ideias e os preconceitos incipientes e confusos que até então acumulara de Schönerer, Lueger, Wagner e dos demais agora se encaixavam subitamente em um padrão coerente, nítido e totalmente paranoico. Mais uma vez, ele viu a propaganda como o principal motor político: vinda de fora, a propaganda de guerra inimiga, minando a disposição alemã; do lado de dentro, a propaganda judaica, socialista, espalhando dúvida e derrotismo. A propaganda, ele aprendeu ao contemplar o desastre, deve sempre ser dirigida às massas:

> Toda propaganda deve ser popular e seu nível intelectual deve ser ajustado à inteligência mais limitada dentre aquelas a que se dirige. Por consequência, quanto maior a massa que se pretende atingir, mais baixo seu nível puramente intelectual terá que ser... A receptividade das grandes massas é muito limitada, sua inteligência é pequena, mas seu poder de esquecimento é imenso. Em consequência desses fatos, toda propaganda eficiente deve ser limitada a uns poucos pontos e deve martelar nesses *slogans* até o último membro do público entender o que você quer que ele entenda com seu *slogan*.

E tinha que apelar às emoções em vez de à razão, porque: "Em sua esmagadora maioria, as pessoas são tão femininas por natureza e na atitude que o raciocínio sensato determina seus pensamentos e ações bem menos que a emoção e o sentimento". Finalmente, a propaganda tinha que ser contínua e invariável em sua mensagem. Jamais deveria admitir um vislumbre de dúvida em suas afirmações ou conceder o mais ínfimo elemento de razão às afirmações do outro lado.[21]

Armado desses pensamentos – ou talvez de versões anteriores, mais rudimentares –, Hitler obedeceu às ordens de seu oficial superior e foi para os cursos de instrução política em junho de 1919 que viriam a lançá-lo em sua carreira política. Era a hora certa. Munique era um mundo que, na visão de muitos conservadores, tinha virado de pernas para o ar, e estava na hora de colocá-lo em pé do jeito certo outra vez. Onde a Prússia havia falhado, a Baviera agora poderia mostrar o caminho. Depois da derrubada do regime comunista, toda linguagem da política em Munique estava permeada de *slogans* nacionalistas, frases antissemitas, palavras-chave reacionárias que quase convidavam à expressão raivosa do sentimento contrarrevolucionário. Hitler iria mostrar-se competente como poucos em dominar suas cadências e mobilizar as imagens estereotipadas dos inimigos da ordem em uma linguagem de extremismo emocionalmente violento.[22]

III

Os cursos que Hitler frequentou destinavam-se a arrancar quaisquer sentimentos socialistas remanescentes nas tropas regulares da Baviera e doutriná-las com as crenças da extrema direita. Entre os palestrantes estavam Karl Alexander von Müller, professor conservador de história de Munique, e Gottfried Feder, economista teórico pangermânico, que colocou um verniz antissemita na economia ao acusar os judeus de destruir o meio de vida de esforçados trabalhadores "arianos" usando o capital de forma improdutiva. Hitler assimilou as ideias desses homens tão prontamente que foi selecionado por seus superiores e enviado como instrutor em um curso semelhante em agosto de 1919. Ali, descobriu pela primeira vez o talento para falar a um grande público. Os comentários daqueles que assistiram às suas palestras referiram-se de forma admirada à sua paixão e comprometimento e à sua capacidade de se comunicar com homens simples, comuns. Também foi notada a veemência de seu antissemitismo. Em uma carta escrita em 16 de setembro, Hitler expôs suas crenças sobre os judeus. Em uma metáfora biológica do tipo a que iria recorrer em muitos discursos e textos subsequentes, escreveu que os judeus provocavam "a tuberculose racial dos povos". Rejeitou o "antissemitismo com base puramente emocional" que levou aos *pogroms* em favor de um "antissemitismo da razão", que devia almejar "o combate e a remoção legislativos planejados dos privilégios dos judeus". "A meta final e inabalável deve ser a remoção dos judeus por completo."[23]

Na atmosfera raivosa, vingativa e ultranacionalista dos meses subsequentes à violenta repressão da Revolução de Munique pelos Brigadas Livres, tais sentimentos estavam longe de ser incomuns. Agora Hitler havia se tornado um agente político de confiança do Exército. Nessa condição, foi enviado para averiguar um dos muitos grupos políticos que brotavam na cidade naquela época, para ver se era perigoso ou se poderia ser recrutado para a causa da contrarrevolução. Tratava-se do Partido dos Trabalhadores Alemães, fundado em 5 de janeiro de 1919 por um certo Anton Drexler, um serralheiro que anteriormente havia pertencido ao Partido da Pátria. Drexler insistia que era socialista e trabalhador, contrário ao capital indevido, à exploração e à especulação. Mas era um socialismo com inclinação nacionalista. Drexler atribuía os males contra os quais lutava a maquinações dos judeus, que também haviam tramado a ideologia perniciosa do bolchevismo. Dirigia seu apelo não aos trabalhadores da indústria, mas às "propriedades produtivas", a todos aqueles que viviam do trabalho honesto.[24] A curto prazo, isso referia-se às classes médias baixas, mas, em uma tradição que remontava ao movimento social cristão de Adolf Stöcker na década de 1880 e ecoando muitas iniciativas nacionalistas semelhantes tanto na Alemanha quanto na Áustria antes e sobretudo logo depois da guerra, o partido de Drexler, no longo prazo, buscava igualmente conquistar a classe trabalhadora do marxismo e alistá-la a serviço da causa pangermânica.

O novo partido era, de fato, outra criação da hiperativa Sociedade Thule. Não havia nada de incomum em Drexler ou em seu minúsculo partido na estufa de extrema direita de Munique após a derrota da revolução.

Incomum foi a atenção que Hitler despertou ao ir a um encontro do partido em 12 de setembro de 1919 e, da plateia, falar apaixonadamente contra um orador que antes havia defendido a separação da Baváría do Reich. Impressionado, Drexler prontamente aquiesceu quando Hitler, agindo outra vez sob ordens de seus superiores no Exército, pediu para se filiar. Embora mais tarde afirmasse ter sido apenas a sétima pessoa a se filiar ao partido, de fato foi listado como membro número 555. Isso era menos impressionante do que parecia; a filiação ao Partido dos Trabalhadores Alemães, seguindo um hábito há muito estabelecido entre os grupos políticos periféricos, começava não com o número 1, mas com o número 501, para sugerir que contava com centenas de membros em vez de apenas uns poucos.[25]

Hitler, ainda encorajado pelos oficiais superiores do Exército, rapidamente tornou-se o orador de destaque do partido. Ele usou seu sucesso como base para instigar o partido a realizar reuniões públicas cada vez maiores, grande parte delas em cervejarias, anunciadas com antecedência por campanhas com cartazetes e frequentemente acompanhadas por cenas de desordem. No final de março de 1920, agora indispensável para o partido, decidiu com convicção que aquela seria sua futura atividade. A demagogia havia lhe restituído a identidade perdida com a derrota alemã. Deixou o Exército e se tornou um agitador político em turno integral. O apelo do antissemitismo radical na Munique contrarrevolucionária era óbvio, e já havia sido explorado por uma organização muito maior com visões semelhantes, a Liga de Defesa e Desafio Racial Alemã. Esse era mais um grupo de extrema direita que usava a suástica como principal símbolo político. Com sede em Hamburgo, a liga alardeava ter uns 200 mil membros por toda a Alemanha, aliciados entre ex-membros do Partido da Pátria, ex-soldados descontentes e estudantes, professores e funcionários de escritório de inclinação nacionalista. A liga comandava uma sofisticada máquina de propaganda, desovando milhões de folhetos e encenando comícios de massa em que o público somava milhares, em vez das centenas que a organização de Drexler era capaz de atrair.[26] A liga estava longe de ser o único movimento de extrema direita desse tipo; um outro, muito menor, o Partido Socialista Alemão, liderado pelo engenheiro Alfred Brunner, também possuía ramificações em várias cidades alemãs, embora tivesse apenas um décimo do tamanho da liga em número de filiações. Mas ninguém tinha um orador cujo poder de persuasão se comparasse ao de Hitler em nenhum sentido.[27]

Enquanto os políticos convencionais de direita proferiam palestras ou falavam em um estilo bombástico e pomposo, tedioso e sem graça, ou tosco e grosso, Hitler seguia o modelo de oradores social-democratas, como Eisner, ou de agitadores de esquerda, de quem mais tarde declarou ter aprendido em Viena. E obteve muito de seu sucesso oratório dizendo às plateias o que elas queriam ouvir. Usava linguagem simples e direta, que gente comum podia entender, frases curtas, poderosas, *slogans* emocionantes. Começando frequentemente os discursos de modo calmo, para capturar a atenção da plateia, gradativamente elevava-os até um clímax; a voz grave, um tanto rouca, subia de tom, escalando em um crescendo até um final bombástico aos gritos, acompanhado por gestos dramáticos cuidadosamente ensaiados, o rosto brilhante de suor, o cabelo escuro e escorrido caindo sobre o rosto enquanto ele induzia a plateia a um frenesi de emoção. Não havia restrições no que dizia; tudo era absoluto, intransigente, irrevogável, invariável, inalterável, final. Conforme o testemunho de muitas pessoas que escutaram seus primeiros discursos, ele parecia falar diretamente do coração e expressar os mais profundos temores e desejos delas. Hitler também exalava cada vez mais autoconfiança, agressividade, crença no triunfo último de seu partido, até mesmo uma noção de destino. Seus discursos com frequência começavam com um relato de seu início de vida atingido pela pobreza, traçando um paralelo implícito com a situação abatida, oprimida e desesperada da Alemanha após a Primeira Guerra Mundial; então, com a voz elevando-se, descrevia seu despertar político pessoal e apontava para a futura recuperação e retorno à glória da Alemanha. Sem necessariamente usar linguagem religiosa explícita, Hitler apelava aos arquétipos religiosos de sofrimento, humilhação, redenção e ressurreição profundamente alojados na psique de seus ouvintes; nas circunstâncias da Baváris pós-guerra e pós-revolucionária, ele obteve pronta reação.[28]

Os discursos de Hitler reduziam os complexos problemas sociais, políticos e econômicos da Alemanha a um simples denominador comum: as malignas maquinações dos judeus. Em *Minha luta*, descrevendo como, na sua opinião, os judeus subversivos haviam minado o esforço de guerra alemão em 1918, ele declarou:

> Se, no início e durante a guerra, 12 ou 15 mil desses hebreus corruptores do povo tivessem sido refreados com gás tóxico, como aconteceu com centenas de milhares de nossos melhores trabalhadores alemães no campo de batalha, o sacrifício de milhões no *front* não teria sido em vão. Pelo contrário: 12 mil salafrários eliminados na hora certa poderiam ter salvo as vidas de 1 milhão de alemães de verdade, valiosos para o futuro. Mas aconteceu de estar na pauta da "política de governo" burguesa sujeitar milhões a um fim sangrento no campo de batalha sem pestanejar, e considerar 10 ou 12 mil traidores, especuladores, agiotas e vigaristas como tesouro nacional e proclamar abertamente sua inviolabilidade.[29]

Tamanho radicalismo intransigente emprestou aos eventos públicos de Hitler um fervor evangelizador que para políticos menos demagógicos era difícil imitar. A publicidade conquistada por ele foi intensificada pela tática de fazer anúncios com pôsteres vermelhos para atrair a esquerda, com o resultado de que os protestos de ouvintes socialistas com frequência degeneravam em pancadaria e baderna.

No clima de contrarrevolução pós-guerra, ruminação nacional sobre a "punhalada nas costas" e obsessão com especuladores da guerra e negociantes da hiperinflação que se alastrava velozmente, Hitler concentrou-se especialmente em ataques para agitar as massas em relação aos comerciantes "judaicos" que supostamente estavam empurrando os preços das mercadorias para cima: todos eles, dizia Hitler, para os gritos de aprovação de suas plateias, deveriam ser enforcados.[30] Talvez para enfatizar esse foco anticapitalista e para se alinhar a grupos semelhantes da Áustria e da Tchecoslováquia, o partido mudou o nome em fevereiro de 1920 para Partido Nacional-Socialista dos Trabalhadores Alemães; comentaristas hostis logo o abreviaram para a palavra "nazi", assim como os inimigos dos social-democratas anteriormente haviam abreviado o nome daquele partido para "sozi". A despeito da mudança de nome, contudo, seria errado ver o nazismo como uma forma, ou uma forma excrescente, de socialismo. É verdade, conforme alguns ressaltaram, que sua retórica frequentemente era igualitária, sublinhava a necessidade de colocar as necessidades comuns acima das necessidades do indivíduo e muitas vezes declarava-se contrária aos grandes negócios e ao capital financeiro internacional. Também é famoso o fato de que o nazismo certa vez foi tachado de "socialismo dos tolos". Mas, já de saída, Hitler declarou-se implacavelmente contrário à social-democracia e, de início em muito menor extensão, ao comunismo; afinal de contas, os "traidores de novembro", que assinaram o armistício e mais tarde o Tratado de Versalhes, não foram absolutamente os comunistas, mas os social-democratas e seus aliados.[31]

Os "nacional-socialistas" queriam unir os dois campos políticos de esquerda e direita pelo fato de que, argumentavam eles, os judeus haviam manipulado a nação alemã. A base para tal seria a ideia de raça. Isso estava a anos-luz de distância da ideologia do socialismo, baseada nas classes. Em certos aspectos, o nazismo era uma contraideologia extrema ao socialismo, tomando emprestada muito de sua retórica no processo, desde a autoimagem como movimento em vez de partido, até o muito alardeado desprezo pela convenção burguesa e pela timidez conservadora. A ideia de "partido" sugeria compromisso com uma democracia parlamentarista, operando com constância dentro de um sistema político democrático estabelecido. Entretanto, em discursos e propagandas, Hitler e seus seguidores preferiam, em geral, falar do "movimento nacional-socialista", assim como os social-democratas falavam do "movimento dos trabalhadores" ou, de modo equivalente, as feministas falavam do "movimento das mulheres" e os apóstolos da rebelião juvenil pré-guerra falavam do "movimento jovem". O termo não apenas sugeria dinamismo e movimento incessante em frente, ele também mais do que insinuava uma meta última, um objetivo absoluto na direção do qual trabalhar, que era maior e mais definitivo que os infindáveis compromissos da política convencional. Ao se apresentar como "movimento", o nacional-socialismo, assim como o movimento trabalhista, anunciava a oposição à política convencional e a intenção de subverter e por fim derrubar o sistema dentro do qual inicialmente era forçado a operar.

Ao substituir classe por raça e ditadura do proletariado por ditadura do líder, o nazismo reverteu os termos usuais da ideologia socialista. A síntese de direita e esquerda era nitidamente simbolizada na bandeira oficial do Partido, escolhida pessoalmente por Hitler na metade de 1920: o fundo era vermelho-brilhante, a cor do socialismo, com a suástica, o emblema do nacionalismo racista, delineada em negro no meio de um círculo branco no centro da bandeira, de modo que o conjunto fazia uma combinação de branco, vermelho e negro, as cores da bandeira oficial do império de Bismarck. No rastro da Revolução de 1918, isso veio a simbolizar a rejeição à República de Weimar e tudo o que ela representava; mas, ao mudar o *design* e acrescentar a suástica, um símbolo já usado por uma variedade de movimentos racistas de extrema direita e unidades das Brigadas Livres no período pós-guerra, os nazistas também anunciavam que queriam substituir Weimar por um novo Estado racial pangermânico, não pelo velho *status quo* guilhermino.[32]

No final de 1920, a ênfase inicial de Hitler no ataque ao capitalismo judaico havia se modificado para ter como alvo o "marxismo" ou, em outras palavras, social-democracia e também bolchevismo. As crueldades da guerra civil e o "terror vermelho" de Lênin na Rússia estavam causando impacto, e Hitler pôde usá-los para garantir ênfase às visões comuns da extrema direita sobre a suposta inspiração judaica por trás dos levantes revolucionários de 1918-19 em Munique. Entretanto, o nazismo também teria sido possível sem a ameaça comunista: o antibolchevismo de Hitler era produto de seu antissemitismo, e não o contrário.[33] Seus principais alvos políticos permaneceram os social-democratas e o espectro mais vago do "capitalismo judaico". Tomando emprestados os argumentos do repertório antissemita de antes da guerra, Hitler declarou em numerosos discursos que os judeus eram uma raça de parasitas que só podiam viver subvertendo outros povos, sobretudo a mais superior e melhor de todas as raças, a ariana. Assim sendo, eles dividiam e jogavam a raça ariana contra si mesma, por um lado organizando a exploração capitalista e por outro liderando a luta contra isso.[34] Os judeus, disse ele em um discurso proferido a 6 de abril de 1920, deveriam "ser exterminados"; a 7 de agosto do mesmo ano, falou para a plateia que não deveria acreditar que "se possa lutar contra uma doença sem matar a causa, sem aniquilar o bacilo, nem pensar que se pode lutar contra uma tuberculose racial sem cuidar para que as pessoas fiquem livres da causa da tuberculose racial". Aniquilação significava a remoção violenta dos judeus da Alemanha por quaisquer meios. A "solução para a questão judaica", disse ele a seus ouvintes em abril de 1921, só poderia ser resolvida pela "força bruta". "Sabemos", disse Hitler em janeiro de 1923, "que, se eles chegarem ao poder, nossas cabeças vão rolar pelo chão; mas também sabemos que, quando pusermos nossas mãos no poder: 'Que Deus então tenha piedade de vocês!'".[35]

O golpe da cervejaria

I

Ao término da Primeira Guerra Mundial, o general Erich Ludendorff, ditador militar da Alemanha nos dois últimos anos do conflito, achou prudente retirar-se da cena política por um tempo. Exonerado do cargo a 25 de outubro de 1918, após uma amarga rixa com o recém-indicado e último governo liberal do *Kaiser*, ele ficou por um tempo em Berlim; a seguir, envergando óculos escuros e costeletas falsas, deslizou pelo Báltico até a Suécia para ficar longe da revolução. Em fevereiro de 1919, ele pensou que o pior havia passado e voltou para a Alemanha. Tamanho era o prestígio que havia adquirido na guerra que logo se tornou figura de proa da direita radical. Anexacionista em 1914-18 e oponente raivoso do acordo de paz, de imediato começou a conspirar para derrubar a ordem republicana. Juntando um grupo de antigos assessores ao seu redor, concedeu apoio ao golpe de curta duração tramado contra o governo de Berlim por Wolfgang Kapp e as Brigadas Livres em março de 1920 e, quando este fracassou, mudou-se para o ambiente mais compatível de Munique. Logo entrou em contato com o círculo ultranacionalista que agora se aglomerava em torno da antes desconhecida figura de Adolf Hitler.[36]

Quando os dois enfim se encontraram, Hitler havia granjeado os primeiros membros de um devotado bando de entusiastas que desempenhariam papel-chave em uma função ou outra no crescimento do Partido Nazista e na construção do Terceiro Reich. O mais devotado de todos era o estudante Rudolf Hess, pupilo do geopolítico teórico Karl Haushofer na Universidade de Munique. Filho de um empresário autoritário que havia se recusado a permitir que ele estudasse antes da guerra, Hess parecia à procura de um líder forte a quem pudesse atrelar-se de modo incondicional. Como vários dos subsequentes nazistas de destaque, ele vinha de fora do Reich alemão: Hess nasceu em Alexandria em 1894. O serviço na guerra, que concluiu como tenente da Força Aérea, propiciou-lhe um tipo de autoridade para obedecer; o estudo com Haushofer, outro. Nenhum dos dois deu o que ele realmente queria, nem tampouco as Brigadas Livres ou a Sociedade Thule, das quais Hess também era membro. Isto enfim lhe foi proporcionado por Hitler, que ele conheceu em 1920. O antissemitismo era uma paixão compartilhada: Hess condenava a "súcia de judeus" que ele achava que havia traído a Alemanha em 1918 e, antes mesmo de conhecer Hitler, comandou expedições aos bairros operários de Munique para distribuir milhares de folhetos antissemitas embaixo das portas dos apartamentos dos operários.[37] Dali em diante, Hess direcionou a Hitler toda a força de sua devoção a um herói. Ingênuo, idealista, sem ambição pessoal ou cobiça e, conforme Haushofer, não muito brilhante, Hess tinha uma inclinação para acreditar em doutrinas irracionais e místicas como astrologia; sua devoção canina a Hitler era quase religiosa no fervor; ele considerava Hitler uma espécie de messias. Dali em diante, seria o escravo silencioso e submisso de Hitler, sorvendo as palavras de seu mestre na roda habitual no Café Heck, e tirando dos ombros de Hitler, gradativamente, boa parte do fardo de trabalho rotineiro que este tanto detestava. Somado a isso, apresentou a Hitler uma versão sofisticada da teoria comum pangermânica do "espaço vital", *Lebensraum,* com a qual Haushofer justificava as reivindicações alemãs para a conquista da Europa oriental e que o escritor Hans Grimm popularizou com o *best-seller Volk ohne Raum* [Raça sem espaço] em 1926.[38]

O fracassado poeta e dramaturgo racista Dietrich Eckart, ex-estudante de medicina, foi útil para Hitler de outra forma. Eckart já era ativo nos círculos de extrema direita em dezembro de 1918, quando começou a publicar um semanário político, *Auf gut deutsch* [Em Bom Alemão], com respaldo de vários empresários bávaros e também do fundo político do Exército. Eckart atribuía o fracasso em ter suas peças encenadas à suposta dominação judaica da cultura. Mantinha contato pessoal com outros racistas e supremacistas "arianos", como Houston Stewart Chamberlain, cujo trabalho muito fez para popularizar. Como muitos antissemitas, definia como "judeu" qualquer um que fosse "subversivo" ou "materialista", incluindo, entre outros, Lênin e o *Kaiser* Guilherme II. Bem relacionado e bem de vida, Eckart, como Hess, era membro da Sociedade Thule e angariou fundos de seus amigos e do Exército para o Partido Nazista comprar o combalido jornal da Sociedade, o *Völkrischer Beobachter* [Observador Racial], em dezembro de 1920. Ele mesmo tornou-se o editor, trazendo a experiência jornalística muitíssimo necessária para as duas edições semanais e expandindo-as para edições diárias em 1923. Porém, sua relativa independência e atitude bastante condescendente em relação a Hitler por fim levaram a um esfriamento das relações entre os dois homens, e ele foi demitido do cargo de editor do jornal em março de 1923, morrendo naquele mesmo ano.[39]

Entretanto, dois companheiros da Sociedade Thule que Eckart levou para o partido serviram Hitler de forma mais confiável e por muito mais tempo. O primeiro deles foi o arquiteto báltico-alemão Alfred Rosenberg. Outra liderança nazista vinda de fora do Reich, ele nasceu em Reval, na Estônia, em 1893. Fugiu da Revolução Russa, concebendo um ódio intenso pelo bolchevismo e ao fim da guerra chegou a Munique, onde se tornou colaborador da pequena publicação de Eckart. Já havia se tornado antissemita antes de 1914, resultado da leitura da obra de Houston Stewart Chamberlain aos 16 anos de idade. Conhecedor dos *Protocolos dos sábios do Sião*, obra forjada pela polícia tsarista que fornecia provas de um complô judaico internacional para subverter a civilização, Rosenberg também leu Gobineau e Nietzsche, e após a guerra escreveu panfletos polêmicos atacando judeus e maçons. Seu maior desejo era ser levado a sério como intelectual e teórico da cultura. Em 1930, Rosenberg publicaria sua *magnum opus*, intitulada *O mito do século XX*, em homenagem à obra principal de seu ídolo, Houston Stewart Chamberlain. Pretendia suprir o Partido Nazista de uma obra teórica de peso. O livro havia vendido mais de 1 milhão de cópias em 1945 e algumas de suas ideias tiveram influência. Mas Hitler afirmou que nunca leu mais do que uma pequena parte dele e não gostou do que viu como tom pseudorreligioso, e é improvável que mais do que uns poucos leitores dedicados tenham conseguido abrir caminho através de seus acres de prosa empolada até o final. Ainda assim, em suas frequentes conversas nos cafés de

Munique, provavelmente foi Rosenberg, mais do que qualquer outro, que voltou a atenção de Hitler para a ameaça do comunismo e sua suposta criação por uma conspiração judaica, e alertou Hitler para o que considerava a natureza frágil do sistema político da Rússia soviética. Por meio de Rosenberg, o antissemitismo russo, com suas teorias conspiratórias extremistas e impulso exterminador, encontrou um caminho para dentro da ideologia nazista no início da década de 1920. O "bolchevismo judeu" tornou-se então um alvo importante do ódio de Hitler.[40]

O outro homem que Eckart levou para o Partido Nazista foi Hans Frank. Nascido em Karlsruhe em 1900, era filho de um advogado e inicialmente seguiu os passos do pai. Enquanto estudava direito, em 1919, filiou-se à Sociedade Thule e serviu nas Brigadas Livres de Epp na tempestuosa Munique. Frank caiu rapidamente sob o encanto de Hitler, embora jamais tenha feito parte do círculo íntimo deste. Ouvindo Hitler falar em janeiro de 1920, Frank sentiu, como muitos outros, que as palavras vinham direto do coração: "Ele expressou o que estava na consciência de todos os presentes", disse mais tarde. Ao longo de toda a vida, foi fascinado pela pornografia da violência: admirava homens de ação brutal, e com frequência usava a linguagem da violência com uma rudeza e agressividade inigualada por quase nenhuma outra liderança nazista em uma tentativa de parecer-se a eles; mas seu treinamento e formação legal proporcionaram-lhe uma crença residual na lei que, às vezes, se assentava desconfortavelmente junto com o pendor para a linguagem grosseira e a defesa de atos assassinos. Habilitou-se como advogado, com um doutorado em 1924, e sua destreza legal, ainda que limitada, iria mostrar-se extremamente útil ao Partido. Até 1933, representou-o em mais de 2.400 casos apresentados contra seus membros, em geral por atos de violência de um tipo ou outro. Logo após defender pela primeira vez alguns bandidos nazistas no tribunal, um advogado mais velho que havia sido seu professor disse: "Peço-lhe que largue dessa gente! Isso não vai trazer nada de bom! Movimentos políticos que começam em cortes penais acabam em cortes penais!".[41]

Àquela altura, esses homens e muitos mais como eles haviam se filiado ao Partido Nazista; o movimento novato tinha um programa oficial, composto por Hitler e Drexler com uma mãozinha do "economista racial"

Gottfried Feder, aprovado em 24 de fevereiro de 1920. Seus 25 pontos incluíam a exigência da "união de todos os alemães em uma Alemanha Maior", a revogação dos tratados de paz de 1919, "terra e território (colônias) para alimentar nosso povo", a prevenção de "imigração não germânica" e pena de morte para "criminosos comuns, agiotas, especuladores, etc.". Os judeus deveriam ter os direitos civis negados e ser registrados como estrangeiros, e proibidos de possuir ou escrever em jornais alemães. Uma nota pseudossocialista era dada pela exigência da abolição de rendas indevidas, confisco de lucros de guerra, nacionalização dos cartéis empresariais e introdução da participação nos lucros. O programa concluía com a exigência da "criação de um poder estatal central forte para o Reich e a substituição efetiva dos parlamentos dos estados federados por corporações baseadas em estado e ocupação".[42] Era um documento de extrema direita típico da época. Na prática, não significava muita coisa, e, como o programa de Erfurt dos social-democratas de 1891, era com frequência desviado ou ignorado na luta política cotidiana, embora logo fosse declarado "inalterável", para evitar que se tornasse um foco de dissensão interna.[43]

Entretanto, houve dissensões por outros motivos, principalmente devido aos esforços de Drexler para fundir o partido com outras organizações de extrema direita na capital bávara. Drexler estava de olho em especial no "Partido Alemão Socialista", um grupo de tamanho parecido e com metas virtualmente iguais às dos nazistas. Diferentemente do Partido Nazista, tinha presença no norte da Alemanha. Uma fusão daria mais influência àqueles que, como Feder, desaprovavam a vulgaridade dos constantes discursos incitadores de Hitler. Temendo submergir no novo movimento, Hitler frustrou as negociações em abril de 1921 ameaçando renunciar. Outra crise estourou quando Hitler estava em Berlim com Eckart em missão para angariar fundos para o *Observador Racial*. Em sua ausência, as conversas sobre fusão começaram de novo, envolvendo dessa vez um terceiro pequeno partido antissemita com sede em Augsburg e dirigido por Otto Dickel, cujas habilidades como orador público eram avaliadas por alguns quase tão favoravelmente quanto as de Hitler. Incapaz de impedir o Partido Nazista de prosseguir com o esquema de fusão de Dickel para criar uma "Liga Ocidental" (nome que aludia a seu tratado racista um tanto místico *A res-*

surreição do Ocidente), Hitler teve um ataque de fúria e renunciou ao Partido por completo. Isso levou a questão a um ponto crítico, com Drexler recuando e pedindo a Hitler para citar as condições sob as quais voltaria. Afinal de contas, poucos estavam preparados para agir sem o homem cuja demagogia havia sido o único motivo para o crescimento do Partido nos meses anteriores. Os planos de fusão foram abandonados. As condições inflexíveis de Hitler foram aceitas por aclamação em uma assembleia geral extraordinária a 29 de julho, que culminou na exigência de que ele deveria tornar-se dirigente do partido "com poderes ditatoriais" e que o Partido deveria ser expurgado dos "elementos estranhos que agora haviam penetrado nele".[44]

Tendo assegurado seu domínio completo sobre o Partido Nazista, Hitler então desfrutou de pleno apoio para a campanha de propaganda que deslanchou sem demora. Esta logo descambou de provocação para violência. Em 14 de setembro de 1921, um grupo de jovens nazistas foi com Hitler a um encontro da Liga Bávara, uma organização separatista, e marchou para cima do palanque com a intenção de calar o orador, Otto Ballerstedt. Alguém apagou todas as luzes e, quando as acenderam de novo, brados de "Hitler" impediram Ballerstedt de prosseguir. Enquanto a plateia protestava, os jovens capangas de Hitler atacaram o líder separatista, surraram-no e o empurraram rudemente do palanque para o chão, onde ele caiu sangrando profusamente de um ferimento na cabeça. Sem demora, a polícia apareceu e acabou com a reunião. Ballerstedt insistiu em processar Hitler, que cumpriu um mês de pena na prisão de Stadelheim, em Munique. A polícia advertiu-o de que, se continuasse daquele jeito, seria mandado de volta para a Áustria como estrangeiro. O aviso surtiu pouco efeito. No início de novembro de 1921, pouco depois de ser solto, Hitler estava no centro de outra briga de cervejaria, com canecos voando pelo salão enquanto nazistas e social-democratas trocavam socos. Logo os nazistas estavam se armando com soqueiras de ferro, cassetetes de borracha, pistolas e até granadas. No verão de 1922, uma multidão de nazistas gritou, vaiou e cuspiu no presidente do Reich, Ebert, durante uma visita a Munique. Uma excursão para um grande comício nacionalista em Coburg em outubro de 1922 culminou em batalha campal com os social-democratas, na qual os nazistas no fim tiraram seus oponentes das ruas com cassetetes de borracha.[45] Não é de surpreender que em breve o Partido Nazista estivesse banido da maioria dos estados alemães, especialmente depois do assassinato do ministro de Relações Exteriores Rathenau em junho de 1922, quando o governo de Berlim tentou dar um aperto nos radicais de extrema direita, estivessem ou não envolvidos no assassínio. Mas não na Bavária direitista.[46]

O novo tom de violência física na campanha nazista refletia o rápido crescimento da ala paramilitar do Partido, fundada no início de 1920 como um grupo de "proteção do recinto", logo renomeado de "Seção de Ginástica e Esportes". Com suas camisas e calças curtas marrons, botas de cano alto e bonés – um uniforme que só encontrou sua forma final em 1924 –,[47] seus membros logo se tornaram uma visão comum nas ruas de Munique, surrando seus oponentes e atacando qualquer um que achassem com aspecto de judeu. O que os transformou de um grupinho de rapazes valentões em um movimento paramilitar importante foi uma série de eventos que pouco teve a ver com Hitler. A relativa imunidade quanto à interferência da polícia de que desfrutavam refletia em primeiro lugar o fato de que o governo bávaro, liderado por Gustav Ritter von Kahr, há muito era simpático a movimentos paramilitares de extrema direita como parte do "terror branco" contrarrevolucionário de 1919-20. Nesse ambiente, o capitão Hermann Ehrhardt, ex-comandante de uma unidade das Brigadas Livres, havia estabelecido uma elaborada rede de esquadrões da morte que haviam cometido assassinatos políticos por toda a Alemanha, inclusive de diversas lideranças políticas republicanas e de vários de seus próprios membros que suspeitavam ser agentes duplos.[48] Kahr considerava a república uma invenção prussiana a ser combatida pela manutenção da Bavária como centro de uma "ordem" antirrepublicana, e para esse fim mantinha a chamada Força de Defesa Residente, uma organização poderosa, implantada logo após o esmagamento do Conselho Comunista da República na primavera de 1919. Pesadamente armada e equipada de modo militar, ela transgredia claramente os termos do Tratado de Versalhes e foi encerrada de modo compulsório no início de 1921. Sua dissolução foi o sinal para uma reorganização da direita radical da Bavária e o aumento significativo da incidência de violência, à medida que seus membros reagrupavam-se em uma imensa variedade de bandos armados, muitos de orientação separatista da Bavária, e todos eles antissemitas.[49]

Ehrhardt levou seus veteranos das Brigadas Livres para a "Seção de Ginástica e Esportes" dos nazistas em agosto de 1921; eram diplomados em confrontos violentos com poloneses e outros na Silésia, onde o acordo de paz gerou tremendo ressentimento alemão por amputar território dominado pela Alemanha antes da guerra para dá-lo ao recém-fundado estado polonês. O acordo com Ehrhardt foi agenciado por Ernst Röhm, outro veterano das Brigadas Livres, que participou do assalto a Munique no início da primavera de 1919. Nascido em 1887, filho de um funcionário da ferrovia bávara, Röhm havia se alistado no Exército em 1906 e se tornado oficial dois anos depois. Na guerra, serviu no *front*, mas saiu por invalidez – estilhaços de granada destruíram parte de seu nariz e danificaram gravemente seu rosto, e ele havia sido seriamente ferido em Verdun. Depois disso, Röhm trabalhou para o Ministério da Guerra na Bavária e era encarregado de arranjar o fornecimento de armas, primeiro para a Força de Defesa Residente de Kahr e depois para os fragmentados grupos que a sucederam. Conhecido por esse pessoal como o "rei das metralhadoras", Röhm gabava-se de um amplo círculo de contatos na extrema direita. Entre outras coisas, era oficial do Estado-Maior e desfrutava de alta reputação no Exército, e agia como oficial de ligação com os paramilitares. Possuía um nítido talento para a organização. Mas seu interesse, na verdade, não residia na política. Ernst Röhm era a epítome de uma geração da linha de frente que havia passado a acreditar em seu próprio mito.[50]

O pendor de Röhm era para a violência bruta, não para a conspiração política. Uma análise de seus escritos mostrou que ele usava palavras como "prudente", "compromisso", "intelectual", "burguês" ou "classe média" quase invariavelmente em sentido pejorativo; suas expressões positivas e de admiração incluíam "robusto", "temerário", "implacável" e "fiel". As primeiras palavras de sua autobiografia, publicada em Munique em 1928, eram: "Sou um soldado". Ele descrevia-se como "do contra" e reclamava: "Os alemães esqueceram como odiar. A queixa feminina tomou o lugar do ódio masculino".[51] "Visto que sou uma pessoa imatura e perversa", escreveu ele com a franqueza característica, "guerra e desassossego têm mais apelo para mim do que a ordem burguesa bem comportada".[52] Não se interessava em absoluto por ideias e glorificava o estilo de vida rude e brutal do soldado em suas ações, bem como em seus princípios. Não tinha nada além de desprezo pelos civis e se deleitava com a vida sem lei dos tempos de guerra. Bebedeira e farra, briga e baderna aglutinavam a associação de homens entre os quais ele encontrou seu lugar; as mulheres eram tratadas com desdém, gente estranha à vida militar não tinha lugar no mundo dele.

Röhm viu em Hitler, cujo pendor para o uso da violência física para favorecer seus objetivos já estava mais do que evidente, um veículo natural para seus desejos, e assumiu a liderança na formação do movimento da ala paramilitar do Partido, rebatizada de "Seção de Assalto" *(Sturmabteilung,* ou SA) em outubro de 1921. Suas conexões na hierarquia do Exército, nos níveis mais altos da política bávara e com os paramilitares eram inestimáveis para a nova organização. Ao mesmo tempo, entretanto, sempre manteve um grau de independência de Hitler, jamais caiu realmente sob seu fascínio pessoal, e buscou usar o movimento como veículo para seu próprio culto do ativismo violento incessante em vez de colocar os camisas-pardas à disposição do Partido de forma incondicional. A SA permaneceu, portanto, uma organização formalmente separada, e as relações de Röhm com o líder do Partido Nazista sempre conservaram um toque velado de desconforto. Com Röhm na liderança, os camisas-pardas logo começaram a aumentar em quantidade. Contudo, em agosto de 1922, suas fileiras ainda somavam não mais que oitocentos homens; outros movimentos paramilitares desde então há muito esquecidos, como a Bandeira de Guerra do Reich ou a Liga da Bavária e do Reich, que possuíam nada menos que 30 mil membros, todos armados, eram muito mais proeminentes. Seria preciso muito mais que a influência de Ehrhardt e Röhm e a demagogia de Hitler antes que os nazistas e seu movimento paramilitar conseguissem se apoderar da iniciativa na política da Bavária.[53]

II

Em 1922, as esperanças nazistas foram vivamente estimuladas quando chegaram as notícias da "Marcha sobre Roma" de Benito Mussolini em

28 de outubro, que conduziram à indicação do líder fascista como primeiro-ministro da Itália. Onde os italianos haviam tido sucesso, com certeza seus pares alemães não ficariam muito atrás. Como muitas vezes no caso de Mussolini, a imagem era maior do que a realidade. Nascido em 1833 e de início um destacado jornalista socialista, Mussolini mudou de política de modo dramático durante sua campanha para a entrada da Itália na guerra, e ao término desta tornou-se porta-voz dos sentimentos italianos de orgulho ferido quando o acordo de paz falhou em conceder os ganhos esperados. Em 1919, lançou seu movimento fascista, que utilizava táticas violentas, terror e intimidação contra os oponentes de esquerda que estavam alarmando industriais, empregadores e empresários com políticas como a de ocupação de fábricas na luta pela exigência da propriedade comum dos meios de produção. A inquietação rural também levou os donos de terra para os braços dos esquadrões fascistas, e, à medida que a situação se deteriorava ao longo de 1920 e 1921, Mussolini era levado adiante pelo dinamismo de seu movimento. Sua ascensão à proeminência indicava que o conflito pós-guerra, luta civil, assassinato e guerra não se restringiam à Alemanha. Estavam disseminados pela Europa oriental, central e do sul. Incluíram a guerra russo-polonesa, que só terminou em 1921, conflitos armados irredentistas em muitos dos estados sucessores do império dos Habsburgo, e a criação de ditaduras de curta duração na Espanha e na Grécia.

O exemplo de Mussolini influenciou o Partido Nazista de várias maneiras, notadamente na adoção do título de "Líder" – *Duce* em italiano, *Führer* em alemão –, no final de 1922 e início de 1923, para denotar a autoridade inquestionável do homem à frente do movimento. O crescente culto da personalidade de Hitler no Partido Nazista, alimentado pelo precedente italiano, também ajudou a convencer o próprio Hitler de que era ele, e não algum personagem por vir, que estava destinado a liderar a Alemanha para um futuro renascimento nacional, uma convicção confirmada de modo indelével pelos eventos do outono de 1923.[54] A essa altura, os nazistas também haviam começado a tomar emprestada dos fascistas italianos a saudação com o braço direito teso e estendido, com a qual cumprimentavam ritualmente seu líder em uma imitação das cerimônias da Roma imperial; o líder respondia erguendo a mão direita, com o cotovelo flexionando e a palma para cima, em um gesto de aceitação. O uso de estandartes sofisticados pelo Partido Nazista para carregar suas bandeiras também provinha da prática dos fascistas italianos. Entretanto, a principal influência prática de Mussolini sobre Hitler nesse período foi convencê-lo de que a tática de uma marcha sobre a capital era o jeito mais rápido de chegar ao poder. Quando os esquadrões fascistas começaram a se apoderar do controle das grandes cidades e vilas do norte italiano, Mussolini, recorrendo ao exemplo famoso de Giuseppe Garibaldi durante a unificação da Itália há mais de sessenta anos, declarou que as usaria como base para uma "marcha sobre Roma". A fim de evitar derramamento de sangue, o rei italiano e as lideranças políticas capitularam e o nomearam primeiro-ministro, posição que ele usou com crescente impiedade para estabelecer um Estado ditatorial de partido único no final da década.[55]

O movimento fascista de Mussolini compartilhou muitas características-chave não só com o nazismo, mas também com outros movimentos extremistas de direita, como o da Hungria, onde Gyula Gömbös referia-se a si mesmo como "nacional-socialista" já em 1919. O fascismo italiano era violento, incessantemente ativo, desprezava as instituições parlamentares, era militarista e glorificava o conflito e a guerra. Era acrimoniosamente contrário não só ao comunismo, mas também e ainda mais notavelmente ao socialismo e ao liberalismo. Favorecia uma visão orgânica da sociedade, na qual interesses de classe e representação popular seriam substituídos por instituições estabelecidas que atravessariam as classes e uniriam a nação. Era machista e antifeminista, almejando um Estado no qual os homens mandariam e as mulheres ficariam reduzidas basicamente às funções de dar à luz e criar filhos. Elevava o líder a uma posição de autoridade incontestada. Patrocinava o culto da juventude, declarando sua intenção de varrer velhas instituições e tradições e criar uma nova forma de ser humano, rude, anti-intelectual, moderno, secular e acima de tudo fanaticamente devotado à causa de sua nação e raça.[56] Em todos esses aspectos, forneceu um modelo e um paralelo para o emergente Partido Nazista.

O nazismo inicial, portanto, assim como a miríade de movimentos rivais da extrema direita nos anos imediatos do pós-guerra, inseria-se firmemente nesse contexto mais amplo do surgimento do fascismo europeu.

Por um longo tempo, Hitler fitou Mussolini com admiração, como um exemplo a seguir. A "marcha sobre Roma" galvanizou os movimentos fascistas nascentes da Europa, assim como a marcha sobre Roma de Garibaldi e a subsequente unificação da Itália haviam galvanizado os movimentos nacionalistas da Europa cerca de sessenta anos antes. A maré da história parecia mover-se na direção de Hitler; os dias de democracia estavam contados. À medida que a situação na Alemanha começou a se deteriorar com rapidez crescente ao longo de 1922 e 1923, Hitler começou a pensar que poderia fazer na Alemanha o mesmo que Mussolini havia feito na Itália. Quando o governo alemão não cumpriu os pagamentos de reparação e tropas francesas ocuparam o Ruhr, os nacionalistas da Alemanha explodiram de raiva e humilhação. A perda de legitimidade da república foi incalculável; o governo tinha que ser visto fazendo algo para se opor à ocupação. Uma campanha dissemida de desobediência civil, encorajada pelo governo alemão, levou a represálias adicionais por parte dos franceses, com detenções, prisões e expulsões. Entre muitos exemplos de repressão francesa, os nacionalistas lembravam como um veterano de guerra e ferroviário foi posto na rua e deportado com a família por proferir um discurso pró-alemão em um memorial de guerra; outro homem, um professor, sofreu a mesma sina após fazer seus alunos darem as costas quando tropas francesas passaram marchando.[57] Gangues de estudantes raspavam a cabeça de mulheres que se acreditava que estivessem "vergonhosamente mantendo relações com os franceses", ao passo que outros, de forma menos dramática, demonstravam seu patriotismo caminhando quilômetros até a escola em vez de viajar no trem operado pelos franceses. Alguns poucos trabalhadores tentaram de modo ativo sabotar a ocupação; um deles, Albert Leo Schlageter, um ex-soldado das Brigadas Livres, foi executado por suas atividades, e a direita nacionalista, guiada pelos nazistas, rapidamente agarrou o incidente como exemplo da brutalidade dos franceses e da fraqueza do governo de Berlim, transformando Schlageter em mártir nacionalista muito propagandeado nesse processo. A indústria foi paralisada, exacerbando ainda mais os já calamitosos problemas financeiros do país.[58]

Os nacionalistas tinham uma potente arma de propaganda na presença de tropas francesas coloniais negras entre as forças de ocupação. O racismo era endêmico em todas as sociedades europeias nos anos entreguerras, como também o era nos Estados Unidos e em outras partes do mundo. De modo geral, os europeus supunham que pessoas de pele escura eram seres humanos inferiores, selvagens a quem o homem branco tinha a missão de domar.[59] O uso de tropas coloniais por britânicos e franceses durante a Primeira Guerra Mundial havia estimulado um certo volume de comentários desfavoráveis na Alemanha; mas foi a presença delas no território alemão em si, primeiro na parte ocupada da Renânia, e a seguir em 1923, durante a breve marcha francesa para o Ruhr, que realmente abriu as comportas para uma vívida propaganda racista. Muitos alemães que viviam na Renânia e no Sarre sentiram-se humilhados, conforme um deles mais tarde explicou, por "siameses, senegaleses e árabes se terem feito de donos de nossa terra natal".[60] Dentro em pouco, os cartunistas estavam atiçando emoções racistas e nacionalistas ao produzir desenhos grosseiros, semipornográficos, de soldados negros bestiais levando embora mulheres alemãs brancas e inocentes para um destino pior que a morte. Na direita, isso tornou-se um potente símbolo da humilhação nacional da Alemanha durante os anos de Weimar, e o mito do estupro em massa de mulheres alemãs por tropas coloniais francesas tornou-se tão poderoso que as poucas centenas de crianças de raça mista que se encontravam na Alemanha no início da década de 1930 eram quase universalmente consideradas fruto de tais incidentes. Na verdade, a maioria delas parecia resultar de uniões consensuais, frequentemente entre colonizadores alemães e nativos africanos das colônias alemãs antes ou durante a guerra.[61]

Enquanto os nazistas e muitos outros que pensavam como eles exploravam esses temores e ressentimentos ao máximo, o governo em Berlim parecia impotente para fazer qualquer coisa a respeito. Planos e conspirações começaram a se multiplicar. Hitler não foi o único a considerar a marcha sobre Berlim: o "nacional-bolchevista" Hans von Hentig, que se tornaria o mais ilustre criminologista depois de 1945, também estava começando a reunir armas e tropas em um esquema estouvado para usar o Partido Comunista como aliado em uma tomada violenta de poder com a meta de fazer a Alemanha repudiar o Tratado de Versalhes.[62] A ideia não era muito realista, fosse quem fosse que tentasse colocá-la em ação; tanto a estrutura federal quanto a Constituição da Alemanha tornavam extremamente improvável a repetição do que havia acontecido na Itália. Não obstante, ela logo criou raízes. Hitler embarcou em uma ofensiva de propaganda maciça, censurando os "criminosos de novembro" de Berlim por sua fraqueza e articulando demonstrações públicas contra os franceses num crescendo.

Suas perspectivas melhoraram muito nessa época pela adesão de mais um grupo de novos apoiadores muito úteis ao movimento nazista. Entre eles estava Ernst "Putzi" Hanfstaengl, um *socialite* alto, meio americano, de origem abastada, do mundo do comércio de arte e editorial, cujo esnobismo sempre impediu que caísse por completo sob o fascínio de Hitler. Mas Hanfstaengl achava que a simplicidade pequeno-burguesa de Hitler – seu gosto consternador em arte, seus modos desajeitados à mesa – apenas ressaltava sua sinceridade patente. A falta de refinamento era pré-condição essencial para sua habilidade excepcional de se conectar com as massas. Como muitos outros admiradores de Hitler, Hanfstaengl teve contato com ele pela primeira vez assistindo a um de seus discursos; de sua parte, Hitler foi desarmado pela sofisticação das recepções de Hanfstaengl e gostava de ouvi-lo tocar Wagner ao piano, marchando pela sala e regendo com os braços enquanto a melodia do mestre soava pelo ambiente. Em termos mais sérios, Hanfstaengl tinha condições de apresentar Hitler a pessoas influentes da alta sociedade de Munique, inclusive editores, empresários e oficiais do Exército. Tais círculos achavam divertido patrociná-lo, distraíam-se quando ele aparecia nas festas elegantes vestido com um casaco militar e carregando um rebenque, e compartilhavam o bastante de suas visões para avalizar seus empréstimos – como fez a esposa do fabricante de pianos Bechstein – e apoiá-lo de várias outras maneiras. Entretanto, apenas os mais dedicados, como o empresário Kurt Lüdecke, deram dinheiro em grande quantidade para Hitler. Quanto ao mais, o Partido Nazista tinha que contar com seus amigos nos altos escalões, como o ex-diplomata Max Erwin von Scheubner-Richter, para obter uma pequena porção de fundos empresariais destinados a Ludendorff, enquanto continuava a captar a maior parte de sua renda das quotas de associação dos membros.[63]

Um tipo muito diferente de respaldo foi propiciado em outubro de 1922 pela entrada no Partido Nazista, com seus seguidores em Nuremberg, de Julius Streicher, outro ex-soldado, ostentando a Cruz de Ferro como Hitler e membro fundador do Partido Socialista Alemão depois da guerra. Impressionado pelo progresso de Hitler, Streicher levou tantos apoiadores para o Partido Nazista que este virtualmente dobrou de tamanho da noite para o dia. A Francônia protestante era um terreno de recrutamento ideal para o nazismo, com seu campesinato ressentido, sua suscetibilidade ao apelo do antissemitismo e ausência de qualquer partido político estabelecido dominante. A adesão de Streicher estendeu a influência do Partido de forma significativa na direção norte. E, ao adquirir Streicher, o Partido adquiriu um antissemita perverso, cujo ódio extremo aos judeus rivalizava até mesmo com o de Hitler, e um homem violento que carregava um chicote imponente em público e espancava pessoalmente seus oponentes indefesos ao atingir uma posição de poder. Em 1923, Streicher fundou um jornal popular sensacionalista, *Der Stürmer* [O Atacante], que depressa estabeleceu-se como lugar em que manchetes berrantes apresentavam os mais raivosos ataques aos judeus, cheio de alusões sexuais, caricaturas racistas, acusações fabricadas de assassinato ritual e histórias palpitantes e semipornográficas de homens judeus seduzindo moças alemãs inocentes. O jornal era tão extremista que até foi proibido durante um período do Reich. Streicher, o editor de aspecto abrutalhado e cabeça raspada, era tão obviamente obsessivo que jamais obteve muita influência dentro do movimento, cujos líderes o viam com certa repugnância.

Contudo, Streicher não era apenas um brutamontes. Ex-professor, também era um poeta cujos versos líricos foram descritos como "bastante atraentes" e, como Hitler, pintava aquarelas, embora apenas como passatempo. Streicher também se imaginava um artista; não desprovido de educação, era jornalista profissional e com isso, em certo sentido, também um boêmio como Hitler. Suas ideias, embora expressas de forma extrema, não eram particularmente incomuns nos círculos de direita da época, e deviam muito, como ele mesmo reconhecia, à influência do antissemitismo pré-guerra, em especial a Theodor Fritsch. E o antissemitismo de Streicher não estava em nenhum sentido na periferia do movimento nazista. Hitler, de fato, mais tarde comentou que Streicher, de certa forma, *"idealizava o judeu. O judeu é mais vil, mais feroz, mais diabólico do que Streicher* retratou". Ele podia não ter sido um administrador eficiente, Hitler admitiu, e seu apetite sexual meteu-o em todos os tipos de encrenca, mas Hitler sempre permaneceu fiel a ele. Às vezes, quando era importante para o nazismo apresentar uma face respeitável, *O Atacante* podia ser um embaraço, mas apenas como uma questão de tática, jamais como um caso de princípio ou crença.[64]

III

Em 1923, Hitler e o Partido Nazista não sentiam nenhuma necessidade especial de parecer respeitáveis. A violência parecia o caminho óbvio para o poder. O governo de extrema direita de Gustav Ritter von Kahr na Bavária, simpático aos paramilitares, havia caído em setembro de 1921. Desde então, Kahr e seus amigos estavam envolvidos em intrigas contra o governo liderado por Eugen von Knilling e seu Partido Popular da Bavária. Assim como muitos conservadores moderados subsequentes, Knilling e seus aliados sentiam que os nazistas eram uma ameaça e não gostavam de sua violência, mas consideravam que o coração deles estava no lugar certo e que seu idealismo precisava apenas ser usado de maneira mais produtiva e saudável. De modo que também foram relativamente tolerantes com as atividades dos nazistas. Além disso, na única ocasião em que tentaram jogar duro, proibindo um grande comício do Partido Nazista no final de janeiro de 1923, temendo que aquilo ficasse violento, o comandante do Exército na Bavária, general Hermann von Lossow, foi contatado por Röhm e concordou em apoiar o direito de Hitler de realizar o comício contanto que ele garantisse que seria pacífico. Kahr, na época governador regional da Bavária Superior, apoiou-o, e o governo bávaro recuou.[65]

Os eventos agora avançavam rapidamente para um clímax. Boa parte do tempo eles estavam além do controle de Hitler. Ernst Röhm, em particular, de modo bastante independente de Hitler, foi bem-sucedido em juntar as principais organizações paramilitares da Bavária em uma Comunidade Atuante das Ligas Patrióticas de Combate, que incluía alguns grupos muito maiores que os camisas-pardas nazistas. Esses grupos entregaram suas armas ao Exército regular, cujas unidades bávaras sob o general von Lussow estavam claramente aprontando-se para a muito divulgada marcha sobre Berlim e um confronto armado com os franceses no Ruhr, e recrutaram os paramilitares como auxiliares e começaram a treiná-los. Nessa poderosa mistura de conspiração paramilitar entrou então o general Ludendorff. Uma tentativa de Hitler de tomar a iniciativa exigindo a devolução das armas dos camisas-pardas pelo Exército deparou com uma recusa glacial. Ele foi forçado a submeter-se a Ludendorff como figura de proa da conspiração quando os paramilitares protagonizaram uma enorme parada com 100 mil homens uniformizados em Nuremberg no início de setembro. Hitler foi nomeado líder político dos paramilitares, mas, longe de estar no controle da situação, estava sendo levado de roldão pelos acontecimentos.[66]

O papel de Röhm no movimento paramilitar reorganizado foi crucial, e ele então renunciou como chefe da pequena organização da tropa de assalto nazista para se concentrar naquilo. Foi sucedido por um homem que viria a desempenhar papel-chave no subsequente desenvolvimento do movimento nazista e do Terceiro Reich: Hermann Göring. Nascido em 1893 em Rosenheim, na Baváriá, Göring era outro homem de ação, mas de uma estirpe muito diferente de Röhm. Vinha do ambiente da classe média alta bávara; seu pai havia desempenhado papel-chave na colonização alemã da Namíbia antes da guerra e era imperialista alemão convicto. De 1905 a 1911, Göring frequentou o colégio militar, por último em Berlim, e depois disso sempre se considerou um soldado prussiano em vez de bávaro. Durante a guerra, tornou-se um famoso ás da aviação, terminando no comando do esquadrão de combate fundado pelo "Barão Vermelho" von Richthofen. As façanhas como piloto garantiram-lhe a mais alta condecoração militar da Alemanha, a Pour le Mérite, e uma reputação popular como fanfarrão temerário. Os pilotos de combate geralmente eram considerados um tipo moderno de cavaleiro com armadura, cujo arrojo contrastava dramaticamente com a carnificina monótona e mecânica das trincheiras, e Göring era celebrado nos círculos aristocráticos, fortalecendo seus contatos sociais na alta roda ao se casar com uma baronesa sueca, Karin von Kantzow, em fevereiro de 1922. Como muitos outros combatentes da guerra, continuou a buscar uma vida de ação após o conflito acabar, pertencendo brevemente às Brigadas Livres, tornando-se em seguida um aviador de *shows* na Escandinávia e por fim, por influência da esposa, entrando no movimento de Hitler no final de 1922. Assim, nessa época, Göring era uma figura arrojada, vistosa, romântica, cujas façanhas eram celebradas em numerosos livros populares e artigos de revista bajuladoras.

O anseio de ação de Göring encontrou satisfação no movimento nazista. Implacável, ativo e extremamente egotista, ainda assim Göring caiu por completo sob o fascínio de Hitler desde o primeiro instante. Para ele, lealdade e fidelidade eram as virtudes mais elevadas. Como Röhm, Göring também considerava a política uma operação militar, uma forma de combate armado na qual nem justiça nem moralidade tinham um papel a desempenhar; os fortes venciam, os fracos pereciam, a lei era uma massa de regras "legalistas" a serem quebradas caso surgisse a necessidade. Para Göring, os fins sempre justificavam os meios, e o fim era sempre o que ele julgava de interesse para a Alemanha, que ele considerava ter sido traída pelos judeus, democratas e revolucionários em 1918. As conexões aristocráticas de Göring, sua beleza bem delineada, seu domínio cosmopolita do francês, italiano e sueco, e a reputação de piloto de combate galante persuadiram muitos de que ele era um moderado, até mesmo diplomático; Hindenburg e muitos como ele viam Göring como a face aceitável do nazismo, um conservador autoritário como eles mesmos. A aparência era enganadora; Göring era tão implacável, violento e extremista quanto qualquer um dos líderes nazistas. Essas variadas qualidades, aliadas à abnegação rapidamente crescente de sua vontade perante a de Hitler, fizeram dele a escolha ideal como novo líder das tropas de assalto no lugar de Röhm no início de 1923.[67]

Com Göring no comando, esperava-se que as tropas de assalto agora obedecessem à linha nazista de novo. Os preparativos para um levante foram em frente ao longo da primavera e início do verão, em conjunção com o movimento paramilitar mais amplo que Röhm dirigia tanto quanto era possível. A crise, enfim, chegou quando o governo do Reich em Berlim foi forçado a renunciar em 13 de agosto. O gabinete sucessor, uma ampla coalizão que incluía os social-democratas, era liderado por Gustav Stresemann, um nacionalista liberal de direita que nos anos seguintes iria mostrar-se o político mais habilidoso, mais sutil e mais realista da república. Stresemann percebeu que a campanha de resistência passiva à ocupação francesa do Ruhr tinha de acabar e que a hiperinflação galopante devia ser controlada. Ele instituiu uma política de "cumprimento", segundo a qual a Alemanha cumpriria os termos do acordo de paz, inclusive o pagamento das reparações, enquanto nos bastidores fazia *lobby* para que esses termos mudassem. Sua política obteve sucesso notável durante os seis anos seguintes, ao longo dos quais deteve o cargo de ministro de Relações Exteriores do Reich. Mas, para os nacionalistas extremistas, aquilo não passava de traição nacional. Percebendo a possibilidade de um levante, o governo da Baváría nomeou Kahr comissário geral do estado, com plenos poderes para manter a ordem. Respaldado por Lossow e pelo chefe de polícia, Hans Ritter von Seisser, Kahr proibiu uma série de encontros planejados pelos nazistas para 27 de setembro, enquanto eles tratavam de seus próprios planos para derrubar o governo em Berlim. A pressão em favor da ação avolumava-se por todos os lados; entre os soldados rasos dos paramilitares, conforme Hitler era repetidamente avisado, estava tornando-se quase irresistível.[68]

Em Berlim, o líder do Exército, general Hans von Seeckt, recusou-se a prosseguir com os planos de Lossow, Seisser e Kahr. Ele preferia remover o governo de Stresemann por intrigas clandestinas, o que enfim fez, embora o governo tenha sido sucedido por outra coalizão na qual Stresemann permaneceu ministro de Relações Exteriores. Negociações agitadas em Munique fracassaram em produzir qualquer unidade entre o Exército da Baváría sob o comando de Lussow, a polícia de Seisser e os paramilitares, cujo representante político era Hitler, claro. Ciente de que poderia perder o apoio dos paramilitares se vacilasse por mais tempo, e preocupado com que Kahr estivesse considerando agir, Hitler, agora respaldado por Ludendorff, decidiu-se pelo golpe. O governo bávaro seria preso, e Kahr e seus aliados seriam forçados a se juntar aos paramilitares em uma marcha sobre Berlim. A data do golpe foi marcada, mais pela pressão dos acontecimentos do que pela escolha de uma data simbólica, para 9 de novembro, aniversário da Revolução de 1918 que derrubou o regime do *Kaiser*. Na noite de 8 de novembro, Hitler e um grupo de camisas-pardas fortemente armados irromperam em uma reunião em que Kahr era o orador na

Bürgerbräukeller, uma cervejaria nas imediações do centro de Munique. Hitler mandou um de seus homens disparar um tiro no teto para calar a multidão, então anunciou que o salão estava cercado. O governo bávaro, declarou, estava deposto. Enquanto Göring acalmava a plateia, Hitler levou Kahr, Lossow e Seisser para uma sala anexa e explicou que marcharia sobre Berlim, instalando-se na chefia de um novo governo do Reich; Ludendorff assumiria o comando do Exército. Por seu apoio, seriam recompensados com cargos importantes. Ao voltar para falar com a multidão, Hitler conquistou-a com um apelo dramático de respaldo ao que chamou de ação contra "os criminosos de novembro de 1918". Kahr e seus companheiros não tiveram opção a não ser voltar para o pódio e, agora com Ludendorff unido a eles, declarar seu apoio.[69]

Porém, traduzir demonstrações histriônicas em poder político não era tão fácil. Os planos nazistas de golpe estavam mal-acabados. Röhm ocupou o quartel-general do Exército em Munique, e unidades nazistas também assumiram o comando da sede da polícia, mas outros prédios, inclusive, crucialmente, a caserna do Exército, permaneceram nas mãos do governo, e, enquanto Hitler ia para a cidade para tentar ajeitar as coisas, Ludendorff soltou Kahr e os outros prisioneiros, que prontamente retrocederam em sua concordância forçada com o complô e entraram em contato com o Exército, a polícia e a imprensa para repudiar as ações de Hitler. De volta à cervejaria, Hitler e Ludendorff decidiram marchar sobre o centro da cidade. Reuniram cerca de 2 mil apoiadores armados, cada um deles pago com 2 bilhões de marcos (equivalentes a pouco mais de três dólares nesse dia específico) de uma reserva de mais de 14 trilhões de marcos "confiscados" de duas gráficas supostamente judaicas de cambiais bancárias em ataques executados por esquadrões de camisas-pardas sob ordens de Hitler. A coluna partiu ao meio--dia de 9 de novembro e, encorajada pelos gritos de seus apoiadores, marchou pelo centro da cidade na direção do Ministério da Guerra. No fim da rua, deparou com um cordão de policiais armados. De acordo com o relato oficial, os golpistas pressionaram pistolas destravadas contra o peito dos policiais, cuspiram neles e apontaram baionetas caladas em sua direção. Então alguém de um dos lados – as afirmações foram conflitantes – disparou um tiro. Por meio minuto, o ar ficou repleto de balas a zunir, enquanto os dois lados atiravam. Göring tombou, baleado na perna; Hitler caiu no chão, ou foi empurrado, deslocando o ombro. Scheubner-Richter, o amigo diplomata de Hitler e conexão com patronos nos altos círculos, foi morto ali mesmo. No total, catorze marchadores e quatro policiais foram abatidos. Enquanto a polícia avançava para prender Ludendorff, Streicher, Röhm e muitos outros, Göring deu jeito de escapar, fugindo primeiro para a Áustria, depois Itália, antes de se instalar na Suécia, tornando-se, nesse processo, viciado em morfina, que usou para aliviar a dor de seu ferimento. Hitler foi levado, com o braço numa tipoia, para a casa de campo de Hanfstaengl, onde foi preso em 11 de novembro. O golpe havia chegado a um final ignominioso.[70]

Reconstruindo o movimento

I

Não levou muito tempo para Hitler recobrar a intrepidez após os acontecimentos de 9 de novembro de 1923. Ele sabia que podia implicar um conjunto de políticos bávaros proeminentes na tentativa de golpe e expor o envolvimento do Exército no treinamento de paramilitares para uma marcha sobre Berlim. Ciente dessa ameaça, que emergiu já durante o interrogatório de Hitler, o governo bávaro tratou de persuadir as autoridades em Berlim para realizar o julgamento não na Corte do Reich em Leipzig, mas diante de um "Tribunal Popular" especialmente constituído em Munique, onde possuía maior controle sobre os acontecimentos.[71] É provável que tenham oferecido leniência a Hitler em troca de sua concordância em assumir a culpa. Para juiz, foi escolhido Georg Neithardt, um conhecido nacionalista que havia sido nomeado em 1919 pelo reacionário ministro da Justiça da Baváría, Franz Gurtner, e presidira o julgamento anterior de Hitler, no início de 1922. Quando o julgamento começou, em 26 de fevereiro de 1924, Hitler teve permissão de aparecer em trajes civis, ostentando sua Cruz de Ferro, e de se dirigir à corte durante horas sem interrupção. Enquanto Neithardt deixava-o intimidar e insultar as testemunhas da promotoria, o promotor público falhou em convocar uma série de testemunhas-chave cujo depoimento teria se mostrado prejudicial à tese da defesa. A corte suprimiu a evidência do envolvimento de Ludendorff e rejeitou um apelo para Hitler ser deportado como cidadão austríaco porque ele havia servido no Exército alemão e se mostrado um patriota alemão.[72] Hitler assumiu toda a responsabilidade, declarando que servir os interesses da Alemanha não podia ser alta traição. O "eterno Tribunal da História", declarou, "nos julgará... como alemães que queriam o melhor para seu povo e sua pátria".⁷³

A despeito do fato de os participantes do golpe terem abatido quatro policiais a tiros e protagonizado uma revolta armada e (em quaisquer termos legais sensatos) traiçoeira contra um governo de estado constituído de forma legítima, ambos delitos puníveis de morte, a corte sentenciou Hitler a meros cinco anos de prisão por alta traição, e os outros foram indiciados por prazos semelhantes ou até mais brandos. Ludendorff, como era esperado, foi inocentado. A corte embasou sua brandura no fato de que, conforme declarou, os participantes do golpe "foram levados à ação por um espírito patriótico puro e pela mais nobre disposição". O julgamento foi escandaloso até mesmo pelos padrões tendenciosos do Judiciário de Weimar. Foi amplamente condenado, até mesmo pela direita. Hitler foi enviado para um antigo forte em Landsberg am Lech, a oeste de Munique, onde tomou conta da cela até então ocupada pelo conde Arco-Valley, assassino de Kurt Eisner. Isso era chamado de "encarceramento no forte", uma forma branda de prisão para infratores que se considerava terem agido por motivos honrosos, tais como, antes da guerra, cavalheiros honrados que tivessem assassinado seu oponente em duelo. A cela de Hitler era ampla, arejada e mobiliada com conforto. Os visitantes tinham livre acesso. Mais de quinhentos deles estiveram lá durante sua estada. Levaram presentes, flores, cartas e telegramas de boa sorte. Ele podia ler, e de fato havia pouco mais para fazer quando não estava recebendo visitantes. Atirou-se, então, à leitura de uma variedade de livros, de autores como Friedrich Nietzsche e Houston Stewart Chamberlain, pesquisando-os basicamente em busca de confirmação para suas próprias visões. O mais importante é que, por sugestão do editor nazista Max Amann, Hitler também se sentou para ditar um relato de sua vida e opiniões até aquele momento para dois companheiros de prisão, seu chofer Emil Maurice e seu factótum Rudolf Hess, relato publicado no ano seguinte sob o título, provavelmente proposto por Amann, de *Minha luta*.⁷⁴

Minha luta foi visto por alguns historiadores como uma espécie de esquema para as ações posteriores de Hitler, um livro perigoso e diabólico que infelizmente foi ignorado por aqueles que deveriam ter percebido tal coisa. Não foi nada disso. Muito editado por Amann, Hanfstaengl e outros a fim de torná-lo mais literário e menos incoerente que o desconexo primeiro rascunho, era todavia empolado e tedioso e vendeu apenas uma quantidade modesta de cópias antes de os nazistas efetuarem seu avanço eleitoral em 1930. Depois disso, tornou-se um *best-seller*, sobretudo durante o Terceiro Reich, quando não possuir um exemplar era quase um ato de traição. As pessoas que o leram, provavelmente uma proporção relativamente pequena daquelas que o compraram, devem ter achado difícil obter qualquer coisa coerente da *mélange* confusa de reminiscências autobiográficas e arenga política deturpada. O talento de Hitler para conquistar corações e mentes residia em sua oratória em público, não em sua escrita. Ainda assim, ninguém que tenha lido o livro pode ter ficado com qualquer dúvida do fato de que Hitler considerava o conflito racial o motor, a essência da história, e os judeus o inimigo jurado da raça alemã, cuja missão histórica era, sob a orientação do Partido Nazista, arrebentar seu poder internacional e aniquilá-los inteiramente. "A nacionalização de nossas massas", declarou ele, "só terá êxito quando, à parte de toda luta positiva pela alma de nosso povo, seus envenenadores internacionais forem exterminados".[75]

Na mente de Hitler, os judeus agora estavam ligados de modo indissolúvel com o "bolchevismo" e o "marxismo", que receberam proeminência bem maior em *Minha luta* do que o capitalismo financeiro que tanto o obcecara durante o período da inflação monetária. A conquista do "espaço vital" da Alemanha seria feita na Rússia, junto com a eliminação dos "bolcheviques judeus" que ele supunha governarem o Estado soviético. Essas ideias foram expostas em mais detalhes no segundo volume do livro, redigido em 1925 e publicado no ano seguinte; elas foram a ideologia central de Hitler dali em diante. "As fronteiras de 1914 não significam absolutamente nada para o futuro alemão", ele declarou. Traçando uma comparação com as imensas conquistas de Alexandre, o Grande, no Oriente, ele anunciou que "o fim do domínio judeu na Rússia será também o fim da Rússia como um estado". O solo então ocupado pela "Rússia e seus estados vassalos fronteiriços" no futuro seriam entregues ao "trabalho industrioso do arado alemão".[76]

As crenças de Hitler foram expostas com clareza em *Minha luta* para todos aqueles que quisessem ver. Nenhuma pessoa familiarizada com o livro poderia sair da leitura com a visão de que tudo que Hitler queria era a revisão do Tratado de Versalhes, a restauração das fronteiras alemãs de 1914 ou a autodeterminação das minorias de língua alemã na Europa central. Tampouco poderia duvidar da qualidade visceral, fanática, de fato mortífera, de seu antissemitismo. Mas crenças e intenções não são o mesmo que esquemas e planos. Na hora de explicar como implementar essas visões, o texto de Hitler naturalmente refletia a política do período específico em que havia sido escrito. Naquela época, os franceses eram o inimigo, tendo se retirado do Ruhr apenas recentemente. Os britânicos, em contraste, pareciam um possível aliado na luta contra o bolchevismo, tendo prestado apoio às forças brancas na guerra civil russa não havia muitos anos. Pouco depois, quando Hitler redigiu outra obra similar, não publicada durante sua vida, o choque entre Itália e Alemanha pelo sul do Tirol estava na agenda internacional, de modo que ele se concentrou nisso.[77] Porém, o que permaneceu central ao longo de todas essas voltas e reviravoltas táticas foi o anseio de longo prazo por "espaço vital" no leste e o desejo feroz de aniquilar os judeus. Esses objetivos, claro, não podiam ser alcançados de uma vez só, e nesse estágio Hitler obviamente não tinha uma ideia clara de como tal coisa seria alcançada, ou quando. É lógico que haveria manobras táticas ao longo do caminho, e se apresentaria uma variedade de soluções interinas. Mas nada disso afetava a qualidade genocida do ódio de Hitler aos judeus, ou sua convicção paranoica de que eles eram responsáveis por todos os males da Alemanha e de que a única solução a longo prazo era sua aniquilação completa como entidade biológica; uma convicção facilmente discernível não apenas a partir da linguagem de *Minha luta,* mas também das palavras e frases que usava em seus discursos e da atmosfera de intolerância evangelizadora em que estes eram realizados.[78] Os judeus eram uma "pestilência" "pior que a peste negra", "uma larva no corpo em decomposição da Alemanha", e seriam desalojados do que ele julgava sua posição de poder e a seguir expulsos do país totalmente, se necessário à força. O que aconteceria com os judeus do leste da Europa uma vez que a Alemanha adquirisse seu espaço vital ali ele não dizia; mas a violência mortífera de sua linguagem deixava pouca dúvida de que o destino deles não seria agradável.[79]

A redação do livro, a publicidade maciça obtida por Hitler a partir do julgamento, a adulação que jorrava da direita nacionalista depois da tenta-

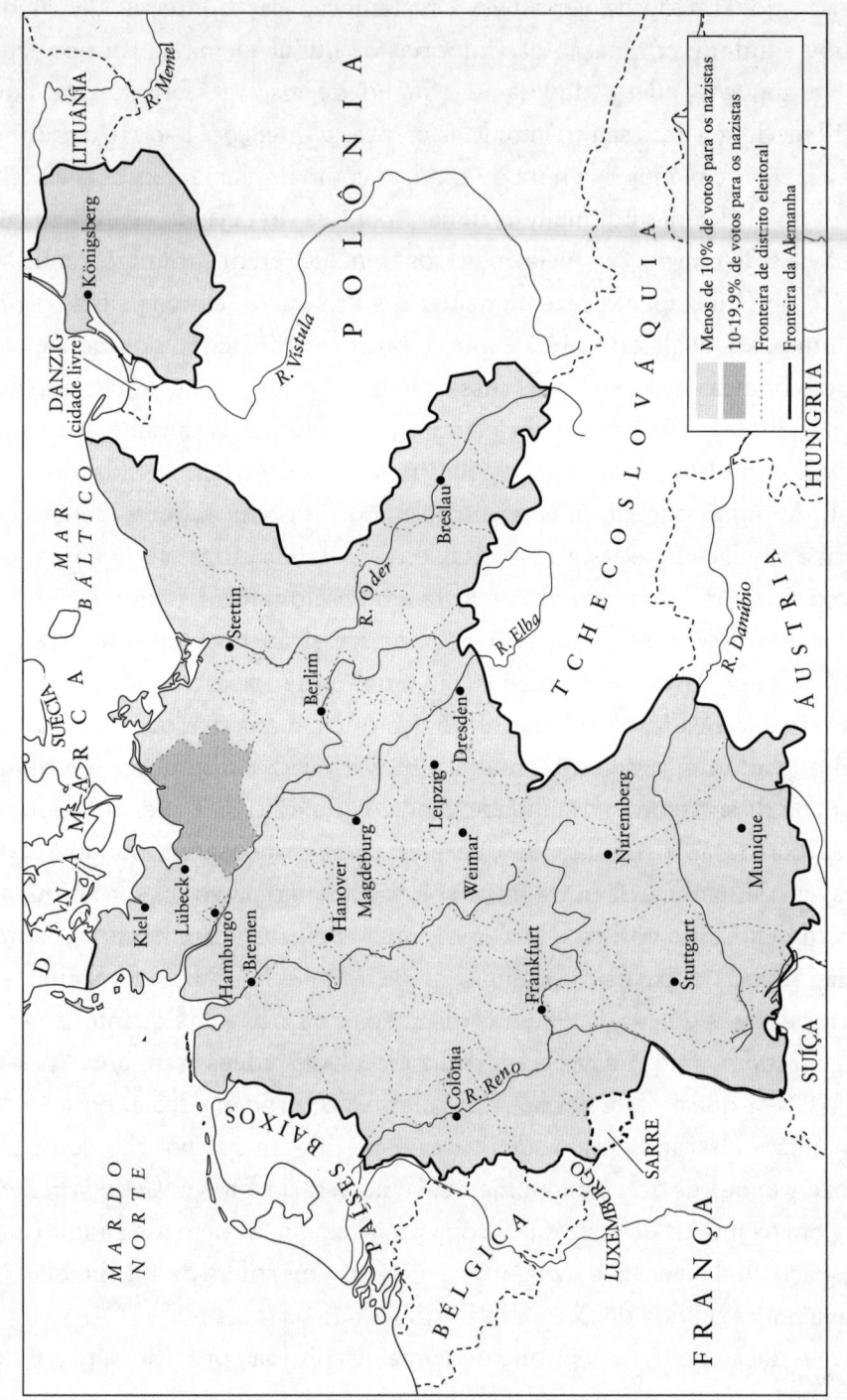

Mapa 7. Os nazistas na segunda eleição de 1924 para o Reichstag

tiva de golpe, tudo ajudou a convencê-lo, se já não o estivesse antes, de que ele era o homem para tornar tudo isso realidade. O golpe fracassado também lhe ensinou que ele não seria capaz sequer de dar o primeiro passo – a obtenção do poder supremo na Alemanha – contando apenas com a violência paramilitar. Uma "marcha sobre Roma" estava fora de questão na Alemanha. Era essencial conquistar apoio público de massa pelas campanhas de propaganda e discursos públicos que Hitler sabia serem seu forte. A conquista revolucionária do poder, ainda preferida por Röhm, de qualquer modo não funcionaria se fosse empreendida sem o apoio do Exército, tão notavelmente em falta em novembro de 1923. Ao contrário do que foi dito depois, inclusive pelo próprio Hitler, ele não embarcou no caminho da "legalidade" no rastro do golpe fracassado. Mas percebeu que derrubar o "sistema" de Weimar exigiria mais do que uns tiros com má pontaria, mesmo em um ano de crise suprema como 1923. Chegar ao poder exigia claramente a colaboração de elementos-chave do sistema e, embora ele desfrutasse de certo apoio em 1923, este não havia se mostrado suficiente. Na crise seguinte, que viria a ocorrer menos de uma década depois, Hitler certificou-se de que tinha o Exército e as instituições-chave do Estado neutralizados ou trabalhando ativamente para ele, ao contrário de 1923.[80]

Porém, enquanto isso, a situação do Partido Nazista parecia quase irrecuperável na esteira da detenção e do aprisionamento de Hitler. Os grupos paramilitares ficaram em desordem, e suas armas foram confiscadas pelo governo. Kahr, Lossow e Seisser, em muito maus lençóis por causa do golpe, foram postos de lado por um novo gabinete sob o líder do Partido Popular Bávaro, Heinrich Held. O separatismo bávaro e as conspirações ultranacionalistas deram lugar a uma política regional mais convencional. A situação acalmou-se quando a inflação chegou ao fim e a política de "cumprimento" estabeleceu-se em Berlim, rendendo frutos quase de imediato, com o reagendamento das reparações pelo Plano Dawes. Privados de seu líder, os nazistas dividiram-se de novo em minúsculas facções briguentas. Röhm continuou tentando reunir os fragmentos remanescentes dos paramilitares sob a lealdade a Ludendorff. Hitler colocou Alfred Rosenberg no comando do Partido Nazista por ser virtualmente a única figura de liderança que restava ainda à solta no país. Mas Rosenberg revelou-se totalmente incapaz de estabelecer qualquer autoridade sobre o movimento.[81]

Tanto o Partido Nazista quanto os camisas-pardas eram agora organizações ilegais. E estavam completamente despreparados para a existência clandestina. As opiniões sobre quais táticas usar no futuro diferiam amplamente – se paramilitares ou parlamentares –, e as rivalidades entre figuras como Streicher e Ludendorff, bem como o amontoado de grupos ultranacionalistas que surgiram para tentar reivindicar a sucessão nazista, debilitavam as tentativas de ressuscitar o movimento. Hitler mais ou menos lavou as mãos de todas essas querelas, anunciando sua saída da política para escrever seu livro. As coisas não melhoraram muito quando Hitler saiu em condicional por decisão da Suprema Corte da Bavária – e contra a recomendação da promotoria estatal – em 20 de dezembro de 1924. Ele ainda tinha quase quatro anos de sentença para cumprir, durante os quais teve que tomar cuidado para não violar os termos da condicional. Não teve permissão para falar em público na maior parte da Alemanha até 1927; até 1928, ainda estava proibido na Prússia, que cobria mais da metade da superfície territorial da República de Weimar e continha a maioria da população. A direita ultranacionalista foi humilhada nas eleições de 1924. O único raio de sol na obscuridade foi proporcionado pelo governo austríaco, que frustrou as tentativas oficiais para a repatriação de Hitler ao se recusar a aceitá-lo.[82]

II

Contudo, Hitler ainda possuía uns poucos amigos nos altos escalões. Uma figura-chave era Franz Gürtner, ministro da Justiça da Bavária, que simpatizava com suas ideias nacionalistas. Gürtner concordou em suspender a proibição do Partido Nazista e de seu jornal, o *Observador Racial*, quando o estado de emergência bávaro enfim foi encerrado em 16 de fevereiro de 1925. Munido do prestígio recentemente conquistado e da autoconfiança como herói nacionalista do golpe e do julgamento que se seguiu, Hitler prontamente refundou o Partido Nazista, conclamando os antigos seguidores para se filiar e (um novo ponto-chave) submeter-se à liderança dele de modo incondicional. Julius Streicher, Gottfried Feder, Hermann Esser – o jornalista e propagandista do Partido – e outros sepultaram suas diferenças em público numa demonstração de solidariedade. Hitler foi em frente, empurrando os rivais mais sérios, para as margens da política. Primeiro, quando se tornou legal reconstituir a organização dos camisas-pardas, ele insistiu em que esta ficasse subordinada ao Partido e cortasse os vínculos com os outros grupos paramilitares; Ernst Röhm, que rejeitava a ideia, foi posto para fora, deixou a política e foi forçado a virar vendedor e depois operário de fábrica antes de aceitar um convite para ir à Bolívia instruir as tropas do país no estilo das operações militares europeias.[84] Depois, Hitler trabalhou de modo constante para minar o prolongado prestígio de Ludendorff, que não só era um rival sério, como também estava tornando-se rapidamente mais extremado em suas visões. Sob a influência de Mathilde von Kemnitz, com quem havia se casado em 1926, Ludendorff fundou a Liga Tannenberg, que publicava literatura da teoria da conspiração atacando não apenas judeus, mas também os jesuítas e a Igreja Católica – uma receita certa para desastre eleitoral na Bavária e em outras partes devotas do sul da Alemanha. O destino de Ludendorff foi selado quando ele se candidatou à Presidência nas eleições de 1925 em nome do Partido Nazista e recebeu irrisório 1,1% dos votos. Existe certa evidência de que o próprio Hitler persuadiu-o a se candidatar, sabendo que sua reputação seria irremediavelmente danificada pela tentativa.[85] Dali em diante, até sua morte em 1937, Ludendorff e a Liga Tannenberg permaneceram na periferia política, condenados à irrelevância completa e desprovidos de qualquer tipo de apoio de massa. Isso demonstrou de forma clara a situação modificada do nacionalismo extremista na Alemanha: o todo-poderoso ditador militar da Primeira Guerra Mundial havia sido empurrado para as margens da política pelo político nazista em ascensão; o general havia sido substituído pelo cabo.

Com Ludendorff seguramente fora do caminho, Hitler não tinha mais um rival sério na extrema direita. Podia agora se concentrar em dominar o resto do movimento ultranacionalista. Enquanto grupos díspares do sul gravitavam na órbita do Partido Nazista, as várias seções do Partido no norte e no oeste da Alemanha passavam por uma forma de renascimento. O principal responsável por isso foi outro bávaro, Gregor Strasser, um farmacêutico de Landshut. Nascido em 1892, filho de um advogado politicamente ativo, Strasser tinha boa educação e cultura, e sua criação e modos de classe média tornavam-no uma figura atraente aos olhos de muitos simpatizantes em potencial do movimento nazista. Ao mesmo tempo, como muitos homens burgueses de sua geração, ele foi marcado pela experiência de 1914 – o espírito de unidade que acreditava ser necessário recriar entre todos os alemães. Após concluir o serviço militar como tenente, Strasser buscou recriar essa experiência e endireitar o que acreditava que fossem os erros alemães. Combateu com as Brigadas Livres em Munique no final da guerra e a seguir formou seu próprio grupo paramilitar, o que o colocou em contato com Hitler. Para Strasser, o que importava era a causa, e não o líder. Em 9 de novembro de 1923, conforme o combinado, ele conduziu sua unidade de camisas-pardas para Munique a fim de se apoderar de uma ponte essencial sobre o rio e, quando o golpe malogrou, conduziu sua unidade de volta a Landshut, onde foi prontamente detido.[86]

Mas, no fim, sua participação bastante periférica no golpe não pareceu justificar um tratamento particularmente severo de parte das autoridades. Assim, Strasser permaneceu solto enquanto os outros líderes nazistas fugiam ou acabavam na prisão. Em abril de 1924, foi eleito para o Parlamento bávaro. Mostrou-se um administrador talentoso, juntando muitos fragmentos da ultradireita despedaçada. Hitler, reconhecendo a habilidade de Strasser, enviou-o para o norte da Alemanha a fim de ressuscitar o Partido Nazista quando este tornou-se legal de novo. No final de 1925, o ímpeto incansável de Strasser para o recrutamento havia quase quadruplicado o número de seções, utilizando uma ênfase pronunciada nos aspectos "socialistas" da ideologia nazista para tentar conquistar a classe operária industrial em áreas como o Ruhr. Strasser desdenhava os outros grupos de ultradireita que julgavam "que a solução primitiva do antissemitismo fosse adequada". Em julho de 1925, ele disse a Oswald Spengler que o nazismo era diferente porque buscava uma "revolução alemã" por meio de uma forma de socialismo alemão.[87] Entretanto, embora a ideia de socialismo de Strasser envolvesse o Estado assumir uma participação de 51% nas grandes indústrias e de

49% em todos os outros negócios, também incluía a volta das cooperativas e o pagamento de salários em espécie em vez de dinheiro. Ideias "socialistas" desse tipo foram desenvolvidas por Strasser em conjunto com alguns líderes nazistas das novas seções do Partido em várias partes do norte da Alemanha. Essas seções do Partido pouco ou nada deviam à liderança de Hitler durante esse período; o Partido, por assim dizer, estava em grande parte reconstituindo-se por si, de forma independente da sede em Munique. Em breve, de modo talvez inevitável, Strasser e seus aliados estavam expressando as suspeitas sobre o que consideravam a panelinha corrupta e ditatorial de Hermann Esser, que dirigia o escritório do Partido em Munique enquanto Hitler redigia o segundo volume de *Minha luta*. Muitos deles nem sequer haviam se encontrado com Hitler em pessoa, e por isso não haviam caído sob o fascínio de seu crescente carisma pessoal. Tinham especial aversão pelo Programa do Partido Nazista em vigor e declararam a intenção de substituí-lo por um mais afinado com suas próprias ideias.[88]

Particularmente influente nessas jogadas foi outro novo recruta do Partido, o jovem ideólogo Joseph Goebbels. Nascido em 1897 na cidade industrial de Rheydt, no Baixo Reno, filho de um contador, Goebbels recebeu educação secundária e seguiu em frente estudando filologia antiga, alemão e história na Universidade de Bonn, obtendo doutorado em literatura romântica na Universidade de Heidelberg em 1921, o que o autorizou a ser chamado de "dr. Goebbels", como o foi sempre dali em diante. Mas, a despeito do doutorado, Goebbels não estava destinado à vida acadêmica. Também era uma espécie de boêmio, ocupando o tempo livre da época de estudante com a redação de peças teatrais e sonhando com um futuro artístico. Ao longo de toda a década de 1920, ele escreveu e reescreveu o romance que enfim foi publicado em 1929 como *Michael: ein deutsches Schicksal in Tagebuchblättern* [Michael: uma sina alemã nas páginas de um diário]. O romance era basicamente um veículo para as vagas e confusas concepções de Goebbels sobre renascimento nacional baseado em fé fanática e crença no futuro, pelas quais o herói do romance enfim se sacrifica. Dessa maneira, Goebbels buscava dar sentido a uma vida dominada pela incapacidade física óbvia: um pé torto que o fazia mancar. Aquilo o expôs a deboches impiedosos na escola e ao longo de toda vida e o tornou inapto para o serviço militar na Primeira Guerra Mundial. Talvez como compensação, Goebbels veio a acreditar que estava destinado a grandes coisas; mantinha um diário, lançava-se às mulheres e aos casos amorosos com vigor extraordinário e surpreendente grau de sucesso, e rejeitava com desprezo quaisquer meios ordinários de ganhar a vida. Em vez disso, lia avidamente – Dostoiévski, Nietzsche, Spengler e acima de tudo Houston Stewart Chamberlain, que o convenceu de que o renascimento do Ocidente profetizado por Spengler só poderia ser alcançado com a remoção dos judeus.[89]

Em certos aspectos, Goebbels era diferente das outras lideranças nazistas. Seu intelecto e temperamento com frequência eram descritos como "latinos", talvez porque evitasse arenga filosófica e retórica vaga, e em vez disso falasse e escrevesse com uma clareza e franqueza notáveis, em certas ocasiões misturadas com humor sarcástico.[90] Como muitos outros, entretanto, ficou profundamente chocado com a derrota da Alemanha na Primeira Guerra Mundial. Passou o semestre de inverno de 1919-20 em Munique – era comum para os universitários alemães trocar de universidade pelo menos uma vez durante os estudos – e assim, além de ser exposto à atmosfera de extrema direita da vida estudantil, assimilou a atmosfera nacionalista raivosa da contrarrevolução da cidade naqueles meses. Embora simpatizasse com homens como o conde Arco-Valley, cuja prisão pelo assassinato de Kurt Eisner deixou-o profundamente consternado, Goebbels na verdade não descobriu seu comprometimento político, ou suas capacidades políticas, até 1924, quando, depois de entrar em contato com vários grupos ultranacionalistas, foi apresentado ao Partido Nazista por um velho amigo de escola.

Ao se enfronhar no Partido Nazista, Goebbels conheceu Erich Koch, um nazista do Reno e ex-membro da ala de resistência violenta aos franceses. Também encontrou Julius Streicher, que descreveu reservadamente como um "guerreiro furioso" e "talvez um tanto patológico".[91] E ficou impressionado com Ludendorff, que já admirava como grande general da Primeira Guerra Mundial. Em breve, Goebbels tornou-se um organizador do Partido na Renânia. Aprimorou-se como orador eficiente, talvez o mais eficiente dos locutores nazistas com exceção de Hitler, lúcido, popular e rápido nas respostas aos apartes importunos. Começou a voltar seus talentos literários para o uso político em artigos para a imprensa nazista, dando um efeito pseudossocialista ao credo nazista. Goebbels enfim havia encontrado seu *métier*. Dentro de poucos meses, era um dos oradores nazistas mais populares da Renânia, atraindo a atenção de lideranças da regional do Partido e começando a desempenhar um papel significativo na decisão de sua política. Tanto quanto Gregor Strasser, Joseph Goebbels estava por trás do desafio do norte alemão à liderança do partido de Munique em 1925. Mas ele também logo começou a cair sob o fascínio de Hitler, entusiasmado por uma leitura de *Minha luta* ("quem é esse homem", escreveu ele, "metade plebeu, metade Deus!").[92] Ao encontrá-lo pela segunda vez, em 6 de novembro de 1925, Goebbels ficou impressionado com seus "grandes olhos azuis. Como estrelas". Hitler era, pensou ele após ouvi-lo falar, "o tribuno nato do povo, o ditador vindouro".[93]

Goebbels e Hitler não conseguiam concordar em muitos temas centrais. Alertado sobre a assertividade crescente dos alemães do norte, Hitler convocou-os para um encontro em 14 de fevereiro de 1926 em Bamberg, na Francônia, onde Julius Streicher havia angariado uma grande comitiva para ele. O líder nazista falou por duas horas, rejeitando as visões dos nazistas do norte e reassegurando sua crença na centralidade da conquista de "espaço vital" no leste da Europa para o futuro da política exterior alemã. Ao passo que Strasser e Goebbels haviam incitado os nazistas a se juntar à campanha de expropriação dos príncipes alemães, que haviam conservado extensas propriedades no país após sua deposição pela Revolução de 1918. Hitler abominava tal campanha como um ataque à propriedade privada. "Horrendo!", escreveu Goebbels em seu diário: "Provavelmente uma das maiores decepções da minha vida. Não acredito mais plenamente em Hitler".[94] Mas, embora Goebbels agora se indagasse se Hitler era um reacionário, não ofereceu nenhuma oposição aberta a ele no encontro. Chocado com a posição dura de Hitler, Strasser capitulou por completo e retirou suas propostas. Em troca, Hitler abrandou os alemães do norte removendo Hermann Esser, cuja corrupção tanto os havia enfurecido, do cargo em Munique.[95]

Em abril de 1926, Hitler levou Goebbels a Munique para fazer um discurso, fornecendo-lhe um carro e um tratamento de primeira em termos gerais. Na sede do Partido Nazista, Hitler confrontou Goebbels e os dois colíderes do Partido na região da Westfália, Franz Pfeffer von Salomon, outra liderança nazista do norte alemão e, como muitos nazistas de destaque, um ex-membro do Exército e das Brigadas Livres, e Karl Kaufmann, que fez nome organizando resistência violenta aos franceses durante a ocupação do Ruhr. Hitler repreendeu esses homens por tomarem um rumo pessoal em questões ideológicas, fez uma preleção sobre suas visões a respeito das políticas do Partido, a seguir propôs pôr uma pedra em cima do passado se eles se submetessem de modo incondicional à sua liderança. Goebbels foi convertido na mesma hora. Hitler, confidenciou ao diário, era "brilhante". "Adolf Hitler", escreveu ele, pensando sobre o golpe de 1923, "eu o amo porque você é grande e simples ao mesmo tempo. O que se chama de gênio".[96] Dali em diante, ele ficou inteiramente sob o fascínio de Hitler; diferentemente de muitos outros líderes nazistas, assim permaneceria até o fim. Em recompensa, Hitler colocou-o no comando do minúsculo e internamente dividido Partido Nazista de Berlim como líder regional, ou *Gauleiter*. Pfeffer von Salomon foi nomeado chefe da força paramilitar dos camisas-pardas, e Gregor Strasser tornou-se líder de propaganda do Partido. Nesse ínterim, a convenção anual reafirmou o programa do Partido de 1920 e sublinhou o domínio total de Hitler sobre o movimento, colocando todas as nomeações-chave, e em particular as dos líderes regionais, em suas mãos.[97]

Essa convenção era exigida por lei, e, seguindo exigências legais, Hitler foi adequadamente reeleito líder do Partido. Entretanto, a verdadeira natureza do funcionamento interno do Partido foi demonstrada em um comício realizado em julho de 1926 e assistido por 8 mil camisas-pardas e membros da legenda. O comício foi quase totalmente ocupado por rituais de homenagem a Hitler, juramento de votos pessoais de lealdade a ele, marchas e exibições de massa, inclusive o desfile da "Bandeira de Sangue" carregada na malfadada marcha sobre Munique em novembro de 1923.[98] Isso deu o tom de forma modesta para os comícios muito mais grandiosos do Partido nos anos futuros. Mas, àquela altura, embora unido e disciplinado sob a liderança incontestada de Hitler, o Partido Nazista ainda era muito pequeno. Os acontecimentos dos três anos seguintes, até o final de 1929, viriam a assentar a base para o subsequente sucesso do Partido. Mas seria exigido mais do que liderança e organização para os nazistas obterem o respaldo popular que Hitler agora buscava.[99]

III

Os anos 1927-28 assistiram à criação de uma nova estrutura básica do Partido Nazista por todo o país. Em 1928, as regionais do Partido estavam realinhadas para seguir as fronteiras dos distritos eleitorais do Reichstag – apenas 35, todas bastante amplas, para se ajustar ao sistema de Weimar de representação proporcional por lista de partido – para assinalar a primazia de suas funções eleitorais. Em mais ou menos um ano, uma nova camada intermediária organizacional de distritos (*Kreise*) havia sido criada entre as regionais e as seções locais. Uma nova geração de jovens ativistas nazistas desempenhou o papel de maior destaque nesses níveis. Eles deixaram de lado a geração que restava das organizações pangermânicas e conspiradoras pré-guerra e excederam em número aqueles que haviam tomado parte ativa nas Brigadas Livres, na Sociedade Thule e nos grupos similares. Mas é importante lembrar que mesmo os homens da geração mais velha de líderes nazistas ainda eram jovens, em especial quando comparados com os grisalhos políticos de meia-idade que conduziam os partidos políticos principais. Em 1929, Hitler ainda tinha apenas 40 anos, Goebbels 32, Göring 36, Hess 35, Gregor Strasser 37. Seu papel continuava crucial, particularmente em proporcionar liderança e inspiração para a geração mais jovem.

Goebbels, por exemplo, fez reputação acima de tudo como líder regional de Berlim, onde seus discursos ferozes, atividade incessante, provocações afrontosas aos oponentes dos nazistas e a encenação calculada de brigas de rua e baderna nos salões de reunião para obter a atenção da imprensa conquistaram uma massa de novos adeptos para o Partido. Mais publicidade adveio das campanhas agressivas e extremamente difamatórias do Partido em Berlim contra figuras como o subchefe da polícia berlinense, Bernhard Weiss, para cuja ascendência judaica Goebbels chamou a atenção ao chamá-lo de "Isidoro" – um nome totalmente inventado, geralmente usado por antissemitas para os judeus, e nessa ocasião tomado emprestado, ironicamente, da imprensa comunista.[100]

A violência e o extremismo de Goebbels garantiram ao Partido Nazista de Berlim uma proibição de onze meses por parte das autoridades social-democratas da cidade em 1927-28; mas também garantiram a ele a lealdade e a admiração de ativistas mais jovens, como Horst Wessel, de 19 anos, filho de um pastor e que havia abandonado os estudos universitários de advocacia pelo mundo paramilitar, mais recentemente pelos camisas-pardas. "O que esse homem mostrou em dons de oratória e talento para organização", escreveu ele sobre "nosso Goebbels" em 1929, "é singular... A SA se deixaria fazer em pedacinhos por ele".[101]

Ocorreram muitas brigas pelos postos-chave na organização do Partido em níveis local e regional. No geral, contudo, conforme Max Amann disse a um ativista ali pelo final de 1925, Hitler

> a princípio é da opinião de que não é tarefa da liderança do Partido "instalar" líderes de seções. *Herr* Hitler é da opinião de que hoje, mais do que nunca, o combatente mais efetivo do movimento nacional-socialista é o homem que abre caminho com base em seus feitos como líder. Se você diz que desfruta da confiança de quase todos os membros em Hanover, por que então não assume a liderança da seção?[102]

Dessa forma, pensava Hitler, os mais implacáveis, os mais dinâmicos e os mais eficientes se elevariam a posições de poder dentro do movimento. Posteriormente, ele aplicaria o mesmo princípio ao dirigir o Terceiro Reich. Isso ajudava a garantir que o Partido Nazista ficasse incessantemente ativo, marchando, lutando, manifestando-se, mobilizando-se de modo constante em todos os níveis. Contudo, isso não trouxe ganhos imediatos. No final de 1927, o Partido ainda possuía apenas uns 75 mil membros e meros sete deputados eleitos para o Reichstag. As esperanças de homens como Strasser e Goebbels de que o Partido seria capaz de conquistar a classe operária industrial haviam se mostrado ilusórias.[103]

Reconhecendo as dificuldades de invadir os feudos social-democratas e comunistas, os nazistas voltaram-se para a sociedade rural no norte da

Alemanha protestante, onde o crescente descontentamento camponês estava transbordando em manifestações e campanhas de protesto. Os efeitos contraditórios de inflação e estabilização sobre a comunidade rural haviam se fundido em uma crise geral na agricultura no final da década de 1920. Enquanto os grandes proprietários de terra e fazendeiros haviam comprado maquinário com financiamento, sendo assim capazes de se modernizar com um custo real muito pequeno, os camponeses eram propensos a armazenar dinheiro, e com isso o perderam ou gastaram em mercadorias domésticas e não obtiveram benefício para seus negócios. Depois da inflação, as medidas do governo para abrandar as restrições de crédito para a agricultura a fim de auxiliar na recuperação apenas pioraram as coisas, na medida em que os camponeses fizeram pesados empréstimos para se ressarcir das perdas esperando uma nova rodada de inflação e então viram-se incapazes de reembolsar o dinheiro porque os preços estavam baixando em vez de subir. O número de falências e execuções de hipoteca já estava subindo no final da década de 1920, e, em desespero, os pequenos fazendeiros estavam voltando-se para a extrema direita.[104] Grandes fazendeiros e proprietários de terra estavam sofrendo com a queda nos preços agrícolas, e não tinham condições de pagar o que consideravam impostos excessivamente altos para sustentar a previdência pública de Weimar.[105] Os governos prussiano e do Reich tentaram aliviar a situação por meio de tabelamento de preços, subsídios, controle de importações e coisas do tipo, mas tudo isso mostrou-se totalmente inadequado para a situação.[106] Fazendeiros de todos os tipos haviam se modernizado, mecanizado e racionalizado a fim de tentar lidar com a depressão agrícola desde o início da década de 1920, mas não foi o bastante. A pressão por tarifas de importação elevadas para gêneros alimentícios ficou mais insistente à medida que a comunidade rural começou a ver isso como o único jeito de proteger sua receita. Nessa situação, a promessa nazista de uma Alemanha autossuficiente, "autárquica", com a importação de alimentos estrangeiros mais ou menos proibida, parecia cada vez mais atraente.[107]

Ao perceber que estavam conquistando apoio em zonas rurais no norte protestante sem realmente trabalhá-las, os nazistas aceleraram a guinada em sua propaganda da classe operária urbana para outros setores da população.

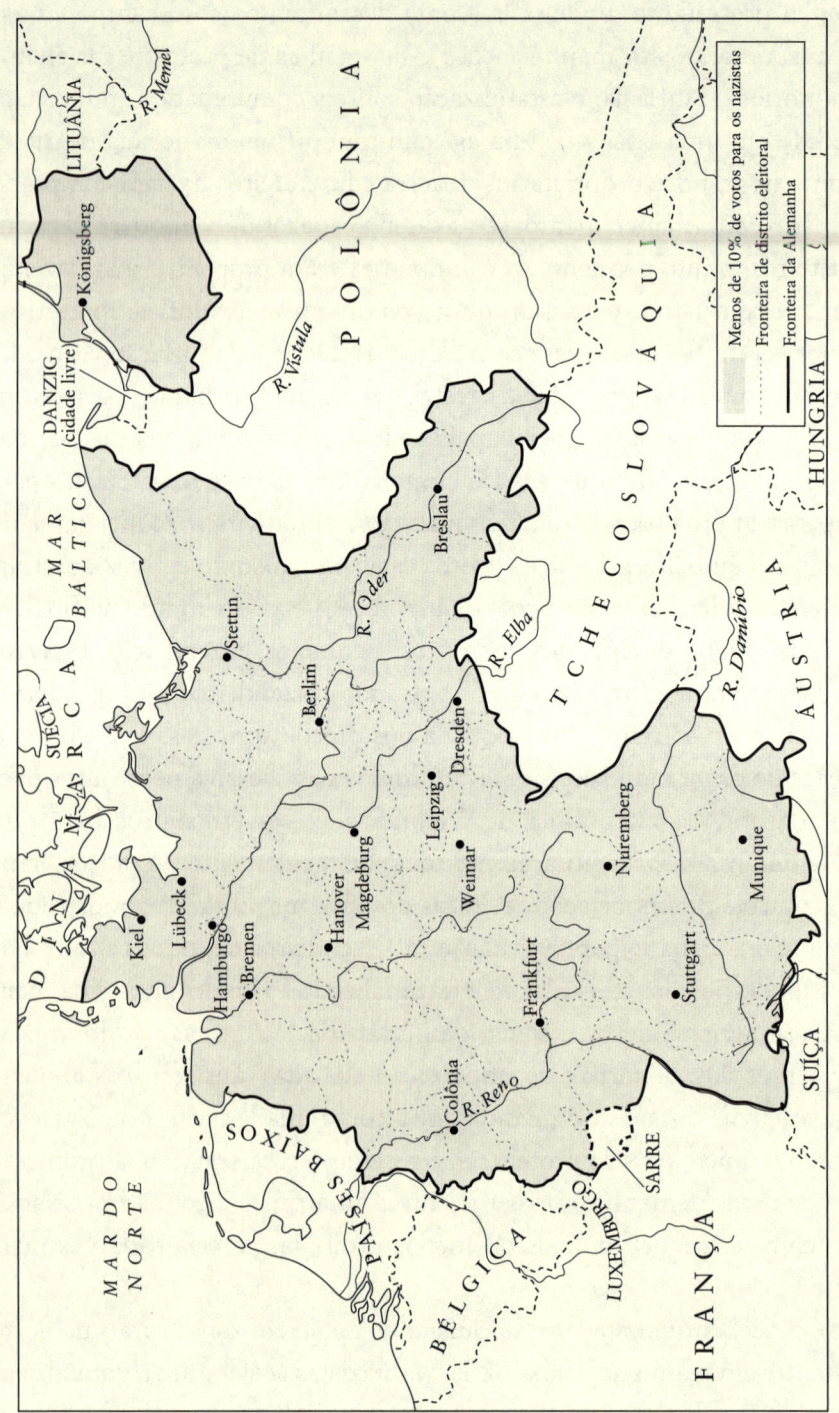

Mapa 8. Os nazistas na eleição de 1928 para o Reichstag

O Partido voltou sua atenção para os distritos rurais e começou a montar ofensivas sérias de recrutamento em áreas como Schleswig-Holstein e Oldenburg.[108] Hitler recuou ainda mais da orientação "socialista" do Partido no norte da Alemanha e até mesmo "esclareceu" ou, em outras palavras, retificou o ponto 17 de seu programa em 13 de abril de 1928, a fim de reassegurar aos pequenos fazendeiros que seu compromisso com "a expropriação de terra para propósitos comunitários sem compensação" referia-se apenas a "companhias judaicas que especulavam com terra".[109] Os nazistas perderam 100 mil votos nas eleições de maio de 1928 para o Reichstag, e com meros 2,6% dos votos tiveram condições de fazer apenas doze deputados na legislatura, entre eles Gottfried Feder, Joseph Goebbels, Hermann Göring e Gregor Strasser. Todavia, em algumas zonas rurais do norte protestante, eles foram muito melhor. Enquanto conseguiram fazer apenas 1,4% em Berlim e 1,3% no Ruhr, por exemplo, conquistaram nada menos que 18,1% e 17,7% em dois condados em Schleswig-Holstein. Uma votação de 8,1% em outra zona habitada por pequenos agricultores protestantes descontentes, isto é, Francônia, reforçou a sensação de que, conforme o jornal do Partido colocou em 31 de maio, "os resultados da eleição nas zonas rurais em particular provaram que, com menor dispêndio de energia, dinheiro e tempo, podem-se obter resultados melhores ali do que nas grandes cidades".[110]

O Partido logo reformulou o apelo de sua propaganda para a comunidade agrícola, dizendo que criaria uma posição especial para ela no Terceiro Reich. Seria oferecida uma "corporação" a fazendeiros de todos os tipos, na qual poderiam trabalhar juntos em harmonia e com pleno respaldo do Estado. Peões teimosos, muitos deles ativos no Partido Social-Democrata, seriam postos na linha e os custos trabalhistas ficariam enfim sob rígido controle. Depois de anos de protesto malsucedido, às vezes violento, os fazendeiros de Schleswig-Holstein afluíram em apoio ao Partido Nazista. Não foi nada mau para a causa o Partido ser conduzido localmente por membros da comunidade agrícola, nem acentuar de modo inequívoco uma ideologia de "sangue e solo" na qual o camponês seria o cerne da identidade nacional. Até mesmo alguns dos grandes donos de terra, tradicionalmente identificados com os nacionalistas, foram convencidos. O apoio ao Partido Nazista entre pequenos e médios proprietários de terra disparou. Em breve, os filhos de fazendeiros estavam fornecendo efetivo para as unidades de tropas de assalto que eram despachadas para combater os comunistas nas grandes cidades.[111]

Assim, a nova estratégia em breve começou a dar frutos. As filiações ao Partido cresceram de 100 mil em outubro de 1928 para 150 mil um ano depois, ao passo que nas eleições locais e estaduais a votação começou a aumentar acentuadamente, elevando-se para 5% na Saxônia, 4% em Mecklenburg e 7% em Baden. Em algumas zonas rurais da Saxônia protestante, a quota de votos quase dobrou, aumentando, por exemplo, de 5,9% no distrito de Schwarzenberg em 1928 para 11,4% em 1929.[112] Em junho de 1929, o Partido Nazista assumiu sua primeira municipalidade, a cidade franconiana de Coburg. Ali, os nazistas conquistaram 13 das 25 cadeiras do conselho, na esteira de uma campanha bem-sucedida para o afastamento do conselho anterior após este ter demitido o líder nazista local, um empregado municipal, por fazer discursos antissemitas. A vitória refletiu em parte o enorme esforço que o Partido aplicou nas eleições, com oradores de ponta, como Hermann Göring e até o próprio Hitler, aparecendo nos palanques. Mas também demonstrou que havia um capital eleitoral a ser ganho na política local, onde o Partido agora era muito mais ativo que antes.[113]

E, no outono de 1929, houve um bônus eleitoral adicional para o Partido na forma da campanha contra o Plano Young (que envolvia a redução e o reagendamento dos pagamentos de reparação, mas não sua abolição) organizada pelos nacionalistas. Seu líder, Alfred Hugenberg, aliciou o apoio dos nazistas e de outros grupos de ultradireita no esforço para conquistar a aprovação de um referendo sobre sua proposta de uma lei para rejeitar o plano e processar quaisquer ministros de governo que o assinassem. Os nazistas não ganharam apenas publicidade a partir dessa campanha, também conquistaram um grau de respeitabilidade na direita dominante por meio da presença de Hitler no comitê organizador, junto com pangermânicos ferrenhos, como Heinrich Class, e os líderes dos Capacetes de Aço, Franz Seldte e Theodor Duesterberg. O referendo em si foi um fracasso, com apenas 5,8 milhões de votos a favor. Mas a campanha revelou para muitos nacionalistas o quanto os nazistas de camisas-pardas e botas de cano alto eram mais dinâmicos que os líderes de seu próprio partido, com suas sobrecasacas e cartolas.[114]

Hitler logo avivaria o entusiasmo popular outra vez, seu carisma agora reforçado pelo culto da liderança que havia crescido em torno dele dentro do Partido. Uma importante expressão simbólica disso era o uso da "saudação alemã" "*Heil* Hitler!" com o braço direito estendido, estivesse Hitler presente ou não. Tornada compulsória no movimento em 1926, era cada vez mais usada também como gesto de despedida. Esses costumes reforçavam a total dependência do movimento em relação a Hitler, e eram propagados com entusiasmo pela segunda leva de líderes que agora se reuniam em torno dele, quer por motivos táticos, para cimentar a unidade do Partido – como Gregor Strasser –, quer por fé cega e religiosa na pessoa do "Líder", como ele agora era em geral conhecido – o caso de Rudolf Hess.[115] No comício realizado em Nuremberg em agosto de 1929, o primeiro encontro desse tipo desde 1927, as recém-descobertas confiança e coerência do Partido foram demonstradas em uma enorme exibição de propaganda, assistida, conforme a estimativa da polícia, por umas 40 mil pessoas, todas unidas na adulação do Líder.[116]

A essa altura, o Partido Nazista havia se tornado uma organização formidável, com os níveis regional, distrital e local providos de funcionários leais e ativos, muitos deles bem instruídos e administradores competentes, e o apelo da propaganda era canalizado por uma rede de instituições especializadas e dirigidas a camadas específicas do eleitorado.[117] A despeito da repetida insistência de Hitler de que política era assunto de homens, havia agora uma organização de mulheres nazistas, a autodenominada Ordem das Mulheres Alemãs, fundada por Elsbeth Zander em 1923 e incorporada como afiliada do Partido Nazista em 1928. A polícia estimava que as afiliações da Ordem somavam 4 mil no final da década, mais da metade do total da filiação feminina do Partido Nazista, de 7.625. A Ordem das Mulheres Alemãs era uma daquelas paradoxais organizações femininas que fazia ativa campanha pública pelo afastamento das mulheres da vida pública, militantemente antissocialista, antifeminista e antissemita. Suas atividades práticas incluíam a gestão de um sopão para os camisas-pardas, auxílio nas campanhas de propaganda, esconder armas e equipamentos dos paramilitares nazistas quando eram procurados pela polícia e proporcionar serviços de enfermagem para ativistas feridos por meio da suborganização "Suástica Vermelha", a versão nazista da Cruz Vermelha.[118]

Segundo os relatos, Zander era uma oradora eficiente, mas não era grande coisa como organizadora, e, no início de 1931, a Ordem das Mulheres Alemãs colapsou em meio ao rebuliço de acusações e contra-acusações, das quais a mais séria era a de corrupção financeira. A Ordem estava tão profundamente endividada que Zander, como responsável oficial, encarou falência pessoal. Além do mais, havia relatos indecentes de que Zander estava tendo um caso com o chofer da Ordem, enquanto camisas-pardas apareciam em alguns de seus encontros vestidos de mulher. Gregor Strasser, então o líder organizacional do Partido, reagiu dissolvendo todas as afiliadas femininas do Partido Nazista, afastando Zander da posição de autoridade de forma polida, mas efetiva, e substituindo-as em 6 de julho de 1931 pela Organização Nacional-Socialista das Mulheres (*NS-Frauenschaft*), que, no início ao menos, era um corpo descentralizado, com associações regionais controladas pelos líderes regionais. Entretanto, logo foi bem-sucedida o bastante para adquirir uma identidade nacional, com sua própria revista para mulheres e não apenas um maior grau de autonomia em relação aos líderes regionais, mas também maior grau de coordenação entre si.[119] Todavia, o problema fundamental para as mulheres nazistas jazia no chauvinismo masculino inextirpável, a convicção de que o papel das mulheres não era tomar parte na política, mas ficar em casa e criar filhos. De momento, era preciso conciliar essa posição com os interesses em conquistar eleitoras, mas a longo prazo, se os nazistas um dia chegassem ao poder, suas ativistas antifeministas pareciam fadadas a dissuadir a si mesmas de seu papel.

Junto às organizações direcionadas às mulheres havia também uma dirigida a jovens entre 14 e 18 anos, fundada em 1922. De início, esta possuía o nome um tanto pesado de Liga Jovem do Partido Nacional-Socialista dos Trabalhadores Alemães; mas em 1926 foi renomeada Juventude Hitlerista. Começando como uma agência de recrutamento para camisas-pardas, em 1929 foi reformulada por Kurt Gruber como uma rival para a miríade de grupos jovens informais que existiam no ambiente de Weimar, a maioria deles contrários à república. No começo também obteve pequeno sucesso;

mesmo em janeiro de 1932, possuía apenas mil membros em toda Berlim.[120] Respaldando-a, havia a Liga Nacional-Socialista dos Alunos, fundada em 1929, e a Liga de Moças Alemãs, estabelecida no ano seguinte.[121] Todas essas organizações em pouco tempo foram reduzidas em tamanho e importância pela Liga Nacional-Socialista dos Estudantes Alemães, fundada em 1926 por Wilhelm Tempel. Essa liga também fez relativamente pouca coisa até 1928, quando foi assumida por Baldur von Schirach, que se mostrou uma figura sólida e cada vez mais importante no movimento nazista. Nascido em 1907 em Berlim, era filho de um tradicionalista que havia sido diretor de teatro do Exército em Weimar e casado com uma americana rica. Schirach cresceu nos círculos culturais conservadores e antissemitas de Weimar. Foi educado em um internato cuja direção enfatizava a formação de caráter em vez da educação acadêmica. O jovem Schirach foi profundamente influenciado pelo suicídio do irmão mais velho em outubro de 1919, anunciado em carta para a família como uma reação ao "infortúnio da Alemanha". Na metade da década de 1920, ele estava lendo Houston Stewart Chamberlain e, quando descobriu *Minha luta*, de Hitler, converteu-se ao nazismo, desenvolvendo seu comprometimento em uma verdadeira devoção ao herói quando ouviu Hitler discursar na cidade em 1925. Em pouco tempo, atraiu a atenção do Líder com um jorro aparentemente infindável de poemas glorificando o movimento e seu chefe. Os poemas foram descritos como "superiores às efusões de outros versejadores racistas" e publicados em uma compilação em 1929.[122]

Durante seus estudos em Munique (que nunca completou), juntou-se à Liga Nacional-Socialista dos Estudantes Alemães, chegando rapidamente ao topo da seção baseada na Universidade de Munique, onde Hitler lhe havia aconselhado estudar. O sucesso nessa posição impulsionou-o à liderança nacional da liga em 1928, substituindo Wilhelm Tempel. Schirach expurgou a liga de elementos social-revolucionários e a conduziu em uma campanha extremamente vigorosa na busca de cadeiras nas uniões estudantis das universidades. Pondo de lado os tradicionais e bastante enfadonhos grupos de duelo e fraternidades, a liga obteve reputação por ações provocativas e fez campanha em temas como a redução da superlotação nas palestras (por meio da imposição de um limite no número de estudantes judeus), a demissão de professores pacifistas, a criação de novas disciplinas sobre temas como estudos raciais e ciência militar e o atrelamento das universidades ao interesse nacional, não à busca de conhecimento como um fim em si mesmo. No verão de 1932, já havia obtido sucesso muito alardeado, em combinação com professores e políticos locais de direita, em escorraçar Emil Julius Gumbel – figura especialmente odiada como judeu, socialista, pacifista e ativista contra a propensão direitista do Judiciário – de sua cadeira em Heidelberg, instigando a declaração de uma revista de Frankfurt de que "Heidelberg havia assim inaugurado a era do Terceiro Reich na esfera acadêmica".[123]

Tomando cuidado para evitar antagonismo com as fraternidades, Schirach aumentou rapidamente a votação da liga nas eleições estudantis, e, em julho de 1931, ela conseguiu assumir o controle da União Geral dos Estudantes, organização nacional, com a ajuda de outros grupos simpatizantes de direita. Em 1932, os estudantes votaram pelo "princípio da liderança" na união nacional, abolindo as eleições na totalidade. Embora a filiação total da Liga de Estudantes Nazistas não atingisse sequer 10% da filiação nacional das fraternidades, os nazistas tomaram por completo a representação estudantil na Alemanha. Impressionado com tais sucessos, Hitler indicou Schirach para a liderança da Juventude Hitlerista em 3 de outubro de 1931.[124]

Não só mulheres, jovens, estudantes e alunos, mas muitos outros setores da sociedade alemã foram atendidos por organizações nazistas especialmente projetadas no final da década de 1920. Havia grupos para funcionários civis, para feridos de guerra, para fazendeiros e para muitos outros eleitorados, cada um deles aplicando seu esforço de propaganda com alvo específico. Havia até mesmo uma espécie de movimento sindical, a toscamente chamada Organização Nacional-Socialista da Célula de Fábrica, que deparou com uma conspícua falta de sucesso em tentar atrair trabalhadores da indústria, que já estavam organizados em sindicatos de orientação socialista, católica ou comunista, ou sem emprego e desse modo não precisavam de um sindicato.[125] Contudo, nessa época, os nazistas ainda apresentavam um apelo especial para a classe média baixa, artesãos, lojistas e autônomos. Muitas vezes reuniam tais pessoas a partir de outros movimentos similares. A União Nacionalista Alemã de Empregados do Comércio, por exemplo, desempenhou papel significativo em politizar muitos rapazes e voltá-los na direção do nazismo.[126] Fundada no período guilhermino, articulou os ressentimentos dos funcionários do sexo masculino num mundo no qual as mulheres estavam ingressando em empregos de secretária e assemelhados em números cada vez maiores e no qual os grandes empregadores em bancos, corporações financeiras, companhias de seguro e assim por diante com frequência eram vistos como judeus pela religião, pela origem étnica ou simplesmente pelo caráter. Bem antes da guerra, a união havia lançado ataques furiosos contra os judeus como arquitetos da proletarização de seus membros.[127] Um funcionário público do baixo escalão nascido em 1886 juntou-se à união em 1912 e mais tarde mencionou que pensava que o governo fosse dominado por judeus mesmo durante a época do *Kaiser*. Quando, enfim, deixou os nacionalistas pelos nazistas em 1932, após assistir a um comício do Partido, comentou que "era aquilo que eu estivera buscando desde 1912".[128] Deve ter acontecido o mesmo com muitos outros nazistas mais velhos com esse tipo de formação.

Strasser encorajou o estabelecimento dessa estrutura extremamente elaborada de subdivisões dentro do movimento, ainda que muitas das diferentes seções, como a Juventude Hitlerista ou a Organização da Célula de Fábrica, tivessem pouquíssimos membros e não parecessem estar indo a lugar nenhum muito depressa. Acontece que ele tinha em mente uma meta de longo prazo. Tudo isso pretendia formar a base para a criação de uma sociedade comandada por instituições nazificadas quando Hitler chegasse ao poder. Strasser despendeu um bocado de energia e diplomacia na criação dessa ordem social nazista embrionária. A curto prazo, isso ajudou o Partido a dirigir seu apelo eleitoral a virtualmente cada um dos eleitorados da sociedade alemã, auxiliando a politizar instituições sociais que antes se consideravam mais ou menos apolíticas em sua natureza. Isso significava que o Partido teria condições de se expandir com facilidade caso obtivesse de repente um influxo rápido de novos membros. E a estrutura no todo mantinha-se unida pela lealdade incondicional a um líder cujo poder agora era absoluto e cujo carisma era alimentado diariamente pela adulação do grupo de subordinados imediatos.[129]

As raízes do comprometimento

I

Da maneira como havia se desenvolvido no final da década de 1920, o movimento nazista dependia da energia e do fanatismo de seus membros ativos. Sem eles, teria sido apenas mais um partido político. O Terceiro Reich foi criado em boa parte pelos membros ordinários dos camisas-pardas e do Partido Nazista. O que então vinculou homens jovens ao movimento nazista com um senso de comprometimento tão aterrorizantemente resoluto? Onde jaziam as vertentes da violência camisa-parda? O carisma de Hitler, obviamente, desempenhou um papel; contudo, grande parte do Partido, em especial no norte da Alemanha, começou a existir sem ele. O dinamismo do movimento tinha raízes mais profundas. As autobiografias e diários de várias lideranças nazistas fornecem algumas pistas. E existe uma fonte contemporânea excelente que nos permite algumas percepções singulares da disposição mental do ativista nazista. Em 1934, o sociólogo Theodore Abel, professor na Columbia University de Nova York, obteve a cooperação do Partido Nazista para um concurso de ensaios na qual pessoas que haviam se filiado ao Partido ou aos camisas-pardas antes de 1º de março de 1933 eram solicitadas a redigir pequenos depoimentos. Foram enviados várias centenas, e, embora tanto o Partido quanto os participantes vissem aquilo como uma oportunidade de impressionar os americanos com a sinceridade e o compromisso de seu movimento, a insistência de Abel em que o prêmio iria para o relato mais honesto e digno de confiança parece ter assegurado um grau razóavel de precisão, pelo menos na medida em que os depoimentos puderam ser checados.[130]

Para o ativista do baixo escalão do Partido, as elaboradas teorias de homens como Rosenberg, Chamberlain, Spengler e outros intelectuais eram um mistério. Mesmo escritores populares como Lagarde e Langbehn tinham apelo basicamente para as classes médias educadas. Bem mais importantes eram os sólidos propagandistas populares antissemitas como Theodor Fritsch, cujo *Manual sobre a questão judaica,* publicado em 1888, chegou à 40ª edição em 1933. A editora de Fritsch, a Hammer Verlag, sobreviveu à Primeira Guerra Mundial e continuou a produzir muitos panfletos e tratados populares que eram amplamente lidos entre os nazistas do escalão inferior.[131] Conforme um dos camisas-pardas escreveu em 1934:

> Depois da guerra, fiquei muitíssimo interessado em política, e estudei jornais de todos os matizes políticos com avidez. Em 1920, pela primeira vez li um anúncio em um jornal de direita sobre um periódico antissemita e me tornei assinante do *Hammer*, de Theodor Fritsch. Com o auxílio desse periódico, vim a saber da influência devastadora dos judeus sobre o povo, o Estado e a economia. Devo ainda admitir hoje que para mim esse periódico foi realmente a ponte para o grande movimento de Adolf Hitler.[132]

Contudo, mais significativa ainda foi a inspiração proporcionada pelos elementos básicos da propaganda nazista – os discursos de Hitler e Goebbels, as marchas, as bandeiras, as paradas. Nesse nível, era mais provável que as ideias fossem captadas por meio de órgãos como a imprensa nazista, panfletos eleitorais e cartazes do que por tratados ideológicos sérios. Entre os ativistas não graduados do Partido na década de 1920 e início da década de 1930, o aspecto mais importante da ideologia nazista era a ênfase na solidariedade social – o conceito da comunidade racial orgânica de todos os alemães –, seguido a alguma distância pelo nacionalismo extremo e pelo culto de Hitler. O antissemitismo, em contraste, era significativo apenas para uma minoria, e para uma boa proporção desta era apenas incidental. Quanto mais jovens, menos importante era a ideologia em absoluto, e mais significativas eram características como a ênfase na cultura alemã e no papel de liderança de Hitler. Em contraste, o antissemitismo ideológico era mais forte entre a geração mais velha de nazistas, revelando a influência latente de grupos antissemitas ativos antes da guerra e das famílias nacionalistas em que muitos haviam crescido.[133]

Os homens com frequência chegavam à ala paramilitar do Partido Nazista depois de servir no *front* em 1914-18, ficando então envolvidos com organizações de extrema direita, como a Sociedade Thule ou as Brigadas Livres.[134] O jovem Rudolf Höss, por exemplo, futuro comandante de Auschwitz, chegou ao Partido dessa maneira. Nascido em Baden-Baden em 1901, cresceu em uma família católica no sudoeste da Alemanha. O pai, um vendedor, pretendia que ele seguisse o sacerdócio e, conforme Höss, instilou nele um forte senso de dever e obediência; mas também intoxicou-o com casos de seu passado como soldado na África e o altruísmo e heroísmo dos missionários. Mais tarde, Höss escreveu que perdeu sua fé em resultado da traição de um segredo que ele havia confidenciado a seu confessor. Quando irrompeu a guerra, alistou-se na Cruz Vermelha e a seguir no antigo regimento de seu pai em 1916, servindo no Oriente Médio. Ao término da guerra, com ambos os pais mortos, alistou-se em uma unidade das Brigadas Livres no Báltico, onde experienciou a brutalidade da guerra civil de forma direta.

De volta à Alemanha, Höss alistou-se em uma organização clandestina sucessora de suas Brigadas Livres e, em 1922, participou do assassinato brutal de um homem que ele e seus companheiros acreditavam ser um espião comunista em seu meio, espancando-o até transformá-lo em uma massa sangrenta com porretes, cortando sua garganta com uma faca e liquidando-o com um revólver. Höss foi detido e aprisionado na penitenciária de Brandenburg, onde conheceu a natureza incorrigível da mente criminosa, como mais tarde escreveu. Ficou chocado com a "linguagem imunda, insolente" de seus companheiros de cárcere, e consternado pela forma como a prisão havia se tornado uma escola para criminosos em vez de um local para reformá-los. Limpo, arrumado e asseado, e acostumado à disciplina, Höss depressa tornou-se um prisioneiro-modelo. A rude intimidação e corrupção de alguns guardas sugeriram a ele que uma abordagem mais honesta e mais humana em relação aos detentos poderia ter um bom efeito. Mas alguns de seus colegas presidiários, ele concluiu, estavam absolutamente além da redenção.[135] Poucos meses antes da detenção, ele havia se tornado membro do

Partido Nazista. Höss passaria a maior parte da década de 1920 no presídio, embora, como muitos, fosse solto bem antes de completar a sentença, como resultado de um acordo entre deputados da extrema esquerda e da extrema direita no Reichstag pela aprovação de uma anistia geral para prisioneiros políticos.[136] Entretanto, é claro que, quando Höss não estava na prisão, o Partido Nazista proporcionava a disciplina, ordem e compromisso de que ele tão obviamente necessitava na vida.

Um dos cúmplices de Höss no assassinato foi outro membro das Brigadas Livres de Rossbach, Martin Bormann, nascido em 1900, filho de um funcionário dos correios e treinado como capataz de fazenda. Durante a guerra, alistou-se no Exército, mas foi designado para uma guarnição e não lutou no *front*. Entretanto, como Höss, achou impossível encaixar-se na vida civil. Entrou em contato com as Brigadas Livres, fornecendo-lhes uma base na propriedade onde trabalhava em Mecklenburg. Além de se filiar às Brigadas Livres, também se alistou em uma "Associação contra a Arrogância dos Judeus", mais um grupo marginal minúsculo e insignificante de extrema direita. Bormann não estava tão intimamente envolvido com o assassinato quanto Höss, e teve de cumprir apenas um ano de prisão. Foi solto em fevereiro de 1925 e no final de 1926 havia se tornado empregado em turno integral do Partido Nazista, executando miríades de tarefas administrativas, primeiro em Weimar, depois em Munique. Orador irremediavelmente incompetente e, ao contrário de Höss, por temperamento não inclinado à violência física, Bormann tornou-se especialista em seguros para o Partido e seus membros, organizou reparações financeiras e de outros tipos para camisas-pardas em dificuldades e lentamente começou a se fazer indispensável para o movimento. Mas o fato de ser acima de tudo um administrador não pode disfarçar a natureza fanática de seu comprometimento político. Como Höss e muitos outros, reagiu à derrota da Alemanha na Primeira Guerra Mundial voltando-se para as formas mais extremas de nacionalismo ressentido, antissemitismo raivoso e ódio da democracia parlamentarista. Entrando em contato com Hitler, rapidamente caiu por completo sob seu encanto e logo começou a impressionar o líder nazista com sua admiração e lealdade ilimitadas e incondicionais. Para outros na hierarquia do Partido, especialmente nos escalões inferiores, ele podia mostrar uma faceta inteiramente diferente, revelando ao longo do processo uma ambição brutal que no fim o tornaria uma das figuras-chave do Terceiro Reich, sobretudo nos estágios mais tardios durante a guerra.[137]

Com homens assim, e ainda mais com tipos apenas um pouco mais velhos, que haviam adquirido experiência militar no serviço ativo nos campos de batalha centrais da guerra, é claro que as Brigadas Livres de fato eram, como foi dito, a "vanguarda do nazismo", fornecendo boa parte do quadro de lideranças do Partido na metade da década de 1920.[138] Contudo, uma geração mais jovem estava entrando no Partido já nessa época, a geração pós--guerra, ávida para emular as agora legendárias façanhas dos soldados da linha de frente. Uns poucos vieram dos comunistas, atraídos pelo extremismo, ativismo e violência políticos, independentemente da ideologia. "Deixei o partido em 1929", relatou um, "porque não mais podia concordar com as ordens vindas da União Soviética". Entretanto, para esse ativista em particular, a violência era um estilo de vida. Ele continuou a assistir a todos os tipos de comício do Partido e a se atirar em brigas de rua enfrentando os velhos camaradas até um líder nazista local oferecer-lhe um posto.[139] Violência era como uma droga para tais homens, assim como, sem dúvida, o era para Höss. Com frequência, tinham apenas a mais obscura noção daquilo por que estavam lutando. Um jovem nazista relatou que testemunhar oponentes tentando dissolver um encontro nazista "fez de mim um nacional-socialista de forma instintiva", antes mesmo de ele se familiarizar com as metas do Partido.[140] Um outro que aderiu ao movimento nazista em 1923 viveu uma vida de ativismo violento quase incessante, sofrendo espancamentos, esfaqueamentos e detenções pela maior parte de uma década, conforme recontou em detalhes em seu ensaio autobiográfico; esses embates, e não as ideias do movimento, eram o que dava significado à vida dele. Para um rapaz nascido em 1906 em uma família social-democrata, a hostilidade aos comunistas estava no cerne de seu comprometimento. O tempo que viveu na unidade de camisas-pardas conhecida como "tropa de assassinos" foi, disse ele mais tarde, "muito maravilhoso e talvez também duro demais para se escrever a respeito".[141]

Um relato particularmente vívido, embora de forma alguma atípico, das atividades das tropas de assalto foi fornecido por um professor de escola primária nascido em 1898, que havia lutado na guerra e, após atividades de extrema direita no início da década de 1920, juntou-se aos nazistas em 1929. Certa noite, ele foi chamado com seu grupo de assalto para defender um comício nazista em uma cidade vizinha contra os "vermelhos":

> Reunimo-nos todos na entrada da cidade e colocamos braçadeiras brancas, e dava para ouvir a marcha trovejante de nossa coluna de uns 250 homens. Sem armas, sem porretes, mas de punhos cerrados, marchamos em ordem exata e com disciplina férrea para os apupos e gritos da turba diante do salão de reunião. Eles tinham em mãos porretes e tábuas. Eram dez horas da noite. Com umas poucas manobras no meio da rua, empurramos a multidão contra as paredes para esvaziar a rua. Naquele exato instante, veio um carpinteiro dirigindo um caminhãozinho com um caixão preto dentro dele. Enquanto ele passava, um de nós disse: "Bem, vamos ver quem podemos colocar ali dentro". Os gritos, berros, assovios e uivos ficavam cada vez mais intensos.
> As duas fileiras de nossa coluna ficaram paradas, carregadas de energia. Um sinal, e marchamos para dentro do salão, onde umas poucas centenas de desordeiros tentavam calar nosso orador. Chegamos bem na hora, marchando em cadência junto às paredes até fecharmos um anel em torno deles, deixando uma abertura apenas na entrada. Soou um apito. Apertamos o anel. Dez minutos depois... havíamos colocado-os para fora, ao ar livre. O encontro prosseguia lá dentro, enquanto do lado de fora era um pandemônio. A seguir, escoltamos o orador para fora, cruzando mais uma vez pelo remoinho da turba em formação cerrada.

Para esse camisa-parda, os "marxistas" eram o inimigo, pois muitos soldados consideravam estar lutando com o que ele chamou de "o espírito de companheirismo da linha de frente, surgido da fumaça dos recipientes sacrificiais da guerra, e encontrando o caminho para o coração do povo alemão desperto".[142]

II

"Velhos combatentes" como esses listavam com orgulho os ferimentos e insultos recebidos das mãos dos oponentes. A "perseguição, assédio, escárnio e ridículo" que tinham que sofrer apenas enrijeciam sua determinação.[143] Em um encontro em Idar-Oberstein, conforme um ativista do Partido nascido em 1905, compareceram 400 camisas-pardas, inclusive ele:

> Nossos quatro oradores fizeram seus discursos, um após o outro, interrompidos por uivos e apupos furiosos. Mas quando, na discussão que se seguiu, um interlocutor foi repreendido por dizer: "Não queremos a praga marrom em nossa bela cidade", o tumulto eclodiu. Sucedeu-se uma batalha com canecos de cerveja, cadeiras e coisas do tipo, e em dois minutos o salão estava demolido e todos foram evacuados. Naquele dia, tivemos de carregar sete companheiros gravemente feridos, e houve pedras lançadas contra nós e assaltos ocasionais a despeito da proteção policial.[144]

Contudo, a profundidade do ódio e do ressentimento que os camisas-pardas nazistas sentiam dos social-democratas, bem como dos comunistas, só pode ser entendida pela sensação de que estavam sob ataque constante não apenas da afiliada paramilitar dos social-democratas, a Reichsbanner, mas também da polícia em muitas regiões que, ao menos na Prússia, eram controladas por ministros social-democratas, como Carl Severing e Albert Grzesinski. "O terror da polícia e do governo contra nós", conforme colocou um camisa-parda, era outra fonte de ressentimento contra a república.[145]

Tais homens ficavam ultrajados por serem detidos por espancar ou matar pessoas que consideravam inimigas alemãs e culpavam as "autoridades judiciais marxistas" e a "corrupção da República de Weimar" pelas sentenças de prisão que às vezes sofriam.[146] O ódio aos "vermelhos" era quase desmedido. Um jovem nazista em 1934 ainda atacava "a torrente vermelha... hordas de mercenários vermelhos, esgueirando-se na escuridão" ou, como colocou outro camisa-parda, "a ralé vermelha... hordas aos gritos, guinchos... rostos furiosos cheios de ódio, dignos de estudo por um criminologista".[147] O ódio era alimentado por incontáveis confrontos, até incidentes aterrorizantes como uma famosa batalha a tiros entre comunistas e camisas-pardas que irrompeu num trem em Berlim-Lichtenfels em 27 de março de 1927. Os camisas-pardas combatiam a criminalidade comunista com o que viam como seu idealismo altruísta. Um camisa-parda relatou com orgulho que a luta do final da década de 1920 "exigiu sacrifícios financeiros e psicológicos de cada companheiro. Noite após noite, folhetos pelo quais tínhamos que pagar deviam ser distribuídos. Todo mês havia um comício... o que sempre causava à nossa pequena seção local de 5-10 membros um débito de sessenta marcos, visto que nenhum estalajadeiro alugaria um salão para nós sem pagamento adiantado".[148] A afirmação muitas vezes repetida de que muitos camisas-pardas filiavam-se à organização apenas porque lhes ofereciam comida, bebida, roupa e alojamento grátis, para não falar dos tipos de entretenimento excitantes e brutais, não faz justiça ao fanatismo que motivava muitos deles. Apenas os ativistas mais velhos aderiam com a expectativa de obter um emprego ou receber apoio financeiro. Para os jovens, isso não importava muito.[149] Líderes estudantis nazistas com frequência contraíam grandes dívidas por pagar pessoalmente por pôsteres e panfletos.[150] Com muitos outros deve ter acontecido o mesmo.

Claro que testemunhos como esses, dirigidos a um sociólogo americano, estavam fadados a enfatizar o sacrifício pessoal e a dedicação de seus autores.[151] Não obstante, é difícil captar a plena extensão do fanatismo e do ódio dos camisas-pardas a menos que se aceite que eles muitas vezes sentiam que estavam fazendo sacrifícios por sua causa. O próprio Hitler chamou atenção para isso quando disse a uma plateia, em janeiro de 1932, para não se

> esquecer de que hoje se trata de um sacrifício, quando muitas centenas de milhares de homens do movimento nacional-socialista sobem em caminhões todos os dias, protegem reuniões, fazem marchas, sacrificam-se noite após noite e voltam apenas ao raiar do dia – e para então voltar à oficina e à fábrica, ou para coletar seu donativo de desempregado; quando eles compram seus uniformes, suas camisas, seus distintivos,

e pagam até por seu transporte com o pouco que possuem – acreditem, isso já é um sinal do poder de um ideal, de um grande ideal![152]

O Partido Nazista dependia desse comprometimento; muito de seu poder e dinamismo provinham do fato de não ser dependente de grandes negócios ou instituições burocráticas como sindicatos para seu apoio financeiro – como o eram em graus variáveis os partidos "burgueses" e os social-democratas –, muito menos de subsídios secretos de uma potência estrangeira, no estilo dos comunistas financiados por Moscou.[153]

Muita gente foi convertida ao nazismo pela demagogia de Hitler. Apresentados em comícios de massa e em enormes reuniões ao ar livre encenados de forma dramática, os discursos de Hitler no final da década de 1920 tinham um poder maior que antes. Um jovem nacionalista nascido em 1908 compareceu a encontros em que discursaram astros da extrema direita como Hugenberg e Ludendorff antes de enfim encontrar inspiração quando ouviu

> o líder Adolf Hitler falar em pessoa. Depois disso, só havia uma coisa para mim: ou vencer com Adolf Hitler, ou morrer por ele. A personalidade do Líder me encantou por completo. Aquele que conhece Adolf Hitler com um coração puro e sincero vai amá-lo de todo o coração. Vai amá-lo não em nome do materialismo, mas pela Alemanha.[154]

Existem muitos outros testemunhos desse tipo, desde um metalúrgico antissemita, nascido em 1903, que descobriu em uma reunião com Hitler em 1927 que "nosso líder irradia um poder que torna todos nós fortes", até outro camisa-parda, nascido em 1907, que declarou ter caído sob o fascínio de Hitler em 1929, em Nuremberg: "Como seus olhos azuis faiscavam quando as tropas de assalto marchavam diante dele à luz das tochas, um mar infindável de labaredas ondulando pelas ruas da antiga capital do Reich".[155]

Muito do apelo dos nazistas jazia na promessa de acabar com as divisões políticas que assolaram a Alemanha ao longo da República de Weimar. Um escriturário de 18 anos, que assistiu a comícios na eleição regional de 1929, ficou impressionado com os oradores nazistas pelo comprometimento sincero com o povo alemão como um todo, cujo maior infortúnio foi ser dividido em tantos partidos e classes. Finalmente uma proposta prática para a renovação do povo! Destruir os partidos! Liquidar com as classes! Comunidade nacional de verdade! Essas eram metas com as quais eu poderia me comprometer sem reservas.[156]

No fim das contas, relativamente poucos foram convertidos à participação ativa no movimento por ler tratados ideológicos ou políticos. O que contava era a palavra falada. Contudo, nem todo mundo ficava hipnotizado pela oratória de Hitler. Uma nazista jovem, séria e idealista de classe média como Melita Maschmann, por exemplo, admirava-o como um "homem do povo" que havia surgido da obscuridade, mas até mesmo no comício anual do Partido ela estava tão ocupada, conforme escreveu mais tarde, que "não podia me permitir o 'deboche' do arroubo extasiado". Considerava paradas e *shows* enfadonhos e sem sentido. Para ela, o nazismo era mais um ideal patriótico do que um culto do líder individual.[157] Para os apoiadores nazistas de classe média, em especial talvez as mulheres, a violência nas ruas com frequência era algo a ser tolerado de má vontade ou ignorado de forma estudada.

Muitas dessas pessoas só se aproximavam do nazismo de maneira hesitante. Mesmo a filiação ao Partido denotava um nível de comprometimento bem mais baixo que o dos jovens camisas-pardas entrevistados por Theodore Abel. Uma substancial proporção dos membros do Partido saía depois de apenas um período relativamente curto em suas fileiras. Não obstante, no início dos anos 1930, ele estava começando a estender seu apelo para além da classe média baixa que havia proporcionado sua espinha dorsal desde a fundação. Sempre ansiosos em arrogar o apoio da classe operária, os funcionários do Partido com frequência classificavam membros como trabalhadores quando na verdade eram alguma outra coisa. Investigações locais detalhadas mostraram que as contas típicas sobre a filiação do Partido, baseadas em um censo interno de 1935, retrataram o elemento operário como algo duas vezes acima do que realmente era, isto é, cerca de 10% na segunda cidade da Alemanha, Hamburgo, dez anos antes, em 1925.[158] Assalariados também parecem ter sido o grupo social mais propenso a deixar o Partido e, assim, o menos provável de aparecer nos números de 1935 sobre os quais se baseia a maioria dos cálculos. Mas Hamburgo era um centro tradicional do movimento trabalhista, cuja força dificultava quaisquer incursões dos nazistas. Em partes da Saxônia, onde o movimento trabalhista era mais fraco e indústrias tradicionais de pequena escala davam à economia um formato muito diferente dos centros industriais modernos e altamente racionalizados como Berlim e o Ruhr, os trabalhadores manuais assalariados respondiam por uma proporção maior dos membros do Partido. Trabalhadores jovens que não haviam se filiado a um sindicato por jamais terem tido um emprego eram particularmente suscetíveis ao apelo do Partido Nazista na Saxônia. Um terço dos membros do Partido Nazista na província pode ter pertencido à classe operária em sentido econômico básico no final da década de 1920. A classe média baixa na cidade e no campo permanecia fortemente super-representada em comparação a seus números no conjunto da população. Entretanto, no início da década de 1930, a proporção dos membros de classes média e alta do Partido Nazista na Saxônia estava crescendo, à medida que o Partido tornava-se mais respeitável. Os nazistas escapavam lentamente de suas raízes modestas e humildes e começavam a atrair membros das elites sociais da Alemanha.[159]

III

Entre a nova geração de lideranças nazistas que entraram no movimento na metade dos anos 1920, um homem viria a desempenhar papel particularmente destacado no Terceiro Reich. À primeira vista, poucos teriam considerado que Heinrich Himmler, nascido em Munique a 7 de outubro de 1900, estivesse destinado a atingir qualquer tipo de destaque. Seu pai era um professor católico de visão conservadora o bastante para ser considerado apto a dar instrução particular a um jovem membro da família real da Baviera durante um período na década de 1890. Proveniente de um ambiente respeitável na classe média culta, Heinrich, uma criança enfermiça com visão ruim, passou por várias escolas diferentes, mas recebeu o que parecia ser uma sólida educação acadêmica em ginásios de Munique e Landshut. Um colega de escola, Georg Hallgarten, que mais tarde tornou-se um conhecido historiador de esquerda, atestou a inteligência e a capacidade de Himmler. Os boletins escolares descreviam Himmler como estudante consciencioso, muito aplicado, ambicioso, capaz e bem-educado, um aluno-modelo em todos os sentidos. O pai patriota, entretanto, fez esforços enérgicos para colocá-lo no Exército, declarando-se disposto até mesmo a sustar a educação do filho para conseguir isso. Os diários e anotações de leitura do jovem Heinrich mostram o quão intensamente ele absorveu a mitologia de 1914, a ideia da guerra como ápice da realização humana e o conceito da luta como força motriz da história e da existência humanas. Mas ele só foi até o treinamento de cadetes, e nunca viu a ação da linha de frente. Foi um exemplo particularmente claro de um homem da geração pós-*front* que lamentava amargamente não ter conseguido lutar na guerra e que passou boa parte da vida depois disso tentando compensar essa ausência crucial em seu passado.[160]

Depois de passar no exame final da escola com louvor, Himmler, seguindo o conselho do pai, foi estudar agricultura na Escola Técnica de Munique e ali também distinguiu-se, graduando-se com uma observação de "muito bom" em 1922. Também ingressou em uma fraternidade de duelo e, após certa dificuldade em encontrar um esgrimista que o levasse a sério o bastante para aceitar um desafio, adquiriu as cicatrizes faciais obrigatórias. Nesse ínterim, contudo, juntou-se à Força de Defesa dos Residentes de Kahr, e então caiu sob a influência de Ernst Röhm, que o impressionou com o zelo militar. O ambiente de extrema direita em que mergulhou orientou-o para o antissemitismo revolucionário, e em 1924 ele atacava "a hidra da Internacional negra e vermelha, dos judeus e do ultramontanismo, dos maçons e dos jesuítas, do espírito do comércio e da burguesia covarde".[161] Com sua cabeça grande, cabelo à escovinha, óculos redondos, queixo recuado e bigodinho, Himmler era muito parecido com o mestre-escola que seu pai havia sido, com absolutamente nada de um fanático lutador de rua nacionalista. Poucos meses antes, ele havia brandido um estandarte em vez de uma pistola quando se juntou ao grupo Bandeira de Guerra do Reich, de Röhm, que ocupou brevemente o Ministério de

Guerra da Baváaria na primeira fase do golpe abortado de Munique, em 8-9 de novembro.[162]

Himmler safou-se do golpe sem ser detido, e desse modo teve oportunidade de subir no movimento no tempo em que Hitler estava na prisão ou proibido de falar, e o Partido Nazista estava em desordem. Ele atrelou-se – sabiamente na época – à estrela em ascensão de Gregor Strasser, tornando-se primeiro seu secretário, depois líder regional adjunto em dois distritos e líder adjunto de propaganda do Reich. Mas não era discípulo de Strasser. Pois a essa altura havia caído sob o fascínio de Hitler, menos pela leitura de *Minha luta*, no qual registrou algumas notas críticas ("os primeiros capítulos sobre sua juventude contêm muitos pontos fracos"), do que pelo contato pessoal em seus vários cargos pessoais, que incluíam assistir aos discursos de Hitler, é claro. Para o jovem Himmler, ainda apenas na metade dos 20 anos, desesperançado e à deriva nos mares encapelados da política paramilitar pós-golpe, Hitler oferecia certeza, um líder para se admirar, uma causa a seguir. De 1925 em diante, quando se filiou ao recém-reconstituído Partido Nazista, Himmler desenvolveu um ilimitado culto ao líder nazista; mantinha um retrato de Hitler na parede de seu escritório e dizem que em certas ocasiões até mesmo entabulava conversa com ele.[163]

Himmler casou-se em 1926, e sua esposa, sete anos mais velha que ele, influenciou-o fortemente na direção do ocultismo, herbalismo, homeopatia e outras crenças não convencionais, algumas das quais mais tarde tentaria impor a seus subordinados. Embora o casamento de Himmler não tenha prosperado, essas ideias sim. Abandonando gradativamente a beatice católica da juventude, tornou-se entusiasta do "sangue e solo", juntando-se aos artamanos, um grupo de povoamento nacionalista ao qual Rudolf Höss também pertencia. Ali Himmler ficou sob a influência de Richard Walther Darré, um entusiasta dos ideais raciais "nórdicos". Darré, nascido na Argentina em 1895 e educado de forma um tanto incongruente em Wimbledon, na Inglaterra, serviu no Exército alemão durante a guerra. Havia então se tornado especialista em criação seletiva de animais, o que o levou à política do "sangue e solo", embora não imediatamente para o Partido Nazista. Himmler assimilou de Darré uma crença fixa no destino da raça nórdica, na superioridade de seu sangue sobre o dos eslavos, na necessidade de manter o sangue puro e no papel central de um sólido campesinato alemão para assegurar o futuro da raça alemã. Movido por sua obsessão pelo campesinato, Himmler dedicou-se à agricultura por um período, mas não se deu bem, visto que passava muito tempo em campanha política e, em todo caso, a época era ruim para o negócio agrícola.[164]

Em 6 de janeiro de 1929, Hitler nomeou o fiel Himmler como chefe de sua Tropa de Proteção pessoal – *Schutzstaffel*, logo conhecida pelas iniciais SS. Esta teve suas origens em uma pequena unidade formada no início de 1923 para atuar como guarda-costas de Hitler e proteger a sede do Partido. Foi refundada em 1925, quando Hitler percebeu que os camisas-pardas sob Röhm jamais mostrariam a lealdade incondicional que ele exigia. Seu comandante inicial foi Julius Schreck, comandante do "Esquadrão de Assalto" dos camisas-pardas antes da prisão de Hitler, e desde o começo foi concebida como uma tropa de elite, em contraste com o movimento paramilitar de massa dos camisas-pardas. Nas intrigas intrapartidárias da metade da década de 1920, a SS passou por vários líderes, e todos fracassaram em assegurar sua independência do crescente poder dos camisas-pardas, embora conseguissem construí-la como um corpo de homens rigorosamente disciplinados e firmemente unidos. Himmler teve êxito onde os outros fracassaram.

Desprezando os elementos toscos que haviam formado o primeiro grupo de recrutas, ele partiu deliberadamente para a criação de uma elite de verdade, trazendo ex-oficiais do Exército, como o aristocrata pomerano Erich von dem Bach-Zelewski, e veteranos das Brigadas Livres, como Friedrich Karl, barão von Eberstein. Herdando uma tropa de apenas 290 homens, Himmler aumentou o efetivo da SS para mil no final de 1929 e quase 3 mil um ano depois. Passando por cima das objeções da liderança camisa-parda, persuadiu Hitler a tornar a SS plenamente independente em 1930, dando-lhe um novo uniforme, preto em vez de marrom, e uma estrutura estritamente hierárquica, quase militar. À medida que o descontentamento e a impaciência aumentavam dentro da organização camisa-parda, e crescia a ameaça de ação independente, Hitler transformou a SS num tipo de polícia interna do Partido. A SS tornou-se mais secreta e começou a recolher informação confidencial não apenas sobre os inimigos do Partido, mas também sobre as lideranças dos camisas-pardas.[165]

Com a criação da SS, a estrutura básica do movimento nazista ficou completa. No final da década de 1920, Hitler havia emergido, em parte por via das circunstâncias, em parte por sua capacidade oratória e impiedade, em parte pelo desejo desesperado da extrema direita por um líder forte, como ditador inquestionado do movimento, objeto de um culto da personalidade em rápido crescimento. Ainda havia tensões dentro do movimento; estas viriam à tona de forma dramática nos anos subsequentes, até 1934. Ainda havia pessoas em posições de liderança, como Strasser e Röhm, preparadas para criticar Hitler e adotar uma linha diferente da dele se considerassem necessário. Mas Hitler havia erguido em torno de si um grupo crucial de homens cuja devoção a ele era totalmente incondicional – homens como Goebbels, Göring, Hess, Himmler, Rosenberg, Schirach e Streicher. Sob a liderança deles, e graças ao talento organizacional de Strasser, na metade de 1929, o movimento nazista havia se tornado um corpo político elaborado e bem organizado, cujo apelo era direcionado a virtualmente cada setor da população. Sua propaganda estava se tornando rapidamente mais sofisticada. Sua ala paramilitar estava enfrentando os comunistas da Liga dos Combatentes da Frente Vermelha e os social-democratas da Reichsbanner nas ruas. Sua força policial interna, a SS, foi encarregada de agir contra os dissidentes e desobedientes em suas fileiras. Havia adquirido, modificado e elaborado uma ideologia grosseira, amplamente desprovida de originalidade, mas sustentada de modo fanático, centrada em nacionalismo extremista, antissemitismo cheio de ódio e desprezo pela democracia de Weimar. Estava determinado a obter poder com base no apoio popular nas votações e na violência estrondosa nas ruas, para a seguir rasgar os tratados de paz de 1919, rearmar, reconquistar os territórios perdidos a leste e oeste e criar o "espaço vital" para a colonização étnica alemã do centro-leste e leste da Europa.

O culto da violência, derivado em boa parte das Brigadas Livres, estava no coração do movimento. Em 1929, podia ser visto em operação cotidiana nas ruas. O movimento nazista desprezava a lei, e não fazia segredo de sua crença de que, quem tem poder, tem razão. Também havia desenvolvido um jeito de desviar da liderança do Partido a responsabilidade legal por atos de violência e ilícitos cometidos por camisas-pardas e outros elementos dentro do movimento. Pois Hitler, Goebbels, os líderes regionais e os restantes apenas davam ordens expressas em retórica que, embora violenta, também era vaga: os subordinados entendiam claramente o que era insinuado e partiam para a ação na mesma hora. Essa tática ajudou a persuadir um número crescente de alemães de classe média e até mesmo alguns da classe alta de que Hitler e seus subordinados imediatos não eram realmente responsáveis pelo banho de sangue dos camisas-pardas nas ruas, nas pancadarias em bares e em reuniões turbulentas, impressão fortalecida pela insistência repetida dos líderes dos camisas-pardas de que estavam agindo de modo independente dos chefes do Partido Nazista. Em 1929, Hitler havia atraído o apoio, a simpatia e em certa medida até mesmo o respaldo financeiro de algumas pessoas bem relacionadas, em especial na Baviera. E seu movimento havia estendido as operações por todo o país, atraindo apoio eleitoral significativo, sobretudo entre pequenos fazendeiros abalados pela crise em zonas protestantes do norte da Alemanha e da Francônia.

Contudo, nada disso pode disfarçar o fato de que, no outono de 1929, o Partido Nazista ainda estava muito na periferia da política. Com apenas um punhado de deputados no Reichstag, tinha que competir com várias outras organizações periféricas de direita, algumas das quais, como o assim denominado Partido da Economia, maiores e com mais apoio; e todas essas ainda eram insignificantes em comparação com organizações dominantes de direita, como o Partido Nacionalista e os Capacetes de Aço. Além disso, embora não mais dispusessem do apoio da maioria do eleitorado, os três partidos que eram o esteio da democracia de Weimar – Social-Democrata, Partido de Centro e Democrata – ainda estavam no governo, em uma "Grande Coalizão" que também incluía o partido de Gustav Stresemann, ministro de Relações Exteriores da Alemanha, longevo no cargo, moderado e altamente bem-sucedido. A república parecia ter superado as tempestades do início da década de 1920 – inflação, ocupação francesa, conflitos armados, desarranjo social – e entrado em águas calmas. Seria necessária uma catástrofe de dimensões vultosas para um partido extremista como o dos nazistas obter apoio de massa. Em 1929, com o colapso súbito da economia no rastro da quebra da Bolsa de Valores de Nova York, ela veio.

4
Rumo à tomada do poder

4

A Grande Depressão

I

"Após longas perambulações a esmo de cidade em cidade", escreveu um tipógrafo desempregado de 21 anos, de Essen, no outono de 1932, "minha trilha levou-me ao porto de Hamburgo. Mas que decepção! Ali havia ainda mais miséria, mais desemprego do que eu esperava, e minhas esperanças de conseguir trabalho espatifaram-se. O que eu deveria fazer? Sem parentes ali, não tinha vontade de me tornar um vagabundo". No fim, o jovem não foi forçado a se juntar às hordas sempre crescentes de sem-teto vivendo nas ruas e estradas das cidades e aldeias da Alemanha – algo entre 200 mil e meio milhão deles, de acordo com estimativas oficiais; acabou encontrando amparo em um esquema de trabalho voluntário conduzido pela Igreja.[1] Mas muitos outros não tiveram tal sorte. O desemprego destruiu o autorrespeito das pessoas e minou seu *status*, especialmente dos homens, numa sociedade em que o prestígio, o reconhecimento e até a identidade masculina derivavam acima de tudo do trabalho que faziam. Ao longo do início da década de 1930, podiam-se ver homens nas esquinas, com placas em volta do pescoço: "À procura de trabalho de qualquer tipo". Crianças na escola, quando solicitadas por sociólogos a dar sua opinião sobre o tema, com frequência respondiam que os desempregados tornavam-se socialmente degradados,

> pois, quanto mais tempo ficam sem trabalho, mais preguiçosos ficam, e sentem-se mais e mais humilhados porque estão sempre vendo outras pessoas decentemente vestidas e ficam incomodados porque tam-

bém querem isso, e se tornam criminosos... Eles ainda querem viver! Gente mais velha com frequência não quer mais de jeito nenhum.²

As crianças eram observadas fazendo brincadeiras de "contratação", e, quando algumas foram solicitadas por um pesquisador a escrever ensaios autobiográficos curtos em dezembro de 1932, o desemprego também figurou em destaque: "Meu pai está desempregado há mais de três anos", escreveu uma estudante de 14 anos: "Antes ainda acreditávamos que o pai conseguiria um emprego de novo algum dia, mas, agora, até nós crianças perdemos toda esperança".³

O desemprego prolongado tinha impacto variado sobre os indivíduos. Os jovens conseguiam ser mais otimistas quanto a encontrar um novo serviço que os de meia-idade. Quanto mais tempo as pessoas ficavam sem trabalho, mais aumentava o desânimo. Entrevistas realizadas no verão de 1932 revelaram atitudes bem mais soturnas que pesquisas conduzidas 18 meses antes. As pessoas adiavam planos de casamento, casais adiavam ter filhos. Homens jovens vagavam sem rumo pelas ruas, sentavam-se apáticos em casa, passavam o dia jogando cartas, perambulando pelos parques públicos, ou andando sem parar nos trens elétricos da linha circular de Berlim.⁴ Nessa situação, a ação muitas vezes parecia melhor que a inação; o tédio transformava-se em frustração. Muitos desempregados, até mesmo meninos e meninas, tentavam ganhar a vida parcamente como vendedores de rua, artistas de rua, faxineiros, camelôs ou qualquer um dos vários expedientes dos economicamente marginalizados. Grupos de crianças infestavam os pontos noturnos da moda em Berlim oferecendo-se para "cuidar" dos carros dos ricos, uma forma primitiva do ramo da proteção praticada também de outras maneiras, menos inócuas, por gente crescida. Clubes informais de excursões a pé e grupos jovens da classe operária facilmente formavam gangues que se reuniam em prédios abandonados, catavam comida no lixo, roubavam para ganhar a vida, lutavam com gangues rivais e com frequência colidiam com a polícia. As taxas de crimes não subiram de modo tão espetacular quanto haviam subido durante a inflação, mas, não obstante, houve aumento de 24% nas detenções por furto em Berlim entre 1929 e 1932. A prostituição, masculina e feminina, tornou-se mais perceptível e disseminada, produto da tolerância sexual de Weimar tanto quanto de seu fracasso econômico, chocando as classes respeitáveis por sua visibilidade. No extremo mais baixo, a venda de artigos na rua virava mendicância.[5] A sociedade alemã parecia afundar em um pântano de miséria e criminalidade. Nessa situação, as pessoas começaram a se agarrar à política como salvação: qualquer coisa, por extrema que fosse, parecia melhor que a embrulhada sem esperança em que pareciam estar agora.

Como essa situação aconteceu? O desemprego já fora alto sucedendo-se às reformas econômicas que haviam dado fim à grande inflação em 1923. Mas, no início da década de 1930, a situação havia piorado de modo imensurável. A recuperação da economia alemã depois da inflação tinha sido financiada em boa parte pelo pesado investimento da maior economia do mundo, os Estados Unidos. As taxas de juros alemãs eram altas, e o capital afluiu; crucial, porém, foi que o reinvestimento tomou a forma sobretudo de empréstimos de curto prazo. A indústria alemã passou a depender pesadamente de tais fundos, no afã de se racionalizar e mecanizar. Firmas como Krupp e Siderúrgicas Unidas tomaram emprestadas grandes quantias de dinheiro. Empresas americanas investiram de modo direto na Alemanha; a montadora Ford possuía fábricas em Berlim e Colônia, a General Motors comprou a fábrica de carros Opel em Rüsselsheim, perto de Frankfurt, em 1929. Bancos alemães obtiveram empréstimos estrangeiros para financiar seus investimentos em negócios alemães.[6] Tratava-se de uma situação inerentemente precária para a indústria e bancos da Alemanha, e no final da década tornou-se catastrófica.

Ao longo de 1928, todos os países mais industrializados começaram a impor restrições monetárias em virtude da recessão que se avizinhava. Os Estados Unidos começaram a cortar os empréstimos estrangeiros. Tais medidas eram necessárias para preservar as reservas de ouro, base da estabilidade financeira na era do padrão-ouro, quando os valores monetários estavam atrelados ao valor do ouro por toda parte, como fora na Alemanha desde que a estabilização acontecera. À medida que os países deram início à retração, a indústria começou a sofrer. Não houve virtualmente nenhum crescimento na produção industrial da Alemanha em 1928-29, e no final daquele inverno o desemprego já havia atingido quase 2,5 milhões. Os investimentos diminuíram de forma significativa, talvez porque as companhias estavam gastando demais em salários e pagamentos previdenciários, mas mais provavelmente porque houve uma escassez de capital. O governo alemão deparou-se com dificuldades para levantar dinheiro pela emissão de títulos porque os investidores sabiam o que a inflação tinha feito com os títulos emitidos durante a guerra. Os mercados internacionais tinham pouca confiança na capacidade do Estado alemão para lidar com os problemas econômicos do momento. Logo ficou claro que a falta de fé era inteiramente justificada.[7]

Em 24 de outubro de 1929, a "Quinta-Feira Negra", os sinais inequívocos de uma crise empresarial nos Estados Unidos causaram um acesso súbito de vendas e pânico na Bolsa de Valores de Nova York. Os preços das ações, supervalorizados aos olhos de alguns, começaram a despencar. No início da semana seguinte, a 29 de outubro, a "Terça-Feira Negra", o pânico nas vendas instaurou-se de novo, muito pior que antes; 16,4 milhões de ações foram vendidas, recorde não quebrado nas quatro décadas seguintes.[8] À medida que negociantes frenéticos amontoavam-se para vender antes que o valor das ações caísse ainda mais, houve cenas de pandemônio no pregão da Bolsa de Valores de Nova York. Mas esses dias dramáticos do desastre foram apenas os aspectos mais visíveis do que se revelou um declínio prolongado e aparentemente inexorável ao longo dos três anos seguintes. A cotação do *New York Times* caiu de um pico de 452 pontos em setembro de 1929 para 58 pontos em julho de 1932. Em 29 de outubro, 10 bilhões de dólares foram eliminados do valor das maiores companhias americanas, o dobro do total de dinheiro em circulação nos Estados Unidos na época e quase tanto quanto a América havia gasto para financiar sua parte na Grande Guerra. As companhias quebravam uma atrás da outra. A demanda americana de produtos importados entrou em colapso. Os bancos mergulharam na crise à medida que seus investimentos desapareciam. E, quando os bancos americanos viram suas perdas avolumarem-se, começaram a retirar os empréstimos de curto prazo com os quais a indústria alemã tanto estivera se financiando nos cinco anos anteriores.[9]

Os bancos americanos começaram a retirar seus fundos da Alemanha no pior momento possível, exatamente quando a já débil economia alemã precisava de um estímulo vigoroso para reviver. Ao perder fundos, bancos e empresas alemães tentaram compensar o equilíbrio contraindo mais empréstimos de curto prazo. Quanto mais rápido isso acontecia, menos estável a economia começou a parecer, e mais os detentores de ativos começaram a transferir capital para fora do país.[10] Incapazes de financiar a produção, as empresas começaram uma retração drástica. A produção industrial, já estagnada, começou então a cair em velocidade vertiginosa. Em 1932, seu valor havia caído 40% em relação ao nível de 1929, colapso igualado em sua severidade apenas pela Áustria e Polônia entre as economias europeias. Em outros lugares, a queda não passou de 25%, na Grã-Bretanha foi de 11%. Com a retirada dos fundos e o colapso dos negócios, os bancos começaram a ficar em apuros. Depois da quebra de vários pequenos bancos em 1929--30, os dois maiores bancos austríacos afundaram e então, em julho de 1931, os grandes bancos alemães começaram a sentir a pressão.[11] A falência de empresas multiplicava-se. Uma tentativa de criar um mercado internacional maior forjando uma união alfandegária entre Alemanha e Áustria foi esmagada pela intervenção internacional, pois a motivação política por trás disso – um passo na direção da união política entre os dois países, que havia sido proibida pelo Tratado de Versalhes – ficou óbvia para todo mundo. Lançada de volta a seus próprios recursos, a economia alemã mergulhou em profunda depressão. As taxas de desemprego subiram de forma quase exponencial. Com milhões de pessoas desempregadas nas grandes cidades, havia menos dinheiro disponível para gastar em comida, a crise agrícola já severa aprofundou-se de modo dramático, e os fazendeiros não tiveram como escapar da execução de hipotecas e da bancarrota à medida que os bancos retiravam os empréstimos dos quais tantos deles dependiam. Os trabalhadores agrícolas foram postos na rua à medida que fazendas e propriedades afundavam, espalhando o desemprego tanto pelo campo como nas cidades.[12]

Em 1932, praticamente um em cada três trabalhadores da Alemanha estava registrado como desempregado, com taxas ainda maiores em algumas regiões de muitas indústrias, como a Silésia ou o Ruhr. Isso excedeu de longe todas as taxas anteriores de desemprego, mesmo durante o pior período de retração estabilizadora. Entre 1928 e 1932, o desemprego cresceu de 133 mil para 600 mil no maior centro industrial da Alemanha, Berlim; de 32 mil para

135 mil na cidade comercial e portuária de Hamburgo; e de 12 mil para 65 mil na cidade industrial de Dortmund, na região do Reno-Ruhr. A indústria obviamente foi atingida mais de rijo; mas funcionários de escritórios também perderam seus empregos, com quase meio milhão deles sem serviço em 1932.[13] A escalada foi assustadoramente veloz. No inverno de 1930-31, já havia mais de 5 milhões de desempregados, pouco mais de um ano depois do início da Depressão; o número subiu para 6 milhões um ano mais tarde. No começo de 1932, foi registrado que os desempregados e seus dependentes somavam cerca de um quinto da população total da Alemanha, quase 30 milhões de pessoas no todo.[14] O número real pode ter sido ainda maior, visto que mulheres que perdiam o emprego com frequência não se registravam como desempregadas.[15]

Esses números aterrorizantes contam apenas parte da história. Para começar, muitos milhões mais de trabalhadores permaneceram nos empregos apenas em jornada reduzida, visto que os patrões cortaram horas e introduziram turnos menores na tentativa de ajuste ao colapso na demanda. Assim, muitos trabalhadores treinados ou aprendizes tiveram que aceitar empregos subalternos e não especializados porque os serviços para os quais estavam qualificados desapareceram. Esses ainda estavam com sorte. Pois o que causou real miséria e desespero foi a longa duração da crise, iniciada – numa época em que o desemprego já estava deveras alto – em outubro de 1929 e sem mostrar sinais de abrandamento pelos três anos seguintes. Contudo, o sistema de benefícios, introduzido poucos anos antes, havia sido projetado para lidar apenas com um nível de desemprego bem mais baixo – um máximo de 800 mil, contra os 6 milhões que estavam sem serviço em 1932 – e proporcionar alívio só por uns poucos meses no máximo, não por mais de três anos. As coisas ficaram piores pelo fato de que a queda drástica na renda das pessoas causou um colapso na receita dos impostos. Muitos governos locais também estavam em dificuldade por terem financiado a previdência e outros planos tomando empréstimos americanos, e estes agora estavam sendo igualmente retirados. Contudo, pelo sistema de auxílio-desemprego, o ônus de amparar os desempregados a longo prazo, depois de esgotado o período de cobertura do seguro, era transferido primeiramente para o governo central na forma de "benefícios de crise" e então, após mais um período, era delegado às autoridades locais na forma de "apoio previdenciário ao desemprego". O governo central relutava em adotar medidas impopulares que poderiam ser exigidas para preencher o buraco. Os patrões achavam que não podiam aumentar as contribuições quando seus negócios estavam em dificuldade. Sindicatos e trabalhadores não queriam ver os benefícios cortados. O problema parecia insolúvel. E aqueles que sofriam eram os desempregados, que viam seus benefícios repetidamente cortados, ou encerrados de vez.[16]

II

À medida que a Depressão se agravava, grupos de homens e gangues de rapazes podiam ser vistos fazendo ponto nas ruas, praças e parques das aldeias e cidades alemãs, vadiando por lá (assim parecia para a burguesia não acostumada com uma cena daquelas) ameaçadoramente, com uma insinuação de violência e criminalidade em potencial sempre no ar. Mais ameaçadoras ainda eram as tentativas dos comunistas, com frequência bem-sucedidas, de mobilizar os desempregados para seus fins políticos. O comunismo era o partido dos desempregados por excelência. Agitadores comunistas recrutavam os jovens semicriminosos das gangues; organizavam greves de aluguel em distritos da classe operária onde as pessoas, de qualquer modo, mal tinham condições de pagar o aluguel; proclamaram "distritos vermelhos", como o bairro proletário de Wedding em Berlim, inspirando medo nos não comunistas que ousavam aventurar-se lá, às vezes surrando-os ou ameaçando-os com revólveres se soubessem que eram associados aos camisas-pardas; designaram certos *pubs* e bares como sendo deles; faziam proselitismo entre crianças das escolas da classe operária, politizavam associações de pais e suscitavam temor nos professores de classe média, mesmo naqueles de convicções esquerdistas. Para os comunistas, a luta de classes passou do local de trabalho para as ruas e a vizinhança à medida que mais e mais pessoas perdiam o emprego. Defender um baluarte proletário, por meios violentos se necessário, tornou-se uma alta prioridade da organização paramilitar comunista, a Liga dos Combatentes da Frente Vermelha.[17]

Os comunistas estavam amedrontando as classes médias, não só porque tornavam politicamente explícita a ameaça social colocada nas ruas pelos desempregados, mas também porque cresceram rapidamente em número no início dos anos 1930. A filiação nacional disparou de 117 mil em 1929 para 360 mil em 1932, e seu poder eleitoral aumentava de eleição para eleição. Em 1932, em uma região como o litoral noroeste alemão, inclusive Hamburgo e o porto prussiano adjacente de Altona, pouco mais de 10% dos membros do partido tinham emprego. Cerca de três quartos das pessoas que se filiaram ao partido em outubro de 1932 estavam sem serviço.[18] Fundando "comitês de desempregados", o partido encenava paradas, manifestações, "marchas dos famintos" e outros eventos de rua quase diariamente, terminando com frequência em choques prolongados com a polícia. Não se perdia nenhuma oportunidade de elevar a temperatura política naquilo que os líderes do partido cada vez mais consideravam uma crise terminal do sistema capitalista.[19]

Esses acontecimentos impulsionaram uma rachadura cada vez mais profunda entre comunistas e social-democratas nos anos finais da república. Já havia um legado de amargor e ódio deixado pelos eventos de 1918-19, quando membros das Brigadas Livres a serviço do ministro social-democrata Gustav Noske assassinaram líderes comunistas destacados, mais notadamente Karl Liebknecht e Rosa Luxemburgo. Os assassinatos eram publicamente recordados em cada cerimônia que o Partido Comunista realizava em homenagem a eles. A isso somava-se agora a influência divisora do desemprego, na medida em que comunistas desempregados afrontavam social-democratas e sindicalistas ainda com trabalho, e os social-democratas ficavam cada vez mais alarmados com os elementos violentos e desordeiros que pareciam afluir para se juntar aos comunistas. Ressentimento adicional foi acrescido pelo hábito dos chefes de sindicatos social-democratas de denunciar comunistas aos patrões para serem dispensados, bem como pela prática dos empregadores de mandar embora trabalhadores jovens e solteiros antes dos mais velhos e casados, o que em muitos casos significava perda de emprego para membros do Partido Comunista. A ambivalência dos comunistas do baixo escalão quanto às raízes social-democratas do movimento operário levaram a uma relação de amor e ódio com o "irmão mais velho" do partido, na qual sempre se desejava produzir uma causa comum, mas apenas nos termos dos comunistas.[20]

As raízes do extremismo comunista eram profundas. Jovens trabalhadores radicais, em especial, sentiam-se traídos pelos social-democratas, com suas esperanças de uma revolução consumada – alimentada pela geração mais velha de ativistas social-democratas – destroçadas no momento em que parecia a ponto de ser realizada. A influência crescente do modelo russo de uma organização conspiratória muito unida ajudou a cimentar um espírito de solidariedade e atividade incessante entre os mais comprometidos. Um relato vibrante da vida de um ativista comunista engajado durante a República de Weimar foi posteriormente fornecido pelas memórias de Richard Krebs, um marinheiro nascido em Bremen em 1904, em uma família social-democrata de homens do mar. Na adolescência, Krebs estava presente na Revolução de 1918-19 em sua cidade natal e testemunhou a brutalidade da repressão pelas Brigadas Livres. Em Hamburgo, Krebs lutou em motins por comida e caiu na companhia de alguns comunistas da zona portuária. Os embates com a polícia fortaleceram seu ódio por esta e seus chefes, os social-democratas, governantes da cidade. Krebs mais tarde descreveu como os comunistas engajados compareciam a manifestações de rua, com pedaços de chumbo tilintando nos cintos e pedras nos bolsos, prontos para arremessá-los na polícia. Quando a polícia montada investia, os jovens ativistas da Liga dos Combatentes da Frente Vermelha enfiavam os canivetes nas pernas dos cavalos, fazendo com que empinassem. Nessa atmosfera de conflito e violência, um jovem brigão como Krebs podia sentir-se em casa, e ele filiou-se ao Partido Comunista em maio de 1923, distribuindo panfletos entre os marinheiros da zona portuária de dia e frequentando cursos de educação política básica à noite.[21]

Contudo, seu entendimento da teoria marxista-leninista era mínimo:

> Eu tinha consciência de classe porque consciência de classe era uma tradição de família. Tinha orgulho de ser um trabalhador e desprezava a burguesia. Minha atitude em relação à respeitabilidade convencional era derrisória. Eu possuía um agudo senso de justiça unilateral que me levou a um ódio insano de todos aqueles que julgava responsáveis pelo

sofrimento e opressão das massas. Os policiais eram inimigos. Deus era uma mentira inventada pelos ricos para deixar os pobres contentes com seu jugo, e apenas covardes recorriam à oração. Todo patrão era uma hiena em forma humana, malévolo, sempre voraz, desleal e impiedoso. Eu acreditava que um homem que lutasse sozinho jamais poderia vencer; os homens deveriam manter-se unidos e lutar juntos e melhorar a vida de todos os engajados em trabalho útil. Deveriam lutar com todos os meios a seu dispor, sem recuar diante de nenhuma ação ilegal, desde que ela favorecesse a causa, sem mercê até que a revolução tivesse triunfado.[22]

Imbuído desse espírito de comprometimento ardente, Krebs conduziu um destacamento da Liga dos Combatentes da Frente Vermelha na abortada Revolução de Hamburgo de outubro de 1923, quando os comunistas invadiram uma delegacia de polícia e ergueram barricadas.[23] Não é de surpreender que tenha sentido necessidade de escapulir da cena após o fracasso do levante, retomando a vida de marinheiro. Escapando para a Holanda, e a seguir Bélgica, fez contato com os comunistas locais. Seu conhecimento de inglês sem demora levou-o a ser encarregado por um dos agentes secretos soviéticos presentes em muitas seções do partido – embora provavelmente não tantas quanto ele mais tarde afirmou – a espalhar a propaganda comunista na Califórnia. Lá recebeu ordens de agentes locais para matar um renegado que acreditavam ter traído o partido. Depois de falhar no atentado – deliberadamente, afirmou –, foi detido e aprisionado em San Quentin. Quando foi solto, no início da década de 1930, tornou-se funcionário pago da seção de marinheiros do Comintern, a organização internacional de partidos comunistas ao redor do mundo, dirigida de Moscou, e começou a atuar como mensageiro do partido, levando dinheiro, panfletos e muito mais de um país para outro, e depois de uma região da Alemanha para outra.[24]

As memórias de Richard Krebs, com um ar de romance policial, retratam um Partido Comunista unido por laços férreos de disciplina e comprometimento, com cada um de seus movimentos ditados pelos agentes secretos de polícia soviéticos da GPU, sucessora da Tcheka, que dirigiam cada organização nacional dos bastidores. A sensação de que o Comintern estava por trás de greves, manifestações e tentativas de revolução em várias partes do mundo infundiu temor em muitos alemães de classe média, embora quase todas essas atividades fossem malsucedidas. A estrutura conspiratória do Comintern e a presença indubitável de agentes soviéticos no partido alemão desde os tempos de Karl Radek em diante sem dúvida alimentaram as ansiedades burguesas. Contudo, Krebs pintou um retrato muito lisonjeiro do funcionamento do Comintern. Na realidade, greves, agitação trabalhista, até mesmo brigas e tumultos com frequência deviam-se mais ao temperamento dos Combatentes da Frente Vermelha no local do que a quaisquer planos impostos por Moscou e seus agentes. E homens como Krebs eram incomuns. A rotatividade nas filiações do Partido Comunista foi de mais de 50% apenas em 1932, significando que centenas de milhares dos desempregados haviam estado próximos do partido o bastante para pertencer a ele, pelo menos por um tempo, mas também que o partido com frequência era incapaz de manter a lealdade da maioria de seus membros por mais que uns poucos meses de cada vez. Membros de longa data como Krebs constituíam um núcleo rígido e disciplinado, mas relativamente pequeno de ativistas, e a Liga de Combatentes da Frente Vermelha tornou-se uma força cada vez mais profissionalizada.[25] A palavra valia muito em tais circunstâncias. A retórica comunista havia se tornado um bocado mais violenta desde a inauguração do "terceiro período" pela liderança do Comintern em Moscou em 1928. Desse ponto em diante, o partido dirigiu seu veneno principalmente contra os social-democratas. A seus olhos, todo governo alemão era "fascista"; fascismo era a expressão política do capitalismo; os social-democratas eram "social-fascistas" porque eram os principais apoiadores do capitalismo, afastando trabalhadores do comprometimento revolucionário e reconciliando-os com o sistema político "fascista" de Weimar. Qualquer um da liderança que tentasse questionar essa linha era exonerado de seu cargo no partido. Qualquer coisa que ajudasse a derrubar o Estado "fascista" e seus apoiadores social-democratas era bem-vinda.[26]

O líder do Partido Comunista da Alemanha nesse tempo era Ernst Thälmann, funcionário do sindicato de Hamburgo. Suas credenciais de classe operária eram indiscutíveis. Nascido em 1886, havia tido uma variedade de empregos de curta duração, trabalhando inclusive em uma fábrica de farinha de peixe e dirigindo veículos para uma lavanderia antes de ser recrutado e servir no *front* ocidental da Primeira Guerra Mundial. Social-democrata desde 1903, Thälmann gravitou para a ala de esquerda do partido durante a guerra e lançou-se na atividade política durante a Revolução de 1918, juntando-se aos "sindicalistas revolucionários do comércio" e se tornando líder dos social-democratas independentes de Hamburgo em 1919. Eleito para o Parlamento da cidade no mesmo ano, juntou-se aos comunistas quando os independentes racharam em 1922 e se tornou membro do Comitê Central nacional. Durante esse tempo, continuou a atuar como trabalhador braçal em serviços pesados como demolição de navios. Inculto, musculoso, um revolucionário instintivo, Thälmann incorporava o ideal comunista de trabalhador revolucionário. Era qualquer coisa menos um intelectual; conquistou a simpatia de suas plateias proletárias inclusive devido à sua luta óbvia com a complicada terminologia marxista; seus discursos eram apaixonados, em vez de apresentarem argumentos de forma cuidadosa, mas as plateias sentiam que isso mostrava sua honestidade e sinceridade. Como líder de partido e político profissional da metade da década de 1920 até o início dos anos 1930, Thälmann com frequência era obrigado a vestir colarinho e gravata, mas tornou-se uma característica de seus discursos tirá-los em algum momento, para um aplauso geral e entusiástico, voltando a ser um simples trabalhador. Seu ódio de generais e patrões era palpável, sua desconfiança dos social-democratas era óbvia.

Como muitos comunistas do baixo escalão, Thälmann seguia a linha do partido formulada pelo Comintern em Moscou à medida que ela mudava de rumo para lá e para cá, com frequência em reação às necessidades táticas de Stálin na luta para marginalizar seus rivais dentro do partido em casa. A fé de Thälmann na revolução era absoluta, e por conseguinte assim era também sua fé no único Estado revolucionário do mundo, a União Soviética. Outras lideranças do partido poderiam ser mais sutis, mais implacáveis e mais inteligentes, como o chefe do partido em Berlim, Walter Ulbricht; e o Politburo e o Comitê Central, junto com o Comintern em Moscou, podem ter sido os árbitros da política e da estratégia do partido; mas a postura pessoal e os dons retóricos de Thälmann fizeram dele um trunfo indispensável para o partido, que por duas vezes lançou-o como candidato às eleições para o cargo de presidente do Reich, em 1925 e 1932. Portanto, no início da década de 1930, ele era um dos mais célebres – e, para as classes média e alta, dos mais temidos – políticos do país. Era mais do que uma mera figura de proa, mas menos que um líder genuíno, talvez. No entanto, permaneceu a encarnação do comunismo alemão em toda sua intransigência e ambição, dirigindo o partido rumo à fundação de uma "Alemanha Soviética".[27]

Guiado por um homem como Thälmann, o Partido Comunista parecia uma ameaça crescente de dimensões sem paralelo para muitos alemães de classe média no início dos anos 1930. Uma revolução comunista parecia longe de ser impossível. Mesmo um conservador moderado, sóbrio e inteligente como Victor Klemperer podia se perguntar em julho de 1931: "Será que o governo vai cair? Será que a seguir virá Hitler ou o comunismo?".[28] Em muitos aspectos, entretanto, o poder comunista era uma ilusão. O ânimo ideológico do partido contra os social-democratas fadou-o à impotência. A hostilidade à República de Weimar, baseada na condenação extremista de todos os seus governos, mesmo da "Grande Coalizão" liderada por Hermann Müller, como "fascistas", cegou-o por completo para a ameaça apresentada pelo nazismo ao sistema político de Weimar. Seu otimismo quanto a um colapso iminente, total e final do capitalismo possuía uma certa plausibilidade nas medonhas circunstâncias econômicas de 1932. Mas, em retrospecto, era completamente infundado. Além disso, um partido constituído na maioria de desempregados era inevitavelmente desprovido de recursos e enfraquecido pela pobreza e inconstância de seus membros. Os membros do Partido Comunista estavam tão sem dinheiro que *pubs* e bares comunistas, um depois do outro, tiveram que fechar durante a Depressão, ou passaram para as mãos dos nazistas. Entre 1929 e 1933, o consumo *per capita* de cerveja na Alemanha caiu 43%, e, nessas circunstâncias, os camisas-pardas, com mais fundos, instalaram-se. O que um historiador chamou de "campanha quase de guerrilha" era conduzida nos bairros mais pobres das grandes cidades da Alemanha, e os comunistas eram lentamente escorraçados de volta para seus redutos nos distritos de cortiços pela pressão contínua e brutal da violência camisa-parda. Nesse conflito, as simpatias burguesas em geral estavam do lado dos nazistas, que, afinal de contas, não ameaçavam destruir o capitalismo ou criar uma "Alemanha Soviética" se chegassem ao poder.[29]

III

Embora o desemprego fosse sobretudo um fenômeno da classe operária, as dificuldades econômicas vinham abatendo também o moral de outros grupos sociais. Bem antes da investida da Depressão, por exemplo, o ímpeto para reduzir o gasto do governo na retração que tinha de sustentar a estabilização da moeda depois de 1923 levou a uma onda de demissões no setor estatal. Entre 1º de outubro de 1923 e 31 de março de 1924, 135 mil de 826 mil funcionários públicos, a maioria do sistema ferroviário estatal, do correio, telégrafo e serviços de gráfica do Reich, foram postos na rua, junto com 30 mil dos 61 mil funcionários de escritórios e 232 mil dos 706 mil trabalhadores manuais contratados pelo Estado.[30] Uma onda adicional de cortes veio depois de 1929, com redução cumulativa nos salários do funcionalismo entre 19% e 23% entre dezembro de 1930 e dezembro de 1932. Muitos funcionários públicos de todos os níveis ficaram consternados com a incapacidade de seus sindicatos de deter os cortes. Sua hostilidade ao governo era óbvia. Alguns foram para o Partido Nazista; muitos outros foram dissuadidos disso pela ameaça aberta dos nazistas de expurgar o funcionalismo público caso chegassem ao poder. Não obstante, a ansiedade e a desilusão com a república espalharam-se pelo funcionalismo como resultado dos cortes.[31]

Muitas outras profissões da classe média sentiram que sua posição econômica e social estava sob ameaça durante a República de Weimar. Funcionários de escritórios perderam o emprego, ou temiam perder, à medida que bancos e financeiras entravam em dificuldades. Agências de turismo, restaurantes, lojas de varejo, firmas de vendas por reembolso postal, uma enorme variedade de empregadores do setor de serviços ficou em apuros conforme o poder de compra do povo caía. O Partido Nazista, agora equipado com sua sofisticada estrutura de subdivisões especializadas, percebeu isso e começou a dirigir seu apelo às classes médias de profissionais e às pessoas de posses. Tudo isso era um anátema para nazistas que, como Otto Strasser, irmão de Gregor, o organizador do Partido, continuavam a enfatizar o aspecto "socialista" do nacional-socialismo e sentiam que Hitler estava traindo seus ideais. Enfurecido pelo apoio de Otto Strasser e sua editora a causas esquerdistas como greves, Hitler convocou os líderes do Partido para uma reunião em abril de 1930 e discorreu contra os pontos de vista de Strasser. Como forma de tentar neutralizar a influência de Otto Strasser, ele então indicou Goebbels como líder de propaganda do Reich do Partido. Mas, para aborrecimento de Goebbels, Hitler adiou uma ação decisiva repetidas vezes, na esperança de que o aparato de propaganda de Otto Strasser ainda pudesse ser de alguma utilidade nas eleições regionais de junho de 1930. Só depois disso, e de Strasser publicar um relato nada lisonjeiro de sua desavença com Hitler no início daquele ano, ele decidiu expurgar Otto Strasser e seus apoiadores do Partido, os quais se anteciparam a essa ação renunciando no dia 4 de julho de 1930. O racha foi sério. Os observadores ficaram em suspense para ver se o Partido sobreviveria ao êxodo de sua ala de esquerda. Mas as coisas tinham mudado nitidamente desde o tempo em que Goebbels e seus amigos haviam revitalizado o Partido no Ruhr com *slogans* socialistas. A saída dos dissidentes revelou que Strasser e suas ideias tinham pouco apoio dentro do Partido; até seu irmão Gregor repudiou-o. Otto Strasser sumiu da política séria para passar o resto da vida na Alemanha e mais tarde no exílio concebendo pequenas organizações sectárias para propagar seus pontos de vista para plateias minúsculas de mentalidade semelhante.[32]

Tendo expelido os últimos vestígios de "socialismo", Hitler avançou então para construir mais pontes rumo à direita conservadora. No outono de 1931, juntou-se aos nacionalistas na chamada "Frente de Harzburg", produzindo uma declaração conjunta com Hugenberg em Bad Harzburg em 11 de outubro, afirmando sua prontidão para se unirem no governo da Prússia e do Reich. Embora os nazistas enfatizassem sua independência – Hitler, por exemplo, recusou-se a passar em revista uma tropa dos Capacetes de Aço –, isso marcou um aumento significativo da colaboração que havia ocorrido pela primeira vez na campanha contra o Plano Young em 1929. Ao mesmo tempo, Hitler deu passos sérios para persuadir os industriais de que seu Partido não representava uma ameaça a eles. Seu discurso para cerca de 650 empresários no Clube da Indústria de Düsseldorf em janeiro de 1932 foi bem recebido pela plateia por denunciar o marxismo como fonte dos males da Alemanha – ele não se referiu aos judeus nenhuma vez nessa fala – e enfatizar sua crença na importância da propriedade privada, do trabalho árduo e das recompensas adequadas para os capazes e os empreendedores. Contudo, disse ele, a solução para os infortúnios econômicos do momento era basicamente política. Idealismo, patriotismo e unidade nacional criariam a base para o renascimento econômico. Eles seriam proporcionados pelo movimento nacional-socialista, cujos membros sacrificavam seu tempo e dinheiro e arriscavam a vida dia e noite na luta contra a ameaça comunista.[33]

Proferidos em um discurso de duas horas e meia, esses comentários foram extremamente genéricos e não apresentaram absolutamente nada de concreto sobre a política econômica. Revelaram a visão social darwinista de Hitler da economia, na qual a luta era o caminho para o sucesso. Isso não conseguiu impressionar muito a plateia culta. Os industriais mais destacados ficaram decepcionados. Posteriormente, os nazistas declararam que Hitler havia por fim conquistado os empresários de peso. Mas houve pouca evidência concreta para mostrar que assim fosse. Nem Hitler nem mais ninguém deu seguimento à ocasião com uma campanha para angariar fundos entre os capitães da indústria. Na verdade, setores da imprensa nazista continuaram a atacar cartéis e monopólios depois do evento, enquanto outros nazistas tentavam conquistar votos em outras partes defendendo os direitos dos trabalhadores. Quando os jornais do Partido Comunista retrataram o encontro em termos conspiratórios, como demonstração do fato de que o nazismo era um instrumento dos grandes negócios, os nazistas não economizaram esforços para negar isso, publicando trechos do discurso como prova da independência de Hitler em relação ao capital.

O resultado de tudo isso foi as empresas não se mostrarem muito mais dispostas a financiar o Partido Nazista do que antes. É verdade que um ou dois indivíduos, como Fritz Thyssen, eram entusiastas e proporcionaram fundos para subsidiar os gostos extravagantes de lideranças nazistas, como Hermann Göring e Gregor Strasser. E, em termos gerais, o discurso foi tranquilizador. Quando chegou a hora, foi bem mais fácil para os grandes negócios voltarem seu apoio para o Partido Nazista. Mas em janeiro de 1932 isso ainda era futuro. Por um tempo, o Partido Nazista continuou, como antes, a financiar suas atividades basicamente por meio das contribuições voluntárias de seus membros, da cobrança de ingresso para as reuniões, da renda de jornais e publicações e de doações de pequenas firmas e empresas, e não das grandes companhias. O antissemitismo que Hitler tão notoriamente esqueceu de mencionar quando falou para as grandes indústrias tinha muito mais probabilidade de agradar em setores como aqueles.[34] Não obstante, o nazismo agora tinha uma face respeitável, assim como uma grosseira, e estava conquistando amigos entre as elites conservadoras e nacionalistas. À medida que a Alemanha mergulhava mais fundo na Depressão, números crescentes de cidadãos de classe média começaram a ver no dinamismo juvenil do Partido Nazista uma possível saída para a situação. Tudo dependeria de as frágeis estruturas democráticas da República de Weimar aguentarem o impacto da crise e de o governo do Reich conseguir apresentar as políticas certas para impedir que elas entrassem em colapso completo.

A crise da democracia

I

A primeira vítima política da Depressão foi o gabinete da Grande Coalizão liderado pelo social-democrata Hermann Müller, um dos mais estáveis e duradouros governos da república, no comando desde as eleições de 1928. A Grande Coalizão foi uma rara tentativa de acordo entre os interesses ideológicos e sociais dos social-democratas e dos partidos "burgueses" à esquerda dos nacionalistas. Manteve-se coesa basicamente pelo esforço comum de defender o Plano Young, esforço feito diante da amarga oposição dos nacionalistas e da extrema direita. Uma vez que o plano estava acordado no final de 1929, restava pouca coisa para unir os partidos. Ao começar a Depressão, em outubro de 1929, os partidos integrantes da coalizão fracassaram em concordar sobre como atacar o problema do desemprego, que piorava rapidamente. Privado da influência moderadora de seu ex-líder Gustav Stresemann, morto em outubro de 1929, o Partido Popular rompeu com a coalizão em função da recusa dos social-democratas de cortar os benefícios para os desempregados, e o governo foi forçado a apresentar sua renúncia, em 27 de março de 1930.[35]

Embora poucos tenham percebido na época, aquilo marcou o início do fim da democracia de Weimar. Daquele ponto em diante, nenhum governo comandou com o apoio de uma maioria parlamentar no Reichstag. De fato, aqueles a quem o presidente Hindenburg dava ouvidos viram a queda da Grande Coalizão como uma chance de estabelecer um regime autoritário por meio do uso do poder presidencial de governar por decreto. Particularmente influente quanto a isso foi o Exército alemão, representado pelo ministro da Defesa, general Wilhelm Groener. Sua nomeação, em janeiro de 1928 para substituir o político democrata Otto Gessler, havia assinalado a liberação do Exército de qualquer tipo de controle político e foi sacramentada pelo direito do chefe do Exército de se reportar diretamente ao presidente em vez de passar pelo gabinete. A despeito das limitações colocadas pelo Tratado de Versalhes sobre seu efetivo e equipamento, o Exército permaneceu em grande parte a mais poderosa, mais disciplinada e mais fortemente armada força da Alemanha. Enquanto instituições civis de um tipo ou de outro, de partidos políticos ao Poder Legislativo em si, se esfacelavam, o Exército permaneceu unido. Na maior parte dos anos 1920, desde o desastre do golpe de Kapp, o Exército havia ficado quieto, focando a atenção em desenvolver equipamento e efetivo ilegais, e viu a sua oportunidade na crise do início da década de 1930. O rearmamento e a reconstrução da Alemanha como grande potência, na visão de homens como o conselheiro político de Groener, o coronel e mais tarde general Kurt von Schleicher, poderiam agora ser obtidos mediante a libertação do Estado dos grilhões das coalizões parlamentares. E, quanto mais a Alemanha afundava no caos político e na violência extremista, mais essencial tornava-se a posição do Exército. Já no outono de 1930, Groener dizia aos oficiais: "Não se pode mais mover nem um tijolo no processo político da Alemanha sem que a palavra do Exército pese na balança de forma decisiva".[36]

De início, o Exército lançou seu peso no processo político para se proteger de cortes orçamentários, o que fez com sucesso. Enquanto por toda parte as instituições estatais tinham seus orçamentos drasticamente reduzidos, o do Exército permaneceu intacto. Mas este, de modo geral, permaneceu distante do Partido Nazista. Os velhos oficiais, educados nas rígidas tradições da monarquia prussiana, em sua maioria eram resistentes ao apelo populista da política nacionalista radical. Mesmo ali, entretanto, havia alguns que favoreciam francamente os nazistas, como o coronel Ludwig Beck.[37] E os oficiais mais jovens eram muito mais suscetíveis à propaganda nazista. Já em 1929, vários oficiais subalternos estavam engajando-se em discussões com os nazistas e debatendo as perspectivas de uma "revolução nacional". A liderança do Exército sob Groener e Schleicher combatia essas tendências com vigor; engajou-se em contrapropaganda, deteve e mandou a julgamento os três cabeças das discussões em 1930 sob a acusação de preparar um ato de alta traição. O julgamento ultrajou os oficiais jovens, mesmo aqueles não inclinados a colaborar com os nazistas. A liderança do Exército, escreveu um deles, havia se sujeitado aos "novembristas" e julgado homens cuja única motivação era o "amor abnegado pela pátria". E acrescentou que 90% dos oficiais pensavam da mesma forma.[38]

O julgamento serviu de ocasião para um discurso amplamente divulgado de Hitler, proferido do banco das testemunhas, ao qual ele foi convocado por Hans Frank, advogado nazista que atuou em favor de um dos réus. O Partido Nazista, ele declarou, não tinha intenção de cometer alta traição ou subverter o Exército. A intenção era chegar ao poder por meios legais, e ele havia expulsado aqueles que, como Otto Strasser, haviam insistido em que se fizesse uma revolução. O Partido conquistaria a maioria em uma eleição e formaria um governo constituído de maneira legítima. Nessa ocasião, disse ele, para aclamação da bancada pública, os verdadeiros traidores, os "criminosos de novembro" de 1918, seriam levados a julgamento, e "cabeças rolariam". Mas, até lá, o Partido continuaria dentro da lei. O tribunal fez Hitler prestar juramento quanto à veracidade de seu testemunho. "Agora somos estritamente legais", teria dito Goebbels. Putzi Hanfstaengl, recentemente colocado para tratar das relações de Hitler com a imprensa estrangeira, assegurou-se de que o discurso fosse publicado em todo o mundo. Ele vendeu três artigos de Hitler esboçando as metas e os métodos do Partido Nazista, de forma adequamente expurgada, para William Randolph Hearst, o barão da imprensa americana, por mil reichsmarks cada. O dinheiro permitiu a Hitler dali em diante usar o Kaiserhof Hotel, no centro de Berlim, como seu quartel-general sempre que ficava na cidade. Na Alemanha, as afirmações tranquilizadoras de Hitler dissiparam o medo de muitos alemães de classe média quanto às intenções do Partido Nazista.[39]

A corte não ficou impressionada com Hitler, a quem repreendeu por abusar da posição de testemunha, e condenou os jovens oficiais a 18 meses de prisão, exonerando dois deles do Exército.[40] O conservadorismo do Judiciário estava quase fadado a colocar a corte do lado do Exército. Contudo, as sentenças de nada adiantaram para impedir os oficiais jovens de continuar o flerte com o nazismo. As tentativas de Schleicher de combater tais ideias, refrear o radicalismo dos oficiais mais jovens e restaurar a disciplina política na instituição foram pouco eficientes, em parte porque ele admitia abertamente ao corpo de oficiais que simpatizava com a "parte nacional" do programa dos nazistas e, em particular, com "a onda de indignação produzida pelo movimento nacional-socialista contra o bolchevismo, traição, imoralidade etc. Nisso", disse ele, "a campanha nacional-socialista sem dúvida tem efeitos extremamente estimulantes".[41] Simpatia pelos nazistas significava cooperar com eles, mas a arrogância e a presunção dos líderes do Exército eram tamanhas que eles ainda pensavam que poderiam dobrar os nazistas à sua vontade e alistá-los como auxiliares políticos, como haviam feito com outros grupos paramilitares no início dos anos 1920. O tempo mostraria o quanto essa política era equivocada.

A recente posição política de destaque do Exército encontrou expressão na indicação feita por Hindenburg, agindo sobretudo conforme o conselho de oficiais de alta patente, inclusive Schleicher, do sucessor de Müller como chanceler. Desde o início, não houve a tentativa de indicar um governo que repousasse no apoio democrático dos partidos representados no Reichstag. Em vez disso, seria instaurado um "gabinete de especialistas" com a intenção de driblar o Reichstag por meio do uso do poder de Hindenburg de governar por decretos de emergência. Claro que governar por decreto tinha um âmbito limitado, e muitas medidas, sobretudo o orçamento, ainda tinham que ser aprovadas pelo Reichstag. Foram dados passos para garantir que não parecesse o início de um regime autoritário. O novo gabinete incluía políticos conhecidos do Reichstag, como Josef Wirth, um ex-chanceler do Reich, pelo Partido de Centro, Hermann Dietrich pelos democratas (renomeados de Partido do Estado em julho de 1930), Martin Schiele pelos nacionalistas, Julius Curtius pelo Partido Popular e Viktor Bredt pelo pequeno Partido da Economia. Mas não incluía os social-democratas, a quem Hindenburg e seus conselheiros relutavam em confiar o poder de governar por decreto. Sem os social-democratas, o gabinete não tinha maioria parlamentar. Mas isso não parecia importar mais.

O novo governo foi conduzido por um homem cuja indicação como chanceler do Reich mostrou-se, em retrospecto, uma escolha fatal. Superficialmente, a nomeação do presidente de Heinrich Brüning, nascido em

1885, como chanceler do Reich era defensável em termos democráticos. Como líder da bancada de deputados do Partido de Centro no Reichstag, ele representava a força política que, mais do que qualquer outra, havia sido o esteio da democracia parlamentar da República de Weimar. Mas, já na época de sua indicação, o Centro, sob a influência de seu novo líder, o prelado Ludwig Kaas, estava deslocando-se para uma posição mais autoritária, mais estreitamente interessada em defender os interesses da Igreja Católica. Além disso, o próprio Brüning era no máximo um amigo das horas boas da democracia de Weimar. Ex-oficial do Exército, tinha ficado chocado com a Revolução de Novembro e permaneceu um fiel monarquista a vida inteira. De fato, em suas memórias, retratou a restauração da monarquia como seu objetivo principal após tornar-se chanceler. Contudo, ao fazer isso, provavelmente estava emprestando coerência retroativa a uma carreira política dominada, como a de tantos políticos, por imperativos de curto prazo.[42] A despeito de sua convicção interior de que o retorno ao sistema bismarckiano seria o melhor para todos, ele não tinha um plano detalhado para restaurar a monarquia, que dirá trazer o *Kaiser* de volta. Não obstante, seus instintos eram de fundo autoritário.[43] Planejava reformar a Constituição pela redução do poder do Reichstag e pela combinação dos cargos de chanceler do Reich e de ministro-presidente prussiano em sua própria pessoa, removendo assim os social-democratas da predominância no maior estado da Alemanha. Brüning não teve respaldo suficiente de Hindenburg para colocar essa ideia em prática, mas ela permaneceu em pauta, pronta para ser usada por qualquer um. Brüning também começou a restringir os direitos democráticos e as liberdades civis.[44] Em março de 1931, por exemplo, introduziu restrições severas à liberdade de imprensa, especialmente quando publicava críticas a suas políticas. No meio de julho, a liberal *Berliner Tageblatt* [Folha Diária de Berlim] estimava que mais de cem edições de jornal estavam sendo proibidas no mês em todo o país. Em 1932, o jornal comunista *A Bandeira Vermelha* era proibido, em média, mais de uma vez a cada três dias. A liberdade de imprensa estava seriamente comprometida bem antes de os nazistas chegarem ao poder.[45]

Com efeito, Brüning começou o desmantelamento das liberdades democráticas e civis que seriam perseguidas com vigor sob os nazistas. De fato, alguns argumentaram que a muito criticada política econômica de Brüning durante a crise foi em parte projetada para enfraquecer os sindicatos e os social-democratas, as duas principais forças que mantinham a democracia de Weimar à tona.[46] Por certo, Brüning não era um ditador e sua nomeação não marcou o fim da democracia de Weimar. Ele não chegou à sua posição no Partido de Centro sem se tornar adepto do calculismo e do ardil políticos, e era habilidoso na construção de coalizões e alianças políticas. Havia conquistado uma reputação considerável como especialista em finanças e impostos, e um homem com desenvoltura nessas áreas muitas vezes técnicas era evidentemente necessário no comando em 1930. Mas a margem de manobras estava se tornando rapidamente mais exígua depois de 1930, em parte devido aos catastróficos erros de cálculo político de Brüning. E mesmo seus mais fiéis defensores jamais sustentaram que ele fosse um líder carismático ou inspirador. De aparência austera, reservado, inescrutável, dado a tomar decisões sem consultas suficientes, desprovido do dom da retórica, Brüning não era o homem para conquistar o apoio em massa de um eleitorado cada vez mais aterrado com o caos econômico e a violência política que mergulhavam o país em uma crise cujas dimensões excediam até mesmo aquelas de 1923.[47]

II

A maior tarefa de Brüning era tratar da situação econômica em rápida deterioração. Ele optou fazer isso por meio de medidas deflacionárias radicais, sobretudo cortando os gastos do governo. As receitas do governo estavam baixando depressa, e as possibilidades de empréstimo para cumprir as obrigações do Estado eram virtualmente inexistentes. Além disso, embora a moeda da Alemanha tivesse sido estabilizada após a grande deflação de 1923, tendo o valor atrelado ao do ouro, isso não significava que houvesse sido estabilizada no nível certo. Entretanto, os valores a que se chegou eram considerados sacrossantos, de modo que a única forma de lidar com uma moeda que se tornou supervalorizada, porque as reservas estavam se exaurindo com o saldo do *deficit* de pagamentos, era cortar preços e salários e elevar as taxas de juro internas.[48] Por fim, as reparações ainda assombravam o panorama econômico alemão, embora tivessem sido reagendadas e de fato reduzidas de modo substancial pelo Plano Young no verão de 1930. Brüning esperava cortar os preços domésticos alemães reduzindo a demanda, e com isso tornar as exportações mais competitivas no mercado internacional, uma política muito bem recebida pelos exportadores, que estavam entre seus mais fortes apoiadores.[49] Essa não era uma política muito realista numa época em que a demanda mundial havia despencado em um nível sem precedentes.

Os cortes nos gastos do governo vieram primeiro. Uma série de medidas, culminando em decretos de emergência promulgados em 5 de junho e 6 de outubro de 1931, reduziu os benefícios dos desempregados de várias maneiras, restringiu o período pelo qual poderiam ser reivindicados e impôs investigação de renda em um número crescente de casos. Assim, os desempregados de longa data viram seu padrão de vida ser reduzido de modo inexorável conforme iam do pagamento do seguro-desemprego para os benefícios contra a crise financiados pelo Estado, depois para o amparo assistencial do governo local e por fim ficavam sem amparo nenhum. No final de 1932, restavam apenas 618 mil pessoas recebendo o seguro-desemprego, 1,23 milhão o benefício contra a crise, 2,5 milhões o amparo assistencial e mais de 1 milhão cujo período sem emprego havia ultrapassado os limites de tempo agora estabelecidos para cada um desses programas e que por isso careciam de qualquer tipo de renda regular.[50] Quaisquer que pudessem ter sido as metas mais amplas de Brüning, a pobreza crescente piorava a situação econômica. Pessoas que estavam em uma situação em que mal conseguiam satisfazer as necessidades básicas de si mesmas e de suas famílias dificilmente gastariam dinheiro suficiente para estimular a recuperação da indústria e do setor de serviços. Além disso, o medo da inflação era tanto que, mesmo sem os acordos internacionais (como o Plano Young) que dependiam da manutenção do valor do *reichsmark*, a desvalorização (o jeito mais rápido de impulsionar as exportações) teria sido extremamente perigosa em termos políticos. Em todo caso, Brüning recusou-se a desvalorizar porque queria demonstrar para a comunidade internacional que as reparações estavam causando miséria e sofrimento verdadeiros na Alemanha.[51]

No verão de 1931, entretanto, a situação mudou. Uma nova crise abateu-se sobre a economia à medida que a evasão de capitais atingiu novos patamares, levando ao colapso do Banco Darmstadt e Nacional (ou Danat), que dependia pesadamente de empréstimos estrangeiros, a 13 de julho, e ameaçando um colapso de crédito ainda mais geral.[52] Em todo caso, a impossibilidade de socorrer o governo alemão com empréstimos estrangeiros tinha ficado completamente clara: um cálculo havia estimado que a quantia exigida para cobrir o *deficit* orçamentário da Alemanha seria maior que toda a reserva de ouro dos Estados Unidos. A cooperação financeira internacional havia se tornado efetivamente impossível pela rigidez imposta pelo padrão ouro. Brüning e seus assessores não viram alternativa a não ser deter a convertibilidade do *reichsmark*, atitude que até então haviam relutado em tomar por temer que causasse inflação. Daquele ponto em diante, portanto, o *reichsmark* já não poderia ser trocado por moeda estrangeira.[53]

Isso tornou o padrão ouro sem sentido no que dizia respeito à Alemanha, permitindo uma abordagem mais flexível da política monetária e propiciando uma expansão do suprimento de moeda que podia, ao menos na teoria, facilitar a situação financeira do governo e lhe possibilitar que começasse a reaquecer a economia por meio de projetos de criação de empregos.[54] Infelizmente, Brüning recusou-se a dar tal passo, pois ficou apreensivo com o fato de que imprimir dinheiro que não estivesse atrelado ao valor do ouro causasse inflação. De todos os efeitos de longo prazo da inflação alemã, esse provavelmente foi o mais desastroso. Mas não foi o único motivo pelo qual Brüning persistiu com suas políticas deflacionárias muito depois de alternativas viáveis estarem disponíveis. Crucialmente, ele também esperava usar a persistente taxa de desemprego elevada para completar o desmantelamento da previdência estatal de Weimar, reduzir a influência do operariado e assim enfraquecer a oposição aos planos que ele agora tramava para reformular a Constituição em uma direção autoritária e restauracionista.[55]

A crise bancária colocou nas mãos de Brüning uma outra carta que ele não estava disposto a usar. Em vista da evasão de fundos estrangeiros da economia alemã na primavera e início do verão de 1931, o pagamento das reparações, junto com outras movimentações internacionais de capital, foi suspenso pela moratória Hoover, decretada em 20 de junho de 1931. Isso removeu outra restrição política da liberdade de manobra do governo alemão. Até ali, quase qualquer política econômica que fosse adotada – como aumento de impostos ou fomento da receita do governo – corria o risco de ser acusada pela extrema direita de contribuir para o odioso pagamento de reparações. Esse agora já não era mais o caso. Contudo, para Brüning não era o bastante. Ainda era possível, pensou ele, que, uma vez que a crise acabasse, a moratória fosse suspensa e a exigência dos pagamentos de reparação fosse retomada.[56] Assim, ele não fez nada, embora agora houvesse uma saída e já começassem a surgir vozes em público a favor do estímulo da demanda por meio de programas governamentais de criação de empregos.[57]

A atitude deflacionária de Brüning era inabalável. Os eventos de 1931 deixaram a Depressão ainda pior que antes. E não se viam sinais de que fosse terminar. Brüning disse ao povo que esperava que aquilo se prolongasse até 1935. Era uma perspectiva que muitos, e não apenas os desempregados e destituídos, consideravam estarrecedora demais para se contemplar.[58] Em breve, Brüning, que emitiu outro decreto de emergência em 8 de dezembro exigindo a redução dos salários para o nível de 1927 e ordenando a redução de vários preços, era chamado de "o chanceler da fome".[59] Os satiristas comparavam-no ao assassino em série do início dos anos de 1920, Fritz Haarmann, cujo hábito de picar os corpos de suas vítimas serviu de tema de uma canção de ninar para amedrontar criancinhas que é repetida até hoje na Alemanha:

> Espere um pouco e você verá,
> Com o nono decreto de emergência
> Brüning vai lhe pegar
> E picadinho de você ele fará.[60]

Nunca houve um nono decreto de emergência; mas, mesmo depois de promulgar apenas quatro deles, Brüning viu-se como o chanceler mais impopular que já tinha havido na República de Weimar.[61]

1. O pseudomedievalismo do memorial de Bismarck em Hamburgo, inaugurado em 1906, promete o renascimento de glórias alemãs passadas sob um novo líder nacional.

2. Cartão-postal antissemita do "único hotel de Frankfurt livre de judeus", 1887. Tais atitudes eram um fenômeno novo nos anos 1880.

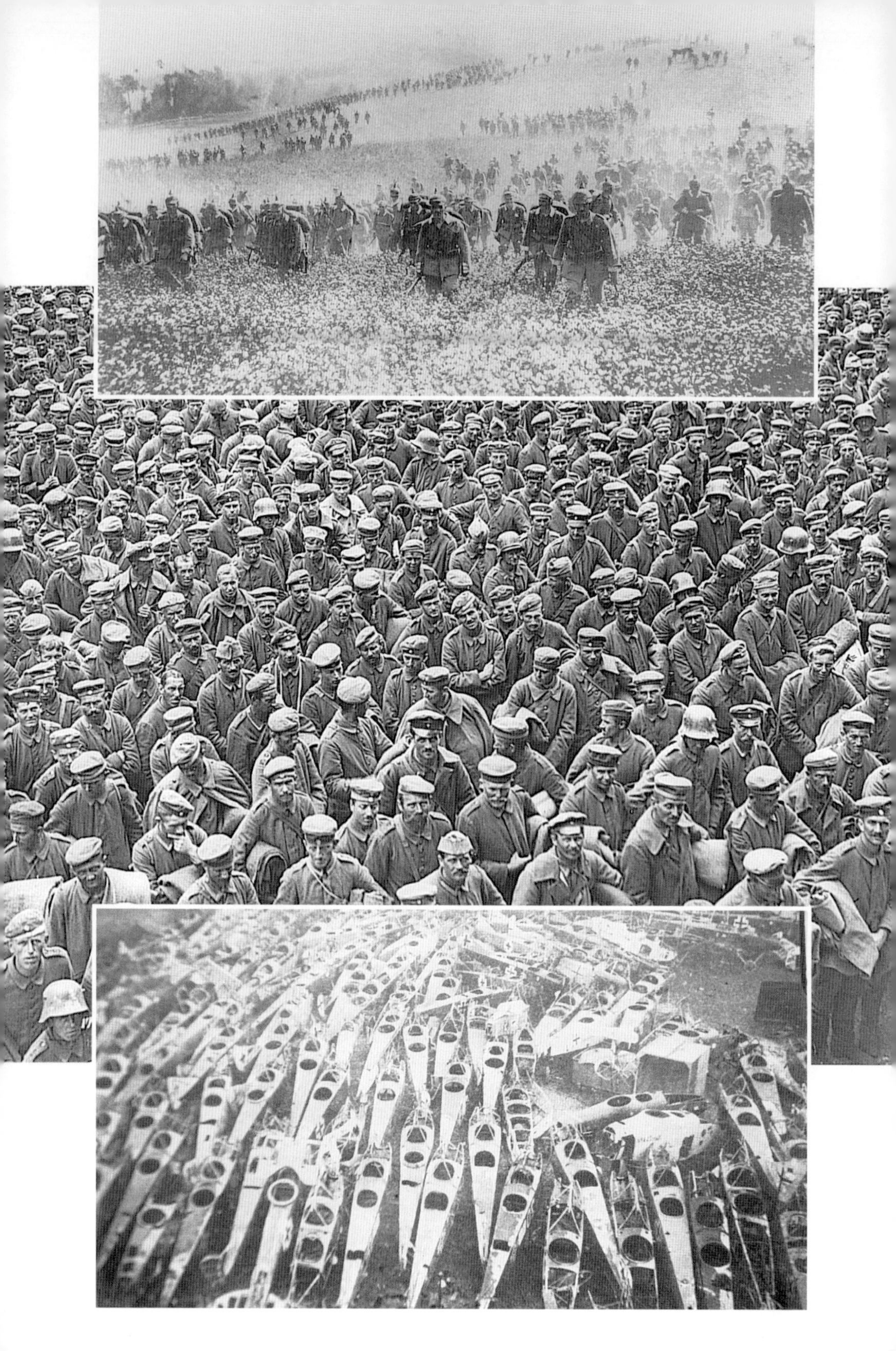

Página ao lado

3. *(ao alto)* A promessa de vitória: tropas alemãs avançam confiantes pela Bélgica em 1914.

4. *(ao centro)* A realidade da derrota: prisioneiros de guerra alemães capturados pelos aliados na Batalha de Amiens, agosto de 1918.

5. *(abaixo)* O preço a pagar: carcaças de aviões de guerra alemães desmanchados em cumprimento ao Tratado de Versalhes de 1919.

Nesta página

6. *(ao alto)* A derrocada para o caos: uma batalha de rua em Berlim durante o levante espartacista de janeiro de 1919.

7. *(à direita)* A vingança da direita: um tenente das Brigadas Livres no comando de um pelotão de fuzilamento fotografa seus soldados irregulares com o "guarda vermelho" que estão prestes a executar durante a sangrenta repressão ao Soviete de Munique, maio de 1919.

8. Caricatura racista em uma revista satírica alemã ressalta os assassinatos, roubos e agressões sexuais supostamente cometidos por tropas coloniais francesas durante a ocupação do Ruhr em 1923.

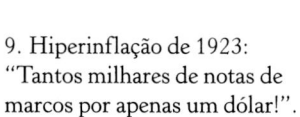

9. Hiperinflação de 1923: "Tantos milhares de notas de marcos por apenas um dólar!".

10. Balancete das reparações, 1927: de acordo com um periódico satírico, 14 mil suicídios na Alemanha são o resultado da penúria econômica causada pelo ônus financeiro imposto ao país pelo Tratado de Versalhes.

11. Os Loucos Anos 20 em Berlim: a amarga visão do artista Otto Dix da sociedade alemã em 1927-28; veteranos de guerra empurrados para a marginalidade, enquanto mulheres de vida fácil e seus clientes esbaldam-se em uma festa de *jazz*.

12. O golpe da cervejaria, novembro de 1923: tropa armada de camisas-pardas nazistas aguarda do lado de fora da prefeitura de Munique pela tomada que nunca aconteceu.

13. Hitler relaxando com amigos, mas sem beber, em uma cervejaria de Munique em 1929. Gregor Strasser está na extremidade esquerda.

14. Hitler lidera uma passeata em um dos primeiros comícios do Partido Nazista em Weimar, em 1926, enquanto os camisas-pardas abrem caminho. Rudolf Hess, sem chapéu, pode ser visto à esquerda de Hitler, com Heinrich Himmler logo atrás.

15. A face do fanatismo: camisas-pardas ouvem um discurso em comício ao ar livre em 1930.

16. A ameaça comunista: criminalidade, pobreza e engajamento na extrema esquerda com frequência andavam juntos, para o temor dos eleitores de classe média, como nesse bairro pobre de Hamburgo durante uma campanha eleitoral em 1932.

17. A futilidade da proibição de uniformes por Brüning (dezembro de 1930): os camisas-pardas usam camisas brancas, e o efeito é o mesmo.

18. Um pôster pacifista de 1930 adverte que "quem vota na direita vota a favor da guerra", e que o nazismo pode significar apenas morte e destruição. "Alemão", pergunta o cartaz retoricamente, "ele vai agarrá-lo outra vez?".

19. A violência da imagem visual: naquilo em que os nazistas lideraram em 1928, outros partidos seguiram em eleições posteriores. (a) "Esmagar o inimigo mundial, as Altas Finanças Internacionais" – pôster eleitoral nazista, 1928. (b) "Um fim para esse sistema!" – pôster eleitoral comunista, 1932. (c) "Abram caminho para a Chapa 1!" – o trabalhador social-democrata empurra o nazista e o comunista a cotoveladas, 1930. (d) "Contra a guerra civil e a inflação" – o Partido Popular derruba rivais de direita e esquerda, um exemplo de seu desejo em 1932.

20. A escolha diante do eleitorado em setembro de 1930: os partidos buscam o voto de mulheres, requerentes de benefícios, jovens e outros grupos sociais específicos.

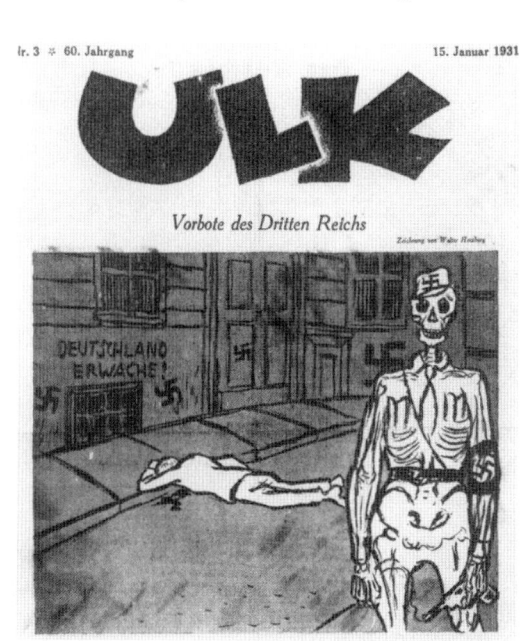

21. "Arauto do Terceiro Reich". Um pôster social-democrata alerta para a violência dos nazistas, janeiro de 1931. Depois de rabiscar "Alemanha, acorde!" e suásticas nas paredes, a figura da Morte, vestida com um uniforme de camisa-parda e segurando uma pistola, mata um oponente e marcha adiante.

22. *(ao alto)* Abafando a oposição: nazistas usam megafones para gritar *"Heil* Hitler!" durante a campanha eleitoral de março de 1933.

23. *(abaixo)* A face respeitável do nazismo: Hitler, em traje formal, encontra-se com líderes empresariais pouco depois de ser nomeado chanceler do Reich, em janeiro de 1933.

24. A realidade nas ruas: comunistas e social-democratas detidos por tropas de assalto nazistas que atuavam como "polícia auxiliar" aguardam seu destino em uma câmara de tortura dos camisas-pardas na primavera de 1933.

25. Os primeiros campos de concentração, 1933: social-democratas são registrados ao chegar ao campo de Oranienburg.

26. "O nobre comunista no campo de concentração". A propaganda nazista fez ampla publicidade dos campos, mas tentou passar uma imagem positiva. Conforme essa caricatura de 14 de maio de 1933, a "detenção" era seguida de "limpeza", "corte (barba e cabelo)" – a palavra alemã é a mesma para circuncisão –, "passeio ao ar livre" e "fotografia". No Romanesque Cafe e no Cafe Megalomania de Berlim, célebres redutos de artistas modernistas e escritores radicais, os supostos frequentadores habituais judeus lamentam a transformação do amigo seis semanas depois: "O que o pobre homem não há de ter passado!".

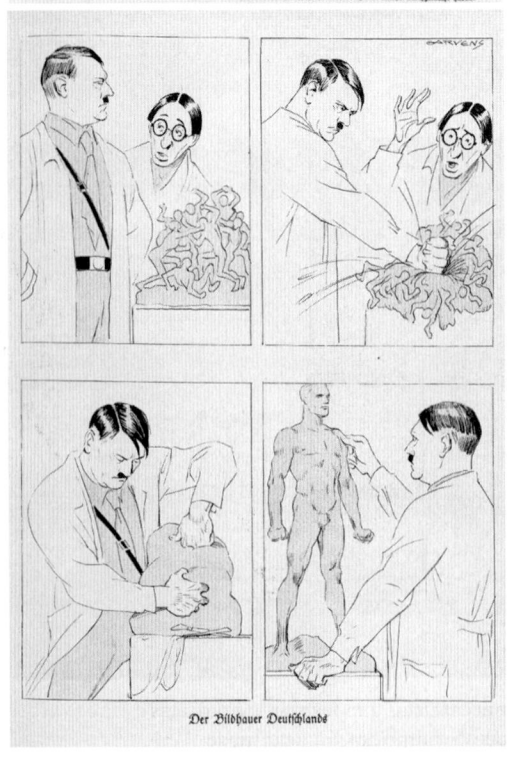

27. A revolução cultural de Hitler: de uma massa de pigmeus rixentos, o "escultor alemão" cria um novo gigante alemão pronto para dominar o mundo.

28. Os exilados: a publicação satírica nazista *A Urtiga* retrata a fuga dos mais eminentes escritores e intelectuais da Alemanha como um triunfo da nação alemã: enquanto Thomas Mann toca o realejo, outros, na maioria judeus, escapolem da Alemanha ao som da melodia. Entre os caricaturados estão Albert Einstein, Lion Feuchtwanger e Karl Marx. "O que se foi, não voltará."

29. "Contra o espírito não alemão": estudantes nazistas queimam livros judaicos e esquerdistas do lado de fora da Universidade de Berlim em 10 de maio de 1933.

30. "Alemães! Defendam-se! Não comprem de judeus!" Camisas-pardas colam adesivos na vitrina de uma loja judaica durante o boicote de 1º de abril de 1933, enquanto os comerciantes observam.

31. Continuidade na revolução nacional-socialista: um cartão-postal de 1933 traça uma linha direta de Frederico, o Grande, da Prússia, passando por Bismarck, até Hitler.

III

Como muitos conservadores tradicionais, Brüning queria refrear ou castrar o radicalismo raivoso da extrema direita, e em algumas ocasiões mostrou certa coragem para tentar fazê-lo. Porém, como os demais conservadores, ele também subestimou o poder e a influência da extrema direita. Sua devoção ao que considerava as virtudes prussianas da lealdade, objetividade, serviço apartidário e altruísta para o Estado provinham em parte das tradições patrióticas do Partido de Centro desde o ataque de Bismarck à suposta deslealdade dos católicos na década de 1870. Isso conferiu a ele uma desconfiança duradoura em relação aos partidos políticos e uma fé instintiva na confiabilidade política de um ícone político prussiano como o presidente Hindenburg – fé que no fim se revelou completamente indevida.[62] Mas esse não foi o único erro de cálculo fatal de Brüning. Desde o princípio, ele usou a ameaça de aplicar o poder dado a Hindenburg pelo artigo 25 da Constituição para convocar novas eleições do Reichstag a fim de manter os social-democratas, a maior força da oposição, na linha. Quando estes se uniram aos nacionalistas e comunistas na recusa em aprovar um orçamento rigidamente deflacionário, ele não hesitou em colocar a ameaça em prática e provocou a dissolução do Reichstag. Ignorando a evidência das eleições locais e regionais que haviam rendido ganhos maciços para os nazistas, os social-democratas presumiram que os eleitores continuariam a agir segundo linhas de conduta desgastadas e tinham plena esperança de um resultado que proporcionaria apoio suficiente para sua forma de pensar. Como muitos alemães, Brüning e seus oponentes políticos de esquerda ainda achavam impossível tomar a retórica extremista e as táticas intimidantes nazistas nas ruas como qualquer outra coisa que não uma evidência de sua inevitável marginalidade política. Segundo eles, os nazistas não se adaptavam às regras aceitas da política, de modo que não podiam esperar ter sucesso.[63]

A campanha eleitoral foi travada em um atmosfera de agitação febril sem precedentes. Goebbels e a organização do Partido Nazista não economizaram esforços. Discurso após discurso, assistido por multidões de até 20 mil pessoas nas cidades maiores, Hitler vociferou contra as iniquidades da

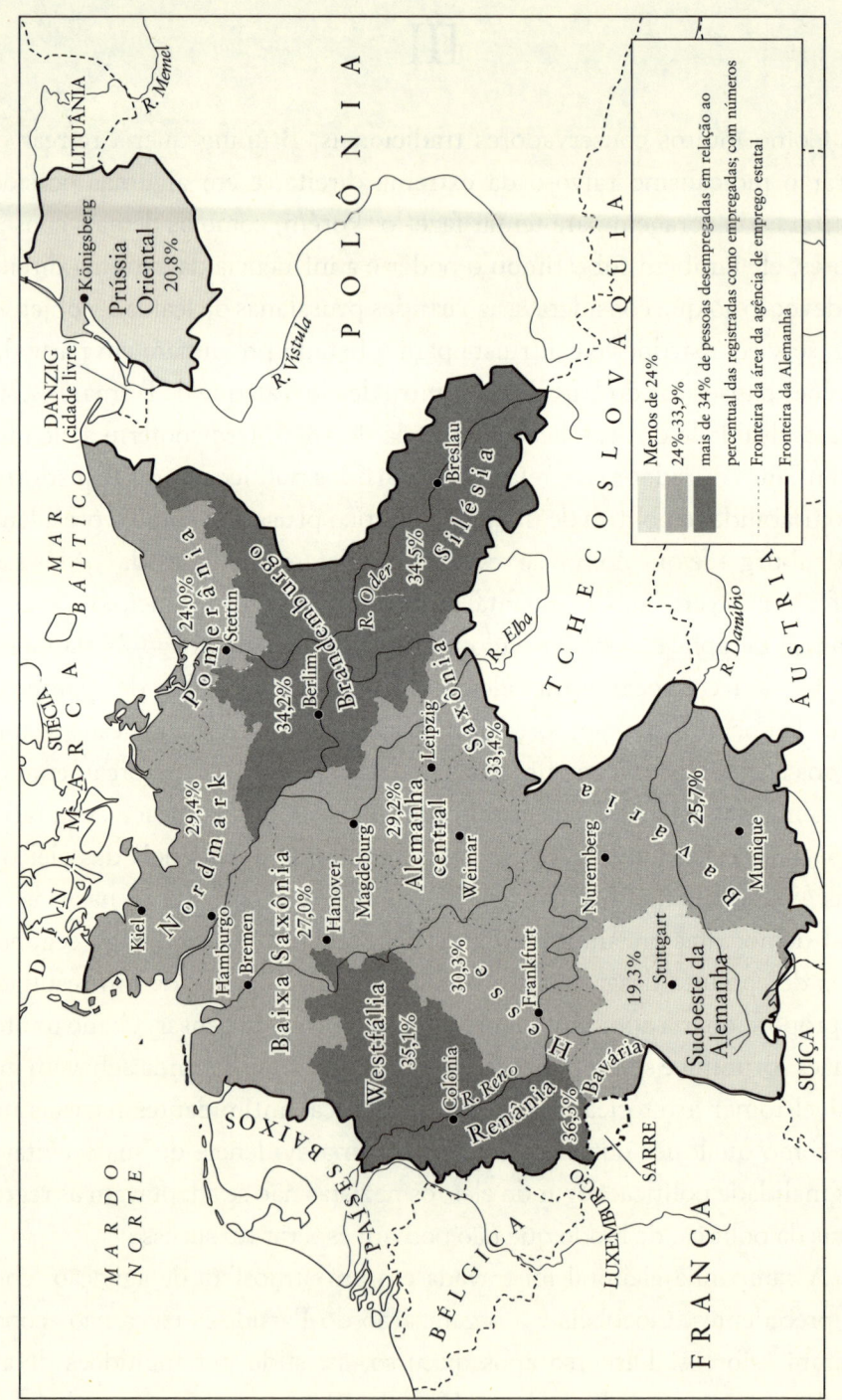

Mapa 9. O desemprego em 1932

República de Weimar, suas fatais divisões internas, sua multiplicidade de facções em guerra e de partidos interesseiros, seu fracasso econômico, sua aceitação da humilhação nacional. No lugar disso tudo, bradava, a democracia seria superada, a autoridade da personalidade individual seria reafirmada. Os revolucionários de 1918, os especuladores de 1923, os pérfidos apoiadores do Plano Young, os social-democratas do serviço público ("parasitas revolucionários") seriam todos expurgados. Hitler e seu Partido ofereceram uma vaga mas poderosa visão retórica de uma Alemanha unida e forte, um movimento que transcendia fronteiras sociais e superava conflitos sociais, uma comunidade racial de todos os alemães trabalhando juntos, um novo Reich que reconstruiria o poder econômico da Alemanha e restituiria a nação a seu lugar de direito no mundo. A mensagem exerceu um profundo apelo em muitos que olhavam com nostalgia para o Reich criado por Bismarck e sonhavam com um novo líder que ressuscitasse a glória perdida da Alemanha. A mensagem reuniu tudo que muitas pessoas achavam errado na república e deu a oportunidade de registrarem a profundidade de sua desilusão com ela votando em um movimento que era o oposto em todos os aspectos.

Por baixo desse nível muito genérico, o aparato da propaganda nazista mirou habilidosamente grupos específicos do eleitorado alemão, dando treinamento ao pessoal em campanha para se dirigir a diferentes tipos de plateia, anunciando intensivamente os encontros com antecedência, providenciando tópicos para eventos específicos e selecionando o orador adequado à ocasião. Às vezes, não nazistas e simpatizantes locais conservadores dividiam o palanque com o orador nazista principal. A elaborada organização das subdivisões do Partido reconheceu as crescentes divisões da sociedade alemã em grupos de interesses rivais ao longo da Depressão e talhou sua mensagem para seu eleitorado específico. *Slogans* antissemitas eram usados ao se dirigir a grupos para os quais isso teria apelo; tais *slogans* eram abandonados onde claramente não funcionavam. Os nazistas adaptavam-se conforme a resposta que recebiam; prestavam grande atenção na plateia, produzindo todo um conjunto de pôsteres e folhetos elaborados para conquistar diferentes porções do eleitorado. Produziam filmes, comícios, canções, bandas de música, manifestações e paradas. A campanha foi arquitetada pelo líder de propaganda do Reich, Joseph Goebbels. Seu

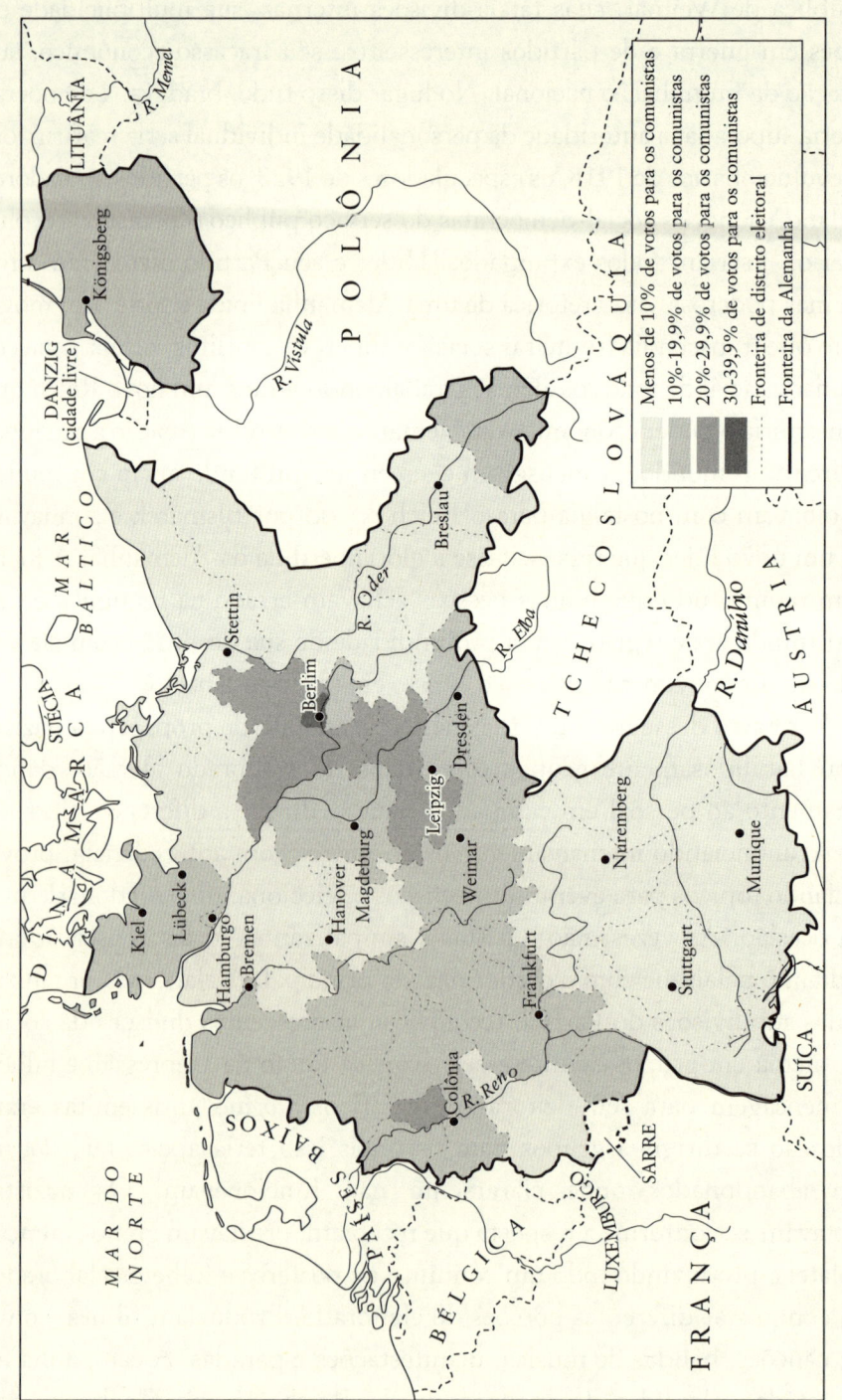

Mapa 10. Os comunistas na eleição de 1930 para o Reichstag

quartel-general de propaganda em Munique enviava um fluxo constante de diretrizes para as seções locais e regionais do Partido, com frequência fornecendo novos *slogans* e material fresco para a campanha. À medida que a campanha chegava ao auge, os nazistas, impulsionados por um grau de comprometimento que excedia até mesmo o dos comunistas, sobrepujaram todos os outros partidos em seu ativismo frenético e constante e na intensidade do esforço de campanha.[64]

Os resultados das eleições de setembro de 1930 para o Reichstag foram um choque para quase todo mundo e produziram um abalo sísmico e de muitas formas decisivo no sistema político da República de Weimar. É verdade que o Partido de Centro, a maior força eleitoral por trás do governo de Brüning, podia sentir-se moderadamente satisfeito ao alavancar sua votação de 3,7 milhões para 4,1 milhões, aumentando com isso suas cadeiras no Reichstag de 62 para 68. Os social-democratas, principais oponentes de Brüning, perderam dez cadeiras, caindo de 153 para 143, mas ainda permaneceram o maior partido da legislatura. Nesse sentido, a eleição proporcionou um impulso muito brando para Brüning. Entretanto, os partidos centristas e de direita, sobre os quais Brüning possivelmente poderia esperar construir seu governo, sofreram perdas catastróficas, com os nacionalistas caindo de 73 para 41 cadeiras, o Partido Popular de 45 para 31, o Partido da Economia (um grupo recém-fundado de interesse especial da classe média) de 31 para 23, e o Partido do Estado de 25 para 20. Assim, os partidos representados no primeiro gabinete de Brüning perderam 53 de 236 cadeiras, reduzindo o total para 183. E nem todos esses estavam firmes no respaldo ao chanceler: o Partido Popular estava profundamente dividido quanto a apoiá-lo, e o líder nacionalista Alfred Hugenberg era um crítico mordaz do governo e forçou a saída de seu partido dos deputados moderados eleitos para o Reichstag por sua legenda que ainda queriam dar uma chance a Brüning. Depois de setembro de 1930, Hugenberg virtualmente não teve oposição entre os nacionalistas à sua política de tentar cooperar com os nacional-socialistas no afã de derrubar a república e substituir o chanceler do Reich por alguém ainda mais à direita.[65]

Como isso sugere, as forças políticas que se podia esperar que oferecessem oposição incessante e incansável ao governo de Brüning e todas as suas

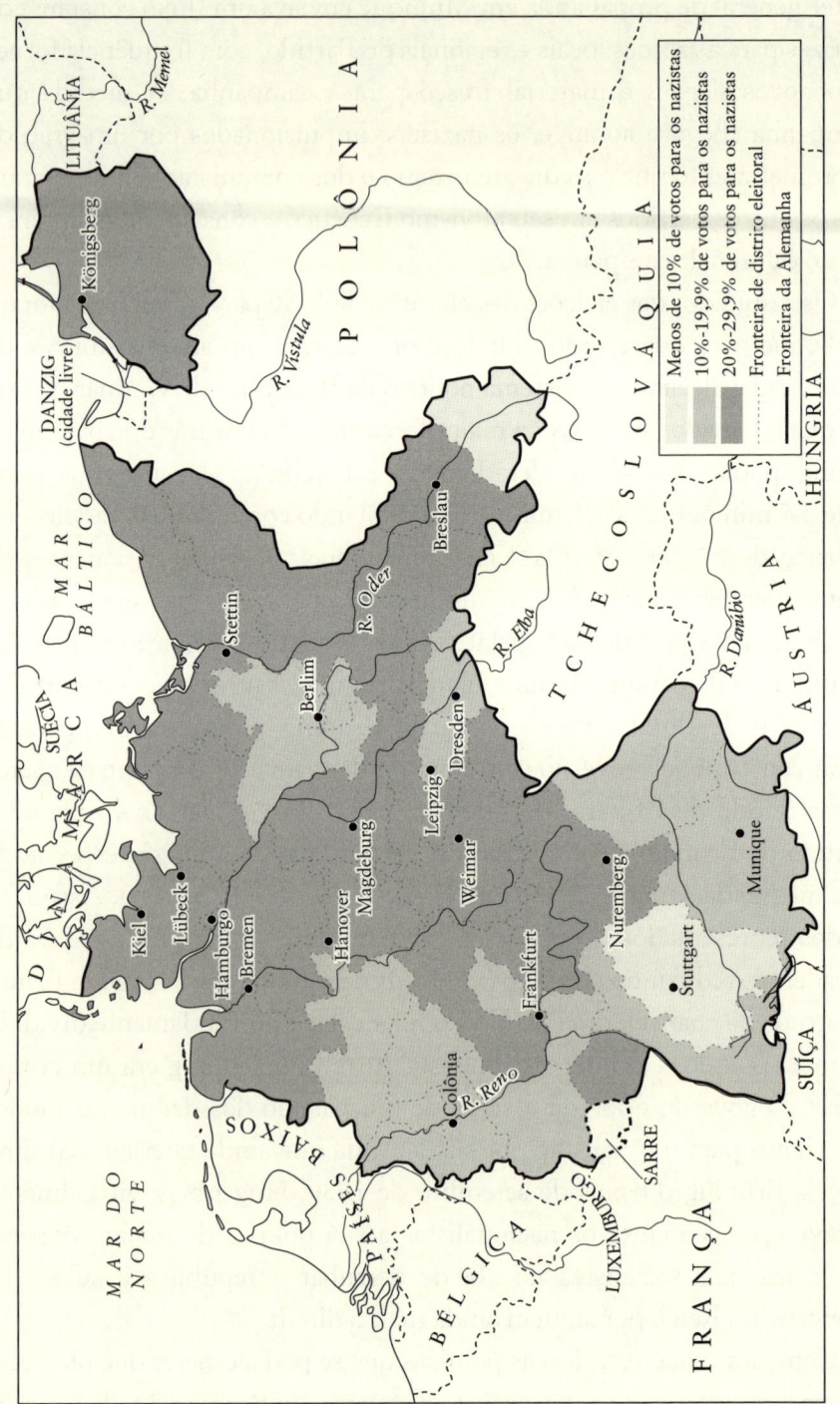

Mapa 11. Os nazistas na eleição de 1930 para o Reichstag

obras na crença de que isso apressaria a extinção da república receberam um impulso substancial nas eleições de 1930. Os comunistas, animados pela popularidade entre os desempregados, aumentaram suas cadeiras de 54 para 77. Mas o maior choque foi o aumento da votação nazista. Apenas 800 mil pessoas haviam apoiado os nacional-socialistas na eleição do Reichstag em 1928, dando ao Partido meras 12 cadeiras no Legislativo nacional. Agora, em setembro de 1930, seus votos haviam aumentado para 6,4 milhões, e nada menos que 107 deputados nazistas tomaram assento no Reichstag. "Fantástico", regozijou-se Joseph Goebbels em seu diário a 15 de setembro de 1930, "... um avanço inacreditável... eu não esperava isso".[66] Jornais simpáticos registraram o resultado como uma "sensação mundial" que anunciava uma nova fase da história da Alemanha. Apenas os comunistas o desprezaram como fogo de palha ("o que virá a seguir só pode ser declínio e queda").[67]

Contudo, os ganhos nazistas refletiram as ansiedades arraigadas de muitos setores do eleitorado. Em alguns distritos eleitorais rurais do norte, a votação nazista elevou-se a uma vitória esmagadora: 68% em Wiefelstede, no distrito eleitoral de Weser-Ems; 57% em Brünen, no distrito oeste de Düsseldorf; 62% em Schwesing, em Schleswig-Holstein.[68] Em certa medida, Brüning podia ter previsto isso, uma vez que as eleições para os legislativos estaduais e as câmaras municipais por toda a Alemanha vinham registrando fortes acréscimos para os nazistas desde 1928. Portanto, as chances de ele obter o que queria das eleições de 1930 eram muito pequenas antes mesmo de a campanha começar. Contudo, o triunfo dos nazistas na eleição para o Reichstag foi muito maior do que qualquer um havia previsto. Em muitos locais, ultrapassou de longe o impacto da propaganda nazista, e o Partido somou de 25% a 28% dos votos em áreas rurais remotas do norte protestante onde seu esforço organizado mal havia penetrado.[69]

Como pode ser explicado esse sucesso impressionante? Os nazistas eram vistos, particularmente por marxistas de vários matizes, como representantes das classes médias mais baixas, mas nessa eleição haviam nitidamente rompido as fronteiras desse eleitorado específico e tido êxito em conquistar o apoio não apenas de funcionários de escritórios, lojistas, pequenos empresários, fazendeiros e assemelhados, mas também de muitos eleitores mais acima na escala social, na burguesia mercantil e industrial e de profissionais liberais.⁷⁰ Foram sobretudo os nazistas que lucraram com a atmosfera política cada vez mais superaquecida do início da década de 1930, à medida que mais e mais pessoas que não tinham votado antes começaram a afluir às urnas. Em torno de um quarto dos que votaram nos nazistas em 1930 não haviam votado antes. Muitos eram eleitores jovens em sua primeira votação, pertencentes aos grandes grupos de nascidos nos anos pré-1914. Contudo, esses eleitores não parecem ter votado de modo desproporcional nos nazistas; o apelo do Partido, de fato, era particularmente forte entre a geração mais velha, que evidentemente não mais considerava os nacionalistas vigorosos o bastante para destruir a odiada república. Cerca de um terço dos eleitores nacionalistas de 1928 votaram nos nazistas em 1930, um quarto dos eleitores do Partido Democrata e do Partido Popular, e até mesmo um décimo dos eleitores dos social-democratas.⁷¹

Os nazistas saíram-se especialmente bem entre as mulheres, cuja tendência prévia de se manter distante das urnas diminuiu drasticamente em 1930; uma mudança importante, visto que havia muito mais eleitoras do que eleitores como resultado tanto das baixas militares na Primeira Guerra Mundial quanto da tendência ascendente de as mulheres viverem mais que os homens. Na cidade de Colônia, por exemplo, o percentual de votantes entre as mulheres saltou de 53% em 1924 para 69% em 1930; na comunidade de Ragnitz, no leste da Prússia, de 62% para 73%. O hábito anterior de evitar partidos radicais como os nazistas desapareceu, embora o apoio desproporcional ao Partido de Centro no geral tenha permanecido. A despeito de toda a especulação de historiadores contemporâneos, e de alguns posteriores, sobre os motivos especiais pelos quais as mulheres votaram nos nazistas – abrangendo desde a suposta maior suscetibilidade ao apelo emocional da propaganda do Partido até a alegada desilusão com a república por fracassar em lhes dar igualdade –, o fato é que não existe indicação de que elas tenham dado seus votos por quaisquer motivos diferentes daqueles que levaram os homens a apoiar o Partido.⁷²

Quer seus eleitores fossem homens ou mulheres, jovens ou velhos, o Partido Nazista saiu-se particularmente bem no norte protestante da Alemanha, a leste do Elba, e não tão bem no sul e oeste católicos. Atraiu eleitores do interior, mas não no mesmo grau em áreas urbano-industriais.

Em algumas partes de Schleswig-Holstein e Oldenburg, regiões profundamente rurais do norte protestante, conquistou mais de 50% dos votos. Contudo, ao contrário de uma ideia contemporânea muito difundida, os nazistas em geral não foram nada melhor nas cidades pequenas do que nas maiores; os efeitos da adesão religiosa, que significava que um eleitor protestante era duas vezes mais propenso a apoiar os nazistas que um católico, era bem mais importante nas zonas rurais, talvez porque a influência do clero fosse maior no interior e a secularização tivesse feito maiores progressos nas cidades, fosse qual fosse o tamanho delas. Alguns católicos votaram nos nazistas, mas a maioria permaneceu leal ao Partido de Centro em 1930, fechada em seu ambiente cultural e isolada do apelo da direita radical devido a sua evidente hostilidade naquela época à democracia, aos judeus e ao mundo moderno.[73]

Como vimos, os social-democratas, junto com os comunistas, também mostraram-se relativamente resilientes em face do desafio eleitoral dos nazistas em 1930. Mas isso não significa que os nazistas tenham fracassado por completo em conquistar votos da classe operária. Trabalhadores manuais assalariados e suas esposas somavam quase metade do eleitorado da Alemanha, uma das sociedades industriais mais avançadas do mundo, enquanto os dois partidos da classe operária juntos garantiram regularmente menos de um terço dos votos nas eleições de Weimar; portanto, um número significativo de operários e suas esposas deve ter votado em outros partidos de forma regular. Em um grupo social tão amplo e variado, incluíam-se muitos trabalhadores católicos, trabalhadores em pequenas firmas com frequência administradas de modo paternalista, trabalhadores manuais do setor estatal (ferrovias, correios e outros) e empregados não sindicalizados (em especial trabalhadoras manuais). Operários rurais em regiões protestantes com uma proporção relativamente pequena de trabalhadores manuais mostraram-se especialmente suscetíveis ao apelo nazista, embora trabalhadores em grandes propriedades fundiárias tendessem a ficar com os social-democratas. O esforço de propaganda nazista, de fato, era dirigido em particular aos trabalhadores, tomando emprestadas imagens e *slogans* dos social-democratas, atacando a "reação" bem como o "marxismo", e apresentando o Partido como herdeiro da tradição socialista alemã. O Partido fracassou em fazer muito mais que um pequeno arranhão na votação social-democrata e comunista, mas, ainda assim, exerceu um apelo forte o bastante sobre trabalhadores previamente não comprometidos para garantir que 27% dos eleitores nazistas em setembro de 1930 fossem trabalhadores manuais.[74]

Uma vez que, como já vimos, a classe operária constituía quase metade do eleitorado e o Partido Nazista obteve pouco mais de 18% dos votos, isso significa que o Partido era menos atraente para os trabalhadores do que para os membros de outras classes sociais, e deixava a maioria dos eleitores da classe operária votando em outros partidos. Onde a tradição social-democrata ou comunista era forte, a sindicalização era elevada e a cultura do movimento trabalhista era ativa e bem amparada, o poder coesivo do ambiente socialista em geral mostrava-se resistente ao apelo nazista.[75] Em outras palavras, os nazistas alcançaram setores da classe trabalhadora que os partidos tradicionais de esquerda falharam em atingir.[76] Fatores sociais e culturais respondiam por seu apelo em vez de fatores econômicos, pois os desempregados votavam nos comunistas, não nos nazistas. Trabalhadores que ainda estavam no serviço em setembro de 1930 temiam pelo futuro e, se não estivessem isolados dentro de um ambiente forte do movimento trabalhista, com frequência voltavam-se para os nazistas para se defender da ameaça crescente do Partido Comunista.[77]

Enquanto dirigiam sua propaganda em especial aos operários, os nazistas foram surpreendentemente negligentes com os funcionários de escritórios, que podem muito bem ter se ressentido dos ataques nazistas a muitas instituições para as quais eles trabalhavam, de financeiras a lojas de departamentos. Muitas mulheres em empregos de baixo salário pertenciam ao ambiente político da classe operária por origem ou casamento e por isso votavam nos social-democratas, assim como uma boa proporção dos homens que trabalhavam em escritórios, e não apenas aqueles empregados via sindicatos e outras instituições do movimento trabalhista. Os funcionários de escritórios do setor privado foram também um dos grupos menos afetados pela Depressão. Portanto, ao contrário de uma crença contemporânea muito difundida, os funcionários de escritórios, assim como os trabalhadores manuais, estavam de certo modo sub-representados nas fileiras de eleitores nazistas em 1930. Em contraste, os funcionários públicos estavam super-representados, refletindo talvez o fato de os cortes do governo terem colocado centenas de milhares deles na rua e reduzido a renda de muitos outros para o nível de um trabalhador manual qualificado ou menos. O apelo nazista aos autônomos, em particular nas regiões rurais protestantes, era ainda maior; claro que muitos desses eram pequenos fazendeiros.[78]

Em setembro de 1930, o Partido Nazista estabeleceu-se com surpreendente subitaneidade como um partido de protesto social de amplo espectro, apelando em maior ou menor grau a virtualmente todos os grupos sociais do país. Foi mais bem-sucedido até mesmo que o Partido de Centro em transcender as fronteiras sociais e unir grupos altamente díspares com base em uma ideologia comum, sobretudo, mas não exclusivamente, dentro da comunidade de maioria protestante, como nenhum partido da Alemanha tinha conseguido antes. Os partidos burgueses, liberais e conservadores, já enfraquecidos no rastro da inflação, mostraram-se incapazes de conservar seu apoio diante da catástrofe econômica que se abateu sobre a Alemanha no fim de 1929. Os eleitores de classe média, ainda com aversão à violência e ao extremismo nazistas, voltaram-se para grupos dissidentes de direita em número ainda maior do que já haviam feito em 1924 e 1928, aumentando sua representação no Reichstag de 20 para 55 cadeiras, mas um volume considerável também afluiu à bandeira nazista em setembro de 1930, juntando-se a membros de outros grupos sociais, incluindo fazendeiros, trabalhadores de vários tipos, funcionários públicos, eleitores estreantes (inclusive muitas mulheres) e votantes de grupos mais idosos, expandindo a votação nazista de modo maciço em uma poderosa expressão de insatisfação, ressentimento e medo.[79]

Na situação cada vez mais desesperadora de 1930, os nazistas conseguiram projetar uma imagem de ação forte e decisiva, dinamismo, energia e juventude que frustrou por completo os esforços de propaganda dos outros partidos políticos, com exceção parcial dos comunistas. O culto à liderança que criaram em torno de Hitler não podia ser igualado por esforços comparáveis de outros partidos em projetar seus líderes como os Bismarcks do futuro. E tudo isso foi realizado com *slogans* e imagens poderosos e simples, atividade frenética e maníaca, marchas, comícios, manifestações, discursos, pôsteres, cartazes e coisas do tipo, que sublinhavam a reivindicação nazista de ser muito mais que um partido político: era um *movimento*, carregando o povo alemão e o conduzindo inevitavelmente a um futuro melhor. O que os nazistas não ofereciam, entretanto, eram soluções concretas para os problemas da Alemanha, muito menos no setor em que eram mais necessárias – economia e sociedade. Ainda mais impressionante é que a desordem pública que assomava com grandiosidade na mente das classes médias respeitáveis em 1930 e que os nazistas prometiam acabar por meio da criação de um Estado duro e autoritário era em grande parte de autoria deles mesmos. É evidente que muita gente falhou em perceber o fato, e em vez disso culpou os comunistas, vendo a violência dos camisas-pardas nazistas nas ruas como uma reação justificável, ou ao menos compreensível, em face da violência e agressão da Liga dos Combatentes da Frente Vermelha.

Na realidade, os eleitores não estavam em busca de nada muito concreto do Partido Nazista em 1930. Em vez disso, estavam protestando contra o fracasso da República de Weimar. Muitos também, em especial das zonas rurais, das cidadezinhas, de pequenas oficinas, de famílias culturalmente conservadoras, de grupos mais idosos ou do ambiente político da classe média nacionalista, podiam estar registrando sua alienação da modernidade cultural e política que a república representava, a despeito da imagem moderna que os nazistas projetavam em muitos aspectos. A imprecisão do programa nazista, sua mistura simbólica de velho e novo, seu caráter eclético, muitas vezes inconsistente, permitiu de forma ampla que as pessoas lessem nele o que quisessem e suprimissem qualquer coisa que julgassem perturbadora. Muitos eleitores de classe média lidaram com a violência e a bandidagem nazista nas ruas minimizando-as como produto do excesso de ardor e energia juvenis. Mas era muito mais que isso, como logo viriam a descobrir por si mesmos.[80]

A vitória da violência

I

O jovem ativista camisa-parda Horst Wessel havia se tornado completamente odiado pelos paramilitares comunistas de Berlim em 1930. Idealista, inteligente e bem-educado, havia chamado a atenção de Joseph Goebbels, que o mandou estudar o bem organizado movimento jovem nazista de Viena na primeira metade de 1928. De volta a Berlim, Wessel ascendeu rapidamente a uma posição de destaque na organização camisa-parda no distrito de Friedrichshain, onde liderava uma "tropa de assalto" ou divisão dos paramilitares nazistas. Ele tratou de deslanchar uma campanha particularmente enérgica e provocativa nas ruas, incluindo um ataque camisa-parda à sede local do Partido Comunista, e o editor da *Bandeira Vermelha,* o diário comunista de Berlim, respondeu com um novo *slogan* distribuído aos quadros do partido: "Surrem os fascistas onde quer que os encontrem!".[81]

Foi nessa atmosfera que a senhoria de Wessel, viúva de um comunista, dirigiu-se a uma taverna da região, no dia 14 de janeiro de 1930, a fim de pedir ajuda para tratar com seu inquilino, que, disse ela, não apenas havia se recusado a pagar o aluguel para a namorada que morava com ele, como havia reagido às exigências da senhoria ameaçando-a de violência. Se isso era verdade ou não era outro assunto, pois há evidência de que o verdadeiro motivo da altercação foi a tentativa dela de aumentar o aluguel de Wessel. Além disso, se a namorada não saísse de lá, a senhoria temia perder o direito legal ao apartamento, que não lhe pertencia e que ela alugava de outrem, pois a mulher era prostituta (se ela ainda estava trabalhando nisso ou não tornou-se tema de discussão acalorada e um tanto lúbrica). O elemento-

-chave no caso era a conexão da viúva com o Partido Comunista. A despeito da desaprovação da insistência da senhoria por ocasião da morte do marido de fazer o funeral na igreja, os comunistas decidiram ajudá-la a lidar com o inquilino. No dia anterior, afirmaram, um comunista local havia sido baleado em uma briga com os camisas-pardas. A disputa ofereceu a oportunidade ideal para se vingarem. Cientes da possibilidade de que Wessel estivesse armado, mandaram chamar numa taverna da vizinhança um célebre desordeiro local conhecido por possuir uma arma de fogo, Ali Höhler, para fornecer força física à expedição punitiva ao apartamento de Wessel. Höhler não era apenas membro da divisão vizinha da Liga dos Combatentes da Frente Vermelha, mas também tinha condenações por pequenos crimes, perjúrio e lenocínio. Membro de um dos sindicatos do crime organizado de Berlim, ele ilustrava as conexões possíveis de ser forjadas entre comunismo e criminalidade num tempo em que o partido estava sediado nos distritos pobres e "zonas do crime" das grandes cidades da Alemanha. Junto com o comunista Erwin Rückert, Höhler subiu as escadas até o apartamento de Wessel, enquanto os outros vigiavam do lado de fora. Quando Wessel abriu a porta, Höhler abriu fogo. Wessel tombou com um ferimento grave na cabeça, e sobreviveu no hospital por algumas semanas antes de enfim morrer em 23 de fevereiro.[82]

Enquanto os comunistas armavam uma propaganda às pressas para retratar Wessel como um gigolô e o ato de Höhler como parte de uma disputa do submundo sem conexão com a Liga dos Combatentes da Frente Vermelha, Goebbels fez de tudo para apresentá-lo como mártir político. Entrevistou a mãe de Wessel e extraiu dela um retrato do filho como um idealista que havia resgatado a namorada de uma vida de prostituição e se sacrificado em zelo missionário pela causa da pátria. Os comunistas, por sua vez, trombeteou Goebbels, mostravam sua verdadeira cara ao alistar um criminoso comum como Höhler em suas fileiras. Wessel nem havia esfriado no túmulo quando Goebbels começou a trabalhar para inflar sua memória em um culto no grau máximo. Inúmeros artigos na imprensa nazista de todo o país louvaram-no como um "mártir do Terceiro Reich". Foi organizada uma procissão fúnebre solene – ela teria sido muito maior não fossem as restrições da polícia quanto ao tamanho –, assistida, segundo afirmou

Goebbels, por mais de 30 mil pessoas perfiladas pelas ruas ao longo do trajeto até a igreja. Cantos, ataques e tentativas de tumulto pela Liga dos Combatentes da Frente Vermelha levaram a cenas selvagens e violentas às margens da cerimônia. Ao lado do túmulo, enquanto Göring, o príncipe Augusto Guilherme da Prússia e vários outros dignitários presenciavam, Goebbels louvou Wessel em termos que recordavam de forma deliberada o sacrifício de Cristo pela humanidade – "Do sacrifício à redenção". "Onde quer que a Alemanha esteja", ele declarou, "você está lá também, Horst Wessel!". Então um coro de camisas-pardas cantou alguns versos que Wessel havia escrito há poucos meses:

A bandeira ao alto! As fileiras cerradas!
Os homens da SA marcham com passo firme e corajoso.
Junto a nós, marchando em espírito em nossas fileiras, estão aqueles
Camaradas abatidos pela Frente Vermelha e pela Reação!

Evacuem as ruas para os batalhões pardos,
Evacuem as ruas para os homens da SA!
A suástica já é fitada por milhões cheios de esperança.
O dia para a liberdade e para o pão está ao alcance da mão!

Pela última vez soa agora o chamado para a reunião!
Para a luta estamos enfim todos prontos!
Logo as bandeiras de Hitler vão tremular por todas as ruas.
Nossa escravidão muito em breve será passado![83]

A canção já havia obtido alguma aceitação no movimento, mas agora Goebbels a divulgava amplamente, profetizando que em breve seria cantada por escolares, trabalhadores, soldados, todo mundo. Ele estava certo. Antes de o ano chegar ao fim, ela havia sido publicada, lançada em gravação para gramofone e transformada no hino oficial do Partido Nazista. Depois de 1933, na verdade, tornou-se o hino oficial de batalha do Terceiro Reich, junto com o há muito oficializado *Deutschland, Deutschland über Alles* [Alemanha, Alemanha antes de tudo].[84] Wessel tornou-se objeto de uma espécie de culto religioso secular propagado pelos nazistas, celebrado em filme e comemorado em incontáveis cerimônias, memoriais e locais de peregrinação.

Que tamanha celebração aberta da força física brutal pudesse tornar-se o hino de batalha do Partido Nazista é uma prova cabal do papel central desempenhado pela violência em sua busca de poder. Explorada de modo cínico com objetivos de publicidade por propagandistas manipuladores como Goebbels, tornou-se um estilo de vida para o jovem camisa-parda comum como Wessel, assim como era para os jovens desempregados da Liga dos Combatentes da Frente Vermelha. Outras canções eram ainda mais explícitas, como a popular "Canção das Colunas de Assalto", entoada por camisas-pardas em marcha pelas ruas de Berlim de 1928 em diante:

Somos as Colunas de Assalto, estamos por toda parte,
Somos as fileiras de frente, corajosos na luta.
Com as frontes suadas pelo trabalho, nossos estômagos sem alimento!
Nossas mãos calejadas e sujas de fuligem seguram nossos rifles com
firmeza.

Assim postam-se as Colunas de Assalto, preparadas para a guerra racial.
Somente quando os judeus sangram estamos liberados.
Nada mais de negociação; não adianta, nem de leve:
Ao lado de nosso Adolf Hitler somos corajosos em uma luta.

Vida longa a nosso Adolf Hitler! Já estamos marchando em frente.
Estamos atacando em nome da revolução alemã.
Pulem para as barricadas! Só a morte pode nos derrotar.
Somos as Colunas de Assalto da ditadura de um só homem, de Hitler.[85]

Esse tipo de agressão encontrava vazão nos embates constantes com paramilitares rivais nas ruas. No período intermediário da república, iniciado em 1924, todos os lados de fato recuaram do nível de violência política do levante de janeiro de 1919, da guerra civil do Ruhr de 1920 ou dos múltiplos conflitos de 1923, mas, se colocaram as metralhadoras de lado, foi só para substituí-las por cassetetes de borracha e soqueiras de metal. Mesmo nos anos relativamente estáveis de 1924-29, afirmou-se que 29 ativistas nazistas foram mortos por comunistas, enquanto os comunistas relataram que 92 "trabalhadores" foram mortos em confrontos com "fascistas" de 1924 a 1930. Foi dito que 26 membros dos Capacetes de Aço tombaram em luta contra comunistas e 18 membros da Reichsbanner em vários incidentes de violência política de 1924 a 1928.[86] Essas foram apenas as consequências mais sérias da luta contínua entre grupos paramilitares rivais; as mesmas fontes contaram aos milhares os ferimentos sofridos em batalhas, muitos deles mais graves que meras contusões ou fraturas.

Em 1930, os números subiram dramaticamente, com os nazistas afirmando ter sofrido 17 mortes, que subiram para 42 em 1931 e 84 em 1932. Também em 1932, os nazistas relataram que quase 10 mil de seus soldados rasos tinham se ferido em confrontos com os oponentes. Os comunistas reportaram 44 mortes em lutas com os nazistas em 1930, 52 em 1931 e 75 apenas nos primeiros seis meses de 1932, ao passo que mais de 50 homens da Reichsbanner morreram em batalhas de rua com os nazistas de 1929 a 1933.[87] Fontes oficiais corroboraram amplamente essas afirmações, com uma estimativa do Reichstag, não contestada por ninguém, colocando o número de mortos no ano até março de 1931 em nada menos que trezentos.[88] Os comunistas fizeram a sua parte com tanto vigor quanto os nazistas. Por exemplo, quando o marinheiro Richard Krebs, líder de um destacamento de centenas de membros da Liga dos Combatentes da Frente Vermelha, foi instruído a invadir uma reunião nazista em Bremen na qual Hermann Göring discursaria, ele certificou-se de que "cada homem estivesse armado com um porrete ou soco-inglês". Quando Krebs levantou-se para falar, Göring mandou que fosse expulso após ter proferido umas poucas palavras; os camisas-pardas alinhados no salão foram depressa para o centro e

> Seguiu-se um entrevero aterrorizante. Porretes, socos-ingleses, tacos, cintos com fivelas pesadas, copos e garrafas foram as armas utilizadas. Cacos de vidro e cadeiras voaram por cima das cabeças do público. Homens de ambas as facções quebraram pernas das cadeiras e as usaram como clavas. Mulheres desmaiavam em meio ao estrondo e grita-

ria da batalha. Dezenas de cabeças e rostos já sangravam, roupas eram rasgadas enquanto os combatentes esquivavam-se por entre a massa de espectadores aterrorizados e indefesos. Os camisas-pardas lutavam como leões. De modo sistemático, eles nos forçaram para a saída principal. A banda atacou com uma música marcial. Hermann Göring permaneceu calmamente no palco, com os punhos nos quadris.[89]

Cenas como essas foram exibidas por toda a Alemanha no início dos anos 1930. A violência era especialmente severa no período de eleições; dos 155 mortos em confrontos políticos na Prússia ao longo de 1932, nada menos que 105 morreram nos meses eleitorais de junho e julho, e a polícia contabilizou 461 tumultos políticos com 400 feridos e 82 mortos nas primeiras sete semanas de campanha.[90] A tarefa de refrear a violência política não era auxiliada pelo fato de os partidos políticos mais implicados reunirem-se de tempos em tempos e concordarem em uma anistia para os prisioneiros políticos, desse modo soltando-os da prisão para se engajarem em um novo *round* de espancamentos e assassinatos. A última anistia desse tipo entrou em vigor em 20 de janeiro de 1933.[91]

II

Para encarar a situação de desordem em rápida escalada havia uma força policial nitidamente vacilante na lealdade à democracia de Weimar. Ao contrário do Exército, a polícia continuou descentralizada depois de 1918. Entretanto, o governo prussiano de domínio social-democrata em Berlim falhou em agarrar a oportunidade de criar uma nova força de ordem pública que fosse servidora leal da aplicação da lei republicana. A força era inevitavelmente recrutada entre as fileiras de ex-soldados, visto que uma elevada proporção da faixa etária relevante havia sido alistada durante a guerra. A nova força viu-se comandada por ex-oficiais, ex-soldados profissionais e combatentes das Brigadas Livres. Desde o princípio, eles estabeleceram um tom militar e raramente eram apoiadores entusiastas da nova ordem política.[92] Eles eram respaldados pela polícia política, que tinha uma longa tradição na Prússia, assim como em outros estados alemães e europeus, de concentrar esforços no monitoramento, detecção e às vezes repressão de socialistas e revolucionários.[93] Seus oficiais, como os de outros departamentos de polícia, consideravam-se acima dos partidos políticos. Muito parecidos com os do Exército, serviam a uma noção abstrata de "Estado" ou Reich, em vez de às instituições democráticas específicas da recém-fundada república. Não é de surpreender, portanto, que continuassem a armar operações de vigilância não apenas aos extremistas políticos, mas também aos social-democratas, o partido do governo na Prússia e, em certo sentido, seus patrões. Desse modo, a velha tradição de buscar subversivos primeiro na ala esquerda do espectro político continuou viva.[94]

O preconceito da polícia e do Judiciário em relação aos social-democratas ficou particularmente evidente no caso do deputado do Reichstag Otto Buchwitz, da Silésia, que mais tarde recordou com considerável amargor como os camisas-pardas começaram a interromper seus discursos de dezembro de 1931 em diante. Os camisas-pardas ocupavam as cadeiras em suas reuniões, gritavam insultos, e em uma ocasião deram um tiro contra ele, causando pânico em massa entre os ouvintes e levando a uma pancadaria na qual mais tiros foram disparados tanto por camisas-pardas quanto por homens da Reichsbanner. Vários nazistas e social-democratas foram parar no hospital, e nem uma única cadeira do salão permaneceu intacta. Depois disso, gangues de oito a dez camisas-pardas nazistas assediavam Buchwitz do lado de fora de sua casa quando ele saía para o trabalho de manhã, vinte ou mais apinhavam-se em redor quando ele voltava para seu escritório depois do almoço e entre cem e duzentos assediavam-no no caminho de volta para casa, cantando uma canção especialmente composta com a letra: "Quando os revólveres forem disparados, Buchwitz estará ferrado!". Os manifestantes nazistas sempre estacionavam do lado de fora da casa dele entoando: "Morte a Buchwitz!". Não só suas queixas à polícia e pedidos de proteção foram completamente ignorados como, quando ele perdeu a imunidade parlamentar com a dissolução do Reichstag em 1932, foi levado ao tribunal por posse ilegal de uma arma na pancadaria de dezembro de 1931 e condenado a três meses de prisão. Nem um único nazista envolvido no caso foi processado. Depois de solto, Buchwitz teve o porte de arma negado, mas sempre andava com uma mesmo assim e soltava a trava de segurança de forma ostensiva se os camisas-pardas chegassem perto demais. Sua queixa ao ministro do Interior da Prússia, Carl Severing, um social-democrata, teve como resposta que, antes de mais nada, ele não deveria ter se envolvido em um embate a tiros. A sensação de Buchwitz de ter sido traído pela liderança social-democrata foi reforçada quando um grande contingente de ativistas comunistas da linha de frente foi até ele antes de um discurso que deveria proferir no funeral de um homem da Reichsbanner abatido pelos nazistas e explicou que estava ali para protegê-lo de um assassinato planejado pelos camisas-pardas. Nem a polícia, nem a Reichsbanner foram avistados em lugar algum.[95]

A polícia, por sua vez, considerava a Liga dos Combatentes da Frente Vermelha como formada por criminosos. Isso não apenas seguia uma longa tradição policial de fundir crime e revolução, como refletia também o fato de os baluartes comunistas tenderem a se basear em áreas pobres, de cortiços, que eram os centros do crime organizado. No que dizia respeito à polícia, os Combatentes da Frente Vermelha eram bandidos em busca de ganho material. Para os comunistas, a polícia era o punho de ferro da ordem capitalista, que tinha de ser destruída, e com frequência miravam policiais em atos de agressão física que chegavam ao assassinato. Isso significava que, em embates com os comunistas, uma força policial cansada, nervosa e apreensiva estava por demais propensa a fazer uso das pistolas com que costumava estar armada. O combate prolongado em Berlim em 1929 ficou famoso como "Maio Sangrento", quando 31 pessoas, inclusive transeuntes inocentes, foram mortos, na maior parte por tiros da polícia; mais de duzentas ficaram feridas e mais de mil foram detidas ao longo de manifestações comunistas no distrito operário de Wedding. As histórias de que repórteres de jornal que cobriam os eventos eram espancados pela polícia apenas tornavam os comentários da imprensa mais críticos, enquanto os policiais reagiam com um desprezo quase indisfarçável por uma ordem política democrática que havia fracassado em defendê-los de ferimentos e insultos.[96]

Alienada da república pelas contínuas polêmicas comunistas e pelas tentativas social-democratas de restringir seus poderes, a polícia também era afligida pela lentidão nas promoções, e muitos policiais mais jovens sentiam sua carreira bloqueada.[97] A profissionalização havia galgado vários degraus entre as forças de investigação na Alemanha, assim como em outros países, com a impressão digital, fotografia e ciência forense apreciadas como novos e sensacionais auxílios na investigação. Investigadores como o famoso Ernst Gennat, chefe do esquadrão de homicídios de Berlim, tornaram-se célebres por conta própria, e a força anunciava algumas taxas impressionantes de resolução de crimes graves na metade da década de 1920. Contudo, a polícia atraía comentários maciçamente hostis da imprensa e dos meios noticiosos por fracassar em prender assassinos em série, como Fritz Haarmann em Hanover ou Peter Kürten em Düsseldorf, antes de eles fazerem várias vítimas. A polícia, por sua vez, sentia que a escalada da violência política e a desordem daqueles tempos estavam forçando-a a afastar recursos preciosos do combate a crimes como aqueles.[98] Não é de surpreender, portanto, que os policiais começassem a simpatizar com os ataques nazistas à República de Weimar. Em 1935, um relatório afirmou que 700 policiais uniformizados haviam sido membros do Partido antes de 1933, enquanto, em Hamburgo, 27 de 240 oficiais haviam se filiado em 1932.[99]

Entretanto, o chanceler do Reich Brüning decidiu usar a polícia para restringir a violência política da direita tanto quanto da esquerda, porque o caos nas ruas estava desencorajando os bancos estrangeiros a fornecer empréstimos para a Alemanha.[100] A decisão foi reforçada por dois incidentes graves ocorridos em 1931. Em abril, o líder camisa-parda do noroeste da Alemanha, Walther Stennes, meteu-se em uma rixa com o quartel-general do Partido e ocupou por pouco tempo o escritório central dos nazistas em Berlim, surrando os guardas da SS designados para lá e forçando Goebbels a fugir para Munique. Stennes denunciou as extravagâncias dos chefes do Partido e sua traição aos princípios socialistas. Mas, embora sem dúvida exprimisse os sentimentos de alguns camisas-pardas, ele possuía pouco apoio real. De fato, existe algum indício de que era secretamente subsidiado pelo governo de Brüning a fim de criar divisões dentro do movimento. Hitler demitiu o líder camisa-parda Franz Pfeffer von Salomon, que havia fracassado em impedir esse desastre, chamou Ernst Röhm de volta do exílio boliviano para assumir a organização e forçou todos os camisas-pardas a jurar lealdade pessoal a ele. Stennes foi expulso, com a consequência incidental de muitos empresários conservadores e líderes militares terem então ficado convencidos de que o movimento nazista havia perdido muito de seu ímpeto subversivo.[101] Não obstante, restaram tensões muito reais entre o ativismo incessante dos camisas-pardas e o calculismo político dos líderes do Partido, que viriam à tona repetidas vezes no futuro.[102] O mais grave foi a revolta de Stennes ter indicado que muitos camisas-pardas estavam ávidos para desencadear violência revolucionária em uma escala considerável, uma lição que não passou despercebida ao nervoso governo do Reich.

As suspeitas foram confirmadas pela descoberta dos chamados documentos de Boxheim em novembro de 1931. A papelada nazista apreendida pela polícia em Hesse mostrou que a SA estava planejando um golpe violento, a ser seguido de racionamento de comida, abolição do dinheiro, trabalho compulsório para todos e pena de morte para desobediência às autoridades. A realidade estava um tanto aquém das alegações da polícia, visto que os documentos de Boxheim de fato tinham significado apenas regional e haviam sido concebidos por um jovem oficial do Partido em Hesse, Werner Best, sem o conhecimento de seus superiores, para orientar a política do Partido no caso de uma tentativa de levante comunista em Hesse. Hitler distanciou-se do caso rapidamente e todos os comandantes da SA receberam ordens para desistir de fazer mais planos de contingência desse tipo. As ações criminais no fim foram abandonadas por falta de evidência clara de traição contra Best.[103] Mas o estrago estava feito. Em 7 de dezembro, Brüning colocou em vigor um decreto proibindo o uso de uniformes políticos e o respaldou com um duro ataque verbal à ilegalidade nazista. Referindo-se às garantias constantemente reiteradas por Hitler de que pretendia chegar ao poder de forma legal, Brüning disse: "Se alguém declara que, tendo chegado ao poder por meios legais, então romperá os limites da lei, isso não é legalidade".[104]

A proibição de uniformes teve pouco efeito, visto que os camisas-pardas continuaram a marchar, só que vestidos com camisas brancas, e a violência prosseguiu no inverno. Rumores de uma insurreição comunista iminente, combinados com a pressão de Schleicher, contiveram Brüning naquele período, mas o retrocesso eleitoral comunista em Hamburgo, Hesse e Oldenburg, na primavera de 1932, convenceram-no de que havia chegado a hora de banir os camisas-pardas de uma vez por todas. Sob forte pressão de outros partidos políticos, em especial dos social-democratas, e com o apoio dos militares preocupados, Brüning e o general Groener (que ele havia nomeado ministro do Interior em outubro de 1931, em adição ao cargo já exercido de ministro de Defesa) persuadiram um Hindenburg relutante a emitir um decreto banindo os camisas-pardas em 13 de abril de 1932. A polícia realizou batidas nos prédios dos camisas-pardas por toda a Alemanha, confiscando equipamento militar e insígnias. Hitler ficou possesso, mas impotente para agir. Contudo, a despeito do banimento, a filiação clandestina aos camisas-pardas continuou a crescer em muitas regiões. Na Baixa e Alta Silésia, por exemplo, havia 17,5 mil camisas-pardas em dezembro de 1931 e nada menos que 34,5 mil em julho do ano seguinte. O banimento dos camisas-pardas teve apenas um leve efeito amortecedor nos níveis de violência política, e a presença de simpatizantes nazistas nos quadros inferiores da polícia permitiu aos paramilitares nazistas um amplo grau de liberdade para continuar as operações.[105] Assim, as afirmações de que o Partido Nazista e sua ala paramilitar teriam virtualmente deixado de existir caso o banimento tivesse continuado por um ano ou mais eram muito despropositadas.[106]

A nova situação após o avanço eleitoral dos nazistas não só impulsionou abruptamente o nível de violência nas ruas, mas também alterou de forma radical a natureza dos procedimentos no Reichstag. Desordeiro e caótico o bastante, antes mesmo de setembro de 1930, tornou-se então virtualmente ingovernável, uma vez que 107 deputados nazistas de camisas-pardas e uniformizados juntaram-se a 77 comunistas disciplinados e bem organizados a levantar incessantes questões de ordem, cantar, gritar, interromper e demonstrar total desprezo pela legislatura em todos os momentos importantes. O poder do Reichstag esvaiu-se com assustadora rapidez, pois quase todas as sessões acabavam em tumulto e a ideia de convocá-lo para uma reunião parecia cada vez mais sem sentido. A partir de setembro de 1930, só eram possíveis maiorias negativas no Reichstag. Em fevereiro de 1931, reconhecendo a impossibilidade de seguir adiante, o Reichstag suspendeu suas sessões por seis meses, enquanto os partidos de extrema direita e esquerda abandonaram ostensivamente um debate após emendas ao regulamento parlamentar tornarem mais difícil para eles obstruírem os trabalhos. Os deputados não voltaram até outubro.[107] O Reichstag reuniu-se em média cem dias por ano de 1920 a 1930. Teve sessões apenas 15 dias entre outubro de 1930 e março de 1931; depois disso, encontrou-se apenas em 24 dias até as eleições de julho de 1932. De julho de 1932 a fevereiro de 1933, foi convocado por meros três dias em seis meses.[108]

Em 1931, portanto, as decisões já não eram mais tomadas pelo Reichstag. O poder político havia se deslocado para outro local – para o círculo em torno de Hindenburg, a quem cabia o direito de assinar decretos e nomear governos, e para as ruas, onde a violência continuou em escalada, e onde pobreza, miséria e desordem crescentes confrontavam o Estado com uma necessidade cada vez mais urgente de ação. Ambos os processos intensificaram enormemente a influência do Exército. Apenas sob tais circunstâncias alguém como o general Kurt von Schleicher, seu representante político mais importante, poderia tornar-se um dos personagens-chave no drama que se seguiu. Ambicioso, esperto, loquaz e deveras aficionado da intriga política para proveito pessoal, Schleicher era uma figura relativamente desconhecida antes de disparar rumo ao destaque em 1929, quando um novo posto foi criado para ele, o "Gabinete Ministerial", que tinha a função de representar as Forças Armadas em suas relações com o governo. Colaborador próximo de Groener por muitos anos e discípulo de Hans von Seeckt, o general mais importante do início da década de 1920, Schleicher forjou muitas conexões políticas ao comandar uma variedade de repartições na interface de assuntos militares e políticos, mais recentemente a seção do Exército do Ministério da Defesa. O dissidente comunista russo Leon Trótski descreveu-o como "um ponto de interrogação com as dragonas de general"; um jornalista contemporâneo viu-o como uma "esfinge de uniforme". Mas a maior parte das metas e crenças de Schleicher eram bem claras: como muitos conservadores alemães em 1932, ele pensava que um regime autoritário poderia obter legitimidade encilhando e domando o poderio popular dos nacional-socialistas. Dessa maneira, o Exército alemão, em nome de quem Schleicher falava, e com o qual continuou a ter contatos muito próximos, conseguiria o que queria no caminho do rearmamento.[109]

O governo de Brüning meteu-se em dificuldades crescentes com Schleicher e o círculo em torno do presidente Hindenburg depois das eleições de setembro de 1930. Com os comunistas e nazistas querendo seu sangue, os nacionalistas tentando botá-lo para fora, e os grupos periféricos de extrema direita divididos quanto a apoiá-lo ou não, Brüning não teve opção a não ser contar com os social-democratas. De sua parte, os líderes daquele que ainda era o maior partido no Reichstag estavam chocados o bastante com os resultados da eleição para prometer que não repetiriam a rejeição anterior do orçamento. A dependência de Brüning da tolerância tácita de suas políticas pelos social-democratas não lhe granjeou nenhum crédito no círculo próximo de Hindenburg, liderado por seu filho Oskar e pelo secretário de Estado Meissner, que consideravam essa uma concessão vergonhosa à esquerda.[110] As maiores prioridades do chanceler agora jaziam no campo da política externa, em que havia feito algum avanço ao garantir o fim das reparações – revogadas pela moratória Hoover, em 20 de junho de 1931, e efetivamente encerradas pela Conferência de Lausanne, para a qual Brüning fez boa parte do trabalho de base, em julho de 1932. E, embora tenha falhado em conseguir a criação da união alfandegária áustrio-alemã, conduziu negociações bem-sucedidas em Genebra para o reconhecimento internacional da igualdade alemã em questões de desarmamento, um princípio por fim admitido em dezembro de 1932. Entretanto, nada disso serviu para fortalecer a posição política do chanceler. Depois de muitos meses no cargo, ele ainda fracassava em conquistar os nacionalistas e ainda dependia dos social--democratas. Isso significava que quaisquer planos que Brüning ou o círculo próximo de Hindenburg pudessem ter tido para emendar a Constituição de forma decisiva em uma direção mais autoritária seriam obstruídos de modo efetivo, visto que essa era uma possibilidade para a qual os social--democratas jamais dariam seu consentimento. Para um homem como Schleicher, mudar o apoio de massa do governo dos social-democratas para os nazistas parecia cada vez mais a melhor opção.[111]

III

Ao raiar de 1932, o mandato de sete anos do venerável Paul von Hindenburg no cargo de presidente estava chegando ao fim. Em vista da idade avançada – ele estava com 84 anos –, Hindenburg estava relutante em se candidatar de novo, mas fez saber que estaria disposto a continuar no cargo se sua permanência pudesse ser simplesmente prolongada sem uma eleição. As negociações para renovar a presidência de Hindenburg de forma automática afundaram com a recusa dos nazistas de votar no Reichstag a favor da mudança constitucional necessária sem a demissão simultânea de Brüning e a convocação de uma nova eleição geral na qual, é claro, esperavam obter ganhos ainda maiores.[112] Hindenburg foi, assim, forçado a passar pela indignidade de se apresentar ao eleitorado mais uma vez. Mas dessa vez as coisas eram muito diferentes da primeira, em 1925. Claro que Thälmann candidatou-se outra vez pelos comunistas. Mas, nesse ínterim, Hindenburg havia sido superado de longe à direita; de fato, todo o espectro político havia guinado para a direita desde a avalanche eleitoral nazista em setembro de 1930. Quando a eleição foi anunciada, Hitler não pôde evitar lançar-se candidato. Entretanto, passaram-se várias semanas enquanto ele se debatia, temeroso das consequências de concorrer contra um ícone nacionalista como o herói de Tannenberg. Além disso, tecnicamente, ele nem tinha permissão para disputar, visto que ainda não havia obtido cidadania alemã. Foram feitos arranjos às pressas para ele ser nomeado funcionário público em Braunschweig, medida que automaticamente lhe conferiu o *status* de cidadão alemão, confirmado quando fez o juramento de lealdade (à Constituição de Weimar, como todos os funcionários públicos tinham que fazer) em 26 de fevereiro de 1932.[113] Sua candidatura transformou a eleição em uma disputa entre direita e esquerda na qual Hitler era indiscutivelmente o candidato de direita, o que fez de Hindenburg, extraordinária e inacreditavelmente, o candidato de esquerda.

O Partido de Centro e os liberais respaldaram Hindenburg, mas especialmente assombroso foi o grau de apoio que ele recebeu dos social-democratas. Isso não foi apenas porque o partido o considerava o único homem capaz de deter Hitler – ponto que a propaganda do partido ressaltou ao longo da campanha eleitoral –, mas também por razões positivas. Os líderes do partido estavam desesperados para reeleger Hindenburg porque pensavam que ele manteria Brüning no cargo como a última chance de um retorno à normalidade democrática.[114] O ministro-presidente prussiano Otto Braun, um social-democrata, declarou que Hindenburg era a "personificação da calma e da constância, da lealdade e da devoção valorosas ao dever para com a totalidade do povo", um "homem sobre cujo trabalho se pode construir, sendo um homem de desejo puro e julgamento sereno".[115] Já nessa época, como mostram essas frases espantosas, os social-democratas estavam começando a perder o contato com a realidade política. Dezoito meses de tolerância aos cortes de Brüning em nome da prevenção de algo pior relegaram o partido a um plano secundário e roubaram seu poder de decisão. Apesar da desilusão e das deserções entre seus membros, a disciplinada máquina partidária prontamente entregou mais de 8 milhões de votos ao homem que viria a desmantelar a república de cima para baixo, em um esforço para manter no cargo um chanceler de quem Hindenburg de fato não gostava e desconfiava e cujas políticas haviam rebaixado os padrões de vida e destruído os empregos do povo que o Partido Social-Democrata representava.[116]

A ameaça de uma vitória nazista era bastante real. A máquina de propaganda de Goebbels encontrou um jeito de combater Hindenburg sem insultá-lo: ele havia prestado um grande serviço à nação, mas agora, enfim, estava na hora de se retirar em favor de um homem mais jovem; do contrário, a deriva para o caos econômico e a anarquia política continuaria. Os nazistas deslancharam uma campanha maciça de grandes comícios, marchas, paradas e reuniões, respaldada por pôsteres, folhetos e exortações incessantes na imprensa. Mas não bastou. No primeiro turno, Hitler conseguiu apenas 30% dos votos. Não obstante os esforços dos social-democratas e da força eleitoral do Partido de Centro, Hindenburg não conseguiu obter a maioria absoluta exigida. Ele teve 49,6% dos votos, torturantemente próximo do que necessitava. Pela esquerda, Thälmann oferecia outra alternativa. Pela direita, Hindenburg foi esvaziado não só por Hitler, mas também por Theodor Duesterberg, candidato lançado pelos Capacetes de Aço, que

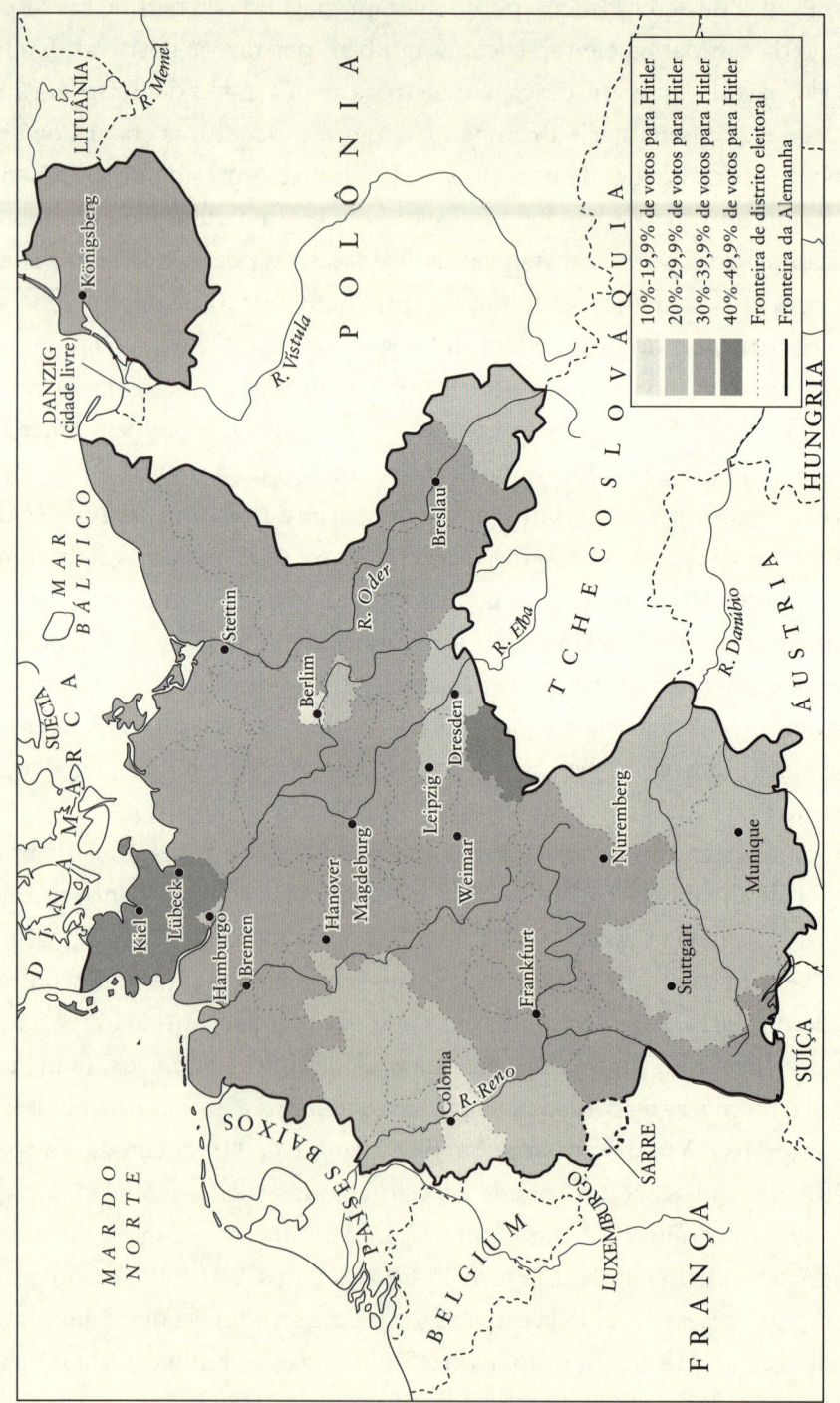

Mapa 12. A eleição presidencial de 1932. Primeiro turno

recebeu 6,8% dos votos no primeiro turno, que teriam sido mais que suficientes para dar a vitória para Hindenburg.[117]

Para o segundo turno, entre Hitler, Hindenburg e Thälmann, os nazistas não economizaram esforços. Hitler alugou um avião e voou pela Alemanha de cidade em cidade, proferindo 46 discursos por todo o país. O efeito dessa manobra inaudita, anunciada como o "voo pela Alemanha" de Hitler, foi eletrizante. O esforço valeu a pena. Thälmann foi reduzido a uma margem de 10%, mas Hitler impulsionou sua votação maciçamente para 37%, com mais de 13 milhões de votos depositados a seu favor. Hindenburg, com o poder combinado de todos os principais partidos por trás dele, com exceção dos comunistas e dos nazistas, só conseguiu aumentar seu apoio para 53%. É claro que, não obstante o tropeço do primeiro turno, sua reeleição era previsível desde o início. O que realmente importava era a marcha triunfante dos nazistas. Hitler não foi eleito, mas seu partido conquistou mais votos que nunca. Começava a parecer impossível detê-lo.[118] Em 1932, mais organizado e mais financiado que em 1930, o Partido Nazista conduziu uma campanha presidencial no estilo americano, focando-se na pessoa de Hitler como representante de toda a Alemanha. O Partido concentrou seus esforços não tanto em conquistar os trabalhadores, setor no qual a campanha de 1930 havia em grande parte fracassado, mas em acumular votos da classe média que anteriormente haviam ido para os partidos dissidentes e os partidos liberais e conservadores do eleitorado protestante. Dezoito meses de aumento do desemprego e da crise econômica haviam radicalizado ainda mais esses votantes em sua desilusão com a República de Weimar, que, afinal de contas, Hindenburg havia presidido nos últimos sete anos. O aparato de propaganda de Goebbels mirou grupos específicos de eleitores com maior precisão que antes, sobretudo as mulheres. No interior protestante, o descontentamento rural havia se aprofundado a ponto de Hitler de fato derrotar Hindenburg no segundo turno na Pomerânia, Schleswig-Holstein e leste de Hanover.[119] E o novo *status* do movimento nazista como partido político mais popular da Alemanha foi sublinhado por vitórias adicionais em eleições estaduais realizadas mais adiante na primavera – 36,3% na Prússia, 32,5% na Bavária, 31,2% em Hamburgo, 26,4% em Württemberg e, acima de tudo, 40,9% na Saxônia-Anhalt, resultado que

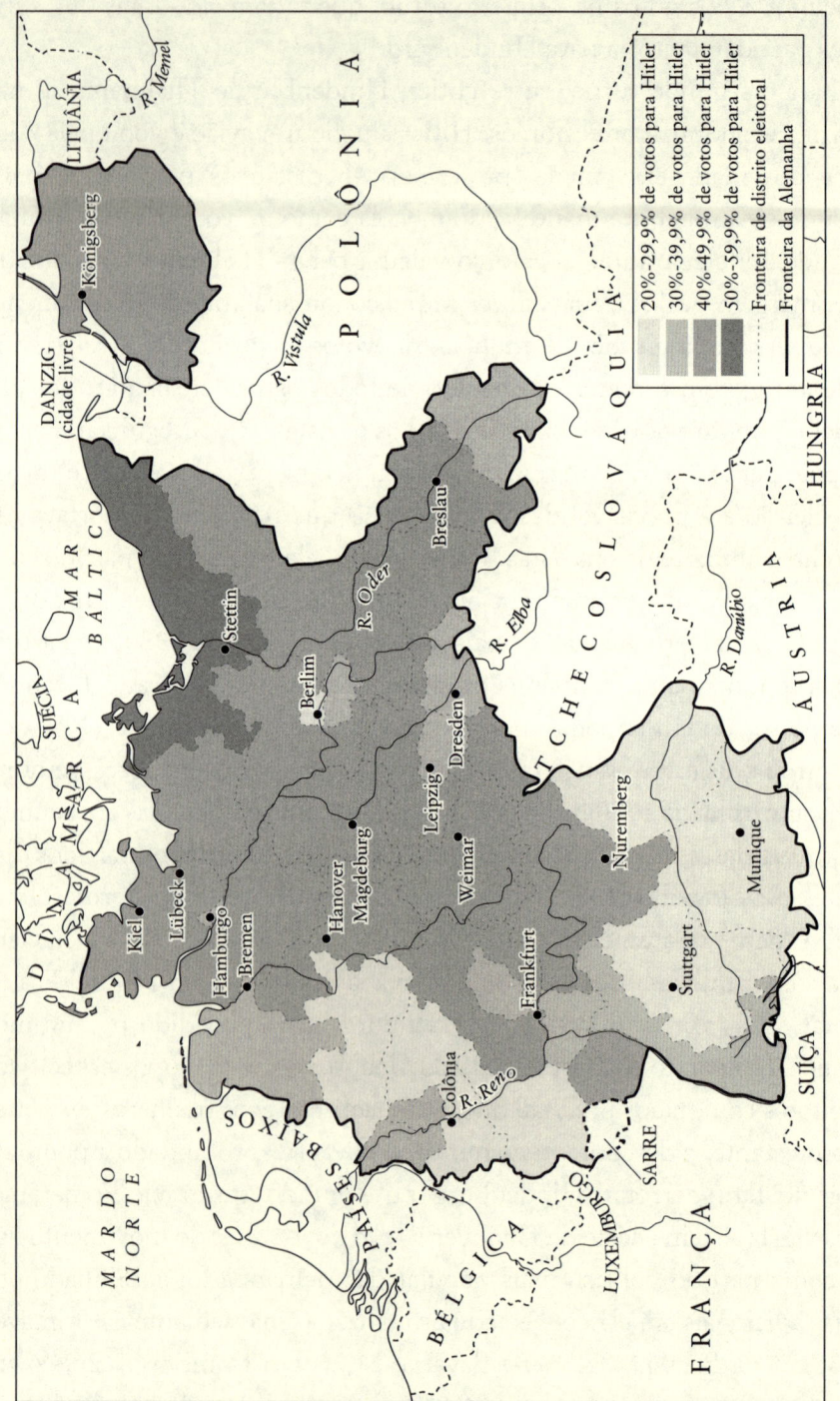

Mapa 13. A eleição presidencial de 1932. Segundo turno

deu aos nazistas o direito de formar um governo estadual. Mais uma vez, Hitler foi aos ares, proferindo 25 discursos em rápida sucessão. Mais uma vez, a máquina de propaganda nazista provou sua eficiência e dinamismo.

As tentativas de Brüning de refrear o Partido Nazista obviamente haviam fracassado em causar qualquer tipo de impacto. Para muitos do séquito do presidente Hindenburg, a hora parecia propícia para uma tática diferente. A despeito da vitória eleitoral, Hindenburg estava longe de satisfeito com o resultado. O fato de haver deparado com forte oposição era altamente desagradável para um homem que cada vez mais tratava sua posição como a do *Kaiser* não eleito a quem ele uma vez havia servido. O pecado fundamental de Brüning foi ter fracassado em persuadir os nacionalistas a apoiar a reeleição de Hindenburg. Quando ficou claro que eles respaldavam Hitler, os dias de Brüning passaram a estar contados. A despeito da campanha incansável do chanceler do Reich em seu favor, o velho marechal-de-campo, que para muitos personificava as tradições prussianas da monarquia e o conservadorismo protestante, ficou profundamente ressentido de depender dos votos dos social-democratas e do Partido de Centro, o que o fazia parecer o candidato da esquerda e do clero, como de fato foi. Além disso, o Exército estava ficando impaciente com os efeitos mutilantes da política econômica de Brüning sobre a indústria armamentista e considerava que o banimento dos camisas-pardas atrapalhava seu recrutamento como tropas auxiliares, uma perspectiva que se tornava tanto mais tentadora quanto mais membros eles conseguiam. Por fim, a atenção de Hindenburg foi atraída por uma medida de reforma agrária moderada proposta pelo governo no leste, na qual latifúndios falidos seriam divididos e distribuídos aos desempregados como pequenas propriedades. Como representante do interesse latifundiário, sendo ele mesmo dono de uma grande propriedade, Hindenburg foi persuadido de que isso cheirava a socialismo.[120] Em uma atmosfera pesada pelas intrigas de bastidores, com Schleicher minando a posição de Groener no Exército e Hitler prometendo tolerar um novo governo se este revogasse o banimento dos camisas-pardas e convocasse novas eleições para o Reichstag, Brüning ficou rapidamente mais isolado. Quando Groener foi forçado a renunciar em 11 de maio de 1932, a posição de Brüning ficou totalmente comprometida. Minado de forma contínua pelas intrigas do séquito de Hindenburg, ele não viu alternativa a não ser apresentar sua renúncia, o que fez em 30 de maio de 1932.[121]

IV

O homem que Hindenburg nomeou como novo chanceler do Reich era um velho amigo pessoal, Franz von Papen. Aristocrata rural cuja posição no Partido de Centro, pelo qual atuou como obscuro deputado e não muito ativo no Parlamento prussiano, era ainda mais à direita que a de Brüning. Durante a Primeira Guerra Mundial, Papen foi expulso dos Estados Unidos, onde era adido militar da embaixada alemã, por espionagem ou "atividades incompatíveis com sua posição", como colocava a frase diplomática convencional, e se juntou ao Estado-Maior Geral alemão. Durante os anos 1920, ele usou a riqueza trazida pelo casamento com a filha de um industrial rico para comprar uma cota majoritária do jornal do Partido de Centro, *Germânia*. Assim, Papen tinha contatos próximos com algumas das forças-chave sociais e políticas da República de Weimar, incluindo a aristocracia rural, Ministério de Relações Exteriores, Exército, industriais, Igreja Católica e imprensa. Na verdade, havia sido recomendado por Schleicher a Hindenburg como alguém que seria simpático aos interesses do Exército. Ainda mais do que Brüning, ele representava uma forma de autoritarismo político católico comum em toda a Europa no início da década de 1930. Fazia tempo que Papen tinha desavenças com seu partido, e havia patrocinado Hindenburg abertamente contra Marx, o candidato do Centro na eleição presidencial de 1925. O Partido de Centro repudiou Papen, que por sua vez entregou sua carteira de filiação partidária, proclamando que buscava uma "síntese de todas as forças verdadeiramente nacionalistas – de qualquer campo que pudessem vir – não como homem de partido, mas como alemão".[122] Agora o rompimento era completo.[123]

Esses eventos marcaram, de modo explícito e também em retrospecto, o fim da democracia parlamentar na Alemanha. A maioria dos membros do novo gabinete não possuía filiação partidária, com exceção de uns poucos que eram integrantes, ao menos nominalmente, do Partido Nacionalista. Papen e seus companheiros de ideologia, inclusive Schleicher, viam-se como a criar um "Estado Novo", acima dos partidos, de fato oposto ao princípio de um sistema multipartidário, com os poderes das assembleias eleitas ainda mais limitados do que haviam sido na visão mais modesta de Brüning. O tipo de Estado que eles imaginavam foi indicado pelo ministro do Interior de Papen, Wilhelm von Gayl, que havia criado um estado racista, autoritário e militar na área cedida à Alemanha pelo Tratado de Brest-Litovsk em 1918.[124] Entre as propostas de Gayl estavam a restrição do direito de voto a uma minoria e a drástica redução dos poderes parlamentares.[125] A tarefa de que Papen incumbiu-se era voltar atrás na história, não apenas quanto à democracia de Weimar, mas a tudo que havia acontecido na política europeia desde a Revolução Francesa, e recriar a base hierárquica da sociedade do *ancien régime* no lugar do conflito de classes moderno.[126] Como um pequeno mas potente símbolo dessa intenção, ele aboliu o uso da guilhotina – símbolo clássico da Revolução Francesa – nas execuções em partes da Prússia, onde ela havia sido introduzida no século XIX, e a substituiu pelo instrumento prussiano tradicional, o machado.[127] Enquanto isso, de uma forma mais prática e imediata, o governo de Papen começou a estender a repressão à imprensa radical imposta por seu predecessor também aos jornais democráticos, proibindo publicações populares da esquerda liberal como o jornal diário social-democrata *Avante* duas vezes em poucas semanas, proscrevendo jornais populares da esquerda liberal como o *Berliner Volkszeitung* [Jornal Popular de Berlim] em duas ocasiões distintas e convencendo os comentaristas liberais de que a liberdade de imprensa havia sido finalmente abolida.[128]

O conservadorismo utópico de Papen restringiu a justiça às realidades políticas de 1932. O gabinete de Papen era composto por homens com relativamente pouca experiência. Havia tantos aristocratas desconhecidos que ficou conhecido por todos como o "gabinete dos barões". Nas discussões que precederam a renúncia de Brüning, Papen e Schleicher haviam concordado que precisavam conquistar os nazistas para que proporcionassem apoio de massa às medidas antidemocráticas do novo governo. Asseguraram-se da concordância de Hindenburg em dissolver o Reichstag e convocar novas eleições, que Hitler vinha exigindo na expectativa de que levariam a mais aumento na votação nazista. As eleições foram marcadas para o final de julho de 1932. Além disso, anuíram também com a exigência de Hitler de suspender o banimento dos camisas-pardas. Schleicher pensou que isso domaria o extremismo nazista e, entre outras coisas, persuadiria os camisas-pardas a atuar como exército auxiliar, com o que as limitações de efetivo das forças armadàs alemãs impostas pelo Tratado de Versalhes seriam contornadas de modo decisivo.[129] Mas este mostrou-se outro erro de cálculo desastroso. Tropas de assalto inundaram outra vez as ruas em massa e de forma triunfal, e os registros de espancamentos, batalhas campais, ferimentos e assassinatos, jamais ausentes por completo durante o período do banimento desde abril passado, depressa atingiram novos recordes. Mesmo assim, a opinião pública ficou chocada quando, em 17 de julho de 1932, uma marcha realizada por milhares de camisas-pardas nazistas pelo baluarte comunista de Altona, uma municipalidade da classe operária do lado prussiano da fronteira estadual de Hamburgo, deparou com violenta resistência armada de milhares de Combatentes da Frente Vermelha. Richard Krebs, no comando de oitocentos marinheiros e estivadores comunistas prontos para rechaçar os nazistas do cais, mais tarde relatou que os Combatentes da Frente Vermelha tinham ordens de atacar os camisas-pardas nas ruas. Pedras, entulho e todos os tipos de projéteis foram arremessados contra os marchadores. De acordo com alguns relatos, havia atiradores de elite comunistas nos telhados, prontos para massacrar os camisas-pardas. Alguém, não se sabe ao certo quem, disparou um tiro. A polícia imediatamente entrou em pânico e abriu fogo com tudo de que dispunha, varrendo o local com balas e causando fuga em pânico em todas as direções. Os comunistas foram afugentados com o resto. A tentativa de deter a marcha camisa-parda em seu território havia sido um fracasso humilhante.[130] Dezoito pessoas foram mortas e mais de cem ficaram feridas. Conforme revelaram as autópsias, a maioria das mortes foi causada por balas disparadas pelos revólveres da polícia. A profundidade da violência em que os confrontos políticos alemães agora haviam afundado sem dúvida exigia ação do governo.[131]

Entretanto, longe de banir os paramilitares outra vez, Papen apoderou-se dos eventos do "Domingo Sangrento" em Altona para depor o governo estadual da Prússia, que era conduzido pelos social-democratas Otto Braun e Carl Severing, afirmando que aquele governo não era mais capaz de manter a lei e a ordem. Esse foi o golpe decisivo contra os social-democratas. Papen tinha uma espécie de precedente na deposição por Ebert dos governos estaduais da Turíngia e Saxônia em 1923, mas a Prússia, cobrindo mais da metade do território do Reich, com uma população maior que a da França, era um alvo muito mais significativo. A posição central do Exército na situação política dilacerada pela discórdia em 1932 foi vividamente ilustrada quando tropas de combate fortemente armadas tomaram as ruas de Berlim e foi declarado estado de emergência militar na capital. A força policial controlada pelos social-democratas simplesmente foi posta de lado; qualquer tentativa do governo prussiano de usá-la como meio de resistir ao poderio armado dos militares teria apenas levado à confusão. Seu efetivo era muito pequeno, e os oficiais de alto e médio escalão ou estavam desiludidos com a república, ou simpatizavam com Papen, ou haviam sido conquistados pelos nazistas.[132]

Se Papen e Schleicher temiam um levante dos trabalhadores, estavam errados. Muitos membros das categorias inferiores da Reichsbanner estavam prontos para pegar em armas, e haviam reunido metralhadoras, pistolas e carabinas para defender a sede do partido no caso de um golpe até que a polícia, que o partido presumia que fosse resistir a qualquer tentativa de derrubada da república – suposição errônea, como se verificou –, entrasse em cena. Um aumento recente nos números havia elevado o efetivo das Unidades de Defesa Republicanas da Reichsbanner para mais de 200 mil homens. Mas estes eram superados em muito pelas forças combinadas de cerca de 750 mil camisas-pardas e Capacetes de Aço, que com certeza teriam se mobilizado contra a Reichsbanner caso esta protagonizasse um levante. Os homens da Reichsbanner eram parcamente treinados e mal preparados. Não teriam sido páreo para as forças bem equipadas do Exército alemão. Os comunistas, que tinham melhor reserva de armas, com certeza não iriam pegá-las para defender os social-democratas.[133]

Na situação de julho de 1932, em que Hindenburg, as lideranças militares e os conservadores estavam todos extremamente ansiosos para evitar uma guerra civil na Alemanha, um levante armado da Reichsbanner poderia ter forçado um recuo de Papen ou uma intervenção do presidente do Reich. Nunca se saberá. A convocação para a resistência jamais foi feita. A tradição de cumpridores da lei dos social-democratas compeliu-os a proibir qualquer resistência armada a um decreto sancionado pelo chefe do Estado e pelo governo legalmente constituído, respaldado pelas Forças Armadas e não contestado pela polícia.[134] Tudo o que restou como opção para Braun e Severing foram protestos retóricos e processos contra Papen com base em que ele havia violado a Constituição. Em 10 de outubro de 1932, o Tribunal do Estado decidiu pelo menos em parte a favor do gabinete de Braun, que assim continuou sendo uma pedra no sapato do governo do Reich por representar a Prússia no Conselho do Reich, a câmara mais alta do Legislativo nacional.[135] Enquanto isso, Papen garantiu sua nomeação pelo presidente como comissário do Reich para executar os afazeres de governo na Prússia, ao passo que funcionários públicos formalistas agitavam-se e suspendiam as atividades até a situação legal estar resolvida.[136]

O golpe de Papen foi mortal para a República de Weimar. Destruiu o princípio federativo e abriu caminho para a centralização geral do Estado. O que quer que acontecesse agora, era improvável que fosse uma restauração plena da democracia parlamentar. Depois de 20 de julho de 1932, as únicas alternativas realistas eram uma ditadura nazista ou um regime conservador autoritário respaldado pelo Exército. A ausência de qualquer resistência séria por parte dos social-democratas, os principais defensores que sobravam da democracia, foi decisiva. Convenceu tanto conservadores quanto nacional-socialistas de que a destruição das instituições democráticas podia ser alcançada sem nenhuma oposição séria. Os social-democratas haviam recebido grande quantidade de avisos prévios sobre o golpe. Contudo, nada fizeram. Ficaram paralisados não só pelo respaldo dado ao golpe pelo homem que haviam muito recentemente apoiado na campanha de eleição presidencial, Paul von Hindenburg, mas também pela derrota catastrófica nas eleições parlamentares prussianas de abril de 1932. Enquanto os nazistas haviam aumentado sua representação no Legislativo prussiano de 9 para 162 assentos, e os comunistas de 48 para 57, os social-democratas haviam perdido um terço de seus mandatos, caindo de 137 para 94. Agora, nenhum partido tinha maioria, e a administração vigente, liderada por

Braun e Severing, continuou como um governo de minoria com uma legitimidade política enfraquecida de modo correspondente. Além disso, um senso de impotência também havia se disseminado pela liderança do partido durante os longos meses de tolerância passiva à política selvagem de cortes de Brüning. Os sindicatos não tinham poder para fazer nada contra o golpe porque o desemprego em massa tornava impossível uma greve geral; milhões de pessoas desesperadas e sem serviço teriam pouca opção a não ser pegar um trabalho como fura-greves, e eles sabiam disso. Assim, uma repetição do movimento trabalhista unido que havia derrotado o golpe de Kapp em 1920 estava fora de questão. Os nazistas rejubilavam-se. "Você só tem que mostrar os dentes para os vermelhos, e eles se submetem", escreveu Joseph Goebbels, o chefe da propaganda nazista, em seu diário a 20 de julho. Os social-democratas e os sindicatos, observou com satisfação, "não estão erguendo um dedo". "Os vermelhos", anotou não muito depois, "perderam sua grande chance. Ela jamais voltará".[137]

Decisões fatais

I

O golpe de Papen ocorreu em meio à mais frenética e violenta campanha eleitoral até então, disputada em uma atmosfera ainda menos racional e mais maligna que a de dois anos antes. Hitler, mais uma vez, voou pela Alemanha de cidade em cidade, falando diante de imensas multidões em mais de cinquenta eventos de grande porte, denunciando as divisões, humilhações e fracassos de Weimar e oferecendo uma vaga mas potente promessa de uma nação melhor e mais unida no futuro. Enquanto isso, os comunistas pregavam a revolução e anunciavam o colapso iminente da ordem capitalista, os social-democratas convocavam os eleitores para se erguerem contra a ameaça do fascismo, e os partidos burgueses defendiam uma unidade restauradora que eram notoriamente incapazes de produzir.[138] A decadência da política parlamentar era vivamente ilustrada pelo estilo de propaganda cada vez mais emotiva dos partidos, até mesmo dos social-democratas. Cercada por embates de rua e demonstrações cada vez mais violentos, a luta política ficou reduzida ao que os social-democratas chamavam – sem o menor indício de crítica – de uma guerra de símbolos. Ao contratar um psicólogo – Serge Tchakhotine, um pupilo russo e radical de Pavlov, o descobridor do reflexo condicionado – para ajudá-los a disputar as eleições ao longo de 1931, os social-democratas perceberam que o apelo à razão não era o bastante. "Temos que trabalhar com sentimentos, espírito e emoções, de modo que a razão conquiste a vitória." Na prática, a razão foi deixada bem para trás. Nas eleições de julho de 1932, os social-democratas mandaram todos os seus grupos locais se assegurarem de que os membros do partido usassem um distintivo, fizessem a saudação de punho cerrado ao se encontrar e gritassem o *slogan* "Liberdade!" nas ocasiões oportunas. No mesmo espírito, os comunistas há tempos vinham usando o símbolo da foice e do martelo em uma variedade de *slogans* e saudações. Ao adotar esse estilo, os partidos colocavam-se no mesmo terreno que os nazistas, com os quais – com seu símbolo de suástica, sua saudação *"Heil* Hitler!" e seus *slogans* simples e poderosos – viram que era muito difícil competir.[139]

Ao buscar uma imagem que fosse dinâmica o bastante para combater o apelo dos nazistas, os social-democratas, a Reichsbanner, os sindicatos e várias outras organizações da classe operária ligadas aos socialistas juntaram-se a 16 de dezembro de 1931 para formar a "Frente de Ferro", a fim de encarar a ameaça "fascista". O novo movimento apropriou-se de grande quantidade do arsenal de métodos de propaganda desenvolvidos pelos comunistas e pelos nacional-socialistas. Discursos compridos e tediosos vieram a ser substituídos pelos *slogans* curtos e diretos. A tradicional ênfase do movimento trabalhista em educação, razão e ciência veio a se submeter a um novo destaque no estímulo das emoções de massa por meio de procissões pelas ruas, marchas uniformizadas e manifestações coletivas de intenção. O novo estilo de propaganda dos social-democratas estendeu-se até mesmo à invenção de um símbolo para se contrapor ao da suástica e ao da foice e martelo: três flechas paralelas, expressando as três metas principais da Frente de Ferro. Nada disso serviu de grande ajuda para o movimento trabalhista, no qual muitos membros, inclusive aqueles que ocupavam posições de liderança no Reichstag, permaneceram céticos ou se mostraram incapazes de se adaptar ao novo estilo de apresentar seus projetos. O novo estilo de propaganda colocou os social-democratas no mesmo terreno que os nazistas; mas eles careciam do dinamismo, do vigor juvenil ou do extremismo para fazer uma competição eficiente. Os símbolos, marchas e uniformes fracassaram em arregimentar novos apoiadores para a Frente de Ferro, visto que o antigo aparato organizacional dos social-democratas permaneceu no controle. Por outro lado, o partido não mitigou os medos dos eleitores da classe média quanto às intenções do movimento trabalhista.[140]

Mais reveladores ainda foram os pôsteres eleitorais usados pelos partidos nas campanhas do início da década de 1930. Um traço comum a quase todos era serem dominados pela figura de um trabalhador gigante seminu que, por volta do final dos anos 1920, tinha passado a simbolizar o povo alemão, substituindo a figura ironicamente modesta do "Alemão Michel" com sua touca de dormir ou da personificação feminina mais rarefeita da *Germânia* que anteriormente representavam a nação. Os pôsteres nazistas mostravam o gigante alemão assomando sobre um banco denominado "Altas Finanças Internacionais", destruindo-o com pesados golpes de um compressor ornamentado com a suástica; os pôsteres social-democratas retratavam o trabalhador gigante afastando nazistas e comunistas a cotoveladas; os pôsteres do Partido de Centro ostentavam um desenho do trabalhador gigante, talvez menos escassamente trajado, mas ainda assim de mangas arregaçadas, removendo nazistas e comunistas minúsculos do prédio do Parlamento à força; o Partido Popular retratava o trabalhador gigante, vestido apenas com uma sunga, empurrando para os lados os políticos suntuosamente vestidos de todas as outras facções rivais em julho de 1932, em uma inversão quase exata daquilo que de fato viria a acontecer nas eleições; até o sóbrio Partido Nacionalista usou um trabalhador gigante em seus pôsteres, embora apenas para acenar com a bandeira preta, branca e vermelha do velho Reich bismarckiano.[141] Por toda a Alemanha, os eleitores foram confrontados com imagens violentas de trabalhadores gigantes esmigalhando seus oponentes, chutando-os para longe, puxando-os para fora do Parlamento, ou assomando sobre políticos de casaca e cartola que eram quase universalmente retratados como pigmeus insignificantes e briguentos. A masculinidade exuberante varria as facções políticas polemistas, ineficientes e efeminadas. Qualquer que fosse a intenção, a mensagem subliminar era de que estava na hora de a política parlamentar chegar ao fim, uma mensagem tornada explícita nos embates diários de grupos paramilitares pelas ruas, na ubiquidade dos uniformes nos palanques, e na violência e nas lesões corporais incessantes das reuniões políticas.

Nenhum dos outros partidos podia competir com os nazistas nesse território. Goebbels pode ter reclamado que "agora estão roubando nossos métodos", mas as três flechas não tinham uma ressonância simbólica profunda, ao contrário da familiar suástica. Os social-democratas só teriam tido alguma chance de derrotar os nazistas no jogo deles se tivessem começado mais cedo.¹⁴² Goebbels disputou a eleição mirando não o desempenho do gabinete de Papen, mas o desempenho da República de Weimar. Os principais objetivos da propaganda nazista nessa ocasião, portanto, eram os eleitores do Partido de Centro e dos social-democratas. Em termos apocalípticos, uma enxurrada de pôsteres, cartazes, panfletos, filmes e discursos proferidos para vastas plateias ao ar livre forneciam um quadro drástico da "guerra civil vermelha pela Alemanha", no qual os eleitores eram confrontados com uma escolha nítida: ou as velhas forças de traição e corrupção, ou um renascimento nacional para um futuro glorioso. Goebbels e sua equipe de propaganda tinham por meta soterrar o eleitorado com uma avalanche ininterrupta de assaltos aos sentidos. A cobertura saturada seria atingida não só pela publicidade de massa, mas também por uma campanha combinada de porta em porta e panfletagem. Microfones e alto-falantes bombardeavam discursos nazistas em qualquer lugar público que conseguissem encontrar. Imagens visuais, fornecidas não apenas pelas ilustrações em pôsteres e revistas, mas também por manifestações e marchas de massa pelas ruas, expulsaram o discurso racional e a argumentação verbal em favor de estereótipos facilmente assimilados que mobilizaram todo um conjunto de sentimentos, ressentimentos e agressão à necessidade de segurança e redenção. As colunas em marcha dos camisas-pardas, as saudações rígidas e as poses militares dos líderes nazistas transmitiam ordem e confiança, bem como determinação implacável. Estandartes e bandeiras projetavam a impressão de ativismo incessante e idealismo. A linguagem agressiva da propaganda nazista criou imagens estereotipadas de seus oponentes repetidas infindavelmente – os "criminosos de novembro", os "chefes vermelhos", os "politiqueiros judeus", a "cambada de assassinos vermelhos". Contudo, dada a necessidade nazista de tranquilizar as classes médias, o trabalhador gigante agora era retratado em pose benevolente em algumas ocasiões, não mais selvagem e agressivo, mas vestindo uma camisa e alcançando ferramentas de trabalho para os desempregados, em vez de brandi-las como armas para destruir os oponentes; os nazistas estavam preparados para um governo responsável.¹⁴³

Essa intensa propaganda eleitoral sem precedentes logo trouxe os resultados desejados. Em 31 de julho de 1932, a eleição para o Reichstag revelou a insensatez das táticas de Papen. Longe de tornar Hitler e os nazistas

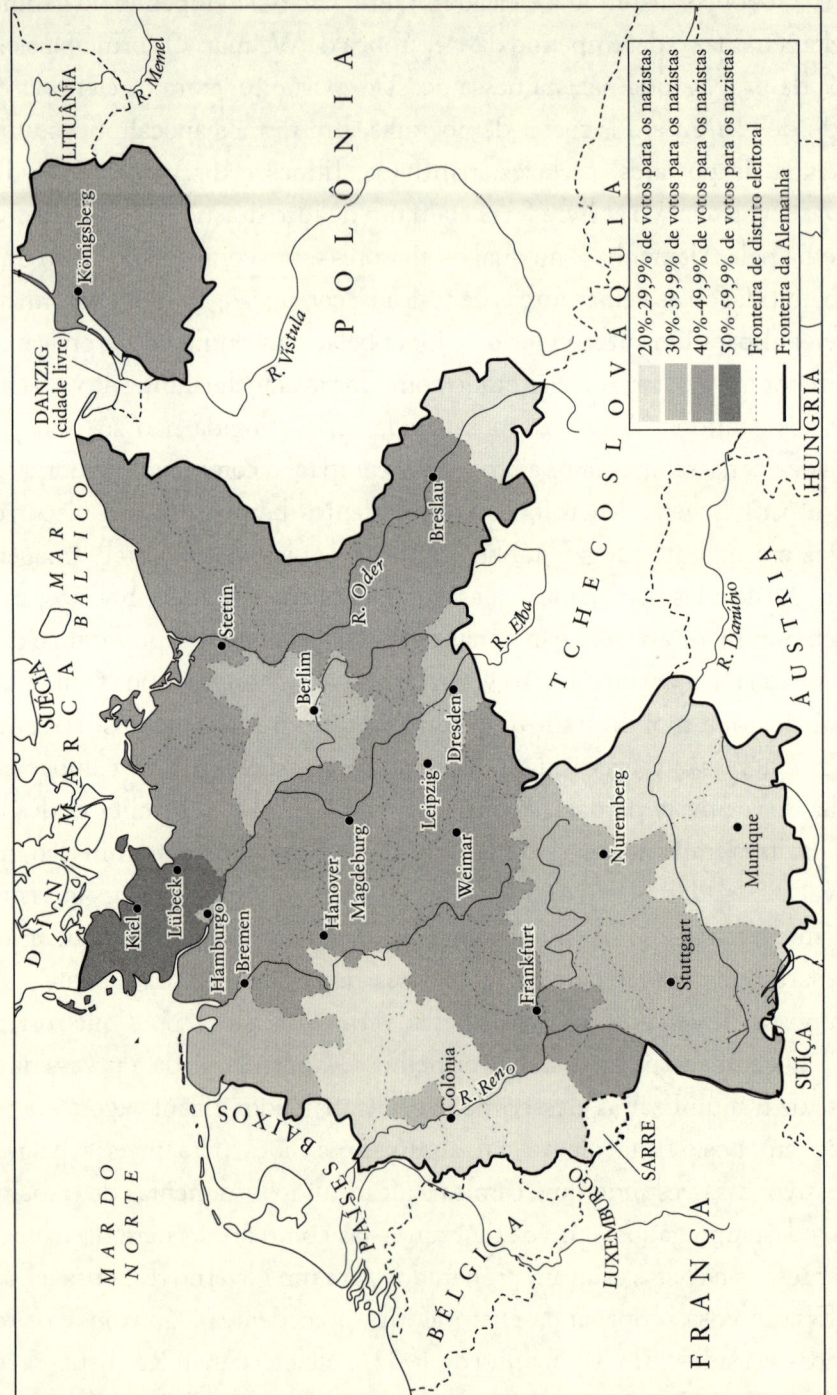

Mapa 14. Os nazistas na eleição de julho de 1932 para o Reichstag

mais tratáveis, a eleição trouxe-lhes um possante impulso adicional de poder, mais do que duplicando sua votação, de 6,4 milhões para 13,1 milhões, e tornando-os de longe o maior partido no Reichstag, com 230 assentos, quase cem a mais que o segundo maior grupo, os social-democratas, que conseguiram limitar as perdas a mais dez assentos e enviaram 133 deputados para a nova legislatura. Os 18,3% dos votos que os nazistas haviam obtido em setembro de 1930 mais do que dobraram, indo para 37,4%. A polarização contínua da cena política foi marcada por outro aumento dos comunistas, que dessa vez enviaram 89 deputados para o Reichstag, em vez de 77. E enquanto o Partido de Centro também conseguiu aumentar sua votação e garantir 75 mandatos no novo Parlamento, seu maior número até então, os nacionalistas registraram mais perdas, baixando de 41 para 37 cadeiras, reduzindo-se quase à condição de partido periférico. O mais impressionante de tudo, porém, foi a aniquilação quase total dos partidos de centro. O Partido Popular perdeu 24 de seus 31 assentos, o Partido da Economia perdeu 21 de 23, o Partido do Estado, anteriormente Partido Democrata, perdeu 16 de 20 cadeiras. A miscelânea de grupos dissidentes de extrema direita que haviam atraído forte apoio da classe média em 1930 também sofreu um colapso, mantendo apenas 5 de seus 55 mandatos anteriores. Esquerda e direita agora se encaravam no Reichstag por meio de um centro reduzido à insignificância: uma votação social-democrata/comunista combinada de 13,4 milhões confrontava uma votação nazista de 13,8 milhões, com todos os outros partidos juntos somando meros 9,8 milhões dos votos depositados em urna.[144]

Os motivos para o sucesso nazista no pleito de 1932 foram bem parecidos com os de setembro de 1930; quase mais dois anos de crise aguda na sociedade, na política e na economia haviam tornado tais fatores ainda mais poderosos que antes. A eleição confirmou o *status* dos nazistas como uma coalizão multicor de descontentes, dessa vez com apelo muitíssimo maior entre a classe média, que evidentemente haviam superado a hesitação que exibiram dois anos antes, quando se voltaram para grupos dissidentes de direita. A essa altura, quase todos os eleitores dos partidos de classe média haviam rumado para as fileiras de votantes do Partido Nazista. Um de cada dois eleitores que haviam apoiado os partidos dissidentes em setembro de

1930 e um em cada três que haviam votado nos nacionalistas, no Partido Popular e no Partido do Estado na eleição anterior para o Reichstag, dessa vez mudaram para os nazistas. Um em cada cinco não eleitores prévios – em especial as não eleitoras – foram às urnas depositar seu voto para os nazistas. Até mesmo um em cada sete que anteriormente haviam votado no Partido Social-Democrata dessa vez votaram no Nazista. Trinta por cento dos ganhos do Partido vieram dos partidos dissidentes. Entre esses eleitores incluíam-se muitos que haviam apoiado os nacionalistas em 1924 e 1928. Até mesmo uns poucos eleitores do Partido Comunista e do Partido de Centro trocaram de lado, embora isso fosse praticamente compensado pelas trocas reversas. O Partido Nazista continuou a atrair em especial os protestantes, com apenas 14% de apoio de eleitores católicos contra 40% de não católicos. Dessa vez, 60% dos eleitores nazistas eram das classes médias, amplamente caracterizadas; 40% eram trabalhadores manuais assalariados e seus dependentes, embora, como antes, fossem na maioria operários cuja conexão com o movimento trabalhista sempre havia sido tênue por uma série de motivos. A correlação negativa entre o tamanho da votação nazista e o nível de desemprego em qualquer distrito foi tão forte quanto sempre. Os nazistas continuaram a ser um partido de amplo espectro de protesto social, com apoio particularmente forte das classes médias e apoio relativamente débil da classe operária industrial tradicional e da comunidade católica, sobretudo onde havia um forte esteio econômico e institucional do movimento trabalhista ou das associações católicas de voluntários.[145]

Embora julho de 1932 tenha proporcionado um impulso possante para o Partido Nazista no Reichstag, ainda assim causou certo desapontamento em seus líderes. Para eles, o fator-chave do resultado não foi terem melhorado em relação ao pleito anterior para o Reichstag, mas o fato de não terem melhorado em relação ao desempenho no segundo turno das eleições presidenciais de março passado e nas eleições prussianas prévias de abril. Havia, portanto, uma sensação de que a votação nazista enfim havia chegado ao ápice. Em particular, a despeito de um tremendo esforço, o Partido havia desfrutado de sucesso apenas limitado no objetivo primordial de penetrar na votação do Partido Social-Democrata e do Partido de Centro. Por isso, não houve repetição do júbilo com que os nazistas saudaram sua vitória eleitoral de setembro de 1930. Goebbels confidenciou a seu diário a sensação de que "ganhamos uma coisinha ínfima", nada mais. "Não chegaremos à maioria absoluta desse jeito", concluiu. Assim sendo, a eleição conferiu uma nova urgência à sensação de que, como colocou Goebbels, "tem que acontecer alguma coisa. Acabou o tempo de oposição. Agora, às ações!".[146] Havia chegado a hora de agarrar o poder, acrescentou ele no dia seguinte, e observou que Hitler concordava com a ideia. Do contrário, caso se aferrassem à rota parlamentar rumo ao poder, a estagnação de seus votos sugeria que a situação podia começar a escapar do controle. Todavia, Hitler excluiu a entrada em um governo de coalizão liderado por outro partido, como de fato estava autorizado a fazer, visto que o Partido agora detinha de longe o maior número de cadeiras no Legislativo nacional. Assim, imediatamente após a eleição, Hitler insistiu em que ele deveria entrar no governo apenas como chanceler do Reich. Era a única posição que preservaria a mística de seu carisma entre os seguidores. Ao contrário de um cargo subordinado no gabinete, aquele também lhe daria uma boa chance de transformar a predominância do gabinete em uma ditadura nacional por meio do uso de todos os poderes de Estado que então estariam a seu dispor.

II

O modo como esses poderes seriam empregados foi vivamente ilustrado por um incidente ocorrido no início de agosto de 1932. Em uma tentativa de dominar a situação, Papen impôs a proibição de reuniões políticas públicas em 29 de julho. Isso só serviu para privar os ativistas de escoadouros políticos legítimos para suas ardentes paixões políticas. Assim, alimentou ainda mais a violência nas ruas. Em consequência, em 9 de agosto, ele promulgou outro decreto presidencial de emergência impondo pena de morte a qualquer um que matasse um oponente em disputa política movida por raiva ou ódio. Ele pretendia aplicar tal norma sobretudo aos comunistas. Mas, nas primeiras horas da manhã seguinte, um grupo de camisas-pardas bêbados, armados com cassetetes de borracha, pistolas e tacos de bilhar quebrados, invadiu uma fazenda na aldeia de Potempa, na Alta Silésia, e atacou um dos moradores, um simpatizante comunista chamado Konrad Pietzuch. Os camisas-pardas golpearam-lhe o rosto com um taco de bilhar, surraram-no até que desmaiasse, pisotearam-no quando ele jazia no chão e o liquidaram com um revólver. Pietzuch era polonês, tornando o incidente tanto racial quanto político, e alguns dos camisas-pardas tinham um rancor pessoal contra ele. Não obstante, tratava-se nitidamente de um assassinato político que violava os termos do decreto, e cinco camisas-pardas foram detidos, julgados e condenados à morte na cidade vizinha de Beuthen. Tão logo o veredito foi anunciado, tropas de assalto nazistas com suas camisas pardas lançaram-se em fúria pelas ruas de Beuthen, depredando lojas de judeus e empastelando as redações de jornais liberais e de esquerda. Hitler condenou pessoal e publicamente a injustiça "desse monstruoso veredito sangrento", e Hermann Göring enviou mensagem aberta de solidariedade aos condenados mostrando "amargura e ultraje ilimitados pelo julgamento de terror a que vocês foram submetidos".[147]

O assassinato então virou um item de negociação entre Hitler, Papen e Hindenburg quanto à participação nazista no governo. Em todo caso, o presidente Hindenburg, ironicamente, estava relutante em aceitar Hitler como chanceler porque indicar um governo conduzido pelo líder do Partido que havia vencido as eleições pareceria por demais um retorno a um sistema parlamentarista. Ele também ficou consternado com o assassinato de Potempa. "Não tenho dúvidas quanto a seu amor pela pátria", disse ele a Hitler em tom benevolente em 13 de agosto de 1933. No entanto, acrescentou: "Contra possíveis atos de terror e violência, como foram lamentavelmente os cometidos por membros das divisões da SA, hei de intervir com toda a severidade possível". Papen também não estava disposto a permitir que Hitler chefiasse o gabinete. Após as negociações serem cortadas, Hitler declarou:

> Camaradas da raça alemã! Qualquer um de vocês que possua algum sentimento pela luta em favor da honra e da liberdade da nação entenderá por que me recuso a participar desse governo. A justiça de *Herr* von Papen no fim talvez condene milhares de nacional-socialistas à morte. Alguém pensou que também poderia colocar meu nome nessa

ação agressiva irracional, nesse desafio ao povo inteiro? Esses cavalheiros estão enganados! *Herr* von Papen, agora eu sei o que é sua "objetividade" manchada de sangue! Eu quero a vitória de uma Alemanha nacionalista, e a aniquilação de seus destruidores e corruptores marxistas. Não tenho vocação para carrasco de nacionalistas que combatem pela liberdade do povo alemão![148]

O apoio de Hitler à violência brutal das tropas de assalto não poderia ter sido mais claro. Foi o que bastou para intimidar Papen, que jamais pretendera que seu decreto se aplicasse aos nazistas, e o levar a comutar as sentenças dos condenados para prisão perpétua em 2 de setembro, na esperança de aplacar as lideranças nazistas.[149] Logo depois do incidente, Hitler havia colocado os camisas-pardas de licença por uma quinzena, temendo outro banimento. Ele não precisava ter se dado ao trabalho.[150]

Não obstante, os nazistas, que haviam sentido o cheiro do poder após o pleito de julho, estavam amargamente desapontados pelo fracasso da liderança em se juntar ao gabinete. O fim das negociações com Hitler também deixou Papen e Hindenburg com o problema de obter legitimidade popular. O momento de destruir o sistema parlamentarista parecia ter chegado, mas como fariam isso? Papen, com o apoio de Hindenburg, decidiu dissolver o Reichstag tão logo este se reunisse. Ele então usaria – ou melhor, abusaria de – o poder do presidente de governar por decreto para declarar que não haveria mais eleições. Entretanto, quando o Reichstag enfim se reuniu em setembro, em meio a cenas caóticas, Hermann Göring, presidindo a sessão conforme a tradição, como representante do maior partido, ignorou deliberadamente as tentativas de Papen de declarar a dissolução e permitiu que uma moção comunista de desconfiança no governo fosse em frente. A moção obteve apoio de 512 deputados, com apenas 42 votando contra e 5 abstenções. A votação foi tão humilhante e demonstrou a falta de apoio de Papen no país de modo tão vívido que o plano de abolir as eleições foi abandonado. Em vez disso, o governo viu poucas opções a não ser seguir a Constituição e convocar uma nova eleição para o Reichstag em novembro.[151]

A nova campanha eleitoral viu Hitler, enraivecido com as táticas de Papen, abrir um ataque furioso ao governo. Um gabinete de aristocratas rea-

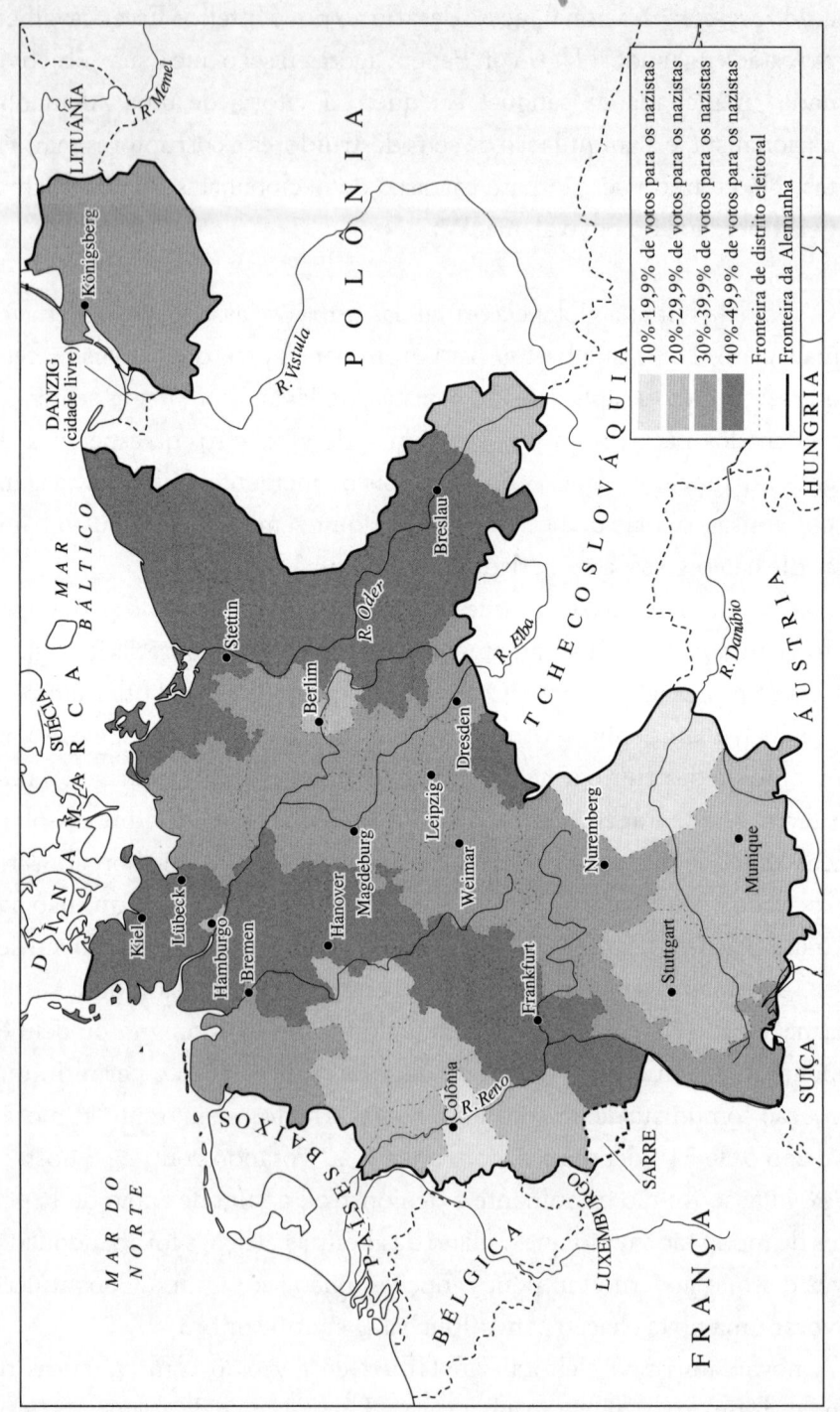

Mapa 15. Os nazistas na eleição de novembro de 1932 para o Reichstag

cionários jamais obteria a colaboração de um homem do povo como ele, proclamou Hitler. A imprensa nazista alardeou outro giro triunfante do "Líder" pelos estados alemães; mas todas as fanfarronadas sobre um público maciço e um louco entusiasmo pela oratória de Hitler não podiam disfarçar, pelo menos para a liderança do Partido, o fato de que muitos dos salões de reuniões onde Hitler falava agora estavam semivazios e de que as muitas campanhas do ano haviam deixado o Partido sem condição financeira de manter o esforço de propaganda no nível da eleição anterior. Além do mais, os ataques populistas de Hitler a Papen assustavam e afugentavam os eleitores de classe média, que pensavam ver o caráter "socialista" dos nazistas aparecendo de novo. A participação em uma penosa greve dos trabalhadores dos transportes em Berlim ao lado dos comunistas durante a campanha eleitoral não ajudou a imagem do Partido junto ao proletariado berlinense, embora essa fosse a meta de Goebbels, e também dissuadiu eleitores rurais e ainda repeliu certos votantes de classe média. Os métodos de propaganda outrora inovadores do Partido agora haviam se tornado familiares para todos. Goebbels não tinha nenhuma carta na manga para assombrar o eleitorado. Os líderes nazistas resignaram-se soturnos à perspectiva de pesadas perdas no dia do pleito.[152]

O estado de ânimo em largas faixas da classe média protestante foi capturado pelo diário de Louise Solmitz, uma ex-professora de escola primária que morava em Hamburgo. Nascida em 1899 e casada com um ex-oficial, havia sido admiradora de longa data de Hindenburg e Hugenberg, via Brüning, com o típico desdém protestante, como um "jesuíta insignificante" e no diário reclamava com frequência da violência nazista.[153] Mas, em abril de 1932, ela foi ouvir Hitler falar em um evento de massa em um subúrbio de Hamburgo e se encheu de entusiasmo com a atmosfera e o público, oriundo de todas as classes sociais, tanto quanto com o discurso.[154] "O espírito de Hitler empolga", ela escreveu, "é alemão e correto". Em pouco tempo, todos os amigos de classe média da família estavam apoiando Hitler, e não há muita dúvida de que tenham votado nele em julho. Mas rejeitaram tanto o tratamento desabrido de Göring ao Reichstag quando este se reuniu, quanto aquilo que viram como o movimento nazista à esquerda na campanha eleitoral de novembro. Então ficaram mais inclinados para Papen, embora jamais com grande entusiasmo, por ele ser católico. "Votei em Hitler duas vezes", disse um velho amigo, um ex-soldado, "mas não voto mais". "É uma tristeza quanto a Hitler", disse outro conhecido: "Não posso mais seguir com ele". O apoio de Hitler à greve dos trabalhadores dos transportes em Berlim, avaliou Louise Solmitz, custou-lhe milhares de votos. De modo pessimista, ela concluiu que Hitler não estava interessado na Alemanha, apenas em poder. "Por que Hitler nos abandonou após mostrar um futuro para o qual se podia dizer sim?", ela perguntou. Em novembro, os Solmitz votaram nos nacionalistas.[156]

Confrontados com esse tipo de desilusão, não é de surpreender que os nazistas tenham ido mal. A eleição, com uma participação muito mais baixa que a de julho, registrou queda aguda na votação do Partido, de 13,7 milhões para 11,7 milhões, reduzindo sua representação no Reichstag de 230 para 196 cadeiras. Os nazistas ainda eram o maior partido com grande folga. Mas agora tinham menos assentos que a soma total dos dois partidos "marxistas".[157] "Hitler em declínio", proclamou o *Avante* social-democrata.[158] "Sofremos um revés", confidenciou Goebbels a seu diário.[159] Por outro lado, a eleição registrou alguns ganhos para o governo. Os nacionalistas melhoraram sua representação de 37 para 51 assentos, o Partido Popular de sete para onze. Muitos de seus eleitores voltaram do exílio temporário no Partido Nazista. Mas esses ainda eram números miseravelmente baixos, pouco mais de um terço do que os dois partidos haviam somado no auge em 1924. O declínio patético dos ex-democratas, agora Partido do Estado, continuou, com sua representação baixando de quatro para dois assentos. Os social-democratas perderam outras doze cadeiras, indo para 121, seu número mais baixo desde 1924. Os comunistas, por outro lado, ainda o terceiro maior partido, continuaram a melhorar sua posição, ganhando outras onze cadeiras, o que lhes deu o total de cem, não muito atrás dos social-democratas. Para muitos alemães de classe média, esse era um desempenho de eficiência aterrorizante, que ameaçava com a perspectiva de uma revolução comunista em futuro não muito distante. O Partido de Centro também viu um pequeno declínio, de 75 para setenta cadeiras, com alguns votos indo para os nazistas, como os de sua ala bávara, o Partido Popular da Bavária.[160]

No geral, o Reichstag ficou ainda menos controlável que antes. Agora cem comunistas confrontavam 196 nazistas por meio da câmara, ambos os lados decididos a destruir um sistema parlamentarista que odiavam e desprezavam. Como resultado do ataque retórico do governo contra eles durante a campanha, o Partido de Centro e os social-democratas estavam mais hostis a Papen do que nunca. Papen fracassou por completo em reverter sua humilhação no Reichstag em 12 de setembro. Ainda encarava uma maioria esmagadora contra seu gabinete na nova legislatura. Cogitou cortar o nó górdio banindo tanto nazistas quanto comunistas e usando o Exército para impor um regime presidencial, passando de vez por cima do Reichstag. Mas essa não era uma possibilidade prática, pois a essa altura, fatalmente, havia perdido a confiança do Exército e de suas lideranças oficiais. Naquele ano, a hierarquia do Exército havia afastado o ministro da Defesa, general Wilhelm Groener, considerando sua disposição para se comprometer com a República de Weimar e suas instituições não mais apropriadas nas novas circunstâncias. Ele foi substituído por Schleicher, cujas visões agora estavam mais sintonizadas com as dos oficiais na liderança. De sua parte, Schleicher estava incomodado pelo fato de o chanceler ter tido a audácia de desenvolver ideias e planos próprios para um regime autoritário em vez de seguir as instruções do homem que, para começar, havia feito muito para colocá-lo no poder – ou seja, ele mesmo. Papen também havia fracassado de forma notável em produzir a maioria parlamentar, composta principalmente pelos nazistas e pelo Partido de Centro, que Schleicher e o Exército aguardavam. Estava na hora de uma nova iniciativa. Schleicher informou Papen calmamente de que o Exército não estava disposto a arriscar uma guerra civil e não mais lhe concederia apoio. O gabinete concordou, e Papen, confrontado pela violência incontrolável nas ruas e carecendo de meios para evitar uma escalada maior, foi forçado a anunciar a intenção de renunciar.[161]

III

Seguiram-se então duas semanas de negociações complicadas, conduzidas por Hindenburg e seu séquito. A essa altura, a Constituição havia de fato revertido ao que era no Reich bismarckiano, com governos indicados pelo chefe de Estado, abstraídas as maiorias parlamentares e as legislaturas. O Reichstag foi deixado totalmente à margem como fator político. Na verdade, não era mais necessário, nem mesmo para aprovar leis. Contudo, restava o problema de que qualquer governo que tentasse alterar a Constituição em uma direção autoritária sem a legitimidade proporcionada pelo respaldo de uma maioria no Legislativo correria o sério risco de dar início a uma guerra civil. Assim, a busca por respaldo parlamentar prosseguiu. Visto que os nazistas não cooperariam, Schleicher foi forçado a assumir a Chancelaria em 3 de dezembro. Seu ministério estava condenado desde o princípio. Hindenburg ressentia-se dele por ter derrubado Papen, de quem gostava, em quem confiava e com quem compartilhava muitas ideias. Por umas poucas semanas, Schleicher, menos odiado pelo Partido de Centro e pelos social-democratas do que Papen, obteve uma folga, evitando qualquer repetição da retórica autoritária de Papen. Continuou a ter esperança de que os nazistas mudariam de ideia. Eles haviam se enfraquecido com as eleições de novembro e estavam divididos quanto ao que fazer a seguir. Além disso, no começo de dezembro, nas eleições locais realizadas na Turíngia, sua votação havia despencado cerca de 40% em relação ao recorde nacional de julho passado. Um ano de vigorosa campanha eleitoral também havia deixado o Partido virtualmente falido. As coisas pareciam a favor de Schleicher.[162]

Dentro do Partido Nazista, começaram a se erguer vozes criticando Hitler pela recusa em entrar em um governo de coalizão exceto como chefe. A principal dessas vozes era a de Gregor Strasser, líder da organização do Partido, muitíssimo consciente do estado chocante a que ele cada vez mais julgava que Hitler havia reduzido a organização do Partido, construída com tanto esmero ao longo dos anos. Strasser começou a travar amizade tanto com grandes empresas, com vista a recuperar os fundos do Partido, quanto com sindicatos, que ele buscava atrair para a ideia de participarem de uma coalizão nacional de base ampla. Entretanto, cientes das opiniões de Strasser, seus inimigos na liderança nazista, sendo Joseph Goebbels o principal deles, começaram a fazer intriga por suas costas e a acusá-lo de tentar sabotar a ofensiva do Partido rumo ao poder.[163] A questão chegou ao ponto crítico quando Schleicher, querendo fazer pressão sobre Hitler para que se juntasse ao gabinete, começou negociações em separado com Strasser sobre um possível cargo no governo. Hitler, porém, foi inflexível em que os nazistas não deveriam participar de qualquer governo do qual ele não fosse o chefe. Em uma reunião tensa com Hitler, Strasser defendeu seu ponto de vista em vão. Rejeitado outra vez, renunciou a todos os cargos no Partido a 8 de dezembro, em um ataque de orgulho ferido.

Hitler mexeu-se depressa para evitar uma cisão no Partido, demitindo apoiadores conhecidos de seu ex-segundo homem em comando e apelando pessoalmente aos hesitantes. Em uma breve turnê pelo país, Hitler falou para um grupo de funcionários do Partido após o outro e os convenceu do acerto de sua posição, jogando Strasser no papel de traidor, algo semelhante ao que Stálin estava fazendo com Trótski na União Soviética por volta da mesma época. O perigo de um racha havia sido real; Hitler e Goebbels com certeza o levaram muitíssimo a sério. Mas o perigo se baseava em considerações táticas, não em questões de princípio. Strasser não representava uma alternativa de visão de futuro em relação a Hitler sob nenhum aspecto, sua posição ideológica era muito semelhante à de seu líder e em 1930 ele havia dado pleno apoio à expulsão de seu irmão Otto, cujas opiniões de fato eram muito à esquerda do grupo dominante do Partido. Gregor Strasser tampouco armou qualquer tipo de briga em dezembro de 1932. Se tivesse feito campanha por seu ponto de vista, poderia muito bem ter levado uma parte substancial do Partido com ele, deixando-o fatalmente danificado. Em vez disso, nada fez. Partiu para a Itália em férias logo após a renúncia e, embora não tenha sido realmente expulso do Partido, não desempenhou nenhum outro papel em seus assuntos e se retirou efetivamente da vida política. Hitler nomeou-se líder de organização do Partido e desmantelou a estrutura centralizada de Strasser para o gerenciamento do Partido, só para o caso de algum outro querer assumir o controle. A crise havia passado. Hitler e as lideranças podiam respirar aliviados.[164]

O fracasso de Schleicher em conquistar os nazistas se revelaria decisivo. Por certo que, à primeira vista, as perspectivas dele na virada do ano não pareciam tão ruins. O Partido Nazista estava em declínio, e mesmo o bom desempenho na eleição regional do pequeno estado de Lippe em 15 de janeiro, quando obteve 39,5% dos votos, não convenceu muita gente, dado que o conjunto total do eleitorado era de apenas 100 mil. Um esforço pos-

374　A CHEGADA DO TERCEIRO REICH

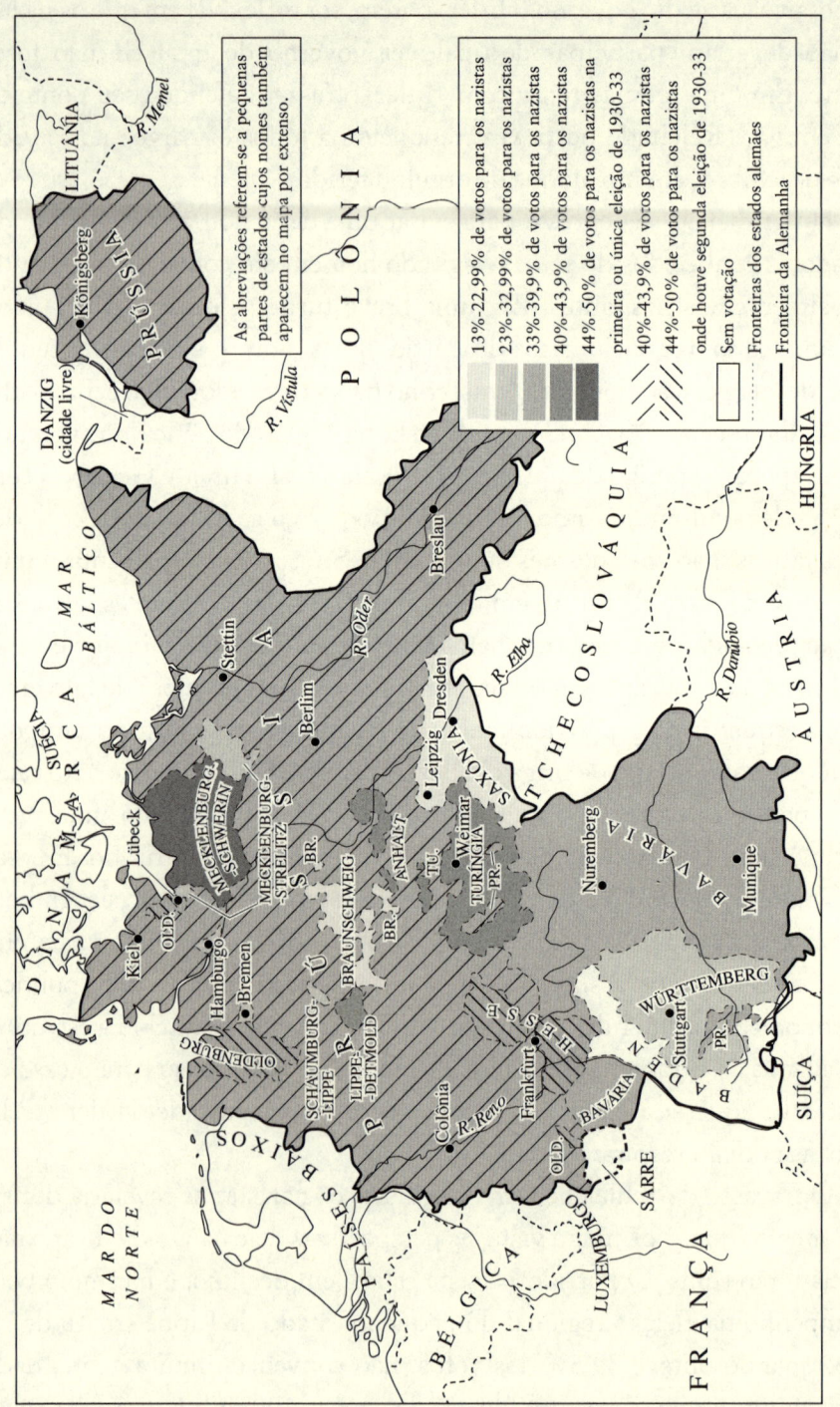

Mapa 16. As eleições regionais, 1931-1933

sante de propaganda e uma campanha de intensidade sem precedente ainda assim haviam falhado em melhorar a votação nazista de julho de 1932. Hitler e Goebbels conseguiram reanimar espíritos nazistas debilitados e fortalecer a resolução do Partido alardeando o resultado como um triunfo, mas a maioria das figuras de destaque no mundo político não engoliu aquilo.[165] Os nazistas pareciam em declínio também em outros aspectos. A cota de votos nas uniões estudantis, por exemplo, baixou de 48% em 1932 para 43% no início de 1933.[166] Enquanto isso, a situação econômica mundial enfim começava a melhorar, a Depressão parecia ter chegado ao fundo absoluto, e Schleicher, reconhecendo as possibilidades oferecidas pela retirada da Alemanha do padrão ouro 18 meses antes, estava preparando um robusto programa de criação de postos de trabalho para amenizar o desemprego por meio do oferecimento de obras públicas estatais. Isso era um mau agouro para os nazistas, cuja ascensão ao predomínio eleitoral havia sido sobretudo um produto da Depressão. Os nazistas haviam atingido o pico também nas eleições regionais, e todo mundo sabia.

Mas era provável que o declínio dos nazistas e a retomada da economia só se tornassem fatores importantes dali a meses ou mesmo anos. Schleicher não tinha meses ou anos com os quais jogar, apenas semanas. Para Hindenburg e seus conselheiros, sobretudo seu filho Oskar, o secretário de Estado Meissner e o ex-chanceler Franz von Papen, àquela altura parecia mais urgente que nunca amansar os nazistas, levando-os para o governo. As perdas e divisões recentes dos nazistas pareciam tê-los colocado em uma posição de onde seria mais fácil fazer isso. Mas, se o declínio deles continuasse, então, no futuro previsível, com uma virada econômica ascendente a caminho, parecia possível que os velhos partidos políticos pudessem se recuperar e o governo parlamentarista voltar, provavelmente até envolvendo os social-democratas. Alfred Hugenberg estava igualmente alarmado com essa perspectiva. Alguns planos econômicos de Schleicher, que incluíam uma possível nacionalização da indústria siderúrgica e a revogação, levada a cabo em dezembro, dos cortes de salários e benefícios decretados em setembro último por Papen, também causaram preocupação entre elementos do mundo empresarial, cujos interesses eram levados a sério por Papen, Hindenburg e Hugenberg. Como grande proprietário de terras, Hindenburg ficou ainda mais contrariado com as propostas de reforma agrária de Schleicher a leste do Elba, de distribuir propriedades de *junkers* falidos para os camponeses. Uma coalizão de forças conservadoras começou a se formar em torno de Hindenburg com o objetivo de se livrar de Schleicher, cujas declarações de que não favorecia nem o capitalismo nem o socialismo foram consideradas extremamente preocupantes.[167]

Os conspiradores certificaram-se do respaldo dos Capacetes de Aço e seus líderes Franz Seldte e Theodor Duesterberg a um plano para destituir Schleicher e substituí-lo por um chanceler do Reich que considerassem mais aceitável. Com meio milhão de homens, os Capacetes de Aço eram uma força de combate potencialmente formidável. Entretanto, estavam profundamente divididos; seus líderes Seldte e Duesterberg estavam a ponto de brigar e eram cronicamente incapazes de decidir quanto a se alinhar com os nazistas ou com os conservadores. O compromisso de estar "acima dos partidos" era fonte constante de disputa interna em vez do lema unificador que deveria ser. Nessa situação, muitas figuras eminentes da organização de veteranos pressionaram com algum sucesso pela volta às atividades de assistência social, treinamento militar, "proteção" das fronteiras orientais da Alemanha por meio de uma forte presença paramilitar e tarefas práticas semelhantes. Os Capacetes de Aço viam-se sobretudo como um exército de reserva, a ser convocado caso necessário para aumentar as forças militares oficiais, cujo número era pouco maior que um quinto de seu efetivo por causa das restrições impostas pelo Tratado de Versalhes. O desempenho desastroso de Duesterberg nas eleições presidenciais convenceu muita gente de que era aconselhável a retirada do campo de batalha político. A formação de oficial prussiano de Duesterberg fazia com que desconfiasse dos nazistas e os considerasse por demais vulgares e desordeiros para serem parceiros dignos. Mas sua posição fora enfraquecida pela revelação, chocante para muitos Capacetes de Aço, de que ele possuía antepassados judeus. Foi Seldte, portanto, que endossou em nome dos Capacetes de Aço a conspiração para remover Schleicher no início de 1933.[168]

Papen, embora estivesse no meio da conspiração, evidentemente estava fora da disputa pela Chancelaria, visto que havia criado inimizade com quase todo mundo fora do séquito de Hindenburg ao longo dos meses anteriores e não dispunha de respaldo popular no país. Negociações frenéticas por fim levaram a um plano para colocar Hitler como chanceler, com a maioria de colegas de gabinete conservadores para mantê-lo sob controle. Os rumores de que Schleicher, em colaboração com o chefe do comando do Exército, general Kurt von Hammerstein, estava preparando um contragolpe, deram um tom de urgência à maquinação. Ao que parecia, Schleicher tencionava estabelecer um Estado corporativo autoritário, eliminar o Reichstag por decreto presidencial, colocar o Exército no controle e suprimir os nazistas por completo, bem como os comunistas. "Se um novo governo não estiver formado às 11 horas", disse Papen a Hugenberg e aos líderes dos Capacetes de Aço em 30 de janeiro, "o Exército vai marchar. Avizinha-se uma ditadura militar sob Schleicher e Hammerstein".[169]

Os rumores se espalharam porque nos meios políticos era sabido que o fracasso de Schleicher em garantir suporte parlamentar deixava-o sem opção a não ser solicitar ao presidente poderes de longo alcance, efetivamente extraconstitucionais, para superar a crise. Quando ele foi a Hindenburg com esse pedido, o idoso presidente e sua comitiva viram isso como uma chance de se livrar daquele intrigante incômodo e indigno de confiança, e recusaram. Após a rejeição, alguns esperaram que Schleicher e o Exército se encarregassem da questão por conta própria e se apoderassem de qualquer forma dos poderes que queriam. Mas Schleicher e o Exército só consideraram um golpe na eventualidade de Papen retornar à Chancelaria do Reich, e isso apenas porque pensavam que a indicação de Papen poderia levar à deflagração de uma guerra civil. Entretanto, desejoso de evitar essa situação, Schleicher agora via a chancelaria de Hitler como uma solução bem-vinda no que dizia respeito ao Exército. "Se Hitler quer estabelecer uma ditadura no Reich", disse ele em tom confiante, "então o Exército será o ditador dentro da ditadura".[170] Recusada a permissão do presidente para governar de modo inconstitucional, Schleicher não teve escolha a não ser apresentar a renúncia. No círculo de Hindenburg, as negociações para nomear Hitler no lugar de Schleicher já estavam em andamento há algum tempo. Enfim, por volta das 11h30 da manhã de 30 de janeiro de 1933, Hitler fez o juramento de chanceler do Reich. O governo que ele chefiava era dominado em termos numéricos por Papen e seus companheiros conservadores. A ala radical do muito minguado Partido Nacionalista entrou no governo com Alfred Hugenberg assumindo o Ministério da Economia e o Ministério do Abastecimento. o barão Konstantin von Neurath, já ministro de Relações Exteriores nos governos de Papen e Schleicher, continuou no cargo, assim como o conde Lutz Schwerin von Krosigk no Ministério das Finanças e, um pouco posterior, Franz Gürtner, dos nacionalistas, no Ministério da Justiça. O Ministério do Exército foi assumido por Werner von Blomberg. Franz Seldte, representando os Capacetes de Aço, entrou no Ministério do Trabalho.

Apenas dois dos principais cargos do Estado foram para os nazistas, mas ambos eram posições-chave, nas quais Hitler insistiu como condição para o acordo: o Ministério do Interior, ocupado por Wilhelm Frick, e a própria Chancelaria do Reich, ocupada por Hitler. Hermann Göring foi nomeado ministro sem pasta do Reich e ministro provisório do Interior prussiano, o que lhe conferiu controle direto sobre a polícia na maior parte da Alemanha. Os nazistas podiam, assim, manipular a seu favor toda a situação doméstica de lei e ordem. Mesmo que agissem até com modestíssima habilidade, em breve o caminho estaria livre para os camisas-pardas deslancharem um inteiramente novo nível de violência nas ruas contra seus oponentes. Franz von Papen tornou-se vice-chanceler e continuou a mandar na Prússia como comissário do Reich, sendo, nominalmente, o superior de Göring. Cercado por amigos de Papen, que tinham a importantíssima atenção do presidente Hindenburg, Hitler e os nazistas – vulgares, incultos, inexperientes no governo – por certo seriam fáceis de controlar. "Você está errado", disse um desdenhoso Papen a um assistente cético que manifestou seu temor: "Nós os absorvemos para nós".[171] "Dentro de dois meses", falou Papen confiante a um conhecido conservador, "teremos apertado Hitler de tal forma que ele cederá".[172]

Criando o Terceiro Reich

5

Começa o terror

I

Que a nomeação de Hitler como chanceler do Reich não era uma mudança ordinária de governo ficou claro imediatamente, no momento em que Goebbels organizou uma parada de camisas-pardas, Capacetes de Aço e homens da SS à luz de tochas pelas ruas de Berlim, iniciada às sete da noite de 30 de janeiro de 1933 e prosseguindo até bem depois da meia-noite. Um jornal pró-nazista, arrebatado pelo entusiasmo, estimou o número de marchadores em 700 mil.[1] Mais plausível que essa cifra deveras fantástica foi a reportagem de outro jornal, que descreveu as paradas de modo simpático como "uma experiência inesquecível", em que 18 mil camisas-pardas e homens da SS, 3 mil Capacetes de Aço e 40 mil civis não uniformizados – 61 mil no total – haviam participado; uma terceira estimativa de uma fonte mais hostil fixou o número de marchadores uniformizados em não mais de 20 mil. Multidões de espectadores curiosos enfileiraram-se nas ruas para assistir à marcha. Muitos saudavam os paramilitares que passavam. O espetáculo era típico da espécie de direção cênica que Goebbels aperfeiçoaria nos anos vindouros. Assistindo à marcha em uma rua de Berlim, o jovem Hans-Joachim Heldenbrand calhou de estar parado no local onde os camisas-pardas faziam uma pausa para trocar as tochas derretidas por outras novas, recém-acesas. Examinando seus rostos à medida que a noite avançava, ele começou a notar os mesmos homens aparecendo diante dele repetidamente. "Eis aí", disse seu pai, "veja a falcatrua. Eles estão marchando em círculo constantemente, como se houvesse 100 mil deles".[2]

Enquanto as colunas de paramilitares uniformizados passavam em marcha, o idoso Hindenburg foi à janela do primeiro andar de sua residência oficial para receber a saudação. Para simbolizar as posições relativas dos nacionalistas e dos nazistas no novo governo, Goebbels fez arranjos para que a SA liderasse a parada e os Capacetes de Aço a seguissem. Depois de Hindenburg ficar rigidamente imóvel por algumas horas, sua atenção começou a se dispersar e sua mente retrocedeu aos gloriosos tempos da Primeira Guerra Mundial. Um membro de seu séquito mais tarde contou ao escritor britânico John Wheeler-Bennett:

> Os camisas-pardas passaram em passo arrastado, seguidos pelas fileiras cinza-escuras dos Capacetes de Aço, movendo-se com a precisão nascida da disciplina. O velho marechal assistiu da janela como que a sonhar, e aqueles atrás dele viram-no acenar por sobre o ombro: "Ludenforff", disse o velho, em uma recaída de seu latido ríspido: "Como seus homens estão marchando bem, e que bando de prisioneiros capturaram!".[3]

Confuso ou não, Hindenburg foi apresentado pela imprensa nacionalista como a figura central do festejo, e as paradas como um "tributo a Hindenburg" de "seu povo".[4] A polícia fez sua parte, acompanhando e, na verdade, tomando parte na celebração geral, lançando um facho de luz sobre a janela em que o presidente se encontrava, de modo que todo mundo pudesse observá-lo a receber a saudação dos que marchavam.[5] Havia bandeiras pretas, brancas e vermelhas por toda parte. Pelo rádio, Hermann Göring comparou as multidões àquelas que se reuniram para celebrar a deflagração da Primeira Guerra Mundial. O "estado de espírito", disse ele, "só pode ser comparado ao de agosto de 1914, quando a nação também se ergueu para defender tudo que possuía". A "vergonha e desgraça dos últimos 14 anos" haviam sido varridas. O espírito de 1914 tinha sido revivido.[6] Esses eram sentimentos com os quais todo nacionalista podia concordar. A Alemanha, como declarou um jornal nacionalista, estava testemunhando um "segundo milagre de agosto".[7] Poucos dias depois, em meio à multidão, vendo os marchadores nas ruas, Louise Solmitz fez a mesma comparação: "Foi como

1914, todos poderiam cair nos braços uns dos outros em nome de Hitler. Embriaguez sem vinho".⁸ Talvez ela não tenha recordado naquele momento que o espírito de 1914 era presságio de guerra, a mobilização de todo o povo como base para empreender o conflito armado, a supressão da dissenção interna como preparativo para a agressão internacional. Mas era isso que os nazistas agora almejavam, como insinuou a declaração de Göring. De 30 de janeiro em diante, a sociedade alemã seria colocada tão depressa quanto possível em pé de guerra permanente.⁹

Goebbels estava rejubilante nas celebrações. Ele já havia conseguido organizar um comentário ao vivo na rádio estatal, embora ainda não possuísse um cargo oficial no novo gabinete. Os resultados superaram suas expectativas:

> Grande festejo. Lá embaixo, as pessoas estão produzindo uma comoção... Chegam as tochas. Começa às 7 horas. Interminável. Até as 10 horas. No Kaiserhof. A seguir na Chancelaria do Reich. Até depois das 12 horas. Infindável. Um milhão de pessoas em movimento. O Velho recebe as saudações da marcha. Hitler na casa ao lado. Despertar! Explosão espontânea do povo. Indescritível. Novas multidões o tempo todo. Hitler extasiado. Seu povo o saúda... Louco frenesi de entusiasmo. Preparar a campanha eleitoral. A última. Vamos ganhar fácil.¹⁰

Refrões do hino nacional alternavam-se com a Canção de Horst Wessel enquanto as colunas avançavam marchando pelo Portão de Brandemburgo e passavam pelos prédios do governo.¹¹

Muitas pessoas viram-se capturadas pelas entusiásticas manifestações. As paradas à luz de tochas repetiram-se em muitas outras aldeias e cidades além de Berlim nas noites seguintes.¹² Em Berlim, na tarde de 31 de janeiro, a Liga de Estudantes Alemães Nacional-Socialistas encenou sua própria parada, que terminou na frente da Bolsa de Valores ("A 'Meca' dos judeus alemães", como colocou um jornal de direita). Os corretores que apareciam eram saudados pelos estudantes com cânticos de "Sucumba, Judá!".¹³ Ao assistir a outra parada à luz de tochas em Hamburgo a 6 de fevereiro, Louise Solmitz ficou "embriagada de entusiasmo, cega pela luz das tochas direto em nosso rosto, e o tempo todo envolvida pela fumaça como em uma delicada nuvem de incenso". Como muitas respeitáveis famílias burguesas, os Solmitz levaram as crianças para testemunhar as cenas extraordinárias: "Até aqui, as impressões que eles tinham de política", comentou Solmitz, "eram tão deploráveis que agora deveriam ter uma impressão realmente forte de sentimento de nação, como nós outrora tivemos, e guardá-la como uma memória. E foi isso que fizeram". Das dez da noite em diante, relatou ela,

> Vinte mil camisas-pardas seguiram um após o outro como as ondas do mar, os rostos resplandecentes de entusiasmo à luz das tochas. "Para nosso Líder, nosso chanceler do Reich, Adolf Hitler, um *Heil* triplo!" Eles entoavam: "A República é uma bosta...". Próximo a nós um menino de três anos de idade erguia sua mãozinha repetidamente: "*Heil* Hitler, *Heil* Hitler, o homem!". Também bradavam "Morte aos judeus" às vezes e cantavam sobre o sangue dos judeus que jorraria de suas facas.

"Quem levaria isso a sério naquela ocasião?", ela acrescentou mais tarde em seu diário.[14]

A jovem Melita Maschmann foi levada pelos pais conservadores para assistir à parada à luz de tochas em 30 de janeiro e lembrou da cena vividamente muitos anos depois, recordando não só o entusiasmo mas inclusive os tons velados de violência e agressão que acompanhavam a parada:

> as passadas estrondosas, a pompa sombria das bandeiras vermelhas e negras, a luz bruxuleante das tochas nos rostos e as canções com melodias que eram ao mesmo tempo excitantes e sentimentais.
>
> As colunas passaram marchando por horas. Nelas víamos continuamente grupos de meninos e meninas pouca coisa mais velhos do que nós... Em dado momento, alguém saltou de repente das fileiras de marchadores e golpeou um homem que estava parado a poucos passos de nós. Talvez ele tenha feito um comentário hostil. Vi-o cair no chão com o sangue a escorrer pelo rosto e ouvi seu grito. Nossos pais nos arrastaram às pressas para longe do tumulto, mas não conseguiram

impedir que víssemos o homem sangrando. A imagem dele me assombrou por dias.

O horror que aquilo inspirou em mim era temperado de forma quase imperceptível com uma alegria inebriante. "Queremos morrer pela bandeira", cantavam os portadores das tochas... Eu queria escapar de minha vida infantil e limitada e me ligar a algo grandioso e fundamental.[15]

Para o pessoal respeitável de classe média, a violência que acompanhava as marchas parecia incidental e não particularmente ameaçadora. Mas, para outros, a nomeação de Hitler já era um presságio de desastre. Enquanto os organismos de imprensa estrangeira observavam a passagem da marcha de uma janela do Gabinete de Imprensa do Reich, ouviu-se um jornalista comentar que estavam testemunhando o equivalente da tomada de poder na Itália por Mussolini onze anos antes – "a marcha sobre Roma à moda alemã".[16]

Os comunistas, em particular, sabiam que era provável que o governo de Hitler caísse de rijo em cima de suas atividades. Já na noite de 30 de janeiro, a imprensa de direita pedia o banimento do partido após o disparo de tiros de uma casa em Charlottenburg contra uma coluna de camisas-pardas que marchavam à luz de tochas, resultando na morte de um policial e também de um camisa-parda.[17] A *Bandeira Vermelha* foi proibida e os exemplares foram confiscados, a polícia realizou mais de sessenta detenções quando irrompeu uma troca de tiros entre nazistas e comunistas em Spandau.[18] Houve embates semelhantes, embora menos espetaculares, em Düsseldorf, Halle, Hamburgo e Mannheim, e em outros locais a polícia proibiu imediatamente todas as manifestações dos comunistas. Em Altona, Chemnitz, Müncheberg, Munique e Worms, e em vários bairros da classe operária em Berlim, os comunistas realizaram manifestações públicas contra o novo gabinete. Foi registrada uma marcha de 5 mil trabalhadores contra o novo gabinete em Weissenfels, e houve manifestações semelhantes, embora menores, em outros locais.[19] Em uma das mais notáveis dessas manifestações, na pequena aldeia de Mössingen, em Württemberg, onde quase um terço dos votos haviam sido depositados para os comunistas nas eleições de 1932, os homens realizaram uma greve geral. Com mais de oitocentas pessoas de uma população total de não mais de 4 mil marchando pelas ruas contra o novo governo, os habitantes do pequeno centro industrial logo entenderam a realidade da situação, quando a polícia chegou e começou a prender aqueles identificados como os cabeças, capturando ao final mais de 80 participantes, dos quais 71 foram subsequentemente condenados por traição. No comando da operação policial estava o governo conservador católico do presidente do estado de Württemberg, Eugen Bolz, que evidentemente temia um levante comunista generalizado. Fazendo um retrospecto desses eventos muitos anos mais tarde, um dos participantes disse com orgulho que, se todo mundo tivesse seguido o exemplo de Mössingen, os nazistas jamais teriam sido bem-sucedidos. Para outro, era uma fonte idêntica de orgulho que, conforme ele disse com exagero desculpável: "Não aconteceu nada, nada em lugar nenhum, exceto aqui".[20]

Em várias aldeias e cidades havia uma boa dose de prontidão por parte dos membros do baixo escalão dos partidos dos trabalhadores para colaborar em face da ameaça nazista. Mas nem os comunistas nem os social-democratas fizeram nada para coordenar medidas de protesto em uma escala mais ampla. Embora tenha incitado uma greve geral imediata, o Partido Comunista sabia que as perspectivas de que tal ocorresse eram zero sem a cooperação dos sindicatos e dos social-democratas, que não estavam dispostos a se deixar manipular dessa maneira. Para o Comintern, a nomeação do gabinete de Hitler mostrava que o capitalismo monopolista havia sido bem-sucedido em cooptar os nazistas para quebrar a resistência do proletariado à criação de uma ditadura fascista. A figura-chave do gabinete, conforme essa visão, era Hugenberg, representante da indústria e das grandes propriedades. Hitler não passava de uma ferramenta.[21] Vários social-democratas de esquerda, inclusive Kurt Schumacher, um dos deputados mais destacados do partido no Reichstag, compartilhavam dessa visão. Os comunistas também temiam que a "ditadura fascista" significasse uma pressão violenta no movimento trabalhista, aumento da exploração dos trabalhadores, um impulso impetuoso na direção de uma "guerra imperialista".[22] Em 1º de fevereiro de 1933, a imprensa comunista já registrava uma "onda de ordens de proibição no Reich", e uma "tempestade sobre a

Alemanha", na qual "bandos do terror nazista" estavam assassinando trabalhadores e destruindo prédios dos sindicatos e escritórios do Partido Comunista. Por certo havia mais por vir.[23]

Outros estavam menos seguros do significado do novo gabinete. Tantos governos e tantos chanceleres do Reich tinham vindo e ido ao longo dos últimos anos que várias pessoas, evidentemente, pensavam que o novo teria pouca diferença e teria curta duração como os predecessores. Até mesmo a entusiasmada Louise Solmitz anotou em seu diário:

> E que gabinete!!! Como não ousamos sonhar em julho. Hitler, Hugenberg, Seldte, Papen!!! Sobre cada um deles paira grande parte de minha esperança alemã. O *élan* nacional-socialista, a razão nacionalista alemã, os Capacetes de Aço apolíticos e Papen, de quem não esquecemos. É tão indizivelmente lindo que escrevo isso aqui depressa, antes que soe a primeira nota discordante...[24]

Para muitos leitores dos jornais que relatavam a nomeação de Hitler, os festejos dos camisas-pardas devem ter parecido exagerados. A característica-chave do novo governo, simbolizada pela participação dos Capacetes de Aço na marcha, era com certeza o pesado domínio numérico dos conservadores. "Nada de governo nacionalista, nada de revolucionário, embora tenha o nome de Hitler", confidenciou a seu diário um diplomata tcheco sediado em Berlim: "Nada de Terceiro Reich, um 2½ e olhe lá".[25] Uma nota mais alarmista foi soada pelo embaixador francês André François-Poncet. O arguto diplomata notou que os conservadores estavam certos em esperar que Hitler concordasse com o programa de "esmagar a esquerda, expurgar a burocracia, assimilar a Prússia e o Reich, reorganizar o Exército, restabelecer o serviço militar". Eles haviam colocado Hitler na Chancelaria para desacreditá-lo, observou Poncet: "Eles acreditam que são muito engenhosos, livrando-se do lobo ao colocá-lo dentro do curral das ovelhas".[26]

II

A crença complacente de Franz von Papen e seus amigos de que Hitler estava onde eles queriam não durou muito. Os nazistas ocuparam apenas três cargos no gabinete. Mas a autoridade proveniente da posição de Hitler como chanceler do Reich era considerável. Igualmente importante era o fato de os nazistas deterem os ministérios do Interior tanto do Reich quanto da Prússia. Com estes vinham extensos poderes sobre a lei e a ordem. A posse do cargo prussiano por Göring em especial dava-lhe controle sobre a polícia na maior parte do território do Reich. Como comissário do Reich, Papen podia ser seu superior nominal, mas não seria fácil para ele interferir no comando cotidiano do ministério em questões como a manutenção da ordem. Além disso, o novo ministro de Defesa, general Werner von Blomberg, indicado por ordem do Exército no dia anterior à posse de Hitler, era muito mais simpático aos nazistas do que Papen ou Hindenburg imaginavam. Homem impulsivo e enérgico, Blomberg tinha conquistado uma reputação formidável como estrategista do Estado-Maior na Primeira Guerra Mundial e mais tarde se tornado chefe do Estado-Maior Geral. Ele era o homem do Exército no governo. Mas também era facilmente influenciável por impressões fortes. Ao visitar a União Soviética para inspecionar instalações militares alemãs naquele país, ficou tão impressionado com o Exército Vermelho que pensou seriamente em se filiar ao Partido Comunista, ignorando por completo as terríveis implicações políticas de tal decisão. Com uma estreita visão militar e quase totalmente ignorante em política, era uma massa de modelar nas mãos de alguém como Hitler.[27]

Blomberg proibiu os oficiais de se filiar ao Partido Nazista, e manteve ciosamente a independência do Exército. Sua lealdade a Hitler fez com que parecesse desnecessário aos nazistas minar a instituição por dentro. Contudo, precisavam ter certeza de que o Exército não interferiria na violência que agora pretendiam desencadear sobre o país. Hitler sublinhou seu respeito pela neutralidade do Exército em um discurso a altos oficiais em 3 de fevereiro de 1933. Ele conquistou sua aprovação com as promessas de restaurar o recrutamento, destruir o marxismo e combater o Tratado de

Versalhes. Os oficiais presentes não fizeram objeção quando ele ofereceu a embriagadora perspectiva de longo prazo de invadir a Europa do leste e "germanizá-la" por meio da expulsão de muitos milhões de habitantes nativos eslavos. A neutralidade do Exército significava, é claro, não interferência, e Hitler deu-se ao trabalho de dizer aos oficiais: "A luta interna não é da conta de vocês". Foi auxiliado nos esforços para neutralizar o Exército pela indicação, por sugestão de Blomberg, do coronel Walther von Reichenau, um vigoroso, ambicioso e muito condecorado oficial do Estado-Maior, como primeiro-assistente de Blomberg. Reichenau era outro admirador de Hitler e se dava bem com ele. Junto com Blomberg, agiu rapidamente para isolar o comandante-em-chefe do Exército, general Kurt von Hammerstein, um aristocrata conservador que jamais tentou disfarçar seu desprezo pelos nazistas. Em fevereiro de 1933, Hammerstein proibiu os oficiais de convidar políticos para eventos sociais, como forma de tentar minimizar as relações com lideranças nazistas como Göring, a quem sempre se referia de modo esnobe por sua verdadeira patente na época pré-nazista, "capitão (reformado)", exceto quando o chamava pelo apelido, "piloto maluco". Hammerstein era uma verdadeira ameaça em potencial, porque se reportava diretamente ao presidente. Dentro de curto período de tempo, porém, Blomberg tinha conseguido restringir o acesso de Hammerstein a Hindenburg a questões estritamente militares. Em 4 de abril de 1933, Blomberg tornou-se membro do recém-criado Conselho de Defesa do Reich, um organismo político que efetivamente driblou a liderança do Exército e colocou a política militar nas mãos de Hitler, que o presidia, e de um pequeno grupo de ministros importantes. Por meio dessas manobras, Hammerstein e seus apoiadores foram neutralizados de forma efetiva. De todo modo, Hammerstein era por demais olímpico, por demais distante, para se meter em intrigas políticas a sério. Agora que Schleicher estava seguramente fora do caminho, nem ele, nem qualquer um dos outros líderes do Exército era capaz de mobilizar a oposição aos nazistas na primeira metade de 1933.[28]

Com Frick e Göring no comando, e o Exército relegado ao segundo plano, as perspectivas de coibir a violência nazista eram agora piores que nunca. Os nazistas valeram-se quase de imediato dessa situação cuidadosamente arquitetada e deflagraram uma campanha de violência e terror políticos que excedia tudo visto até então. Em 30 e 31 de janeiro, as paradas e procissões triunfais da SA e da SS já haviam demonstrado sua recém-descoberta confiança e seu poder sobre os oponentes nas ruas. Essas também foram acompanhadas de incidentes de violência e antissemitismo, que começaram a se multiplicar rapidamente. Bandos de camisas-pardas começaram a atacar escritórios de sindicatos e dos comunistas e as casas de esquerdistas de destaque. Em 4 de fevereiro, foram auxiliados por um decreto permitindo a detenção por até três meses de pessoas engajadas em atos armados de violação da paz ou atos de traição, decreto que, evidentemente, não seria aplicado às tropas de assalto de Hitler.[29]

A intensidade da violência aumentou de forma considerável quando Göring, agindo como ministro do Interior da Prússia, ordenou à polícia prussiana em 15-17 de fevereiro que cessasse a vigilância das organizações paramilitares nazistas e suas associadas e apoiasse o que elas estavam fazendo tanto quanto fosse possível. Em 22 de fevereiro, deu mais um passo e montou uma força "policial auxiliar" composta por membros da SA, da SS e dos Capacetes de Aço, sendo os últimos nitidamente os aliados minoritários. Isso deu às tropas de assalto o sinal verde para ir em frente com sua ferocidade sem qualquer interferência séria dos guardiães estatais formais da lei e da ordem. Enquanto a polícia, expurgada dos social-democratas desde o golpe de Papen, perseguia comunistas e dissolvia suas manifestações, a nova força, com a anuência da polícia, invadia escritórios do partido e dos sindicatos, destruía documentos e expulsava seus ocupantes à força. O impacto dessa violência foi sentido pelo Partido Comunista e seus membros. Eles já haviam ficado sob forte vigilância policial durante a República de Weimar. O governo social-democrata na Prússia, por exemplo, afirmou no início da década de 1930 que recebia relatórios confidenciais sobre as sessões secretas do Comitê Central do Partido Comunista poucas horas depois de o evento ter ocorrido. Os espiões da polícia atuavam em todos os níveis da hierarquia do partido. Os frequentes confrontos com a Liga dos Combatentes da Frente Vermelha, acarretando ferimentos aos agentes da polícia, às vezes fatais, levaram a investigações que incluíam revistas nas instalações do Partido Comunista. Documentos confiscados em 1931-32 incluíam listas de endereços dos dignitários do partido e dos membros atuantes. A polícia, portanto, estava muitíssimo bem informada sobre o partido, considerado inimigo após a experiência de inúmeros confrontos armados, e de 30 de janeiro em diante colocou as informações ao dispor do novo governo. Que não hesitou em usá-las.[30]

Os social-democratas e os sindicatos foram atingidos de forma quase tão dura quanto os comunistas na escalada da repressão nazista na segunda metade de fevereiro de 1933. O governo teve condições de construir um amplo índice de consenso público entre os eleitores de classe média quanto à supressão dos comunistas, que sempre haviam sido considerados uma ameaça à ordem pública e à propriedade privada. O fato de os comunistas terem aumentado seu apoio eleitoral de modo contínuo a ponto de, no início de 1933, terem 100 assentos no Reichstag, era extremamente alarmante para muitos que temiam que eles repetissem a violência, o assassinato e a tortura que haviam sido a marca do "Terror Vermelho" na Rússia, em 1918-21, caso um dia alcançassem o poder na Alemanha. Mas a coisa era muito diferente no que dizia respeito aos social-democratas. Afinal de contas, eles eram a força política que havia sido o esteio da República de Weimar durante muitos anos. Tinham 121 cadeiras no Reichstag, contra as 196 dos nazistas. Tinham sido um elemento-chave de vários governos. Haviam fornecido chanceleres do Reich e ministros-presidentes da Prússia, bem como o primeiro chefe de Estado da República, Friedrich Ebert. Possuíam o apoio de longa data de milhões de eleitores da classe operária, dos quais relativamente poucos haviam desertado rumo aos nazistas e comunistas, e haviam desfrutado do apoio, ou ao menos do respeito, ainda que de má vontade e condicional, de muitos alemães em várias épocas. Em 1930, as filiações ao partido pairavam acima de 1 milhão.[31]

Algumas unidades dos social-democratas e sua afiliada paramilitar, a Reichsbanner, estavam preparadas para agir; umas poucas tinham conseguido reunir armas e munição, e outras encenaram manifestações em 30 de janeiro e no dia seguinte. Líderes social-democratas e sindicalistas reuniram-se em Berlim em 31 de janeiro para planejar uma greve geral nacional. Mas, enquanto as organizações locais aguardavam, a liderança nacional vacilava, consciente das dificuldades de realizar uma greve em meio à pior crise de desemprego que a nação já vira. Os sindicatos temiam que os camisas-

-pardas nazistas ocupassem as fábricas em tal situação. E como o partido poderia justificar uma ação ilegal em defesa da legalidade? "Os social-democratas e toda a Frente de Ferro", declarou o jornal diário do partido, *Avante,* em 30 de janeiro de 1933, "colocam-se em relação a esse governo e à ameaça de um golpe com ambos os pés firmes no terreno da Constituição e da legalidade. Eles *não* darão o primeiro passo para fora desse terreno". Nas semanas seguintes, houve algumas ações isoladas. Milhares de socialistas realizaram um comício no Jardim do Prazer em Berlim a 7 de fevereiro, enquanto a 19 de fevereiro um comício de 15 mil trabalhadores em Lübeck celebrou a soltura de um líder social-democrata local, Julius Leber, após uma rápida greve geral na cidade. Mas nenhuma política geral de resistência emergiu da direção.[32]

A cada dia que passava, o terror de origem estatal a que os social-democratas eram submetidos piorava constantemente. No começo de fevereiro de 1933, autoridades locais e regionais, agindo por pressão de Wilhelm Frick, o ministro do Interior do Reich nazista em Berlim, e seu par na Prússia, Hermann Göring, já haviam começado a impor a proibição de temas específicos nos jornais social-democratas. A reação social-democrata foi típica: instaurar ações legais na Corte do Reich em Leipzig para obrigar Frick e Göring a permitir a publicação dos jornais, tática que obteve certo sucesso.[33] Entretanto, à medida que o mês avançava, gangues de camisas-pardas começaram a invadir encontros dos social-democratas e a surrar os oradores e a plateia. Em 24 de fevereiro, Albert Grzesinski, o social-democrata que havia sido ministro do Interior, reclamava: "Várias de minhas reuniões foram interrompidas e um número substancial dos presentes saiu com ferimentos graves". O comitê executivo do partido reagiu reduzindo agudamente os encontros a fim de evitar mais vítimas. Qualquer tipo de proteção policial proporcionada às reuniões antes de 30 de janeiro havia sido retirada por completo por ordem no Ministério do Interior.[34] As tropas de assalto nazistas agora podiam espancar e assassinar comunistas e social-democratas com impunidade. Em 5 de fevereiro de 1933, em um incidente particularmente chocante, um jovem nazista abateu a tiros o prefeito social-democrata de Stassfurt. Poucos dias depois, quando o *Avante,* o diário oficial social-democrata, condenou o assassinato de um comunista por camisas-pardas durante uma batalha de rua em Eisleben, o chefe de polícia de Berlim proibiu o jornal por uma semana.[35]

Poucos meses depois do golpe de Papen de 20 de julho de 1932, as perspectivas de um levante operário haviam piorado de modo dramático. O fracasso de resistir a Papen havia aprofundado a sensação de impotência no movimento dos trabalhadores, já criada pelo apoio passivo dos social--democratas a Brüning e pelo respaldo ativo a Hindenburg. A polícia e o Exército não mais tentavam manter a neutralidade entre paramilitares de direita e esquerda. Encorajados pelos conservadores em torno de Hugenberg e Seldte, tinham dado uma guinada decisiva para apoiar a direita. Nessa situação, um levante armado do movimento operário teria sido suicida. Além disso, a despeito de um conjunto de iniciativas locais variadas, negociações de base e abordagens formais e informais em todos os níveis, social-democratas e comunistas ainda não estavam preparados para trabalhar juntos em uma defesa desesperada da democracia. E, mesmo que tivessem feito isso, suas forças combinadas jamais poderiam esperar igualar os números, armamento e equipamento do Exército, dos camisas-pardas, dos Capacetes de Aço e da SS. Caso tivesse havido uma tentativa de revolta, esta sem dúvida teria deparado com a mesma sina do levante de trabalhadores realizado em Viena um ano antes contra o golpe de Estado que estabeleceu a ditadura "clérico--fascista" de Engelbert Dollfuss, no qual os socialistas, bem equipados e bem armados, foram esmagados pelo Exército austríaco em poucos dias.[36] A última coisa que as lideranças social-democratas queriam fazer era derramar o sangue dos trabalhadores, menos ainda em colaboração com os comunistas, que eles corretamente julgavam explorar qualquer situação violenta em proveito próprio.[37] Ao longo dos primeiros meses de 1933, portanto, agarraram-se rigidamente a uma abordagem legalista e evitaram qualquer coisa que pudesse provocar os nazistas a uma ação ainda mais violenta contra eles.

III

Em fevereiro de 1933, a Alemanha estava mais uma vez sob o poder da febre eleitoral. Os partidos estavam em furiosa campanha para as eleições do Reichstag que haviam sido uma das condições de Hitler para aceitar o cargo de chanceler do Reich em 30 de janeiro. A data havia sido marcada para 5 de março. Hitler proclamou em muitas ocasiões durante a campanha eleitoral que o principal inimigo do movimento nazista era o "marxismo". "Jamais, jamais me desviarei da tarefa de esmagar o marxismo... Só pode haver um vencedor: ou o marxismo ou o povo alemão! E a Alemanha triunfará!" Isso referia-se, claro, a comunistas e social-democratas. A linguagem beligerante de Hitler nas circunstâncias do início de 1933 era um encorajamento às suas tropas de assalto para fazer justiça com as próprias mãos. Mas a agressividade estendia-se muito além da esquerda para ameaçar também outros apoiadores, ou ex-apoiadores, da democracia de Weimar. O movimento, disse ele em 10 de janeiro de 1933, seria "intolerante contra qualquer um que peque contra a nação".[38] "Eu repito", declarou Hitler a 15 de fevereiro, "que nossa luta contra o marxismo será implacável, e que todo movimento que se aliar ao marxismo virá a padecer com ele".[39]

Essa ameaça foi proferida em Stuttgart, em um discurso devotado a um furioso ataque ao presidente do estado de Württemberg, Eugen Bolz, que havia declarado que o novo governo do Reich era um inimigo da liberdade. Bolz, reclamou Hitler, não havia se apresentado para defender a liberdade do Partido Nazista quando este fora perseguido em seu estado na década de 1920. Ele prosseguiu:

> Aqueles que não fizeram menção à nossa liberdade durante 14 anos não têm direito de falar disso hoje. Como chanceler, preciso apenas usar uma lei para a proteção do estado nacional, assim como naquele tempo fizeram uma lei para a proteção da república, e então vão perceber que nem tudo que chamavam de liberdade era digno desse nome.[40]

O Partido de Centro, como os comunistas e social-democratas, havia se mostrado relativamente imune aos avanços eleitorais dos nazistas, de modo que era outro alvo primário de intimidação na campanha eleitoral. Não demorou muito para começar a sentir o impacto do estado de terror da mesma forma que os social-democratas. Já no meio de fevereiro, vinte jornais do Partido de Centro haviam sido proibidos por criticar o novo governo, as reuniões públicas estavam vetadas pelas autoridades em diversos locais e tivera início uma onda de demissões ou suspensão de funcionários e administradores públicos conhecidos como membros do Partido de Centro, inclusive o chefe de polícia de Oberhausen e um diretor no Ministério do Interior prussiano. Um discurso de Heinrich Brüning condenando as demissões desencadeou violentos ataques dos camisas-pardas aos encontros eleitorais do Partido de Centro na Westfália. O ex-ministro do Reich Adam Stegerwald foi espancado por camisas-pardas em um encontro do Partido de Centro em Krefeld em 22 de fevereiro. Jornais locais do partido foram proibidos um após o outro, ou tiveram suas redações destroçadas por gangues ferozes de camisas-pardas. Prédios locais do partido foram atacados, e estoques de pôsteres eleitorais foram apreendidos, não só por homens da SA, mas também pela polícia política. Os bispos rezavam pela paz, enquanto o partido apelava à Constituição e, em um patético sinal de sua falência política, insistia em que o eleitorado votasse pela restauração do há muito desacreditado governo de Brüning.[41]

Hitler declarou-se alarmado com os incidentes, e em 22 de fevereiro, após o Partido de Centro protestar veementemente contra tais acontecimentos, proclamou: "Elementos provocadores estão tentando, sob o pretexto de serem do Partido, desacreditar o movimento nacional-socialista ao perturbar e interromper assembleias, em especial do Partido de Centro. Espero", disse em tom severo, "que todos os nacional-socialistas se distanciem desses esquemas com a mais completa disciplina. O inimigo que deve ser abatido em 5 de março é o marxismo!". Contudo, isso foi combinado a uma ameaça de "ficar atento ao Centro" se este apoiasse o "marxismo" nas eleições e, somado ao ataque selvagem de Hitler a Bolz há menos de duas semanas, foi o bastante para garantir que a violência continuasse.[42] E, enquanto os camisas-pardas desencadeavam a campanha de violência na base,

Hitler e os líderes nazistas deixavam claro em seus momentos mais descontraídos que a próxima eleição seria a última e que, o que quer que acontecesse, Hitler não renunciaria a seu cargo de chanceler. "Se um dia chegarmos ao poder", ele havia declarado em pronunciamento público em 17 de outubro de 1932, "vamos nos agarrar a ele, que Deus nos ajude. Não permitiremos que nos seja tirado de novo".[43] Os resultados da eleição, disse ele em fevereiro de 1933, não teriam efeito sobre seu programa de governo. "Não nos deteremos caso o povo alemão nos abandone nessa hora. Vamos nos manter fiéis ao que quer que seja necessário para impedir que a Alemanha se degenere."[44]

Em outras ocasiões, de forma mais circunspecta mas menos plausível, Hitler anunciou que queria apenas quatro anos para colocar seu programa em vigor e então, em 1937, quando chegasse a hora das próximas eleições para o Reichstag, o povo alemão poderia julgar se havia sido bom ou não. Ele delineou seu programa em um longo discurso proferido para uma enorme plateia no Palácio de Esportes de Berlim a 10 de fevereiro em um clima de adulação extasiada. Com todos os recursos do Estado à disposição, o Partido providenciou para que o local estivesse decorado com bandeiras ostentando o símbolo da suástica e cartazes com *slogans* antimarxistas. Microfones de rádio transmitiram as palavras de Hitler a toda a nação. Refrões do hino nacional, gritos de *"Heil!"* e saudações e brados entusiásticos precederam o discurso e se elevaram quando Hitler entrou no estádio. Como muitas vezes em sua carreira, Hitler começou baixa e calmamente, de modo a prender a atenção embevecida da enorme plateia, repassou a história do Partido Nazista e os alegados crimes da República de Weimar desde 1919 – inflação, empobrecimento do campesinato, aumento do desemprego, a ruína da nação. O que seu governo faria para mudar aquela situação lamentável? Sua resposta evitou por completo quaisquer compromissos específicos. Disse em tom grandiloquente que não faria quaisquer "promessas baratas". Em vez disso, declarou que seu programa reconstruiria a nação alemã sem ajuda estrangeira, "conforme leis eternas válidas para todos os tempos", com base no povo e no solo, e não de acordo com ideias de classe. Ofereceu mais uma vez a visão inebriante de uma Alemanha unida em uma nova sociedade que superaria as divisões de classe e credo que a haviam atormentado ao longo dos últimos catorze anos. Os trabalhadores, declarou, seriam libertados da ideologia estrangeira do marxismo e reconduzidos à comunidade nacional da raça alemã. Era um "programa de ressurreição nacional em todas as áreas da vida".

Ele encerrou com um apelo quase religioso à plateia no Palácio de Esportes e aos ouvintes de toda nação:

> Por catorze anos, os partidos da desintegração, da Revolução de Novembro, seduziram o povo alemão e dele abusaram. Por catorze anos deram curso à destruição, à infiltração e à dissolução. Considerando-se isso, não é presunçoso de minha parte colocar-me hoje diante da nação e rogar: povo alemão, dê-nos quatro anos e depois nos julgue. Povo alemão, dê-nos quatro anos e juro que, do mesmo modo que nós, do mesmo modo que eu assumi este cargo, assim eu o deixarei. Não o fiz nem por salário nem por rendimentos; fiz em favor de vocês!... Pois não posso me despojar de minha fé em meu povo, não posso me dissociar da convicção de que esta nação vai se erguer de novo, não posso me separar de meu amor por isso, meu povo, e nutro a firme convicção de que enfim vai chegar a hora em que os milhões que hoje nos desprezam vão ficar ao nosso lado e saudar o novo Reich alemão, duramente conquistado e dolorosamente atingido, que criamos juntos, o novo reino alemão de grandeza, poder, glória e justiça. Amém.[45]

O que Hitler estava prometendo à Alemanha, portanto, era em primeiro lugar a supressão do comunismo e, além disso, dos outros partidos de Weimar, principalmente social-democratas e Partido de Centro. Tirando isso, não tinha nada de muito concreto a oferecer. Mas muitos viram tal coisa como uma virtude. "Estou encantada com a falta de programa de Hitler", escreveu Louise Solmitz em seu diário, "pois um programa é mentira, ou fraqueza, ou planejado para pegar bobos. – O homem forte age a partir da necessidade de uma situação séria e não se permite ser restringido". Uma de suas conhecidas, antes indiferente ao nazismo, disse que votaria em Hitler exatamente porque ele não tinha programa, a não ser a Alemanha.[46] A afirmação emocional e dramática de Hitler de que tudo de que precisava eram quatro anos foi planejada para intensificar em seus ouvintes a sensação de que ele estava empenhado em uma peregrinação de autossacrifício como Cristo. Esses sentimentos foram repetidos em mais discursos em outros locais nos dias seguintes, para audiências igualmente entusiásticas.

Hitler foi respaldado na campanha eleitoral por um novo, de fato inédito, fluxo de fundos provenientes da indústria. Em 11 de fevereiro, ele inaugurou uma feira internacional de automóveis em Berlim e anunciou um ambicioso programa de reconstrução de estradas e isenção de impostos para ajudar as montadoras.[47] Em 20 de fevereiro, um grande grupo de lideranças industriais reuniu-se na residência oficial de Göring; Hitler juntou-se a eles, e mais uma vez declarou que a democracia era incompatível com os interesses empresariais e que o marxismo tinha que ser esmagado. A eleição vindoura era crucial nessa luta. Se o governo não vencesse, seria compelido a usar a força para atingir seus objetivos, ameaçou. A última coisa que as empresas queriam era uma guerra civil. A mensagem foi clara: tinham de fazer tudo que estivesse em seu poder para garantir a vitória da coalizão – uma coalizão na qual alguns líderes empresariais evidentemente ainda achavam que Papen e os conservadores eram os jogadores principais. Após Hitler deixar a reunião, Göring recordou os ouvintes de que a próxima eleição seria a última, não apenas nos quatro anos seguintes, mas provavelmente nos próximos cem anos. Hjalmar Schacht, o financista com boas conexões políticas que havia sido o arquiteto do programa de estabilização pós-inflação em 1923-24, anunciou então que se esperava que as empresas contribuíssem com 3 milhões de reichsmarks para o fundo eleitoral do governo. Alguns dos presentes ainda insistiram em que uma parte do dinheiro fosse para os parceiros conservadores da coalizão dos nazistas. Mas pagaram mesmo assim.[48] Os novos fundos fizeram uma verdadeira diferença na capacidade do Partido Nazista de disputar a eleição, em contraste com a falta de recursos que tanto o havia tolhido em novembro anterior. Permitiram a Goebbels montar um novo tipo de campanha, retratando Hitler como o homem que estava reconstruindo a Alemanha e destruindo a ameaça marxista, como todo mundo podia ver nas ruas. Novos recursos, em especial o rádio, foram empregados em favor dos nazistas, e, com um fundo de combate muitíssimo maior que antes, Goebbels pôde realmente saturar o eleitorado dessa vez.[49]

Não obstante, a campanha nazista não foi uma procissão triunfal rumo à ratificação do poder. O partido estava bem ciente de que sua popularidade enfraquecera na segunda metade de 1932, enquanto a dos comunistas havia crescido. De todos os oponentes, aqueles que os nazistas mais temiam e odiavam eram os comunistas. Em incontáveis batalhas de rua e embates em salões de reunião, os comunistas haviam mostrado que podiam trocar soco por soco e tiro por tiro com os nazistas. Assim, era ainda mais intrigante para os nazistas que, depois das manifestações comunistas iniciais na sequência imediata de 30 de janeiro de 1933, a Liga dos Combatentes da Frente Vermelha não mostrasse inclinação para responder na mesma medida à onda de violência maciça que se abateu sobre o Partido Comunista, sobretudo após o recrutamento dos camisas-pardas como polícia auxiliar em 22 de fevereiro, quando as tropas de assalto nazistas tomaram a justiça nas mãos e extravasaram sua irritação reprimida em cima dos inimigos. Incidentes isolados e pancadarias continuaram a ocorrer, e a Liga dos Combatentes da Frente Vermelha não deixou o assalto em escala nacional inteiramente sem resposta, mas não houve uma escalada observável da violência comunista, nenhuma indicação de qualquer tipo de que uma reação orquestrada estivesse sendo montada por ordem do Partido Comunista.

A relativa inação dos comunistas refletia acima de tudo a crença da liderança do partido de que o novo governo – o último estertor violento do capitalismo moribundo – não duraria mais que uns poucos meses antes de colapsar. Ciente do risco de que o partido fosse banido, os comunistas alemães fizeram extensos preparativos para um longo período de existência ilegal ou semilegal, e sem dúvida estocaram uma quantidade de armas tão substancial quanto lhes foi possível. Sabiam também que a Liga dos Combatentes da Frente Vermelha não obteria apoio da organização paramilitar dos social-democratas, a Reichsbanner, com a qual havia colidido repetidas vezes ao longo dos anos anteriores. As demandas constantemente reiteradas do partido para uma "frente unida" com os social-democratas não tinham chance de se tornar realidade, visto que os comunistas só estavam dispostos a entrar se os "social-fascistas", como chamavam os social-democratas, abrissem mão de toda independência política e, com efeito, se colocassem sob a liderança do Partido Comunista. O partido agarrou-se com firmeza à doutrina de que o governo de Hitler assinalava o triunfo temporário dos grandes negócios e do "capitalismo monopolista" e insistiu que anunciava a chegada iminente do "outubro alemão". Tanto que em 1º de abril, uma data simbólica muito apropriada para uma proclamação dessas, o comitê executivo do Comintern decidiu:

> A despeito do terror fascista, a virada revolucionária da Alemanha crescerá de forma inexorável. A luta das massas contra o fascismo crescerá de forma inexorável. O estabelecimento de uma ditadura francamente fascista, que despedaçou toda ilusão de democracia das massas e as está liberando da influência dos social-democratas, está acelerando o ritmo do desenvolvimento da Alemanha rumo a uma revolução proletária.[50]

Em junho de 1933, o Comitê Central do Partido Comunista alemão ainda proclamava que o governo de Hitler logo entraria em colapso sob o peso de suas contradições internas, a que se seguiria imediatamente a vitória do bolchevismo na Alemanha.[51] A inação comunista, portanto, era produto do excesso de confiança e da ilusão fatal de que a nova situação não apresentava uma ameaça avassaladora ao partido.

Mas para a liderança nazista aquilo sugeria algo mais sinistro: os comunistas estavam se preparando em segredo para um levante em escala nacional. Os temores de uma guerra civil que afligiram a política alemã no final de 1932 e início de 1933 não desapareceram da noite para o dia. Afinal de contas, os comunistas proclamavam constantemente que o advento de um governo fascista era o prelúdio de uma iminente e inevitável revolução proletária que substituiria a democracia burguesa por uma Alemanha soviética. Todavia, os comunistas recusaram-se a reagir até mesmo a uma provocação óbvia como uma tremenda batida policial na Casa Karl Liebknecht, sede do partido em Berlim, a 23 de fevereiro, e à suposta revelação de planos para um levante revolucionário. Quanto mais os comunistas esperavam, mais nervosos ficavam os nazistas. É claro que deveria acontecer algo em breve.[52] O esteta Harry Kessler relatou rumores entre seus amigos bem relacionados de que os nazistas estavam planejando uma tentativa de assassinato fraudulenta de Hitler a fim de justificar um "banho de sangue" no qual massacrariam seus inimigos. Rumores similares eram abundantes na última semana de fevereiro. A tensão estava se tornando intolerável. Logo encontraria uma vazão espetacular.[53]

Incêndio do Reichstag

I

Em fevereiro de 1931, o jovem operário da construção holandês Marinus van der Lubbe começou uma extensa jornada pela Europa central, tentando chegar à União Soviética, país pelo qual tinha grande admiração. Nascido a 13 de janeiro de 1909 em Leiden, cresceu nas mais terríveis condições de pobreza. O pai bêbado abandonou a família logo depois do nascimento de Marinus e, aos 12 anos de idade, van der Lubbe perdeu a mãe também. Após a morte da mãe, treinou como pedreiro, entrou em contato com o movimento operário e juntou-se ao movimento jovem comunista. Mas logo passou a antipatizar com o rígido código de disciplina e estrutura autoritária do partido, e deixou-o em 1931 para se juntar a uma organização anarcossindicalista radical que exaltava a "propaganda pelos atos" como maior princípio de ação. Com a visão gravemente danificada por um acidente de trabalho, teve dificuldade em conseguir serviço e ficou basicamente em albergues e galpões durante a jornada para a Rússia. Entretanto, só foi até a Polônia antes de começar a voltar, chegando a Berlim em 18 de fevereiro de 1933. Ali, considerou a situação política cada vez mais séria, e a passividade dos principais partidos operários incompreensível. Enquanto os nazistas tinham rédeas soltas em tudo que faziam, a esquerda estava sendo implacavelmente reprimida. Estava na hora, pensou ele, de os desempregados, abandonados por todos os lados, desferirem um golpe por liberdade e pão. Adepto da ação direta desde os tempos de anarcossindicalismo, decidiu protestar contra o Estado burguês e sua crescente repressão do movimento operário. Os próprios desempregados, ele descobriu nas visitas a agências de emprego, estavam afundados na apatia, incapazes de montar um protesto. Alguém tinha que fazer isso por eles.⁵⁴

O método escolhido por ele foi o incêndio criminoso. Ao causar um estrago espetacular às instituições do Estado, ou melhor, aos prédios que as abrigavam, ele achou que demonstraria que tais instituições estavam longe de ser invulneráveis e incitaria os desempregados a uma ação em massa espontânea. Van der Lubbe já havia sido condenado por danos à propriedade em um tribunal de Leiden e tinha familiaridade com atos de protesto impulsivos e sem planejamento; de fato, a predileção por esses foi a principal causa do rompimento com os comunistas holandeses. Agora ele iria incumbir-se da mesma atividade na Alemanha. Começou com símbolos da opressão dos desempregados pelo Estado e da predominância, conforme ele acreditava, da velha ordem. Em 25 de fevereiro, van der Lubbe tentou incendiar um escritório da previdência social no distrito de Neukölln, em Berlim, e a seguir, mais ambiciosamente, a prefeitura e o antigo palácio real. As três tentativas foram frustradas pela descoberta imediata e mal foram noticiadas na imprensa. Claro que era preciso algo mais dramático e mais bem preparado. Ao buscar o símbolo supremo da ordem política burguesa que, pensava ele, tinha tornado sua vida e a de muitos outros jovens desempregados uma desgraça, van der Lubbe decidiu queimar o Reichstag.⁵⁵

Na manhã de 27 de fevereiro, van der Lubbe gastou o dinheiro que lhe restava em fósforos e isqueiros. Depois de inspecionar o prédio para definir a melhor entrada, esperou cair a noite, a seguir obteve acesso ao prédio vazio e escuro do Reichstag por volta das nove da noite. Com os sentidos aguçados na escuridão pela longa prática graças à visão danificada, ele primeiro tentou atear fogo na mobília do restaurante; a seguir, sem obter sucesso, abriu caminho até a câmara de debates, onde as cortinas mostraram-se facilmente inflamáveis. Logo os painéis de madeira ardiam, e o fogo adquiriu força suficiente para o domo no alto da câmara atuar como uma espécie de chaminé, avivando as chamas ao criar uma corrente de ar ascendente. Enquanto isso, van der Lubbe apressava-se pelo resto do prédio tentando dar início a outros focos de fogo. Por fim foi capturado e subjugado por funcionários do Reichstag. Quando foi detido, o prédio estava em chamas, e os bombeiros, apesar de chegarem prontamente ao local, nada puderam fazer além de umedecer as ruínas da câmara principal e fazer o máximo para salvar o restante.

Defronte ao prédio em chamas, Putzi Hanfstaengl, amigo íntimo de Hitler, temporariamente hospedado na residência oficial de Göring, foi acordado pela governanta, que apontou para as chamas através da janela. Hanfstaengl telefonou na mesma hora para Goebbels, que de início pensou que o *socialite*, notoriamente frívolo, estivesse de brincadeira. Mas Putzi insistiu em que não estava. Goebbels checou a história – e descobriu que era verdade. Ele não tardou em alertar Hitler.[56] Os líderes nazistas – Hitler, Goebbels e Göring – reuniram-se no local. Rudolf Diels, o chefe (não nazista) da polícia política prussiana e uma das primeiras figuras importantes a chegar, encontrou van der Lubbe já sob interrogatório de seus funcionários:

> Com o torso nu, suando e coberto de poeira, estava sentado diante deles, respirando pesadamente. Arquejava como se tivesse acabado de completar uma tarefa tremenda. Havia um aspecto demente de triunfo nos olhos ardentes do rosto jovem, pálido e emaciado. Sentei-me diante dele mais algumas vezes na sede da polícia naquela noite e ouvi suas histórias confusas. Li os folhetos comunistas que ele trazia consigo no bolso das calças. Eram do tipo distribuído publicamente por toda parte naquela época...
>
> As confissões francas de Marinus van der Lubbe não poderiam de modo algum levar-me a pensar que um pequeno incendiário que conhecia tão bem o seu negócio precisasse de ajudantes. Por que um único fósforo não bastaria para atear fogo à fria e inflamável pompa do plenário, à velha mobília acolchoada, às cortinas pesadas e ao esplendor de madeira seca dos painéis? Mas esse especialista empregou uma mochila bem cheia de artigos incendiários.[57]

A investigação subsequente transformou-se em uma massa de evidência documental confirmando a história de van der Lubbe de que ele agira sozinho.[58]

Chamado para se reportar ao grupo de lideranças nazistas reunidas em uma sacada acima da câmara, Diels deparou-se com uma cena de histeria assustadora. Ao relembrar esses eventos dramáticos após a guerra, ele prosseguiu:

> Hitler estava escorado no parapeito de pedra da sacada com os dois braços e fitava em silêncio o mar vermelho das chamas. A comoção inicial ocorria atrás dele. Quando entrei, Göring avançou na minha direção. Sua voz transmitiu todo o emocionalismo nefasto daquela hora dramática: "Isso é o começo do levante comunista! Agora eles vão atacar com força! Não há um minuto a perder!".
> Göring não pôde continuar. Hitler virou-se para o grupo reunido. Então vi que seu rosto estava rubro de excitação e do calor que se acumulava na cúpula. Gritou como se quisesse explodir, de uma forma desenfreada que eu não havia experimentado com ele antes: "Agora não haverá clemência; qualquer um que ficar em nosso caminho será chacinado. O povo alemão não terá qualquer critério para indulgência. Todo funcionário comunista será baleado onde for encontrado. Os deputados comunistas devem ser enforcados hoje à noite mesmo. Todo mundo ligado aos comunistas será detido. Também não haverá mais clemência para com os social-democratas e a Reichsbanner!".
> Relatei os resultados dos primeiros interrogatórios de Marinus van der Lubbe – de que, na minha opinião, ele era um doido. Mas Hitler não era o homem certo para se dizer isso: ele zombou de minha credulidade infantil: "Na verdade é uma coisa engenhosa, longamente preparada. Esses criminosos a executaram muito bem, mas calcularam mal, não é, meus camaradas de Partido? Esses sub-humanos não suspeitam em absoluto o quanto o povo está do nosso lado. Em suas tocas de rato, de onde agora querem sair, eles não ouvem nada do regozijo das massas", e por aí foi.
> Pedi a Göring para ser afastado, mas ele não me deixou falar. Estado de emergência total para a polícia, uso implacável de armas de fogo, e tudo mais que se segue em um caso de ordens de grande alerta militar.[59]

Era uma "casa de loucos", disse Diels a um subordinado. Mas era chegada a hora da ação contra os comunistas.[60]

Poucas horas depois do incêndio do Reichstag, esquadrões da polícia começaram a desencavar listas de comunistas elaboradas alguns meses ou mesmo anos antes para a eventualidade da proibição do partido e dispararam em carros e *vans* para arrancá-los da cama. Os comunistas tinham cem deputados no Reichstag e milhares de representantes em outras legislaturas, oficiais, burocratas, organizadores e ativistas. Muitas listas estavam desatualizadas, mas a natureza precipitada e não planejada da ação pegou um bom número de prisioneiros que do contrário poderiam ter escapado, assim como perdeu muitos que simplesmente não puderam ser encontrados. No total, foram detidas 4 mil pessoas. Diels e a polícia ignoraram calmamente a instrução de Göring de que elas deveriam ser abatidas a tiros.[61] Enquanto essa tremenda operação estava em andamento, Ludwig Grauert, conselheiro de Göring, entrou em cena. Grauert era o ex-chefe da associação dos empregadores de siderúrgicas do noroeste alemão, e acabara de ser nomeado para chefiar o departamento de polícia do Ministério do Interior da Prússia. Nacionalista por inclinação política, ele sugeriu um decreto de emergência para proporcionar cobertura legal para as detenções e lidar com quaisquer atos posteriores de violência dos comunistas. Uma lei já havia sido proposta ao gabinete em 27 de fevereiro, antes do incêndio, pelo arquiconservador ministro da Justiça, Franz Gürtner, que, como outros conservadores do gabinete, apoiou com entusiasmo medidas draconianas para a repressão da desordem pública, por eles atribuída inteiramente aos comunistas e social-democratas. A medida de Gürtner propunha sérias restrições às liberdades civis no interesse de evitar que os comunistas deflagrassem uma greve geral. A publicação de convocações a ações desse tipo deveria ser tratada como alta traição, punível com a morte.[62] Mas a proposta agora era superada pela nova situação.

O ministro do Interior do Reich nazista, Wilhelm Frick, viu no anteprojeto de Gürtner a oportunidade de estender seu poder sobre os estados federados e introduziu uma nova cláusula 2 crucial, permitindo ao gabinete, em vez de ao presidente, intervir, assim como Papen havia feito na Prússia em 1932. Além disso, o esboço do decreto, recorrendo a discussões internas da legislação de emergência do início da década de 1920, suspendeu várias seções da Constituição de Weimar, em especial as que regiam a liberdade de expressão, a liberdade de imprensa e a liberdade de reunião e associação. Permitiu à polícia deter pessoas em custódia preventiva por tempo indefinido e sem mandado judicial, em contraste com as leis e os decretos anteriores, que fixavam limites de tempo depois do qual ocorreria intervenção judicial. A maioria das providências havia sido considerada em várias ocasiões antes dessa e tinha um elevado grau de apoio no alto escalão do serviço público. Mas iam muito mais longe do que qualquer medida anterior. Ao apresentar o decreto ao gabinete às 11 da manhã de 28 de fevereiro, Hitler recordou aos colegas conservadores que, desde o início, a coalizão pretendera destruir os comunistas: "É chegado o momento psicologicamente correto para o confronto. Não faz sentido esperar mais tempo".[63]

Hitler deixou clara a intenção de proceder de forma implacável e com pouca estima às sutilezas da lei. A luta contra os comunistas, disse ele, "não deve depender de considerações judiciais". E ofereceu aos colegas de gabinete a tentadora perspectiva de uma vitória maciça nas eleições vindouras com base no banimento dos comunistas, o terceiro maior partido da Alemanha, somado ao alarme causado no público em geral pela tentativa de incêndio.[64] Göring falou a seguir, afirmando que van der Lubbe fora visto com líderes comunistas como Ernst Torgler pouco antes de entrar no Reichstag. Os comunistas, disse ele, estavam planejando não só a destruição de prédios públicos, mas também o "envenenamento das cantinas públicas" e o sequestro de esposas e filhos de ministros do governo. Não demorou muito para afirmar ter provas detalhadas de que os comunistas estavam armazenando explosivos a fim de levar a cabo uma campanha de sabotagem contra usinas elétricas, ferrovias, "bem como todas as demais instalações importantes para a sustentação da vida".[65]

Atropelando as objeções de Papen à cláusula 2, o gabinete concordou em apresentar o decreto a Hindenburg, que o assinou a despeito de ceder uma parte significativa de seus poderes ao governo de Hitler. O decreto entrou em vigor imediatamente. O parágrafo 1 suspendeu artigos-chave da Constituição de Weimar e declarou:

> Assim, restrições à liberdade pessoal, ao direito de livre expressão de opinião, inclusive liberdade de imprensa, ao direito de reunião e asso-

ciação e violações da privacidade das comunicações postais, telegráficas e telefônicas e mandados para buscas domiciliares, ordens de confisco, bem como restrições aos direitos à propriedade são permissíveis além dos limites legais prescritos de outro modo.

O parágrafo 2 permitia ao governo assumir o controle dos estados federados caso a ordem pública estivesse em perigo. Esses dois parágrafos, válidos "até aviso em contrário", forneceram o pretexto legal para tudo que viria nos meses seguintes.[66] A tomada do poder pelos nazistas agora podia começar para valer.

II

O decreto do incêndio do Reichstag foi promulgado em meio a uma avalanche de propaganda na qual Göring e as lideranças nazistas pintaram o quadro dramático de uma "revolução bolchevique alemã" iminente, acompanhada de ultrajes e atrocidades de todo tipo. A propaganda fez efeito. Cidadãos ordinários de classe média como Louise Solmitz estremeciam ao pensar sobre a sina da qual a Alemanha tinha escapado por um triz, e ficaram impressionados pelas provas "a granel" do vil complô comunista que Göring forneceu.[67] Mais de duzentos telegramas de grupos nazistas locais de todo país inundaram o Ministério da Justiça exigindo que os "sub-humanos" cujos "planos demoníacos de aniquilação" ameaçavam transformar "nossa pátria em um vasto entulho encharcado de sangue" fossem fuzilados sem demora ou estrangulados em público diante do prédio do Reichstag. "Aniquilação da cambada de criminosos vermelhos até o último homem" era a exigência vinda de muitas partes, e algumas autoridades nazistas locais expressaram o temor de que ocorresse desordem pública se os réus não fossem logo executados.[68] A propaganda de Goebbels então liberou toda fúria represada dos camisas-pardas contra os oponentes comunistas. As tropas de assalto, que se acreditavam virtualmente imunes à perseguição por seu recrutamento prévio como polícia auxiliar, já haviam liberado parte de sua tensão em atos de violência disseminados, mas aquele era o momento pelo qual realmente vinham aguardando. Um camisa-parda posteriormente escreveu sobre o dia 28 de fevereiro de 1933:

> Estávamos preparados; conhecíamos as intenções de nossos inimigos. Montei um pequeno "esquadrão volante" de minha tropa com os mais destemidos entre os destemidos. Ficamos à espera noite após noite. Quem iria desferir o primeiro golpe? E então aconteceu. O sinal de aviso em Berlim, indícios de fogo por todo o país. Finalmente o alívio da ordem: "Vão com tudo!". E nós fomos com tudo! Não se tratava apenas do "você ou eu", "vocês ou nós" puramente humano, tratava-se de varrer o sorriso devasso da cara hedionda e homicida dos bolcheviques para todo o sempre e proteger a Alemanha do terror sangrento de hordas desenfreadas.[69]

Entretanto, agora eram os camisas-pardas que infligiam por toda a Alemanha "o terror sangrento de hordas desenfreadas" sobre os inimigos. Sua violência era a expressão do ódio nutrido há tempos, suas ações dirigiam-se contra "marxistas" e comunistas que muitas vezes conheciam pessoalmente. Não havia um plano coordenado, nenhuma ambição adicional de sua parte além de dar livre curso a uma terrível agressão física contra homens e mulheres que eles temiam e odiavam.[70]

Os camisas-pardas e a polícia podiam estar preparados; mas os oponentes comunistas não, e em aspectos cruciais. A liderança do Partido Comunista foi pega desprevenida pelos eventos de 27-28 de fevereiro. Pensou que ingressaria em outro período de repressão relativamente branda, como aquele a que havia sobrevivido com êxito em 1923 e 1924. Dessa vez, porém, as coisas eram muito diferentes. A polícia era respaldada pela ferocidade total dos camisas-pardas. Ernst Thälmann, líder do partido e ex-candidato à Presidência do Reich, e seus assessores foram detidos em 3 de março na sede secreta em Berlim-Charlottenburg. Ernst Torgler, líder da bancada do partido no Reichstag, entregou-se à polícia em 28 de fevereiro a fim de refutar a acusação do governo de que ele e as lideranças do partido haviam ordenado o incêndio do prédio do Reichstag. Das figuras de destaque do partido, Wilhelm Pieck deixou a Alemanha na primavera, Walter Ulbricht, chefe do partido em Berlim, no outono. Esforços vigorosos foram feitos para retirar outros membros do Politburo às escondidas, mas muitos deles foram detidos antes que pudessem escapar. Por todo o país, organizações do Partido Comunista foram destroçadas, escritórios ocupados e ativistas levados sob custódia. Com frequência, os camisas-pardas roubavam os fundos em que conseguissem botar as mãos e saqueavam as casas de membros do Partido Comunista atrás de dinheiro e objetos de valor enquanto a polícia assistia. Logo a onda de detenções havia se avolumado em um número muitas vezes superior ao originalmente imaginado. Dez mil comunistas estavam sob custódia em 15 de março. Registros oficiais indicam que 8 mil comunistas foram detidos no distrito do Reno e do Ruhr apenas em março e abril de 1933. Funcionários do partido foram obrigados a admitir que tinham sido compelidos a executar uma "retirada", mas insistiram que era uma "retirada ordeira". De fato, como Pieck reconheceu, dentro de poucos meses os funcionários locais não mais estavam na ativa, e muitos membros ordinários haviam silenciado, aterrorizados.[71]

Hitler, evidentemente, temia uma reação violenta caso obtivesse um decreto banindo o Partido Comunista de uma vez por todas. Em vez disso, preferiu tratar indivíduos comunistas como criminosos que haviam planejado atos ilegais e agora iriam arcar com as consequências. Dessa forma, a maioria dos alemães poderia ser convencida a tolerar ou mesmo apoiar a onda de detenções que se seguiu ao incêndio do Reichstag e não temeria que aquilo pudesse ter sequência com o banimento de outros partidos políticos. Por esse motivo, o Partido Comunista pôde concorrer nas eleições de 5 de março de 1933, apesar de um grande número de seus candidatos estar detido ou ter fugido do país; mas jamais houve qualquer chance de que seus 81 deputados eleitos pudessem ocupar seus assentos; de fato, eles foram detidos tão logo a polícia teve condições de localizá-los. Ao permitir que o partido inscrevesse candidatos nas eleições, Hitler e seus colegas ministros também esperavam enfraquecer os social-democratas. Se os candidatos comunistas não tivessem permissão de concorrer, muitos eleitores que votariam neles teriam em vez disso dado seu voto para os social-democratas. Assim sendo, os social-democratas foram privados dessa fonte potencial de apoio. Mesmo perto do fim de março, o gabinete ainda se sentia incapaz de emitir uma proibição formal do Partido Comunista. Não obstante, além de serem assassinados, espancados ou jogados em centros de tortura e prisões improvisados, montados pelos camisas-pardas, os funcionários comunistas, em especial se haviam sido detidos pela polícia, foram processados em grande quantidade nas cortes criminais regulares.

A simples filiação ao partido não era ilegal em si. Mas oficiais de polícia, promotores públicos e juízes eram esmagadoramente conservadores. Há muito consideravam o Partido Comunista uma organização perigosa, traiçoeira e revolucionária, em particular à luz dos eventos dos primeiros anos de Weimar, desde o levante espartacista em Berlim até o "terror vermelho" e o fuzilamento de reféns em Munique. Sua visão havia sido amplamente confirmada pela violência de rua da Liga dos Combatentes da Frente Vermelha e agora, muitos pensavam, pelo incêndio do Reichstag. Os comunistas haviam queimado o Reichstag; portanto, todos os comunistas deviam ser culpados de traição. Às vezes era empregado um raciocínio ainda mais tortuoso. Em alguns casos, por exemplo, as cortes argumentavam que, uma vez que o Partido Comunista não tinha mais condições de perseguir suas políticas de mudar a Constituição alemã por meios parlamentares, deveria estar tentando modificá-la à força, o que àquela altura era um delito de traição; portanto, qualquer um que pertencesse ao partido devia estar fazendo o mesmo. Por conseguinte, os tribunais cada vez mais tratavam a filiação ao partido após 30 de janeiro de 1933, ocasionalmente até antes disso, como uma atividade de traição. Em tudo, embora não explicitamente, o Partido Comunista foi efetivamente proscrito a partir de 28 de fevereiro de 1933, e banido por completo de 6 de março em diante, no dia seguinte à eleição.[72]

Tendo tirado os comunistas das ruas em uma questão de dias após 28 de fevereiro, as tropas de assalto de Hitler agora mandavam nas cidades, desfilando sua recém-conquistada supremacia da forma mais óbvia e intimidatória. Conforme Rudolf Diels, chefe da polícia política prussiana, mais tarde relatou, a SA, em contraste com o Partido, estava preparada para tomar o poder.

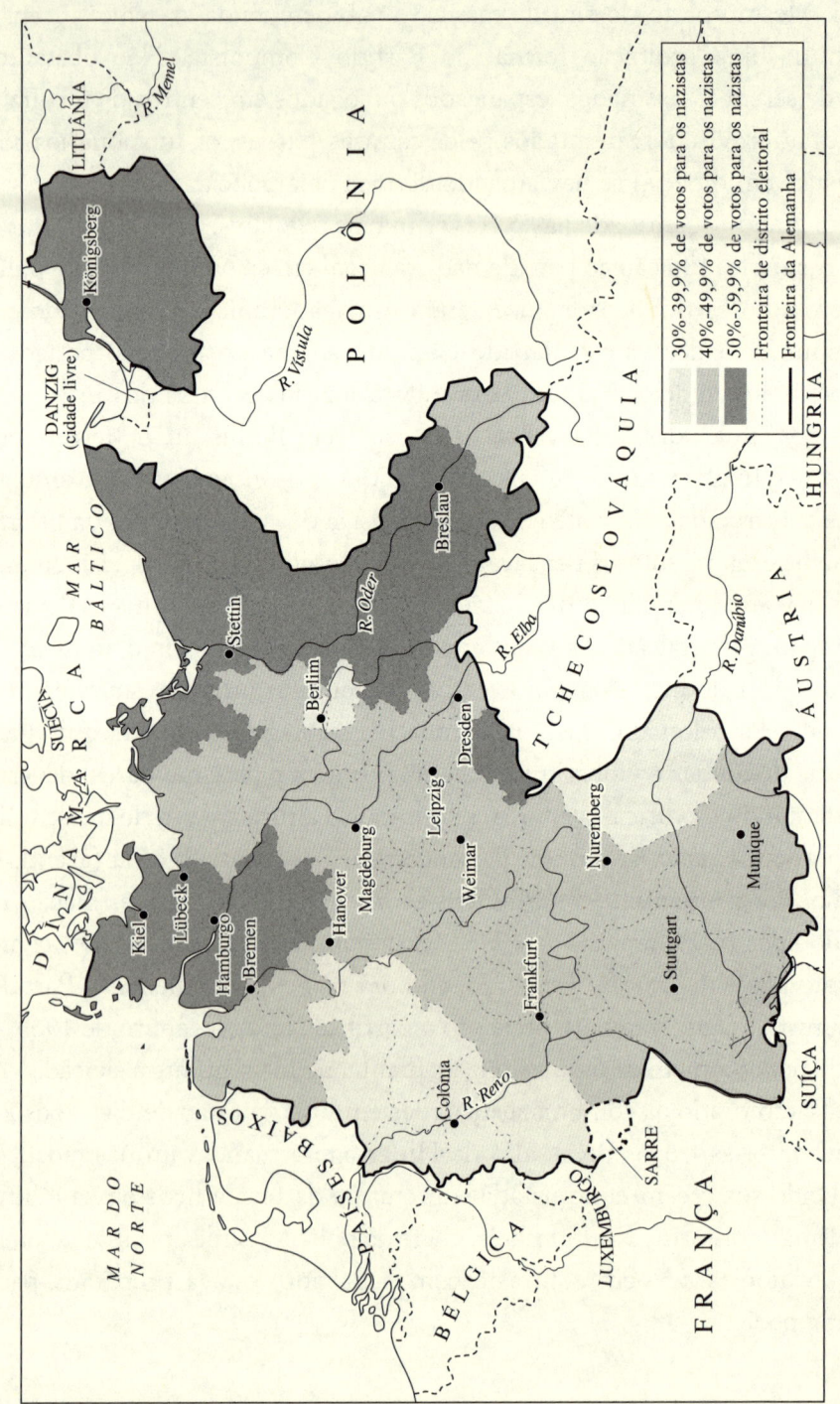

Mapa 17. Os nazistas na eleição de março de 1933 para o Reichstag

Não era necessária uma liderança unificada; o "comando do grupo" mostrava um exemplo, mas não dava ordens. Entretanto, os esquadrões de assalto da SA tinham planos resolutos para operações nos bairros comunistas da cidade. Naqueles dias de março, todo homem da SA estava "nos calcanhares do inimigo", cada um sabia o que tinha de fazer. Os esquadrões de assalto limparam os bairros. Não só sabiam onde os inimigos moravam, também haviam descoberto seus esconderijos e locais de encontro há muito tempo... Não só comunistas, mas qualquer um que houvesse um dia falado contra o movimento de Hitler estava em perigo.[73]

Esquadrões de camisas-pardas roubavam carros e pegavam caminhões de judeus, social-democratas e sindicatos, ou eram presenteados por empresários nervosos na esperança de proteção. Rugiam os motores pelas ruas principais de Berlim, armas à mostra e bandeiras tremulando, anunciando para todo mundo quem mandava agora. Cenas semelhantes podiam ser observadas em aldeias e cidades por todo o país. Hitler, Goebbels, Göring e outros líderes nazistas não tinham controle direto sobre esses eventos. Mas os haviam deflagrado, tanto por recrutar as tropas de assalto nazistas junto com a SS e os Capacetes de Aço como polícia auxiliar em 22 de fevereiro, quanto por dar-lhes aprovação geral, mais que implícita, por meio da violência constante e repetida de seus ataques retóricos a "marxistas" de todos os tipos.

Mais uma vez, um processo dialético estava em andamento, forjado nos tempos em que os nazistas muitas vezes encararam hostilidade policial e processo criminal por sua violência: as lideranças anunciavam em termos extremos mas inespecíficos qual ação devia ser tomada, e os escalões inferiores do Partido e suas organizações paramilitares traduziam-nos em ação específica e violenta. Conforme um documento interno do Partido Nazista mais tarde registrou, ações desse tipo, de comunicação subentendida, já haviam se tornado costume na década de 1920. Àquela altura, os subordinados estavam acostumados a ler nas ordens dos líderes bem mais do que as palavras que eles proferiam. "No interesse do Partido", continuava o documento, "também é de praxe em muitos casos – precisamente em casos de manifestações políticas ilegais – a pessoa que emite o comando não dizer nada e apenas insinuar o que deseja atingir com a ordem".[74] A diferença agora é que a liderança tinha os recursos do Estado a seu dispor. Tinha condições e vontade de convencer funcionários públicos, polícia, administradores de presídio e oficiais da lei – praticamente todos eles conservadores – de que a supressão forçada do movimento trabalhista era justificada. Desse modo, persuadiu-os não só de que deveriam ficar de fora quando as tropas de assalto entrassem em cena, mas deveriam ajudar ativamente no trabalho de destruição. Esse padrão de tomada de decisão e implementação seria repetido em muitas ocasiões subsequentes, mais notadamente na política nazista em relação aos judeus.

III

A campanha dos nazistas para as eleições do Reichstag de 5 de março de 1933 atingiu saturação de cobertura por toda a Alemanha.[75] Agora, os recursos das grandes empresas e do Estado estavam por trás de seus esforços e, como resultado, toda a natureza da eleição foi transformada. Na pequena aldeia de Northeim, no norte alemão, por exemplo, assim como em virtualmente cada uma das demais localidades, as eleições foram realizadas em clima de terror palpável. A polícia local posicionou-se na estação de trem, pontes e outras instalações-chave, anunciando que tais lugares eram vulneráveis a ataques terroristas dos comunistas. As tropas de assalto locais foram autorizadas a portar armas de fogo carregadas em 28 de fevereiro e recrutadas como polícia auxiliar em 1º de março, com o que começaram a montar patrulhas ostensivas nas ruas e realizar batidas nas casas de social-democratas e comunistas locais, acusando-os de preparar um banho de sangue de cidadãos honestos. O jornal nazista reportou que um trabalhador fora detido por distribuir um folheto eleitoral social-democrata; tais atividades em favor dos social-democratas e comunistas estavam proibidas, anunciou. Tendo silenciado a oposição principal, os nazistas instalaram alto-falantes na Praça do Mercado e na rua principal, e toda noite, de 1º a 4 de março, os discursos de Hitler eram ouvidos por todo o centro da localidade. Na véspera da eleição, seiscentos camisas-pardas, homens da SS, dos Capacetes de Aço e da Juventude Hitlerista realizaram uma parada à luz de tochas pela aldeia, encerrando-a no parque da cidade para ouvir os alto-falantes retumbando uma retransmissão radiofônica de um discurso de Hitler despejado simultaneamente sobre o público em outros quatro locais públicos importantes no centro da cidade. Bandeiras com as cores preta, vermelha e branca e pôsteres da suástica enfeitavam as ruas principais e estavam expostos em lojas e armazéns. A propaganda da oposição não era vista em lugar nenhum. No dia da eleição – sábado –, os camisas-pardas e SS patrulharam as ruas e marcharam ameaçadoramente por elas, enquanto o Partido e os Capacetes de Aço organizaram transporte motorizado para levar as pessoas aos postos de votação. A mesma combinação de terror, repressão e propaganda seria mobilizada em todas as outras comunidades, grandes e pequenas, por todo país.[76]

Quando saíram os resultados das eleições para o Reichstag, pareceu que as táticas haviam funcionado. Os partidos da coalizão, nazistas e nacionalistas, ganharam 51,9% dos votos. "Números inacreditáveis", escreveu Goebbels triunfante em seu diário pessoal a 5 de março de 1933: "É como se estivéssemos nas nuvens".[77] Algumas zonas eleitorais da Francônia central viram a votação nazista ir acima dos 80%, e, em alguns distritos de Schleswig-Holstein, o Partido amealhou quase todos os votos depositados. Contudo, o júbilo dos chefes do Partido estava mal colocado. A despeito da violência e da intimidação maciças, os nazistas em si só conseguiram garantir 43,9% dos votos. Os comunistas, incapazes de fazer campanha, com seus candidatos escondidos ou detidos, ainda conseguiram 12,3%, uma queda menor em relação à votação anterior do que se poderia esperar, ao passo que os social-democratas, também sofrendo de intimidação e interferência disseminadas em sua campanha, foram apenas marginalmente pior que em novembro de 1932, com 18,3%. O Partido de Centro manteve-se mais ou menos em seus 11,2%, apesar de perdas para os nazistas em algumas partes do sul, e outros partidos, agora menores, repetiram o desempenho de novembro passado com apenas leves variações.[78]

Dezessete milhões de pessoas votaram nos nazistas, e outros 3 milhões nos nacionalistas. Mas o eleitorado somava quase 45 milhões. Quase 5 milhões de votos comunistas, mais de 7 milhões de votos social-democratas e uma votação de 5,5 milhões do Partido de Centro atestaram o fracasso completo dos nazistas, mesmo sob condições de semiditadura, de convencer a maioria do eleitorado.[79] De fato, em nenhum momento desde a ascensão à proeminência eleitoral no fim da década de 1920, eles conseguiram conquistar maioria absoluta por si mesmos no Reich ou dentro de qualquer um dos estados federados. Além disso, a maioria que obtiveram com seus parceiros nacionalistas de coalizão em março de 1933 ficou muito aquém dos dois terços necessários para garantir uma emenda à Constituição no Reichstag. O que as eleições deixaram claro, entretanto, foi que quase dois terços dos votantes deram apoio a partidos – Nazista, Nacionalista e Comunista – que eram inimigos declarados da democracia de Weimar. Muitos mais haviam votado em partidos – principalmente no Partido de Centro e seu associado sulista, o Partido Popular da Bavária – cuja lealdade à república havia quase desaparecido e cujo poder sobre seus redutos eleitorais estava em sério desgaste. Em 1919, três quartos dos eleitores haviam respaldado os partidos da coalizão de Weimar. Havia levado apenas breves catorze anos para essa situação estar efetivamente revertida.[80]

A violência ascendeu a novos picos após a eleição de 5 de março. Em Königsberg, no leste da Prússia, por exemplo, a SA invadiu a sede local dos social-democratas na noite da eleição, destruiu seu interior e transformou o prédio em um centro de tortura improvisado, onde administrou surras tão severas que Walter Schütz, deputado comunista do Reichstag, morreu em decorrência dos ferimentos. Os escritórios dos sindicatos foram pilhados, máquinas de escrever roubadas, a mobília foi depredada, o dinheiro surrupiado e os documentos queimados.[81] Em Wuppertal, um destacamento camisa-parda arrancou de casa o trabalhador Heinrich B., um ex-comunista; seu corpo foi encontrado no dia seguinte em uma horta. No mesmo distrito, no dia 1º de abril, oito camisas-pardas emboscaram o trabalhador August K., de 62 anos, ex-líder do grupo musical comunista da localidade, a caminho de casa e atiraram nele, causando ferimentos fatais.[82] Os social-democratas também foram atingidos de rijo. Em 9 de março, Wilhelm Sollmann, um deputado social-democrata do Reichstag e figura de destaque do partido em Colônia, foi atacado em casa por camisas-pardas e homens da SS, surrado, levado para a sede local do Partido Nazista, torturado por duas horas e forçado a beber óleo de rícino e urina antes de a polícia chegar e levá-lo ao hospital da prisão para fazer curativos. Em 13 de março, os camisas-pardas de Braunschweig começaram a forçar os vereadores e os deputados estaduais social-democratas a renunciar "voluntariamente" a suas cadeiras, espancando até a morte um que se recusou a fazê-lo. A essa altura, os nazistas também estavam começando a dar batidas nos escritórios do Partido Social-Democrata em busca de dinheiro e outros despojos. O chefe da imprensa social-democrata em Chemnitz, Georg Landgraf, foi morto a tiros em 13 de março depois de se recusar a revelar a uma gangue de camisas-pardas o paradeiro dos fundos do partido. Protestar contra tais ações era difícil, se não impossível, porque todos os jornais social-democratas haviam sido proibidos por catorze dias desde o início de março, ordem renovada por mais catorze dias ao expirar, e assim por diante, até se tornar permanente.[83]

A pilhagem não passou despercebida pelos policiais mais honestos. Em 19 de abril de 1933, por exemplo, o comissário de polícia de Hesse circulou por delegacias e administrações locais condenando o confisco ilegal de propriedade de organizações marxistas durante as batidas, inclusive a retirada de instrumentos musicais, equipamento de ginástica e até camas, tudo com a nítida intenção de uso privado dos saqueadores.[84] Foram realizados esforços subsequentes para regularizar a situação e estabelecer instituições apropriadas para gerenciar os bens dos partidos e sindicatos banidos, não só porque incluíam os fundos de amparo a ex-membros desempregados, mas porque, na época em que isso foi feito, muito dinheiro e propriedades haviam desaparecido nas mãos de camisas-pardas. Uma lei foi enfim aprovada, em 26 de maio de 1933, transferindo a propriedade do Partido Comunista (ainda tecnicamente legal) para os estados federados.[85] Em meio a todos esses danos, muitos camisas-pardas aproveitaram a oportunidade para acertar velhas contas pessoais. Em Wuppertal, por exemplo, Friedrich D. foi arrancado da cama às 4 da manhã por um grupo de camisas-pardas sob o comando do líder Puppe. Seu corpo foi encontrado dois dias depois. Ele foi assassinado porque estava mantendo um relacionamento com a irmã de Puppe, e este vinha tentando acabar com isso. Puppe não foi processado pelo ato de rancor homicida. Até mesmo camisas-pardas não estavam imunes: Karl W., nazista de longa data, foi detido, surrado e aprisionado depois de acusar o líder camisa-parda de Wuppertal de peculato e corrupção, não sendo este o único incidente do tipo reportado na época. O que aconteceu em Wuppertal deve ter se repetido muitas centenas de vezes em outras partes do país.[86]

Essa campanha de violência, deflagrada por uma organização camisa-parda cujos números cresciam a cada dia até atingir mais de 2 milhões no verão de 1933, proporcionou o contexto essencial para a coordenação dos estados federados conforme as linhas já postas em prática por Papen em sua tomada do controle da Prússia no verão anterior.[87] A Corte de Estado havia julgado aquela tomada parcialmente ilegal, e o governo social-democrata removido por Papen obtivera algum sucesso em usar o Conselho Federal, representante dos estados, para bloquear medidas do governo do Reich. O gabinete de Hitler havia assegurado um decreto de emergência em 6 de fevereiro de 1933 pondo fim a essa situação, mas os novos representantes nazistas da Prússia no Conselho Federal viram sua legitimidade negada pelo conselho quando este se reuniu em 16 de fevereiro no aguardo de uma decisão da Corte de Estado. Enquanto isso, porém, o conselho decidiu parar de se reunir até a situação legal estar esclarecida, e, no hiato resultante, organizações regionais de camisas-pardas e o Partido Nazista entraram em cena para coordenar os governos dos estados de baixo para cima. A maior parte dos estados federados era comandada por governos de minoria, refletindo o bloqueio quase total dos organismos legislativos àquela altura, e careciam de legitimidade para oferecer mais que uma resistência simulada. No período entre 6 e 15 de março de 1933, policiais nazistas e unidades de "polícia auxiliar" da SA e da SS içaram a suástica em prédios oficiais por toda parte. Esse gesto pesadamente simbólico foi tolerado ou aprovado pela maioria dos ministros de governos estaduais, que eram intimidados por manifestações simultâneas de colunas compactas de camisas-pardas diante dos prédios dos governos. Ministros que se opunham eram obrigados a renunciar ou colocados sob detenção domiciliar por destacamentos de camisas-pardas. O ministro do Interior do Reich, Wilhelm Frick, a seguir, empossou comissários estaduais que trataram de demitir os chefes de polícia e nomear nazistas em seus lugares e a substituir ministros de governos eleitos por seus indicados. Apenas em Hamburgo, Württemberg e Hesse, os parlamentos estaduais, na ausência de deputados comunistas e pela abstenção dos social-democratas, indicaram novos governos de coalizão nos quais todos os ministérios estavam em poder dos nazistas e nacionalistas. Sob tais circunstâncias, as eleições estaduais realizadas no início de março (a mais importante delas foi a eleição de 12 de março na Prússia) foram amplamente inexpressivas.[88]

A afiliada paramilitar da Frente de Ferro social-democrata, a Reichsbanner, já havia sido estropiada pela ocupação policial de muitos de seus escritórios em fevereiro; no início de março, logo após a eleição, os governos estaduais começaram a emitir ordens de banimento e a deter lideranças, de modo que as seções começaram a se dissolver uma após a outra para evitar mais perseguição. Nessa atmosfera, vários líderes social-democratas, como Otto Braun e Albert Grzesinski, fugiram do país para evitar detenção ou coisa pior.[89] O líder da Reichsbanner, Karl Höltermann, já tinha ido embora em 2 de maio. Uma tentativa de lideranças social-democratas de persuadir Göring a suspender a proibição dos jornais do partido teve como resposta que o veto seria mantido até que jornais socialistas estrangeiros cessassem a "campanha" contra o governo do Reich. Em um indicativo do quão pouco ainda entendiam dos métodos nazistas, lideranças social-democratas viajaram a outros países europeus para tentar explicar a situação. A Internacional Socialista reagiu com uma forte condenação pública do terror nazista ("as indizíveis e abomináveis iniquidades que os déspotas da Alemanha cometem dia após dia"). Acrescentaram um apelo de ação conjunta com os comunistas. Em uma vã tentativa de aplacar Göring, Otto Wels, líder dos social-democratas alemães, renunciou imediatamente a seu cargo na executiva da Internacional.[90] Tais concessões táticas, como era de se prever, de nada adiantaram para diminuir o ímpeto do regime em suprimir a esquerda.[91]

Comunistas e social-democratas representavam juntos quase um terço do eleitorado. Contudo, desmoronaram virtualmente sem resistência. O governo teve condições de agir contra eles em âmbito nacional porque o decreto do incêndio do Reichstag permitiu passar por cima da soberania dos estados federados a fim de executar a operação, usando o precedente da remoção do governo de minoria social-democrata da Prússia por Papen no verão anterior. Antes disso ainda, o presidente do Reich Friedrich Ebert havia feito o mesmo com os governos estaduais de esquerda da Saxônia e Turíngia em 1923. A suposta ameaça comunista que justificou a ação não era particularmente séria nem em 1923, nem dez anos depois. Em 1933, a desordem pública que forneceu motivo para a declaração de estado de emergência foi criada basicamente pelos próprios nazistas. O propósito da rápida coordenação dos estados federados era, entre outros, superar as hesitações dos governos estaduais anteriores em usar poderes de emergência para esmagar os partidos de esquerda com a inteireza exigida pela liderança nazista em Berlim.

IV

Essa sequência de eventos teve consequências especialmente sinistras na Baviera. Lá, o governo estadual conservador, em 28 de fevereiro, alinhou-se ao governo do Reich na proibição de reuniões comunistas e no fechamento da imprensa comunista. Também deteve todos aqueles considerados figuras de destaque do Partido Comunista regional. Mas isso não foi o bastante para os nazistas, e assim, em 9 de março de 1933, Frick nomeou Adolf Wagner, líder regional nazista da Alta Baviera, como comissário de Estado no Ministério do Interior bávaro. De modo ainda mais ominoso, Heinrich Himmler, o líder da SS sediado em Munique, foi indicado na mesma hora chefe provisório da polícia. Ele ordenou a detenção em larga escala de figuras da oposição, que logo começou a abranger também os inimigos não comunistas do regime. A escala da repressão foi tamanha que os presídios estaduais e as cadeias da polícia mostraram-se completamente insuficientes. Era preciso achar um novo meio de encerrar os adversários políticos dos nazistas na Baviera. Em 20 de março, portanto, Himmler anunciou à imprensa que "um campo de concentração para prisioneiros políticos" seria inaugurado em Dachau, bem próximo de Munique. Seria o primeiro campo de concentração da Alemanha, e estabeleceria um precedente para o futuro.

O campo foi planejado para o confinamento em "custódia preventiva" de "todos os comunistas e, quando necessário, funcionários da Reichsbanner e do Partido Social-Democrata", conforme relatou a imprensa nazista no dia seguinte. Em 22 de março de 1933, quatro caminhões da polícia transportaram uns 200 prisioneiros das penitenciárias estaduais de Stadelheim e Landsberg para o campo, construído em torno de uma fábrica desativada nos arredores da cidade. Os cidadãos de Dachau reuniram-se nas ruas e do lado de fora dos portões da fábrica para vê-los passar. Inicialmente gerenciado por um destacamento da polícia, o campo foi posto nas mãos da SS no começo de abril, com o notoriamente rude líder da SS Hilmar Wäckerle como comandante. Wäckerle introduziu um regime de violência e terror por ordem de Himmler. A 11 de abril, os novos guardas da SS levaram quatro detentos judeus para fora dos portões e atiraram neles a céu aberto, alegando que estavam tentando escapar; um deles conseguiu sobreviver e foi hospitalizado em Munique, onde morreu, mas não sem antes fornecer à equipe médica detalhes tão aterradores da brutalidade que então reinava no campo que o promotor público foi chamado. Até o fim de maio, 12 detentos haviam sido assassinados ou torturados até a morte. Corrupção, extorsão e peculato grassavam entre os guardas, e os prisioneiros eram expostos a atos arbitrários de crueldade e sadismo em um mundo sem regulamentos ou regras.[92]

A ação de Himmler estabeleceu um precedente amplamente imitado. Logo eram abertos campos de concentração por todo o país, aumentando as penitenciárias e centros de tortura improvisados, montados por camisas-pardas nos porões de sedes recém-tomadas de sindicatos. Sua fundação recebeu larga publicidade, garantindo que todos soubessem o que aconteceria àqueles que ousassem se opor à "revolução nacional". Claro que a ideia de montar campos para encerrar inimigos reais ou supostos do Estado não era nova. Os britânicos haviam usado tais campos para adversários civis na Guerra dos Bôeres; as condições de tais campos com frequência eram muito ruins e a taxa de mortalidade dos detentos era elevada. Pouco depois, o Exército da Alemanha havia "concentrado" 14 mil rebeldes hererós em campos no sudoeste da África durante a guerra de 1904-7, tratando-os tão duramente que foi dito que 500 deles morriam a cada mês nos campos de Swakopmund e da baía de Lüderitz. Os campos tiveram uma taxa de mortalidade final de 45%, justificada pela administração alemã como uma eliminação de "elementos improdutivos" da população nativa.[93] Esses precedentes eram familiares aos nazistas; em 1921, Hitler já havia declarado que aprisionaria judeus alemães em campos de concentração no estilo daqueles usados pelos britânicos. O parágrafo 16 da Constituição que os nazistas pretendiam colocar em vigor se tivessem tido êxito em tomar o poder em novembro de 1923 declarava que "riscos à segurança e imprestáveis" seriam colocados em "campos conjuntos" e obrigados a trabalhar; qualquer um que resistisse seria morto. Alguns anos depois, em agosto de 1932, a imprensa nazista havia divulgado um artigo proclamando que, ao assumir o poder, os nazistas iriam "deter e condenar imediatamente todos os funcionários comunistas e social-democratas... (e) alojar todos os suspeitos e agitadores de ânimos em campos de concentração". Esse aviso foi repetido em público pelo ministro do Interior do Reich, Wilhelm Frick, em 8 de março de 1933.[94] Dachau não foi, portanto, uma solução de improviso para um problema inesperado de superlotação dos presídios, mas uma medida planejada há tempos, que os nazistas haviam imaginado virtualmente desde o princípio. Foi amplamente propagandeada na imprensa local, regional e nacional, e serviu de aviso cabal a qualquer um que pensasse em oferecer resistência ao regime nazista.[95]

As condições dos campos de concentração e centros de detenção da SA e da SS em março e abril foram adequadamente descritas como "anarquia sádica improvisada".[96] A violência da SA e da SS raras vezes envolvia o tipo de tortura refinada e inventiva praticada mais tarde pela polícia secreta de regimes como as ditaduras militares na Argentina, Chile ou Grécia na década de 1970. O que despejavam em cima dos prisioneiros com frequência era raiva quase incontrolada. A tortura não envolvia nada muito mais sofisticado que punhos, coturnos e cassetetes de borracha. Em certas ocasiões, a polícia, agora livre de quaisquer constrangimentos que poderia achar que se aplicavam sob a República de Weimar, entrava junto, assistia ou empregava os auxiliares camisas-pardas para arrancar confissões dos prisioneiros mediante espancamento. O trabalhador comunista Friedrich Schlotterbeck, detido em 1933, relatou mais tarde como foi interrogado na sede da polícia por um grupo da SS. Esmurraram-no no rosto, bateram-lhe com cassetetes de borracha, amarram-no, golpearam sua cabeça com um pedaço de madeira, chutaram-no quando ele caiu no chão e jogaram água em cima quando perdeu a consciência. Um policial disparava perguntas nos momentos mais calmos e interveio apenas quando um dos homens da SS, enraivecido pela vigorosa resistência física de Schlotterbeck, ameaçou atirar no prisioneiro. Sem ter confessado, foi levado de volta para a cela, machucado, coberto de cortes e contusões, com sangue escorrendo pelo rosto e mal conseguindo caminhar. Schlotterbeck foi tratado com gentileza pelos carcereiros, que, não obstante, informaram que tinham de deixar a luz da cela acesa e dar uma olhada nele constantemente, para o caso de ele tentar se matar. Ele passaria a dezena de anos seguinte e mais um pouco em penitenciárias e campos de concentração.[97] Sua experiência não era atípica para o comunista que se recusava a ceder.

Os social-democratas não passaram melhor nas mãos dos camisas-pardas, que não faziam distinção de sexo nos assaltos violentos a representantes de esquerda. Uma das muitas mulheres social-democratas atacadas, Marie Jankowski, vereadora pelo distrito de Köpenick em Berlim, foi detida, surrada com cassetetes de borracha, golpeada no rosto e forçada a assinar um documento prometendo não tomar parte em política outra vez.[98] A falta de qualquer coordenação central detalhada de tais atividades, que se espalharam de forma desigual por toda a Alemanha, torna impossível qualquer estimativa precisa de sua extensão. Mas os números disponíveis para detenções formalmente registradas demonstram além da dúvida que a violência era em uma escala vasta e sem precedente. Relatórios oficiais indicam pelo menos 25 mil detenções na Prússia apenas ao longo de março e abril, embora esse número omita Berlim e não conte as detenções "selvagens" por camisas-pardas, que não eram reportadas às autoridades. As detenções efetuadas na Bavária já somavam cerca de 10 mil no fim de abril, e o dobro no final de junho. Além disso, muitos dos detidos eram aprisionados por apenas poucos dias ou semanas antes de serem soltos: no campo de Oranienburg, por exemplo, 35% dos detentos eram mantidos por uma a quatro semanas, e menos de 0,4% ficou por mais de um ano.[99] Assim sendo, as 27 mil pessoas em custódia preventiva na Alemanha no final de julho de 1933 na maioria não eram as que haviam estado sob custódia preventiva três ou quatro meses antes, de modo que o número total de pessoas que passaram pelos campos foi muito mais alto.¹⁰⁰ Somado a isso, de alguma maneira todos os oponentes social-democratas e especialmente comunistas dos nazistas foram levados para os campos; muitos milhares mais foram colocados em prisões estaduais e cadeias da polícia por todo o Reich.

A escala absoluta da repressão pode ser aferida pelo fato de a liderança do Partido Comunista ter reportado que 130 mil membros do partido haviam sido detidos e aprisionados até o fim de 1933 e 2,5 mil haviam sido assassinados. Esses números provavelmente eram algo exagerados, mas não enganam quando se trata de avaliar o impacto da repressão sobre a organização do partido. Na área do Ruhr, por exemplo, quase metade de todos os afiliados do partido foram levados sob custódia. Já no final de março, a polícia prussiana registrava 20 mil comunistas capturados e colocados na cadeia.¹⁰¹ Mesmo o cálculo mais conservador, quase oficial, colocava o número total de detenções políticas na Alemanha em 1933 em mais de 100 mil, e o número de mortes na prisão em quase seiscentos.¹⁰² Era violência e assassinato em níveis atordoantes, não vistos na Alemanha desde os primeiros dias da República de Weimar.

Esse assalto maciço, brutal e homicida sobre os oponentes dos nazistas foi formalmente sancionado pelo decreto do incêndio do Reichstag, que, entretanto, baseava-se na ideia de que os comunistas haviam tentado um levante revolucionário e não dizia nada sobre os social-democratas. A ideia de que os social-democratas simpatizassem com ou apoiassem os preparativos comunistas para um levante era ainda mais absurda que a alegação de que os comunistas haviam estado prestes a executar tal coisa. Contudo, muitos alemães de classe média parecem ter aceitado que o regime possuía justificativas para a repressão violenta do "marxismo" de qualquer variedade que fosse. Anos de espancamentos, assassinatos e confrontos nas ruas haviam habituado o povo com a violência política e embotado sua sensibilidade. Aqueles que tinham dúvidas não podiam deixar de notar o que a polícia e seus auxiliares camisas-pardas estavam fazendo aos oponentes dos nazistas naquelas semanas. Muitos devem ter parado para pensar antes de emitir sua inquietação. Qualquer um que estivesse alarmado com a extensão da desordem poderia muito bem ter sido tranquilizado pela denúncia pública de Hitler em 10 de março de 1933 dos atos de violência contra forasteiros, que ele atribuiu a comunistas infiltrados na SA, e sua exortação aos camisas-pardas para cessarem "o assédio a indivíduos, a obstrução de carros e as interrupções de atividades empresariais".

Entretanto, Hitler prosseguiu dizendo aos camisas-pardas que "jamais deviam se deixar distrair por um segundo de nosso lema, que é a destruição do marxismo". "O levante nacional continuará a ser levado a cabo de forma metódica e com controle vindo de cima", disse ele, e apenas "quando essas ordens deparassem com resistência" eles deveriam agir para garantir que "essa resistência fosse imediata e totalmente rompida". Essa última qualificação era, claro, licença suficiente para a violência continuar igual e de fato até aumentar.[103] Quando um nacionalista de destaque falou com Hitler em 10 de março protestando contra a destruição da ordem legal, seguido de um telefonema de Papen no mesmo sentido em 19 de março, Hitler, irado, acusou-os de tentar "deter a revolução nacionalista". Os "criminosos de novembro" de 1918 e aqueles que tentaram suprimir o Partido Nazista durante o período de Weimar haviam sido muito piores, disse ele. Louvando a "fenomenal disciplina" das tropas de assalto, ele ao mesmo tempo condenou a "fraqueza e covardia de nosso mundo burguês ao agir com luvas de pelica em vez de punho de ferro" e avisou que não deixaria ninguém detê-lo na "aniquilação e extirpação do marxismo".[104]

A Alemanha já estava bem a caminho de se tornar uma ditadura antes mesmo do decreto do incêndio do Reichstag e das eleições de 5 de março de 1933. Mas os dois eventos sem dúvida aceleraram o processo e forneceram a aparência, por mais grosseira que fosse, de legitimação legal e política. Depois de sua vitória eleitoral, Hitler disse ao gabinete, em 7 de março, que buscaria uma sanção legal adicional na forma de emenda à Constituição que permitisse ao gabinete ignorar tanto o Reichstag quanto o presidente e promulgar leis por si mesmo. Tal medida tinha precedentes em aspectos da legislação de emergência da República de Weimar. Não obstante, iria nitidamente muito além de qualquer coisa vista antes. Hitler há muito sonhava em introduzi-la.[105] Essa Lei Plenipotenciária selaria o destino da odiada democracia da República de Weimar e completaria a obra que os nazistas haviam começado em 30 de janeiro de 1933 ao dar vida a um "governo de concentração nacionalista". Não demorou muito para Goebbels e outras lideranças nazistas o renomearem de "governo do levante nacionalista". No início de março havia se tornado simplesmente "revolução nacionalista", enfatizando que envolvia muito mais que as ações de um mero gabinete de governo. Logo viria a ser a "revolução nacional-socialista", relegando enfim os parceiros não nazistas da coalizão de Hitler ao esquecimento político.[106]

Democracia destruída

I

Retórica revolucionária e violência desenfreada nas ruas não eram exatamente o que Papen e demais aliados de gabinete de Hitler esperavam quando concordaram em torná-lo chanceler do Reich dois meses antes, não obstante aprovassem o arrocho da polícia na esquerda. Em vez disso, esperavam que trazer os nazistas para o governo desse fim a tudo aquilo. Portanto, para conservadores e tradicionalistas preocupados – inclusive o presidente do Reich, Hindenburg, que afinal de contas ainda possuía ao menos o poder formal para tirar Hitler e substituí-lo por um outro –, os nazistas encenaram uma cerimônia tranquilizadora para marcar a posse do recém-eleito Reichstag. Dada a indisponibilidade do prédio arruinado do Reichstag, a cerimônia teve que ser realizada em outro local. Hitler e seus aliados conservadores concordaram em fazê-la na igreja da guarnição de Potsdam, local simbólico da monarquia prussiana, em 21 de março de 1933, exatamente no aniversário da sessão inaugural do Reichstag após a fundação do Segundo Reich por Bismarck. A elaborada cerimônia foi planejada por Goebbels nos mínimos detalhes como uma propaganda para demonstrar a unidade do velho Reich com o novo. Hindenburg postou-se ao lado do trono vazio do *Kaiser*, vestido com o uniforme de marechal-de-campo prussiano, para receber a homenagem de Hitler trajando uma sobrecasaca, que se curvou e lhe apertou a mão. O chanceler do Reich proferiu um discurso notável pela moderação estudada, louvando Hindenburg pelo papel histórico em confiar o destino da Alemanha a uma nova geração. Foram depositadas coroas de flores nas tumbas dos reis prussianos, e a seguir Hindenburg passou em revista uma enorme parada de paramilitares e do Exército.

O ritual foi mais importante pelas imagens visuais que transmitiu do que pelos discursos proferidos. Lá estava Hitler como um estadista civil vestido de maneira sóbria, reconhecendo humildemente a supremacia da tradição militar prussiana. Lá estavam as bandeiras nas cores imperiais negra, branca e vermelha, que já haviam substituído oficialmente as de cor negra, vermelha e dourada da República de Weimar em 12 de março. Lá estavam os militares prussianos de alta patente em seus uniformes por vezes esquisitos, recendendo a tradição monarquista. Lá estava a Igreja Protestante, reafirmando de modo implícito sua supremacia ao lado do Exército e do trono. Lá estava a restauração da velha Alemanha, limpando a história da memória maculada da democracia de Weimar.[107] Não é de surpreender que os social-democratas tenham declinado do convite para comparecer. Em um gesto de simbolismo adicional, Hitler recusou-se a ir ao serviço na igreja paroquial católica em Potsdam com base em que padres católicos, ainda leais ao Partido de Centro e críticos do que consideravam as maneiras ímpias dos nazistas, haviam impedido alguns líderes nazistas de receber os sacramentos. Foi um aviso claro para a Igreja de que estava na hora de entrar na linha.[108]

Dois dias depois, no Teatro da Ópera Kroll, designado como casa temporária do Reichstag, Hitler, agora vestido como os outros deputados nazistas, com um uniforme paramilitar camisa-parda, falou ao Reichstag em um clima muito diferente. De pé sob uma enorme bandeira da suástica, apresentou a medida há muito planejada que permitiria ao chanceler do Reich preparar leis que se afastavam da Constituição sem aprovação do Reichstag e sem considerar o presidente. Essa "Lei Plenipotenciária" teria que ser renovada depois de quatro anos, e a existência do Reichstag em si, da câmara legislativa superior representando os estados federados e a posição do presidente do Reich não seriam afetadas. O que ela significava, porém, é que a Constituição de Weimar seria letra morta e o Reichstag ficaria de fora do processo legislativo de vez. A aprovação da Lei Plenipotenciária não estava garantida de maneira alguma: 94 dos 120 social-democratas eleitos ainda estavam aptos a votar – dos ausentes, alguns estavam na prisão, alguns estavam doentes e alguns mantiveram-se afastados por temer por suas vidas. Em todo caso, Hitler sabia que não obteria o apoio dos social-democratas. Uma emenda à Constituição de Weimar exigia tanto um quórum de dois terços quanto a maioria de dois terços dos presentes. Como parlamentar na presidência do Reichstag, Hermann Göring reduziu o quórum de 432 para 378 ao não contar os deputados comunistas, embora todos eles tivessem sido eleitos legalmente. Foi uma decisão arbitrária que não possuía legitimidade em nenhuma lei.[109] Contudo, mesmo depois dessa manobra ilegal, os nazistas ainda precisavam dos votos do Partido de Centro para fazer a medida passar.

A essa altura de sua história, o partido há muito deixara de ser um sustentáculo da democracia. Seguindo a corrente geral do catolicismo político na Europa entreguerras, tinha passado a apoiar os princípios do autoritarismo e da ditadura por medo do bolchevismo e da revolução. É verdade que o que parecia estar em formação na Alemanha não era bem o tipo de regime "clérico-fascista" ao qual políticos católicos em breve concederiam apoio na Áustria e na Espanha. Mas, em 1929, a Igreja Católica havia salvaguardado sua posição na Itália mediante a Concordata com Mussolini, e a perspectiva de arranjo semelhante também lhe era oferecida agora na Alemanha. A escalada do terror a que católicos e seus representantes políticos, jornais, oradores e autoridades locais haviam sido submetidos desde meados de fevereiro fez o Partido de Centro buscar ansiosamente por garantias de que a Igreja sobrevivesse. Agora, sob influência clerical mais forte que nunca, e conduzido por um padre católico, o prelado Ludwig Kaas, foi assegurado ao partido, em dois dias de discussões com Hitler, de que os direitos da Igreja não seriam afetados pela Lei Plenipotenciária. As dúvidas de Heinrich Brüning e seus conselheiros mais chegados foram aplacadas. Os estados federados, bastiões do catolicismo no sul, permaneceriam intactos, a despeito de serem controlados por comissários do Reich indicados a partir de Berlim, e o Judiciário continuaria independente. Essas promessas, combinadas com forte pressão do Vaticano, mostraram-se suficientes para convencer os deputados do Partido de Centro a apoiar a medida que a longo prazo estava fadada a significar sua própria extinção política.[110]

Os deputados chegaram ao Teatro da Ópera Kroll em um clima pesado de violência e intimidação. O social-democrata Wilhelm Hoegner relembrou:

> Fomos recebidos com uma cantoria selvagem: "Queremos a Lei Plenipotenciária!". Rapazes com a suástica no peito olharam-nos de alto a baixo de forma insolente, virtualmente barrando o caminho. Na verdade, nos fizeram atravessar um corredor polonês, e gritaram insultos como "porco centrista", "porca marxista". A Ópera Kroll fervilhava de homens da SA e da SS armados... A câmara de debates estava decorada com suásticas e ornamentos semelhantes... Quando nós, social-democratas, tomamos nossos lugares na extremidade esquerda, homens da SA e da SS colocaram-se nas saídas e ao longo das paredes atrás de nós em um semicírculo. A atitude deles não pressagiava nada de bom para nós.[111]

Hitler começou o discurso com as diatribes usuais contra os "criminosos de novembro" de 1918 e se gabou da remoção da ameaça do comunismo. Repetiu a promessa de proteger os interesses das Igrejas, em particular nas escolas, um importante pomo da discórdia sob a República de Weimar. Terminou, entretanto, com uma ameaça inequívoca de repressão violenta caso a medida fosse rejeitada. O "governo do levante nacionalista", declarou, estava "determinado e pronto para lidar com o anúncio de que a lei havia sido rejeitada e, com isso, de que a resistência havia sido declarada. Possam vocês, cavalheiros, tomar agora a decisão de que vai ser paz ou guerra". Isso serviu para agitar deputados do Partido de Centro como Heinrich Brüning, que então decidiram votar a favor da lei. "Eles temem que", como disse Josef Wirth – um dos líderes do partido e ex-chanceler do Reich – em particular aos social-democratas, "se a lei for rejeitada, a revolução nazista seja deflagrada e haja uma anarquia sangrenta".[112]

Em face de tais ameaças, os social-democratas decidiram que seu dirigente, Otto Wels, deveria adotar um tom moderado, até mesmo conciliatório, em seu discurso de oposição, temendo que do contrário pudesse ser alvejado ou espancado pelos camisas-pardas, parados de forma ameaçadora em torno da câmara, ou detido quando saísse. O que ele teve a dizer, porém, foi dramático o bastante. Defendeu os feitos da República de Weimar em proporcionar igualdade de oportunidades, assistência social e o retorno da Alemanha à comunidade internacional. "Liberdade e vida nos podem ser tiradas, mas a honra não." Wels não estava exagerando: vários social-democratas de destaque já haviam sido assassinados pelos nazistas, e ele mesmo carregava uma cápsula de cianureto no bolso do colete, pronto para engoli-la no caso de ser detido e torturado pelos camisas-pardas após proferir o discurso. Sua voz embargou-se de emoção ao concluir com um apelo para o futuro:

> Nessa hora histórica, nós, social-democratas alemães, professamos solenemente nossa lealdade aos princípios básicos de humanidade e justiça, liberdade e socialismo. Nenhuma Lei Plenipotenciária lhes dá o direito de aniquilar ideias que são eternas e indestrutíveis. A Lei Antissocialista não vai aniquilar os social-democratas. A social-democracia sempre pode extrair novo vigor de novas perseguições. Saudamos os perseguidos e os que enfrentam grande pressão. Sua constância e lealdade merecem admiração. A coragem de suas convicções, a confiança tenaz dão testemunho de um futuro mais radiante.

O discurso de Wels foi saudado com tumulto na câmara, o riso zombeteiro e estridente dos deputados nazistas abafando os aplausos da bancada social-democrata.

A reação de Hitler foi desdenhosa. Os social-democratas haviam enviado o discurso para a imprensa antes da sessão, e a equipe de Hitler havia obtido uma cópia para embasar a réplica do chanceler. Ele sabia que não precisava dos votos deles. "Vocês pensam", disse ele, para o aplauso ensurdecedor das fileiras de deputados nazistas uniformizados, "que sua estrela poderá ascender de novo! Cavalheiros, a estrela da Alemanha se erguerá e a de vocês cairá... A Alemanha há de ser livre, mas não por intermédio de vocês!" Após breves discursos dos líderes de outros partidos, os deputados votaram, com 444 a favor e 94 contra. Os outrora orgulhosos liberais alemães, agora representados pelo Partido do Estado da Alemanha, estavam entre os apoiadores do projeto. Apenas os social-democratas votaram contra. A maioria foi tão grande que o projeto teria passado mesmo que todos os 120 deputados social-democratas e todos os 81 comunistas estivessem presentes, somando o total de 647 cadeiras em vez de 566, e todos eles tivessem votado "não".[113]

Com a Lei Plenipotenciária agora em vigor, o Reichstag podia ser efetivamente dispensado. Daquele ponto em diante, Hitler e seu gabinete governaram por decreto, ou usando o presidente Hindenburg como fachada, ou passando por cima dele por completo, conforme a lei lhes permitia fazer. Ninguém acreditava que, quando os quatro anos de duração da lei tivessem expirado, o Reichstag estivesse em posição de se opor à renovação, e não estava. Assim como o decreto do incêndio do Reichstag, um trecho da legislação de emergência temporária com alguns precedentes limitados no período de Weimar agora tornava-se a base legal, ou pseudolegal, para a remoção permanente dos direitos civis e das liberdades democráticas. Renovada em 1937 e de novo em 1939, a lei tornou-se permanente por decreto em 1943. O terror camisa-parda nas ruas já era abrangente o bastante para deixar claro o que estava prestes a acontecer. Wels estava certo ao predizer que a Alemanha logo se tornaria um Estado de partido único.[114]

II

Com os comunistas efetivamente já fora do caminho desde 28 de fevereiro e a Lei Plenipotenciária em vigor, o regime então voltou a atenção para os social-democratas e os sindicatos. Eles já haviam sido submetidos a detenções em massa, espancamentos, intimidação, até assassinato, e à ocupação de suas instalações e proibição de seus jornais. Agora a fúria dos nazistas voltava-se a pleno vapor contra eles, que não estavam em condições de resistir. A capacidade de trabalhar junto com os sindicatos havia sido crucial para os social-democratas derrotarem o golpe de Kapp em 1920. Mas ela já não existia na primavera de 1933. Ambas as alas do movimento trabalhista haviam estado unidas na desaprovação à nomeação de Hitler como chanceler em janeiro de 1933. E ambas haviam sofrido atos semelhantes de violência e repressão nos dois meses seguintes, com prédios dos sindicatos sendo ocupados e destruídos por gangues de camisas-pardas em números crescentes. Até 25 de março, de acordo com os sindicatos, escritórios das organizações haviam sido ocupados por camisas-pardas, unidades da SS ou da polícia em 45 cidades do Reich. Tal pressão era a mais direta ameaça possível à manutenção da existência dos sindicatos como representantes funcionais dos trabalhadores na negociação de salários e condições de trabalho com os empregadores. Também impulsionou uma divisão rapidamente aprofundada entre sindicatos de um lado e social-democratas do outro.

À medida que a repressão e a marginalização política dos social-democratas tornou-se mais óbvia, os sindicatos sob Theodor Leipart começaram a tentar preservar sua existência distanciando-se do Partido Social-Democrata e buscando uma acomodação com o novo regime. Em 21 de março, a liderança negou qualquer intenção de desempenhar um papel na política e declarou estar preparada para levar a cabo a função social dos sindicatos, "qualquer que fosse o tipo do regime de Estado" no poder.[115] Claro que os nazistas estavam cientes de que tinham pouco apoio entre os sindicalistas; a organização nazista da célula das fábricas[116] não era popular e conseguiu apenas percentuais de um só dígito na maioria das eleições para conselhos operários realizadas nos primeiros meses de 1933. Apenas em algumas poucas áreas, como nas fábricas Krupp, na indústria química, algumas siderúrgicas, ou minas de carvão do Ruhr, se saía um pouco melhor, mostrando que certos trabalhadores de alguns ramos importantes da indústria estavam começando a se acomodar ao novo regime.[117] Entretanto, alarmados com o resultado geral, os nazistas impuseram um adiamento indefinido das demais eleições para os conselhos operários.

A despeito da irritação com essa interferência arbitrária em seus direitos democráticos, o líder sindical Theodor Leipart e seu sucessor designado, Wilhelm Leuschner, intensificaram os esforços para garantir a sobrevivência institucional do movimento. Foram encorajados no empenho em favor de um acordo pela crença de que os nazistas falavam sério sobre implantar programas de criação de empregos que eles reivindicavam há muitos anos. Em 28 de abril, concluíram um pacto com os sindicatos cristão e liberal que pretendia dar o primeiro passo rumo à unificação completa de todos os sindicatos em uma organização nacional única. "A revolução nacionalista", começava o documento de unificação, "criou um novo Estado. Esse Estado quer reunir toda a nação alemã e assegurar seu poder". Os sindicatos, evidentemente, pensavam ter um papel positivo a desempenhar no processo, e o queriam fazer de forma independente. Como um sinal de que assim fariam, concordaram em apoiar a declaração pública de Goebbels de que o 1º de Maio, ocasião de enormes e tradicionais manifestações públicas da força do movimento trabalhista, seria um feriado público pela primeira vez. Esse era um desejo alimentado há muito pelo movimento operário. Os sindicatos concordaram que fosse conhecido como "Dia Nacional do Trabalho". Esse ato simbolizou mais uma vez a síntese do novo regime das tradições aparentemente divergentes de nacionalismo e socialismo.[118]

No dia, os prédios dos sindicatos, em um afastamento da tradição do movimento operário que muitos trabalhadores mais velhos devem ter considerado escandaloso e deprimente, foram enfeitados com as velhas cores nacionais (preta, branca e vermelha). Karl Schrader, presidente do sindicato dos empregados da indústria têxtil, marchou no desfile de Berlim sob o signo da suástica, e não foi o único dirigente sindicalista a fazê-lo. De fato, poucos tomaram parte nas contramanifestações-relâmpago encenadas em vários locais pelos comunistas, ou nas comemorações silenciosas do dia realizadas a portas fechadas pelos social-democratas em seus locais de encontro secretos. Centenas de milhares, talvez milhões de pessoas marcharam pelas ruas conduzidas por bandas de música dos camisas-pardas tocando a Canção de Horst Wessel e melodias patrióticas. Afluíram na direção de amplos pontos de encontro a céu aberto, onde ouviram discursos e declamações de "poetas-trabalhadores" nacionalistas. Ao anoitecer, a voz de Hitler ribombou pelo rádio, assegurando a todos os trabalhadores alemães que o desemprego em breve seria coisa do passado.[119]

O campo de Tempelhof em Berlim ficou apinhado com uma vasta assembleia de mais de 1 milhão de pessoas organizadas à moda militar em doze enormes blocos, cercados por um mar de bandeiras nazistas, com três imensos pôsteres nazistas iluminados por holofotes. Ao cair a noite, exibições de fogos de artifício culminaram com o surgimento de grandes suásticas cintilantes clareando a escuridão do céu. Os meios de comunicação alardearam a celebração da conversão dos trabalhadores ao novo regime. Foi o complemento proletário da cerimônia realizada dez dias antes para as classes altas em Potsdam.[120] Entretanto, as massas não apareceram nas cerimônias inteiramente por sua livre vontade, e a atmosfera era menos do que completamente entusiástica. Muitos trabalhadores, em especial nos empregos estatais, haviam sido ameaçados de demissão em caso de não comparecimento, enquanto milhares de empregados da indústria de Berlim tiveram os cartões de ponto confiscados ao chegar ao trabalho, com a promessa de que só os teriam de volta no campo de Tempelhof. A atmosfera geral de violência iminente e intimidação disseminada também desempenhou um papel em provocar a concordância formal dos líderes sindicais em participar.[121]

Porém, se os líderes sindicais pensavam que preservariam suas organizações com tais acordos, estavam fadados a um rude despertar. No início de abril, os nazistas já haviam começado preparativos secretos para a tomada de todo o movimento sindical. Em 17 de abril, Goebbels anotou em seu diário:

> Em 1º de maio, organizaremos o Dia do Trabalho como uma demonstração grandiosa da vontade do povo alemão. No dia 2 de maio, os escritórios dos sindicatos serão ocupados. Coordenação também nesse setor. É possível que haja confusão por uns dias, mas, depois, eles também serão nossos. Não mais faremos concessões. Estamos apenas prestando um serviço aos trabalhadores ao livrá-los da liderança parasita que só dificultou sua vida até agora. Uma vez que os sindicatos estejam em nossas mãos, os outros partidos e organizações não terão como aguentar por muito mais tempo.[122]

Em 2 de maio de 1933, camisas-pardas e homens da SS investiram contra cada sindicato de orientação social-democrata do país, tomaram todos os jornais e periódicos sindicais e ocuparam todos os setores do banco dos sindicatos. Leipart e outros líderes sindicais foram detidos e levados sob "custódia preventiva" para campos de concentração, onde muitos foram surrados e brutalmente humilhados antes de serem soltos uma ou duas semanas depois. Em um incidente particularmente horroroso, tropas de assalto espancaram quatro sindicalistas até a morte no porão do prédio do sindicato em Duisburg em 2 de maio. Todo o gerenciamento do movimento e de seus recursos foram colocados nas mãos da organização nazista de células das fábricas. Em 4 de maio, os sindicatos cristãos e todas as outras instituições sindicais colocaram-se sob a liderança de Hitler de modo incondicional. A "confusão" prevista por Goebbels jamais se materializou. O outrora poderoso movimento sindical alemão desapareceu sem deixar vestígios virtualmente da noite para o dia.[123] "A revolução prossegue", trombeteou Goebbels em seu diário em 3 de maio. Ele anotou com satisfação a detenção generalizada de "manda-chuvas". "Somos os senhores da Alemanha", gabou-se ele no diário.[124]

Confiante em que o Partido Social-Democrata já não mais seria capaz de fazer os sindicatos apoiarem qualquer resistência de última hora que decidisse organizar, o regime começou então o estágio final do fechamento do partido. Em 10 de maio, o governo apoderou-se das posses e propriedades do partido por ordem judicial, justificada pelo procurador-geral do Estado em Berlim com a suposta malversação de fundos sindicais por Leipart e outros, acusação que não possuía base de fato. Wels tinha dado jeito de mandar os fundos e arquivos do partido para fora do país, mas a rapinagem dos nazistas ainda assim foi considerável. Essa medida privou o partido de qualquer base sobre a qual pudesse ressuscitar sua organização ou seus jornais, periódicos e outras publicações. Como movimento político, estava efetivamente acabado.[125] Contudo, espantosamente, nada disso impediu os social-democratas de darem apoio ao governo no Reichstag em 17 de maio, quando Hitler apresentou ao Legislativo uma resolução em termos neutros em favor da igualdade alemã nas negociações internacionais sobre desarmamento. A declaração não tinha nenhum significado real, exceto a asserção dos direitos alemães e nenhum objetivo a não ser conquistar algum crédito para o regime no exterior após meses sendo pesadamente criticado por todo o mundo; na realidade, o governo não tinha intenção de tomar parte em nenhum tipo de processo de desarmamento. Não obstante, os deputados social-democratas, liderados por Paul Löbe, pensaram que poderiam ser retratados como impatriotas se boicotassem a sessão, de modo que aqueles que tinham condições apareceram e se juntaram à aprovação unânime da resolução pelo Reichstag, seguida de um discurso hipocritamente moderado e de palavreado neutro de Hitler, com trechos do hino nacional, gritos de *"Heil!"* por parte dos nazistas e satisfação pública de Hermann Göring, que, no cargo de presidente do Reichstag, declarou que o mundo agora testemunhava a unidade do povo alemão quando seu destino internacional estava em jogo. A ação dos deputados ultrajou o partido, sobretudo os líderes agora no exílio; eles condenaram a ação como a negação do voto de orgulho contra a Lei Plenipotenciária em 23 de março. Otto Wels, que havia conduzido a oposição na votação, retirou sua renúncia à Internacional Socialista. A liderança exilada instalou a sede do partido em Praga. Em vergonha e desespero pela falha dos deputados do Reichstag em perceber que estavam sendo usados como parte da operação de propaganda nazista, a mais apaixonada oponente da decisão, Toni Pfülf, uma das líderes femininas dos social-democratas no Reichstag, boicotou a sessão e cometeu suicídio em 10 de junho de 1933. Löbe foi detido; Wels fugiu do país.[126]

O abismo entre a nova liderança do partido em Praga e aqueles funcionários e deputados que permaneceram na Alemanha aprofundou-se depressa. Mas o regime declarou que não conseguia ver nenhuma diferença entre as duas alas do partido; aqueles que haviam escapado para Praga eram traidores a difamar a Alemanha a partir de uma terra estrangeira e aqueles que não haviam escapado eram traidores por ajudá-los e serem cúmplices. Em 21 de junho de 1933, o ministro do Interior, Wilhelm Frick, ordenou que os governos estaduais de toda a Alemanha banissem o Partido Social-Democrata com base no decreto do incêndio do Reichstag. Nenhum representante social-democrata de qualquer legislatura teria permissão para ocupar sua cadeira. Todos os encontros social-democratas e todas as publicações social-democratas foram proibidos. A afiliação ao partido foi declarada incompatível com a posse de qualquer cargo público ou posição no funcionalismo. Em 23 de junho de 1933, Goebbels escreveu triunfante em seu diário que o Partido Social-Democrata havia sido "dissolvido. Bravo! Agora o Estado total não terá que esperar muito".[127]

Os social-democratas também não precisaram esperar muito para descobrir o que significava Estado total. Enquanto o decreto de 21 de junho de

Frick era publicado, mais de 3 mil funcionários social-democratas eram detidos por toda a Alemanha, severamente maltratados, torturados e jogados em prisões ou campos de concentração. No subúrbio de Köpenick, em Berlim, ao encontrar resistência armada em uma casa, as tropas de assalto recolheram mais de 500 social-democratas e os espancaram e torturaram por um período de vários dias, matando 91; esse assalto orquestrado, selvagem até mesmo para os padrões dos camisas-pardas, rapidamente tornou-se conhecido como a "Semana Sangrenta de Köpenick". Vingança especial foi descarregada em cima de qualquer um associado aos dias revolucionários de Munique em 1918-19. Felix Fechenbach, ex-secretário de Kurt Eisner, agora editor do jornal social-democrata local em Detmold, havia sido detido em 11 de março e colocado sob custódia junto com os mais destacados social-democratas da província de Lippe. Em 8 de agosto, um destacamento de camisas-pardas tirou-o de carro da prisão estadual, aparentemente para transferi-lo para Dachau. No meio do caminho, expulsaram o policial acompanhante do veículo. A seguir, foram para um bosque, onde andaram uns poucos passos com Fechenbach e o abateram a tiros. Mais tarde, a imprensa nazista reportou que ele havia sido "abatido ao tentar fugir".[128] Figuras menos controversas também foram alvos. O ex-ministro-presidente de Mecklenburg-Schwerin, Johannes Stelling, um social-democrata, foi levado para um quartel camisa-parda, espancado e jogado semiconsciente na rua, onde foi pego por outra gangue de camisas-pardas, levado de carro e torturado até a morte. O corpo foi costurado dentro de um saco com pedras e jogado em um rio. Mais tarde, foi pescado com os corpos de outros 12 funcionários social-democratas e da Reichsbanner assassinados na mesma noite.[129]

Atos semelhantes de repressão brutal contra social-democratas ocorreram em toda a Alemanha. Particularmente notório foi o campo de concenração improvisado aberto em 28 de abril em Dürrgoy, nos arredores ao sul de Breslau, pelo camisa-parda local Edmund Heines. O comandante do campo era um ex-líder das Brigadas Livres e membro de um esquadrão da morte de extrema direita que havia sido condenado por assassinato durante a República de Weimar. Seus prisioneiros incluíram Hermann Lüdemann, ex-administrador-chefe social-democrata do distrito de Breslau, o ex-prefeito social-democrata da cidade e o ex-editor do jornal diário social-democrata de Breslau. Os detentos eram submetidos a surras e torturas repetidas. O comandante do campo realizava treinamentos regulares contra incêndio ao longo da noite, e os prisioneiros eram espancados ao voltar para seus alojamentos. Heines fez Lüdemann desfilar pelas ruas de Breslau vestido de arlequim, acompanhado das chacotas e insultos dos camisas-pardas que assistiam. Ele também sequestrou o ex-presidente social-democrata do Reichstag, Paul Löbe, contra quem tinha rancor pessoal, de sua prisão em Spandau; a pressão da mulher e de amigos de Löbe garantiu uma ordem de soltura rapidamente, mas este recusou-se a partir, declarando solidariedade aos outros prisioneiros social-democratas.[130]

Com uma repressão dessas, o partido foi efetivamente acossado para deixar de existir bem antes de sucumbir ao mesmo banimento que os comunistas em 14 de julho. Em retrospecto, suas chances de sobrevivência vinham diminuindo rapidamente há quase um ano. Nesse contexto, foi decisivo o seu fracasso para montar qualquer oposição efetiva ao golpe de Papen, em 20 de julho de 1932; se houve algum momento em que deveria ter se posicionado a favor da democracia, foi aquele. Mas é fácil condenar a inação olhando para trás; no verão de 1932, poucos poderiam ter percebido que, menos de seis meses depois, o governo amador e sob muitos aspectos ridículo de Franz von Papen daria lugar a um regime cuja impiedade extrema e total desconsideração pela lei eram difíceis de entender para social-democratas decentes e cumpridores da lei. De muitas maneiras, o desejo dos líderes do movimento trabalhista de evitar a violência em julho de 1932 era totalmente meritório; eles não tinham como saber que sua decisão viria a desempenhar um papel-chave na abertura do caminho para uma violência muito maior.

Com a destruição do movimento trabalhista, os nazistas, auxiliados pelas agências da lei do Estado e pela inação complacente das Forças Armadas, removeram o obstáculo mais sério ao estabelecimento do Estado de partido único. O movimento trabalhista havia sido subjugado, os sindicatos esmagados, os partidos Social-Democrata e Comunista, cuja votação combinada excedeu consideravelmente à dos nazistas nas últimas eleições livres para o Reichstag em novembro de 1932, haviam sido destruídos em uma orgia de violência. Restava, porém, outra força política importante cujos membros e eleitores haviam ficado amplamente leais a seus princípios e representantes ao longo dos anos de Weimar: o Partido de Centro. Seu vigor provinha não apenas da tradição política e da herança cultural, mas acima de tudo da identificação com a Igreja Católica e seus adeptos. Não poderia ser submetido ao tipo de brutalidade indiscriminada e desenfreada que varrera os comunistas e social-democratas do cenário político. Táticas mais sutis faziam-se necessárias. Em maio de 1933, Hitler e a liderança nazista trataram de colocá-las em ação.

III

O conde Clemens August von Galen era um padre católico do tipo tradicional. Nascido em 1878 em uma família nobre da Westfália, cresceu em um ambiente de piedade aristocrática, encorajado por parentes como o tio-avô, bispo von Ketteler, um dos fundadores do social-catolicismo. Décimo primeiro de 13 filhos, Clemens August parecia quase predestinado ao sacerdócio. Seus pais, com a consciência política desperta pela tentativa de Bismarck de reprimir a Igreja Católica na década de 1870, ensinaram-lhe que a consciência, em especial a consciência religiosa, vem antes da obediência à autoridade. Mas também ensinaram-lhe modéstia e simplicidade, pois tinham pouco dinheiro e viviam em condições espartanas num castelo que carecia de água encanada, toaletes internas e de aquecimento na maioria dos cômodos. Educado parte em casa, parte em uma academia jesuíta, Galen avançou até se qualificar para a universidade em uma instituição estatal. Em 1904, entrou para o sacerdócio após graduar-se em teologia em Innsbruck. De 1906 a 1929, atuou como pároco em Berlim, uma cidade esmagadoramente protestante, com uma classe operária forte e basicamente ateia. Com dois metros de altura, Galen era uma figura imponente em mais de um sentido, conquistando uma reputação por ascetismo pessoal, bem como pela capacidade de se comunicar com os pobres. Havia uma grande dose de *noblesse oblige* em sua atitude frente à vida.[131]

Com tal formação, não é de se surpreender que as visões políticas de Galen fossem de direita. Ele apoiou o esforço de guerra alemão em 1914-18 e tentou (sem sucesso) alistar-se para o serviço militar no *front*. Abominou a Revolução de 1918 por ter derrubado uma ordem de Estado ordenada pelos céus. Acreditava firmemente no mito da "punhalada nas costas" da derrota da Alemanha na guerra, opôs-se ao comprometimento inicial do Partido de Centro com a democracia de Weimar e tomou parte, embora com influência moderadora, em discussões malogradas que pretendiam levar à fundação de um novo movimento político católico mais à direita. Galen execrava a Constituição de Weimar como "ímpia", ecoando a condenação do cardeal Michael Faulhaber de suas fundações seculares como "blasfêmia". Faulhaber, junto com muitos outros padres, saudou a promessa da liderança nazista de restaurar firmes fundações cristãs no Estado em 1933. De fato, Hitler e seus principais companheiros estavam cientes da amplitude e da profundidade da lealdade cristã na maioria da população e não queriam antagonizá-la no curso da supressão de partidos como o de Centro. Portanto, foram cuidadosos nos primeiros meses de 1933 em insistir repetidas vezes na devoção do novo governo na fé cristã. Declararam que a "revolução nacionalista" pretendia dar fim ao ateísmo materialista da esquerda de Weimar e propagar, em vez disso, um "cristianismo positivo", acima da profissão de fé e sintonizado com o espírito alemão.[132]

Padres católicos como Galen de modo geral ficavam preocupados quanto à posição da Igreja Católica em um país onde o comunismo ateu parecia uma ameaça de vulto. Mas também tinham preocupações mais seculares. A República de Weimar tinha visto a comunidade católica atingir uma participação sem precedente no Estado, no governo e em postos importantes no serviço público. Na busca da prometida Concordata que, segundo lhes foi garantido, preservaria esses ganhos, os bispos alemães retiraram sua oposição ao nazismo e emitiram uma declaração coletiva de apoio ao regime em maio. Começaram a apertar os padres locais que insistiam em continuar a proferir críticas ao movimento nazista. Camisas-pardas e membros do Partido Nazista que eram católicos, impossibilitados de assistir a missas porque os bispos haviam proibido o uso de uniformes na igreja, começaram a ser vistos nos cultos protestantes, onde não havia tal proibição, suscitando o espetáculo alarmante de uma defecção em massa para a oposição religiosa. O cardeal Bertram persuadiu os bispos a suspender a proibição.[133]

Logo a tolerância passiva transformou-se em apoio ativo. Muitos padres tomaram parte nas cerimônias públicas para marcar o "Dia Nacional do Trabalho" no 1º de Maio. A Conferência dos Bispos de Fulda, em 1º de junho de 1933, emitiu uma carta pastoral saudando o "despertar nacional" e o novo realce em uma autoridade de Estado forte, embora também exprimisse preocupações quanto à ênfase nazista na questão de raça e a crescente ameaça às instituições católicas leigas. O vigário-geral Steinmann foi fotografado erguendo o braço na saudação nazista. Ele declarou que Hitler havia sido enviado por Deus ao povo alemão a fim de conduzi-lo.[134] Organizações estudantis católicas publicaram uma declaração de lealdade ao novo regime ("o único modo de restaurar o cristianismo em nossa cultura... *Heil* a nosso Líder Adolf Hitler"). Jornais católicos encerraram as publicações ou se tornaram algo como órgãos de propaganda nazista.[135]

Enquanto essa situação se desenrolava, o líder do Partido de Centro, prelado Kaas, seguia em uma visita prolongada ao Vaticano para ajudar a esboçar a Concordata. Logo ficou claro que estava disposto a sacrificar o partido como condição para a assinatura do regime. No início de maio, ele renunciou à liderança do partido, alegando problemas de saúde. Foi sucedido pelo ex-chanceler do Reich Heinrich Brüning, que imediatamente tornou-se objeto de uma pálida imitação do culto ao líder que cercava a pessoa de Hitler. Os jornais do Partido de Centro agora referiam-se a Brüning como o "Líder" e declaravam que seu "séquito" católico se "submeteria" às decisões dele.[136] Todos os deputados e funcionários do partido apresentaram suas renúncias e deram plenos poderes a Brüning para renomeá-los ou indicar substitutos. Isso incluía os deputados do Reichstag, que deviam a eleição a seu lugar na lista de candidatos do partido e que, portanto, de fato podiam ser substituídos ao capricho de Brüning por outros abaixo na lista. Desse modo, o Partido de Centro substituiu na prática a ideia de um Reichstag eleito por um indicado. Brüning anunciou uma reforma total na estrutura do partido e nesse meio-tempo aproximou-se ainda mais do regime nazista, persuadindo seus deputados a votar a favor da declaração de política externa do governo em 17 de maio de 1933 e ajudando Hitler pessoalmente a esboçar o discurso de tom marcadamente moderado com o qual ele apresentou o projeto ao Legislativo. A disposição de Brüning para o compromisso não impediu a polícia política de grampear seu telefone e abrir sua correspondência, conforme ele contou ao embaixador britânico, *Sir* Horace Rumbold, no meio de junho. De acordo com Rumbold, Brüning então adotou a ideia de que apenas a restauração da monarquia podia salvar a situação, uma opinião que ele de fato havia mantido por vários anos.

O ex-chanceler parecia ter pequena ideia da amplitude da repressão que agora se abatia sobre os membros de seu partido. Seus jornais estavam sendo proibidos ou retirados do partido. Suas organizações locais e regionais eram fechadas uma por uma. Os ministros haviam sido removidos do cargo em todos os estados. Os funcionários públicos, a despeito das constantes garantias de Hermann Göring, viviam sob ameaça contínua de demissão. Seus 200 mil membros renunciavam ao partido em números crescentes. De maio em diante, políticos católicos de destaque, advogados, ativistas em organizações leigas, jornalistas e escritores também foram detidos, especialmente se haviam publicado artigos críticos sobre os nazistas ou o governo. Em 26 de junho de 1933, Himmler, como chefe da polícia da Baviera, ordenou que não só todo o conjunto de deputados do Reichstag e do Legislativo estadual do Partido Popular Bávaro, aliado próximo do Partido de Centro, deveria ser levado em "custódia preventiva", mas também "todas as pessoas que tivessem sido particularmente ativas em política partidária".[137] Em 19 de junho, o presidente do estado de Württemberg, Eugen Bolz, uma das lideranças conservadoras do Partido de Centro, foi detido e severamente espancado; funcionários públicos graduados como Helene Weber, que também era deputada do Reichstag pelo Partido de Centro, foram suspensos do cargo; e a organização dos sindicatos católicos foi forçada a se dissolver. Esses foram apenas os casos mais célebres e amplamente divulgados em toda uma sequência de detenções, surras e demissões. Em nível local, uma após a outra, todas as organizações leigas católicas foram pressionadas a fechar ou se unir ao Partido Nazista, suscitando preocupação geral entre a hierarquia da Igreja. Enquanto Papen e Goebbels exigiam a dissolução do Partido de Centro com veemência crescente em público, as negociações em Roma, nas quais Papen tomou parte perto do fim do mês, produziram um acordo de que o partido deixaria de existir se a Concordata fosse concluída.[138]

O texto final da Concordata, acertado em 1º de julho com a aprovação de Papen e Kaas e assinado uma semana depois, incluiu a proibição de os padres engajarem-se em atividades políticas. Os legisladores nacionais e estaduais do Partido de Centro começaram a renunciar a seus mandatos ou a transferi-los para os nazistas, assim como uma quantidade de vereadores em Berlim, Frankfurt e outras cidades. Até Brüning finalmente entendeu a calamidade que se avizinhava. O partido dissolveu-se formalmente em 5 de julho, recomendando a seus deputados no Reichstag, legisladores estaduais e representantes locais eleitos que abordassem os colegas nazistas tendo em vista transferir sua lealdade a eles. Os membros do partido, declarou a liderança, tinham agora a oportunidade de se colocar "sem reservas" na retaguarda da frente nacional conduzida por Hitler. O que sobrava da imprensa do partido retratou o fim como resultado não de pressão externa, mas de um desenvolvimento interno inevitável que colocava a comunidade católica alemã por trás da nova Alemanha em uma transformação histórica da política nacional. A administração do partido não só instruiu todas as organizações partidárias a se dissolverem, como também informou que estava cooperando com a polícia política na implementação do procedimento de dissolução. Como era de se prever, os nazistas preferiram persuadir os legisladores do partido a renunciar a seus mandatos em vez de encontrar uma nova casa nas delegações do Partido Nazista, como haviam imaginado.[139]

Junto com o movimento dos trabalhadores, o Partido de Centro havia oferecido a única resistência efetiva à usurpação dos nazistas no início da década de 1930. A coesão e a disciplina dos dois ambientes políticos havia sido produto, entre outras coisas, da perseguição que ambos haviam sofrido sob Bismarck. Mas, enquanto os social-democratas e mais tarde os comunistas tinham sido levados a um estado de oposição e isolamento permanentes devido à experiência de repressão, a reação dos católicos tinha sido colocar a reintegração na comunidade nacional acima de quase qualquer outra meta. Líderes políticos católicos como Papen e, em menor grau, Brüning e Bolz, careciam do comprometimento com a democracia que havia caracterizado figuras como Wilhelm Marx ou Matthias Erzberger nos primeiros tempos da República de Weimar. A Igreja como um todo estava se voltando contra a democracia parlamentar por toda a Europa em face da ameaça bolchevique.

Nessas condições, a dissolução do partido parecia um pequeno sacrifício a se fazer no interesse daquilo que quase toda liderança envolvida via como a forma de assegurar a firme garantia do novo regime para a continuidade da autonomia da Igreja Católica e a plena participação dos católicos na nova ordem alemã. Os católicos logo descobririam o quão firmes eram essas garantias.

Enquanto isso, em 28 de outubro de 1933, o conde Clemens August von Galen era consagrado bispo católico de Münster, a primeira distinção desse tipo a ocorrer após a assinatura da Concordata. Em seu discurso à congregação, Galen declarou que via como seu dever dizer a verdade, pronunciar-se sobre "a diferença entre justiça e injustiça, entre boas e más ações". Antes de tomar posse, ele havia visitado Hermann Göring, o ministro-presidente prussiano, na presença de quem, de acordo com os termos da Concordata, jurou lealdade ao Estado. Em um ato simbólico de reciprocidade, integrantes locais dos nazistas e dos camisas-pardas, do líder distrital para baixo, marcharam diante de Galen durante a cerimônia de consagração em Münster, saudando-o com o braço estendido do "cumprimento alemão". Colunas de camisas-pardas e homens da SS ostentando a suástica alinharam-se pelas ruas para a procissão episcopal. Na mesma noite, desfilaram defronte do palácio de Galen em uma procissão à luz de tochas. A reconciliação de nazismo e catolicismo parecia completa – pelo menos por enquanto.[140]

IV

A destruição dos partidos Comunista, Social-Democrata e de Centro foi a parte mais difícil da ofensiva nazista para criar um Estado de partido único. Juntas, essas três legendas representavam muito mais eleitores que o Partido Nazista jamais conquistou em uma eleição livre. Em comparação aos problemas que esses três apresentaram, livrar-se dos outros partidos foi fácil. A maioria deles havia perdido virtualmente cada voto e cadeira que havia um dia possuído no Reichstag. Estavam maduros para serem colhidos um por um. No início de 1933, o único deles que havia pertencido à coalizão de partidos que apoiara a República de Weimar desde o princípio, o Partido do Estado (antes Democrata) estava à deriva, impotente e à mercê dos acontecimentos, reduzido a duas cadeiras no Reichstag e emitindo apelos patéticos aos outros partidos para colocar seus deputados sob sua legenda. Continuou a anunciar a oposição aos nazistas, mas ao mesmo tempo defendia a revisão da Constituição em uma direção inequivocamente autoritária. Fracassou em ampliar seu apoio nas eleições de março de 1933, embora, ao anexar seus candidatos à lista muito mais bem apoiada do Partido Social-Democrata, tenha aumentado a representação no Reichstag de duas para cinco cadeiras. Com fortes reservas, mas de forma unânime, os deputados do partido, incluindo o antigo presidente federal alemão Theodor Heuss, votaram a favor da Lei Plenipotenciária em 23 de março de 1933, acovardados pela ameaça de Hitler de um banho de sangue caso a votação fosse contrária. Na prática, os votos não fizeram diferença, como eles deviam saber. O líder da bancada parlamentar do partido, Otto Nuschke, começou a assinar suas cartas oficiais com a "saudação de liberdade alemã" e instou pelo reconhecimento da legitimidade do governo. Enquanto isso, os funcionários públicos, que haviam sido um elemento importante no partido, abandonavam-no em massa para se juntar aos nazistas a fim de manter os empregos. Desde que o partido havia sido empurrado para a periferia nas eleições de 1930, houve discussões repetidas sobre a questão de se valia a pena continuar. Os camisas-pardas deflagraram uma nova campanha de terror sobre os poucos deputados, funcionários e vereadores restantes que declaravam publicamente a lealdade ao partido. O governo então despojou os deputados do Partido do Estado de seus assentos no Reichstag, sob a alegação de que haviam ficado na lista dos social-democratas na eleição de março e eram, portanto, social-democratas. Depois disso, a liderança do partido finalmente desistiu e declarou o Partido do Estado formalmente dissolvido em 28 de junho de 1933.[141]

O Partido Popular, que se havia deslocado muito para a direita após a morte de seu líder na maior parte dos anos de Weimar, Gustav Stresemann, em 1929, começou a repelir sua ala liberal em 1931 – sendo "liberal" definido nessa época como apoio ao governo de Brüning, mais uma medida do quanto o espectro político havia guinado para a direita – e se mobilizou a favor de uma coalizão geral de todas as forças nacionalistas, inclusive os nazistas. Entretanto, quanto mais o partido perdia apoio eleitoral, mais se desintegrava em um caos de facções rivais. Com apenas sete cadeiras no Reichstag depois de julho de 1932, o Partido Popular havia sido empurrado para a marginalidade política. Seu líder na ocasião, o advogado Eduard Dingeldey, achou uma boa ideia unir forças com os nacionalistas em uma lista eleitoral comum em novembro de 1932. Isso afastou os liberais que restavam no partido, mas fracassou em trazer quaisquer ganhos reais. Alarmado com mais esse sinal de dissolução, Dingeldey abandonou o pacto com os nacionalistas na eleição seguinte, tendo como resultado a conquista pelo Partido Popular de duas cadeiras em março de 1933. Isso foi tudo que sobrou da orgulhosa tradição do Partido Nacional Liberal da Alemanha, que havia dominado o Reichstag na década de 1870 e feito muita coisa para suavizar os ásperos contornos da criação de Bismarck com uma ampla palheta de legislação liberal. Enquanto Dingeldey afastava-se da política por dois meses em função de uma grave enfermidade, os membros remanescentes do partido, e em particular funcionários públicos com medo de perder o emprego, começaram a sair em grande quantidade, enquanto outros, guiados pelo líder adjunto, insistiram para o partido dissolver-se e se fundir formalmente com os nazistas. Quando Dingeldey conseguiu evitar isso, a ala direita do partido renunciou. Seus esforços para obter uma audiência com Hitler ou Göring foram rechaçados. Na atmosfera geral de intimidação, temendo pela segurança dos funcionários e deputados que restavam no partido, Dingeldey anunciou a dissolução do Partido Popular a 4 de julho. Como recompensa, obteve uma audiência com Hitler três dias depois, e a garantia do Líder nazista de que ex-membros do partido não sofreriam nenhuma discriminação devido ao passado político. Não é preciso dizer que isso não impediu os nazistas de forçar a renúncia de ex-deputados do Partido Popular nos legislativos de toda a Alemanha, nem de demitir funcionários públicos com base na oposição ao movimento nacional-socialista. Os protestos de Dingeldey contra tais ações foram repelidos com desdém.[142]

O Partido Nacionalista sob Alfred Hugenberg não tinha sido mais bem-sucedido que os dois partidos liberais quanto aos resultados eleitorais.

Havia perdido quase todos os votos para os nazistas no início da década de 1930. Contudo, considerava-se o principal parceiro de coalizão dos nazistas, que sempre tratou com certa condescendência. As lideranças nacionalistas saudaram o fato de o gabinete de Hitler marcar o final definitivo do sistema parlamentarista e o início de uma ditadura. Hugenberg fez campanha vigorosa nas eleições de 5 de março de 1933 para uma maioria geral com os nazistas que proporcionaria legitimidade popular para essa transformação. Contudo, os líderes nacionalistas estavam desconfortavelmente cientes de que isso os deixava extremamente vulneráveis. Advertiram contra o "socialismo" dos nazistas e pleitearam um governo não partidário. É claro que os nazistas tiveram o cuidado de manter a ilusão de uma coalizão genuína durante a campanha. Nenhum jornal nacionalista foi proibido, nenhuma reunião nacionalista foi invadida e nenhum político nacionalista foi detido. Mas a repressão e a violência maciças da campanha foram exercidas por inteiro em favor dos nazistas. Em 5 de março, os nazistas obtiveram sua recompensa, aumentando a representação no Reichstag de 196 para 288 cadeiras. Os nacionalistas, por outro lado, não conseguiram melhorar sua situação de modo significativo, passando de 51 para 52 assentos. Esses assentos e os 8% da votação que eles representavam eram suficientes para empurrar a coalizão acima da marca dos 50%. Mas os resultados eleitorais demonstraram vividamente o quanto os parceiros de coalizão eram desiguais. Nas ruas, as "ligas de combate" paramilitares associadas aos nacionalistas não podiam de modo algum competir com o poderio dos camisas-pardas e da SS. E os nacionalistas tinham fracassado em conquistar a lealdade incondicional dos Capacetes de Aço, o principal grupo paramilitar que parecia compartilhar de suas ideias políticas.

O resultado da eleição de março mudou o relacionamento entre os dois partidos de maneira fundamental. Com os comunistas agora fora do Legislativo, os nazistas não mais precisavam dos nacionalistas para formar uma maioria geral, embora de certo modo ainda não possuíssem os dois terços necessários para alterar a Constituição. Hitler e Göring começaram então a deixar brutalmente claro para Hugenberg que eles estavam dando as cartas. A aprovação da Lei Plenipotenciária com o apoio dos nacionalistas tornou-se mais palatável para os membros mais conservadores do partido mediante a prévia abertura formal do Parlamento em Potsdam, com sua clara referência às tradições bismarckianas que eles se dedicavam a renovar. Mas, tão logo a Lei Plenipotenciária havia passado, Hitler não tardou em declarar que não podia haver nenhuma questão quanto a restaurar o que ele classificou como a instituição falida da monarquia. Foi nesse ponto que os nazistas enfim começaram a aplicar sobre os nacionalistas as mesmas pressões que os outros partidos já sofriam desde o meio de fevereiro. Em 29 de março, o escritório do líder da bancada do partido no Reichstag, Ernst Oberfohren, foi revistado, e no dia seguinte sua casa foi alvo de uma batida. Os nazistas revelaram que documentos lá encontrados mostravam que Oberfohren era o autor de cartas anônimas atacando Hugenberg. Isso bastou para persuadir o líder do partido a abrir mão da intenção de reclamar. Oberfohren também estivera manifestando um suspeito interesse minucioso sobre as circunstâncias em que o Reichstag havia sido queimado, sugerindo que ele compartilhava da visão comunista de que o incêndio criminoso havia sido organizado pelos nazistas. Avisado pela batida em sua casa, Oberfohren renunciou ao mandato imediatamente. Enquanto isso, outro nacionalista importante também começou a sofrer pressão. Gunther Gerecke, comissário do Reich para Criação de Emprego, foi acusado de peculato. O chefe da Liga da Terra do Reich, uma organização tradicionalmente próxima dos nacionalistas, foi demitido por especular de forma ilícita no mercado de grãos. E começaram a chegar relatos sobre a demissão de funcionários públicos que admitiam abertamente sua filiação ao Partido Nacionalista.[143]

Os nacionalistas tinham entrado na coalizão em 30 de janeiro achando que eram os parceiros superiores em uma aliança com um movimento político imaturo e inexperiente que teriam facilidade em controlar. Dois meses depois, tudo isso havia mudado. Em meio a temores manifestados reservadamente sobre as consequências destrutivas de uma revolução nazista total, eles agora reconheciam, impotentes, a impossibilidade de evitar ações ilegais contra seus membros por um governo do qual ainda eram um parceiro formal. Nessas condições, pareceu mais sábio adaptar-se à nova ordem pós--democrática. Hugenberg obteve uma reestruturação da organização do partido que tornou o "Princípio da Liderança" fundamental em todos os níveis. Após isso, os nacionalistas trocaram sua designação formal de

Partido Popular Alemão-Nacionalista para Frente Alemã-Nacionalista, para deixar claro que a ideia de partidos políticos era coisa do passado. Mas essas mudanças apenas privaram Hugenberg dos últimos vestígios de legitimidade democrática e com isso deixaram sua posição ainda mais exposta que antes. Os nazistas de Berlim e do país em geral criticavam e pressionavam publicamente cada uma das instituições e organizações que Hugenberg considerava sob sua égide, em meio a uma campanha maledicente de que ele estava emperrando a "revolução nacional".

Órgãos regionais do Partido Nazista começaram então a declarar que Hugenberg, como ministro prussiano da Agricultura, não mais desfrutava da confiança dos camponeses. Havia rumores de que ele estava prestes a renunciar aos cargos na Prússia. A reação de Hugenberg a essas tentativas de miná-lo foi ameaçar sair do gabinete. Ele acreditava que, fazendo isso, invalidaria a Lei Plenipotenciária, uma vez que se aplicava apenas ao que denominava de o "atual governo". Entretanto, o teórico constitucional Carl Schmitt, um influente apoiador dos nazistas, já havia declarado que, por "atual governo", a lei não se referia ao grupo específico de ministros no cargo quando foi aprovada, mas ao "tipo de governo completamente diferente" que passara a existir com o fim do sistema político partidário. Assim, o "atual governo", e com ele a validade da Lei Plenipotenciária, não seria afetado pela renúncia desse ou daquele ministro; em vez disso, sua natureza era determinada por seu Líder.[144] A ameaça de Hugenberg era vazia, mais um exemplo da futilidade da argumentação legalista em face da pressão nazista. Enquanto isso, a ameaça de violência nazista contra seus apoiadores ficou cada vez mais explícita. Em 7 de maio, Ernst Oberfohren, já enxotado do cargo pelos nazistas, foi encontrado morto; no clima reinante de intimidação implacável dos nazistas, muitos corretamente recusaram-se a acreditar na história oficial de que ele havia dado um tiro em si mesmo. Houve relatos de detenção de funcionários nacionalistas locais e proibição de alguns encontros nacionalistas. Os nacionalistas ficaram sob pressão crescente para dissolver seus "grupos de combate" paramilitares. A essa altura, tais grupos, na maior parte organizações estudantis e de jovens, haviam aumentado seu contingente para 100 mil no rastro do "levante nacional" e com isso eram fortes o bastante para causar certa preocupação aos nazistas.

Em 30 de maio de 1933, alguns líderes nacionalistas encontraram-se com Hitler para reclamar da pressão crescente para desistir da autonomia. Depararam-se com um "ataque histérico de raiva" no qual o líder nazista berrou que deixaria sua "SA abrir fogo e preparar um banho de sangue de três dias... até não sobrar nada", se os paramilitares nacionalistas não se dissolvessem por sua própria vontade. Foi o bastante para abalar a já fraca decisão dos nacionalistas de resistir. No meio de junho, Hitler em pessoa ordenou a dissolução das organizações estudantis e de jovens nacionalistas e o confisco de seus bens. Lideranças nacionalistas associadas a esses grupos, inclusive Herbert von Bismarck, que também era secretário de Estado na administração prussiana, foram detidas e interrogadas; confrontado com a suposta evidência da infiltração dos grupos por elementos marxistas, Bismarck confessou que não fazia ideia do quanto as coisas tinham ficado ruins.

A essa altura, lideranças nacionalistas, como o historiador católico de ultradireita Martin Spahn, haviam declarado que não podiam servir a dois líderes e começaram a desertar para os nazistas. As humilhações cotidianas que o "Líder" nacionalista Hugenberg tinha que sofrer no gabinete tornaram-se cada vez mais pronunciadas. Quando ele exigiu publicamente, em uma conferência econômica internacional, a devolução das colônias africanas alemãs sem consultar o gabinete de antemão, o governo também o repudiou publicamente, embaraçando-o diante do mundo inteiro. Em 23 de junho, seus colegas não nazistas de gabinete, Papen, Neurath, Schwerin von Krosigk e Schacht, uniram-se a Hitler na condenação de seu comportamento. O discurso planejado por Hugenberg em um encontro político nacionalista, em 26 de junho, foi proibido pela polícia. Reclamando amargamente de que era constantemente obstruído em seus deveres ministeriais e atacado em público pela imprensa nazista, entregou sua renúncia de forma ostensiva a Hindenburg no mesmo dia.

Claro que Hugenberg não pretendia realmente deixar o governo. Mas o idoso presidente falhou por completo em satisfazer suas expectativas; em vez de rejeitar a carta e interceder junto a Hitler conforme era de se esperar, Hindenburg não fez nada. Um encontro com Hitler para tentar resolver a situação de forma amigável apenas provocou Hitler a exigir que a Frente Alemã-Nacionalista fosse dissolvida caso a renúncia de Hugenberg viesse a ser rejeitada. Se isso não acontecesse, "milhares" de funcionários públicos nacionalistas e empregados estatais seriam demitidos, disse ele. Mas a alternativa era falsa; Hitler jamais teve qualquer intenção de permitir que Hugenberg, o último membro independente do gabinete com alguma estatura política, retirasse a renúncia. Enquanto Hitler relatava triunfante a saída de Hugenberg do gabinete, as outras lideranças da Frente Alemã-Nacionalista reuniram-se com Hitler para concluir um "Acordo de Amizade" no qual concordavam com a "autodissolução" do partido.[145] As condições acordadas pelos nacionalistas – parceiros formais da coalizão de Hitler – eram superficialmente menos opressoras que aquelas concedidas a outros partidos; mas, na prática, os nazistas forçaram todos os deputados ou legisladores eleitos de cujas ideias não gostavam, tais como Herbert von Bismarck, a renunciar a seus mandatos, e só aceitaram aqueles em que podiam confiar que seguiriam ordens sem questioná-las. As garantias de que servidores públicos nacionalistas não sofreriam por causa do passado político não foram tratadas como obrigatórias pelo regime. O "Acordo de Amizade" não passava de uma rendição abjeta.

Com os partidos dissolvidos, as igrejas subjugadas, os sindicatos abolidos e o Exército neutralizado, ainda havia um jogador político importante com o qual lidar: os Capacetes de Aço, a organização paramilitar de veteranos ultranacionalistas. Em 26 de abril de 1933, após longas negociações, Franz Seldte, líder dos Capacetes de Aço, juntou-se ao Partido Nazista e colocou os Capacetes de Aço sob a liderança política de Hitler com a garantia de que continuariam a existir como organização autônoma de veteranos de guerra. Aqueles que se opuseram a essa manobra, como o líder conjunto da organização, Theodor Duesterberg, foram sumariamente exonerados. Uma rápida expansão em número, para talvez mais de 1 milhão, compreendendo veteranos de guerra oriundos de uma variedade de organizações recentemente banidas, inclusive a Reichsbanner, diluiu ainda mais o comprometimento político dos Capacetes de Aço e os expôs às críticas dos nazistas. Como polícia auxiliar, os Capacetes de Aço haviam dado suporte às ações das tropas de assalto nazistas nos meses anteriores, por um lado sem participar totalmente, e por outro sem tentar contê-las. Sua posição era bem parecida com a do Exército, de quem de fato consideravam-se uma reserva armada, experiente e plenamente treinada. Seu líder Franz Seldte era membro do gabinete e se mostrou completamente incapaz de fazer frente às provocações de Hitler e Göring. Em maio, os Capacetes de Aço estavam completamente neutralizados como força política.[146]

No final de maio, portanto, Hitler deu o próximo passo, acusando os Capacetes de Aço com alguma plausibilidade de estarem infiltrados por um número substancial de ex-comunistas e social-democratas em busca de um substituto para suas organizações paramilitares agora banidas. Eles foram incorporados à força pela SA, embora ainda retendo vestígios suficientes de sua autonomia anterior para dissuadi-los de resistir. A presença do líder Franz Seldte no gabinete parecia garantir para a maior parte dos Capacetes de Aço a continuação de sua influência naquilo que importava. As funções de exército de reserva e de associação de assistência a veteranos prosseguiram. Mesmo em 1935, renomeados de Liga dos Combatentes da Frente Nacional-Socialista Alemã, ainda declaravam ter meio milhão de filiados. A meta dos Capacetes de Aço de destruição da democracia de Weimar e retorno de um regime nacionalista autoritário haviam evidentemente sido atingidas; quais as possíveis bases que poderiam ter para se opor à incorporação às fileiras dos camisas-pardas de Ernst Röhm? A fusão causou um caos organizacional por um tempo, mas privou efetivamente os nacionalistas de qualquer chance remanescente de serem capazes de mobilizar oposição nas ruas às ferozes tropas de assalto da SA.[147]

Assim, os grupos paramilitares haviam sido fechados de modo tão efetivo quanto os partidos políticos. No verão de 1933, a criação de um Estado de partido único estava quase completa. Apenas Hindenburg permanecia como um obstáculo potencial à conquista do poder total, uma nulidade senil aparentemente sem qualquer resto de vontade própria, cujo cargo havia sido neutralizado pelas disposições da Lei Plenipotenciária. O Exército havia concordado em ficar no segundo plano. As empresas tinham entrado na linha. Em 28 de junho de 1933, Joseph Goebbels já celebrava a destruição dos partidos, dos sindicatos e dos paramilitares e sua substituição pelo monopólio do poder do Partido Nazista e de suas organizações afiliadas: "A via para o Estado total. Nossa revolução tem um dinamismo excepcional".[148]

Colocando a Alemanha na linha

I

Na manhã de 6 de maio de 1933, um grupo de caminhonetes estacionara em frente ao Instituto de Ciência Sexual do doutor Magnus Hirschfeld no elegante distrito de Tiergarten em Berlim. De dentro delas saltaram estudantes da Escola de Educação Física de Berlim, membros da Liga dos Estudantes Nacional-Socialistas Alemães. Dispuseram-se em formação militar e, enquanto alguns pegavam trompas e tubas e começavam a tocar música patriótica, os outros marcharam para dentro do prédio. As intenções eram claramente inamistosas. O Instituto de Hirschfeld era bem conhecido em Berlim, não só pelas causas que defendia, como a legalização da homossexualidade e do aborto, e pelas populares aulas noturnas de educação sexual, mas também pela abrangente coleção de livros e manuscritos sobre assuntos sexuais, montada pelo diretor desde antes da virada do século. Em 1933, abrigava entre 12 mil e 20 mil livros – as estimativas variam – e uma coleção ainda maior de fotografias de temas sexuais.[149] Os estudantes nazistas que irromperam instituto adentro em 6 de maio de 1933 trataram de despejar tinta vermelha em cima dos livros e manuscritos, jogaram futebol com fotografias emolduradas, deixando o chão coberto de cacos de vidro, e vasculharam armários e gavetas, jogando os conteúdos no chão. Quatro dias depois, mais caminhonetes chegaram, dessa vez com tropas de assalto carregando cestas, nas quais amontoaram todos os livros e manuscritos que conseguiram e levaram para a Praça da Ópera. Ali ergueram uma pilha gigante e atearam fogo. Dizem que cerca de 10 mil livros foram consumidos na conflagração. Enquanto a fogueira ardia noite afora, os estudantes carregaram um busto do diretor do instituto para a praça e o lançaram às chamas. Informados de que Hirschfeld, com 65 anos, estava no exterior recuperando-se de uma enfermidade, os camisas-pardas disseram: "Então pode-se esperar que ele morra sem nós; não será necessário enforcá-lo ou espancá-lo até a morte".[150]

Hirschfeld, sabiamente, não voltou para a Alemanha. Enquanto a imprensa nazista reportava em tom triunfante a "ação enérgica contra uma loja de veneno" e anunciava que "estudantes alemães fumigaram o Instituto de Ciência Sexual" dirigido pelo "judeu Magnus Hirschfeld", o venerável reformista do sexo e defensor dos direitos homossexuais permaneceu na França, onde morreu repentinamente em seu 67º aniversário, a 14 de maio de 1935.[151] A destruição do instituto foi apenas uma parte, ainda que a mais espetacular, de uma investida na qual os nazistas retrataram o movimento judeu que subvertia a família alemã. Sexo e procriação deveriam estar ligados de forma indissolúvel, pelo menos para os racialmente aprovados. Os nazistas agiram com igual aprovação de conservadores e católicos para destruir cada ramificação dos muitos grupos de pressão viva e intrincadamente interconectados da Alemanha de Weimar a favor da liberdade sexual, da reforma da lei do aborto, da distribuição pública de conselhos sobre anticoncepcionais e tudo mais que achavam que estava contribuindo para o declínio contínuo da taxa de natalidade alemã. Reformistas sexuais, como o freudiano Wilhelm Reich ou a defensora de longa data da reforma do aborto Helene Stöcker, foram forçados ao exílio, com suas organizações e clínicas fechadas ou tomadas pelos nazistas. A polícia, enquanto isso, realizava batidas em conhecidos pontos de encontro de homossexuais que antes haviam tolerado tacitamente, ao passo que em Hamburgo detiveram centenas de prostitutas no distrito portuário, agindo, de modo um tanto bizarro, com base no decreto do incêndio do Reichstag "para a proteção do povo e do Estado". Quando mais não seja, as batidas ilustraram como o decreto podia ser usado como legitimação para quase qualquer ato de repressão das autoridades. A legalidade dúbia dessa ação foi decidida em 26 de maio de 1933, quando o gabinete fez emendas à lei liberal contra doenças sexualmente transmissíveis aprovada em 1927. As emendas não apenas recriminalizaram a prostituição, efetivamente legalizada em 1927, como reintroduziram a proibição legal da publicidade e da educação relativas a aborto e abortivos.[152] Dentro de curto período, os nazistas haviam desmantelado todo o movimento de reforma sexual e estendido restrições legais sobre a sexualidade, desde leis punitivas existentes contra relações com o mesmo sexo até muitos outros tipos de atividade sexual que não eram direcionados ao aumento da taxa de natalidade.

Os ataques à liberação sexual já se prenunciavam nos últimos anos da República de Weimar. Os anos de 1929-32 tinham assistido a uma tremenda controvérsia pública sobre a reforma da lei do aborto, incitada pelos comunistas e refletindo a necessidade de muitos casais de evitar ter filhos em situação de terrível pobreza e desemprego. Enormes manifestações, comícios, petições, filmes, campanhas de jornal e coisas do tipo atraíram a atenção para os temas do aborto ilegal e da ignorância sobre prevenção da gravidez, e a polícia proibiu uma série de encontros realizados por reformistas sexuais. Em 1º de março de 1933, um novo decreto sobre seguro de saúde legitimou o fechamento de clínicas de aconselhamento em saúde financiadas pelo Estado em todo o país, posto em vigor durante as semanas seguintes por gangues de camisas-pardas. Médicos e equipes foram postos na rua; muitos, sobretudo se fossem judeus, foram para o exílio. Os nazistas argumentaram que todo o sistema de medicina social desenvolvido pela República de Weimar era montado para evitar a reprodução dos fortes por um lado e sustentar as famílias dos fracos por outro. A higiene social deveria ser abolida; a higiene racial devia ser introduzida em seu lugar.[153] Isso significava, conforme alguns eugenistas vinham argumentando desde o final do século XIX, reduzir de modo drástico o fardo dos fracos sobre a sociedade mediante a introdução de um programa para evitar que tivessem filhos.

Essas ideias haviam obtido grande e rápida aceitação entre médicos, assistentes sociais e administradores da previdência durante a Depressão. Bem antes do final da República de Weimar, os especialistas haviam agarrado a oportunidade propiciada pela crise financeira para argumentar que o melhor modo de reduzir o fardo impossível da previdência sobre a economia era impedir a classe mais baixa de se reproduzir, submetendo-a à esterilização forçada. Assim, não levaria muitos anos para haver menos famílias indigentes para se sustentar. Também não tardaria para o número de alcoólicos, "indolentes", deficientes mentais, gente propensa ao crime e fisicamente incapacitada ser drasticamente reduzido na Alemanha – com base na suposição dúbia, claro, de que todas essas condições eram basicamente de natureza hereditária –, e a previdência estatal seria capaz de direcionar seus minguados recursos para os pobres merecedores. Instituições protestantes de caridade, influenciadas por doutrinas de predestinação e pecado original, de modo geral saudaram tais ideias; os católicos, amparados por um rígido aviso do papa em uma encíclica de 1930 de que casamento e intercurso sexual eram unicamente para fins de procriação e de que todos os seres humanos eram dotados de uma alma imortal, foram intensamente contrários. O apelo da abordagem eugenista, mesmo para reformistas de mente liberal, era ampliado pelo fato de que os sanatórios mentais começaram a lotar rapidamente a partir de 1930, à medida que as famílias não mais conseguiam arcar com o cuidado de membros doentes ou incapacitados, ao mesmo tempo em que os orçamentos desses asilos eram drasticamente cortados pelas autoridades regionais e locais. Em 1932, o Conselho de Saúde Prussiano reuniu-se para discutir uma nova lei permitindo a esterilização eugênica voluntária. Esboçada pelo eugenista Fritz Lenz, que vinha considerando tais políticas desde muito antes da Primeira Guerra Mundial, a lei dava o poder de aconselhamento e aplicação a funcionários médicos e da previdência cuja palavra os pobres, os confinados e os deficientes teriam enorme dificuldade em contradizer.[154]

Isso foi apenas parte de um arrocho muito mais amplo naquilo que os respeitáveis viam como várias formas de desvio social. No auge da crise econômica, nada menos que 10 milhões de pessoas recebiam algum tipo de assistência pública. À medida que os partidos democráticos eram fechados, os legislativos municipais e estaduais eram tomados e transformados em assembleias de claques dos chefes nazistas locais, e os jornais eram destituídos da capacidade de investigar livremente matérias de interesse social e político, agências do bem-estar social, como a polícia, ficavam livres de qualquer tipo de fiscalização ou controle públicos. Assistentes sociais e administradores da previdência já há muito estavam propensos a ver os requerentes como parasitas e preguiçosos. Agora, encorajados pelos novos funcionários de alto escalão empossados pelas administrações nazistas locais e regionais, podiam dar rédea solta a seus preconceitos. Regulamentações aprovadas em 1924 permitiam às autoridades tornar os benefícios dependentes de o requerente concordar, em "casos adequados", em trabalhar em projetos de serviços comunitários. Estes já haviam sido introduzidos em escala limitada antes de 1933. Em Duisburg, 3,5 mil pessoas trabalhavam em projetos de serviço compulsório em 1930, e Bremen estava tornando tal emprego uma condição para o recebimento de benefícios desde o ano anterior. Mas, na terrível situação econômica do início da década de 1930, apenas uma pequena proporção dos desempregados era atendida – 6 mil de 200 mil pessoas eram beneficiárias em Hamburgo em 1932, por exemplo. Entretanto, dos primeiros meses de 1933 em diante, o número aumentou rapidamente. Tal trabalho não era emprego no sentido pleno da palavra, não envolvia seguro de saúde ou contribuição para a aposentadoria, por exemplo; de fato, nem sequer era remunerado: tudo o que os contratados obtinham eram o amparo da previdência, e às vezes mais alguns trocados para o transporte ou um almoço grátis.[155]

O trabalho era supostamente voluntário, e os projetos eram gerenciados pela iniciativa privada de instituições de caridade, como as associações assistenciais da Igreja, mas o elemento voluntário tornou-se rapidamente menos visível depois de março de 1933. O problema urgente do desemprego em massa estava sendo tratado em primeiro lugar pela coerção. Um projeto típico foi o programa "Auxílio à Fazenda" de março de 1933, que retomou iniciativas já lançadas pela República de Weimar para ajudar a economia rural convocando jovens desempregados das cidades para trabalhar na terra em troca de casa, comida e pagamento nominal. Mais uma vez, não se tratava de emprego no sentido exato da palavra, mas, em agosto de 1933, já havia retirado 145 mil pessoas do registro de desemprego, 33 mil delas mulheres. Desde 1931, administradores locais responsáveis pelos sem-teto de Hamburgo afirmavam que estavam tornando a vida dos destituídos desagradável e forçando-os a buscar apoio em outro lugar. Tais atitudes tornaram-se rapidamente mais disseminadas em 1933. O número de pernoites no abrigo da polícia de Hamburgo caiu de 403 mil para 299 mil em 1933, em grande parte como resultado da política de coibição. Os funcionários começaram a argumentar que vadios e "indolentes" deviam ser mandados para campos de concentração. Em 1º de junho de 1933, o Ministério do Interior da Prússia emitiu um decreto para a supressão da esmola pública. Pobreza e indigência, já estigmatizadas antes de 1933, começaram agora a ser também criminalizadas.[156]

Os policiais, livres dos constrangimentos da fiscalização democrática, deflagraram uma série de batidas de larga escala nos clubes e pontos de encontro das quadrilhas de Berlim, redes do crime organizado, em maio e junho de 1933, como parte de uma campanha contra criminosos profissionais. Recintos que consideravam antros de gangues criminosas também eram centros de apoio aos comunistas e seus patrocinadores. Tal arrocho só foi possível após a Liga dos Combatentes da Frente Vermelha ter sido esmagada; também constituiu mais uma intimidação à população local. Visto que os nazistas consideravam o crime, e em particular o crime organizado, como pesadamente dominado por judeus, não é de surpreender que a polícia também tenha dado batidas em cinquenta pontos do "Bairro do Celeiro" *(Scheunenviertel)* de Berlim em 9 de junho de 1933, distrito conhecido não somente pela pobreza, mas também pela elevada população judaica. Nem é preciso dizer que a associação existia quase totalmente apenas na mente dos nazistas.[157] As quadrilhas foram implacavelmente esmagadas, com seus membros levados em custódia preventiva sem julgamento e seus clubes e bares fechados.[158]

No sistema penal, no qual muitas dessas pessoas enfim acabariam, o problema cada vez maior dos pequenos crimes já havia levado a uma pressão em favor de políticas mais severas e mais coercitivas nas prisões estatais. Nos últimos anos da República de Weimar, administradores e especialistas penais haviam argumentado em favor do encarceramento indefinido ou confinamento de segurança de criminosos habituais cuja degeneração hereditária, presumia-se, tornavam-nos incapazes de melhorar. Cada vez mais pensava-se que o confinamento de segurança era a resposta a longo prazo para o fardo que esses infratores supostamente impunham à comunidade. De acordo com o criminologista ou o diretor de prisão que fazia a estimativa, algo entre um em cada treze, ou um em cada dois detentos enquadrava-se nessa categoria no final da década de 1920. O confinamento de segurança foi incluído nos esboços finais da proposta do novo Código

Criminal em preparação na segunda metade da década de 1920. Embora o projeto do código atolasse nas intermináveis altercações dos partidos políticos de Weimar, as propostas gozavam de amplo grau de anuência dentro dos sistemas penal e judicial e estava claro que não desapareceriam.[159] Não faltava a opinião de especialistas que pensavam que a esterilização de pessoas geneticamente defeituosas devesse ser compulsória.[160] A previdência estatal de Weimar tinha começado a se voltar para soluções autoritárias para a crise, soluções essas que contemplavam um grave assalto aos direitos e integridade físicos dos cidadãos. Essas medidas logo seriam adotadas pelo Terceiro Reich e aplicadas com uma severidade draconiana que poucos teriam sonhado nos tempos de Weimar. Em todo caso, de modo mais imediato, os cortes financeiros estatais estavam forçando os administradores penais e previdenciários a fazer distinções ainda mais severas entre merecedores e não merecedores, à medida que a situação das instituições estatais de um tipo e outro pioravam a ponto de ficar cada vez difícil manter todos dentro delas saudáveis e vivos.[161]

II

O arrocho não afetou apenas os politicamente suspeitos, os desviantes e marginais. Afetou cada setor da sociedade alemã. Impulsionando todo esse processo havia a tremenda explosão de violência deflagrada pelos camisas-pardas, SS e polícia na primeira metade de 1933. Relatos de espancamentos brutais, tortura e humilhação ritual de prisioneiros de todas as categorias sociais e todos os matizes de opinião política, exceto nazistas, apareciam de forma contínua na imprensa, em termos convenientemente expurgados. Longe de ser dirigido contra minorias específicas, largamente impopulares, o terror era de âmbito abrangente, afetando qualquer um que expressasse discordância em público, de qualquer direção que fosse – desviantes, vadios, inconformistas de todos os tipos.[162] A intimidação generalizada da população proporcionou a pré-condição essencial para um processo que estava em andamento por toda a Alemanha no período de fevereiro a julho de 1933: o processo, como os nazistas chamaram, de "coordenação", ou, para usar o termo alemão mais evocativo, *Gleichschaltung*, uma metáfora extraída do mundo da eletricidade, significando que todos os interruptores estavam sendo colocados no mesmo circuito, ou seja, todos poderiam ser ativados acionando-se um único interruptor central. Praticamente qualquer aspecto da vida política, social e associacional foi afetado em todos os níveis, da nação às aldeias.

A tomada nazista dos estados federados proporcionou um componente-chave nesse processo. Igualmente importante foi a "coordenação" do funcionalismo público, cuja implementação a partir de fevereiro de 1933 colocou tamanha pressão sobre o Partido de Centro que este cedeu. Poucas semanas depois da nomeação de Hitler, novos secretários de Estado – o cargo mais alto do serviço público – haviam sido indicados em vários ministérios, inclusive Hans-Heinrich Lammers na Chancelaria do Reich. Na Prússia, somando-se aos efeitos do expurgo anterior executado por Papen depois de julho de 1932, Hermann Göring substituiu 12 chefes de polícia na metade de fevereiro. De março em diante, a violência das tropas de assalto rapidamente removeu à força funcionários municipais e prefeitos locais politicamente inaceitáveis de seus cargos – 500 servidores municipais do alto escalão e 70 prefeitos até o fim de maio. Leis eliminando a autonomia dos estados federados e propiciando que cada um deles fosse governado por um comissário do Reich apontado em Berlim – todos com exceção de um eram líderes regionais do Partido Nazista – fizeram com que restassem poucos obstáculos depois da primeira semana de abril para a "coordenação" ou, em outras palavras, nazificação do serviço público em todos os níveis. Ao mesmo tempo em que os governos de estado eram derrubados, os nazistas locais, respaldados por esquadrões armados de camisas-pardas e homens da SS, ocupavam as prefeituras, aterrorizavam prefeitos e vereadores para que renunciassem e os substituíam por seus indicados. Escritórios de seguro de saúde, agências de emprego, câmaras municipais, hospitais, tribunais e todas as demais instituições estatais e públicas foram tratadas da mesma maneira. Os funcionários foram forçados a renunciar a seus cargos ou entrar para o Partido Nazista, sendo espancados e arrastados para a prisão ao se recusar.[163]

Esse expurgo maciço recebeu formato legal pela promulgação, em 7 de abril, de um dos decretos mais fundamentais do novo regime, a assim chamada Lei para a Restauração do Serviço Público Profissional. Esse nome apelava ao espírito corporativo dos funcionários públicos conservadores e continha mais do que uma insinuação de crítica às tentativas dos governos de Weimar, em especial na Prússia, de levar democratas compromissados para dentro do funcionalismo para atuar em cargos importantes. A primeira meta do novo decreto era regularizar e impor ordem centralizada à expulsão generalizada de servidores de alto e baixo escalões por meio de ações locais e regionais dos camisas-pardas e do Partido. A lei estipulava a demissão de funcionários não treinados nomeados depois de 9 de novembro de 1918, de servidores "não arianos" (definidos em 11 de abril como tendo um ou mais avós "não arianos", ou, em outra palavra, judeus, e em 30 de junho passando a incluir qualquer servidor casado com um não ariano) e qualquer um cuja atividade política prévia não garantisse confiabilidade política, ou agindo nos interesses do Estado nacionalista, como colocava a lei. Apenas aqueles que serviram na guerra em 1914-18 estavam isentos.[164]

Ao justificar a lei em 25 de abril de 1933, Hermann Göring criticou os "oportunistas" do funcionalismo público:

> Para ele foi repulsivo e repugnante ver em seu ministério, cujo corpo de funcionários públicos consistia notoriamente de mais de 60% de partidários de Severing, como os distintivos com a suástica já brotavam do solo como cogumelos depois de uns poucos dias, e como depois de quatro dias o bater calcanhares e erguer as mãos já era uma visão comum nos corredores.[165]

Muitos servidores, de fato, apressaram-se a tentar preservar o emprego tornando-se membros do Partido Nazista, unindo-se ao exército daqueles que logo ficaram conhecidos como os "Tombados de Março", em alusão aos democratas que perderam a vida nos distúrbios de março da Revolução de 1848. Entre 30 de janeiro e 1º de maio de 1933, 1,6 milhão de pessoas aderiram ao Partido Nazista, sobrepujando a filiação já existente, uma corrida desenfreada que ilustra muito bem o grau de oportunismo e *sauve qui peut* que dominava a população alemã. No verão de 1933, em áreas católicas como Koblenz-Trier e Colônia-Aachen, até 80% dos membros do Partido haviam se filiado apenas poucos meses antes. De fato, Hitler receou que esse influxo maciço mudasse o caráter do Partido, deixando-o burguês demais. Mas a curto prazo, pelo menos, significava a lealdade da maioria dos funcionários públicos ao novo regime.[166] De fato, cerca de 12,5% dos funcionários públicos de alto escalão da Prússia e em torno de 4,5% em outros locais foram demitidos como resultado da lei. Cláusulas adicionais permitiam o rebaixamento de servidores ou a aposentadoria compulsória no interesse da simplificação administrativa; o número dos atingidos foi bastante parecido. No todo, a lei afetou entre 1% e 2% do conjunto do funcionalismo profissional. As demissões e os rebaixamentos tiveram o efeito acessório, e longe de não premeditado, de reduzir os gastos do governo, bem como impor uma conformidade racial e política. Enquanto isso, em 17 de julho de 1933, Göring emitiu um decreto reservando a ele mesmo o direito de indicar funcionários de alto escalão, professores universitários e oficiais judiciários na Prússia.[167]

Particularmente importantes dentro do vasto e variado mundo dos empregados estatais eram o serviço judiciário e de promotoria. Havia uma nítida ameaça de que a violência, a intimidação e o assassinato nazistas fossem conflitantes com a lei. Um grande número de acusações de fato foi apresentado por advogados que não compartilhavam da visão que o novo regime tinha da justiça como instrumento político. Mas já estava claro que a maioria dos juízes e advogados não causaria nenhum problema. De cerca de 45 mil juízes, promotores públicos e funcionários do Judiciário na Prússia em 1933, apenas uns 300 foram demitidos ou transferidos para outras tarefas por motivos políticos, a despeito de pouquíssimos deles pertencerem ao Partido Nazista por ocasião da nomeação de Hitler como chanceler do Reich, em 30 de janeiro. Somando-se procuradores e juízes judeus demitidos (de qualquer orientação política) com base na raça, o total era de 586. Uma proporção minúscula semelhante da classe judiciária foi demitida em outros estados alemães. O Judiciário não levantou objeções sérias a essas ações. Em todo caso, o protesto coletivo tornou-se quase impossível quando as associações profissionais de juízes, advogados e escrivãos fundiram-se à força com a Liga dos Advogados Nacional-Socialistas na Frente da Lei

Alemã, comandada por Hans Frank, nomeado comissário do Reich para a "Coordenação do Sistema Judiciário nos Estados e Renovação da Ordem Legal" em 22 de abril. As restrições da Liga dos Juízes Alemães já haviam sido liquidadas quando Hitler mencionou a "irremovibilidade dos juízes" em discurso a 23 de março, e pelas promessas do Ministério da Justiça de melhorar o salário e o prestígio dos juízes. Em breve, os advogados faziam de tudo para se juntar ao Partido Nazista, visto que ministros de Justiça dos estados começaram a deixar claro que promoções e perspectivas de carreira seriam prejudicadas se não o fizessem.[168] Entre esse momento e o início de 1934, 2.250 acusações contra membros da SA e 420 contra homens da SS foram suspensas ou abandonadas, inclusive pela pressão dos bandos locais de camisas-pardas.[169]

Essas medidas fizeram parte de um expurgo maciço e de longo alcance das instituições sociais alemãs na primavera e começo do verão de 1933. Grupos de pressão econômica e associações de todos os tipos foram rapidamente colocadas na linha. A despeito de a agricultura estar nominalmente nas mãos de Alfred Hugenberg, parceiro de coalizão de Hitler, foi o líder da organização dos agricultores do Partido Nazista, Walther Darré, que deu as cartas ali, forçando a fusão dos grupos de interesse agrícola em uma organização nazista única, muito antes de Hugenberg ser enfim obrigado a renunciar ao cargo no gabinete. Muitos grupos e instituições reagiram tentando sair na frente dessa coordenação forçada. No setor empresarial, associações de empregadores e grupos de pressão, como a Associação da Indústria Alemã do Reich, incorporaram nazistas a seus quadros, declararam lealdade ao regime e fundiram-se com outros grupos de pressão para formar a Corporação da Indústria Alemã do Reich, entidade unitária. Com essa manobra espontânea, os industriais buscavam garantias que evitassem as atenções muito intrusivas do novo regime. A certa altura, o funcionário nazista Otto Wagener ocupou à força a sede da Associação da Indústria Alemã do Reich com a clara intenção de fechá-la. Seguindo-se à autocoordenação voluntária da associação, ele foi substituído como comissário de Hitler para Questões Econômicas por Wilhelm Keppler, intermediário de longa data entre os nazistas e os grandes negócios e que, ao contrário de Wagener, gozava da confiança de ambos os lados.

Em 1º de junho de 1933, as empresas deram outro passo para tentar garantir sua posição. Empresários e corporações de destaque fundaram o Donativo Adolf Hitler da Economia Alemã. Esperava-se que isso desse fim às frequentes, às vezes intimidatórias, extorsões arrancadas das empresas por grupos locais da SA e do Partido, instituindo um sistema regular e proporcional de pagamentos dos industriais para os fundos do Partido Nazista. Nos doze meses seguintes, 30 milhões de reichsmarks foram dirigidos para os cofres do Partido. Mas a iniciativa fracassou em assegurar seu objetivo primário, pois sua implantação não serviu de absolutamente nada para impedir os chefes inferiores do Partido e da SA de continuar a extorquir somas menores das empresas em nível local. Entretanto, os grandes negócios não estavam por demais preocupados. Hitler tinha saído do caminho deles ao reafirmar a seus representantes em 23 de março que não iria interferir em sua propriedade e seus lucros, ou entregar-se a quaisquer experimentos monetários excêntricos com os quais o Partido havia brincado no início da década de 1920 sob a influência de Gottfried Feder.[170] Com os sindicatos eliminados, o socialismo fora de pauta em qualquer forma e novos contratos para armas e munição já assomando no horizonte, os grandes negociadores podiam ficar satisfeitos, porque as concessões feitas ao novo regime tinham valido muitíssimo a pena.

A coordenação voluntária foi uma opção aberta a toda uma grande variedade de associações e instituições, contanto que conseguissem se ajeitar rápido o bastante. Entretanto, era mais comum que as organizações que tinham vivido uma existência relativamente segura e imperturbada por décadas ficassem confusas, divididas e fossem surpreendidas pelos eventos. Um exemplo característico foi a Federação das Associações de Mulheres Alemãs, organização que abrigava as feministas moderadas alemãs e equivalente alemão dos conselhos nacionais de mulheres, existentes em outros países por muitos anos. Fundada quase quarenta anos antes, era uma vasta e sofisticada confederação de muitos tipos de sociedades de mulheres, inclusive associações profissionais como a das professoras. Com uma composição esmagadora de classe média, a federação ficou profundamente dividida com a ascensão do nazismo, partido para o qual é provável que a maioria de seus membros estivesse votando em 1932. Algumas figuras importantes queriam combater a "masculinidade embriagada pela vitória" que viam triunfar no movimento nazista, enquanto outras insistiam em manter a tradicional neutralidade político-partidária da federação. Como as discussões se arrastavam, os nazistas resolveram o assunto para elas.

Em 27 de abril de 1933, o capítulo da federação na província de Baden recebeu uma nota curta da líder da organização das mulheres nazistas da província, Gertrude Scholtz-Klink, informando que a entidade estava dissolvida. A liderança central da federação escreveu ao ministro do Interior do Reich perguntando com certa perplexidade quais os fundamentos legais para um ato tão peremptório e assegurando que o capítulo de Baden estava longe de ser um perigo para a segurança pública. A líder nacional da Frente das Mulheres Nazistas, Lydia Gottschewski, declarou de forma um tanto vaga que o capítulo de Baden havia sido dissolvido com base na lei da revolução e anexou um formulário a ser assinado pela presidente da federação, no qual ela era convidada a submeter a federação de modo incondicional à direção de Adolf Hitler, expulsar todos os membros judeus, eleger mulheres nazistas para as posições mais elevadas e se unir à Frente das Mulheres Nazistas em 16 de maio. A federação salientou em vão a Gottschewski que apoiava a "revolução nacional", saudava as medidas eugênicas propostas pelo regime e queria desempenhar sua parte no Terceiro Reich. Em 15 de maio, confrontada pelo fato de que muitas de suas associações membros já tinham sido coordenadas em uma instituição nazista ou outra, a federação votou formalmente por se dissolver por completo, visto que sua constituição impossibilitava que pertencesse a outra organização.[171]

III

A "coordenação" nazista da sociedade alemã não parou nos partidos políticos, instituições estatais, autoridades locais e regionais, categorias profissionais e grupos de pressão econômica. O quão longe ela foi talvez seja mais bem ilustrado voltando-se ao exemplo da pequena aldeia de Northeim, no norte alemão, há muito dominada por uma coalizão de liberais e conservadores com um movimento social-democrata forte e um grupo muito menor do Partido Comunista na oposição. Os nazistas locais já tinham manipulado as eleições municipais realizadas em 12 de março concorrendo como "Lista da Unidade Nacional" e boicotando os outros partidos. O líder nazista da aldeia, Ernst Girmann, prometeu o fim da corrupção social-democrata e o fim do parlamentarismo. A despeito de tudo isso, os social-democratas saíram-se bem nas eleições locais e regionais, e os nazistas, embora tenham assumido o controle da Câmara de Vereadores, fracassaram em fazer melhor do que em julho de 1932. A nova Câmara reuniu-se em público com camisas-pardas uniformizados alinhados nas paredes, homens da SS auxiliando a polícia e gritos de *"Heil* Hitler!" pontuando os procedimentos, em uma versão local da intimidação que acompanhou a aprovação da Lei Plenipotenciária pelo Reichstag. Os quatro vereadores social-democratas tiveram permissão negada para participar de qualquer um dos comitês e não lhes foi permitido falar. Ao saírem da reunião, camisas-pardas fizeram fila para cuspir neles quando passavam. Dois renunciaram logo em seguida, os outros dois em junho.

Após o último social-democrata ter renunciado, a câmara de Northeim era usada apenas para o anúncio de medidas adotadas por Girmann; não havia discussão, e os membros ouviam em silêncio absoluto. A essa altura, cerca de 45 empregados da Câmara, na maioria social-democratas, tinham sido demitidos do gasômetro, da cervejaria, da piscina, do escritório do seguro de saúde e de outras instituições locais sob a lei do serviço público de 7 de abril de 1933. Incluindo contadores e administradores, somavam cerca de um quarto dos empregados da Câmara. Remover o prefeito, um conservador que detinha o cargo desde 1903, mostrou-se mais difícil, visto que ele resistiu a todas as tentativas para persuadi-lo a sair e aguentou um grau considerável de importunação. No fim, quando saiu em férias, a Câmara de Vereadores nazificada aprovou um voto de desconfiança contra ele e declarou o líder nazista local Ernst Girmann prefeito em seu lugar.

A essa altura, as lideranças comunistas locais de Northeim tinham sido detidas, junto com vários social-democratas, e o principal jornal da região havia começado a divulgar histórias não somente sobre o campo de concentração de Dachau, mas também sobre um muito mais próximo de

Northeim, em Moringen, que tinha mais de trezentos prisioneiros no final de abril, muitos deles de outros grupos políticos, além do principal conjunto de detentos, os comunistas. Pelo menos duas dúzias dos guardas do campo da SS eram nativos dos arredores de Northeim, e muitos prisioneiros eram soltos após um curto período no campo, de modo que o que acontecia lá devia ser muito bem sabido pelo povo da aldeia. O jornal local da cidade, antes de caráter liberal, agora reportava com frequência a detenção e aprisionamento de cidadãos por ofensas triviais, como espalhar rumores e fazer declarações abusivas sobre o nacional-socialismo. As pessoas sabiam que oposição mais séria depararia com repressão mais séria. Os oponentes do regime também eram reprimidos de outras formas: ativistas social-democratas eram demitidos do serviço, submetidos a revistas em suas casas ou espancados se se recusassem a fazer a saudação de Hitler. Seus senhorios eram pressionados a despejá-los. Os camisas-pardas submeteram a loja do líder social-democrata a um boicote. Dali em diante, sua sina foi a importunação mesquinha constante, assim como a de muitas figuras outrora importantes do movimento trabalhista local, mesmo que afastadas de toda atividade política.

Essas eram as ameaças implícitas e às vezes explícitas que jaziam por trás do processo de "coordenação" em uma aldeiazinha como Northeim, e em milhares de outras pequenas aldeias, vilas e cidades. O processo começou em março e adquiriu velocidade rapidamente durante abril e maio de 1933. Como virtualmente todas as cidadezinhas, Northeim possuía uma rica vida associacional, boa parte dela mais ou menos política, e uma parte não. O Partido Nazista local assumiu o controle de tudo de um jeito ou de outro. Alguns clubes e sociedades foram fechados ou fundidos, outros dominados. Os ferroviários de Northeim, um centro importante da rede férrea nacional, já haviam sido pressionados por nazistas em cargos importantes nos pátios de manobra a entrar para a organização de células das fábricas nazista antes mesmo de Hitler tornar-se chanceler, mas os nazistas fizeram menos progressos em lidar com outros trabalhadores até 4 de maio, quando os camisas-pardas tomaram os escritórios dos sindicatos e os aboliram por completo. Nessa época, Girmann insistia que todo clube e associação tinha que possuir uma maioria de nazistas ou Capacetes de Aço em seu comitê executivo. Associações profissionais foram fundidas às recém-fundadas

Liga dos Médicos Nacional-Socialistas e Liga dos Professores Nacional-Socialistas e organismos semelhantes, aos quais todos os interessados sabiam que tinham que se filiar se quisessem manter o próprio emprego. A popular e bem consolidada cooperativa de consumo local foi colocada sob o controle nazista, mas era importante demais para a economia do lugar para ser fechada, a despeito de os nazistas a terem atacado anteriormente como uma instituição "vermelha" que minava os negócios locais independentes. Os clubes para os inválidos de guerra foram fundidos à Associação Nacional-Socialista das Vítimas da Guerra, os escoteiros e a Ordem Jovem Alemã à Juventude Hitlerista.

A pressão inexorável para a nazificação de associações de voluntários da aldeia deparou-se com reações variadas. A maioria dos clubes de canto de Northeim se dissolveu, embora o coral dos trabalhadores tentasse ajustar-se de antemão cortando as ligações com a Liga de Canto dos Trabalhadores Alemães. O clube de canto da classe alta ("Estrofe da Canção") sobreviveu alterando seu comitê executivo e consultando o Partido Nazista local antes de alterar sua filiação. As sociedades de tiro, uma parte importante da vida local em muitas regiões da Alemanha, elegeram Girmann como comandante e foram avisadas por ele para promover o espírito militar em vez de existir apenas para fins recreativos como faziam até então. Elas sobreviveram hasteando a suástica, cantando a Canção de Horst Wessel e abrindo algumas de suas competições de tiro para o público em geral, em resposta à acusação de exclusividade social feita por Girmann. Todos os clubes de esportes locais, de associação de natação a clube de futebol e sociedades de ginástica, foram forçados a se juntar em um único Clube de Esportes de Northeim sob a liderança nazista, em meio a considerável recriminação. Alguns líderes sociais locais agiram antecipadamente para impedir os nazistas de confiscarem seus fundos. O "Clube de Embelezamento", uma associação abastada dedicada a incrementar os parques e bosques da aldeia, colocou todos seus fundos na construção de um abrigo de caça pouco além do limite da cidade antes de se dissolver. E vários grêmios locais, informados de que precisariam eleger novos comitês em 2 de maio, organizaram enormes sessões de bebida e banquetes suntuosos para acabar com os fundos que, segundo estavam convencidos, logo cairiam nas mãos dos nazistas.[172]

Esse processo de "coordenação" ocorreu na primavera e verão de 1933 em cada nível, cada cidade, município e vila por toda a Alemanha. O que restou de vida social foi a taverna local, ou acontecia na privacidade dos lares. Os indivíduos ficaram isolados, exceto quando se reuniam em uma ou outra organização nazista. A sociedade foi reduzida a uma massa anônima e indiferenciada e então reconstituída em uma nova forma na qual tudo era feito em nome do nazismo. Discordância e resistência abertas tornaram-se impossíveis; até mesmo discutir ou planejar não era mais praticável, exceto em segredo. Claro que, na prática, tal situação permaneceu uma meta em vez de uma realidade. O processo de coordenação foi menos que perfeitamente executado, e uma adesão formal à nova ordem mediante, por exemplo, a inclusão da expressão "nacional-socialista" ao nome de um clube, sociedade ou organização profissional não implicava de modo algum um genuíno comprometimento por parte dos envolvidos. Não obstante, a escala e o âmbito da coordenação da sociedade alemã foram espantosos. E o objetivo não era apenas eliminar qualquer espaço no qual a oposição pudesse se desenvolver. Ao colocar a Alemanha na linha, o novo regime quis torná-la mais receptiva à doutrinação e à reeducação de acordo com os princípios do nacional-socialismo.

Refletindo sobre esse processo alguns anos depois, o advogado Raimund Pretzel perguntou-se o que havia acontecido aos 56% de alemães que tinham votado contra os nazistas nas eleições de 5 de março de 1933. Ele se indagou como essa maioria havia se sujeitado tão depressa. Por que virtualmente toda instituição social, política e econômica da Alemanha tinha caído nas mãos dos nazistas com o que parecia uma grande facilidade? "O motivo mais simples e, se você olhar mais fundo, quase sempre o mais básico", concluiu ele, "foi medo. Juntar-se aos bandidos para evitar ser surrado. Menos clara era uma espécie de excitação, a intoxicação da unidade, o magnetismo das massas". Ele também achou que muitos haviam se sentido traídos pela fraqueza de seus líderes políticos, de Braun e Severing a Hugenberg e Hindenburg, e juntaram-se aos nazistas em um ato perverso de vingança. Alguns ficaram impressionados pelo fato de que tudo o que os nazistas tinham prognosticado parecia estar se tornando real. "Também havia (particularmente entre os intelectuais) a crença de que se poderia mudar a face do Partido Nazista tornando-se um membro, até mesmo mudar sua direção. E claro que muitos foram no embalo, queriam fazer parte de um sucesso inequívoco." Nas circunstâncias da Depressão, quando os tempos eram duros e os empregos eram escassos, as pessoas agarraram-se à rotina mecânica da vida cotidiana como a única forma de segurança; não seguir junto com os nazistas teria significado arriscar o sustento e as perspectivas, resistir poderia significar arriscar a vida.[173]

6
A revolução cultural de Hitler

Notas dissonantes

I

Em 7 de março de 1933, dois dias depois da eleição para o Reichstag, uma gangue de sessenta camisas-pardas invadiu um ensaio da ópera *Rigoletto*, de Verdi, na Ópera Estatal de Dresden, regida pelo famoso maestro Fritz Busch. Gritaram e importunaram o maestro e interromperam os procedimentos até ele ser forçado a parar. Não foi a primeira vez que um incidente desse tipo ocorreu. Em uma ocasião anterior, um grande contingente de camisas-pardas havia comprado quase todos os ingressos para um dos concertos de Busch e, quando ele subiu ao pódio, recebeu-o com cânticos estridentes de "Fora Busch!", até ele ser forçado a se retirar. Mas foi o incidente no ensaio que deu a deixa para o recém-nazificado governo da Saxônia demiti-lo do cargo. A reputação musical de Busch era considerável, mas, no que dizia respeito aos administradores de Dresden, ele era um incômodo. Busch não era judeu, nem particularmente identificado com o modernismo, atonalismo ou qualquer outra das coisas que os nazistas abominavam na música do início do século XX. Tampouco era social-democrata; na verdade, politicamente, ele era de direita. Busch adquiriu má fama entre os nazistas da Saxônia porque havia se oposto tenazmente aos planos de corte do orçamento estatal para a cultura como parte das medidas econômicas durante a Depressão. Ao chegar ao poder em Dresden, os nazistas acusaram-no de contratar cantores judeus em excesso, passar muito tempo longe de Dresden e exigir altos honorários.[1] Busch foi para a Argentina e jamais voltou, tornando-se cidadão argentino em 1936.[2]

A interrupção do concerto e ensaio de Busch deu aos comissários regionais do estado o pretexto para banir concertos e óperas sob o argumento de que poderiam suscitar desordem pública. A desordem era fomentada pelos próprios nazistas, claro, em uma nítida ilustração da dialética que impulsionou a tomada de poder tanto de cima para baixo quanto de baixo para cima. A música era um alvo particularmente importante para a coordenação. Por séculos, os compositores clássicos e românticos da Europa central haviam fornecido ao mundo a espinha dorsal do repertório musical. Grandes orquestras, como a Filarmônica de Berlim, possuíam reputação no mundo inteiro. Os dramas musicais de Wagner apresentados em Bayreuth detinham um lugar único na cultura musical mundial. Cada zona de uma cidade, cada cidadezinha ou vila maior tinha seus clubes musicais, seus corais, sua tradição de música amadora que era central não só na vida da classe média, mas também na prática cultural das classes operárias. Os nazistas não tinham sido o único partido de direita a sentir que essa grande tradição estava sendo minada pelo modernismo musical da República de Weimar, e que, do seu jeito grosseiro usual, atribuíam à "subversão judaica". Agora era a chance de endireitarem a situação.

Em 16 de março, quando o principal regente da Orquestra Gewandhaus, de Leipzig, Bruno Walter, que era judeu, mas, como Busch, de modo algum proponente da música modernista, chegou para um ensaio, encontrou as portas trancadas pelo comissário do Reich na Saxônia, sob a alegação de que a segurança dos músicos não poderia ser garantida. Dado que haveria um concerto dali a quatro dias em Berlim, Walter requereu proteção policial, mas esta foi recusada por ordem de Goebbels, que deixou claro que o concerto só iria adiante sob a batuta de um regente não judeu. Após o maestro principal da Filarmônica de Berlim, Wilhelm Furtwängler, recusar-se a reger no lugar de Walter, o compositor Richard Strauss concordou em assumir o pódio em meio a um clamor de celebrações triunfantes na imprensa nazista. Pouco depois, Walter renunciou ao cargo em Leipzig e emigrou para a Áustria. As tentativas da imprensa nazista de demonstrar que o regente manifestava simpatias comunistas provavelmente não disfarçaram para muita gente o verdadeiro motivo da campanha contra ele, que era exclusivamente racial.[3]

Entre os principais maestros alemães, Otto Klemperer era o que mais próximo se encaixava na caricatura nazista de um músico judeu. Primo do professor de literatura e memorialista Victor Klemperer, não só era judeu, mas também, como diretor da vanguardista Casa de Ópera Kroll de 1927 a 1930 (em cujo prédio, ironicamente, o Reichstag reuniu-se depois do incêndio de 27-28 de fevereiro de 1933), foi pioneiro em produções radicais e fez fama como defensor de compositores modernistas como Stravinsky. Em 12 de fevereiro, Klemperer regeu em Berlim uma produção controversa da ópera *Tannhäuser*, de Wagner, que foi condenada pela imprensa musical nazista como uma "bastardização de Wagner" e uma afronta à memória do compositor. No começo de março, o furor forçou a retirada da produção de cartaz; em breve, os concertos de Klemperer eram cancelados sob a usual alegação capciosa de que a segurança pública não poderia ser garantida se ele subisse ao pódio. Klemperer tentou salvar-se insistindo que "estava de completo acordo com o curso dos acontecimentos na Alemanha", mas logo percebeu o inevitável. Em 4 de abril, ele também deixou o país.[4] Pouco depois, a Lei do Reich para a Restauração do Serviço Público Profissional levou à demissão não somente de regentes judeus, como Jascha Horenstein em Düsseldorf, mas também de cantores e administradores de óperas e orquestras. Professores judeus em academias de música estatais (mais notadamente os compositores Arnold Schoenberg e Franz Schreker, ambos professores da Academia Prussiana de Artes em Berlim) também foram demitidos. Críticos musicais e musicologistas foram tirados de seus cargos oficiais e expulsos da imprensa alemã; o mais conhecido era Alfred Einstein, provavelmente o mais célebre crítico de música do seu tempo.[5]

Músicos judeus agora tinham os contratos cancelados por toda a nação. Em 6 de abril de 1933, por exemplo, a Sociedade Filarmônica de Hamburgo anunciou: "A escolha de solistas, que teve que ser feita em dezembro do ano passado, evidentemente será retificada, de modo que não haja artistas judeus participando. *Frau* Sabine Kalter e *Herr* Rudolf Serkin serão substituídos por artistas de raça alemã".[6] Em junho de 1933, agentes de concerto judeus foram proibidos de trabalhar. Associações musicais de todos os tipos, até corais masculinos em vilas operárias de mineiros e sociedades de apreciação de música nos pacatos subúrbios das grandes cidades, foram tomadas pelos nazistas e expurgadas de seus membros judeus. Tais medidas foram acompanhadas de uma avalanche de propaganda na imprensa musical, atacando compositores como Mahler e Mendelssohn por serem supostamente "não alemães" e alardeando a restauração de uma verdadeira cultura musical alemã. De modo mais imediato, o regime focou-se em eliminar do repertório compositores nitidamente vanguardistas e suas obras. Manifestações forçaram a retirada de cartaz de *Der Silbersee* [O lago de prata], de Kurt Weill, em Hamburgo a 22 de fevereiro, e sua música, há muito associada às peças do escritor comunista Bertolt Brecht, em seguida foi proibida por completo. No que dizia respeito aos nazistas, o fato de Weill ser judeu apenas fazia dele um alvo mais óbvio. Ele também emigrou, junto com outros compositores de esquerda, como Hanns Eisler, mais um dos colaboradores musicais de Brecht e também pupilo do compositor atonal Arnold Schoenberg.[7]

Músicos judeus que tenham conseguido permanecer foram de uma raridade extrema. Um deles foi o regente Leo Blech, figura popular e central da Ópera Estatal de Berlim, cuja performance de *O crepúsculo dos deuses*, de Wagner, foi aplaudida de pé em junho de 1933; Heinz Tietjen, o diretor da Ópera, conseguiu persuadir Göring a mantê-lo até Blech partir para a Suécia em 1938. Outros músicos judeus proeminentes, como o violinista Fritz Kreisler e o pianista Arthur Schnabel, que viveram na Alemanha por muitos anos, acharam relativamente fácil ir embora porque não eram cidadãos alemães e de todo modo eram famosos o bastante para ganhar a vida em qualquer lugar do mundo. A diva da ópera Lotte Lehmann, crítica mordaz da interferência de Göring nas atividades da Ópera Estatal de Berlim, era por sua vez uma cidadã alemã não judia, mas casada com um judeu, e foi embora para Nova York em protesto contra a política do regime. Outros, músicos humildes de orquestra, professores, administradores e assemelhados, não dispunham de tal opção.[8]

II

A política de coordenação, que afetou a vida musical assim como quase qualquer outra área da sociedade e cultura alemãs, não foi planejada apenas para eliminar alternativas ao nazismo e impor vigilância e controle sobre cada aspecto da sociedade alemã. Ao mesmo tempo em que as tropas de assalto pulverizavam os oponentes dos nazistas, Hitler e Goebbels acertavam os meios pelos quais apoiadores passivos seriam convertidos em participantes ativos da "revolução nacional-socialista", e hesitantes e céticos seriam levados a uma disposição mental mais cooperativa. O novo governo, declarou Goebbels em uma conferência de imprensa em 15 de março de 1933,

> não ficará satisfeito por muito tempo com o conhecimento de que possui 52% de apoio, ao mesmo tempo em que aterroriza os outros 48%, mas, pelo contrário, tratará como sua próxima tarefa conquistar os outros 48% para si... Não basta conciliar mais ou menos as pessoas com o nosso regime, induzi-las a uma posição de neutralidade em relação a nós; em vez disso, queremos seguir trabalhando as pessoas até que se tornem dedicadas a nós...[9]

A declaração de Goebbels é interessante por admitir que quase metade da população estava sendo aterrorizada pela ambição declarada de conquistar os corações e mentes dos que não haviam votado na coalizão na eleição de 5 de março. Haveria uma "mobilização espiritual" comparável à mobilização militar maciça de 1914. E, a fim de provocar essa mobilização, o governo de Hitler pôs em prática sua criação institucional mais original, o Ministério do Reich para Esclarecimento Popular e Propaganda, estabelecido por um decreto especial em 13 de março. O cargo de ministro, com um assento no gabinete, foi dado a Joseph Goebbels. Suas inescrupulosas e inventivas campanhas de propaganda em Berlim, onde foi líder regional do Partido Nazista, haviam conquistado a admiração de Hitler, sobretudo durante a campanha eleitoral que culminou na vitória da coalizão em 5 de março.[10]

O novo ministério foi implantado diante da oposição dos conservadores do gabinete, como Alfred Hugenberg, que desconfiavam do radicalismo "socialista" de Goebbels.[11] Ao longo dos anos anteriores, as campanhas de propaganda do novo ministro não haviam carecido de invectivas contra "reacionários" e nacionalistas como Hugenberg. Além disso, "propaganda", como o próprio Goebbels admitia, era uma palavra "muito denegrida" que "sempre deixa um gosto amargo". Com frequência, era empregada como insulto. Usar a palavra no nome de um novo ministério era, portanto, um passo ousado. Goebbels justificou isso ao definir propaganda como a arte não de mentir ou distorcer, mas de ouvir "a alma das pessoas" e de "falar com uma pessoa em uma linguagem que essa pessoa entende".[12] Contudo, não ficou bem claro quais áreas de competência seriam cobertas por "esclarecimento popular e propaganda". Originalmente, quando a criação desse ministério foi discutida pela primeira vez, no início de 1932, Hitler pretendia que cobrisse educação e cultura, mas, quando ele veio a existir, a educação havia sido reservada, de forma mais tradicional, a um ministério separado, ocupado por Bernhard Rust desde 30 de janeiro de 1933.[13] Não obstante, o objetivo primário do novo ministério de Goebbels, conforme Hitler declarou em 23 de março de 1933, era centralizar o controle de todos os aspectos da vida cultural e intelectual. "O governo", ele afirmou, "dará início a uma campanha sistemática para restaurar a saúde moral e material da nação. O conjunto de sistema educacional, teatro, filme, literatura, imprensa e radiodifusão – todos esses serão usados como meios para esse fim. Serão utilizados para ajudar a preservar os valores eternos que são parte da natureza integral de nosso povo".[14]

Que valores eram esses seria definido pelo regime, é claro. Os nazistas agiam a partir da premissa de que eles, e só eles, por meio de Hitler, tinham o conhecimento e a compreensão interiores da alma alemã. Os nazistas acreditavam que os milhões de alemães que se recusaram a apoiar o Partido Nazista – uma maioria, como vimos, mesmo nas eleições semidemocráticas de 5 de março de 1933 – haviam sido seduzidos pelo bolchevismo "judaico" e pelo marxismo, pela imprensa e meios de comunicação de domínio "judaico", pela arte e entretenimento "judaicos" da cultura de Weimar e outras forças semelhantes, não alemãs, que os haviam alienado de sua alma alemã interior. A tarefa do ministério era, portanto, reconduzir o povo alemão à sua verdadeira natureza. O povo, declarou Goebbels, tinha que começar "a pensar como um, reagir como um, e se colocar a serviço do governo com todo o coração".[15] Os fins justificavam os meios, um princípio que Goebbels estava longe de ser o único líder nazista a advogar:

> Não estamos montando aqui um Ministério da Propaganda que seja de algum modo autônomo, que represente um fim em si mesmo; esse Ministério da Propaganda é um meio para um fim. Assim, se o fim for atingido por esse meio, então o meio é bom... O novo ministério não tem outra meta além de colocar a nação toda no respaldo à ideia da revolução nacional. Se a meta for atingida, podem então condenar meus métodos irrefletidamente; seria uma questão de total indiferença, uma vez que, por seus esforços, o ministério a essa altura teria atingido suas metas.[16]

Esses métodos, prosseguiu Goebbels, tinham que ser os mais modernos disponíveis. "Não se pode deixar que a tecnologia corra na frente do Reich; o Reich tem que acompanhar a tecnologia. Apenas a coisa mais recente é boa o bastante."[17]

A fim de satisfazer essas ambições, Goebbels proveu seu ministério com jovens nazistas altamente educados, não tendo que lutar com o conservadorismo arraigado do funcionalismo público que dominava tantos órgãos de alto nível do Estado. A maioria era de membros do Partido pré-1933; quase 100 dos 350 funcionários do ministério usavam a insígnia dourada de honra do Partido. A idade média mal passava dos 30 anos. Muitos deles ocupavam o mesmo cargo, ou posto semelhante, no escritório de propaganda do Partido, também comandado por Goebbels. Em 22 de março, foram abrigados em uma sede grandiosa, o Palácio Leopoldo na Wilhelmsplatz. Construído em 1737, havia sido reformado pelo famoso arquiteto estatal prussiano Karl Friedrich Schinkel no início do século XIX. Entretanto, o estuque e o reboco sofisticados não eram modernos o bastante para o gosto de Goebbels, e ele solicitou que fossem retirados. Obter permissão para fazer isso mostrou-se uma tarefa que consumia tempo demais para o novo ministro, de modo que ele tomou um atalho, como escreveu no diário em 13 de março de 1933:

> Visto que todo mundo estava pondo obstáculos no caminho da reforma e da decoração até mesmo da minha sala, sem mais cerimônias peguei alguns operários de construção da SA e fiz com que demolissem o re-

boco e os frisos de madeira durante a noite, e arquivos que vegetavam nas prateleiras há tempos foram lançados escada abaixo com um ruído estrondoso. Apenas densas nuvens de pó foram deixadas como testemunhas da pompa burocrática desaparecida.

Logo depois de se mudar, o ministério estabeleceu departamentos separados para propaganda, rádio, imprensa, cinema, teatro e "esclarecimento popular" e obteve plenos poderes de Hitler, decretados em 30 de junho de 1933, declarando-o responsável não só por todas essas esferas de atividade, como também pelas relações públicas em geral do regime como um todo, inclusive com a imprensa estrangeira. Isso deu a Goebbels a oportunidade de suplantar as objeções de outros departamentos de Estado que consideravam que o Ministério da Propaganda estava invadindo as esferas de interesse deles. Esse era um poder de que Goebbels viria a necessitar em mais de uma ocasião nos meses e anos vindouros, à medida que empreendeu o que chamava, em tom grandioso, de "mobilização espiritual da nação".[18]

A meta mais imediata da política cultural nazista era pôr fim ao "bolchevismo cultural" que vários órgãos e representantes do Partido Nazista haviam declarado que infestava o mundo artístico, musical e literário da República de Weimar. A maneira como as autoridades nazistas fizeram isso proporcionou ainda mais exemplos, se é que eram necessários, da amplitude e da profundidade do processo de coordenação que ocorreu na Alemanha como base fundamental da conformidade social, intelectual e cultural sobre a qual o Terceiro Reich seria criado. Assim como em outras esferas da vida, o processo de coordenação da esfera cultural envolveu um expurgo geral de judeus das instituições culturais e uma rápida escalada ofensiva contra comunistas, social-democratas, esquerdistas, liberais e qualquer um de mente independente. A remoção dos judeus da vida cultural era uma prioridade específica, visto que os nazistas afirmavam que eles tinham sido os responsáveis pelo solapamento dos valores culturais alemães por meio de invenções modernistas, como a música atonal e a pintura abstrata. Na prática, é claro que essas equações não correspondiam sequer remotamente à verdade. A cultura modernista alemã não era sustentada por judeus, muitos dos quais na prática eram culturalmente tão conservadores quanto outros alemães de classe média. Mas, na brutal política de poder da primeira metade de 1933, isso pouco importava. Para o novo governo nazista, respaldado pelos nacionalistas, o "bolchevismo cultural" era uma das mais perigosas criações da Alemanha de Weimar, e uma das mais proeminentes. Conforme Hitler havia escrito em *Minha luta*, o "bolchevismo artístico é a única forma cultural possível de expressão espiritual do bolchevismo como um todo". Entre essas expressões culturais, o cubismo e o dadaísmo eram as principais, que Hitler equiparava entre outras coisas com a abstração. Quanto antes esses horrores fossem substituídos por uma cultura verdadeiramente alemã, melhor. A revolução nazista, portanto, não se referia apenas a eliminar a oposição; também se referia a transformar a cultura alemã.[19]

III

Expurgos e partidas como os que puderam ser observados na cena musical alemã nas primeiras semanas da tomada de poder nazista não ficaram sem comentário. Em 1º de abril de 1933, um grupo de músicos sediados nos Estados Unidos telegrafou ao próprio Hitler para protestar. O regime nazista reagiu no estilo característico. A rádio estatal alemã prontamente baniu a transmissão de composições, concertos e gravações envolvendo os signatários, que incluíam os regentes Serge Koussevitsky, Fritz Reiner e Arturo Toscanini.[20] O mais notável crítico doméstico do expurgo foi Wilhelm Furtwängler. Em muitos aspectos, Furtwängler era conservador. Pensava, por exemplo, que não deveriam ser atribuídas responsabilidades a judeus na esfera cultural, que a maioria dos músicos judeus carecia de genuína afinidade interior com a música alemã, e que jornalistas judeus deviam ser removidos de seus cargos. Certa vez, escreveu que nenhum não alemão jamais havia composto uma sinfonia genuína. Desconfiava da democracia e do que chamava de "sucesso judeu-bolchevista" sob a República de Weimar.[21] Não tinha, portanto, objeções por questões de princípio à chegada dos nazistas ao poder, nem se sentiu ameaçado com isso de forma alguma. Sua fama internacional era enorme. Havia sido maestro da Filarmônica de Viena na década de 1920 e desfrutado de duas temporadas de sucesso como regente convidado da Filarmônica de Nova York. Seu carisma pessoal era tão avassalador que consta ter sido pai de nada menos que treze filhos ilegítimos ao longo da carreira. Arrogante e autoconfiante, não obstante foi mais um conservador cuja avaliação dos nazistas revelou-se lamentavelmente equivocada.[22]

Diferentemente de outras orquestras, a Filarmônica de Berlim de Furtwängler não era uma corporação estatal e, assim, não estava sujeita à lei de 7 de abril que forçou a demissão de empregados estatais judeus. Em 11 de abril de 1933, Furtwängler publicou uma carta aberta a Goebbels em um jornal diário liberal declarando que não estava preparado para rescindir os contratos dos músicos judeus de sua orquestra. Os termos nos quais escreveu indicavam não somente sua autoconfiança e coragem, mas também a amplitude em que seus pontos de vista em parte coincidiam com os dos nazistas a cujas políticas agora ele fazia objeções:

> Se a luta contra os judeus dirige-se essencialmente contra artistas sem raízes e destrutivos, que buscam causar um efeito pelo virtuosismo de mau gosto ou árido e coisas do tipo, então está muito bem. A luta contra eles e o espírito que personificam, espírito que por acaso também tem representantes germânicos, deve ser conduzida com toda ênfase e consistência possíveis. Mas, se a luta é dirigida contra artistas verdadeiros, isso não é de interesse da vida cultural... Deve, portanto, ser dito claramente que homens como Walter, Klemperer, Reinhardt etc., também devem ter o direito de se expressar na Alemanha no futuro.

A demissão de tantos bons músicos judeus, disse ele a Goebbels, era incompatível "com a restauração de nossa dignidade nacional, que todos agora saúdam com muita gratidão e alegria".[23] Com desdenho olímpico, Furtwängler na prática seguiu ignorando a campanha vociferante na imprensa nazista em favor da demissão de músicos judeus de sua orquestra, a Filarmônica de Berlim, como Szymon Goldberg, o líder, e Joseph Schuster, o principal violoncelista.[24]

Goebbels era um político por demais sutil para reagir ao protesto público de Furtwängler com raiva escancarada. Sua longa resposta pública ao grande regente começou saudando a atitude positiva de Furtwängler a respeito da "restauração da dignidade nacional" pelo governo de Hitler. Mas advertiu-o de que a música alemã deveria fazer parte do processo, e que arte pela arte não estava mais na ordem do dia. Com certeza, Goebbels admitiu, arte e música tinham que ser da mais alta qualidade, mas também deviam estar "cientes de sua responsabilidade, ser perfeitas, íntimas das pessoas e plenas de espírito de luta". Distorcendo a afirmação de Furtwängler em proveito próprio, Goebbels concordou que não deveria mais haver "experimentos" em música – algo que o regente não havia dito de forma alguma – e prosseguiu advertindo-o:

> Entretanto, também seria apropriado protestar contra experimentos artísticos numa época em que a vida artística alemã é quase inteiramente determinada pela mania da experimentação de elementos que são distantes do povo e de raça estrangeira e que, portanto, poluem a reputação artística da Alemanha e a comprometem diante do mundo inteiro.

Que os músicos "alemães" tivessem contribuído para essa deformação da arte mostrava, na visão de Goebbels, o quão amplamente a influência judaica havia penetrado. Saudou Furtwängler como um aliado na luta para removê-la. Artistas genuínos como ele sempre teriam voz no Terceiro Reich. Quanto aos homens cujo silenciamento tanto havia ofendido o regente, o ministro da Propaganda do Reich pôs de lado suas demissões como algo trivial, ao mesmo tempo que desmentia de maneira dissimulada sua responsabilidade nisso:

> Reclamar que homens como Walter, Klemperer, Reinhardt etc. tiveram que cancelar concertos aqui e ali parece-me totalmente inadequado nesse momento, à luz do fato de que, nos últimos 14 anos, artistas alemães genuínos foram completamente condenados ao silêncio, e os eventos das últimas semanas, que não contam com nossa aprovação, apenas representam uma reação natural a isso.[25]

Quem eram esses "artistas alemães genuínos" ele não disse, e de fato não poderia, pois a alegação era uma invenção completa. Porém, consciente do estrago que causaria à reputação musical internacional da Alemanha se agisse de modo brusco, Goebbels submeteu o grande maestro e sua orquestra não pela confrontação direta, mas por meios mais sorrateiros. A Depressão tinha privado a Filarmônica de Berlim da maior parte dos subsídios estatais e municipais. O governo do Reich assegurou-se de que nada mais fosse repassado até a orquestra estar à beira da falência. A essa altura, Furtwängler apelou diretamente a Hitler, que, escandalizado pelo fato de a maior orquestra do país estar sob risco de encerrar as atividades, ordenou que fosse assumida pelo Reich. Assim, a partir de 26 de outubro de 1933, a Filarmônica de Berlim não foi mais independente, e Goebbels e seu ministério ficaram em uma posição favorável para sujeitá-la, o que enfim trataram de fazer.[26]

IV

A criação do que os nazistas consideravam uma cultura musical alemã verdadeira também envolveu a eliminação de influências culturais estrangeiras como o *jazz*, que julgavam fruto de uma cultura racialmente inferior, a dos afro-americanos. A linguagem racista, que era a segunda natureza do nazismo, assumia uma característica particularmente ofensiva e agressiva nesse contexto. Os compositores nazistas condenavam a "música dos negros" como sexualmente provocante, imoral, primitiva, bárbara, não alemã e completamente subversiva. Ela confirmava a visão nazista corrente sobre a degeneração americana, embora alguns escritores, de modo diplomático, preferissem enfatizar suas origens na África. Os tons sincopados do saxofone, recentemente popularizado, também receberam críticas, embora, quando as vendas do instrumento começaram a despencar como consequência disso, os fabricantes alemães tenham retrucado tentando alegar que o inventor Adolphe Sax era alemão (de fato, era belga) e salientando que o venerado compositor alemão Richard Strauss o havia usado em algumas composições. A proeminência de compositores judeus como Irving Berlin e George Gershwin no mundo do *jazz* acrescentava mais uma camada de opróbrio racial no que dizia respeito aos nazistas.[27]

Claro que muitos músicos de *jazz*, *swing* e bandas de baile da Alemanha eram estrangeiros e deixaram o país no clima hostil de 1933. Contudo, mesmo com toda a violência da polêmica nazista, o *jazz* mostrou-se quase impossível de definir, e com umas poucas mudanças rítmicas e uma conduta conformista adequada por parte dos músicos, mostrou-se bem possível para os músicos de *jazz* e *swing* continuarem tocando nos inúmeros clubes, bares, salões de baile e hotéis da Alemanha ao longo da década de 1930. Os leões de chácara das casas noturnas badaladas de Berlim, como Roxy, Uhu, Kakadu ou Ciro, barravam a entrada dos invariavelmente malvestidos espiões mandados pelos nazistas, garantindo que a clientela chique continuasse a gingar ao som do mais recente *jazz* e pseudojazz lá dentro. Se um espião conseguia entrar, o porteiro simplesmente soava uma campainha secreta e os músicos rapidamente trocavam a música antes que ele chegasse à pista de dança.

Assim, a cena social dos tempos de Weimar seguiu adiante em 1933, com poucas mudanças, exceto aquelas já forçadas pelos apertos econômicos da Depressão. Mesmo músicos judeus tiveram condições de continuar tocando nos clubes até o outono de 1933, e alguns deram jeito de seguir por mais um tempo depois disso. No famoso bar Femina de Berlim, as bandas de *swing* continuaram a tocar para mais de mil dançarinos noite afora, enquanto um sistema de 225 telefones de mesa com instruções de uso em alemão e inglês permitia aos solteiros ligar para parceiros em potencial em outros pontos do salão. O padrão da música podia não parecer muito elevado, mas liquidar com os prazeres de todo dia – ou toda noite – teria sido contraproducente, mesmo que os nazistas tivessem condições de fazê-lo.[28] Apenas onde os cantores eram francamente políticos, como nos famosos cabarés de Berlim, as tropas de assalto invadiram a sério, forçando um êxodo em massa de artistas judeus e calando ou removendo cantores e comediantes de orientação comunista, social-democrata, liberal ou esquerdista em geral. Outros deram jeito em suas apresentações removendo a política. Os nazistas, por sua vez, percebendo a popularidade dos cabarés e a necessidade de não privar as pessoas de todos seus prazeres, tentaram encorajar o "cabaré positivo", onde as piadas eram todas à custa de seus inimigos. Havia uma história de que a célebre atriz de cabaré Claire Waldoff foi audaciosa o bastante para cantar uma canção satirizando Göring baseada na música que era a marca registrada dela, "Hermann": "Medalhas à esquerda, medalhas à direita/ E o estômago dele fica cada vez maior/ Ele é o senhor da Prússia –/ O nome dele é Hermann!". Em pouco tempo, onde quer que ela cantasse a versão original de "Hermann", os ouvintes riam e apreciavam, enquanto pensavam nos versos satíricos. Mas Waldoff não compôs os versos; a piada era apenas *wishfull thinking*. E não conseguia disfarçar o fato de que os nazistas haviam tirado o atrevimento do cabaré na metade de 1933.[29] Para alguns foi demais. Paul Nikolaus, mestre de cerimônias político no famoso clube Kadeko de Berlim – "O Cabaré dos Comediantes" – fugiu para Lucerna, onde se matou em 30 de março de 1933. "Dessa vez, nada de piada", ele escreveu: "Estou tirando minha própria vida. Por quê? Não poderia voltar à Alemanha sem tirá-la aqui. Agora não posso trabalhar lá, não quero trabalhar aqui agora, e infelizmente me apaixonei por minha pátria. Não posso viver nestes tempos".[30]

O expurgo das artes

I

Os ventos gélidos do antissemitismo, antiliberalismo e antimarxismo, combinados com um grau de desaprovação moral tacanha da "decadência", também uivaram por outras áreas da cultura alemã nos primeiros seis meses de 1933. A indústria do cinema mostrou-se relativamente fácil de controlar porque, ao contrário dos cabarés ou clubes, consistia de um pequeno número de grandes empresas, algo talvez inevitável em vista do custo substancial para se fazer e distribuir um filme. Como em outros setores, aqueles que viram para que lado soprava o vento logo começaram a se curvar à pressão mesmo sem ouvir explicitamente o que tinham de fazer. Já em março de 1933, o gigantesco estúdio UFA, propriedade de Alfred Hugenberg, ainda membro do gabinete de Hitler na época, começou uma política abrangente de demissão de funcionários judeus e rescisão de contratos de atores judeus. Os nazistas em breve coordenavam a Associação Alemã dos Proprietários de Cinemas. Trabalhadores sindicalizados do cinema foram nazificados e, em 14 de julho, Goebbels implantou a Câmara de Cinema do Reich para supervisionar toda a indústria cinematográfica. Por meio dessas instituições, as lideranças nazistas e em particular Joseph Goebbels, um entusiástico conhecedor de filmes, tinham condições de regular a contratação de atores, diretores, câmeras e equipe dos bastidores. Os judeus foram gradativamente removidos de cada um dos setores da indústria, a despeito de esta não ser abrangida pela lei de 7 de abril. Atores e diretores cujas ideias políticas eram inaceitáveis para o regime foram excluídos.[31]

Sob as novas condições de censura e controle, uma minoria do pessoal da indústria cinematográfica preferiu tentar a fortuna na atmosfera mais livre de Hollywood. Entre os que a encontraram estava o diretor Fritz Lang, que havia obtido uma série de sucessos com filmes como *M, o Vampiro de Düsseldorf*, *Metrópolis* e *Os Nibelungos*, um épico que permaneceu como favorito de Hitler. *O testamento do Dr. Mabuse*, uma sátira indireta aos nazistas, foi proibido logo após a estreia, na primavera de 1933. Lang foi seguido no exílio por Billy Wilder, cujos populares filmes românticos até então haviam dado poucas pistas da audácia que ele viria a mostrar nos seus filmes em Hollywood, como *Pacto de sangue* e *Farrapo humano*. Ambos os diretores criaram alguns dos filmes de mais sucesso de Hollywood nas décadas seguintes. Outros diretores de cinema emigraram para Paris, inclusive G. W. Pabst, tcheco de nascimento, diretor do filme clássico de Weimar, *A caixa de Pandora*, e de uma versão para o cinema da *Ópera dos três vinténs*, de Bertolt Brecht e Kurt Weill, e Max Ophüls, nascido na Alemanha em 1902 como Max Oppenheimer. Entretanto, alguns diretores e estrelas de cinema alemães haviam sido seduzidos pelo poder de atração de Hollywood bem antes de os nazistas chegarem ao poder. A partida de Marlene Dietrich em 1930, por exemplo, teve mais a ver com dinheiro do que com política. Um dos poucos que foi embora como resultado direto da chegada do Terceiro Reich foi Peter Lorre, húngaro de nascimento, que havia interpretado o astuto e compulsivo assassino de crianças em *M*, de Fritz Lang; a propaganda nazista mais tarde tentou sugerir que o assassino era judeu, uma insinuação completamente ausente no filme de Lang.[32] Mas, enquanto esses emigrados atraíam a merecida atenção, a maioria das pessoas empregadas na florescente indústria do cinema da Alemanha ficou. Das 75 estrelas de cinema listadas na revista *Film Week* em 1932 como as mais populares da Alemanha (com base na correspondência de fãs que recebiam), apenas treze emigraram, embora estas incluíssem três das cinco principais – Lilian Harvey e Kaethe von Nagy, que partiram em 1939, e Gitta Alpar, que foi embora em 1933. Mais abaixo na lista, Brigitte Helm partiu em 1936, e Conrad Veidt em 1934. Com exceção de Alpar, apenas uma outra estrela, Elisabeth Bergner, que era judia, partiu em 1933; 35 dos 75 ainda estavam trabalhando em filmes alemães em 1944-45.[33]

    O cinema havia se tornado cada vez mais popular ao longo do final das décadas de 1920 e de 1930, sobretudo com o advento do cinema falado.

Mas, em uma era anterior à televisão, o meio de comunicação de massa mais popular e de mais rápido crescimento era o rádio. Ao contrário da indústria cinematográfica, a rede de rádios era de propriedade pública, com 51% de participação da Companhia de Rádio do Reich, empresa nacional, e os outros 49% de nove estações regionais. O controle era exercido por dois comissários de rádio do Reich, um do Ministério dos Correios e Comunicações e outro do Ministério do Interior, junto com uma série de comissários regionais. Goebbels estava muito consciente do poder do rádio. Durante a campanha eleitoral de fevereiro-março de 1933, ele teve êxito em obstruir todas as tentativas dos partidos que não o Nazista e o Nacionalista de realizar transmissões político-partidárias. Em pouco tempo, garantiu a substituição dos dois comissários do Reich por seus indicados, e obteve um decreto de Hitler em 30 de junho de 1933 depositando o controle de todas as transmissões nas mãos do Ministério da Propaganda.

Goebbels imediatamente executou um expurgo maciço nas instituições de radiodifusão, com 270 demissões em todos os níveis nos primeiros seis meses de 1933. Isso representou 13% de todos os empregados. Judeus, liberais, social-democratas e outros indesejados pelo novo regime foram todos demitidos, um processo facilitado pelo fato de muitos deles estarem sob contratos de curto prazo. Gerentes e repórteres de rádio identificados com o regime anterior de radiodifusão liberal, inclusive o fundador do rádio alemão, Hans Bredow, foram acusados de corrupção, detidos e levados para o campo de concentração de Oranienburg e condenados em um julgamento que foi um enorme *show*, realizado em 1934-35, após meses de preparativos. A maioria, contudo, estava disposta a continuar sob o novo regime. A continuidade foi assegurada pela presença de homens como Hans Fritsche, um ex-diretor do departamento de notícias da rádio de Hugenberg na década de 1920 e chefe do Serviço de Radiotelefonia Alemão, encarregado das transmissões de notícias sob o novo regime. Como muitos outros, Fritsche tomou medidas para garantir o cargo filiando-se ao Partido, no caso dele em 1º de maio de 1933. A essa altura, a maioria das estações de rádio havia sido efetivamente coordenada e transmitia quantidades crescentes de propaganda nazista. Em 30 de março, um locutor de rádio social-democrata, Jochen Klepper, cuja esposa era judia, já reclamava que "o que restou da estação é quase como uma caserna nazista: uniformes, uniformes das tropas do Partido". Pouco mais de dois meses depois, ele também foi demitido.[34]

II

O rádio, declarou Goebbels em discurso a 25 de março de 1933, era "o mais moderno e mais importante instrumento de influência de massa que existe em qualquer lugar". A longo prazo, disse ele, o rádio substituiria até mesmo o jornal. Mas, nesse ínterim, os jornais permaneceriam sendo de importância central para a disseminação de notícias e opiniões. Eles apresentaram um obstáculo à política de coordenação e controle nazistas muitíssimo mais formidável que o colocado pelas indústrias de cinema e rádio. A Alemanha tinha mais jornais diários que Grã-Bretanha, França e Itália juntas, e outro tanto de revistas e periódicos de todos os tipos concebíveis. Havia jornais e periódicos independentes em âmbito nacional, regional e local, representando todo o leque de visões políticas da extrema esquerda à extrema direita. A tentativa do Partido Nazista de construir para si um império de imprensa bem-sucedido não obteve muito sucesso. Os jornais políticos estavam em declínio no final da República de Weimar, e a palavra impressa parecia ocupar o segundo lugar na conquista de adeptos para a causa nazista.[35]

Nessa situação, Goebbels não teve escolha a não ser avançar gradualmente. Foi bastante fácil fechar a imprensa oficial comunista e social-democrata, visto que as repetidas proibições nos primeiros meses de 1933 foram seguidas pelo fechamento total assim que os partidos foram varridos de cena. Mas o restante teve que ser atacado por uma variedade de frentes. Força direta e medidas policiais eram formas de submeter a imprensa. Diários conservadores como o *Münchner Neueste Nachrichten* [Últimas Notícias de Munique] eram tão passíveis de proibições periódicas quanto publicações de centro e liberais. O católico *Fränkische Presse* [Imprensa Franconia], um órgão do Partido Popular da Bavária, foi forçado a exibir uma declaração de primeira página em 27 de março de 1933 pedindo desculpas por ter publicado mentiras sobre Hitler e os nazistas durante anos. Tal pressão convenceu facilmente as grandes organizações de imprensa de que teriam de se ajustar ao novo clima. Em 30 de abril de 1933, a Associação de Imprensa Alemã do Reich, o sindicato dos jornalistas, autocoordenou-se, como fizeram muitos outros organismos semelhantes. Elegeu Otto Dietrich, colega de Goebbels, como presidente e prometeu que futuras filiações seriam compulsórias para todos os jornalistas e ao mesmo tempo abertas apenas para os racial e politicamente confiáveis.[36] Em 28 de junho de 1933, a Associação Alemã dos Editores de Jornais seguiu o exemplo indicando o editor do Partido Nazista, Max Amann, como presidente e elegendo nazistas para seu conselho em vez de membros que agora haviam se tornado politicamente indesejáveis.[37] A essa altura, a imprensa já havia se acovardado e se submetido. Jornalistas não nazistas só podiam tornar suas opiniões conhecidas por meio de pistas sutis e alusões; os leitores só conseguiam vislumbrar o que eles queriam dizer lendo nas entrelinhas. Goebbels transformou as entrevistas coletivas à imprensa regulares e públicas do governo realizadas durante a República de Weimar em encontros secretos nos quais o Ministério da Propaganda passava instruções detalhadas para jornalistas selecionados sobre temas de notícias, às vezes fornecendo até mesmo artigos a serem publicados na íntegra ou usados como base para reportagens. "Vocês têm que saber não só o que está acontecendo", Goebbels falou aos jornalistas presentes em sua primeira entrevista coletiva oficial em 15 de março de 1933, "mas também a visão do governo a respeito e como vocês podem transmitir isso ao povo de modo mais eficiente".[38] Não foi preciso dizer que eles não deviam transmitir nenhuma outra visão.

Nesse ínterim, os nazistas estavam atarefados detendo jornalistas comunistas e pacifistas tão rapidamente quanto podiam. As detenções haviam começado nas primeiras horas de 28 de fevereiro de 1933. Um dos primeiros a ser levado em custódia foi Carl von Ossietzky, editor do *Die Weltbühne* [O Cenário Mundial], um conhecido organismo de jornalismo intelectual de tom geralmente esquerdista e pacifista. Ossietzky havia obtido notoriedade não só como crítico mordaz dos nazistas antes de 1933, mas também por publicar revelações sobre um programa secreto e ilegal de rearmamento da indústria aeronáutica, ato pelo qual havia sido colocado na prisão ao término de um julgamento sensacional em maio de 1932. Uma tremenda campanha de escritores fora da Alemanha fracassou em garantir sua soltura após a nova detenção em 1933. Aprisionado em um campo penal improvisado comandado por camisas-pardas em Sonnenburg, o frágil Ossietzky foi forçado a executar trabalho braçal, inclusive cavando o que os guardas disseram que seria sua cova. Nascido em Hamburgo em 1889, ele não era judeu, ou polonês, ou russo apesar do nome, mas alemão no sentido pleno do termo conforme empregado pelos nazistas. Desconsiderando esse fato, os camisas-pardas acompanhavam as surras regulares do prisioneiro com gritos de "porco judeu" e "porco polonês". Ossietzky, que nunca foi fisicamente forte, sobreviveu por um triz a um ataque cardíaco em 12 de abril de 1933. Prisioneiros liberados que conversaram discretamente com amigos de Ossietzky descreveram-no como um homem prostrado depois disso.[39]

Ossietzky passou pouco melhor que outro escritor radical da década de 1920, o poeta e dramaturgo anarquista Erich Mühsam, cujo envolvimento com o "regime dos Anarquistas do Café" de Munique em 1919 já havia lhe rendido um período na cadeia sob a República de Weimar. Detido após o incêndio do Reichstag, Mühsam era um objeto de ódio particular dos camisas-pardas porque não apenas era um escritor radical, mas também revolucionário e judeu. Submetido a intermináveis humilhações e brutalidades, foi surrado por guardas da SS no campo de concentração de Oranienburg até tornar-se uma massa disforme ao se recusar a cantar a Canção de Horst Wessel e logo depois foi encontrado enforcado em uma latrina do campo.[40] Seu ex-colega do breve governo revolucionário de Munique, o anarquista e pacifista Ernst Toller (outro escritor judeu), também estivera na prisão por seu papel na Revolução. Uma série de peças realistas atacando as injustiças e iniquidades da sociedade alemã na década de 1920, inclusive uma sátira sobre Hitler encenada sob o irônico título de *Wotan desacorrentado*, manteve-o muito conhecido do público. No final de fevereiro de 1933, Toller calhou de estar na Suíça, e as detenções em massa que se seguiram ao incêndio do Reichstag persuadiram-no a não voltar para a Alemanha. Empreendeu uma extensa turnê de palestras denunciando o regime nazista, mas as privações do exílio impossibilitaram que continuasse a viver como escritor, e ele cometeu suicídio em Nova York em 1939, levado ao desespero pela perspectiva iminente de uma nova guerra mundial.[41]

Houve alguns que tiveram mais condições de se adaptar ao mundo literário fora da Alemanha, mais notadamente o poeta e dramaturgo comunista Bertolt Brecht, que saiu da Alemanha pela Suíça e a seguir Dinamarca em 1933, antes de enfim encontrar trabalho em Hollywood. Um dos exilados mais bem-sucedidos foi o romancista Erich Maria Remarque, autor de *Nada de novo no front*, que, a despeito do nome e das pesadas insinuações dos nazistas, não era francês, mas alemão (também alegaram que era judeu, e inverteram a ordem das letras de seu nome original, Remark, que, sem qualquer evidência para respaldar a asserção, afirmaram que havia sido Kramer). Ele continuou a escrever no exílio e viveu muito bem com a venda dos direitos de várias obras para o cinema, adquirindo uma imagem de *playboy* rico em Hollywood e outros lugares no final da década de 1930, desfrutando de relações muito divulgadas com uma série de atrizes de Hollywood.[42] Mais famoso ainda era Thomas Mann, cujos romances *Os Buddenbrook* e *A montanha mágica*, junto com novelas como *Morte em Veneza*, firmaram-no como um dos gigantes mundiais da literatura e renderam-lhe o Prêmio Nobel de Literatura em 1929. Mann havia se tornado um dos principais apoiadores literários da democracia de Weimar, e viajou pela Alemanha e pelo mundo incessantemente, proferindo palestras sobre a necessidade de mantê-la. Ele não estava sob ameaça direta de violência ou aprisionamento pelos nazistas, mas de fevereiro de 1933 em diante permaneceu na Suíça, a despeito das ofertas do regime para que retornasse. "Não posso imaginar a vida na Alemanha como ela é hoje", escreveu em junho de 1933 e, poucos meses mais tarde, após ser expulso da Academia Prussiana de Artes junto com outros escritores democratas, como a poeta e romancista Ricarda Huch, em meio a uma saraivada de retórica hostil, tornou o compromisso ainda mais firme, dizendo a um amigo: "No que me diz respeito pessoalmente, a acusação de que deixei a Alemanha não se aplica. Fui expulso. Abusado, ridicularizado e espoliado pelos conquistadores estrangeiros do *meu* país, pois sou um alemão mais antigo e melhor que eles".[43]

Heinrich Mann, irmão de Thomas Mann, autor de sátiras mordazes sobre os costumes da burguesia alemã, como *Homem de palha* e *O Anjo*

Azul, foi tratado com mais rispidez pelo regime, que ele ofendeu com as críticas abertas aos nazistas em numerosas palestras e ensaios. Em 1933, foi destituído do cargo de presidente da seção literária da Academia Prussiana de Artes e foi viver na França. Lá juntou-se a ele, em agosto de 1933, o romancista Alfred Döblin, que havia sido um expoente do modernismo literário com obras como *Berlin Alexanderplatz*, ambientada na classe baixa e no mundo do crime da capital alemã nos anos pós-guerra. Judeu e ex-social-democrata, foi efetivamente proscrito pelos nazistas. A mesma sina abateu-se sobre outro romancista bem conhecido, Lion Feuchtwanger, também judeu, cujas obras *Sucesso* e *Os Oppenheim*, publicadas em 1930 e 1933, respectivamente, faziam críticas ácidas às correntes conservadoras e antissemitas da sociedade e política alemãs; Feuchtwanger estava em viagem na Califórnia quando soube que suas obras haviam sido proibidas e jamais voltou à Alemanha. O romancista Arnold Zweig fugiu para a Tchecoslováquia em 1933 e de lá para a Palestina; ele também havia sido proscrito pelo regime por ser judeu e já não mais podia ter suas obras publicadas na Alemanha.[44]

Sob as circunstâncias do rápido aumento da censura e do controle nazistas, poucos escritores tiveram condições de continuar produzindo obras de qualquer qualidade na Alemanha depois de 1933. Mesmo escritores conservadores distanciaram-se do regime de uma maneira ou outra. O poeta Stefan George, que havia reunido ao seu redor um círculo de acólitos devotados ao renascimento de uma "Alemanha secreta" que varreria o materialismo de Weimar, ofereceu "colaboração espiritual" ao "novo movimento nacional" em 1933, mas recusou-se a aderir a quaisquer organizações literárias ou culturais nazificadas; muito de seus discípulos eram judeus. George morreu em dezembro de 1933, mas outro proeminente escritor conservador radical, Ernst Jünger, que estivera próximo dos nazistas na década de 1920, viveu mais, de fato até o final do século XX, quando estava com mais de cem anos. Jünger, muito admirado por Hitler pela glorificação da vida de soldado em *Tempestades de aço*, seu romance sobre a Primeira Guerra Mundial, descobriu que o terrorismo do Terceiro Reich não lhe agradava em absoluto e se retirou para o que muitos subsequentemente chamaram de "emigração interna". Como outros que tomaram esse caminho, ele escreveu romances sem uma ambientação contemporânea clara – um bom número de escritores optou pela Idade Média; mesmo que esses autores às vezes expressassem cuidadosamente alguma crítica ao terror ou à ditadura em um sentido genérico, ainda assim eram publicados, distribuídos e resenhados, contanto que não atacassem o regime de forma explícita.[45]

Figuras proeminentes que se tornaram defensoras entusiásticas do novo regime, como o escritor expressionista Gottfried Benn, antes apolítico, foram relativamente raras. No final de 1933, praticamente não restavam escritores de qualquer talento ou reputação na Alemanha. O dramaturgo Gerhart Hauptmann, ganhador do Prêmio Nobel de Literatura em 1912, foi talvez uma exceção. Mas já estava com mais de setenta anos quando Hitler tornou-se chanceler e o auge de seu poder criativo, quando ficou famoso por dramas comoventes sobre pobreza e exploração, havia passado há muito. Continuou a escrever e tentou mostrar conformidade aparente fazendo a saudação nazista e juntando-se à cantoria da Canção de Horst Wessel. Mas não se tornou nacional-socialista e suas peças naturalistas com frequência eram atacadas pelos nazistas por suas atitudes supostamente negativas. Um escritor húngaro que se encontrou com Hauptmann em Rapallo em 1938 foi brindado com um longo catálogo de queixas sobre Hitler. Hauptmann disse com amargura que Hitler havia arruinado a Alemanha e em breve arruinaria o mundo. Por que então ele não havia deixado o país, perguntou o húngaro. "Porque sou um covarde, entende?", gritou Hauptmann irado. "Sou um covarde, entende? Sou um covarde."[46]

III

A perda de tantos escritores proeminentes de um tipo ou outro foi acompanhada de êxodo semelhante entre artistas e pintores. Aqui também houve um paralelo com a onda de perseguição que assolou o mundo musical na mesma época. No mundo da arte, entretanto, a perseguição foi alimentada adicionalmente pela forte antipatia pessoal em relação ao modernismo demonstrada por Hitler, que no fundo se considerava um artista. Em *Minha luta*, ele havia declarado que a arte modernista era produto de judeus subversivos e "a excrescência mórbida de homens insanos e degenerados". Suas opiniões eram compartilhadas por Alfred Rosenberg, que adotou uma visão resolutamente tradicionalista da natureza e da função da pintura e da escultura. Ao passo que a música alemã na década de 1920 já não era a força dominante que havia sido nos séculos XVIII e XIX, a pintura alemã, liberada pelo expressionismo, abstracionismo e outros movimentos modernistas, havia passado por um notável renascimento nas primeiras três décadas do século XX, ultrapassando até mesmo a literatura como a mais destacada e internacionalmente bem-sucedida de todas as artes. Era isso que os nazistas, com Alfred Rosenberg na vanguarda, agora tratavam de destruir, seguindo o preceito do Ponto 25 do Programa do Partido Nazista de 1920, que declarava: "Exigimos a perseguição legal de todas as tendências em arte e literatura de tipos que possam desintegrar nossa vida como nação".[47]

Fazia tempo que a controvérsia reinava sobre a obra de pintores como George Grosz, Emil Nolde, Max Beckmann, Paul Klee, Ernst Ludwig Kirchner, Otto Dix e muitos outros. Conservadores e nazistas detestavam suas pinturas. Um furor tremendo foi causado pelo uso de motivos religiosos por Grosz em suas caricaturas políticas, o que já havia levado o artista a enfrentar dois processos (malsucedidos) por blasfêmia antes de os nazistas chegarem ao poder.[48] Em julho, Alfred Rosenberg tachou as pinturas de Emil Nolde de "negroides, blasfemas e toscas" e o memorial de guerra de Ernst Barlach, em Magdeburg, de insulto à memória dos mortos, que o artista retratou, de acordo com Rosenberg, como "semi-idiotas". As representações intransigentes de Otto Dix dos horrores das trincheiras na Primeira Guerra Mundial receberam críticas igualmente ácidas de nazistas superpatriotas. Qualquer coisa que não fosse óbvia e abjetamente representativa era passível de suscitar comentário hostil. A arte, de acordo com os nazistas, tinha que brotar, como tudo mais, da alma do povo, de modo que "cada homem saudável da SA" era tão capaz de chegar a uma conclusão exata sobre seu valor quanto qualquer crítico de arte.[49] Não só artistas alemães, mas também estrangeiros receberam fortes ataques verbais. Ao longo dos anos, as galerias e os museus alemães haviam comprado muitas pinturas de impressionistas e pós-impressionistas franceses, e os nacionalistas consideravam que o dinheiro teria sido mais bem aplicado fomentando a arte alemã, em especial dado o comportamento dos franceses na Renânia e no Ruhr durante a República de Weimar.⁵⁰

Algumas figuras, como Grosz, membro do Partido Comunista, viram a calamidade que se avizinhava antes mesmo de 30 de janeiro de 1933 e deixaram o país.⁵¹ Desde 1930, as políticas do governo estadual nazista na Turíngia haviam dado um claro aviso do que estava por vir. Os nazistas tinham retirado obras de pintores como Klee, Nolde e Oskar Kokoschka do museu estatal em Weimar e ordenado a destruição de afrescos de Oskar Schlemmer no poço da escadaria da Bauhaus em Dessau pouco antes de a Bauhaus ser fechada. Tudo isso deveria ter deixado claro que os ativistas nazistas provavelmente montariam um ataque sério ao modernismo artístico. Mas uma margem de manobra parecia ser propiciada pelo fato de o expressionismo ser bem considerado por alguns dentro do Partido, inclusive pela União dos Estudantes Nazistas de Berlim, que até montou uma exibição de arte alemã em julho de 1933 que incluía obras de Barlach, Macke, Franz Marc, Nolde, Christian Rohlfs e Karl Schmidt-Rottluff. Os chefes locais do Partido forçaram o fechamento da exposição três dias depois. Hitler detestava em especial a obra de Nolde, que Goebbels, cujo gosto era menos provinciano, deveras admirava; quando o líder nazista inspecionou a nova casa do ministro da Propaganda, em Berlim no verão de 1933, ficou horrorizado ao ver pinturas "insuportáveis" de Nolde penduradas nas paredes e mandou que fossem imediatamente retiradas. Nolde foi expulso da Academia Prussiana de Artes, um considerável vexame para ele, visto que era membro do Partido Nazista virtualmente desde a fundação, em 1920. Ao longo de 1933, chefes locais e regionais do Partido despediram 27 curadores de galerias de arte e museus, substituindo-os por adeptos do Partido que na mesma hora retiraram obras modernistas de exibição e em alguns casos exibiram-nas em separado, como "Imagens do Bolchevismo Cultural" em uma "Câmara dos Horrores da Arte".⁵² Outros diretores e suas equipes curvaram-se ao sabor do vento, filiaram-se ao Partido Nazista ou acompanharam suas políticas.⁵³

Como em outras esferas da vida cultural, o expurgo de artistas judeus, quer modernistas ou tradicionais, adquiriu grande velocidade na primavera de 1933. A "coordenação" da Academia Prussiana de Artes começou com a renúncia forçada de Max Liebermann de sua filiação bem como do cargo de presidente honorário. Liebermann, de 86 anos de idade, pintor impressionista destacado da Alemanha e antigo presidente da academia, declarou sempre ter acreditado que a arte não tinha nada a ver com política, ideia pela qual foi severamente condenado na imprensa nazista. Perguntado sobre como se sentia em uma idade tão avançada, o artista replicou: "Não dá para comer tanto quanto gostaria de vomitar". Quando ele morreu dois anos depois, apenas três artistas não judeus compareceram ao funeral do pintor outrora nacionalmente festejado. Um deles, a pintora Käthe Kollwitz, célebre pelos retratos drásticos, mas não francamente políticos da pobreza, havia sido forçada a renunciar à Academia Prussiana; o escultor Ernst Barlach renunciou em protesto à expulsão dela e de outros artistas, mas permaneceu na Alemanha, embora sua obra fosse banida, assim como a de Schmidt-Rottluff.[54]

Paul Klee, alvo favorito da polêmica cultural nazista por sua arte supostamente "negroide", foi despedido da cadeira de professor em Düsseldorf e partiu quase na mesma hora para sua casa de campo na Suíça. Mas outros artistas modernistas não judeus decidiram ver como ficariam as coisas, esperando que o antimodernismo de Hitler e Rosenberg fosse derrotado por figuras mais compreensivas do regime, como Goebbels. Max Beckmann, antes residente em Frankfurt, mudou-se para Berlim em 1933 na esperança de ser capaz de influenciar a política a seu favor. Como muitos desses outros artistas, era mundialmente famoso, mas, ao contrário de Grosz ou Dix, jamais havia produzido obras diretamente políticas, e, ao contrário de Kandinsky ou Klee, jamais pendeu para o abstracionismo. Não obstante, as pinturas de Beckmann foram tiradas das paredes da Galeria Nacional de Berlim e o artista foi demitido de seu cargo docente em Frankfurt a 15 de abril de 1933. Negociantes solidários deram jeito de garantir que ele continuasse a ganhar a vida de forma privada enquanto esperava para ver qual seria afinal seu destino. Em contraste, Kirchner concordou em renunciar à academia, mas ressaltou que não era judeu e jamais havia sido politicamente ativo. Não só Oskar Schlemmer, mas até o inventor russo da pintura abstrata, Wassily Kandinsky, que residia na Alemanha há décadas, também pensou que a investida contra a arte modernista não duraria muito e decidiu esperar na Alemanha.[55]

O expurgo prussiano foi acompanhado de expurgos semelhantes em outras partes da Alemanha. Otto Dix foi expulso da Academia de Dresden, mas continuou a trabalhar de forma privada, embora suas pinturas tenham sido retiradas das galerias e dos museus. O arquiteto Mies van der Rohe recusou-se a renunciar à filiação na academia e foi expulso. Havia tentado por um breve período recriar a Bauhaus em uma fábrica desativada em Berlim antes de ela sofrer uma revista da polícia e ser fechada em abril de 1933. Ele protestou em vão de que se tratava de uma instituição inteiramente apolítica. O fundador da Bauhaus, Walter Gropius, reclamou que, como veterano de guerra e patriota, havia almejado apenas recriar uma cultura alemã de arquitetura e *design* verdadeira e vívida. Não pretendia ser política, menos ainda uma declaração de oposição aos nazistas. Mas a arte era qualquer coisa menos apolítica na Alemanha naquele tempo, pois os movimentos modernistas radicais dos anos de Weimar, do dadaísmo à Bauhaus em si, haviam propagado a ideia de que a arte era um meio de transformar o mundo; os nazistas estavam apenas adaptando esse imperativo político--cultural a seus propósitos. Além do mais, depositar as esperanças em Joseph Goebbels era sempre um empreendimento arriscado. A expectativa desses artistas de que com o tempo ele poderia defendê-los seria por fim destroçada da maneira mais espetacular possível.[56]

IV

Estima-se que cerca de 2 mil pessoas ativas nas artes tenham emigrado da Alemanha a partir de 1933,[57] inclusive muitos dos mais brilhantes e internacionalmente famosos artistas e escritores da época. A situação deles não foi facilitada em nada por uma decisão subsequente de Goebbels de privá-los da cidadania alemã. Para muitos desses exilados, a ausência de pátria podia significar privações consideráveis, dificuldade em se deslocar de um país para outro, problemas para achar trabalho. Sem documentos, a burocracia com frequência recusava-se a reconhecer sua existência. O regime publicou uma série de listas daqueles cuja cidadania alemã, passaporte e documentos haviam sido oficialmente recolhidos, começando em 23 de agosto de 1933 com escritores como Lion Feuchtwanger, Heinrich Mann, Ernst Toller e Kurt Tucholsky; três listas adicionais foram emitidas logo depois, incluindo a maioria dos outros emigrados mais proeminentes. Thomas Mann não só foi privado da cidadania, mas também destituído do diploma honorário conferido pela Universidade de Bonn; sua carta aberta de protesto ao reitor adquiriu rapidamente o *status* de objeto de culto entre os emigrados.[58] O dano causado à vida cultural alemã foi enorme. Poucos escritores de estatura internacional permaneceram, quase nenhum artista ou pintor. Toda uma galáxia de maestros e músicos destacados foi forçada a partir, e alguns dos mais talentosos diretores de cinema alemães foram embora. Alguns brilharam no exílio, outros não; todos sabiam que as dificuldades que a cultura e as artes encarariam sob o Terceiro Reich seriam muito maiores do que qualquer coisa que a maioria deles enfrentaria no exterior.

 O que estava reservado aos amantes da arte e da cultura que permaneceram na Alemanha a partir de 1933 foi vividamente demonstrado por uma nova peça, dedicada a Hitler a pedido dele mesmo, estreada no Teatro Estatal de Berlim em 20 de abril de 1933, dia do aniversário do Líder. Presentes na plateia, Hitler e outras lideranças nazistas, inclusive Goebbels. No palco, os papéis principais foram desempenhados por Veit Harlan, que logo se tornaria um dos pilares do cinema alemão no Terceiro Reich, pelo popular ator Albert Bassermann, que assumiu seu personagem apenas depois de uma solicitação pessoal de Goebbels que ele sentiu-se incapaz de recusar, e por Emmy Sonnemann, uma jovem atriz em quem Hermann Göring tinha mais que um interesse passageiro, visto que a tomou como sua segunda esposa não muito depois. Ao final do drama patriótico não houve aplausos; em vez disso, toda a plateia levantou-se e cantou a Canção de Horst Wessel em uníssono. Só então as palmas começaram, com todo o elenco fazendo a saudação nazista repetidas vezes, exceto Bassermann, que cruzou os braços sobre o peito e se curvou à moda tradicional do teatro; casado com a atriz judia Else Schiff, e descendente de uma famosa família de políticos liberais, ele estava pouco à vontade com o novo regime e emigrou com a esposa para os Estados Unidos no ano seguinte. A peça era *Schlageter*, que dramatizava a história do levante nacionalista contra os franceses no Baixo Reno no início da década de 1920. O autor era Hanns Johst, um veterano de guerra que fez nome como dramaturgo expressionista. Johst havia gravitado na direção do Partido Nazista no final da década de 1920. Seu método expressionista conferiu um novo efeito à cena final: quando o pelotão de fuzilamento dirigia-se para atirar na figura amarrada de Schlageter do fundo do palco, os lampejos das armas transpassavam seu coração direto para o auditório, convidando a plateia a se identificar com a incorporação dos temas nazistas de sangue e sacrifício e se tornar vítima da opressão francesa com ele.[59]

Mas a peça rapidamente ficou famosa por um motivo que não tinha nada a ver com a ostentação e o alvoroço nazistas da estreia. Graças a toda a publicidade que ganhou, era amplamente considerada símbolo da atitude nazista em relação à cultura. As pessoas notaram, ao assistir à peça ou lendo sobre ela nos jornais, que um dos personagens principais, Friedrich Thiemann, interpretado por Veit Harlan, rejeitava todas as ideias e os conceitos intelectuais e culturais, argumentando em várias cenas com o estudante Schlageter que deveriam ser substituídos por sangue, raça e sacrifício para o bem da nação. No decurso de tal argumentação, Thiemann declarava: "Quando ouço 'cultura', libero a trava de segurança da minha Browning!".[60] Para muitos alemães cultos, isso parecia resumir a atitude nazista em relação às artes, e a frase circulou rapidamente, ficando totalmente separada do contexto original. Logo foi atribuída a várias lideranças nazistas, mas sobretudo a Hermann Göring, e simplificada nesse processo para a declaração mais atraente, totalmente apócrifa, mas muito repetida: "Quando ouço a palavra cultura, saco o meu revólver!".[61]

"Contra o espírito não alemão"

I

O mais conhecido filósofo da Alemanha nos últimos anos da República de Weimar, Martin Heidegger, adquiriu sua formidável reputação como pensador sobretudo pela publicação, em 1927, de seu portentoso *Ser e tempo*, um tratado sobre questões filosóficas fundamentais, como o significado da existência e a natureza da humanidade. Difícil de entender e às vezes expresso em irritante linguagem abstrata, aplicou o método "fenomenológico" de seu professor e predecessor na Cátedra de Filosofia da Universidade de Freiburg, Edmund Husserl, a temas que incomodavam os filósofos desde a antiga Grécia. A obra foi imediatamente saudada como um clássico. Nos anos futuros, o pensamento de Heidegger viria a ter influência significativa sobre os existencialistas franceses e seus seguidores. De forma mais imediata, porém, sua disposição mental pessimista refletiu a emancipação gradativa do filósofo do catolicismo em que nasceu em 1889 e sua virada para um estilo de pensamento mais influenciado pela forma de pensar protestante. Nos últimos anos de Weimar particularmente, Heidegger veio a acreditar na necessidade de uma renovação da vida e do pensamento alemães, do advento da nova era de unidade espiritual e redenção nacional. No início da década de 1930, começou a acreditar que havia encontrado a resposta para o que procurava no nacional-socialismo.[62]

Heidegger já havia estabelecido contatos de bastidores com figuras da liderança da Liga Alemã de Estudantes Nacional-Socialistas em 1932. Era totalmente inexperiente em administração universitária, mas, no que dizia respeito ao grupinho de professores nazistas, Heidegger era o homem para a função de reitor quando os nazistas chegaram ao poder. Ele possuía tanto prestígio acadêmico quanto convicções políticas que o faziam aceitável como substituto do professor liberal Wilhelm von Möllendorff, que se esperava que assumisse o cargo em abril de 1933. Ávido pela função, Heidegger começou a conversar com o recém-nazificado Ministério da Educação de Baden, enquanto Möllendorf era persuadido por difamação pessoal na imprensa local e regional a não se meter. Os professores nazistas lançaram Heidegger, e sob pressão de dentro e de fora da faculdade ele foi devidamente eleito reitor em 21 de abril de 1933 por votação quase unânime do corpo docente. De fato, o único conjunto substancial de opinião professoral que não o apoiava consistia de 12 dos 93 detentores de cátedras em Freiburg, os quais eram judeus. Entretanto, eles não tinham permissão para votar, visto que, sob a acusação de serem "não arianos", haviam sido suspensos do cargo pela lei de 7 de abril do comissário nazista do Reich em Baden, o líder regional Robert Wagner.[63]

Em 27 de maio, Heidegger proferiu seu discurso de posse como reitor. Falando para os professores reunidos e dignitários nazistas de camisas-pardas, declarou que a "'liberdade acadêmica' não mais seria a base da vida na universidade alemã, pois essa liberdade não era genuína, uma vez que era apenas negativa. Significava falta de preocupação, arbitrariedade de pontos de vista e inclinações, uma falta de fundamento ao fazer as coisas ou não as fazer". Estava na hora, disse ele, de as universidades encontrarem seu fundamento na nação alemã e desempenharem seu papel na missão histórica que estava agora se cumprindo. Os estudantes alemães estavam mostrando o caminho. A fala de Heidegger estava repleta da nova linguagem do princípio de liderança. Na primeira frase, disse à plateia que havia assumido "a liderança espiritual desta universidade" e usou o termo "séquito" para se referir aos estudantes e assistentes, assim como as lideranças nazistas estavam fazendo no âmbito geral das relações de emprego e trabalho na época. Com conceitos desse tipo sendo usados pelo novo reitor da universidade, ficou claro que a liberdade acadêmica, como quer que fosse entendida, era definitivamente uma coisa do passado.[64] Para dar ênfase simbólica, ao final da cerimônia os professores e convidados presentes cantaram a Canção de Horst Wessel, cujo texto estava providencialmente impresso no verso do programa, junto à instrução de que a mão direita deveria ser erguida no quarto verso e que todo procedimento deveria encerrar com um brado de "Salve a Vitória!" ("*Sieg Heil!*").[65]

Heidegger logo tratou de colocar a universidade na linha. Filiando-se formalmente ao Partido Nazista em meio a uma explosão de publicidade no 1º de Maio, o "Dia Nacional do Trabalho", ele então introduziu o princípio de liderança na administração da universidade, ignorando ou calando os organismos colegiados democráticos e representativos e participando da redação de uma nova lei de Baden que transformava o reitor em "líder" não eleito da universidade por um período ilimitado. Pouco depois, informou ao Ministério da Educação de Baden que "devemos agora empenhar todo nosso vigor em conquistar o mundo dos homens cultos e eruditos para o novo espírito político nacional. Não será um combate fácil. Salve a Vitória!".[66] Heidegger denunciou um colega, o químico Hermann Staudinger, às autoridades estaduais com acusações falsas e ajudou a polícia política em suas investigações, embora no fim a polícia não tenha ficado convencida e Staudinger, alegando a importância nacional de seu trabalho, permanecesse no cargo. Heidegger também ficou feliz em forçar a demissão de judeus da equipe da universidade, solicitando uma exceção apenas para o internacionalmente renomado filologista Eduard Fraenkel, que de todo modo foi demitido, e para o professor de química Georg von Hevesy, homem com poderosas conexões internacionais e beneficiário de polpudos fundos de pesquisa da Fundação Rockefeller, que foi mantido até sua partida para a Dinamarca no ano seguinte. Entre os judeus forçados a cortar relações com a universidade incluíam-se o assistente de Heidegger, Werner Brock, e seu mentor Edmund Husserl, embora não haja fundamento na história muito repetida de que Heidegger emitiu pessoalmente uma ordem proibindo Husserl de utilizar a biblioteca da universidade. Patriota nacionalista que havia perdido o filho no campo de batalha da Primeira Guerra Mundial, Husserl considerava-se amigo pessoal de Heidegger e ficou profundamente transtornado com o tratamento. "Apenas o futuro julgará qual era a verdadeira Alemanha em 1933", escreveu ele em 4 de maio, "e quem eram os verdadeiros alemães – aqueles que concordam com os preconceitos raciais mais ou menos mítico-materialistas de hoje ou aqueles alemães puros de coração e mente, herdeiros dos grandes alemães do passado cuja tradição reverenciam e perpetuam".⁶⁷ Quando Husserl morreu, em 1938, Heidegger não compareceu ao funeral.⁶⁸

Juntando-se ao culto a Hitler, que crescia rapidamente, Heidegger disse aos estudantes: "O Führer e somente ele *é* a realidade alemã, presente e futura, e sua lei. Estudem para saber: de agora em diante, todas as coisas exigem decisão; e toda ação, responsabilidade. *Heil* Hitler!".⁶⁹ Sua ambição estendeu-se até mesmo a tentar, em colaboração com outros reitores de universidades de opinião semelhante, a assumir um papel de liderança em todo o sistema universitário. Em discurso proferido a 30 de junho de 1933, reclamou que a "revolução nacional" ainda não havia alcançado a maioria das universidades, instigando os estudantes nazistas de Heidelberg a lançar uma campanha apaixonada para expulsar o reitor, o historiador conservador Willy Andreas, que foi substituído pelo candidato nazista Wilhelm Groh uma semana depois, em 8 de julho.⁷⁰ Mas Heidegger era completamente inexperiente em política e logo atolou-se na costumeira luta interna da universidade por cargos, na qual era superado pela habilidade dos burocratas do Ministério da Educação de Baden e ridicularizado pelos estudantes de uniforme pardo, que o consideravam pouco mais que um sonhador.

No início de 1934, houve relatos em Berlim de que Heidegger havia se firmado como "o filósofo do nacional-socialismo". Mas, para outros pensadores nazistas, a filosofia de Heidegger parecia por demais abstrata, por demais difícil para ser de muito uso. Ele havia atingido ampla influência entre os colegas por defender a reconexão voluntária da vida da universidade alemã à vida da nação por meio de uma concentração renovada em valores fundamentais de conhecimento e verdade. Tudo isso soava muito grandioso. Mas, embora a intervenção dele fosse bem recebida por muitos nazistas, sob uma inspeção mais detalhada, tais ideias não pareciam realmente em sintonia com as do Partido. Não é de surpreender que seus inimigos tenham conseguido recrutar o apoio de Alfred Rosenberg, cuja ambição pessoal era ser o filósofo do nazismo. Sendo-lhe recusado um papel de âmbito nacional, e cada vez mais frustrado com as minúcias da política acadêmica – que lhe pareciam revelar uma triste ausência do novo espírito que ele esperava que permeasse as universidades –, Heidegger renunciou ao cargo em abril de

1934, embora tenha continuado a apoiar o Terceiro Reich e se recusado de modo consistente a reconsiderar ou pedir desculpas por suas ações em 1933--34 até morrer em 1976.[71]

II

A liderança nazista teve relativa facilidade com as universidades porque na Alemanha, ao contrário do que ocorria em alguns países, elas eram instituições custeadas pelo Estado e a equipe de funcionários era toda de servidores públicos. Estes foram, por conseguinte, afetados de forma direta pela lei de 7 de abril de 1933, que previa a demissão dos funcionários estatais politicamente inconfiáveis. No começo do ano acadêmico de 1933-34, 313 professores catedráticos tinham sido despedidos, parte de um conjunto de 1.145 de 7.758 docentes, ou 15% do total. Em Berlim e Frankfurt, a proporção chegou a quase um terço. Em 1934, cerca de 1,6 mil de 5 mil professores universitários haviam sido expulsos do emprego. A maior parte dos docentes demitidos perdeu o cargo por motivos políticos; cerca de um terço foi despedido por ter sido classificado como judeu.[72] Houve um êxodo em massa de acadêmicos; 15,5% dos professores universitários de física emigraram, e tantos físicos e matemáticos da Universidade de Göttingen foram embora que o ensino sofreu um grave abalo.[73] Aqueles que partiram no geral eram melhores do que os que ficaram; um estudo sobre os biólogos da universidade mostrou que 45 que deixaram os cargos e sobreviveram à guerra tiveram uma média de 130 citações por pessoa no índice padrão de citações de documentos científicos entre 1945 e 1954, ao passo que a marca comparativa dos sobreviventes entre os 292 que ficaram foi de apenas 42.[74]

Cientistas mundialmente famosos foram demitidos dos cargos em universidades e institutos de pesquisa da Alemanha por serem judeus ou terem esposas judias, ou serem conhecidos como críticos dos nazistas. Entre esses, 20 laureados – passados ou futuros – com o Nobel, inclusive Albert Einstein, Gustav Hertz, Erwin Schrödinger, Max Born, Fritz Haber e Hans Krebs. Einstein, cuja teoria da relatividade revolucionou a física moderna, havia residido em Berlim por 20 anos. Em uma visita à América em janeiro e fevereiro de 1933, ele denunciou a violência brutal dos nazistas após o incêndio do Reichstag. Em retaliação, o governo confiscou seus bens, e o ministro da Educação mandou a Academia Prussiana de Ciências expulsá-lo. Einstein antecipou-se renunciando primeiro, gerando uma rixa pública, na qual a academia acusou-o de fofocar histórias de atrocidades no exterior. Ele foi para os Estados Unidos novamente e passou o resto da vida em Princeton.[75] "Você sabe, eu penso que", escreveu ele em 30 de maio ao amigo Max Born, que também foi para o exílio, "jamais tive uma opinião particularmente favorável dos alemães (moral e politicamente falando). Mas devo confessar que seu grau de brutalidade e covardia apresentam-se como uma surpresa para mim".[76]

O químico Fritz Haber não compartilhava dos instintos pacifistas e internacionalistas de Einstein; de fato, ele havia sido grandemente responsável pelo desenvolvimento de gás venenoso como instrumento de guerra em 1914-18 e, embora judeu, foi eximido devido a seu serviço na guerra; mas a demissão de numerosos colegas judeus de seu instituto levou-o a renunciar em 30 de abril de 1933, declarando abertamente que não lhe diriam quem escolher e quem não escolher como colaborador. Foi para a Universidade de Cambridge, onde não se sentiu feliz, e morreu no ano seguinte.[77] A perda de personalidades famosas como essas foi profundamente alarmante para muitos da comunidade científica alemã. Em maio, o não judeu Max Planck, que era igualmente célebre como cientista e nessa época havia se tornado presidente da principal instituição de pesquisa científica da Alemanha, a Sociedade Kaiser Guilherme, foi ver Hitler em pessoa para protestar. Foi confrontado com uma declaração generalizante, de modo que, recordou ele mais tarde, era impossível fazer distinções entre judeus: "Os judeus são todos comunistas, e esses são meus inimigos... Todos os judeus grudam-se como carrapichos. Onde quer que haja um judeu, imediatamente juntam-se outros judeus de todos os tipos".[78]

Como Haber, alguns cientistas judeus, inclusive o ganhador do Nobel James Franck, um físico experimental da Universidade de Göttingen, protestaram publicamente contra o tratamento dado a outros cientistas judeus e renunciaram, muito embora pudessem ter permanecido no cargo sob a isenção concedida a veteranos de guerra judeus. Acusado de sabotagem em uma carta coletiva assinada por 42 colegas da universidade – apenas um deles do campo da física e da matemática –, Franck partiu relutante para um cargo nos Estados Unidos. A reação da Faculdade de Medicina de Heidelberg à demissão de colegas judeus foi notável exatamente por ser tão incomum: em declaração oficial emitida em 5 de abril de 1933, o diretor, Richard Siebeck, ressaltou as contribuições dos judeus à ciência médica e criticou a "violência impulsiva" que estava deixando de lado a autonomia e a responsabilidade da universidade.[79] Seu exemplo e o de sua faculdade tiveram poucos imitadores. A maioria dos cientistas não judeus que permaneceu, com Max Planck à frente, tentou preservar a integridade e a neutralidade política da pesquisa científica adulando o regime da boca para fora. Planck começou a discursar nas reuniões da Sociedade Kaiser Guilherme fazendo a saudação nazista e o cumprimento a Hitler, na tentativa de evitar mais expurgos. Werner Heisenberg, físico laureado com o Prêmio Nobel por seus avanços em física quântica, argumentou que era importante permanecer na Alemanha para manter os valores científicos intactos. Mas, com o tempo, viria a ficar claro que eles estavam lutando uma batalha perdida.[80]

A maioria dos professores alemães permaneceu nos cargos. Esmagadoramente conservadores na orientação política, compartilhavam em muito a visão dos parceiros nacionalistas da coalizão de Hitler de que a democracia de Weimar tinha sido um desastre e que estava mais que na hora da restauração das velhas hierarquias e estruturas. Muitos, porém, iam além disso e positivamente saudaram o Estado nacional-socialista, em especial se lecionavam ciências humanas e sociais. Em 3 de março, cerca de trezentos professores universitários emitiram um apelo aos eleitores para que apoiassem os nazistas, e em maio nada menos que setecentos integraram um abaixo-assinado em favor de Hitler e do Estado nacional-socialista. Na Universidade de Heidelberg, o sociólogo Arnold Bergsträsser justificou a criação pelo regime da unidade entre Estado e sociedade como sendo uma forma de superar o fracasso patente da democracia; enquanto isso, o advogado Walter Jellinek defendeu a "revolução" de 1933 como antiliberal mas não antidemocrática e declarou que os cidadãos adquiriam a dignidade de ser plenamente humanos apenas por meio da subordinação ao Estado. Membro do Partido Popular Alemão e um forte oponente de direita da República de Weimar, Jellinek concordava que as medidas antijudaicas do regime eram necessárias devido à superlotação da classe acadêmica. Também achava – pressagiando a visão de historiadores posteriores – que o poder de Hitler seria limitado pela existência de outros centros de poder no Reich. Mas, onde quer que isso pudesse ter acontecido, não foi o caso da política do regime em relação aos judeus; na verdade, Jellinek era judeu, e, por isso, foi devidamente removido de seu cargo no decurso da revolução nacionalista que ele tão calorosamente havia recebido. Outros professores da mesma faculdade reivindicavam que a lei fosse a expressão da alma do povo, e que os juízes dessem seus vereditos de acordo com a ideologia nazista. Um professor de alemão declarou que a revolução nazista havia dado novo sentido patriótico ao estudo da língua alemã. Condenou o "pensamento judaico" e a "literatura judaica" por minar a "vontade de viver" alemã.[81]

Muito rapidamente, os recém-nazificados ministérios da Educação tornaram os critérios políticos centrais não só para nomeações, mas também para ensino e pesquisa. O ministro da Educação do Reich, Bernhard Rust, reservou poderes majestáticos para si mesmo nessa área. O ministro da Cultura bávaro falou a um grupo de professores reunidos em Munique em 1933: "De agora em diante, não cabe a vocês decidir se uma coisa é verdadeira ou não, mas se é favorável à revolução nacional-socialista".[82] Os líderes nazistas pouco se importavam com a tradicional liberdade de ensino e pesquisa, ou com os valores da universidade tradicional. De fato, pouco se importavam com a ciência em si. Quando o presidente do conselho de diretores da I. G. Farben, Carl Bosch, químico laureado com o Prêmio Nobel, encontrou-se com Hitler no verão de 1933 para reclamar dos danos aos interesses científicos da Alemanha causados pela demissão de professores judeus, teve uma recepção ríspida. A proporção de demissões era particularmente alta na física, disse ele, na qual 26% da equipe da universidade havia sido despedida, incluindo onze ganhadores do Prêmio Nobel, e na química, o número era de 13%. Isso estava minando gravemente a ciência alemã. Interrompendo o idoso cientista de modo brusco, Hitler disse que não sabia de nada disso e que a Alemanha poderia continuar por mais quatrocentos anos sem qualquer física ou química; a seguir chamou seu assistente e disse que Bosch estava de saída.[83]

III

Foram sobretudo os estudantes que impulsionaram o processo de coordenação nas universidades. Eles organizaram campanhas contra os professores indesejados nos jornais locais, protagonizaram interrupções em massa de suas preleções e conduziram destacamentos de camisas-pardas em revistas e batidas domiciliares. Outra tática era sublinhar a inconfiabilidade política de alguns professores organizando preleções de convidados politicamente corretos como Heidegger, com os quais se podia contar que dessem ao regime o endosso entusiástico que outros às vezes falhavam em proporcionar. Na Universidade de Heidelberg, um ativista nazista interrompeu o trabalho do físico Walter Bothe conduzindo extensas sessões de marcha de homens da SS no telhado de seu instituto, diretamente em cima de seu gabinete.[84] Em uma universidade depois da outra, reitores respeitados e administradores graduados eram afastados para abrir caminho para figuras muitas vezes medíocres cujo único motivo para assumirem o novo cargo era serem nazistas e desfrutarem do apoio da organização dos estudantes nazistas. Uma figura típica era Ernst Krieck, um teórico nazista convencido da supremacia masculina que se tornou reitor de Frankfurt em 1933; até a súbita elevação, havia sido um modesto docente de pedagogia na escola de treinamento de professores.[85] Na Universidade Técnica de Darmstadt, o conferencista adjunto Karl Lieser, que se filiou ao Partido no início de 1933, despertou a ira dos colegas do Departamento de Arquitetura ao denunciar muitos deles ao Ministério da Educação de Hessen; ultrajado, o Conselho da Universidade destituiu Lieser do direito de lecionar, pediu ao ministério para demiti-lo e fechou a universidade temporariamente em protesto. No dia seguinte, porém, os estudantes reabriram e ocuparam os prédios, enquanto o ministério nomeava o prefeito de Darmstadt como reitor provisório. Os professores cederam sob tal pressão. Lieser foi reintegrado e se tornou professor em 1934. Em 1938, havia se tornado reitor. Esses eventos, que tiveram paralelos em todas as universidades da Alemanha, marcaram uma queda aguda no tradicional poder do corpo docente. "Temos a universidade em nossas mãos", declarou o estudante nazista Eduard Klemt, de Leipzig, "e podemos fazer o que quisermos com ela".[86]

As uniões estudantis não se deram por satisfeitas em obrigar a nazificação do professorado. Também exigiram um papel formal na nomeação de professores e representação nos comitês disciplinares. Entretanto, isso mostrou-se um passo largo demais. A participação do corpo estudantil nesses assuntos contradizia de forma crassa o princípio da liderança. No verão de 1933, ministérios da Educação e autoridades universitárias nazificados começaram a dar um aperto na desordem estudantil, proibindo os alunos de retirar e destruir livros questionáveis das bibliotecas, e acabando com um plano da união nacional de estudantes de montar um pelourinho em cada cidade universitária onde as publicações de professores "não alemães" seriam pregadas. Na verdade, nenhum estudante foi disciplinado por conduta desordeira de natureza política nos primeiros seis meses de 1933, a despeito da interrupção e da violência maciças que virtualmente estropiaram a vida universitária nesse período. Mas a mensagem agora era clara: conforme declarou o Ministério da Educação prussiana, era dever das uniões estudantis "manter todos os seus membros em ordem e disciplinados".[87] Porém, antes de isso acontecer, os estudantes desferiram seu golpe mais notório e dramático na liberdade intelectual e na autonomia acadêmica, um ato que reverberou ao redor do mundo e ainda hoje é lembrado sempre que as pessoas pensam no nazismo.

Em 10 de maio de 1933, os estudantes alemães organizaram um "ato contra o espírito não alemão" em dezenove cidades universitárias do país. Compilaram uma lista de livros "não alemães", pegaram-nos em todas as bibliotecas que conseguiram encontrar, amontoaram-nos em praças públicas e atearam fogo. O evento da queima de livros em Berlim teve a presença de Joseph Goebbels a pedido dos estudantes. Ele disse que os estudantes estavam "fazendo a coisa certa ao entregar o espírito maligno do passado às chamas" no que chamou de "ato forte, grandioso e simbólico".[88] Um após outro, os livros foram lançados na pira funeral do intelecto, acompanhados

Mapa 18. As universidades alemãs em 1933

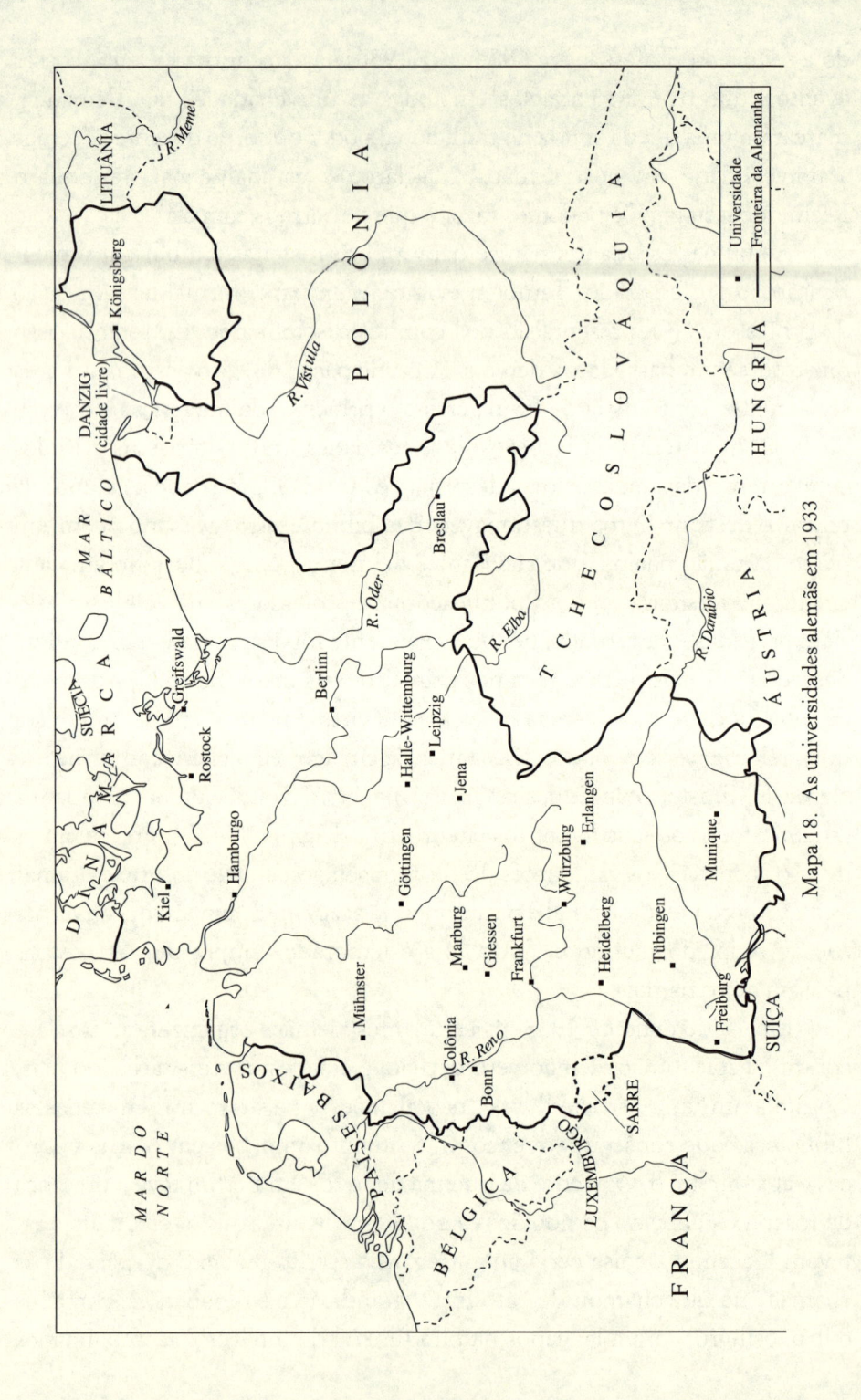

por *slogans* como: "Contra a luta de classes e o materialismo, pela comunidade nacional e por um ponto de vista idealista: Marx, Kautsky; Contra a decadência e o declínio moral, pela disciplina e moralidade na família e no estado: Heinrich Mann, Ernst Glaeser, Erich Kästner". As obras de Freud foram confiadas às chamas por seu "exagero degradante da natureza animal do homem", os livros do popular historiador e biógrafo Emil Ludwig foram queimados pela "difamação" de "grandes personalidades" da história alemã; os escritos dos jornalistas pacifistas radicais Kurt Tucholsky e Carl von Ossietzky foram destruídos por sua "arrogância e presunção". Uma categoria particular foi reservada a Erich Maria Remarque, cujo romance crítico *Nada de novo no front* foi lançado na fogueira "contra a traição literária dos soldados da Guerra Mundial, pela educação da nação no espírito do preparo militar". Muitos outros livros além dos citados em voz alta nos *slogans* encantatórios foram lançados às piras. A organização nacional dos estudantes emitiu "doze teses contra o espírito não alemão" para acompanhar a ação, exigindo a introdução da censura e do expurgo das bibliotecas e declarando: "Nosso oponente é o judeu e qualquer um que se submeta a ele".[89]

Em 12 de março, num prelúdio a essa ação, tropas de assalto já haviam revistado a biblioteca do centro sindical em Heidelberg, retirado livros e queimado-os em uma pequena fogueira diante da porta. Evento semelhante havia ocorrido, como vimos, diante do instituto de pesquisas sobre sexo de Magnus Hirschfeld, em Berlim a 6 de maio. Mas a queima de livros de 10 de maio foi em escala muito maior, e muito mais meticulosamente preparada. Os estudantes vinham vasculhando bibliotecas e livrarias desde meados de abril, preparando-se para a ocasião. Alguns livreiros recusaram-se corajosamente a pendurar pôsteres anunciando o evento em suas vitrinas, mas muitos outros cederam às ameaças com que os estudantes acompanharam a ação. Em Heidelberg, onde a queima de livros ocorreu em 17 de maio, os estudantes fizeram uma passeata com tochas, acompanhados de homens da SS, Capacetes de Aço e grupos de duelo, e jogaram insígnias comunistas e social-democratas às chamas, bem como livros. O evento foi acompanhado por nazistas cantando a Canção de Horst Wessel e o hino nacional. Foram proferidos discursos nos quais a ação era apresentada como um golpe contra o "espírito não alemão" representado por escritores como Emil Julius Gumbel, o estatístico dos assassinatos de direita nos anos de Weimar, escorraçado de sua cadeira na universidade no verão de 1932. A República de Weimar havia incorporado o espírito "judeu subversivo"; ele agora finalmente era despachado para a história.[90]

Esses acontecimentos marcaram o auge de uma ação generalizada "contra o espírito não alemão" colocada em andamento semanas antes pelo Ministério da Propaganda.[91] Como é muito frequente na história do Terceiro Reich, a ação aparentemente espontânea de fato teve coordenação central, embora não de Goebbels, mas da união nacional dos estudantes. O funcionário nazista encarregado do expurgo das bibliotecas públicas de Berlim forneceu prestativamente uma lista dos livros a serem queimados, e o escritório central da união nacional dos estudantes redigiu e distribuiu os *slogans* a serem usados na cerimônia. Dessa forma, a organização estudantil nazista assegurou-se de que a queima de livros transcorresse de modo bem semelhante em todas as cidades universitárias onde foi executada.[92] E outros alemães seguiram o exemplo dos estudantes em localidades por todo o país. Em uma celebração do solstício de verão na aldeiazinha de Neu-Isenburg em 1933, por exemplo, uma grande multidão viu literatura "marxista" ser queimada em uma enorme pilha numa área ao ar livre atrás do posto de bombeiros. Enquanto o clube de ginástica feminino local dançava ao redor da fogueira, o líder local do Partido fez um discurso, seguido da interpretação da Canção de Horst Wessel pela multidão reunida. A queima de livros não foi de modo algum uma prática confinada aos círculos cultos.[93]

A queima nazista de livros foi um eco consciente de um ritual anterior, protagonizado por estudantes nacionalistas radicais em 18 de outubro de 1817 em Wartburg, na Turíngia, na celebração do 300º aniversário do lançamento da Reforma de Martinho Lutero pela publicação de suas teses atacando a Igreja Católica. No encerramento das festividades do dia, os estudantes lançaram símbolos de autoridade e livros "não alemães" como o *Código de Napoleão* na fogueira, em uma forma de execução simbólica. Essa ação pode ter proporcionado um precedente no cânone de manifestações tradicionalistas da Alemanha, mas de fato tinha pouco em comum com a imitação mais recente de 1933, visto que uma preocupação principal do Festival de Wartburg era expressar solidariedade com a Polônia e se manifestar em favor da liberdade de imprensa alemã, coagida por censura maciça do regime policial inspirado pelo príncipe Metternich. Ainda assim, enquanto as chamas elevavam-se aos céus de antigos centros de conhecimento da Alemanha em 10 de maio de 1933, encorajadas ou toleradas pelas autoridades universitárias recém-nazificadas, deve ter havido mais do que um punhado de pessoas que se lembraram do comentário do poeta Heinrich Heine sobre o evento anterior, mais de um século antes: "Onde se queimam livros, no fim as pessoas também serão queimadas".[94]

IV

Em meio a toda violência, intimidação e brutalidade da investida nazista sobre a sociedade civil nos primeiros meses de 1933, um pequeno grupo específico de alemães recebeu um grau particularmente intenso de ódio e hostilidade: os judeus alemães. Não porque fossem oponentes frontais do nazismo, como os comunistas e os social-democratas, ou porque precisassem ser intimidados e colocados na linha, como outros grupos e instituições políticos e sociais, no rápido avanço nazista para criar um Estado ditatorial de partido único. O ataque nazista aos judeus foi de caráter bastante diferente. Conforme a expulsão dos judeus de instituições-chave como a Academia Prussiana de Artes, as principais orquestras ou escolas de arte e museus ilustrou de modo dramático, os nazistas viam os judeus acima de tudo como repositórios de um espírito estrangeiro, não alemão, e sua remoção como parte de uma revolução cultural que restauraria a "condição alemã" da Alemanha. O antissemitismo sempre manteve uma relação muito tênue e indireta com o verdadeiro papel e a posição dos judeus na sociedade alemã, na qual a maioria deles seguia vidas irrepreensíveis, convencionais e no todo bastante conservadoras em termos políticos. Mas, desde o princípio da tomada de poder nazista, eles sentiram a plena força do ódio represado das tropas de assalto. Na verdade, já no outono de 1932, os camisas-pardas haviam executado uma série de ataques com bomba a lojas e empresas, sinagogas e outros estabelecimentos judaicos. Nas semanas seguintes à nomeação de Hitler como chanceler do Reich, tropas de assalto invadiram sinagogas e profanaram os acessórios religiosos, quebraram as vitrinas de lojas judaicas e submeteram judeus a atos aleatórios de humilhação, raspando-lhes as barbas ou, em uma imitação de uma punição criada pelos fascistas italianos, forçando-os a ingerir grandes quantidades de óleo de rícino.[95] A violência atingiu novos patamares no rastro das eleições de 5 de março. No dia seguinte ao pleito, gangues de camisas-pardas avançaram furiosamente sobre a Kurfürstendamm, uma rua comercial elegante de Berlim que muitos nazistas viam como um ponto de encontro judaico, caçando e surrando judeus. Em Breslau, uma gangue de camisas-pardas sequestrou o diretor judeu do teatro, espancando-o quase até a morte com cassetetes de borracha e chicotes para cachorro. Uma sinagoga foi incendiada em Königsberg, no leste da Prússia, e um empresário judeu foi raptado e tão severamente espancado que veio a morrer dos ferimentos. Gangues de camisas-pardas picharam e obstruíram lojas judaicas em diversas localidades.[96]

Em Breslau, tropas de assalto investiram contra juízes e advogados judeus no prédio do tribunal em 11 de março. As cortes suspenderam as atividades por três dias e, quando se reuniram de novo, o presidente do tribunal, sob pressão dos camisas-pardas, determinou que dali em diante apenas 17 dos 364 advogados judeus que até então haviam atuado em Breslau teriam permissão para entrar no prédio da corte. Outras tropas de assalto irromperam em tribunais por toda a Alemanha, arrancaram juízes e advogados dos procedimentos e os espancaram, dizendo que não voltassem. A perturbação causada por tudo isso foi demais até mesmo para Hitler, que em 10 de março ordenou o fim de "ações individuais" desse tipo se perturbassem a atividade oficial ou prejudicassem a economia (problema sobre o qual ele já recebera queixas de círculos empresariais influentes, do Reichsbank para baixo). Hitler também forçou pessoalmente os chefes do Partido em Leipzig a suspender uma batida planejada contra o Tribunal do Reich com o objetivo de escorraçar advogados judeus.[97] Entretanto, tribunais mais abaixo na hierarquia eram um assunto diferente, e nesses ele não interveio. A imprensa nazista continuou a publicar incitações raivosas ao expurgo de judeus do Judiciário e da classe jurídica, respaldada por uma enxurrada de petições com o mesmo fim ao Ministério de Justiça do Reich por grupos de advogados "nacionalistas". O fato é que, ao passo que ataques a lojas e empresas judaicas eram perturbadores para os parceiros nacionalistas da coalizão de Hitler, ataques a advogados judeus não eram. Nesse caso, os ataques depararam com pequena ou nenhuma resistência, mesmo daqueles que os desaprovavam. O juiz estagiário Raimund Pretzel estava na biblioteca do tribunal de Berlim quando os camisas-pardas irromperam no prédio, expulsando aos brados todos os judeus. "Um camisa-parda aproximou-se de mim e se posicionou diante de minha mesa de trabalho", ele mais tarde relembrou. "'Você é ariano?' Sem sequer pensar, eu disse: 'Sim'. Ele examinou meu nariz de perto – e se retirou. O sangue me subiu à face. Tarde demais senti a vergonha, a derrota... Que desgraça comprar, com uma resposta, o direito de ficar em paz com meus documentos!"[98]

A intervenção de Hitler provocou apenas um intervalo temporário na sequência de incidentes violentos, e fracassou em fazê-los cessar por completo. Pouco mais de duas semanas depois, começaram de novo. Em 25 de março de 1993, trinta camisas-pardas de fora da aldeia invadiram casas de judeus em Niederstetten, no sudoeste, levaram os homens para a prefeitura e bateram neles com selvageria mal controlada; na mesma manhã, na aldeia vizinha de Creglingen, um incidente semelhante causou a morte de dois dos dezoito homens judeus submetidos ao tratamento. Grupos de jovens destruíram as vitrines de lojas judaicas em Wiesbaden. O administrador regional da Baixa Bavária reportou, em 30 de março:

> No começo da manhã do dia 15 deste mês, por volta das seis horas, um caminhão com vários homens vestidos com uniformes escuros apareceu diante da casa do negociante judeu Otto Selz em Straubing. Selz foi tirado de casa ainda em trajes de dormir e colocado dentro do caminhão. Por volta das 9h30, Selz foi descoberto em um bosque perto de Weng, distrito de Landshut, morto a tiros... Várias pessoas da região afirmam ter reparado em braçadeiras vermelhas com a suástica em alguns dos homens no caminhão.[99]

Como a intervenção de Hitler sugeriu, esses incidentes não faziam parte de nenhum plano preconcebido. Em vez disso, expressavam ódio, fúria e violência antissemitas que jaziam no coração do nazismo em todos os seus níveis. Até então, a brutalidade das tropas de assalto havia sido dirigida principalmente contra a Reichsbanner e a Liga dos Combatentes da Frente Vermelha, mas agora, com a vitória eleitoral nazista, era liberada em todas as direções. Não contida pela intervenção da polícia ou por qualquer ameaça séria de processo legal, teve vazão particularmente em ataques a judeus. A despeito do desejo de controlar a violência, na prática os líderes nazistas a alimentavam de modo contínuo com a retórica violenta e com as constantes diatribes antissemitas na imprensa nazista, lideradas por *Der Stürmer*, de Julius Streicher.[100] De acordo com uma estimativa sem dúvida incompleta, as tropas de assalto nazista haviam assassinado 43 judeus até o fim de junho de 1933.[101]

Esses incidentes não passaram despercebidos no exterior. Correspondentes de jornais estrangeiros em Berlim relataram ter visto judeus com sangue escorrendo pelo rosto e caídos pelas ruas da cidade após serem surrados até desmaiar. Reportagens críticas começaram a aparecer na imprensa britânica, francesa e americana.[102] Em 26 de março, o ministro conservador de Relações Exteriores von Neurath disse ao jornalista americano Louis P. Lochner que essa "propaganda de atrocidades", que descreveu como remanescente dos mitos belgas sobre atrocidades cometidas por tropas alemãs em 1914, muito provavelmente fazia parte de uma campanha orquestrada de informações falsas contra o governo alemão; revoluções estavam fadadas a ser acompanhadas de "certos excessos". Ao contrário de Neurath, Hitler descreveu as histórias francamente como "difamações judaicas de atrocidades". Em um encontro com Goebbels, Himmler e Streicher em Berchtesgaden no mesmo dia, Hitler decidiu agir a fim de canalizar as energias antissemitas do baixo escalão em uma ação orquestrada. Em 28 de março, ele mandou o Partido em todos os níveis preparar um boicote a lojas e empresas judaicas a ser realizado em 1º de abril. A ação foi aprovada pelo gabinete no dia seguinte.[103] Entretanto, longe de ser uma reação rápida, irrefletida, à "propaganda de atrocidades" no exterior, o boicote era analisado há muito nos círculos nazistas, em particular naqueles mais hostis aos grandes negócios "judaicos", como lojas de departamento e financeiras. Não foi a primeira nem a última vez que as lideranças nazistas presumiram uma identidade de interesses, até mesmo uma conexão conspiratória entre judeus da Europa e judeus da América que simplesmente não existia. Era necessário mostrar aos judeus, escreveu Goebbels na versão publicada de seu diário, "que se está determinado a não parar por nada".[104]

A irrealidade de tais crenças foi ilustrada quando a Associação Central de Cidadãos Alemães de Fé Judaica telegrafou ao Comitê Judaico Americano de Nova York para pedir que suspendesse "demonstrações hostis à Alemanha", apenas para ser bruscamente rechaçada, não obstante as opiniões divididas na comunidade judaico-americana. Reuniões de protesto em várias cidades americanas em 27 de março foram seguidas de uma campanha pelo boicote de produtos alemães que obteve sucesso crescente nos meses após 1º de abril.[105] Isso apenas serviu para confirmar a Goebbels sua visão de que o boicote deveria ser levado a cabo "com a maior dureza". "Se as difamações estrangeiras chegarem ao fim, então ele cessará", acrescentou, "do contrário terá início uma batalha até a morte. Agora os judeus alemães devem influenciar seus companheiros de raça no mundo de modo a se safar por aqui". Depois de circular por Berlim em 1º de abril para verificar o progresso do boicote, Goebbels declarou-se mais do que satisfeito. "Todas as lojas judaicas estão fechadas. Guardas da SA estão parados diante das entradas. O público declarou sua solidariedade. Reina uma disciplina exemplar. Um espetáculo imponente!" O espetáculo tornou-se mais dramático por uma manifestação de massa de "150 mil trabalhadores de Berlim" contra as "difamações estrangeiras" à tarde, e uma marcha de 100 mil membros da Juventude Hitlerista à noite. "Existe", relatou Goebbels com satisfação, "um ânimo indescritível de fúria fervente... O boicote é uma grande vitória moral da Alemanha". Tão grande que, de fato, já no dia seguinte ele podia relatar triunfante: "Os países estrangeiros estão gradualmente voltando a si".[106]

Os alemães que leram o relato de Goebbels quando foi publicado poucos meses depois sabiam, entretanto, que ele colocava uma interpretação otimista sobre os eventos de 1º de abril do ponto de vista nazista. Com certeza houve um bocado de atividade das tropas de assalto, que colocaram placas berrantes por todos os lugares dizendo ao povo: "Não compre nada em casas e lojas de departamento judaicas!", mandando que não contratassem advogados e médicos judeus e informando o suposto motivo para tudo isso: "Os judeus estão nos difamando no exterior". Caminhões ornamentados com pôsteres semelhantes e cheios de camisas-pardas corriam pelas ruas, e unidades da SA e dos Capacetes de Aço postavam-se ameaçadoramente diante das portas de comerciantes judeus, exigindo documentos de identidade de quaisquer compradores ao entrar. Muitas lojas não judaicas afixaram pôsteres anunciando o fato de que eram "negócios cristão-alemães reconhecidos", só para evitar mal-entendidos. E, no que dizia respeito às tropas de assalto, a liderança nazista havia destacado um ponto importante: essa ação contra os judeus deveria ter coordenação centralizada, e não deviam ser cometidos atos individuais de violência. De fato, a maioria das tropas de assalto que fizeram cumprir o boicote de 1º de abril evitaram violações graves da ordem pública e mantiveram seu comportamento no nível das ameaças e intimidação. Pouco dano físico parece ter sido causado às lojas naquele dia, embora em muitos locais os camisas-pardas tenham pichado *slogans* nas vitrinas, e em umas poucas localidades tenham sido incapazes de resistir ao desejo de quebrar os vidros, saquear produtos, deter opositores ou retirar lojistas judeus, andar com eles pelas ruas e espancá-los até largá-los por exaustão.[107]

Multidões reuniram-se para ver o que estava acontecendo e ficaram do lado de fora das lojas boicotadas. Contudo, ao contrário dos relatos na imprensa nazista, elas não manifestaram fúria contra os judeus, permanecendo na maior parte passivas e caladas. Em alguns lugares, inclusive duas lojas de departamento de Munique, houve até pequenas manifestações contrárias dos cidadãos, alguns deles usando a insígnia do Partido, que tentaram passar pelas sentinelas camisas-pardas na porta. Em Hanover, determinados clientes tentaram entrar nas lojas judaicas à força. Na maior parte dos locais, porém, poucos entraram. Nesse sentido, pelo menos, o boicote foi um sucesso. Por outro lado, algumas aldeias menores fracassaram em implementar o boicote por completo. Em todo caso, numerosos comerciantes judeus fecharam as lojas por toda parte para evitar aborrecimentos. Avisadas de antemão do boicote, muitas pessoas apressaram-se a comprar mercadorias nas lojas judaicas na véspera, para grande contrariedade da imprensa nazista. Um jovem soldado e sua namorada foram ouvidos em um cinema na noite anterior ao boicote discutindo sobre o que deveriam fazer. "Na verdade, espera-se que não se compre nada dos judeus", disse ele. "Mas é tão terrivelmente barato", ela replicou. "Então é malfeito e não dura", foi a resposta dele. "Não", ela retrucou, "realmente é igualmente bom e se conserva da mesma maneira, o mesmo que nas lojas cristãs – e muito mais barato".[108]

Apenas lojas e empresas de pequeno porte foram afetadas pelo boicote; as firmas judaicas maiores, que haviam aguentado o tranco dos ataques verbais dos nazistas ao longo dos anos, ficaram isentas devido à sua importância para a economia nacional e porque eram grandes empregadoras que seriam forçadas a dispensar trabalhadores se o boicote realmente tivesse um impacto sério em sua situação econômica. Somente a rede de lojas de departamento Tietz tinha 14 mil empregados. A organização de empregados nazistas da imensa empresa editorial Ullstein observou que, embora a companhia estivesse isenta do boicote, a proibição de muitas de suas publicações estava levando à demissão de muitos "bons camaradas nacionalistas", ilustrando assim os perigos econômicos das políticas do regime.[109] Tudo isso tornou o boicote bem menos impressionante do que Goebbels afirmou. A ausência geral de oposição pública à ação foi espantosa, mas igualmente notável foi a ausência geral de entusiasmo por ela, uma combinação que viria a se repetir mais de uma vez nos anos vindouros, quando o governo lançasse medidas antissemitas de um tipo ou outro. Ao perceber os problemas que o boicote causava, tanto para a economia quanto para a reputação do regime no exterior, e admitindo em caráter privado que a medida não havia obtido grande sucesso, Hitler e o Partido abandonaram em silêncio a ideia de dar continuidade a ele em âmbito nacional, a despeito de os jornais americanos seguirem publicando "histórias de atrocidades" sobre a violência nazista contra os judeus nas semanas e meses subsequentes. Mas a ideia de boicote enraizou-se no movimento nazista. Nos meses seguintes, muitos jornais locais exortaram seus leitores repetidas vezes a não frequentar lojas judaicas, enquanto ativistas do Partido com frequência colocavam "sentinelas" diante de uma ampla quantidade de estabelecimentos judaicos e organizavam campanhas de redação de cartas para censurar e admoestar os clientes que ousavam frequentá-los.[110]

V

Um dos principais objetivos do boicote era notificar o baixo escalão nazista de que a política antissemita tinha que ser coordenada e executada de modo centralizado, como Hitler havia escrito muitos anos antes, de maneira "racional" em vez de *pogroms* e atos de violência espontâneos. Assim, o boicote preparou o caminho para a política nazista em relação aos judeus tomar um rumo legal, ou quase legal, no esforço de efetivar a declaração do Programa do Partido de que os judeus não podiam ser cidadãos alemães plenos e, portanto, que não podiam desfrutar de direitos civis plenos. Uma semana depois do boicote, em 7 de abril de 1933, a Lei para a Restauração do Serviço Público Profissional acrescentou judeus a comunistas e outros indivíduos politicamente inconfiáveis do funcionalismo estatal como alvos de demissão. Servidores públicos "não arianos", definidos em uma lei suplementar de 11 de abril como pessoas com um ou mais avô "não ariano, particularmente judeu", deveriam ser exonerados, a menos que (por insistência explícita de Hindenburg) fossem veteranos de guerra ou tivessem perdido o pai ou um filho em combate, ou tivessem prestado serviço militar antes da Primeira Guerra Mundial. Levada a cabo por Wilhelm Frick, o ministro do Interior do Reich nazista, que já havia proposto lei semelhante em 1925, quando era um humilde deputado do Reichstag, a legislação, no estilo nazista característico, coordenou medidas já em andamento em âmbitos regional e local, pois a demissão de empregados estatais judeus vinha ocorrendo já há algumas semanas. Dispositivos semelhantes formulados no Ministério da Justiça ao mesmo tempo e incorporados em uma lei separada aprovada no mesmo dia foram aplicados a advogados judeus. Um decreto de 25 de abril "Contra a superlotação das escolas e universidades alemãs" reduziu de forma drástica o fluxo de judeus alemães qualificados ao ensino impondo uma cota de 5% de alunos judeus em todas as escolas e universidades e de 1,5% das novas matrículas a cada ano. As isenções possibilitaram que muitos judeus continuassem trabalhando – 336 do total de 717 juízes e promotores públicos, por exemplo, e 3.167 do total de 4.585 advogados judeus.[111] Judeus do leste europeu que haviam migrado para a Alemanha sob a República de Weimar perderam a cidadania com uma lei de 14 de julho de 1933, em uma medida já cogitada pelo governo de Franz von Papen em 1932. Esse pacote de diferentes medidas significou o fim da igualdade civil dos judeus que existia na Alemanha desde 1871.[112]

Os judeus que seguiram em seus serviços fizeram-no em uma atmosfera de suspeita e hostilidade em escalada contínua e constante. Os decretos deflagraram uma onda de denúncias, de motivação pessoal ou política, e muitos advogados, funcionários públicos e empregados estatais foram obrigados a começar a ver quais eram seus ancestrais, ou mesmo submeter-se a exame médico em um esforço para determinar sua suposta espécie racial. Ministros e chefes de departamentos do serviço público eram maciçamente hostis a qualquer presença judaica persistente nas instituições que comandavam. Conservadores como Herbert von Bismarck, secretário de Estado no Ministério do Interior prussiano, eram apoiadores tão entusiásticos das medidas antissemitas quanto seus colegas nazistas. Afinal de contas, medidas para restringir os direitos civis dos judeus tinham feito parte do programa do Partido Conservador (posteriormente Nacionalista) desde o início da década de 1890. Hitler levou na devida conta o sentimento desses homens de que as políticas antissemitas não deveriam ir longe demais, vetando uma proposta para banir os médicos judeus em 7 de abril, por exemplo, e tentando garantir que o expurgo não tivesse efeitos adversos nos negócios e na economia. Contudo, permaneceu o fato de que, no impulso básico da política de exclusão de Hitler naquele momento, seus colegas nacionalistas estavam a favor.[113]

E onde o Estado liderou, outras instituições foram atrás. Uma parte central do conjunto do processo de coordenação em todos os níveis foi a exclusão dos judeus das instituições recém-nazificadas resultantes, da Associação Alemã de Boxe, que excluiu quatro boxeadores judeus em 4 de abril de 1933, à Liga de Ginástica Alemã, que se "arianizou" em 24 de maio. As municipalidades começaram a banir judeus de instalações públicas, por exemplo, dos campos de esportes.[114] Na pequena aldeia de Northeim, no norte alemão, onde havia apenas 120 judeus praticantes em 1932, o boicote de 1º de abril de 1933 pareceu desanimado, durando apenas umas poucas horas e não sendo aplicado a todas as empresas. Ali, como em muitas outras comunidades, a população judaica local havia sido gradativamente aceita, e o antissemitismo nazista era considerado uma retórica abstrata sem aplicabilidade concreta aos judeus que todo mundo conhecia. Eis que o boicote revelou de repente a realidade da situação para todos os setores da sociedade. A renda do médico judeu local de Northeim começou a cair à medida que os pacientes o abandonavam, ao passo que associações de voluntários, incluindo não só o clube de tiro mas até mesmo o Clube de Veteranos, perdiam seus membros judeus, muitas vezes por "não comparecimento", visto que os judeus locais em breve ficaram relutantes em continuar participando da vida associativa da aldeia; muitos renunciaram antes que lhes fosse solicitado que saíssem. Para cada antigo social-democrata que continuou a prestigiar lojas judaicas ostensivamente, havia vários camisas-pardas locais que compravam mercadorias a crédito e se recusavam a pagar as contas. No final do verão de 1933, em meio à contínua avalanche de propaganda antissemita dos líderes políticos do Reich em todos os níveis, dos jornais e meios de comunicação, os judeus de Northeim haviam sido efetivamente excluídos da vida social da aldeia. E o que aconteceu em Northeim aconteceu também em todo o restante da Alemanha.[115]

Alguns judeus pensaram que a onda antissemita passaria logo, racionalizaram ou fizeram o máximo para ignorá-la. Muitos, porém, ficaram em estado de choque e desespero. O fato de que a violência política, já disseminada antes de janeiro de 1933, agora era oficialmente sancionada pelo governo e se dirigia tão abertamente contra a população judaica da Alemanha criou uma situação que parecia inteiramente nova para muitos. O resultado foi que os judeus começaram a emigrar da Alemanha, como os nazistas de fato pretendiam. Apenas em 1933, 37 mil foram embora. A população judaica da Alemanha caiu de 525 mil em janeiro para pouco menos de 500 mil no final de junho; e essa foi a queda apenas entre aqueles registrados como pertencendo à fé judaica. Muitos mais partiriam nos anos subsequentes. Mas muitos também decidiram ficar, em especial os idosos.[116] Para a geração mais velha, achar um serviço no exterior era difícil, se não impossível, ainda mais que a maioria dos países ainda lutava com as agruras da Depressão. Eles preferiram correr o risco no país que sempre havia sido seu lar. Outros nutriam a ilusão de que as coisas iriam melhorar quando o regime nazista se acomodasse. A energia juvenil das tropas de assalto com certeza seria domada, os excessos da revolução nacional-socialista logo acabariam.

Um cidadão judeu que não teve quaisquer ilusões foi Victor Klemperer. Em seu diário, ele já reclamava do "terror de direita" antes da eleição de 5 de março, quando este era relativamente limitado em comparação com o que estava por vir. Klemperer se viu incapaz de concordar com os amigos que falavam a favor dos nacionalistas e apoiavam o banimento do Partido Comunista. Ficou deprimido com a falha deles em perceber a "verdadeira distribuição de poder" no gabinete de Hitler. O terror pré-eleitoral, escreveu ele em 10 de março, não passava de um "prelúdio ameno". A violência e a propaganda fizeram-no lembrar da Revolução de 1918, só que dessa vez sob o signo da suástica. Ele já se perguntava por quanto tempo seria deixado em seu cargo na universidade. Uma semana depois, escrevia: "A derrota de 1918 não me deprimiu tão profundamente quanto a atual situação. É realmente chocante o modo como dia após dia a força bruta, as violações da legalidade, a mais terrível hipocrisia, um estado mental bárbaro manifestam-se por completo como decretos sem qualquer dissimulação". A atmosfera, ele notou desesperado em 30 de março, dois dias antes do boicote, era

> como a escalada para um *pogrom* nas profundezas da Idade Média ou nos confins da Rússia tsarista... Somos reféns... "Nós" – a comunidade ameaçada de judeus. Realmente, sinto-me mais envergonhado que amedrontado. Envergonhado pela Alemanha. Sinceramente, sempre me senti alemão. E sempre imaginei que o século XX e a Europa central fossem diferentes do século XIV e da Romênia. Errado!

Como muitos judeus alemães conservadores, Klemperer, que simpatizava com a maior parte daquilo em que os nacionalistas acreditavam, exceto o antissemitismo, insistia antes e acima de tudo em sua identidade alemã. Sua lealdade viria a ser severamente testada nos meses e anos vindouros.

A Alemanha, escreveu Klemperer em 20 de março de 1933, não seria salva pelo governo de Hitler, que parecia dirigir-se rapidamente para uma catástrofe. "Além disso", acrescentou, "creio que jamais será capaz de apagar a ignomínia de ter caído como presa dele". Ele anotou a demissão de amigos e conhecidos judeus de seus empregos, uma após a outra. Sentiu-se culpado quando a lei de 7 de abril permitiu-lhe ficar no cargo por ter lutado no *front* em 1914-18. O egoísmo, a impotência e a covardia do povo o consternavam, e mais ainda o antissemitismo notório e os cartazes antissemitas abusivos dos estudantes de sua universidade. Sua esposa estava doente e sofrendo dos nervos, ele preocupava-se com seu próprio coração. O que o fazia seguir em frente era a atividade de comprar e preparar um lote em Döltzschen, nos arredores de Dresden, para ali construir uma casa nova para ele e a esposa, bem como seus escritos acadêmicos; isso e suas inextinguíveis simpatia humana e curiosidade intelectual. Em junho, ele já começava a compilar um dicionário particular da terminologia nazista. A primeira entrada, registrada em 30 de junho de 1933, foi *custódia preventiva*.[117]

Uma "revolução de destruição"?

I

A investida nazista sobre os judeus nos primeiros meses de 1933 foi o primeiro passo de um processo mais longo para removê-los da sociedade alemã. No verão de 1933, esse processo estava bem encaminhado. Era o cerne da revolução cultural de Hitler, a chave, na mente nazista, para a transformação cultural mais ampla da Alemanha, que era expurgar o espírito alemão de influências "alienígenas" como comunismo, marxismo, socialismo, liberalismo, pacifismo, conservadorismo, experimentação artística, liberdade sexual e muito mais. Todas essas influências eram atribuídas pelos nazistas à influência maligna dos judeus, a despeito de evidência maciça em contrário. Excluir os judeus da economia, dos meios de comunicação, do emprego estatal e das classes profissionais era, assim, uma parte essencial do processo de redimir e purificar a raça alemã, e prepará-la para dar livre curso à vingança contra aqueles que a haviam humilhado em 1918. Quando Hitler e Goebbels falavam naquele verão sobre a "revolução nacional-socialista", era a isso que se referiam em primeiro lugar: uma revolução cultural e espiritual na qual todas as coisas "não alemãs" haviam sido implacavelmente suprimidas.

Todavia, a velocidade extraordinária com que essa transformação havia sido alcançada sugeria ao mesmo tempo poderosas continuidades do passado recente. Afinal de contas, entre 30 de janeiro e 14 de julho de 1933, os nazistas haviam traduzido a chancelaria de Hitler no governo de coalizão dominado por conservadores não nazistas em um Estado de partido único, no qual até mesmo os conservadores não mais possuíam nenhuma representação em separado. Haviam coordenado todas as instituições sociais, exceto as igrejas e o Exército, em uma estrutura vasta e ainda incipiente comandada por eles mesmos. Haviam expurgado amplas fatias da cultura e das artes, das universidades e do sistema educacional, e quase todas as outras áreas da sociedade alemã, de todos os que se opunham a eles. Haviam iniciado a ofensiva para empurrar os judeus para as margens da sociedade ou forçá-los a emigrar. E estavam começando a implantar as leis e políticas que determinariam o destino da Alemanha e do seu povo. Alguns haviam imaginado que a coalizão instalada em 30 de janeiro de 1933 se desmancharia como outras coalizões antes dela, dentro de poucos meses. Outros haviam depreciado os nazistas como um fenômeno transitório que logo desapareceria do palco da história mundial junto com o sistema capitalista que o havia colocado no poder. Ficou provado que todos eles estavam errados. O Terceiro Reich passou a existir no verão de 1933, e sem dúvida tinha chegado para ficar. Como então ocorreu essa revolução? Por que os nazistas não depararam com nenhuma oposição efetiva à sua tomada de poder?

A chegada do Terceiro Reich aconteceu essencialmente em duas fases. A primeira terminou com a nomeação de Hitler como chanceler do Reich em 30 de janeiro de 1933. Não foi uma "tomada de poder". De fato, os próprios nazistas não usaram o termo para descrever a indicação, visto que poderia sugerir um golpe. Nesse estágio, ainda eram cuidadosos ao se referir a "assumir o poder" e ao chamar a coalizão de "governo da renovação nacional" – quando desejavam sublinhar a legitimidade da nomeação do gabinete pelo presidente – ou, mais genericamente, de governo do "levante nacional", enfatizando a legitimidade de seu suposto respaldo pela nação.[118] Os nazistas sabiam que a indicação de Hitler era o início do processo de conquista do poder, não o fim. Não obstante, caso isso não tivesse acontecido, o Partido Nazista bem poderia ter continuado a declinar enquanto a economia recuperava-se gradativamente. Se Schleicher tivesse sido politicamente menos incompetente, poderia ter estabelecido um regime quase militar, governando por meio do poder de decreto do presidente Hindenburg e depois, quando este, que já estava com oitenta e tantos anos, enfim morresse, governaria por si mesmo, possivelmente com uma Constituição revisada que ainda garantiria algum tipo de papel ao

Reichstag. Na segunda metade de 1932, um regime militar de alguma espécie era a única alternativa viável à ditadura nazista. A derrocada da democracia parlamentar rumo ao domínio de um Estado autoritário sem a participação plena e igual dos partidos ou legislativos já havia começado sob Brüning. Havia sido tremenda e deliberadamente acelerada por Papen. Depois de Papen, não havia volta. Havia se criado na Alemanha um vácuo de poder que o Reichstag e os partidos não tinham chance de preencher. O poder político havia se esvaído dos órgãos legítimos da Constituição em parte para as ruas e em parte para a pequena facção de políticos e generais em torno do presidente Hindenburg, deixando um vácuo na vasta área entre ambos, onde acontece a política democrática normal. Hitler foi colocado no cargo por um grupo em torno do presidente, mas esse grupo não teria achado necessário colocá-lo ali sem a violência e a desordem geradas pelas atividades dos nazistas e comunistas nas ruas.[119]

Numa situação dessas, era provável que só a força obtivesse sucesso. Apenas duas instituições possuíam-na em escala suficiente. Apenas duas instituições poderiam operá-la sem incitar reações ainda mais violentas por parte da massa da população: o Exército e o movimento nazista. É bem provável que uma ditadura militar tivesse esmagado muitas liberdades civis nos anos depois de 1933, deflagrado uma ofensiva rearmamentista, repudiado o Tratado de Versalhes, anexado a Áustria e invadido a Polônia a fim de reaver Danzig e o Corredor Polonês que separava o leste da Prússia do resto da Alemanha. Poderia ter usado a recuperação do poder da Alemanha para investir em mais agressão internacional, que levaria a uma guerra com Grã-Bretanha e França, ou União Soviética, ou ambas as coisas. É quase certo que teria imposto severas restrições aos judeus. Mas é improvável que, no saldo geral, uma ditadura militar na Alemanha tivesse deslanchado o tipo de programa genocida que encontrou culminação nas câmaras de gás de Auschwitz e Treblinka.[120]

Um golpe militar, como muitos temiam, poderia ter levado à resistência violenta dos nazistas, bem como dos comunistas. Restaurar a ordem teria causado um tremendo banho de sangue, levando talvez à guerra civil. O Exército estava tão ansioso quanto os nazistas para evitar isso. Ambos os lados sabiam que suas perspectivas de sucesso se tentassem agarrar o poder sozinhos eram dúbias, para dizer o mínimo. A lógica da cooperação era, portanto, virtualmente inevitável; a única questão era qual forma essa cooperação assumiria. Por toda a Europa, elites conservadoras, exércitos e movimentos de massa radicais fascistas ou populistas encaravam o mesmo dilema. Eles o resolveram de várias maneiras, dando vantagem para a força militar em alguns países, como Espanha, e para movimentos fascistas em outros, como Itália. Em muitos países, as democracias foram substituídas por ditaduras nas décadas de 1920 e 1930. O que aconteceu na Alemanha em 1933 não parece tão excepcional à luz do que já havia acontecido em países como Itália, Polônia, Letônia, Estônia, Lituânia, Hungria, Romênia, Bulgária, Portugal, Iugoslávia ou, na verdade de forma bastante diferente, na União Soviética. A democracia em breve também seria destruída em outros países, como Áustria e Espanha. Em tais países, violência política, tumultos e assassinatos haviam sido comuns em vários períodos desde o fim da Primeira Guerra Mundial; na Áustria, por exemplo, graves distúrbios em Viena haviam culminado no incêndio do Palácio da Justiça em 1927; na Iugoslávia, esquadrões da morte macedônios causavam devastação no mundo político; na Polônia, uma grande guerra com a União Soviética que nascia havia mutilado o sistema político e a economia e aberto caminho para a ditadura militar do general Pilsudski. Por toda parte, a direita autoritária também compartilhava da maioria das – se não de todas – crenças antissemitas e teorias conspiratórias que animavam os nazistas. O governo húngaro do marechal Miklós Horthy pouco devia à extrema direita alemã no ódio aos judeus, alimentado pela experiência do breve regime revolucionário liderado pelo judeu comunista Béla Kun em 1919. O regime militar polonês da década de 1930 viria a impor severas restrições à grande população judaica do país. Vistos no contexto da época, nem a violência política da década de 1920 e início da década de 1930, nem o colapso da democracia parlamentar, nem a destruição das liberdades civis teriam parecido particularmente incomuns a um observador desapaixonado. Tampouco tudo que aconteceu na sequência da história do Terceiro Reich tornou-se inevitável pela nomeação de Hitler como chanceler. Oportunidade e acaso viriam a desempenhar sua parte nisso também, como haviam desempenhado antes.[121]

Não obstante, as consequências dos eventos de 30 de janeiro de 1933 na Alemanha foram de longe mais graves que as consequências do colapso da democracia em outras partes da Europa. As cláusulas de segurança do Tratado de Versalhes de nada serviram para alterar o fato de que a Alemanha ainda era o país mais poderoso, mais avançado e mais populoso da Europa. Os sonhos nacionalistas de engrandecimento e conquista territoriais estavam igualmente presentes em outros regimes autoritários, como Polônia e Hungria. Mas esses, se realizados, provavelmente seriam de importância apenas regional. O que acontecesse na Alemanha provavelmente teria um impacto muito mais amplo do que o que acontecesse em um país pequeno como a Áustria, ou em uma nação empobrecida como a Polônia. Dado o tamanho e o poder da Alemanha, havia potencial para ser algo de importância mundial. Por isso os eventos dos primeiros seis meses e meio de 1933 foram tão importantes.

Como e por que aconteceram? Para começar, ninguém teria pensado que valeria a pena meter Hitler na Chancelaria do Reich não fosse ele o líder do maior partido político da Alemanha. Claro que os nazistas jamais conquistaram a maioria dos votos em uma eleição livre: 37,4% foi tudo que conseguiram arranjar em seu melhor desempenho, a eleição para o Reichstag em julho de 1932. Ainda assim, foi uma votação elevada por quaisquer padrões democráticos, mais alta do que a alcançada por muitos governos eleitos democraticamente em outros países desde então. As raízes do sucesso nazista jaziam no fracasso do sistema político alemão em produzir um partido conservador viável em âmbito nacional, unindo tanto católicos quanto protestantes de direita; na fraqueza histórica do liberalismo alemão; no amargo ressentimento de quase todos os alemães pela perda da guerra e pelos duros termos do Tratado de Versalhes; no medo e na desorientação provocados em muitos alemães de classe média pelo modernismo social e cultural dos anos de Weimar e pela hiperinflação de 1923. A falta de legitimidade da República de Weimar, que na maior parte de sua existência jamais desfrutou do apoio da maioria dos deputados no Reichstag, somou-se a essas influências e encorajou a nostalgia pelo velho Reich e pela liderança autoritária de uma personalidade como Bismarck. O mito do "espírito de 1914" e da "geração do *front*", particularmente forte entre aqueles jovens demais para ter lutado na guerra, alimentaram um forte desejo de unidade nacional e uma impaciência com a multiplicidade de partidos e com os infindáveis compromissos das negociações políticas. O legado da guerra também incluía violência política em uma escala maciça e destrutiva, e ajudou a persuadir muita gente não violenta e respeitável a tolerá-la em um grau que seria impensável em uma democracia parlamentar em funcionamento efetivo.

Entretanto, certos fatores-chave destacam-se do todo. O primeiro é o efeito da Depressão, que radicalizou o eleitorado, destruiu ou danificou profundamente os partidos mais moderados e polarizou o sistema político entre os partidos "marxistas" e os grupos "burgueses", que se deslocaram todos rapidamente para a extrema direita. A sempre crescente ameaça do comunismo infundiu medo no coração dos eleitores burgueses e ajudou a virar o catolicismo político na direção da política autoritária e para longe da democracia, assim como fez em outras partes da Europa. Fracassos empresariais e desastres financeiros ajudaram a convencer muitos capitães da indústria e líderes da agricultura de que o poder dos sindicatos tinha que ser refreado ou mesmo destruído. Os efeitos políticos da Depressão magnificaram enormemente os da catástrofe anterior da hiperinflação e fizeram com que parecesse que a república não conseguia gerar nada além de desastre econômico. Mesmo sem a Depressão, a primeira democracia da Alemanha parecia condenada, mas o início de um dos piores baques econômicos da história empurrou-a para além do ponto de retorno. Além do mais, o desemprego em massa minou o outrora forte movimento operário da Alemanha, um sólido avalista da democracia no recente ano de 1920, quando conseguiu derrotar o golpe de direita de Kapp a despeito da tolerância aos rebeldes mostrada pelo Exército. Dividido e desmoralizado, e roubado de sua arma essencial – a greve política de massa –, o movimento operário alemão ficou preso entre o apoio impotente ao regime autoritário de Heinrich Brüning por um lado e a hostilidade autodestrutiva à "democracia burguesa" de outro.

O segundo fator importante foi o movimento nazista em si. Suas ideias, evidentemente, tinham amplo apelo entre o eleitorado, ou pelo menos não eram tão ultrajantes a ponto de afastá-lo. Seu dinamismo prometia uma cura radical para as enfermidades da república. Seu líder Adolf Hitler era uma figura carismática capaz de convocar suporte eleitoral em massa pela veemência de suas denúncias retóricas da malquerida república e de converter esse suporte em cargo político e, por fim, de fazer os movimentos certos na hora certa. A recusa de Hitler em entrar em um governo de coalizão em qualquer outra função que não chanceler do Reich, recusa que foi uma frustração terminal para alguns de seus subordinados, como Gregor Strasser, provou-se certa no fim. Como adjunto do impopular Papen ou do igualmente malquerido Schleicher, ele teria perdido muito em termos de reputação e renunciado a boa parte do carisma proveniente de ser o Líder. O Partido Nazista era um partido de protesto, com um programa não muito positivo e poucas soluções práticas para os problemas da Alemanha. Mas sua ideologia extremista, adaptada e às vezes encoberta de acordo com as circunstâncias e a natureza do grupo específico de pessoas a que estivesse apelando, conectou-se a um número suficiente de crenças e preconceitos populares alemães preexistentes para parecer digno de apoio nas urnas para muita gente. Para essas pessoas, tempos desesperados exigiam medidas desesperadas; para muitas mais, em particular nas classes médias, o caráter vulgar e inculto dos nazistas parecia garantia suficiente de que os parceiros da coalizão de Hitler, bem educados e bem criados, seriam capazes de mantê-lo sob controle e conter a violência de rua que parecia um acompanhamento lamentável, mas sem dúvida temporário, da ascensão do movimento à proeminência.

A substancial sobreposição entre a ideologia dos nazistas e a dos conservadores e, em grau considerável, até mesmo dos liberais alemães, foi um terceiro fator importante para levar Hitler à Chancelaria do Reich em 30 de janeiro de 1933. As ideias em voga entre quase todos os partidos políticos alemães à direita dos social-democratas no início da década de 1930 tinham muito em comum com as dos nazistas. Essas ideias com certeza portavam semelhança suficiente com as dos nazistas para o grosso dos apoiadores dos partidos liberais e conservadores entre o eleitorado protestante abandoná-los, pelos menos temporariamente, pelo que parecia uma alternativa mais efetiva. Os eleitores católicos e seu representante, o Partido de Centro, também não estavam mais comprometidos com a democracia a essa

A CHEGADA DO TERCEIRO REICH

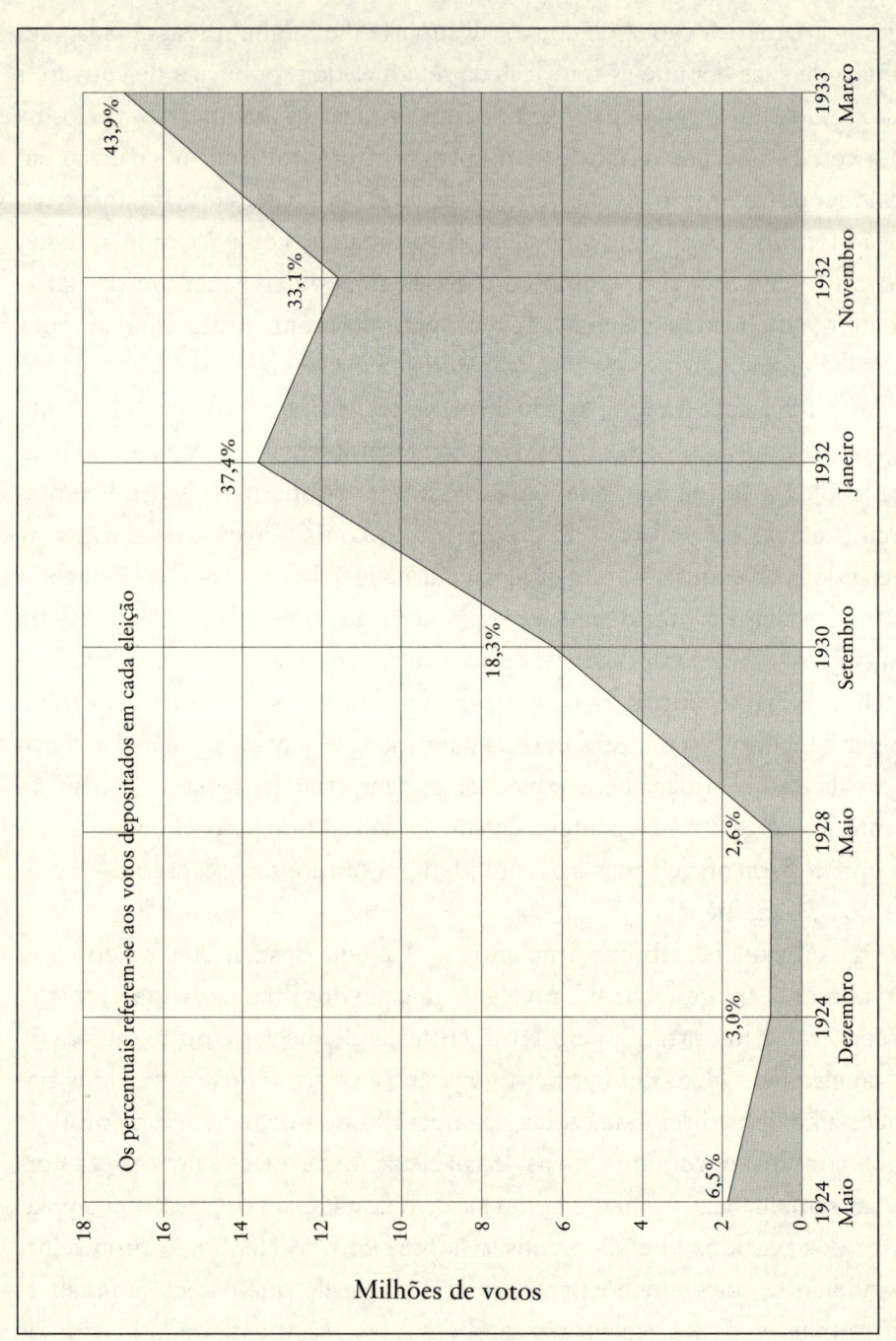

Os percentuais referem-se aos votos depositados em cada eleição

Eleição	%
1924 Maio	6,5%
1924 Dezembro	3,0%
1928 Maio	2,6%
1930 Setembro	18,3%
1932 Janeiro	37,4%
1932 Novembro	33,1%
1933 Março	43,9%

Gráfico 1. A votação nazista nas eleições para o Reichstag, 1924-33

altura. Além disso, até mesmo um número substancial de católicos e operários, ou pelo menos aqueles que por algum motivo não estavam tão intimamente ligados a seu respectivo ambiente cultural-político quanto o grosso de seus companheiros, também se voltou para o nazismo. Apenas por abordar valores sociais e políticos com frequência profundamente arraigados os nazistas puderam se tornar o maior partido da Alemanha tão depressa. Ao mesmo tempo, porém, a propaganda nazista, apesar de toda energia e sofisticação, não conseguiu persuadir pessoas sem inclinação ideológica a votar em Hitler. Com falta crônica de fundos na maior parte do tempo, e por isso incapaz de desenvolver sua coleção total de métodos, excluída até 1933 do uso do rádio e dependente do trabalho voluntário dos grupos de ativistas locais, com frequência caóticos e desorganizados, a ofensiva de propaganda de Goebbels de 1930 a 1932 foi apenas uma de uma série de influências que levou as pessoas a votar nos nazistas. Muitas vezes, na verdade, como no norte rural protestante, elas votaram sem ter sido em absoluto alcançadas pela máquina de propaganda nazista. A votação nazista foi sobretudo um voto de protesto e, depois de 1928, Hitler, Goebbels e a liderança do Partido reconheceram isso de forma implícita ao retirar de cena a maior parte de suas políticas específicas, isso quando as possuíam, e se concentrar em um vago apelo emocional que enfatizava pouca coisa além da juventude e do dinamismo do Partido, sua determinação de destruir a República de Weimar, o Partido Comunista e o Partido Social-Democrata, e sua crença de que apenas por meio da unidade de todas as classes sociais a Alemanha poderia renascer. O antissemitismo, tão proeminente na propaganda nazista na década de 1920, assumiu posição secundária e teve pouca influência em conquistar apoio para os nazistas nas eleições do início da década de 1930. Bem mais importante foi a imagem do Partido projetada nas ruas, onde as colunas de camisas-pardas marchando contribuíram para a imagem geral de vigor disciplinado e determinação que Goebbels buscava projetar.[122]

O esforço de propaganda nazista, portanto, conquistou basicamente pessoas já inclinadas a se identificar com os valores que o Partido afirmava representar e que simplesmente viram os nazistas como um veículo mais eficiente e enérgico que os partidos burgueses para colocá-los em prática.

Muitos historiadores argumentaram que esses valores eram essencialmente pré-industriais, ou pré-modernos. Esse argumento, contudo, repousa em uma equação simplista que iguala democracia com modernidade. Os eleitores que afluíram às urnas em apoio a Hitler, as tropas de assalto que abriram mão de suas noites para surrar comunistas, social-democratas e judeus, os ativistas do Partido que passaram seu tempo livre em comícios e manifestações – nenhum deles estava se sacrificando para restaurar um passado perdido. Pelo contrário, eram inspirados por uma visão de futuro – vaga, mas não obstante poderosa –, um futuro em que os antagonismos de classe e as altercações entre partidos estariam superados; o privilégio aristocrático do tipo representado pelo odiado Papen seria removido; a tecnologia, os meios de comunicação e todas as invenções modernas estariam vinculados à causa do "povo"; e uma vontade nacional ressurgente se expressaria pela soberania não de um tradicional monarca hereditário ou de uma elite social arraigada, mas de um líder carismático que veio do nada, que serviu como simples cabo na Primeira Guerra Mundial e que martelava constantemente na tecla de suas credenciais de homem do povo. Os nazistas declararam que rasparíam incrustações estrangeiras e alienígenas do corpo político alemão, livrando o país do comunismo, marxismo, liberalismo "judaico", bolchevismo cultural, feminismo, libertinismo sexual, cosmopolitismo, dos fardos econômicos e de poder político impostos pela Grã-Bretanha e França em 1919, da democracia "ocidental" e muito mais. Eles desnudariam a verdadeira Alemanha. Não era uma Alemanha histórica específica de alguma data ou Constituição particulares, mas uma Alemanha mítica que recuperaria sua alma racial atemporal da alienação que havia sofrido sob a República de Weimar. Tal visão não envolvia apenas olhar para trás ou para a frente, mas ambas as coisas.

Os conservadores que alçaram Hitler ao poder compartilhavam de boa parte dessa visão. Realmente olhavam para trás com nostalgia do passado e ansiavam pela restauração da monarquia dos Hohenzollern e do Reich bismarckiano. Mas estes deveriam ser restaurados em uma forma expurgada daquilo que viam como concessões insensatas feitas à democracia. Em sua visão de futuro, todo mundo deveria saber o seu lugar, e as classes operárias em especial deveriam ser mantidas no lugar a que pertenciam, totalmente fora do processo de tomada de decisões políticas. Mas essa visão tampouco podia ser considerada realmente como pré-industrial ou pré-moderna. Em primeiro lugar, era compartilhada em larga medida por muitos dos grandes industriais que tanto fizeram para minar a democracia de Weimar, e por muitos oficiais militares tecnocratas modernos cuja ambição era deflagrar uma guerra moderna com o tipo de equipamento militar avançado que o Tratado de Versalhes proibia que tivessem. Como outras pessoas em outros tempos e outros lugares, os conservadores, tanto quanto Hitler, manipulavam e rearranjavam o passado para adequá-lo a seus objetivos pessoais do momento. Não podem ser reduzidos a manifestações de grupos sociais "pré--industriais". Muitos deles, desde os *junkers* – proprietários de terras capitalistas – em busca de novos mercados, até pequenos varejistas e funcionários de escritório cujos meios de sustento nem sequer existiam antes da industrialização, eram tanto modernos quanto tradicionais.[123] Foram essas incongruências de visão que persuadiram homens como Papen, Schleicher e Hindenburg de que valeria a pena legitimar seu poder cooptando o movimento de massa do Partido Nazista em um governo de coalizão, cuja meta seria erigir um Estado autoritário sobre as ruínas da República de Weimar.

A morte da democracia na Alemanha fez parte de um padrão europeu muito mais amplo nos anos entreguerras; mas também teve raízes muito específicas na história alemã e recorreu a ideias que faziam parte de uma tradição alemã muito específica. O nacionalismo alemão, a visão pangermânica de concluir por meio de conquistas na guerra a obra inacabada de Bismarck de reunir todos os alemães em um estado único, a convicção da superioridade da raça ariana e da ameaça representada pelos judeus, a crença no planejamento eugênico e na higiene racial, o ideal militar de uma sociedade trajada com uniformes, arregimentada, obediente e pronta para a batalha – tudo isso e muito mais que chegou em 1933 recorria a ideias que vinham circulando na Alemanha desde o último quarto do século XIX. Algumas dessas ideias, por sua vez, tinham raízes em outros países ou eram compartilhadas por pensadores importantes nesses lugares – o racismo de Gobineau, o anticlericalismo de Schönerer, as fantasias pagãs de Lanz von Liebenfels, as pseudocientíficas políticas de população dos discípulos de Darwin em muitos países, e muito mais. Mas elas combinaram-se na Alemanha em uma mistura singularmente venenosa, tornada ainda mais potente pela posição de primazia da Alemanha como o estado mais avançado e mais poderoso do continente europeu. Nos anos seguintes à nomeação de Hitler como chanceler do Reich, o resto da Europa, e o mundo, veriam quão venenosa aquela mistura podia ser.

II

A despeito de todos os sucessos eleitorais, jamais houve qualquer dúvida de que Hitler chegou ao cargo em resultado de intriga política clandestina. "Os alemães" não elegeram Hitler chanceler do Reich. Nem deram aprovação livre e democrática à sua criação de um Estado de partido único. Contudo, alguns argumentaram que a República de Weimar destruiu a si mesma em vez de ser destruída por seus inimigos, um caso de suicídio político em vez de assassinato político.[124] Da fraqueza da constituição política da República de Weimar na crise suprema de 1930-33 não pode restar dúvida. A ausência fatal de legitimidade da república fez o povo olhar um tanto rapidamente demais para outras soluções políticas para as enfermidades da Alemanha. Mas essas enfermidades não eram de autoria apenas da república. Em todo o processo, foi crucial a forma como os inimigos da democracia exploraram a Constituição democrática e a cultura política democrática para seus próprios fins. Joseph Goebbels foi bastante explícito quando ridicularizou em público

> a estupidez da democracia. Uma das melhores piadas da democracia será sempre ter propiciado a seus inimigos mortais os meios pelos quais foi destruída. Os líderes perseguidos do NSDAP [Partido Nacional-Socialista dos Trabalhadores Alemães] tornaram-se deputados parlamentares, e com isso adquiriram imunidade parlamentar, subsídios e passagens grátis para viajar. Ficaram assim protegidos da interferência da polícia, podiam permitir-se dizer mais que o cidadão comum, e além disso também tinham os custos de suas atividades

pagos pelo inimigo. Pode-se fazer um capital soberbo a partir da estupidez democrática. Os membros do NSDAP perceberam isso depressa e obtiveram enorme prazer.[125]

Não havia como negar o supremo desprezo dos nazistas pelas instituições democráticas. Mas é da natureza das instituições democráticas pressupor pelo menos um mínimo de disposição para sustentar as regras da política democrática. Democracias sob a ameaça de destruição encaram o dilema insuportável de se render à ameaça insistindo em preservar as sutilezas democráticas ou violar seus princípios restringindo os direitos democráticos. Os nazistas sabiam disso e exploraram o dilema a fundo na segunda fase da chegada do Terceiro Reich, a partir de fevereiro até julho de 1933.

Desde o fracasso de seu golpe da cervejaria em novembro de 1923, Hitler sempre afirmou que chegaria ao poder por meios legais. De fato, chegou a dizer isso até sob juramento no tribunal. Depois de 1923, ele sabia que um golpe de Estado violento ao estilo da Revolução de Outubro da Rússia em 1917, ou mesmo a ameaçada "marcha sobre Roma" que catapultou Mussolini ao cargo de primeiro-ministro da Itália em 1922, não funcionaria. A cada passo, portanto, Hitler e seus associados procuraram um artifício legalista para suas ações. O tempo todo, evitaram o máximo possível dar aos oponentes o tipo de oportunidade que os social-democratas haviam abraçado ao combater nos tribunais o golpe prussiano de Papen em julho de 1932. Os social-democratas fizeram isso com certo grau de sucesso legal, embora em termos políticos a ação na corte tenha se mostrado completamente inútil. Foi para evitar esse precedente que Hitler deu tanta importância ao Decreto do Incêndio do Reichstag e à Lei Plenipotenciária, por exemplo. Foi por isso que Göring alistou os camisas-pardas e a SS como polícia auxiliar na Prússia em vez de simplesmente deixá-los à solta em sua fúria sem algo como um simulacro de cobertura legal para suas ações. Foi por isso que a liderança nazista insistiu em implementar sua onda inicial de políticas por meio de leis aprovadas pelo Reichstag ou sancionadas por decretos presidenciais. E a estratégia da "revolução legal" deu certo. As garantias constantes de Hitler de que agiria de modo legal ajudaram a persuadir seus parceiros de coalizão e igualmente seus adversários de que os nazistas podiam ser tratados por meios legais. A cobertura legal para as ações dos nazistas permitiu que servidores públicos redigissem os decretos e leis que eles exigiam, mesmo quando, como no caso da Lei do Serviço Público de 7 de abril de 1933, atacavam os próprios princípios da neutralidade sobre os quais o funcionalismo se baseava, ao exigir a demissão de burocratas judeus e politicamente inconfiáveis de seus cargos. Para servidores civis, empregados estatais e muitos outros, as medidas pelas quais os nazistas tomaram o poder, entre o final de janeiro e o final de julho de 1933, pareciam irresistíveis porque aparentavam ostentar a plena força da lei.

Contudo, não era assim. Os nazistas violaram a lei a cada passo do processo. Em primeiro lugar, contrariaram o espírito em que as leis haviam sido aprovadas. O artigo 48 da Constituição de Weimar, em especial, que dava ao presidente o poder de governar por decreto em momentos de emergência, jamais pretendeu ser a base para nada mais do que medidas puramente interinas; os nazistas fizeram dele a base para um estado de emergência permanente que era mais fictício do que real e que, em um sentido técnico, durou sem interrupção até 1945. O artigo 48 tampouco havia pretendido introduzir medidas de alcance tão longo quanto aquelas aprovadas em 28 de fevereiro de 1933. Foi de fato desastroso o presidente Ebert ter feito uso tão liberal e aplicação tão ampla do artigo no princípio da história da república, e duplamente desastroso que os chanceleres do Reich Brüning, Papen e Schleicher tenham contado tão pesadamente com ele na crise do início da década de 1930. Mas até mesmo isso torna-se insignificante ao lado da restrição drástica das liberdades civis ordenadas em 28 de fevereiro. O decreto também não se propunha a ser usado por um chanceler sem a necessidade da aprovação do presidente. Em suas negociações com Hindenburg em janeiro de 1933, Hitler assegurou-se de que assim seria.[126] A Lei Plenipotenciária foi ainda mais claramente uma violação do espírito da Constituição, assim como a subsequente abolição de eleições livres. Todavia, a probabilidade de que isso acontecesse não era nenhum segredo, visto que as lideranças nazistas proclamaram claramente durante a campanha eleitoral que a eleição de 5 de março seria a última dos anos seguintes.

Os nazistas não violaram apenas o espírito da Constituição de Weimar, também a transgrediram em sentido técnico e legal. O decreto de 6 de fevereiro que deu a Göring controle sobre a Prússia rompeu claramente o veredito da Corte de Estado no processo movido contra Papen pelo governo social-democrata de minoria deposto da Prússia. A Lei Plenipotenciária era legalmente inválida porque Göring, como presidente do Reichstag, não contou os deputados comunistas eleitos. Embora a maioria de dois terços não requeresse que eles fossem contados, recusar-se a reconhecer sua existência foi um ato ilegal. Além do mais, a ratificação da lei pelo Conselho Federal, a câmara superior do Legislativo, representando os estados federados, foi irregular, uma vez que os governos estaduais haviam sido derrubados à força e com isso não estavam representados ou constituídos de forma adequada.[127] Essas foram mais do que tecnicidades. Mas foram sobrepujadas de longe pela violência maciça, ininterrupta e inteiramente ilegal das tropas de assalto nazistas nas ruas, já iniciada em meados de fevereiro e que atingiu novos níveis de intensidade após o incêndio do Reichstag e assolou o país em março, abril, maio e junho. A condição de polícia auxiliar de muitos perpetradores não legalizava de forma alguma os atos que cometiam. Afinal, meter alguém em um uniforme de polícia não lhe dá licença para cometer assassinato, saquear escritórios, confiscar fundos ou deter pessoas, espancá-las, torturá-las e aprisioná-las sem julgamento em campos de concentração construídos às pressas.[128]

As autoridades alemãs estavam, na verdade, plenamente cientes da natureza ilegal da violência nazista, mesmo depois da tomada do poder. O Ministério da Justiça do Reich fez esforços exaustivos para que as detenções em massa da primeira metade de 1933 fossem submetidas a um processo legal formal; sua intervenção foi simplesmente ignorada. Ao longo de 1933, houve casos de promotores públicos que apresentaram acusações contra camisas-pardas e homens da SS que haviam cometido atos de violência e assassinato de oponentes. Em agosto de 1933, foi implantado um gabinete especial de promotoria para coordenar esses esforços. Em dezembro de 1933, o promotor público da Bavária tentou investigar a morte por tortura de três prisioneiros do campo de concentração de Dachau e, quando foi rechaçado, o ministro da Justiça bávaro anunciou sua determinação de tratar do assunto com todo o empenho possível. O ministro do Interior do Reich reclamou em janeiro de 1934 que a custódia preventiva fora mal usada em muitos casos. Apenas em abril de 1934 foi aprovado um conjunto de regulamentações detalhando quem estava autorizado a deter pessoas e colocá-las sob "custódia preventiva" e o que deveria acontecer quando os detidos lá chegassem. No mesmo ano, entretanto, o promotor público apresentou denúncias contra 23 camisas-pardas e agentes da polícia política do campo de concentração de Hohnstein, na Saxônia, inclusive o comandante do campo, pela tortura de detentos, o que, enfatizou o ministro de Justiça do Reich, Gurtner, "revela a brutalidade e crueldade dos perpetradores, algo totalmente alheio ao sentimento e parecer alemães".[129]

Muitos dos que tentaram mover processos por atos de tortura e violência cometidos por camisas-pardas nazistas eram eles mesmos nazistas consumados. O ministro de Justiça bávaro que tentou processar os atos de tortura em Dachau em 1933, por exemplo, não era outro senão Hans Frank, que mais tarde viria a adquirir uma reputação brutal como governador-geral da Polônia durante a Segunda Guerra Mundial. Nada aconteceu em decorrência dessas iniciativas legais, todas elas frustradas por intervenção vinda de cima, de Himmler ou em último caso do próprio Hitler.[130] Uma anistia dos crimes cometidos no "levante nacional" foi aprovada já em 21 de março de 1933, anulando mais de 7 mil processos.[131] Todos, inclusive e principalmente os nazistas, estavam cientes ao longo de 1933 e 1934 de que os espancamentos brutais, tortura, maus-tratos, destruição de propriedade e violência de todos os tipos levada a cabo contra oponentes nazistas, inclusive os assassinatos por tropas de assalto de camisas-pardas da SA e por esquadrões de uniforme negro da SS, eram uma flagrante violação das leis do país. Não obstante, essa violência foi uma parte central e indispensável da tomada do poder nazista de fevereiro de 1933 em diante, e o medo disseminado, no fim quase universal, que gerou entre alemães que não eram membros do Partido ou de suas organizações auxiliares foi um fator crucial para intimidar os oponentes de Hitler e colocar na linha seus às vezes bastante relutantes aliados.[132]

Por fim, não pode haver dúvida sobre a responsabilidade última de Hitler e da liderança nazista por esses atos ilegais. O desprezo de Hitler pela lei e pela Constituição de Weimar havia sido deixado claro em muitas ocasiões. "Vamos entrar nos órgãos legais e, dessa forma, tornaremos nosso Partido o fator determinante", disse Hitler ao tribunal no julgamento dos oficiais do Exército em Leipzig em 1930. "Entretanto, uma vez que detenhamos o poder constitucional, moldaremos o Estado na forma que julgarmos adequada."[133] Era importante, ele disse ao gabinete na sequência imediata do incêndio do Reichstag, não se deixar retardar demais por sutilezas legais na perseguição aos supostos culpados comunistas. O conjunto da retórica de Hitler, o conjunto de sua postura nos primeiros meses de 1933, significaram um encorajamento contínuo de atos de violência contra os oponentes dos nazistas. Seus apelos por disciplina quase invariavelmente seguiam de mãos dadas com ataques retóricos mais generalizados a seus oponentes, o que o baixo escalão das tropas de assalto tomava como licença para continuar com a violência de sempre. Ações maciças, coordenadas, como a ocupação dos escritórios dos sindicatos em 2 de maio, persuadiram os camisas-pardas de que não se meteriam em muita encrenca se em outras ocasiões agissem por iniciativa própria dentro do mesmo espírito. E de fato não se meteram.[134]

O fato mais crucial de todos foi que Hitler e os nazistas em todos os níveis estavam bem cientes de que infringiam a lei. Seu desprezo pela lei e pelos processos formais da justiça era palpável e ficou evidente em inúmeras ocasiões. Quem tinha poder, tinha razão. A lei era apenas a expressão do poder. O que contava, nas palavras de um jornalista nazista, não era a "hipocrisia embusteira" dos sistemas legal e penal da Alemanha, mas "a *lei do poder*, que se incorpora nos laços de sangue e na solidariedade militar da própria raça... Não existe nem lei nem justiça em si. O que obteve sucesso em se afirmar como 'lei' na luta pelo poder tem que ser protegido, também em nome do poder vitorioso".[135]

III

A natureza ilegal da tomada nazista do poder na primeira metade de 1933 transformou-a com efeito em uma derrubada revolucionária do sistema político existente, e, de fato, a retórica da "revolução nacional-socialista" foi projetada em muito como uma justificativa implícita de atos ilegais. Mas que tipo de revolução foi essa? O administrador conservador Hermann

Rauschning, que começou trabalhando com os nazistas, mas no final da década de 1930 havia se transformado em um de seus críticos mais ferozes e persistentes, descreveu-a como uma "revolução niilista", uma "revolução sem rumo, uma revolução meramente em nome da revolução". Ela destruiu toda ordem social, toda liberdade, toda decência; foi, conforme o título da edição inglesa de seu livro afirma, uma "revolução de destruição", nada mais.[136] Mas, em sua apaixonada diatribe, que termina com um estridente chamamento à restauração de valores conservadores verdadeiros, Rauschning estava fazendo pouco mais do que usar "revolução" como uma maça retórica com a qual atacar os nazistas por terem emborcado a ordem que ele prezava. Seja o que for que Rauschning tenha pensado, outras revoluções produziram mais do que mera destruição. Como então a revolução nazista compara-se com essas?

À primeira vista, a revolução nazista não foi realmente uma revolução. A Revolução Francesa de 1789 e a Revolução Russa de 1917 varreram a ordem existente à força e a substituíram por algo que os revolucionários consideravam inteiramente novo. De forma típica, tentando levar vantagem em duas frentes, os nazistas, por sua vez, usaram tanto a retórica da revolução como afirmaram que tinham chegado ao poder de maneira legal e de acordo com a Constituição política existente. Deram poucos passos concretos para abolir as instituições centrais da República de Weimar ou substituí-las por alguma outra forma de organização – a abolição do cargo presidencial em 1934 foi uma raridade a esse respeito. Em vez disso, preferiram deixar que se atrofiassem, como o Reichstag, que mal se reuniu depois de 1933 e apenas para ouvir discursos de Hitler, ou do gabinete do Reich, que também por fim deixou de se reunir.[137] Por outro lado, aquilo que as elites conservadoras queriam – a encenação de uma contrarrevolução genuína com a ajuda dos nacional-socialistas, culminando na restauração do Reich guilhermino, ou algo bem próximo disso, com ou sem a pessoa do *Kaiser* no trono – igualmente não se materializou. Seja o que for que tenha acontecido em 1933, não foi uma restauração conservadora. A violência, central à tomada de poder, deu-lhe um sabor nitidamente revolucionário. A retórica nazista de "revolução" ficou virtualmente incontestada depois de junho de 1933. Ela deve então ser tomada por aquilo que aparenta ser?[138]

Alguns autores argumentaram que se pode traçar uma linha direta até o nazismo desde a Revolução Francesa de 1789, o "Reino do Terror" jacobino em 1793-94, e a ideia implícita de uma ditadura popular na teoria de Rousseau da "vontade geral", decidida inicialmente pelo povo, mas não tolerando oposição uma vez resolvida.[139] A Revolução Francesa foi de fato notável por seu ensaio de muitas das principais ideologias que passaram pelo cenário histórico da Europa nos dois séculos seguintes, do comunismo e do anarquismo ao liberalismo e conservadorismo. Mas o nacional-socialismo não estava entre essas. De fato, os nazistas julgavam estar desfazendo toda a obra da Revolução Francesa e recuando o relógio, pelo menos no sentido político, muito além, para os primórdios da Idade Média. Seu conceito de povo era racial em vez de cívico. Todas as ideologias que a Revolução Francesa tinha dado à luz seriam destruídas. A revolução nazista seria a negação histórica mundial da predecessora francesa, não sua efetivação histórica.[140]

Se houve uma revolução nazista, então o que os nazistas pensavam que ela fosse? Mais uma vez, o paralelo com as revoluções Francesa ou Russa parece não funcionar. Os revolucionários franceses de 1789 possuíam um conjunto claro de doutrinas e com base nelas introduziriam a soberania do povo por meio de instituições representativas, ao passo que os revolucionários russos de outubro de 1917 almejavam derrubar a burguesia e as elites tradicionais e entrar com o domínio do proletariado. Em contraste, os nazistas não tinham um plano explícito para reordenar a sociedade, de fato nenhum modelo plenamente elaborado de sociedade que dissessem querer revolucionar. O próprio Hitler parece ter pensado na revolução como uma mudança de pessoal nas posições de poder e autoridade. Em um discurso para funcionários nazistas do alto escalão em 6 de julho de 1933, insinuou que o cerne da revolução jazia na eliminação de partidos políticos, instituições democráticas e organizações independentes. Ele parece ter considerado a conquista de poder como a essência da revolução nazista, e ter usado os dois termos de modo virtualmente intercambiável:

A conquista do poder exige discernimento. A conquista do poder em si é fácil, a conquista somente está garantida quando a renovação dos seres humanos fica ajustada à nova forma... A grande tarefa agora é readquirir o controle da revolução. A história mostra mais revoluções bem-sucedidas na primeira arrancada do que as que também foram capazes de continuar adiante. A revolução não deve se tornar uma condição permanente, como se a primeira revolução agora tivesse que ser seguida por uma segunda, e a segunda por uma terceira. Conquistamos tanta coisa que precisaremos de um tempo muito longo para digerir... O desenvolvimento ulterior deve ocorrer como evolução, as circunstâncias existentes devem ser melhoradas...[141]

Fundamentalmente, portanto, enquanto requeria uma transformação cultural e espiritual dos alemães a fim de ajustá-los à nova forma do Reich, Hitler achava que isso tinha que ser feito de modo evolutivo, em vez de revolucionário. Ele prosseguiu:

A presente estrutura do Reich é antinatural. Não é condicionada nem pelas necessidades da economia, nem pelas necessidades da vida de nosso povo... Tomamos o controle de um determinado estado de circunstâncias. A questão é se queremos conservá-lo... A tarefa consiste em manter e remodelar a determinada construção na medida em que seja utilizável, de modo que o que é bom seja preservado para o futuro, e que o que não pode ser usado seja removido.[142]

A transformação cultural do indivíduo alemão, que formava o aspecto mais revolucionário dos intentos nazistas, podia por analogia ser alcançada também por meio da preservação ou da ressurreição do que os nazistas consideravam os bons aspectos da cultura alemã do passado, e da remoção do que julgavam intrusões alienígenas.

Até mesmo os camisas-pardas, cujo ímpeto autoproclamado para uma "segunda revolução" Hitler aqui critica de forma explícita, não tinham um conceito real de qualquer tipo de mudança revolucionária sistemática. Um exame da opinião popular nazista em 1934 mostrou que a maioria dos ativistas de baixo escalão que estava no Partido durante a República de Weimar esperava que o regime ocasionasse um renascimento nacional, descrito por um deles como uma "reordenação total da vida pública", na qual Hitler iria "expurgar a Alemanha de pessoas alheias a nosso país e raça que haviam se esgueirado para as posições mais elevadas e, junto com outros criminosos, tinham levado minha pátria alemã para perto da ruína". No entendimento desse homem, um renascimento nacional significava sobretudo a reafirmação da posição da Alemanha no mundo, a derrubada do Tratado de Versalhes e suas cláusulas, e a restauração, com toda probabilidade pela guerra, da hegemonia alemã na Europa.[143] Esses homens, portanto, não eram revolucionários em nenhum sentido mais amplo; tinham pouco ou nenhum conceito de uma transformação interna da Alemanha além de expurgá-la de judeus e "marxistas". O ativismo incessante dos camisas-pardas causaria sérios problemas ao Terceiro Reich nos meses e anos vindouros. Na segunda metade de 1933 e primeira metade de 1934, foi com frequência justificado por alegações de que "a revolução" tinha que continuar. Mas a ideia de revolução dos camisas-pardas no fim das contas era pouco mais que a continuação da baderna e da briga com a qual haviam se acostumado durante a tomada do poder.

Para os escalões mais altos do Partido Nazista e sobretudo para a liderança, continuidade era tão importante quanto mudança. A grandiosa abertura do Reichstag na igreja do forte de Potsdam após as eleições de março de 1933, com sua exibição ostentosa de símbolos da velha ordem social e política, inclusive o trono reservado para o *Kaiser* ausente, e a colocação cerimonial de coroas de flores sobre as lápides dos reis prussianos, sugeriram de forma poderosa que o nazismo rejeitava os fundamentos da revolução e se ligava de modo simbólico às tradições essenciais do passado alemão. Essa podia não ser toda a história, mas era mais do que mero exercício de propaganda ou uma propina cínica para os aliados conservadores de Hitler. Além disso, o fato de tanta gente passar-se para o nazismo nas semanas e meses após Hitler tornar-se chanceler, ou pelo menos tolerá-lo e não lhe fazer oposição, não pode ser rebaixado como simples oportunismo. Essa poderia ser a explicação para um regime ordinário, mas não para um com características tão pronunciadas e radicais quanto o nazismo; e a rapidez e o entusiasmo com que tanta gente veio a se identificar com o novo regime sugere de modo muito forte que a maioria das elites educadas da sociedade alemã, qualquer que fosse sua lealdade política até aquela altura, já estava predisposta a abraçar muitos dos princípios sobre os quais o nazismo repousava.[144] Os nazistas não agarraram apenas o poder político, agarraram também o poder ideológico e cultural nos meses iniciais do Terceiro Reich. Isso não foi consequência apenas da qualidade vaga e multiforme de muitas de suas declarações ideológicas, que ofereciam de tudo para todos; proveio também da forma como as ideias nazistas apelaram diretamente a muitos dos princípios e crenças que haviam se disseminado através da elite educada alemã desde o final do século XIX. No rastro da Primeira Guerra Mundial, esses princípios e crenças foram sustentados não por uma minoria revolucionária combativa, mas pelas grandes instituições da sociedade e da política. Aqueles que rejeitavam tais pontos em parte ou na totalidade – os comunistas e os social-democratas – eram os que se julgavam revolucionários, e eram amplamente considerados como tais pela maioria dos alemães.

Todas as grandes revoluções da história rejeitaram o passado, a ponto de até mesmo começar um novo sistema de datação com o "Ano 1", como fez a Revolução Francesa em 1789, ou de despachar os séculos prévios para a "lata de lixo da história", para citar uma frase famosa de Trótski na Revolução Russa de 1917.[145] Tal fundamentalismo também podia ser encontrado na extrema direita, por exemplo no plano de Schönerer de introduzir um calendário nacionalista alemão em vez do cristão. Contudo, até mesmo o sistema de datação de Schönerer começava no passado distante. E, quanto aos nazistas e seus apoiadores, o próprio termo "Terceiro Reich" constituía um poderoso elo simbólico com a grandeza imaginada do passado, personificada pelo Primeiro Reich de Carlos Magno e pelo Segundo Reich de Bismarck. Assim, como disse Hitler em 13 de julho de 1934, a revolução nazista restaurou o desenrolar natural da história alemã que havia sido interrompido pelas imposições alienígenas de Weimar:

> Para nós, a revolução que despedaçou a Segunda Alemanha não foi nada mais que o tremendo ato de nascimento que trouxe o Terceiro Reich à existência. Quisemos criar outra vez um Estado ao qual todo alemão possa apegar-se com amor; estabelecer um regime para o qual todos possam olhar com respeito; encontrar leis coincidentes com

a moralidade de nosso povo; instalar uma autoridade à qual cada homem submeta-se em alegre obediência.

Para nós, revolução não é um estado permanente das coisas. Quando um revés mortal é imposto de forma violenta sobre o desenvolvimento natural de um povo, um ato de violência pode servir para liberar o fluxo de evolução artificialmente interrompido e permitir mais uma vez a liberdade do desenvolvimento natural.[146]

A revolução parece aqui, mais uma vez, pouco mais que a conquista de poder político e estabelecimento de um Estado autoritário. O que seria feito com o poder, uma vez obtido, não necessariamente se enquadrava na definição de revolução. A maioria das revoluções acabou, ainda que apenas temporariamente, na ditadura de um só homem; mas nenhuma revolução a não ser a nazista foi realmente deflagrada tendo isso em mente de forma explícita. Até mesmo a revolução bolchevique tinha por objetivo implantar uma ditadura coletiva do proletariado, liderada por sua vanguarda política, até Stálin aparecer.[147]

O nazismo ofereceu uma síntese de revolucionário e restaurador. Uma derrubada completa do sistema – tal como era pregada em Paris em 1789 ou em Petrogrado em outubro de 1917 – não era o que os nazistas tinham em mente. No coração do que os nazistas criaram repousava um outro sentimento. A despeito de toda a retórica igualitária agressiva, no fim das contas os nazistas eram relativamente indiferentes às desigualdades da sociedade. O que importava acima de tudo eram raça, cultura e ideologia. Nos anos vindouros, os nazistas criariam todo um novo conjunto de instituições por meio das quais buscariam modelar a psique alemã e reconstruir o caráter alemão. Após os expurgos na vida artística e cultural estarem completos, estava na hora de os escritores, músicos e intelectuais alemães que sobraram emprestar seus talentos com entusiasmo à criação de uma nova cultura alemã. A cristandade das igrejas estabelecidas, até então relativamente imune às atenções hostis dos nazistas (por motivo de conveniência política), não ficaria protegida por muito mais tempo. Agora os nazistas tratariam de construir uma utopia racial, na qual uma nação de heróis de linhagem pura se prepararia tão rápida e tão inteiramente quanto possível para o teste último da superioridade racial alemã: uma guerra em que esmagaria e destruiria seus inimigos, e estabeleceria uma nova ordem europeia que por fim viria a dominar o mundo. No verão de 1933, o terreno havia sido limpo para a construção de uma ditadura de um tipo até então nunca visto. O Terceiro Reich havia nascido. Na fase seguinte de sua existência, avançaria impetuosamente para uma maturidade dinâmica e cada vez mais intolerante.

Bibliografia

Abel, Theodore, *Why Hitler Came to Power* (Cambridge, Mass, 1986 [1938]).
Abrams, Lynn, *Workers' Culture in Imperial Germany: Leisure and Recreation in the Rhineland and Westphalia* (Londres, 1992).
Ackermann, Josef, *Himmler als Ideologe* (Göttingen, 1970).
____, "Heinrich Himmler: Reichsführer-SS", in Smelser & Zitelmann (eds.), *The Nazi Elite*, p. 98-112.
Adam, Peter, *Arts of the Third Reich* (Londres, 1992).
Adam, Uwe Dietrich, *Hochschule und Nationalsozialismus: Die Universität Tübingen im Dritten Reich* (Tübingen, 1977).
Adolph, Hans J. L., *Otto Wels und die Politik der deutschen Sozialdemokratie 1934-1939: Eine politische Biographie* (Berlim, 1971).
Afflerbach, Holger, *Falkenhayn: Politisches Denken und Handeln im Kaiserreich* (Munique, 1994).
Albrecht, Richard, "Symbolkampf in Deutschland 1932: Sergej Tschachotin und der 'Symbolkrieg' der drei Pfeile gegen den Nationalsozialismus als Episode im Abwehrkampf der Arbeiterbewegung gegen den Faschismus in Deutschland", *Internationale Wissenschaftliche Korrespondenz zur Geschichte der deutschen Arbeiterbewegung*, 22 (1986), p. 498-533.
Aldcroft, Derek H., *From Versailles to Wall Street 1919-1929* (Londres, 1977).
Allen, William S., *The Nazi Seizure of Power: The Experience of a Single German Town, 1922--1945* (Nova York, 1984 [1965]).
Althaus, Hans-Joachim *et al.*, *"Da ist nirgends nichts gewesen ausser hier": Das "rote Mössingen" im Generalstreik gegen Hitler. Geschichte eines schwäbischen Arbeiterdorfes* (Berlim, 1982).
Ambrosius, Lloyd E., *Wilsonian Statecraft: Theory and Practice of Liberal Internationalism during World War I* (Wilmington, Del., 1991).
Andersch, Alfred, *Der Vater eines Mörders: Eine Schulgeschichte* (Zurique, 1980).
Anderson, Margaret L., *Practicing Democracy: Elections and Political Culture in Imperial Germany* (Princeton, 2000).
Angell, Norman, *The Story of Money* (Nova York, 1930).
Angermund, Ralph, *Deutsche Richterschaft 1918-1945: Krisenerfahrung, Illusion, Politische Rechtsprechung* (Frankfurt am Main, 1990).
Angress, Werner, *Stillborn Revolution: The Communist Bid for Power in Germany, 1921-1923* (Princeton, 1963).

Arendt, Hannah, *The Origins of Totalitarianism* (Nova York, 1958).

Aschheim, Steven E., *Brothers and Strangers: The East European Jew in German and German Jewish Consciousness 1800-1923* (Madison, 1982).

Aschheim, Steven E., *The Nietzche Legacy in Germany 1890-1990* (Berkeley, 1992).

Auerbach, Helmuth, "Hitlers politische Lehrjahre und die Münchner Gesellschaft 1919-1923", *VfZ* 25 (1977), p. 1-45.

Ayass, Wolfgang, "Vagrants and Beggars in Hitler's Reich", in Evans (ed.), *The German Underworld*, p. 210-37.

____, *"Asoziale" im Nationalsozialismus* (Stuttgart, 1995).

Ayçoberry, Pierre, *The Nazi Question: An Essay on the Interpretations of National Socialism (1922-1975)* (Nova York, 1981).

Bacharach, Walter Zwi, *Anti-Jewish Prejudices in German-Catolic Sermons* (Lewiston, Pa., 1993).

Backers, Uwe *et al.*, *Reichstagsbrand: Aufklärung einer historischen Legende* (Munique, 1986).

Badde, Paul *et al.* (eds.), *Das Berliner Philharmonische Orchester* (Stuttgart, 1987).

Bahar, Alexander & Kugel, Wilfried, "Der Reichstagsbrand: Neue Aktenfunde entlarven die NS-Täter", *Zeitschrift für Geschichtswissenschaft*, 43 (1995), p. 823-32.

Bahne, Siegfried, "Die Kommunistische Partei Deutschlands", in Matthias & Morsey (eds.), *Das Ende*, p. 655-739.

Bajohr, Frank (ed.), *Norddeutschland im Nationalsozialismus* (Hamburgo, 1993).

Balderston, Theo, *The Origins and Course of the German Economic Crisis, 1923-1932* (Berlim, 1993).

____, *Economics and Politics in the Weimar Republic* (Londres, 2002).

Balistier, Thomas, *Gewalt und Ordnung: Kalkül und Faszination der SA* (Münster, 1989).

Baranowski, Shelley, *The Sanctity of Rural Life: Nobility, Protestantism and Nazism in Weimar Prussia* (Nova York, 1995).

Barbian, Jan-Pieter, *Literaturpolitik im "Dritten Reich": Institutionen, Kompetenzen, Betätigungsfelder* (Frankfurt am Main, 1993).

Barkai, Avraham, *From Boycott to Annihilation: The Economic Struggle of German Jews, 1933--1945* (Hanover, NH, 1989).

Barth, Erwin, *Joseph Goebbels und die Formierung des Führer-Mythos 1917 bis 1934* (Erlangen, 1999).

Bartsch, Günter, *Zwischen drei Stühlen: Otto Strasser. Eine Biographie* (Koblenz, 1990).

Becker, Heinrich *et al.* (eds.), *Die Universität Göttingen unter dem Nationalsozialismus: Das verdrängte Kapitel ihrer 250 jährigen Geschichte* (Munique, 1987).

Becker, Howard, *German Youth*: Bond or Free? (Nova York, 1946).

Becker, Josef, "Zentrum und Ermächtigungsgesetz 1933: Dokumentation", *VfZ* 9 (1961), p. 195-210.

____ & Becker, Ruth (eds.), *Hitlers Machtergreifung: Dokumente vom Machtantritt Hitlers 30. Januar 1933 bis zur Besiegelung des Einparteienstaates 14. Juli 1933* (2ª ed., Munique, 1992 [1983]).

Bennett, Edward W., *German Rearmament and the West, 1932-1933* (Princeton, 1979).

Benz, Wolfgang (ed.), *Jüdisches Leben in der Weimarer Republik* (Tübingen, 1998).

Berg, Nicolas, *Der Holocaust und die westdeutschen Historiker: Erforschung und Erinnerung* (Colônia, 2003).

Berger, Stefan, *Social Democracy and the Working Class in Nineteenth- and Twentieth-Century Germany* (Londres, 2000).
Berghahn, Volker R., *Der Stahlhelm: Bund der Frontsoldaten 1918-1935* (Düsseldorf, 1996).
____, *Der Tirpitz-Plan: Genesis und Verfall einer innenpolitischen Krisenstrategie unter Wilhelm II* (Düsseldorf, 1971).
____, *Germany and the Approach of War in 1914* (Londres, 1973).
____ (ed.), *Militarismus* (Colônia, 1975).
____, *Militarism: The History of an International Debate 1861-1979* (Cambridge,1984 [1981]).
Bergmann, Klaus, *Agrarromantik und Grossstadtfeindschaft* (Meisenhein, 1970).
"Bericht des Obersten Parteigerichts an den Ministerpräsidenten Generalfeldmarschall Göring, 13.2.1939", documento ND 3063-PS in *Der Prozess*, XXII, p. 20-9.
Bering, Dietz, *The Stigma of Names: Antisemitism in German Daily Life, 1812-1933* (Cambridge, 1992 [1987]).
Berliner Börsen-Zeitung, 1933.
Berliner Illustrierte Nachtausgabe, 1933.
Berliner Lokal Anzeiger, 1933.
Berliner Morgenpost, 1923.
Berliner Tageblatt, 1930.
Bernard, Birgit, "'Gleichschaltung' im Westdeutschen Rundfunk 1933/34", in Dieter Breuer & Gertrude Cepl-Kaufmann (eds.), *Moderne und Nationalsozialismus im Rheinland* (Paderborn, 1997), p. 301-10.
Bessel, Richard, "The Potempa Murder", *Central European History*, 10 (1977), p. 241-54.
____, "The Rise of the NSDAP and the Myth of Nazi Propaganda", *Wiener Library Bulletin*, 33 (1980), p. 20-9.
____, *Political Violence and the Rise of Nazism: The Storm Troopers in Eastern Germany 1925--1934* (Londres, 1984).
____, "Violence as Propaganda: The Role of the Storm Troopers in the Rise of National Socialism", in Thomas Childers (ed.), *The Formation of the Nazi Constituency, 1919-1933* (Londres, 1986), p. 131-46.
____, "Why did the Weimar Republic Collapse?", in Kershaw, *Weimar*, p. 120-34.
____, "1933: A Failed Counter-Revolution", in Edgar E. Rice (ed.), *Revolution and Counter--Revolution* (Oxford, 1991), p. 109-227.
____, "Militarisierung und Modernisierung: Polizeiliches Handeln in der Weimarer Republik", in Alf Lüdtke (ed.), *"Sicherheit" und "Wohlfahrt": Polizei, Gesellschaft und Herrschaft im 19. und 20. Jahrhundert* (Frankfurt am Main, 1992), p. 323-43.
____ *Germany after the First World War* (Oxford, 1993).
Beyer, Hans, *Von der Novemberrevolution zur Räterepublik in München* (Berlim,1957).
Beyerchen, Alan D., *Scientists under Hitler: Politics and the Physics Community in the Third Reich* (New Haven, 1977).
Biesemann, Jörg, *Das Ermächtigungsgesetz als Grundlage der Gesetzgebung im nationalsozialistischen Deutschland: Ein Beitrag zur Stellung des Gesetzes in der Verfassungsgeschichte 1919-1945* (Münster, 1922 [1985]).
Binding, Karl & Hoche, Alfred, *Die Freigabe der Vernichtung lebensunwerten Lebens: Ihr Mass und ihre Form* (Leipzig, 1920).

Binion, Rudolph, *Frau Lou: Nietzsche's Wayward Disciple* (Princeton, 1968).
Birkenfeld, Werner, "Der Rufmord am Reichspräsidenten: Zu Grenzformen des politischen Kampfes gegen die frühe Weimarer Republik 1919-1925", *Archiv für Sozialgeschichte*, 15 (1965), p. 453-500.
Blackbourn, David, "Roman Catholics, the Centre Party and Anti-Semitism in Imperial Germany", in Paul Kennedy & Anthony Nicholls (eds.), *Nationalist and Racialist Movements in Britain and Germany before 1914* (Londres, 1981), p. 106-29.
____, *Populists and Patricians: Essays in Modern German History* (Londres, 1987).
____, *Marpingen: Apparitions of the Virgin Mary in Bismarckian Germany* (Oxford, 1993).
____, *The Fontana History of Germany 1780-1918: The Long Nineteenth Century* (Londres, 1997).
____ & Eley, Geoff, *The Peculiarities of German History: Bourgeois Society and Politics in Nineteenth-Century Germany* (Oxford, 1984).
____ & Evans, Richard J. (eds.), *The German Bourgeoisie: Essays on the Social History of the German Middle Class from the Late Eighteenth to the Early Twentieth Century* (Londres, 1991).
Blaich, Fritz, *Die Wirtschaftskrise 1925/26 und die Reichsregierung: Von der Erwerbslosenfürsorge zur Konjunkturpolitik* (Kallmünz, 1977).
____, *Der schwarze Freitag: Inflation und Wirtschaftskrise* (Munique, 1985).
Blasche, Olaf, *Katholizismus und Antisemitismus im Deutschen Kaiserreich* (Göttingen, 1997).
____ (ed.), *Konfessionen im Konflikt: Deutschland zwischen 1800 und 1970: Ein zweites konfessionelles Zeitalter* (Göttingen, 2002).
____ & Mattioli, Aram (eds.), *Katholischer Antisemitismus im 19. Jahrhundert: Ursachen und Traditionen im internationalen Vergleich* (Zurique, 2000).
Bley, Helmut, *Namibia under German Rule* (Hamburgo, 1996 [1968]).
Blinkhorn, Martin, *Fascists and Conservatives: The Radical Right and the Establishment in Twentieth-Century Europe* (Londres, 1990).
____, *Fascism and the Right in Europe 1919-1945* (Londres, 2000).
Boak, Helen L., "'Our Last Hope': Women's Votes for Hitler – A Reappraisal", *German Studies Review*, 12 (1989), p. 289-310.
Boemeke, Manfred F. et al. (eds.), *The Treaty of Versailles: A Reassessment after 75 Years* (Washington, DC, 1998).
Bohrmann, Hans (ed.), *Politische Plakate* (Dortmund, 1984).
Boldt, Harald, "Der Artikel 48 der Weimarer Reichsverfassung: Sein historischer Hintergrund und seine politische Funktion", in Michael Stürmer (ed.), *Die Weimarer Republik: Belagerte Civitas* (Königstein im Taunus, 1980), p. 288-309.
Bollmus, Reinhard, "Alfred Rosenberg: National Socialism's 'Chief Ideologue'", in Smelser & Zitelmann (eds.), *The Nazi Elite*, p. 183-93.
Booms, Hans, "Die Deutsche Volkspartei", in Matthias & Morsey (eds.), *Das End*, p. 521-39.
Borchardt, Knut, "Zwangslagen und Handlungsspielräume in der grossen Wirtschaftskrise der frühen dreissiger Jahre: Zur Revision des überlieferten Geschichtsbildes", in idem, *Wachstum, Krise, Handlungsspielräume der Wirtschaftspolitik* (Göttingen, 1982), p. 165-82.
____, *Perspectives on Modern German Economic History and Policy* (Cambridge, 1991).

Born, Karl Erich, *Staat und Sozialpolitik seit Bismarcks Sturz 1890-1914: Ein Beitrag zur Geschichte der innenpolitischen Entwicklung des deutschen Reiches 1890-1914* (Wiesbaden, 1957).
Born, Max (ed.), *The Born-Einstein Letters: Correspondence between Albert Einstein and Max Hedwig Born from 1916 to 1955* (Londres, 1971).
Bosworth, Richard J. B., *Mussolini* (Londres, 2002).
Böttger, Marcus, *Der Hocheverrat in der Höchstrichterlichen Rechtsprechung der Weimarer Republik: Ein Fall politischer Instrumentalisierung von Strafgesetzen?* (Frankfurt am Main, 1998).
Bowlby, Chris, "Blutmai 1929: Police, Parties and Proletarians in a Berlin Confrontation", *Historical Journal*, 29 (1986), p. 137-58.
Boyer, John W., *Political Radicalism in Late Imperial Vienna: Origins of the Christian Social Movement, 1848-1897* (Chicago, 1981).
Bracher, Karl Dietrich, *Die Auflösung der Weimarer Republik: Eine Studie zum Problem des Machtverfalls in der Demokratie* (3ª ed., Villingen, 1960 [1955]).
____, *The German Dictatorship: The Origins, Structure, and Consequences of National Socialism* (Nova York, 1970 [1969]).
____, "Brünings unpolitische Politik und die Auflösung der Weimarer Republik", *VfZ* 19 (1971), p. 113-23.
____, *Die totalitäre Erfahrung* (Munique, 1987).
____ et al., *Die nationalsozialistische Machtergreifung: Studien zur Errichtung des totalitären Herrschaftssystems in Deutschland 1933/34* (Frankfurt am Main, 1974 [1969], I: *Stufen der Machtergreifung* (Bracher), II: *Die Anfänge des totalitären Massnahmestaates* (Schulz); III: *Die Mobilmachung der Gewalt* (Sauer).
Brady, Robert, *The Rationalization Movement in Germany: A Study in the Evolution of Economic Planning* (Berkeley, 1933).
Brandenburg, Hans-Christian, *Die Geschichte der HJ. Wege und Irrwege einer Generation* (Colônia, 1968).
Brandt, Willy, *Erinnerungen* (Frankfurt am Main, 1989).
Brecht, Arnold, "Gedanken über Brünings Memoiren", *Politische Vierteljahresschrift*, 12 (1971), p. 607-40.
Bredel, Willi, *Ernst Thälmann: Beitrag zu einem politischen Lebensbild* (Berlim, 1948).
Brendon, Piers, *The Dark Valley: A Panorama of the 1930s* (Londres, 2000).
Brenner, Arthur D., *Emil J. Gumbel: Weimar German Pacifist and Professor* (Boston, 2001).
Brenner, Hildegard, *Die Kunstpolitik des Nationalsozialismus* (Hamburgo, 1963).
Bresciani-Turroni, Constantino, *The Economics of Inflation: A Study of Currency Depreciation in Post-War Germany* (Londres, 1937).
Breuer, Stefan, *Ordnung der Ungleichheit – die deutsche Rechte im Widerstreit ihrer Ideen 1871-1945* (Darmastadt, 2001).
Bridenthal, Renate & Koonz, Claudia, "Beyond *Kinder, Küche, Kirche*: Weimar Women in Politics and Work", in Renate Bridenthal et al. (eds.), *When Biology Became Destiny: Women in Weimar and Nazi Germany* (Nova York, 1984), p. 33-65.
Brinkmann, Reinhold & Wolff, Christoph (eds.), *Driven into Paradise: The Musical Migration from Germany to the United States* (Berkeley, 1999).

Broszat, Martin, "Die Anfänge der Berliner NSDAP 1926/27", *VfZ* 8 (1960), p. 85-118.
____, "The Concentration Camps 1933-1945", in Helmut Krausnick *et al.*, *Anatomy of the SS State* (Londres, 1968 [1965]), p. 397-496.
____, *Der Staat Hitlers: Grundlegung und Entwicklung seiner inneren Verfassung* (Munique, 1969).
____, "Betrachtungen zu 'Hitlers Zweitem Buch'", *VfZ* 9 (1981), p. 417-29.
____, *Hitler and the Collapse of Weimar Germany* (Oxford, 1987 [1984]).
____ *et al.* (eds.), *Bayern in der NS-Zeit* (6 vols., Munique, 1977-83).
Browder, George, C., *Hitler's Enforcers: The Gestapo and the SS Security Service in the Nazi Revolution* (Nova York, 1996).
Brown, Brendan, *Monetary Chaos in Europe: The End of an Era* (Londres, 1988).
Brügel, Johann Wilhelm & Frei, Norbert (eds.), "Berliner Tagebuch, 1932-1934: Aufzeichnungen des tschechoslowakischen Diplomaten Camill Hoffman", *VfZ* 36 (1988), p. 131-83.
Brüning, Heinrich, *Memoiren 1918-1934* (ed. Claire Nix & Theoderich Kampmann, Stuttgart, 1970).
Brustein, William, *The Logic of Evil: The Social Origins of the Nazi Party, 1925-1933* (New Haven, 1996).
Bucher, Peter, *Der Reichswehrprozess: Der Hochverrat der Ulmer Reichswehroffiziere 1929-30* (Boppard, 1967).
Buchheim, Hans, "The SS – Instrument of Domination", in Helmut Krausnick *et al.*, *Anatomy of the SS State* (Londres, 1968 [1965]), p. 127-203.
Buchwitz, Otto, *50 Jahre Funktionär der deutsche Arbeiterbewegung* (Stuttgart, 1949).
Buder, Johannes, *Die Reorganisation der preussischen Polizei 1918/1923* (Frankfurt am Main, 1986).
Bullivant, Keith, "Thomas Mann and Politics in the Weimar Republic", in idem (ed.), *Culture and Society in the Weimar Republic* (Manchester, 1977), p. 24-38.
Bullock, Alan, *Hitler: A Study in Tyranny* (Londres, 1953).
Burkert, Hans-Norbert *et al.*, *"Machtergreifung" Berlin 1933: Stätten der Geschichte Berlins in Zusammenarbeit mit dem Pädagogischen Zentrum Berlin* (Berlim, 1982).
Burkhardt, Bernd, *Eine Stadt wird braun: Die nationalsozialistische Machtergreifung in der Provinz. Eine Fallstudie* (Hamburgo, 1980).
Burleigh, Michael, *Death and Deliverance: "Euthanasia" in Germany 1900-1945* (Cambridge, 1994).
____, *The Third Reich: A New History* (Londres, 2000).
____ & Wippermann, Wolfgang, *The Radical State: Germany 1933-1945* (Cambridge, 1991).
Busch, Fritz, *Aus dem Leben eines Musikers* (Zurique, 1949).
Busch, Günter, *Max Liebermann: Maler, Zeichner, Graphiker* (Frankfurt am Main, 1986).
Büsch, Otto, *Militärsystem und Sozialleben im alten Preussen 1713-1807: Die Anfänge der sozialen Militarisierung der preussisch-deutschen Gesellschaft* (Berlim, 1962).
Butler, Rohan d'Olier, *The Roots of National Socialism 1783-1933* (Londres, 1941).
Caplan, Jane, *Government without Administration: State and Civil Service in Weimar and Nazi Germany* (Oxford, 1988).
____, "The Historiography of National Socialism", in Michael Bentley (ed.), *Companion to Historiography* (Londres, 1977), p. 545-90.

Carsten, Francis L., *The Reichswehr and Politics 1918-1933* (Oxford, 1966).
____, *Revolution in Central Europe 1918-1919* (Londres, 1972).
____, *Fascist Movements in Austria: From Schönerer to Hitler* (Londres, 1977).
____, *August Bebel und die Organisation der Massen* (Berlim, 1991).
Cecil Hugh & Liddle, Peter (eds.), *At the Eleventh Hour: Reflections, Hopes and Anxieties at the Closing of the Great War, 1918* (Barnsley, 1998).
Cecil, Robert, *The Myth of the Master Race: Alfred Rosenberg and Nazi Ideology* (Londres, 1972).
Chamberlain, Houston Stewart, *Die Grundlagen des XIX. Jahrhunderts* (2 vols., Munique, 1899).
Chickering, Roger, *Imperial Germany and a World without War: The Peace Movement and German Society, 1892-1914* (Princeton, 1975).
____, *We Men Who Feel Most German: A Cultural Study of the Pan-German League 1886-1914* (Londres, 1984).
____, *Imperial Germany and the Great War, 1914-1918* (Cambridge, 1998).
Childers, Thomas, *The Nazi Voter: The Social Foundations of Fascism in Germany, 1919-1933* (Chapel Hill, NC, 1981).
Clark, Christopher, *Kaiser Wilhelm II* (Londres, 2000).
Clavin, Patricia, *The Great Depression in Europe, 1929-1939* (Londres, 2000).
Coetzee, Marilyn S., *The German Army League: Popular Nationalism in Wilhelmine Germany* (Nova York, 1990).
Cohen, Deborah, *The War Come Home: Disabled Veterans in Britain and Germany, 1914-1918* (Berkeley, 2001).
Cohn, Norman, *Warrant for Genocide: The Myth of the Jewish World-Conspiracy and the Protocols of the Elders of Zion* (Londres, 1967).
Comité des Délégations Juives (ed.), *Das Schwarzbuch: Tatsachen und Dokumente. Die Lage der Juden in Deutschland 1933* (Paris, 1934).
Conze, Werner, resenha sobre a primeira edição de Bracher, *Die Auflösung der Weimarer Republik*, in *Historische Zeitschrift*, 183 (1957), p. 378-82.
Cornelissen, Christoph, *Gerhard Ritter: Geschichtswissenschaft und Politik im 20. Jahrhundert* (Düsseldorf, 2001).
Corni, Gustavo, "Richard Walther Darré: The Blood and Soil Ideologue", in Smelser & Zitelmann (eds.), *The Nazi Elite*, p. 18-27.
Cornwell, John, *Hitler's Pope*: The Secret History of Pius XII (Londres, 1999).
Cossé, Peter, "Die Geschichte", in Badde *et al.* (eds.), *Das Berliner Philharmonische Orchester*, p. 10-7.
Craig, Gordon A., "Briefe Schleichers an Groener", *Die Welt als Geschichte*, II (1951), p. 122-33.
____, *The Politics of the Prussian Army 1640-1945* (Nova York, 1964 [1955]).
Crew, David F., *Germans on Welfare: From Weimar to Hitler* (Nova York, 1998).
Crook, Paul, *Darwinism, War and History: The Debate over the Biology of War from the "Origin of Species" to the First World War* (Cambridge, 1994).
Czarnowski, Gabriele, *Das kontrollierte Paar: Ehe- und Sexualpolitik im Nationalsozialismus* (Weinheim, 1991).
Daim, Wilfred, *Der Mann, der Hitler die Ideen gab: Die sektiererischen Grundlagen des Nationalsozialismus* (Viena, 1985 [1958]).

Danner, Lothar, *Ordnungspolizei Hamburg: Betrachtungen zu ihrer Geschichte 1918-1933* (Hamburgo, 1958).

Dapper, Beate & Rouette, Hans-Peter, "Zum Ermittelungsverfahren gegen Leipart und Genossen wegen Untreue vom 9. Mai 1933", *Internationale Wissenschaftliche Korrespondenz zur Geschichte der deutschen Arbeiterbewegung*, 20 (1984), p. 509-35.

Dedering, Tilman, "'A Certain Rigorous Treatment of all Parts of the Nation': The Annihilation of the Herero in German Southwest Africa 1904", in Mark Levene & Penny Roberts (eds.), *The Massacre in History* (Nova York, 1999), p. 205-22.

Dehio, Ludwig, *Germany and World Politics* (Londres, 1959 [1955]).

Deichmann, Ute, *Biologists under Hitler* (Cambridge, Mass., 1996 [1992]).

Deist, Wilhelm, *Flottenpolitik und Flottenpropaganda: Das Nachrichtenbüro des Reichsmarineamts 1897-1914* (Stuttgart, 1976).

____, "Censorship and Propaganda in Germany during the First World War", in Jean-Jacques Becker & Stéphane Audoin-Rouzeau (eds.), *Les sociétés européennes et la guerre de 1914-1918* (Paris, 1990), p. 199-210.

____, "The Military Collapse of the German Empire: The Reality Behind the Stab-in-the-Back Myth", *War in History*, 3 (1996), p. 186-207.

Demeter, Karl, *Das deutsche Offizierkorps in Gesellschaft und Staat 1650-1945* (Frankfurt am Main, 1962).

Deuerlein, Ernst, "Hitlers Eintritt in die Politik und die Reichswehr", *VfZ* 7 (1959), p. 203-5.

____ (ed.), *Der Hitler-Putsch: Bayerische Dokumente zum 8./9. November 1923* (Stuttgart, 1962).

____ (ed.), *Der Aufstieg der NSDAP in Augenzeugenberichten* (Munique, 1974).

Deutsche Allgemeine Zeitung, 1933.

Deutsche Zeitung, 1933.

Diehl, James M., *Paramilitary Politics in Weimar Germany* (Bloomington, Ind., 1977).

Diels, Rudolf, *Lucifer ante Portas: Es spricht der erste Chef der Gestapo* (Stuttgart, 1950).

Dijkstra, Bram, *Idols of Perversity: Fantasies of Female Evil in Fin-de-Siècle Culture* (Nova York, 1986).

Diller, Ansgar, *Rundfunkpolitik im Dritten Reich* (Munique, 1980).

Distl, Dieter, *Ernst Toller: Eine politische Biographie* (Schrobenhausen, 1993).

Domarus, Max (ed.), *Hitler: Speeches and Proclamations 1932-1945: The Chronicle of a Dictatorship* (4 vols., Londres, 1990- [1962-3]).

Dorpalen, Andreas, *Hindenburg and the Weimar Republic* (Princeton, 1964).

____, *German History in Marxist Perspective: The East German Approach* (Detroit, 1988).

Dowe, Dieter & Witt, Peter-Christian, *Fredrich Ebert 1871-1925: Vom Arbeiterführer zum Reichspräsidenten* (Bonn, 1987).

Drewniak, Boguslav, *Das Theater im NS-Staat: Szenarium deutscher Zeitgeschichte 1933-1945* (Düsseldorf, 1983).

Duhnke, Horst, *Die KPD von 1933 bis 1945* (Colônia, 1972).

____, *Die KPD und das Ende von Weimar: Das Scheitern einer Politik 1932-1935* (Frankfurt am Main, 1976).

Dülffer, Jost, *Nazi Germany 1933-1945: Faith and Annihilation* (Londres, 1996 [1992]).

Düsterberg, Theodor, *Der Stahlhelm und Hitler* (Wolfenbüttel, 1949).

Ebeling, Frank, *Geopolitik: Karl Haushofer und seine Raumwissenschaft 1919-1945* (Berlim, 1994).

Ebert, Friedrich, *Schriften, Aufzeichnungen, Reden* (2 vols., Dresden, 1936).
Ehni, Hans-Peter, *Bollwerk Preussen? Preussen-Regierung, Reich-Länder-Problem und Sozialdemokratie 1928-1932* (Bonn, 1975).
Ehrt, Adolf, *Bewaffneter Aufstand! Enthüllungen über den kommunistischen Umsturzversuch am Vorabend der nationalen Revolution* (Berlim, 1933).
Eichengreen, Barry, *Golden Fetters: The Gold Standard and the Great Depression, 1919-1939* (Oxford, 1992).
Eisner, Freya, *Kurt Eisner: Die Politik der libertären Sozialismus* (Frankfurt am Main, 1979).
Eksteins, Modris, *The Limits of Reason: The German Democratic Press and the Collapse of Weimar Democracy* (Oxford, 1975).
Eley, Geoff, *Reshaping the German Right: Radical Nationalism and Political Change after Bismarck* (Londres, 1980).
_____, *From Unification to Nazism: Reinterpreting the German Past* (Londres, 1986).
Elfferding, Wieland, "Von der proletarischen Masse zum Kriegsvolk: Massenaufmarsch und Öffentlichkeit im deutschen Faschismus am Beispiel des 1. Mai 1933", in Neue Gesellschaft für bildende Kunst (ed.), *Inszenierung der Macht: Ästhetische Faszination im Faschismus* (Berlim, 1987), p. 17-50.
Eliasberg, George, *Der Ruhrkrieg von 1920* (Bonn, 1974).
Engelberg, Ernst, *Bismarck* (2 vols., Berlim, 1985 e 1990).
Epstein, Klaus, resenha sobre William L. Shirer, *The Rise and Fall of the Third Reich*, in *Review of Politics*, 23 (1961), p. 130-45.
Erdmann, Karl Dietrich & Schulze, Hagen (eds.), *Weimar: Selbstpreisgabe einer Demokratie. Eine Bilanz heute* (Düsseldorf, 1980).
Erger, Johannes, *Der Kapp-Lüttwitz-Putsch: Ein Beitrag zur deutschen Innenpolitik 1919/20* (Düsseldorf, 1967).
Eschenburg, Theodor, "Franz von Papen", *VfZ* 1 (1953), p. 153-69.
_____, "Die Rolle der Persönlichkeit in der Krise Weimarer Republik: Hindenburg, Brüning, Groener, Schleicher", *VfZ* 9 (1961), p. 1-29.
_____, *Die improvisierte Demokratie* (Munique, 1963).
Eschenhagen, Wieland (ed.), *Die "Machtergreifung": Tagebuch einer Wende nach Presseberichten vom 1. Januar bis 6. März 1933* (Darmstadt, 1982).
Evans, Richard J., "German Women and the Triumph of Hitler", *Journal of Modern History*, 48 (1976), p. 123-75.
_____, *The Feminist Movement in Germany 1824-1933* (Londres, 1976).
_____ (ed.), *Society and Politics in Wilhelmine Germany* (Londres, 1978).
_____, *Death in Hamburg: Society and Politics in the Cholera Years 1830-1910* (Oxford, 1987).
_____, *Rethinking German History: Nineteenth-Century Germany and the Origins of the Third Reich* (Londres, 1987).
_____ (ed.), *The German Underworld: Deviants and Outcasts in German History* (Londres, 1988).
Evans, Richard J., *In Hitler's Shadow: West German Historians and the Attempt to Escape from the Nazi Past* (Nova York, 1989).
_____ (ed.), *Kneipengespräche im Kaiserreich: Die Stimmungsberichte der Hamburger Politischen Polizei 1892-1914* (Reinbek, 1989).

____, *Rituals of Retribution: Capital Punishment in Germany 1600-1987* (Oxford, 1996).
____, resenha sobre Maria Tatar, *Lustmord: Sexual Murder in Weimar Germany* (Princeton), 1995), in *German History*, 14 (1996), p. 414-5.
____, *Rereading German History: From Unification to Reunification 1800-1996* (Londres, 1997).
____, *Tales from the German Underworld: Crime and Punishment in the Ninteenth Century* (Londres, 1998).
____, "Hans von Hentig and the Politics of German Criminology", in Angelika Ebbinghaus & Karl Heinz Roth (eds.), *Grenzgänge: Deutsche Geschichte des 20. Jahrhunderts im Spiegel von Publizistik, Rechtsprechung und historischer Forschung* (Lüneburg, 1999), p. 238-64.
____, *Telling Lies About Hitler: The Holocaust, History, and the David Irving Trial* (Londres, 2002).
____, "History, Memory, and the Law: The Historian as Expert Witness", *History and Theory*, 41 (2002), p. 277-96.
____, "Telling It Like It Wasn't", *BBC History Magazine*, 3 (2002), nº 12, p. 22-5.
____ & Geary, Dick (eds.), *The German Unemployed: Experiences and Consequences of Mass Unemployment from the Weimar Republic to the Third Reich* (Londres, 1987).
Eyck, Erich, *A History of the Weimar Republic* (2 vols., Cambridge, 1962-4 [1953-6]).
Faesi, Robert (ed.), *Thomas Mann – Robert Faesi: Briefwechsel* (Zurique, 1962).
Falter, Jürgen W., "Die Wähler der NSDAP 1928-1933: Sozialstruktur und partei-politische Herkunft", in Wolfgang Michalka (ed.), *Die nationalsozialistishe Machtergreifung* (Paderborn, 1984), p. 47-59.
____ et al., *Wahlen und Abstimmungen in der Weimarer Republik: Materialien zum Wahlverhalten 1919-1933* (Munique, 1986).
____, *Hitlers Wähler* (Munique, 1991).
____, "How likely were Workers to Vote for the NSDAP", in Conan Fischer (ed.), *The Rise of National Socialism and the Working Classes in Weimar Germany* (Oxford, 1996), p. 9-45.
____, "Die Märzgefallenen" von 1933: Neue Forschungsergebnisse zum sozialen Wandel innerhalb der NSDAP-Mitgliedschaft während der Machtergreifungsphase", *Geschichte und Gesellschaft*, 24 (1998), p. 595-616.
Fandel, Thomas, "Konfessionalismus und Nationalsozialismus", in Blaschke (ed.), *Konfessionen*, p. 299-334.
Farquharson, John E., *The Plough and the Swastika: The NSDAP and Agriculture in Germany, 1928-1945* (Londres, 1976).
Farr, Ian, "Populism in the Countryside: The Peasant Leagues in Bavaria in the 1890s", in Evans (ed.), *Society and Politics*, p. 136-59.
Fattmann, Rainer, *Bildungsbürger in der Defensive: Die akademische Beamtenschaft und der "Reichsbund der höheren Beamten" in der Weimarer Republik* (Göttingen, 2001).
Faust, Anselm, *Der Nationalsozialistische Deutsche Studentenbund: Studenten und Nationalsozialismus in der Weimarer Republik* (Düsseldorf, 1973).
Faust, Anselm, "Die Hochschulen und der 'undeutsche Geist': Die Bücherverbrennung am 10. Mai 1933 und ihr Vorgeschichte", in Horst Denkler & Eberhard Lämmert (eds.), *"Das war ein Vorspiel nur..."*: Berliner Kolloquium zur Literaturpolitik im "Dritten Reich" (Berlim, 1985), p. 31-50.
Feder, Gottfried, *Das Programm der NSDAP und seine weltanschaulichen Grundgedanken* (Munique, 1934).

Feinstein, Charles H. et al., *The European Economy between the Wars* (Oxford, 1997).
Feldman, Gerald D., *Army, Industry and Labor in Germany, 1914-1918* (Princeton, 1966).
____, "The Origins of the Stinnes-Legien Agreement: A Documentation", *Internationale Wissenschaftliche Korrespondenz zur Geschichte der deutschen Arbeiterbewegung*, 19/20 (1973), p. 45-104.
____ (ed.), *Die Nachwirkungen der Inflation auf die deutsche Geschichte 1924-1933* (Munique, 1985).
____, *The Great Disorder: Politics, Economic, and Society in the German Inflation, 1914-1924* (Nova York, 1993).
____, "Right-Wing Politics and the Film Industry: Emil Georg Strauss, Alfred Hugenberg, and the UFA, 1917-1933", in Christian Jansen et al. (eds.), *Von der Aufgabe der Freiheit: Politische Verantwortung und bürgerliche Gesellschaft im 19. und 20. Jahrhundert: Festschrift für Hans Mommsen zum 5. November 1995* (Berlim, 1995), p. 219-30.
____, *Hugo Stinnes: Biographie eines Industriellen 1870-1924* (Munique, 1998).
Fenske, Hans, "Monarchisches Beamtentum und demokratischer Rechtsstaat: Zum Problem der Bürokratie in der Weimarer Republik", in *Demokratie und Verwaltung: 25 Jahre Hochschule für Verwaltung Speyer* (Berlim, 1972), p. 117-36.
Ferguson, Niall, *Paper and Iron: Hamburg Business and German Politics in the Era of Inflation, 1897-1927* (Oxford, 1995).
____, *The World's Banker: The History of the House of Rothschild* (Londres, 1998).
Fest, Joachim C., *The Face of the Third Reich* (Londres, 1979 [1970]).
____, "Joseph Goebbels: Eine Porträtskizze", *VfZ* 43 (1995), p. 565-80.
Feuchtwanger, Edgar, *Bismarck* (Londres, 2002).
Fieberg, Gerhard (ed.), *Im Namen des deutschen Volkes: Justiz und Nationalsozialismus* (Colônia, 1989).
Field, Geoffrey G., *Evangelist of Race: The Germanic Vision of Houston Stewart Chamberlain* (Nova York, 1981).
Figes, Orlando, *A People's Tragedy: The Russian Revolution 1891-1924* (Londres, 1996).
Fischer, Conan, "Ernst Julius Röhm: Chief of Staff of the SA and Indispensable Outsider", in Smelser & Zitelmann (eds.), *The Nazi Elite*, p. 173-82.
____, *The Ruhr Crisis 1923-1924* (Oxford, 2003).
Fischer, Fritz, *Germany's Aims in the First World War* (Londres, 1967 [1961]).
____, *War of Illusions: German Politics from 1911 to 1914* (Londres, 1975 [1969]).
Fischer, Klaus, "Der quantitative Beitrag der nach 1933 emigrierten Naturwissenschaftler zur deutschsprachigen physikalischen Forschung", *Berichte zur Wissenschaftsgechichte*, II (1988), p. 83-104.
Flemming, Jens, *Landwirtschaftliche Interessen und Demokratie: Ländliche Gesellschaft, Agrarverbände und Staat 1890-1925* (Bonn, 1978).
Fout, John C., "Sexual Politics in Wilhelmine Germany: The Male Gender Crisis, Moral Purity, and Homophobia", *Journal of the History of Sexuality*, 2 (1992), p. 388-421.
Fowkes, Ben, *Communism in Germany under the Weimar Republic* (Londres, 1984).
Fraenkel, Ernst, *The Dual State* (Nova York, 1941).
Frank, Hans, *Im Angesicht des Galgens: Deutung Hitlers und seiner Zeit auf Grund eigener Erlebnisse und Erkenntnisse* (2ª ed., Neuhaus, 1955 [1953]).

Franz-Willing, Georg, *Ursprung der Hitlerbewegung 1919-1922* (Preussisch Olendorf, 1974 [1962]).
____, *Krisenjahr der Hitlerbewegung 1923* (Preussisch Oldendorf, 1975).
____, *Putsch und Verbotszeit der Hitlerbewegung November 1923-Februar 1925* (Preussisch Olendorf, 1977).
Frehse, Michael, *Ermächtigungsgesetzgebung im Deutschen Reich 1914-1933* (Pfaffenweiler, 1985).
Frei, Norbert, "'Machtergreifung': Anmerkungen zu einem historischen Begriff", *VfZ* 31 (1983), p. 136-45.
____, *National Socialist Rule in Germany: The Führer State 1933-1945* (Oxford, 1993 [1987]).
____, *Der Führerstaat: Nationalsozialistische Herrschaft 1933 bis 1945* (Munique, 2001 [1987]).
Freitag, Werner, "Nationale Mythen und kirchliches Heil: Der 'Tag von Potsdam'", *Westfälische Forschungen*, 41 (1991), p. 379-430.
Frévert, Ute, "Bourgeois Honour: Middle-Class Duellists in Germany from the Late Eighteenth to the Early Twentieth Century", in Blackbourn & Evans (eds.), *The German Bourgeoisie*, p. 255-92.
____, *Ehrenmänner: Das Duell in der bürgerlichen Gesellschaft* (Munique, 1991).
____, *Die kasernierte Nation: Militärdienst und Zivilgesellschaft in Deutschland* (Munique, 2001).
Fricke, Dieter, *Kleine Geschichte des Ersten Mai: Die Maifeier in der deutschen und internationalen Arbeiterbewegung* (Berlim, 1980).
Friedlander, Henry, *The Origins of Nazi Genocide: From Euthanasia to the Final Solution* (Chapel Hill, NC, 1995).
Friedländer, Saul, "Die politischen Veränderungen der Kriegszeit und ihre Auswirkungen auf die Judenfrage", in Werner E. Mosse (ed.), *Deutsches Judentum in Krieg und Revolution 1916-1923* (Tübingen, 1971), p. 27-65.
____, *Nazi Germany and the Jews: The Years of Persecution 1933-1939* (Londres, 1997).
Friedrich, Carl J. & Brzezinski, Zbigniew K., *Totalitarian Dictatorship and Autocracy* (Nova York, 1963).
Friedrichs, Axel (ed.), *Die nationalsozialistische Revolution 1933* (Dokumente der deutschen Politik, I, Berlim, 1933).
Fritzsche, Peter, *Germans into Nazis* (Cambridge, Mass., 1998).
Fröhlich, Elke, "Joseph Goebbels und sein Tagebuch: Zu den handschriftlichen Aufzeichnungen von 1924 bis 1941", *VfZ* 35 (1987), p. 489-522.
____ (ed.), *Die Tagebücher von Joseph Goebbels: Sämtliche Fragmente*, part I: *Aufzeichnungen 1924-1941* (Munique, 1987).
____, "Joseph Goebbels: The Propagandist", in Smelser & Zitelmann (eds.), *The Nazi Elite*, p. 48-61.
Fulda, Bernhard, "Press and Politics in Berlin, 1924-1930" (dissertação de Ph.D., University of Cambridge, 2003).
____, "Horst Wessel: Media, Myth and Memory" (texto não publicado apresentado no Research Seminar in Modern European History, Cambridge University, novembro de 2003).
Gadberry, Glen W. (ed.), *Theatre in the Third Reich, the Prewar Years: Essays on Theatre in Nazi Germany* (Westport, Conn., 1995).
Gall, Lothar, *Bismarck: The White Revolutionary* (2 vols., Londres, 1986 [1980]).

____, *Bürgertum in Deutschland* (Berlim, 1989).
Galos, Adam et al., *Die Hakatisten: Der Deutsche Ostmarkenverein 1894-1934* (Berlim, 1966).
Gay, Peter, *Weimar Culture: The Outsider as Insider* (Londres, 1969).
Geary, Dick, "Unemployment and Working-Class Solidarity: The German Experience 1929-33", in Evans & Geary (eds.), *The German Unemployed*, p. 261-80.
____, "Employers, Workers, and the Collapse of the Weimar Republic", in Kershaw (ed.), *Weimar*, p. 92-119.
____, "Nazis and Workers before 1933", *Australian Journal of Politics and History*, 48 (2002), p. 40-51.
Gebhardt, Manfred, *Max Hoelz: Wege und Irrwege eines Revolutionärs* (Berlim, 1983).
Geiss, Imanuel (ed.), *July 1914: The Outbreak of the First World War. Selected Documents* (Londres, 1967 [1965]).
____, "Kritischer Rückblick auf Friedrich Meinecke", in idem, *Studien über Geschichte und Geschichtswissenschaft* (Frankfurt am Main, 1972), p. 89-107.
Gellately, Robert, *The Politics of Economic Despair: Shopkeepers and German Politics, 1890-1914* (Londres, 1974).
____, *The Gestapo and German Society: Enforcing Racial Policy 1933-1945* (Oxford, 1990).
____ & Stoltzfus, Nathan (eds.), *Social Outsiders in Nazi Germany* (Princeton, 2001).
Genschel, Helmut, *Die Verdrängung der Juden aus der Wirtschaft im Dritten Reich* (Berlim, 1966).
Gerlach, Hellmuth von, *Von rechts nach links* (Hildesheim, 1978 [1937]).
Gessner, Dieter, *Agrarverbände in der Weimarer Republik: Wirtschaftliche und soziale Voraussetzungen agrarkonservativer Politik vor 1933* (Düsseldorf, 1976).
____, *Agrardepression und Präsidialregierungen in Deutschland 1930-1933: Probleme des Agrarkapitalismus am Ende der Weimarer Republik* (Düsseldorf, 1977).
Geyer, Martin, *Verkehrte Welt: Revolution, Inflation, und Moderne. München 1914-1924* (Göttingen, 1998).
Geyer, Michael, "Die Geschichte des deutschen Militärs von 1860-1956: Ein Bericht über die Forschungslage (1945-1975)", in Hans-Ulrich Wehler (ed.), *Die moderne deutsche Geschichte in der internationalen Forschung 1945-1975* (Göttingen, 1978), p. 256-86.
____, *Aufrüstung oder Sicherheit: Reichswehr in der Krise der Machtpolitik, 1924-1936* (Wiesbaden, 1980).
____, "Professionals and Junkers: German Rearmament and Politics in the Weimar Republic", in Richard Bessel & Edgar Feuchtwanger (eds.), *Social Change and Political Development in Weimar Germany* (Londres, 1981), p. 77-133.
Gies, Horst, R. *Walther Darré und die nationalsozialistische Bauernpolitik 1930 bis 1933* (Frankfurt am Main, 1966).
Giles, Geoffrey J., "The Rise of the National Socialist Students' Association and the Failure of Political Education in the Third Reich", in Peter Stachura (ed.), *The Shaping of the Nazi State* (Londres, 1978), p. 160-85.
____, *Students and National Socialism in Germany* (Princeton, 1985).
Gilman, Sander L., *On Blackness without Blacks: Essays on the Image of the Black in Germany* (Boston, 1982).
Gisevius, Hans Bernd, *To the Bitter End* (Londres, 1948).
Goebbels, Joseph, *Der Angriff: Aufsätze aus der Kampfzeit* (Munique, 1935).

____, *Vom Kaiserhof zur Reichskanzlei: Eine historische Darstellung in Tagebuchblättern (vom 1. Januar 1932 bis zum 1. Mai 1933)* (Munique, 1937 [1934]).

Goeschel, Christian, "Methodische Überlegungen zur Geschichte der Selbsttötung im Nationalsozialismus", in Hans Medick (ed.), *Selbsttötung als kulturelle Praxis* (2004).

Goldbach, Marie-Luise, *Karl Radek und die deutsch-sowjetischen Beziehungen 1918-1923* (Bonn, 1973).

Goldhagen, Daniel J., *Hitler's Willing Executioners: Ordinary Germans and the Holocaust* (Nova York, 1996).

Goldstein, Robert J., *Political Repression in Nineteenth-Century Europe* (Londres, 1983).

Golomstock, Igor, *Totalitarian Art in the Soviet Union, Third Reich, Fascist Italy and the People's Republic of China* (Londres, 1990).

Göppinger, Horst, *Juristen jüdischer Abstammung im "Dritten Reich": Entrechtung und Verfolgung* (Munique, 1990 [1963]).

Gordon, Harold J., *The Reichswehr and the German Republic 1919-26* (Princeton, 1957).

____, *Hitler and the Beer Hall Putsch* (Princeton, 1972).

Gottlieb, Moshe R., *American Anti-Nazi Resistance, 1933-1941: An Historical Analysis* (Nova York, 1982).

Graf, Christoph, *Politische Polizei zwischen Demokratie und Diktatur* (Berlim, 1983).

Grahn, Gerlinde, "Die Enteignung des Vermögens der Arbeiterbewegung und der politischen Emigration 1933 bis 1945", 1999: *Zeitschrift für Sozialgeschichte des 20. und 21. Jahrhunderts*, 12 (1997), p. 13-38.

Gräser, Marcus, *Der blockierte Wohlfahrtsstaat: Unterschichtjugend und Jugendfürsorge in der Weimarer Republik* (Göttingen, 1995).

Grau, Bernhard, *Kurt Eisner 1867-1919: Eine Biographie* (Munique, 2001).

Griech-Polelle, Beth A., *Bishop von Galen: German Catholicism and National Socialism* (New Haven, 2002).

Griffin, Roger, *International Fascism – Theories, Causes and the New Consensus* (Londres, 1998).

Grimm, Hans, *Volk ohne Raum* (Munique, 1926).

Gritschneider, Otto, *Bewährungsfrist für den Terroristen Adolf H.: Der Hitler-Putsch und die bayerische Justiz* (Munique, 1990).

____, *Der Hitler-Prozess und sein Richter Georg Neithardt: Skandalurteil von 1924 ebnet Hitler den Weg* (Munique, 2001).

Gross, Babette, *Willi Münzenberg: Eine politische Biographie* (Stuttgart, 1967).

Grossmann, Atina, "'Girlkultur' or Thoroughly Rationalized Female: A New Woman in Weimar Germany", in Judith Friedlander *et al.* (eds.), *Women in Culture and Politics: A Century of Change* (Bloomington, Ind., 1986), p. 62-80.

____, *Reforming Sex: The German Movement for Birth Control and Abortion Reform 1920-1950* (Nova York, 1995).

Grossmann, Kurt R., *Ossietzky: Ein deutscher Patriot* (Munique, 1963).

Gruchmann, Lothar, "Die Überleitung der Justizverwaltung auf das Reich 1933-1935", in *Vom Reichsjustizamt zum Bundesministerium der Justiz: Festschrift zum hundertjährigen Gründungstag des Reichsjustizamts* (Colônia, 1977).

____, "Die bayerische Justiz im politischen Machtkampf 1933/34: Ihr Scheitern bei der Strafverfolgung von Mordfällen in Dachau", in Broszat *et al.* (eds.), *Bayern*, II, p. 415-28.

____, *Justiz im Dritten Reich 1933-1940: Anpassung und Unterwerfung in der Ära Gürtner* (Munique, 1988).

____, "Ludendorffs 'prophetischer' Brief an Hindenburg vom Januar/Februar 1933", *VfZ* 47 (1999), p. 559-62.

____ & Weber, Reinhard (eds.), *Der Hitler-Prozess 1924: Wortlaut der Hauptverhandlung vor dem Volksgericht München I* (2 vols., Munique, 1997, 1999).

Grunwald, Henning, "Political Lawyers in the Weimar Republic", (dissertação de Ph.D., Cambridge, 2002).

Grüttner, Michael, "Working-Class Crime and the Labour Movement: Pilfering in the Hamburg Docks, 1888-1923", in Richard J. Evans (ed.), *The German Working Class 1888-1933: The Politics of Everyday Life* (Londres, 1982), p. 54-79.

____, *Studenten im Dritten Reich* (Paderborn, 1995).

Gumbel, Emil J., *Vier Jahre politischer Mord* (Berlim, 1924).

____, *Verschwörer: Zur Geschichte und Soziologie der deutschen nationalistischen Geheimbünde 1918-1924* (Heidelberg, 1979 [1924]).

Guratzsch, Dankwart, *Macht durch Organisation: Die Grundlegung des Hugenbergschen Presseimperiums* (Düsseldorf, 1974).

Gusy, Christoph, *Die Weimarer Reichsverfassung* (Tübingen, 1997).

Guttsman, Wilhelm L., *Workers' Culture in Weimar Germany: Between Tradition and Commitment* (Oxford, 1990).

Haffner, Sebastian, *Defying Hitler: A Memoir* (Londres, 2002).

Hagen, William W., *Germans, Poles, and Jews: The Nationality Conflict in the Prussian East, 1772-1914* (Chicago, 1980).

Hagenlücke, Heinz, *Die deutsche Vaterlandspartei: Die nationale Rechte am Ende des Kaiserreiches* (Düsseldorf, 1997).

Hailey, Christopher, *Franz Schreker, 1878-1934: A Cultural Biography* (Cambridge, 1993).

Hall, Alex, "By Other Means: The Legal Struggle against the SPD in Wilhelmine Germany 1890-1900", *Historical Journal*, 17 (1974), p. 365-86.

____, *Scandal, Sensation and Social Democracy: The SPD Press and Wilhelmine Germany 1890-1914* (Cambridge, 1977).

Hamann, Brigitte, *Hitler's Vienna: A Dictator's Apprenticeship* (Oxford, 2000).

Hamann, Brigitte, *Winifred Wagner oder Hitlers Bayreuth* (Munique, 2002).

Hamburger, Ernest, "Betrachtungen über Heinrich Brünings Memoiren", *Internationale Wissenschaftliche Korrespondenz zur Geschichte der deutschen Arbeiterbewegung*, 8 (1972), p. 18-39.

Hamel, Iris, *Völkischer Verband und nationale Gewerkschaft: Der Deutschnationale Handlungsgehilfenverband, 1893-1933* (Frankfurt am Main, 1967).

Hamilton, Richard F., *Who Voted for Hitler?* (Princeton, 1981).

Hammer, Hermann, "Die deutschen Ausgaben von Hitlers ,'Mein Kampf'", *VfZ* 4 (1956), p. 161-78.

Hammerstein, Notker, *Die Johann Wolfgang Goethe-Universität: Von der Stiftungsuniversität zur staatlichen Hochschule* (2 vols., Neuwied, 1989).

Hanfstaengl, Ernst, *Zwischen Weissem und Braunem Haus: Memoiren eines politischen Aussenseiters* (Munique, 1970).
Hänisch, Dirk, "A Social Profile of the Saxon NSDAP Voters", in Szejnmann, *Nazism*, p. 219-31.
Hankel, Gerd, *Die Leipziger Prozesse: Deutsche Kriegsverbrechen und ihre strafrechtliche Verfolgung nach dem Ersten Weltkrieg* (Hamburgo, 2003).
Hannover, Heinrich and Hannover-Drück, Elisabeth, *Politische Justiz 1918-1933* (Frankfurt am Main, 1966).
Hansen, Ernst W., *Reichswehr in Industrie: Rüstungswirtschaftliche Zusammenarbeit und wirtschaftliche Mobilmachungsvorbereitungen 1923-1932* (Boppard, 1978).
Harpprecht, Klaus, *Thomas Mann: Eine Biographie* (Reinbek, 1995).
Harris, James F., *The People Speak! Anti-Semitism and Emancipation in Nineteenth-Century Bavaria* (Ann Arbor, 1994).
Harsch, Donna, *German Social Democracy and Rise of Nazism* (Chapel Hill, NC, 1993).
Harvey Elizabeth, "Youth Unemployment and the State: Public Policies towards Unemployed Youth in Hamburg during the World Economic Crisis", in Evans & Geary (eds.), *The German Unemployed*, p. 142-70.
____, "Serving the Volk, Saving the Nation: Women in the Youth Movement and the Public Sphere in Weimar Germany", in Larry Eugene Jones & James Retallack (eds.), *Elections, Mass Politics, and Social Change in Modern Germany: New Perspectives* (Nova York, 1992), p. 201-22.
____, *Youth Welfare and the State in Weimar Germany* (Oxford, 1993).
Hassel, Ulrich von, *Die Hassell-Tagebücher 1938-1944* (ed. Friedrich Freiherr Hiller von Gaertringen, Berlim, 1989).
Hattenhauer, Hans, "Wandlungen des Richterleitbildes im 19. und 20. Jahrhundert", in Ralf Dreier & Wolfgang Sellert (eds.), *Recht und Justiz im "Dritten Reich"* (Frankfurt am Main, 1989), p. 9-33.
Hayes, Peter, *Industry and Ideology: I. G. Farben in the Nazi Era* (Cambridge, 1987).
Hearnshaw, Fossey J. C., *Germany the Aggressor throughout the Ages* (Londres, 1940).
Heberle, Rudolf, *Landbevölkerung und Nationalsozialismus: Eine soziologische Untersuchung der politischen Willensbildung in Schleswig-Holstein 1918 bis 1932* (Stuttgart, 1963).
____, *From Democracy to Nazism: A Regional Case Study on Political Parties in Germany* (Nova York, 1970 [1945]).
Heer, Hannes, *Burgfrieden oder Klassenkampf: Zur Politik der sozialdemokratischen Gewerkschaften 1930-1933* (Neuwied, 1971).
Heer, Hannes, *Ernst Thälmann in Selbstzeugnissen und Bilddokumenten* (Reinbek, 1975).
Heiber, Helmut (ed.), *The Early Goebbels Diaries: The Journal of Josef Goebbels from 1925-1926* (Londres, 1962).
Heidegger, Martin, *Die Selbstbehauptung der deutschen Universität: Rede, gehalten bei der feierlichen Übernahme des Rektorats der Universität Freiburg i. Br. am 27.5.1933* (Breslau, 1934).
Heiden, Konrad, *Geschichte des Nationalsozialismus: Die Karriere einer Idee* (Berlim, 1932).
____, *Adolf Hitler: Das Zeitalter der Verantwortungslosigkeit. Eine Biographie* (Zurique, 1936).
Heilbronner, Oded, *Catholicism, Political Culture and the Countryside: A Social History of the Nazi Party in South Germany* (Ann Arbor, 1998).

Hein, Annette, *"Es ist viel 'Hitler' in Wagner": Rassismus und antisemitische Deutschtumsideologie in den "Bayreuther Blättern" (1878-1938)* (Tübingen, 1996).

Heinemann, Ulrich, *Die verdrängte Niederlage: Politische Öffentlichkeit und Kriegsschuldfrage in der Weimarer Republik* (Göttingen, 1983).

Heitzer, Horstwalter, *Der Volksverein für das katholische Deutschland im Kaiserreich 1890-1918* (Mainz, 1979).

Hennig, Diethard, *Johannes Hoffmann: Sozialdemokrat und Bayerischer Ministerpräsident: Biographie* (Munique, 1990).

Hentschel, Volker, *Geschichte der deutschen Sozialpolitik (1880-1980)* (Frankfurt am Main, 1983).

Herbert, Ulrich, *Hitler's Foreign Workers: Enforced Foreign Labor in Germany under the Third Reich* (Cambridge, 1997 [1985]).

____, *Best: Biographische Studien über Radikalismus, Weltanschauung und Vernunft 1903-1989* (Bonn, 1996).

____ et al. (eds.), *Die nationalsozialischer Konzentrationslager: Entwicklung und Struktur* (2 vols., Göttingen, 1998).

Herbst, Ludolf, *Das nationalsozialistische Deutschland 1933-1945* (Frankfurt am Main, 1996).

Hermand, Jost & Trommler, Frank, *Die Kultur der Weimarer Republik* (Munique, 1978).

Hertz-Eichenröde, Dieter, *Politik und Landwirtschaft in Ostpreussen 1919-1930: Untersuchung eines Strukturproblems in der Weimarer Republik* (Opladen, 1969).

____, *Wirtschaftskrise und Arbeitsbeschaffung: Konjunkturpolitik 1925/26 und die Grundlagen der Krisenpolitik Brünings* (Frankfurt am Main, 1982).

Hess, Wolf Rudiger (ed.), *Rudolf Hess: Briefe 1908-1933* (Munique, 1987).

Heyworth, Peter, *Otto Klemperer: His Life and Times*, I: *1885-1933* (Cambridge, 1983).

Hildenbrand, Hans-Joachim, "Der Betrug mit dem Fackelzug" in Rolf Italiander (ed.), *Wir erlebten das Ende der Weimarer Republik: Zeitgenossen berichten* (Düsseldorf, 1982), p. 165.

Hill, Leonidas E., "The Nazi Attack on 'un-German' Literature, 1933-1945", in Jonathan Rose (ed.), *The Holocaust and the Book* (Amherst, Mass., 2001), p. 9-46.

Hiller von Gaertringen, Friedrich Freiherr, "Die Deutschnationale Volkspartei", in Matthias & Morsey (eds.), *Das Ende*, p. 541-652.

____, "'Dolchstoss-Diskussion' und 'Dolchstosslegende' im Wandel von vier Jahrzehnten", in Waldemar Besson & Friedrich Freiherr Hiller von Gaertringen (eds.), *Geschichts- und Gegenwartsbewusstsein* (Göttingen, 1963), p. 122-60.

Hillmayr, Heinrich, *Roter und weisser Terror in Bayern nach 1918: Erscheinungsformen und Folgen der Gewalttätigkeiten im Verlauf der revolutionären Ereignisse nach dem Ende des Ersten Weltkrieges* (Munique, 1974).

Hindenburg, Paul von, *Aus meinem Leben* (Leipzig, 1920).

Hirte, Chris, *Erich Mühsam: "Ihr seht mich nicht feige". Biografie* (Berlim, 1985).

Hitler, Adolf, *Mein Kampf* (trad. Ralph Manheim, introd. D. C. Watt, Londres, 1969 [1925/6]).

____, *Hitler's Secret Book* (Nova York, 1961).

____, *Hitler's Table Talk 1941-1944: His Private Conversations* (Londres, 1973 [1953]).

____, *Hitler: Reden, Schriften, Anordnungen. Februar 1925 bis Januar 1933* (5 vols., Institut für Zeitgeschichte, Munique, 1992-98).

Hitzer, Friedrich, *Anton Graf Arco: Das Attentat auf Kurt Eisner und die Schüsse im Landtag* (Munique, 1988).

Hobsbawm, Eric J., *Age of Extremes: The Short Twentieth Century 1914-1991* (Londres, 1994).

Hoegner, Wilhelm, *Der schwierige Aussenseiter: Erinnerungen eines Abgeordneten, Emigranten und Ministerpräsidenten* (Munique, 1959).

Hoepke, Klaus-Peter, *Die deutsche Rechte und der italienische Faschismus: Ein Beitrag zum Selbstverständnis und zur Politik von Gruppen und Verbänden der deutschen Rechten* (Düsseldorf, 1968).

Hofer, Walther & Bahar, Alexander (eds.), *Der Reichstagsbrand: Eine wissenschaftliche Dokumentation* (Freiburg im Breisgau, 1992 [1972, 1978]).

Höhne, Heinz, *The Order of the Death's Head: The Story of Hitler's SS* (Stanford, Calif., 1971 [1969]).

____, *Die Machtergreifung: Deutschlands Weg in die Hitler-Diktatur* (Reinbek, 1983).

Höhnig, Klaus, *Der Bund Deutscher Frauenvereine in der Weimarer Republik 1919-1923* (Egelsbach, 1995).

Holtfrerich, Carl-Ludwig, *The German Inflation, 1914-1923: Causes and Effects in International Perspective* (Nova York, 1986 [1980]).

____, "Economic Policy Options and the End of the Weimar Republic", in Kershaw (ed.), *Weimar*, p. 58-91.

Hömig, Herbert, *Brüning: Kanzler in der Krise der Republik. Eine Weimarer Biographie* (Paderborn, 2000).

Hong, Young-Sun, *Welfare, Modernity, and the Weimar State, 1919-1933* (Princeton, 1998).

Horn, Daniel, "The National Socialist Schülerbund and the Hitler Youth, 1929-1933", *Central European History*, II (1978), p. 355-75.

Horne, John & Kramer, Alan, *German Atrocities 1914: A History of Denial* (Londres, 2001).

Hornung, Klaus, *Der Jungdeutsche Orden* (Düsseldorf, 1958).

Hosking, Geoffrey, *Russia: People and Empire 1552-1917* (Londres, 1997).

Höss, Rudolf, *Commandant of Auschwitz* (Londres, 1959 [1951]).

Hubatsch, Walter, *Hindenburg und der Staat: Aus den Papieren des Generalfeldmarschalls und Reichspräsidenten von 1878 bis 1934* (Göttingen, 1966).

Huber, Ernst Rudolf, *Deutsche Verfassungsgeschichte seit 1789, V-VII* (Stuttgart, 1978-84).

Hunt, Richard N., *German Social Democracy 1918-1933* (New Haven, 1964).

Iggers, Georg G. (ed.), *Marxist Historiography in Transformation: New Orientations in Recent East German History* (Oxford, 1992).

Jablonsky, David, *The Nazi Party in Dissolution: Hitler and the Verbotszeit 1923-1925* (Londres, 1989).

Jäckel, Eberhard, *Hitler's Weltanschauung: A Blueprint for Power* (Middletown, Conn., 1972 [1969]).

____ & Kuhn, Axel (eds.), *Hitler: Sämtliche Aufzeichnungen 1905-1924* (Stuttgart, 1980).

Jacobsen, Hans-Adolf, *Karl Haushofer: Leben und Werk* (2 vols., Boppard, 1979).

Jahn, Peter (ed.), *Die Gewerkschaften in der Endphase der Republik 1930-1933* (Colônia, 1988).

Jahr, Christoph, *Gewöhnliche Soldaten: Desertion und Deserteure im deutschen und britischen Heer 1914-1918* (Göttingen, 1998).

James, Harold, *The German Slump: Politics and Economics, 1924-1936* (Oxford, 1986).
____, "Economic Reasons for the Collapse of the Weimar Republic", in Kershaw (ed.), *Weimar*, p. 30-57.
Jansen, Christian, *Professoren und Politik: Politisches Denken und Handeln der Heidelberger Hochschullehrer 1914-1935* (Göttingen, 1992).
Janssen, Karl-Heinz, "Geschichte aus der Dunkelkammer: Kabalen um den Reichstagsbrand. Eine unvermeidliche Enthüllung", *Die Zeit*, 38 (14/9/1979), p. 45-8; 39 (21/9/1979), p. 20--4; 40 (28/9/1979), p. 49-52; 41 (5/91979), p. 57-60.
Jarausch, Konrad H., *Deutsche Studenten 1800-1970* (Frankfurt am Main, 1984).
Jasper, Gotthard, *Der Schutz der Republik* (Tübingen, 1963).
____, *Die gescheiterte Zähmung: Wege zur Machtergreifung Hitlers 1930-1934* (Frankfurt am Main, 1986).
Jászi, Oszkár, *Revolution and Counter-Revolution in Hungary* (Londres, 1924).
Jefferies, Matthew, *Imperial Culture in Germany, 1871-1918* (Londres, 2003).
Jelavich, Peter, *Munich and Theatrical Modernism: Politics, Playwriting, and Performance 1890--1914* (Cambridge, Mass., 1985).
____, *Berlin Cabaret* (Cambridge, Mass., 1993).
Jellonek, Burkhard, *Homosexuelle unter dem Hakenkreuz: Verfolgung von Homosexuellen im Dritten Reich* (Paderborn, 1990).
Jens, Inge (ed.), *Thomas Mann an Ernst Bertram: Briefe aus den Jahren 1910-1955* (Pfullingen, 1960).
Jesse, Eckard (ed.), *Totalitarismus im 20. Jahrhundert* (Baden-Baden, 1996).
Jetzinger, Franz, *Hitler's Youth* (Londres, 1958 [1956]).
Joachimsthaler, Anton, *Hitlers Weg begann in München 1913-1923* (Munique, 2000 [1989]).
Jochmann, Werner (ed.), *Nationalsozialismus und Revolution: Ursprung und Geschichte der NSDAP in Hamburg 1922-1933* (Frankfurt am Main, 1963).
____, "Brünings Deflationspolitik und der Untergang der Weimarer Republik", in Dirk Stegmann *et al.* (eds.), *Industrielle Gesellschaft und politisches System: Beiträge zur politischen Sozialgeschichte. Festschrift für Fritz Fischer zum siebzigsten Geburtstag* (Bonn, 1978), p. 97--112.
____, *Gesellschaftskrise und Judenfeindschaft in Deutschland 1870-1945* (Hamburgo, 1988).
Jones, Larry Eugene, *German Liberalism and the Dissolution of the Weimar Party System, 1918--1933* (Chapel Hill, NC, 1988).
____, "'The Greatest Stupidity of My Life': Alfred Hugenberg and the Formation of the Hitler Cabinet", *Journal of Contemporary History*, 27 (1992), p. 63-87.
Jünger, Ernst, *In Stahlgewittern: Aus dem Tagebuch eines Stosstruppführers* (Hanover, 1920); ed. ingl., *Storm of Steel* (Londres, 2003).
Junker, Detlef, *Die Deutsche Zentrumspartei und Hitler: Ein Beitrag zur Problematik des politischen Katholizismus in Deutschland* (Stuttgart, 1969).
Kaes, Anton *et al.* (eds.), *The Weimar Republic Sourcebook* (Berkeley, 1994).
Kai, Michel, *Vom Poeten zum Demagogen: Die schriftstellerischen Versuche Joseph Goebbels* (Colônia, 1999).

Kaiser, Jochen-Christoph, *Sozialer Protestantismus im 20. Jahrhundert: Beiträge zur Geschichte der Inneren Mission 1914-1945* (Munique, 1989).

_____ et al. (eds.), *Eugenik, Sterilisation, "Euthanasie": Politische Biologie in Deutschland 1893- -1945* (Berlim, 1992).

Kaminski, Andrej, *Konzentrationslager 1896 bis heute: Eine Analyse* (Stuttgart, 1982).

Kampe, Norbert, *Studenten und "Judenfrage" im deutschen Kaiserreich: Die Entstehung einer akademischen Trägerschicht des Antisemitismus* (Göttingen, 1988).

Kaplan, Marion A., "The Acculturation, Assimilation, and Integration of Jews in Imperial Germany", *Year Book of the Leo Baeck Institute*, 27 (1982), p. 3-35.

Karasek, Horst, *Der Brandstifter: Lehr- und Wanderjahre des Maurergesellen Marinus van der Lubbe, der 1933 auszog, den Reichstag anzuzünden* (Berlim, 1980).

Kasischke-Wurm, Daniela, *Antisemitismus im Spiegel der Hamburger Presse während des Kaiserreichs (1884-1914)* (Hamburgo, 1997).

Kater, Michael H., *Studentenschaft und Rechtsradikalismus in Deutschland 1918-1933: Eine sozialgeschichtliche Studie zur Bildungskrise in der Weimarer Republik* (Hamburgo, 1975).

_____, "The Work Student: A Socio-Economic Phenomenon of Early Weimar Germany", *Journal of Contemporary History*, 10 (1975), p. 71-94.

_____, *The Nazi Party: A Social Profile of Members and Leaders, 1919-1945* (Oxford, 1983).

_____, *Different Drummers: Jazz in the Culture of Nazi Germany* (Nova York, 1992).

_____, *The Twisted Muse: Musicians and their Music in the Third Reich* (Nova York, 1997).

Katz, Jacob, *The Darker Side of Genius: Richard Wagner's Anti-Semitism* (Hanover, 1986).

_____, *From Prejudice to Destruction: Anti-Semitism, 1700-1933* (Cambridge, Mass., 1980).

Kauders, Anthony, *German Politics and the Jews: Düsseldorf and Nuremberg 1910-1933* (Oxford, 1996).

Kaufmann, Doris, *Katholisches Milieu in Münster 1928-1933* (Düsseldorf, 1984).

Kelly, Andrew, *Filming All Quiet on the Western Front – "Brutal Cutting, Stupid Censors, Bigoted Politicos"* (Londres, 1998), reeditado em brochura como *All Quiet on the Western Front: The Story of a Film* (Londres, 2002).

Kent, Bruce, *The Spoils of War: The Politics, Economics and Diplomacy of Reparations 1918-1932* (Oxford, 1989).

Kershaw, Ian, *Popular Opinion and Political Dissent in the Third Reich: Bavaria 1933-1945* (Oxford, 1983).

Kershaw, Ian, "Ideology, Propaganda, and the Rise of the Nazi Party", in Peter D. Stachura (ed.), *The Nazi Machtergreifung, 1933* (Londres, 1983), p. 162-81.

_____, (ed.), *Weimar: Why did German Democracy Fail?* (Londres, 1990).

_____, *Hitler, I: 1889-1936: Hubris* (Londres, 1998).

_____, *Hitler, II: 1936-1945: Nemesis* (Londres, 2000).

_____, *The Nazi Dictatorship: Problems and Perspectives of Interpretation* (4ª ed., Londres, 2000 [1985]).

_____ & Lewin, Moshe (eds.), *Stalinism and Nazism: Dictatorships in Comparison* (Cambridge, 1997).

Kertzer, David, *Unholy War: The Vatican's Role in the Rise of Modern Anti-Semitism* (Londres, 2001).

Kessler, Harry Graf, *Tagebücher 1918-1937* (ed. Wolfang Pfeiffer-Belli, Frankfurt am Main, 1996).
Kettenacker, Lothar, "Der Mythos vom Reich", in Karl H. Bohrer (ed.), *Mythos und Moderne* (Frankfurt am Main, 1983), p. 262-89.
Kiesewetter, Hubert, *Industrielle Revolution in Deutschland 1815-1914* (Frankfurt am Main, 1989).
Kindleberger, Charles P., *The World in Depression 1929-1939* (Berkeley, 1987 [1973]).
Kirkpatrick, Clifford, *Nazi Germany: Its Women and Family Life* (Nova York, 1938).
Kissenkoetter, Udo, *Gregor Strasser und die NSDAP* (Stuttgart, 1978).
____, "Gregor Strasser: Nazi Party Organizer or Weimar Politician?", in Smelser and Zitelmann (eds.), *The Nazi Elite*, p. 224-34.
Kitchen, Martin, *The German Officer Corps 1890-1914* (Oxford, 1968).
____, *A Military History of German from the Eighteenth Century to the Present Day* (Londres, 1975).
____, *The Silent Dictatorship: The Politics of the German High Command under Hindenburg and Ludendorff, 1916-1918* (Londres, 1976).
____, *The Coming of Austrian Fascism* (Londres, 1980).
Klaus, Martin, *Mädchen in der Hitlerjugend: Die Erziehund zur "deutschen Frau"* (Colônia, 1980).
Klein, Gotthard, *Der Volksverein für das katholische Deutschland 1890-1933: Geschichte, Bedeutung, Untergang* (Paderborn, 1996).
Klein, Ulrich, "SA-Terror und Bevölkerung in Wuppertal 1933/34", in Detlev Peukert & Jürgen Reulecke (eds.), *Die Reihen fast geschlossen: Beiträge zur Geschichte des Altags unterm Nationalsozialismus* (Wuppertal, 1981), p. 45-64.
Kleist-Schmenzin, Ewald von, "Die letzte Möglichkeit: Zur Ernennung Hitlers zur Reichskanzler an 30. Januar 1933", *Politische Studien*, 10 (1959), p. 89-92.
Klemperer, Victor, *LTI: Notizbuch eines Philologen* (Leipzig, 1985 [1946]).
____, *Leben sammeln, nicht fragen wozu und warum*, I: *Tagebücher 1919-1925*; II: *Tagebücher 1925-1932* (Berlim, 1996).
Klemperer, Victor, *Curriculum Vitae: Erinnerungen 1881-1918* (2 vols., Berlim, 1996 [1989]).
____, *I Shall Bear Witness: The Diaries of Victor Klemperer 1933-1941* (Londres, 1998).
____, *Tagebücher 1933-1934 (Ich will Zeugnis ablegen bis zum Letzten, I)* (Berlim, 1999 [1995]).
Klepper, Jochen, *Unter dem Schatten deiner Flügel: Aus den Tagebüchern der Jahre 1932-1942* (Stuttgart, 1956).
Klepsch, Thomas, *Nationalsozialistische Ideologie: Eine Beschreibung ihrer Struktur vor 1933* (Münster, 1990).
Klessmann, Christoph, "Hans Frank: Party Jurist and Governor-General in Poland", in Smelser & Zitelmann (eds.), *The Nazi Elite*, p. 39-47.
Klier, John D. & Lambroza, Shlomo (eds.), *Pogroms: Anti-Jewish Violence in Modern Russian History* (Cambridge, 1992).
Klinger, Max (pseud. de Curt Geyer), *Volk in Ketten* (Karlsbad, 1934).
Klönne, Arno, *Jugend im Dritten Reich: Dokumente und Analysen* (Colônia, 1982).
Kluke, Paul, "Der Fall Potempa", *VfZ* 5 (1957), p. 279-97.

Knock, Thomas J., *To End All Wars: Woodrow Wilson and the Quest for a New World Order* (Nova York, 1992).
Knowles, Elizabeth (ed.), *The Oxford Dictionary of Quotations* (5ª ed., Oxford, 1999).
Kocka, Jürgen, "German History Before Hitler: The Debate about the German *Sonderweg*", *Journal of Contemporary History*, 23 (1988), p. 3-16.
Koehler, Karen, "The Bauhaus, 1919-1928: Gropius in Exile and the Museum of Modern Art, N. Y., 1938", in Richard A. Etlin (ed.), *Art, Culture and Media under the Reich* (Chicago, 2002), p. 281-315.
Kohl, Horst (ed.), *Die politischen Reden des Fürsten Bismarck* (14 vols., Stuttgart, 1982-1905).
Kohler, Eric D.,"The Crisis in the Prussian Schutzpolizei 1930-32", in George L. Mosse (ed.), *Police Forces in History* (Londres, 1975), p. 131-50.
Köhler, Fritz, "Zur Vertreibung humanistischer Gelehrter 1933/34", *Blätter für deutsche und internationale Politik*, II (1966), p. 696-707.
Kohn, Hans, *The Mind of Germany: The Education of a Nation* (Londres, 1961).
____ (ed.), *German History: Some New German Views* (Boston, 1954).
Kolb, Eberhard, *The Weimar Republic* (Londres, 1988).
____, "Die Reichsbahn vom Dawes-Plan bis zum Ende der Weimarer Republik", in Lothar Gall & Manfred Pohl (eds.), *Die Eisenbahn in Deutschland: Von den Anfängen bis zur Gegenwart* (Munique, 1999), p. 109-64.
Kolbe, Ulrich, "Zum Urteil über die 'Reichstagsbrand-Notverordnung' vom 28.2.1933", *Geschichte in Wissenschaft und Unterricht*, 16 (1965), p. 359-70.
Könneman, Erwin *et al.* (eds.), *Arbeiterklasse siegt über Kapp und Lüttwitz* (2 vols., Berlin, 1971).
Koonz, Claudia, *Mothers in the Fatherland: Women, the Family, and Nazi Politics* (Londres, 1987).
Koszyk, Kurt, *Deutsche Presse im 19. Jahrhundert: Geschichte der deutschen Presse*, II (Berlim, 1966).
____, *Deutsche Presse 1914-1945: Geschichte der deutschen Presse*, III (Berlim, 1972).
Kotowski, Georg, *Friedrich Ebert: Eine politische Biographie*, I: *Der Aufstieg eines deutschen Arbeiterführes 1871 bis 1917* (Wiesbaden, 1963).
Kracauer, Siegfried, *From Caligari to Hitler: A Psychological History of the German Film* (Princeton, 1947).
Kramer, Helgard, "Frankfurt's Working Women: Scapegoats or Winners of the Great Depression?", in Evans and Geary (eds.), *The German Unemployed*, p. 108-41.
Kraul, Margret, *Das deutsche Gymnasium 1780-1980* (Frankfurt am Main, 1984).
Krause, Thomas, *Hamburg wird braun: Der Aufstieg der NSDAP 1921-1933* (Hamburgo, 1987).
Kreutzahler, Birgit, *Das Bild des Verbrechers in Romanen der Weimarer Republik: Eine Untersuchung vor dem Hintergrund anderer gesellschaftlicher Verbrecherbilder und gesellschaftlicher Grundzüge der Weimarer Republik* (Frankfurt am Main, 1987).
Kritzer, Peter, *Die bayerische Sozialdemokratic und die bayerische Politik in den Jahren 1918-1923* (Munique, 1969).
Krohn, Klaus-Dieter, *Stabilisierung und ökonomische Interessen: Die Finanzpolitik des deutschen Reiches 1923-1927* (Düsseldorf, 1974).

Krüger, Gerd, "'Ein Fanal des Widerstandes im Ruhrgebiet': Das 'Unternehmen Wesel' in der Osternacht des Jahres 1923. Hintergründe eines angeblichen 'Husarenstreiches'", *Mitteilungsblatt des Instituts fur soziale Bewegungen*, 4 (2000), p. 95-140.

Krüger, Gesine, *Kriegsbewältigung und Geschichtsbewusstsein: Realität, Deutung und Verarbeitung des deutschen Kolonialkrieges in Namibia 1904 bis 1907* (Göttingen, 1999).

Kruse, Wolfgang, "Krieg und Klassenheer: Zur Revolutionierung der deutschen Armee im Weltkrieg", *Geschichte und Gesellschaft*, 22 (1996), p. 530-61.

Kube, Alfred, *Pour le mérite und Hakenkreuz: Hermann Goering im Dritten Reich* (2ª ed., Munique, 1987 [1986]).

____, "Hermann Goering: Second Man in the Third Reich", in Smelser & Zitelmann (eds.), *The Nazi Elite*, p. 62-73.

Kubizek, August, *Adolf Hitler: Mein Jugendfreund* (Graz, 1953).

Kühn, Volker (ed.), *Deutschlands Erwachen: Kabarett unterm Hakenkreuz 1933-1945* (Weinheim, 1989).

Kurz, Thomas, *"Blutmai": Sozialdemokraten und Kommunisten im Brennpunkt der Berliner Ereignisse von 1929* (Bonn, 1988).

Kwiet, Konrad & Eschwege, Helmut, *Selbstbehauptung und Widerstand: Deutsche Juden im Kampf um Existenz und Menschenwürde 1933-1945* (Hamburgo, 1984).

Lamberti, Marjorie, *State, Society and the Elementary School in Imperial Germany* (Nova York, 1989).

____, "Elementary School Teachers and the Struggle against Social Democracy in Wilhelmine Germany", *History of Education Quarterly*, 12 (1992), p. 74-97.

Lane, Barbara Miller, *Architecture and Politics in Germany, 1918-1945* (Cambridge, Mass., 1968).

____ & Rupp, Leila J. (eds.), *Nazi Ideology before 1933: A Documentation* (Manchester, 1978).

Lang, Jochen von, "Martin Bormann: Hitler's Secretary", in Smelser & Zitelmann (eds.), *The Nazi Elite*, p. 7-17.

Langbehn, Julius, *Rembrandt als Erzieher* (38ª ed., Leipzig, [1890]), p. 292.

____, *Der Rembrandtdeutsche: Von einem Wahrheitsfreund* (Dresden, 1892).

Lange, Karl, "Der Terminus 'Lebensraum' in Hitlers *Mein Kampf*", *VfZ* 13 (1965), p. 426-37.

Langer, Michael, *Zwischen Vorurteil und Aggression: Zum Judenbild in der deutschsprachigen katholischen Volksbildung des 19. Jahrhunderts* (Freiburg, 1994).

Laqueur, Walter, *Young Germany: A History of the German Youth Movement* (Londres, 1962).

____, *Russia and Germany: A Century of Conflict* (Londres, 1965).

____, *Weimar: A Cultural History 1918-1933* (Londres, 1974).

Large, David Clay, *Where Ghosts Walked: Munich's Road to the Third Reich* (Nova York, 1997).

____, "'Out with the Ostjuden': The Scheunenviertel Riots in Berlin, November 1923", in Werner Bergmann et al. (eds.), *Exclusionary Violence: Antisemitic Riots in Modern Germany* (Ann Arbor, 2002), p. 123-40.

Laski, Harold, *The Germans – are they Human?* (Londres, 1945).

Laursen, Karsten & Pedersen, Jürgen, *The German Inflation 1918-1923* (Amsterdã, 1964).

Lebeltzer, Gisela, "Der 'Schwarze Schmach': Vorurteile – Propaganda – Mythos", *Geschichte und Gesellschaft*, II (1985), p. 37-58.

Lehnert, Detlef, *Sozialdemokratie zwischen Protestbewegung und Regierungspartei 1848-1983* (Frankfurt am Main, 1983).
Lenman, Robin, "Julius Streicher and the Origins of the NSDAP in Nuremberg, 1918-1923", in Nicholls & Mathias (eds.), *German Democracy*, p. 161-74.
____, "Art, Society and the Law in Wilhelmine Germany: The Lex Heinze", *Oxford German Studies*, 8 (1973), p. 86-113.
Lepsius, M. Rainer, "Parteisystem und Sozialstruktur: Zum Problem der Demokratisierung der deutschen Gesellschaft", in Gerhard A. Ritter (ed.), *Die deutschen Parteien vor 1918* (Colônia, 1973), p. 56-80.
Lerner, Warren, *Karl Radek: The Last Internationalist* (Stanford, Calif., 1970).
Lessing, Hellmut & Liebel, Manfred, *Wilde Cliquen: Szenen einer anderen Arbeiterbewegung* (Bensheim, 1981).
Lessing, Theodor, *Haarmann: Die Geschichte eines Werwolfs. Und andere Kriminalreportagen* (ed. Rainer Marwedel, Frankfurt am Main, 1989).
Lessmann, Peter, *Die preussische Schutzpolizei in der Weimarer Republik: Streifendienst und Strassenkampf* (Düsseldorf, 1989).
Leuschen-Seppel, Rosemarie, *Sozialdemokratie und Antisemitismus im Kaiserreich: Die Auseinandersetzung der Partei mit den konservativen und völkischen Strömungen des Antisemitismus 1871-1914* (Bonn, 1978).
Levi, Erik, *Music in the Third Reich* (Londres, 1994).
Levy, Richard S., *The Downfall of the Anti-Semitic Political Parties in Imperial Germany* (New Haven, 1975).
Lewy, Günther, *The Catholic and Nazi Germany* (Nova York, 1964).
Liang, Hsi-Huey, *The Berlin Police Force in the Weimar Republic* (Berkeley, 1970).
Lidtke, Vernon L., *The Outlawed Party: Social Democracy in Germany, 1878-1890* (Princeton, 1966).
____, *The Alternative Culture: Socialist Labor in Imperial Germany* (Nova York, 1985).
Liepach, Martin, *Das Wahlverhalten der jüdischen Bevölkerung: Zur politischen Orientierung in der Weimarer Republik* (Tübingen, 1996).
Lindenberger, Thomas & Lüdtke, Alf (eds.), *Physische Gewalt: Studien zur Geschichte der Neuzeit* (Frankfurt am Main, 1995).
Link, Arthur S. (ed.), *The Papers of Woodrow Wilson* (69 vols., Princeton, 1966-).
Lipstadt, Deborah E., *Beyond Belief: The American Press and the Coming of the Holocaust, 1933-1945* (Nova York, 1986).
Liulevicius, Vejas Gabriel, *War Land on the Eastern Front: Culture, National Identity and German Occupation in World War I* (Cambridge, 2000).
Löbe, Paul, *Der Weg war lang: Lebenserinnerungen von Paul Löbe* (Berlim, 1954 [1950]).
Lohalm, Uwe, *Völkischer Radikalismus: Die Geschichte des Deutschvölkischen Schutz-und Trutzbundes, 1919-1923* (Hamburgo, 1970).
London, John, *Theatre under the Nazis* (Manchester, 2000).
Longerich, Peter, *Die braunen Bataillone: Geschichte der SA* (Munique, 1989).
____, *Politik der Vernichtung: Eine Gesamtdarstellung der nationalsozialistischen Judenverfolgung* (Munique, 1998).

_____, *Der ungeschriebene Befehl: Hitler und der Weg zur "Endlösung"* (Munique, 2001).
Löwenthal, Richard, "Die nationalsozialistische 'Machtergreifung' – eine Revolution? Ihr Platz unter den totalitären Revolutionen unseres Jahrhunderts", in Martin Broszart *et al.* (eds.), *Deutschlands Weg in die Diktatur* (Berlim, 1983), p. 42-74.
Lowry, Bullitt, *Armstice 1918* (Kent, Ohio, 1996).
Lucas, Erhard, *Märzrevolution im Ruhrgebiet* (3 vols., Frankfurt am Main, 1970-78).
Ludendorff, Erich, *Kriegführung und Politik* (Berlim, 1922).
Lyttelton, Adrian, *The Seizure of Power: Fascism in Italy 1919-1929* (Londres, 1973).
Macartney, Carlile A., *The Habsburg Empire 1790-1918* (Londres, 1968).
McElligott, Anthony, "Mobilising Unemployed: The KPD and the Unemployed Workers' Movement in Hamburg-Altona during the Weimar Republic", in Evans & Geary (eds.), *The German Unemployed*, p. 228-60.
_____, *Contested City: Municipal Politics and the Rise of Nazism in Altona, 1917-1937* (Ann Arbor, 1998).
Macmillan, Margaret, *Peacemakers: The Paris Conference of 1919 and its Attempt to End War* (Londres, 2001).
Mai, Gunther, "Die Nationalsozialistische Betriebzellen-Organisation: Zum Verhältnis von Arbeiterschaft und Nationalsozialismus", *VfZ* 31 (1983), p. 573-613.
Mallmann, Klaus-Michael, *Kommunisten in der Weimarer Republik: Sozialgeschichte einer revolutionären Bewegung* (Darmstadt, 1996).
_____, "Gehorsame Parteisoldaten oder eigensinnige Akteure? Die Weimarer Kommunisten in der Kontroverse – eine Erwiderung", *VfZ* 47 (1999), p. 401-15.
Mannes, Astrid Luise, *Heinrich Brüning: Leben, Wirken, Schicksal* (Munique, 1999).
Manstein, Peter, *Die Mitglieder und Wähler der NSDAP 1919-1933: Untersuchungen zu ihrer schichtmässingen Zusammensetzung* (Frankfurt am Main, 1990 [1987]).
Marcuse, Harold, *Legacies of Dachau: The Uses and Abuses of a Concentration Camp, 1933-2001* (Cambridge, 2001).
Marks, Sally, "Black Watch on the Rhine: A Study in Propaganda, Prejudice and Prurience", *European Studies Review*, 13 (1983), p. 297-334.
Marquis, Alice Goldfarb, "Words as Weapons: Propaganda in Britain and Germany during the First World War", *Journal of Contemporary History*, 13 (1978), p. 467-98.
Marr, Wilhelm, *Der Sieg des Judenthums über das Germanenthum vom nicht konfessionellen Standpunkt aus betrachet* (Berlim, 1873).
_____, *Vom jüdischen Kriegsschauplatz: Eine Streitschrift* (Berna, 1879).
Martens, Stefan, *Hermann Goering: "Ersten Paladin des Führers" und "Zweiter Mann im Reich"* (Paderborn, 1985).
Martin, Bernd, "Die deutschen Gewerkschaften und die nationalsozialistische Machtübernahme", *Geschichte in Wissenschaft und Unterricht*, 36 (1985), p. 605-31.
_____ (ed.), *Martin Heidegger und das "Dritte Reich": Ein Kompendium* (Darmstadt, 1989).
Marx, Karl, "The Eighteenth Brumaire of Louis Bonaparte (1852)", in Lewis Feuer (ed.), *Marx and Engels: Basic Writings on Politics and Philosophy* (Nova York, 1959), p. 358-88.
_____, "Randglossen zum Programm der deutschen Arbeiterpartei (Kritik des Gothaer Programms, 1875)", in Karl Marx & Friedrich Engels, *Ausgewählte Schriften* (2 vols., Berlim Oriental, 1968), II, p. 11-28.

Maschmann, Melita, *Account Rendered: A Dossier on my Former Self* (trad. Geoffrey Strachan, Londres, 1964).
Maser, Werner, *Die Frühgeschichte des NSDAP: Hitlers Weg bis 1924* (Frankfurt am Main, 1965).
___, *Hitlers Mein Kampf: Geschichte, Auszüge, Kommentar* (Munique, 1966).
___, *Hermann Göring: Hitler janusköpfiger Paladin. Die politische Biographie* (Berlim, 2000).
Mason, Tim W., *Social Policy in the Third Reich: The Working Class and the "National Community"* (ed. Jane Caplan, Providence, RI, 1993 [1977]).
___, *Nazism, Fascism and the Working Class: Essays by Tim Mason* (ed. Jane Caplan, Cambridge, 1995).
Massing, Paul W., *Rehearsal for Destruction* (Nova York, 1949).
Matthias, Erich, "Der Untergang der Sozialdemokratie 1933", *Vfz* 4 (1956), p. 179-226 e 250-86.
___, "Hindenburg zwischen den Fronten 1932", *VfZ* 8 (1960), p. 75-84.
___ & Morsey, Rudolf (eds.), *Das Ende der Parteien 1933: Darstellungen und Dokumente* (Düsseldorf, 1960).
___, "Die Sozialdemokratische Partei Deutschlands", in Matthias & Morsey (eds.), *Das Ende*, p. 101-278.
Maurer, Trude, *Ostjuden in Deutschland, 1918-1933* (Hamburgo, 1986).
Mayer, Arno J., *Politics and Diplomacy of Peacemaking: Containment and Counterrevolution at Versailles 1918-1919* (2ª ed., Nova York, 1969 [1967]).
Mazower, Mark, *Dark Continent: Europe's Twentieth Century* (Londres, 1998).
Medalen, Charles, "State Monopoly Capitalism in Germany: The Hibernia Affair", *Past and Present*, 78 (fevereiro de 1978), p. 82-112.
Meinecke, Friedrich, "Bismarck und das neue Deutschland", in idem, *Preussen und Deutschland im 19. und 20. Jahrhundert* (Munique, 1918).
___, *Die deutsche Katastrophe* (Wiesbaden, 1946).
___, *The German Catastrophe: Reflections and Recollections* (Cambridge, Mass., 1950).
Meiring, Kerstin, *Die christlich-jüdische Mischehe in Deutschland, 1840-1933* (Hamburgo, 1998).
Meissner, Otto, *Staatssekretär unter Ebert – Hindenburg – Hitler: Der Schicksalsweg des deutschen Volkes von 1918-1945, wie, ich ihn erlebte* (Hamburgo, 1950), p. 216-7.
Mergel, Thomas, *Parlamentarische Kultur in der Weimarer Republik: Politische Kommunikation, symbolische Politik und Öffentlichkeit im Reichstag* (Düsseldorf, 2002).
Merkl, Peter H., *Political Violence under the Swastika: 581 Early Nazis* (Princeton, 1975).
Merson, Allan, *Communist Resistance in Nazi Germany* (Londres, 1985).
Meyer, Folkert, *Schule der Untertanen: Lehrer und Politik in Preussen 1848-1900* (Hamburgo, 1976).
Meyer, Michael, *The Politics of Music in the Third Reich* (Nova York, 1991).
Michalka, Wolfgang & Niedhart, Gottfried, *Die ungeliebte Republik: Dokumente zur Innen- und Aussenpolitik Weimars 1918-1933* (Munique, 1980).
Mierendorff, Carlo, "Der Hindenburgsieg 1932", *Sozialistische Monatshefte*, 4/4/1932, p. 297.
Milatz, Alfred, "Das Ende der Parteien im Spiegel der Wahlen 1930 bis 1933", in Matthias & Morsey (eds.), *Das Ende*, p. 743-93.

____, *Wähler und Wahlen in der Weimarer Republik* (Bonn, 1965).
Miller, Max, *Eugen Bolz* (Stuttgart, 1951).
Miller, Susanne & Potthoff, Heinrich, *A History of German Social Democracy: From 1848 to the Present* (Leamington Spa, 1986 [1983]).
Milward, Alan & Saul, Samuel B., *The Development of the Economies of Continental Europe 1850--1914* (Londres, 1977).
Ministère des Affaires Étrangères (ed.), *Documents Diplomatiques Français, 1932-1939*, ser. I, vol. II (Paris, 1966).
Minuth, Karl-Heinz (ed.), *Akten der Reichskanzlei: Weimarer Republik. Das Kabinett von Papen, 1. Jun ibis 3. December 1932* (Boppard, 1989).
____ (ed.), *Akten der Reichskanzlei: Die Regierung Hitler*, 1: *1933-1934* (2 vols., Boppard, 1983).
Mitchell, Allan, *Revolution in Bavaria 1918/1919: The Eisner Regime and the Soviet Republic* (Princeton, 1965).
Moeller, Robert G., "Winners as Losers in the German Inflation: Peasant Protest over Controlled Economy", in Gerald D. Feldman *et al.* (eds.), *The German Inflation: A Preliminary Balance* (Berlim, 1982), p. 255-88.
____, "The Kaiserreich Recast? Continuity and Change in Modern German Historiography", *Journal of Social History*, 17 (1984), p. 655-83.
Moeller van den Bruck, Arthur, *Das Dritte Reich* (3ª ed., Hamburgo, 1931 [Berlim, 1923]).
Möller, Horst, "Die nationalsozialistische Machtergreifung: Konterrevolution oder Revolution?", *VfZ* 31 (1983), p. 25-51.
Mommsen, Hans, "Der Reichstagsbrand und seine politischen Folgen", *VfZ* 12 (1964), p. 351--413.
____, *Beamtentum im Dritten Reich: Mit ausgewählten Quellen zur nationalsozialistischen Beamtenpolitik* (Stuttgart, 1966).
____, "Betrachtungen zu den Memoiren Heinrich Brünings", *Jahrbuch für die Geschichte Mittel- und Ostdeutschlands*, 22 (1973), p. 270-80.
Mommsen, Hans, "Van der Lubbes Weg in den Reichstag – der Ablauf der Ereignisse", in Backes *et al.*, *Reichstagsbrand*, p. 33-57.
____, *Der Nationalsozialismus und die deutsche Gesellschaft: Ausgewählte Aufsätze* (Reinbeck, 1991).
____, *From Weimar to Auschwitz: Essays in German History* (Princeton, 1991).
____, *The Rise and Fall of Weimar Democracy* (Chapel Hill, NC, 1996 [1989]).
____, "Das Jahr 1930 als Zäsur in der deutschen Entwicklung der Zwischenkriegszeit", in Lothar Ehrlich & Jürgen John (eds.), *Weimar 1930: Politik und Kultur im Vorfeld der NS--Diktatur* (Colônia, 1998), p. 1-13.
Mommsen, Wolfgang J., *Das Ringen um den nationalen Staat: Die Gründung und der innere Ausbau des Deutschen Reiches unter Otto von Bismark 1850-1890* (Berlim, 1993).
____, *Bürgerstolz und Weltmachtstreben: Deutschland unter Wilhelm II. 1890 bis 1918* (Berlim, 1995).
Moreau, Patrick, *Nationalsozialismus von "links": Die "Kampfgemeinschaft Revolutionärer Nationalsozialisten" und die "Schwarze Front" Otto Strassers 1930-1935* (Stuttgart, 1984).

Mork, Andrea, *Richard Wagner als politischer Schriftsteller: Weltanschaung und Wirkungsgeschichte* (Frankfurt am Main, 1990).
Morsch, Günter, "Oranienburg – Sachsenhausen, Sachsenhausen – Oranienburg", in Herbert et al. (eds.), *Die nationalsozialistischen Konzentrationslager*, p. 111-34.
Morsey, Rudolf, "Die Deutsche Zentrumspartei", in Matthias & Morsey (eds.), *Das Ende*, p. 279-453.
____, "Hitler als Braunschweiger Reigierungsrat", *VfZ* 8 (1960), p. 419-48.
____, "Hitlers Verhandlungen mit der Zentrumsführung am 31. Januar 1933", *VfZ* 9 (1961), p. 182-94.
____, "Zur Geschichte des 'Preussenschlags' am 20. Juli 1932", *VfZ* 9 (1961), p. 436-9.
____, *Der Untergang des politischen Katholizismus: Dies Zentrumspartei zwischen christlichem Selbstverständnis und "Nationaler Erhebung" 1932/33* (Stuttgart, 1977).
____, "Beamtenschaft und Verwaltung zwischen Republik und 'Neuem Staat'", in Erdmann & Schulze (eds.), *Weimar*, p. 151-68.
____ (ed.), *Das "Ermächtigungsgesetz" vom 24. März 1933: Quellen zur Geschichte und Interpretation des "Gesetzes zur Behebung der Not von Volk und Reich"* (Düsseldorf, 1992).
Mosse, George L., *The Crisis of German Ideology: Intellectual Origins of the Third Reich* (Londres, 1964).
____, *The Nationalization of the Masses: Political Symbolism and Mass Movements in Germany from the Napoleonic Wars through the Third Reich* (Nova York, 1975).
Mosse, Werner E., *Jews in the German Economy: The German-Jewish Economic Élite 1820-1935* (Oxford, 1987).
____, *The German-Jewish Economic Élite 1820-1935: A Socio-Cultural Profile* (Oxford, 1989).
Mühlberger, Detlef, "A Social Profile of the Saxon NSDAP Membership before 1933", in Szejnmann, *Nazism*, p. 211-19.
____, *Hitler's Followers: Studies in the Sociology of the Nazi Movement* (Londres, 1991).
Mühlhausen, Walter, *Friedrich Ebert: Sein Leben, sein Werk, seine Zeit* (Heidelberg, 1999).
Müller, Dirk, *Arbeiter, Katholizismus, Staat: Der Volksverein für das katholische Deutschland und die Katholischen Arbeiterorganisationem in der Weimarer Republik* (Bonn, 1996).
Müller, Fritz Ferdinand, *Deutschland-Zanzibar-Ostafrika: Geschichte einer deutschen Kolonialeroberung 1884-1890* (Berlim, 1990 [1959]).
Müller, Hans (ed.), *Katholische Kirch und Nationalsozialismus: Dokumente 1930-1935* (Munique, 1963).
Müller, Ingo, *Hitler's Justice: The Courts of the Third Reich* (Londres, 1991 [1987]).
Müller, Klaus-Jürgen, *The Army, Politics and Society in Germany 1933-1945: Studies in the Army's Relation to the Nazism* (Manchester, 1987).
____, "Der Tag von Potsdam und das Verhältnis der preussisch-deutschen Militär-Elite zum Nationalsozialismus", in Bernhard Kröner (ed.), *Potsdam – Stadt, Armee, Residenz in der preussisch-deutschen Militärgeschichte* (Frankfurt am Main, 1993), p. 435-49.
Müller-Jabusch, Maximiliam (ed.), *Handbuch des öffentlichen Lebens* (Leipzig, 1931).
Nahel, Irmela, *Fememorde und Fememordprozesse in der Weimarer Republik* (Colônia, 1991).
Nationalsozialistischer Deutscher Frontkämpferbund (ed.), *Der NSDFB (Stahlhelm): Geschichte, Wesen und Aufgabe des Frontsoldatenbundes* (Berlim, 1935).

Nelles, Ditter, "Jan Valtins 'Tagebuch der Hölle' – Legende und Wirklichkeit eines Schlüsselromans der Totalitarismustheorie", *1999: Zeitschrift für Sozialgeschichte des 20. und 21 Jahrhunderts*, 9 (1994), p. 11-45.

Nelson, Keith, "'The Black Horror on the Rhine': Race as a Factor in Post-World War 1 Diplomacy", *Journal of Modern History*, 42 (1970), p. 606-27.

Neugebauer, Rosamunde, "'Christus mit der Gasmaske' von George Grosz, oder: Wieviel Satire konntem Kirche und Staat in Deutschland um 1930 ertragen?", in Maria Ruger (ed.), *Kunst und Kunstkritik der dreissiger Jahre: 29 Standpunkte zu kunstlerischen und ästhetischen Prozessen und Kontroversen* (Dresden, 1990), p. 156-65.

Neumann, Franz, *Behemoth: The Structure and Practice of National Socialism* (Nova York, 1942).

Nicholls, Anthony J., "Die höhere Beamtenschaft in der Weimarer Zeit: Betrachtungen zu Problemen ihrer Haltung und ihrer Fortbildung", in Lothar Albertin & Werner Link (eds.), *Politische auf dem Weg zur parlamentarischen Demokratie in Deutschland: Entwicklungslinien bis zur Gegenwart* (Düsseldorf, 1981), p. 195-207.

____, *Weimar and the Rise of Hitler* (4ª ed., Londres, 2000 [1968]).

____ & Matthias, Erich (eds.), *German Democracy and the Triumph of Hitler: Essays in Recent German History* (Londres, 1971).

Niehuss, Merith, "From Welfare Provision to Social Insurance: The Unemployed in Augsburg 1918-27", in Evans & Geary (eds.), *The German Unemployed*, p. 44-72.

Niewyk, Donald L., *The Jews in Weimar Germany* (Baton Rouge, La., 1980).

Nipperdey, Thomas, *Germany from Napoleon to Bismarck* (Princeton, 1986 [1983]).

____, *Deutsche Geschichte 1866-1918*, I: *Arbeitswelt und Bürgergeist* (Munique, 1990).

____, *Deutsche Geschichte 1866-1918*, II: *Machtstaat vor der Demokratie* (Munique, 1992).

Nitschke, August et al. (eds.), *Jahrhundertwende: Der Aufbruch in die Moderne 1880-1930* (2 vols., Reinbek, 1990).

Noack, Paul, *Ernst Jünger: Eine Biographie* (Berlim, 1998).

Noakes, Jeremy, *The Nazi Party in Lower Saxony 1921-1933* (Oxford, 1971).

____, "Nazism and Revolution", in Noel O'Sullivan (ed.), *Revolutionary Theory and Political Reality* (Londres, 1983), p. 73-100.

____, "Nazism and Eugenics: The Background to the Nazi Sterilization Law of 14 July 1933", in Roger Bullen et al. (eds.), *Ideas into Politics: Aspects of European History 1880-1950* (Londres, 1984), p. 75-94.

____ & Pridham, Geoffrey (eds.), *Nazism 1919-1945* (4 vols., Exeter, 1983-98 [1974]).

Nolan, Mary, *Vision of Modernity: American Business and the Modernization of Germany* (Nova York, 1994).

Nolte, Ernst, *Three Faces of Fascism: Action Française, Italian Fascism, National Socialism* (Nova York, 1969 [1963]).

____, *Der europäische Bürgerkrieg 1917-1945: Nationalsozialismus und Bolschewismus* (Frankfurt am Main, 1987).

Nonn, Christoph, *Eine Stadt sucht einem Mörder: Gerücht, Gewalt und Antisemitismus im Kaiserreich* (Göttingen, 2002).

Norton, Robert E., *Secret Germany: Stefan George and his Circle* (Ithaca, NY, 2002).

Nowak, Kurt & Raulet, Gérard (eds.), *Protestantismus und Antisemitismus in der Weimarer Republik* (Frankfurt aim Main, 1994).

Nuss, Karl, *Militär und Wiederaufrüstung in der Weimarer Republik: Zur politischen Rolle und Entwicklung der Reichswehr* (Berlim, 1977).

Oertel, Thomas, *Horst Wessel: Untersuchung einer Legende* (Colônia, 1988).

O'Neil, Robert J., *The German Army and the Nazi Party 1933-1939* (Londres, 1966).

Orlow, Dietrich, *The History of the Nazi Party*, I: *1919-1933* (Newton Abbot, 1971 [1969]).

____, *Weimar Prussia 1918-1925: The Unlikely Rock of Democracy* (Pittsburgh, 1986).

____, "Rudolf Hess: Deputy Führer", in Smelser & Zitelmann (eds.), *The Nazi Elite*, p. 74-84.

Orth, Karin, *Das System der nationalsozialistischen Konzentrationslager* (Hamburgo, 1999).

Osterroth, Franz & Schuster, Dieter, *Chronik der deutsche Sozialdemokratie* (Hanover, 1963).

Ostwald, Hans, *Sittengeschichte der Inflation: Ein Kulturdokument aus den Jahren des Marksturzes* (Berlim, 1931).

Ott, Hugo, *Martin Heidegger: A Political Life* (Londres, 1993).

Overy, Richard, *Goering: The "Iron Man"* (Londres, 1984).

Owen, Richard, "Military-Industrial Relation: Krupp and the Imperial Navy Office", in Evans (ed.), *Society and Politics*, p. 71-89.

Paret, Peter, *An Artist against the Third Reich: Ernst Barlach 1933-1938* (Cambridge, 2003).

Passmore, Kevin, *Fascism: A Very Short Introduction* (Oxford, 2002).

Patch, William L., Jr., *Heinrich Brüning and the Dissolution of The Weimar Republic* (Cambridge, 1998).

Paul, Gerhard, *Aufstand der Bilder: Die NS-Propaganda vor 1933* (Bonn, 1990).

Payne, Stanley G., *A History of Fascism 1914-1945* (Londres, 1995).

Peal, David, "Antisemitism by Other Means? The Rural Cooperative Movement in Late 19th Century Germany", in Herbert A. Strauss (ed.), *Hostages of Modernization: Studies on Modern Antisemitism 1870-1933/39: Germany – Great Britain – France* (Berlim, 1993), p. 128--49.

Petropoulos, Jonathan, *The Faustian Bargain: The Art World in Nazi Germany* (Londres, 2000).

Petzina, Dietmar, "The Extent and Causes of Unemployment in the Weimar Republic", in Peter D. Stachura (ed.), *Unemployment and the Great Depression in Weimar Germany* (Londres, 1986), p. 29-48.

____ et al., *Sozialgeschichtliches Arbeitsbuch*, III: *Materialien zur Geschichte des Deutschen Reiches 1914-1945* (Munique, 1978).

Petzold, Joachim, *Franz von Papen: Ein deutsches Verhängnis* (Munique, 1995).

Peukert, Detlev J. K., *Die KPD im Widerstand: Verfolgung und Untergrundarbeit an Rhein und Ruhr, 1933 bis 1945* (Wuppertal, 1980).

____, *Grenzen der Sozialdisziplinierung: Aufstieg und Krise der deutschen Jugendfürsorge 1878 bis 1932* (Colônia, 1986).

____, "The Lost Generation: Youth Unemployment at the End of the Weimar Republic", in Evans & Geary (eds.), *The German Unemployment*, p. 172-93.

____, *Jugend zwischen Krieg und Krise: Lebenswelten von Arbeiterjungen in der Weimarer Republik* (Colônia, 1987).

____, *Inside Nazi Germany: Conformity, Opposition and Racism in Everyday Life* (Londres, 1989 [1982]).
____, *The Weimar Republic: The Crisis of Classical Modernity* (Londres, 1991 [1987]).
Pflanze, Otto, *Bismarck* (3 vols., Princeton, 1990).
Phelps, Reginald H., "Aus den Groener Dokumenten", *Deutsche Rundschau*, 76 (1950), p. 1019, e 77 (1951), p. 26-9.
____, "'Before Hitler Came': Thule Society and Germanen Orden", *Journal of Modern History*, 35 (1963), p. 245-61.
____, "Hitler als Parteiredner im Jahre 1920", *VfZ* II (1963), p. 274-330.
Pikart, Eberhard, "Preussische Beamtenpolitik 1918-1933", *VfZ* 6 (1958), p. 119-37.
Planck, Max, "Mein Besuch bei Hitler", *Physikalische Blätter*, 3 (1947), p. 143.
Planert, Ut, *Antifeminismus im Kaiserreich: Diskurs, soziale Formation und politische Mentalität* (Göttingen, 1998).
____, *Nation, Politik und Geschlecht: Frauenbewegungen und Nationalismus in der Moderne* (Frankfurt am Main, 2000).
Plant, Richard, *The Pink Triangle: The Nazi War against Homosexuals* (Edinburgh, 1987).
Plewnia, Margarete, *Auf dem Weg zu Hitler: Der völkische Publizist Dietrich Eckart* (Bremen, 1970).
Pogge-von Strandmann, Hartmut, "Staatsstreichpläne, Alldeutsche und Bethmann Hollweg", in idem & Imanuel Geiss, *Die Erforderlichkeit des Unmöglichen: Deutschland am Vorabend des ersten Weltkrieges* (Frankfurt am Main, 1965), p. 7-45.
Pommerin, Reiner, *"Sterilisierung der Rheinlandbastarde": Das Schicksal einer farbigen deutschen Minderheit 1918-1937* (Düsseldorf, 1979).
Preller, Ludwig, *Sozialpolitik in der Weimarer Republik* (Düsseldorf, 1978 [1949]).
Pridham, Geoffrey, *Hitler's Rise to Power: The Nazi Movement in Bavaria 1923-1933* (Londres, 1973).
Prieberg, Fred K., *Trial of Strength: Wilhelm Furtwängler and the Third Reich* (Londres, 1992).
Proctor, Robert N., *Racial Hygiene: Medicine under the Nazis* (Cambridge, Mass.,1988).
Der Prozess gegen die Hauptkriegsverbrecher vor dem Internationalem Militärgerichtshof (Nuremberg, 1974).
Puhle, Hans-Jürgen, *Agrarische Interessenpolitik und preussischer Konservatismus im wilhelminischen Reich 1893-1914: Ein Beitrag zur Analyse des Nationalismus in Deutschland am Beispiel der Bundes der Landwirte und der Deutsch-Konservativen Partei* (Hanover, 1967).
Pulzer, Peter J. G., *The Rise of Political Anti-Semitism in Germany and Austria* (Nova York, 1964).
____, "Der Anfang vom Ende", in Arnold Paucker (ed.), *Die Juden im nationalsozialistischen Deutschland 1933-1944* (Tübingen, 1986), p. 3-15.
____, *Jews and the German State: The Political History of a Minority, 1848-1933* (Oxford, 1992).
____, "Jews and Nation-Building in Germany 1815-1918", *Year Book of the Leo Baeck Institute*, 41 (1996), p. 199-224.
Pyta, Wolfram, "Konstitutionelle Demokratie statt monarchischer Restauration: Die verfassungspolitische Konzeption Schleichers in der Weimarer Staatskrise", *VfZ* 47 (1999), p. 417-41.

Rabenau, Friedrich von, *Seeckt* – aus seinem Leben 1918-1936 (Leipzig, 1940).

Radkau, Joachim, *Das Zeitalter der Nervosität: Deutschland zwischen Bismarck und Hitler* (Munique, 1998).

Rahden, Till van, *Juden und andere Breslauer: Die Beziehungen zwischen Juden, Protestanten und Katholiken in einer deutschen Grosstadt von 1896 bis 1925* (Göttingen, 2000).

Rainbird, Sean (ed.), *Max Beckmann* (Londres, 2003).

Rauschning, Hermann, *Germany's Revolution of Destruction* (Londres,1939 [1938]).

Rebentisch, Dieter & Raab, Angelika (eds.), *Neu-Isenburg zwischen Anpassung und Widerstand: Dokumente über Lebensbedingungen und politisches Verhalten 1933-1934* (Neu-Isenburg, 1978).

Reiche, Eric G., *The Development of the SA in Nürnberg, 1922-1934* (Cambridge, 1986).

Reimann, Aribert, *Der grosse Krieg der Sprachen: Untersuchungen zur historischen Semantik in Deutschland und England zur Zeit des Ersten Weltkriegs* (Essen, 2000).

Reimer, Klaus, *Rheinlandfrage und Rheinlandbewegung (1918-1933): Ein Beitrag zur Geschichte der regionalistischen Bewegung in Deutschland* (Frankfurt am Main, 1979).

Reithel, Thomas & Strenge, Irene, "Die Reichstagsbrandverordnung: Grundlegung der Diktatur mit den Instrumenten des Weimarer Ausnahmezustandes", *VfZ* 48 (2000), p. 413-60.

Remy, Steven P., *The Heidelberg Myth: The Nazification and Denazification of a German University* (Cambridge, Mass., 2002).

Repgen, Konrad, "Zur vatikanischen Strategie beim Reichskonkordat", *VfZ* 31 (1983), p. 506-35.

Retallack, James N., *Notables of the Right: The Conservative Party and Political Mobilization in Germany, 1876-1918* (Londres, 1988).

Reulecke, Jürgen, "'Hat die Jugendbewegung den Nationalsozialismus vorbereitet?' Zum Umgang mit einer falschen Frage", in Wolfgang R. Krabbe (ed.), *Politische Jugend in der Weimarer Republik* (Bochum, 1993), p. 222-43.

____, "Ich möchte einer warden so wie die..." *Männerbünde im 20. Jahrhundert* (Frankfurt am Main, 2001).

Reuth, Ralf Georg, *Goebbels: Eine Biographie* (Munique, 1995).

Richardi, Hans-Günter, *Schule der Gewalt: Das Konzentrationslager Dachau, 1933-1934* (Munique, 1983).

Richarz, Monika, *Jüdisches Leben in Deutschland*, II: *Selbstzeugnisse zur Sozialgeschichte im Kaiserreich* (Stuttgart, 1979).

Richter, Ludwig, "Das präsidiale Notverordnungsrecht in den ersten Jahren der Weimarer Republik. Friedrich Ebert und die Anwendung des Artikels 48 der Weimarer Reichsverdassung", in Eberhard Kolb (ed.), *Friedrich Ebert als Reichspräsident: Amstführung und Amstsverständnis* (Munique, 1997), p. 207-58.

Riebicke, Otto, *Was brauchte der Weltkrieg? Tatsachen und Zahlen aus dem deutschen Ringen 1914-18* (Berlim, 1936).

Rietzler, Rudolf, *"Kampf in der Nordmark": Das Aufkommen des Nationalsozialismus in Schleswig-Holstein (1919-1928)* (Neumünster, 1982).

Ritchie, James M., *German Literature under National Socialism* (Londres, 1983).

Rittberger, Volker (ed.), *1933: Wie die Republik der Diktatur erlag* (Stuttgart, 1983).

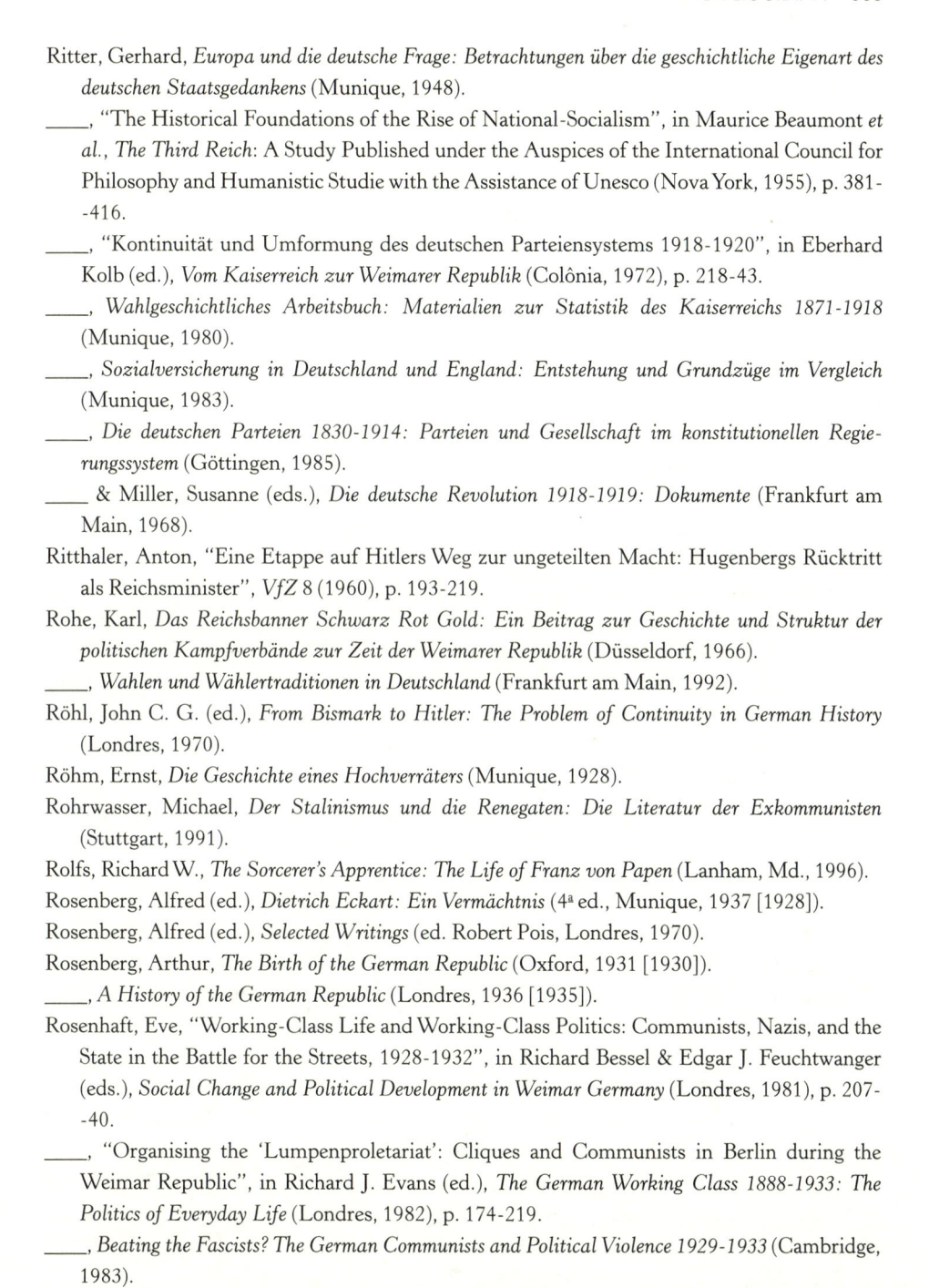

Ritter, Gerhard, *Europa und die deutsche Frage: Betrachtungen über die geschichtliche Eigenart des deutschen Staatsgedankens* (Munique, 1948).

____, "The Historical Foundations of the Rise of National-Socialism", in Maurice Beaumont *et al.*, *The Third Reich*: A Study Published under the Auspices of the International Council for Philosophy and Humanistic Studie with the Assistance of Unesco (Nova York, 1955), p. 381--416.

____, "Kontinuität und Umformung des deutschen Parteiensystems 1918-1920", in Eberhard Kolb (ed.), *Vom Kaiserreich zur Weimarer Republik* (Colônia, 1972), p. 218-43.

____, *Wahlgeschichtliches Arbeitsbuch: Materialien zur Statistik des Kaiserreichs 1871-1918* (Munique, 1980).

____, *Sozialversicherung in Deutschland und England: Entstehung und Grundzüge im Vergleich* (Munique, 1983).

____, *Die deutschen Parteien 1830-1914: Parteien und Gesellschaft im konstitutionellen Regierungssystem* (Göttingen, 1985).

____ & Miller, Susanne (eds.), *Die deutsche Revolution 1918-1919: Dokumente* (Frankfurt am Main, 1968).

Ritthaler, Anton, "Eine Etappe auf Hitlers Weg zur ungeteilten Macht: Hugenbergs Rücktritt als Reichsminister", *VfZ* 8 (1960), p. 193-219.

Rohe, Karl, *Das Reichsbanner Schwarz Rot Gold: Ein Beitrag zur Geschichte und Struktur der politischen Kampfverbände zur Zeit der Weimarer Republik* (Düsseldorf, 1966).

____, *Wahlen und Wählertraditionen in Deutschland* (Frankfurt am Main, 1992).

Röhl, John C. G. (ed.), *From Bismark to Hitler: The Problem of Continuity in German History* (Londres, 1970).

Röhm, Ernst, *Die Geschichte eines Hochverräters* (Munique, 1928).

Rohrwasser, Michael, *Der Stalinismus und die Renegaten: Die Literatur der Exkommunisten* (Stuttgart, 1991).

Rolfs, Richard W., *The Sorcerer's Apprentice: The Life of Franz von Papen* (Lanham, Md., 1996).

Rosenberg, Alfred (ed.), *Dietrich Eckart: Ein Vermächtnis* (4ª ed., Munique, 1937 [1928]).

Rosenberg, Alfred (ed.), *Selected Writings* (ed. Robert Pois, Londres, 1970).

Rosenberg, Arthur, *The Birth of the German Republic* (Oxford, 1931 [1930]).

____, *A History of the German Republic* (Londres, 1936 [1935]).

Rosenhaft, Eve, "Working-Class Life and Working-Class Politics: Communists, Nazis, and the State in the Battle for the Streets, 1928-1932", in Richard Bessel & Edgar J. Feuchtwanger (eds.), *Social Change and Political Development in Weimar Germany* (Londres, 1981), p. 207--40.

____, "Organising the 'Lumpenproletariat': Cliques and Communists in Berlin during the Weimar Republic", in Richard J. Evans (ed.), *The German Working Class 1888-1933: The Politics of Everyday Life* (Londres, 1982), p. 174-219.

____, *Beating the Fascists? The German Communists and Political Violence 1929-1933* (Cambridge, 1983).

____, "The Unemployed in the Neighbourhood: Social Dislocation and Political Mobilisation in Germany 1929-33", in Evans & Geary (eds.), *The German Unemployed*, p. 194-227.

_____, "Links gleich rechts? Militante Strassengewalt um 1930", in Lindenberger & Lüdtke (eds.), *Physische Gewalt*, p. 239-75.

Rosenow, Ulf, "Die Göttinger Physik unter den Nationalsozialismus", in Becker *et al.* (eds.), *Die Universität Göttinger*, p. 345-409.

Rote Fahne, Die, 1933.

Roth, Karl Heinz, "Schein-Alternativen im Gesundheitswesen: Alfred Grotjahn (1869-1931) – Integrationsfigur etablietter Sozialmedizin und nationalsozialistischer 'Rassenhygiene'", in Karl Heinz Roth (ed.), *Erfassung zur Vernichtung: Von der Sozialhygiene zum "Gesetz über Sterbehilfe"* (Berlim, 1984), p. 31-56.

Rousso, Henry, *The Haunting Past: History, Memory, and Justice in Contemporary France* (Filadélfia, 2002 [1998]).

Ruck, Michael, *Bibliographie zum Nationalsozialismus* (2 vols., Darmstadt, 2000 [1995]).

Runge, Wolfgang, *Politik und Beamtentum in Parteienstaat: Die Demokratisierung der politischen Beamten in Preussen zwischen 1918 und 1923* (Stuttgart, 1965).

Rupieper, Hermann J., *The Cuno Government and Reparations 1922-1923: Politics and Economics* (Haia, 1979).

Ruppert, Karsten, *Im Dienst am Staat von Weimar: Das Zentrum als regierende Partei in der Weimarer Demokratie 1923-1930* (Düsseldorf, 1992).

Rürup, Reinhard, "Entstehung und Grundlagen der Weimarer Verfassung", in Eberhard Kolb (ed.), *Vom Kaiserreich zur Weimarer Republik* (Colônia, 1972), p. 218-43.

_____ (ed.), *Topographie des Terrors: Gestapo, SS und Reichssicherheitshauptamt auf dem "Prinz--Albrecht-Geläne": Eine Dokumentation* (Berlim, 1987).

Sabrow, Martin, *Der Rathenaumord: Rekonstruktion einer Verschwörung gegen die Republik von Weimar* (Munique, 1994).

Safranski, Rüdiger, *Ein Meister aus Deutschland: Heidegger und seine Zeit* (Munique, 1994).

Sailer, Joachim, *Eugen Bolz und die Krise des politischen Katholizismus in der Weimarer Republik* (Tübingen, 1994).

Sauder, Gerhard (ed.), *Die Bücherverbrennung: Zum 10. Mai 1933* (Munique, 1983).

Saul, Klaus, "Der Staat und die 'Mächte des Umsturzes': Ein Beitrag zu den Methoden anti-sozialistischer Repression und Agitation vom Scheitern des Sozialistengesetzes bis zur Jahrhundertwende", *Archiv für Sozialgeschichte*, 12 (1972), p. 293-350.

Schade, Franz, *Kurt Eisner und die bayerische Sozialdemokratie* (Hanover, 1961).

Schairer, Erich, "Alfred Hugenberg", *Mit anderen Augen: Jahrbuch der deutschen Sonntagzeitung* (1929), p. 18-21.

Schanbacher, Eberhard, *Parlamentarische Wahlen und Wahlsystem in der Weimarer Republik: Wahlgesetzgebung und Wahlreform im Reich und in den Ländern* (Düsseldorf, 1982).

Shappacher, Norbert, "Das Mathematische Institut der Universität Göttingen", in Becker *et al.* (eds.), *Die Universität Göttingen*, p. 345-73.

Scheck, Raffael, *Mothers of the Nation: Right-Wing Women in German Politics, 1918-1923* (Oxford, 2004).

Scheil, Stefan, *Die Entwicklung des politischen Antisemitismus in Deutschland zwischen 1881 und 1912: Eine wahlgeschichtliche Untersuchung* (Berlim, 1999).

Schirach, Baldur von, *Die Feier der neuen Front* (Munique, 1929).
Schirmann, Leon, *Altonaer Blutsonntag 17. Juli 1932: Dichtung und Wahrheit* (Hamburgo, 1994).
Schlotterbeck, Friedrich, *The Darker the Night, the Brighter the Stars: A German Worker Remembers* (1933-1945) (Londres, 1947).
Schmädeke, Jürgen et al., "Der Reichstagsbrand im neuen Licht", *Historische Zeitschrift*, 269 (1999), p. 603-51.
Schmelz, Usiel O., "Die demographische Entwicklung der Juden in Deutschland von der Mitte des 19. Jahrhunderts bis 1933", *Bulletin des Leo Baeck Instituts*, 83 (1989), p. 15-62.
Schmidt, Christoph, "Zu den Motiven 'alter Kämpfer' in der NSDAP", in Detlev J. K. Peukert & Jürgen Reulecke (eds.), *Die Reihen fast geschlossen: Beiträge zur Geschichte des Alltags unterm Nationalsozialismus* (Wuppertal, 1981), p. 21-44.
Schmuhl, Hans-Walter, *Rassenhygiene, Nationalsozialismus, Euthanasie: Von der Verhütung zur Vernichtung "lebensunwerten Lebens", 1890-1945* (Göttingen, 1987).
Schneeberger, Guido, *Nachlese zu Heidegger: Dokumente zu seinem Leben und Denken* (Berna, 1962).
Schneider, Hans, "Das Ermächtigungsgesetz vom 24. März 1933", *VfZ* 1 (1953), p. 197-221.
Schneider, Michael, *A Brief History of the German Trade Unions* (Bonn, 1991 [1989]).
____, *Unterm Hakenkreuz: Arbeiter und Arbeiterbewegung 1933 bis 1939* (Bonn, 1999).
Schneider, Werner, *Die Deutsche Demokratische Partei in der Weimarer Republik, 1924-1930* (Munique, 1978).
Schoenbaum, David, *Zabern 1913: Consensus Politics in Imperial Germany* (Londres,1982).
Scholder, Klaus, *The Churches and the Third Reich* (2 vols., Londres, 1987-8 [1977,1985]).
Schönhoven, Klaus, *Die Bayerische Volkspartei 1924-1932* (Düsseldorf, 1972).
Schorske, Carl E., *Fin-de-Siècle Vienna: Politics and Culture* (Nova York, 1980).
Schotte, Walter, *Der neue Staat* (Berlim, 1932).
Schouten, Martin, *Marinus van der Lubbe (1909-1934): Eine Biographie* (Frankfurt, 1999 [1986]).
Schreiber, Georg, *Brüning, Hitler, Schleicher: Das Zentrum in der Opposition* (Colônia, 1932).
Schüddekopf, Otto-Ernst, *Das Heer und die Republik – Quellen zur Politik der Reichswehrführung 1918 bis 1933* (Hanover, 1955).
Schüler, Hermann, *Auf der Flucht erschossen: Felix Fechenbach 1894-1933. Eine Biographie* (Colônia, 1981).
Schüler, Winfried, *Der Bayreuther Kreis von seiner Entstehung bis zum Ausgang der wilhelminischen Ära* (Münster, 1971).
Schüler-Springorum, Stefanie, *Die jüdische Minderheit in Königsberg, Preussen 1871-1945* (Göttingen, 1966).
Schulte, Regina, *Sperrbezirke: Tugendhaftigkeit und Prostitution in der burgerlichen Welt* (Frankfurt am Main, 1979).
Schulz, Gerhard, *Zwischen Demokratie und Diktatur: Verfassungspolitik und Reichsreform in der Weimarer Republik* (3 vols., Berlim, 1963-92).
____, "Artikel 48 in politisch-historischer Sicht", in Ernst Fraenkel (ed.), *Der Staatsnotstand* (Berlim, 1965), p. 39-71.
____ (ed.), *Ploetz Weimarer Republik: Eine Nation im Umbruch* (Freiburg, 1987).

Schulze, Hagen, *Freikorps und Republik 1918-1920* (Boppard, 1969).
____, *Otto Braun oder Preussens demokratische Sendung* (Frankfurt am Main, 1977).
____, *Weimar: Deutschland 1917-1933* (Berlin, 1982).
Schumann, Hans-Gerhard, *Nationalsozialismus und Gewerkschaftsbewegung: Die Vernichtung der deutschen Gewerkschaften und der Aufbau der "Deutschen Arbeitsfront"* (Hanover, 1958).
Schuster, Kurt G. P., *Der Rote Frontkämpferbund 1924-1929: Beiträge zur Geschichte und Organisationsstruktur eines politischen Kampfbundes* (Düsseldorf, 1975).
Schwabe, Klaus (ed.), *Die Ruhrkrise 1923: Wendpunkt der internationalen Beziehungen nach dem Ernsten Weltkrieg* (Paderborn, 1985).
____, "Die deutsche Politik und die Juden im Ersten Weltkrieg", in Hans Otto Horch (ed.), *Judentum, Antisemitismus und europäische Kultur* (Tübingen, 1988), p. 255-66.
Schwarz, Johannes, *Die bayerische Polizei und ihre historische Funktion bei der Aufrechterhaltung der öffentlichen Sicherheit in Bayern von 1919 bis 1933* (Munique,1977).
Schwerin von Krosigk, Lutz Graf, *Es geschah in Deutschland: Menschenbilder unseres Jahrhunderts* (Tübingen, 1951).
Service, Robert, *Lenin: A Political Life* (3 vols., Londres, 1985-95).
Shapiro, Leonard, *Totalitarianism* (Londres, 1972).
Sharp, Alan, *The Versailles Settlement: Peacekeeping in Paris, 1919* (Londres, 1991).
Sheehan, James J., *German History 1770-1866* (Oxford, 1989).
Shirer, William L., *The Rise and Fall of the Third Reich: A History of Nazi Germany* (Nova York, 1960).
Siggemann, Jürgen, *Die kasernierte Polizei und das Problem der inneren Sicherheit in der Weimarer Republik: Eine Studie zum Auf- und Ausbau des innerstaatlichen Sicherheitssystems in Deutschland 1918/19-1933* (Frankfurt am Main, 1980).
Skzrypczak, Henryk, "Das Ende der Gewerkschaften" in Wolfgang Michalka (ed.), *Die nationalsozialistische Machtergreifung* (Paderborn, 1984), p. 97-110.
Sluga, Hans, *Heidegger's Crisis: Philosophy and Politics in Nazy Germany* (Cambridge, Mass., 1993).
Smelser, Ronald & Zitelmann, Rainer (eds.), *The Nazi Elite* (Londres, 1989).
Smith, Bradley F., *Heinrich Himmler 1900-1926: A Nazi in the Making* (Stanford, Calif., 1971).
Smith, Denis Mack, *Mussolini* (Londres, 1981).
Smith, Helmut Walser, "The Learned and the Popular Discourse of Anti-Semitism in the Catholic Milieu in the Kaiserreich", *Central European History*, 27 (1994), p. 315-28.
____, *The Butcher's Tale*: Murder and Anti-Semitism in a German Town (Nova York, 2002).
Smith, Woodruff D., *The German Colonial Empire* (Chapel Hill, NC, 1978).
____, *The Ideological Origins of Nazi Imperialism* (Nova York, 1986).
Snell, John L. (ed.), *The Nazi Revolution – Germany's Guilt or Germany's Fate?* (Boston, 1959).
Söllner, Alfons (ed.), *Totalitarismus: Eine Ideengeschichte des 20. Jahrhunderts* (Berlin, 1977).
Sontheimer, Kurt, "Thomas Mann als politischer Schriftsteller", *VfZ* 6 (1958), p. 1-44.
____, *Antidemokratisches Denken in der Weimarer Republik* (Munique, 1978 [1962]).
Sösemann, Bernd, "Die Tagesaufzeichnungen des Joseph Goebbels und ihre unzulänglichen Veröffentlichungen", *Publizistik*, 37 (1992), p. 213-44.

Speier, Hans, *German White-Collar Workers and the Rise of Hitler* (New Haven, 1986).
Spengler, Oswald, *Der Untergang des Abendlandes: Umrisse einer Morphologie der Weltgeschichte*, 1: *Gestalt und Wirklichkeit* (Viena, 1918).
____, *Spengler Letters 1913-1936* (ed. Arthur Helps, Londres, 1966).
Splitt, Gerhard, *Richard Strauss 1933-1935: Aesthetik und Musikpolitik zu Beginn der nationalsozialistischen Herrschaft* (Pfaffenweiler, 1987).
Spotts, Frederic, *Hitler and the Power of Aesthetics* (Londres, 2002).
Stachura, Peter D., *Nazi Youth in the Weimar Republic* (Santa Barbara, Calif., 1975).
____, *The German Youth Movement, 1900-1945: An Interpretative and Documentary History* (Londres, 1981).
____, *Gregor Strasser and the Rise of Nazism* (Londres, 1983).
____ (ed.), *Unemployment and the Great Depression in Weimar Germany* (Londres,1986).
Stackelberg, Roderick & Winkle, Sally A. (eds.), *The Nazy Germany Sourcebook: An Anthology of Texts* (Londres, 2002).
Staewen-Ordermann, Gertrud, *Menschen der Unordnung: Die proletarische Wirklichkeit im Arbeitsschicksal der ungelernten Grossstadtjugend* (Berlim, 1933).
Staff, Ilse, *Justiz im Dritten Reich: Eine Dokumentation* (2ª ed., Frankfurt am Main, 1978 [1964]).
Stansfield, Agnes, "Das Dritte Reich: A Contribution to the Study of the 'Third Kingdom' in German Literature from Herder to Hegel", *Modern Language Review*, 34 (1934), p. 156-72.
Stargardt, Nicholas, *The German Idea of Militarism 1866-1914* (Cambridge, 1994).
Stark, Gary D., "Pornography, Society and the Law in Imperial Germany", *Central European History*, 14 (1981), p. 200-20.
____, *Entrepreneurs of Ideology: Neo-Conservative Publishers in Germany, 1890-1933* (Chapel Hill, NC, 1981).
Steakley, James D., *The Homosexual Emancipation Movement in Germany* (Nova York, 1975).
Steger, Bernd, "Der Hitlerprozess und Bayerns Verhältnis zum Reich 1923/24", *VfZ* 23 (1977), p. 441-66.
Stegmann, Dirk, *Die Erben Bismarcks: Parteien und Verbände in der Spätphase des Wilhelminischen Deutschlands: Sammlungspolitik 1897-1914* (Colônia, 1970).
____, "Zwischen Repression und Manipulation: Konservative Machteliten und Arbeiter- und Angestelltenbewegung 1910-1918. Ein Beitrag zur Vorgeschichte der DAP/NSDAP", *Archiv für Sozialgeschichte*, 12 (1972), p. 351-433.
Steigmann-Gall, Richard, *The Holy Reich: Nazi Conceptions of Christianity, 1919-1945* (Nova York, 2003).
Steinberg, Michael S., *Sabers and Brown Shirts: The German Student's Path to National Socialism, 1918-1935* (Chicago, 1977).
Steinle, Jürgen, "Hitler als 'Betriebsunfall in der Geschichte'", *Geschichte in Wissenschaft und Unterricht*, 45 (1994), p. 288-302.
Stenographischer Bericht über die öffentlichen Verhandlungen des 15. Untersuchungsausschusses der verfassungsgebenden Nationalversammlung, II (Berlim, 1920).
Stephenson, Jill, *The Nazi Organisation of Women* (Londres, 1981).
Stern, Fritz, *The Politics of Cultural Despair: A Study in the Rise of the German Ideology* (Nova York, 1961).

____, *Gold and Iron: Bismarck, Bleichröder and the Building of the German Empire* (Nova York, 1977).

____, *Dreams and Delusions: The Drama of German History* (Nova York, 1987).

____, *Einstein's German World* (Londres, 2000 [1999]).

Stoakes, Geoffrey, *Hitler and the Quest for World Dominion* (Leamington Spa, 1987).

Stoehr, Irene, "Neue Frau und alte Bewegung? Zum Generationskonflikt in der Frauenbewegung der Weimarer Republik", in Jutta Dalhoff *et al.* (eds.), *Frauenmacht in der Geschichte* (Düsseldorf, 1986), p. 390-400.

Strachan, Hew, *The First World War*, I: To Arms (Oxford, 2001).

Strätz, Wolfgang, "Die studentische 'Aktion wider den undeutschen Geist'", *VfZ* 16 (1968), p. 347-72.

Striefler, Christian, *Kampf um die Macht: Kommunisten und Nationalsozialisten am Ende der Weimarer Republik* (Berlim, 1993).

Stümke, Hans-Georg, *Homosexuelle in Deutschland: Eine politische Geschichte* (Munique, 1989).

____ & Finkler, Rudi, *Rosa Winkel, Rosa Listen: Homosexuelle und "Gesundes Volksempfinden" von Auschwitz bis heute* (Hamburgo, 1981).

Suhr, Elke, *Carl von Ossietzky: Eine Biographie* (Colônia, 1988).

Suval, Stanley, *Electoral Politics in Wilhelmine Germany* (Chapel Hill, NC, 1985).

Szejnmann, Claus-Christian W., *Nazism in Central Germany: The Brownshirts in "Red" Saxony* (Nova York, 1999).

Szöllösi-Janze, Margit, *Fritz Haber 1868-1934: Eine Biographie* (Munique, 1998).

Talmon, Jacob L., *The Origins of Totalitarian Democracy* (Londres, 1952).

Tanner, Michael (ed.), *Wilhelm Furtwängler, Notebooks 1924-1945* (Londres, 1989).

Tatar, Maria, *Lustmord: Sexual Murder in Weimar Germany* (Princeton, 1995).

Taureck, Bernhard H. F., *Nietzche und der Faschismus: Ein Politikum* (Leipzig, 2000).

Taylor, Alan J. P., *The Course of German History* (Londres, 1945).

____, *Bismarck: The Man and the Statesman* (Londres, 1955).

Taylor, Brandon & Will, Wilfried van der (eds.), *The Nazification of Art: Art, Design, Music, Architecture and Film in the Third Reich* (Winchester, 1990).

Taylor, Simon, *Germany 1918-1933: Revolution, Counter-Revolution and the Rise of Hitler* (Londres, 1983).

Temperley, Harold (ed.), *A History of the Peace Conference of Paris* (6 vols., Londres, 1920-24).

Thälmann, Irma, *Erinnerungen an meinen Vater* (Berlim, 1955).

Thamer, Hans-Ulrich, *Verführung und Gewalt: Deutschland 1933-1945* (Berlim, 1986).

Theweleit, Klaus, *Male Fantasies* (2 vols., Cambridge, 1987 e 1989 [1978]).

Thomas, Richard Hinton, *Nietzsche in German Politics and Society 1890-1918* (Manchester, 1983).

Thompson, Alastair, *Left Liberals, the State, and Popular Politics in Wilhelmine Germany* (Oxford, 2000).

Thomson, David, *The New Biographical Dictionary of Film* (4ª ed., 2002 [1975]).

Thoss, Bruno, *Der Ludendorff-Kreis: 1919-1923. München als Zentrum der Mitteleuropäischen Gegenrevolution zwischen Revolution und Hitler-Putsch* (Munique, 1978).

Timm, Annete F., "The Ambivalent Outsider: Prostitution, Promiscuity, and VD Control in Nazi Berlin", in Gellately & Stoltzus (eds.), *Social Outsiders*, p. 192-211.

Tims, Richard W., *Germanizing Prussian Poland: The H-K-T Society and the Struggle for the Eastern Marches in the German Empire 1894-1919* (Nova York, 1941).

Tobias, Fritz, *The Reichstag Fire: Legend and Truth* (Londres, 1962).

____, "Ludendorff, Hindenburg, Hitler : Das Phantasieprodukt des Ludendorffbriefes vom 30. Januar 1933", in Uwe Backe et al. (eds.), *Die Schatten der Vergangenheit: Impulse zur Historisierung des Nationalsozialismus* (Frankfurt am Main, 1990), p. 319-43.

Tooze, J. Adam, "Big Business and the Continuities of German History, 1900-1945", in Panikos Panayi (ed.), *Weimar and Nazi German: Continuities and Discontinuities* (Londres, 2001), p. 173-98.

Toury, Jacob, *Soziale und politische Geschichte der Juden in Deutschland 1847-1871: Zwischen Revolution, Reaktion und Emanzipation* (Düsseldorf, 1977).

Trevor-Roper, Hugh R., *The Last Days of Hitler* (Londres, 1947).

____, "The Mind of Adolf Hitler", in Hitler, *Hitler's Table-Talk*, p. vii-xxxv.

Trotsky, Leon, *The History of the Russian Revolution* (3 vols., Londres, 1967 [1933-4]).

Tuchel, Johannes. *Organisationsgeschichte und Funktion der "Inspektion der Konzentrationslager" 1933-1938* (Boppard, 1991).

Turner, Henry Ashby, Jr., *Gustav Stresemann and the Politics of the Weimar Republic* (Princeton, 1965 [1963]).

____, *German Big Business and the Rise of Hitler* (Nova York, 1985).

____, *Hitler's Thirty Days to Power: January 1933* (Londres, 1996).

Tyrell, Albrecht (ed.), *Führer befiehl...: Selbstzeugnisse aus der "Kampfzeit" der NSDAP* (Düsseldorf, 1969).

____, *Vom "Trommler" zum "Führer": Der Wandel von Hitlers Selbsverständnis Zwischen 1919 und 1924 und die Entwicklung der NSDAP* (Munique, 1975).

Ullrich, Volker, *Die nervöse Grossmacht 1871-1918: Aufstieg und Untergang des Deutschen Kaiserreichs* (Frankfurt am Main, 1997).

____, *Der ruhelose Rebell: Karl Plättner 1893-1945. Eine Biographie* (Munique, 2000).

Usborne, Cornelie, *The Politics of the Body in Weimar Germany: Women's Reproductive Rights and Duties* (Londres, 1991).

Valtin, Jan (pseud. de Richard Krebs), *Out of the Night* (Londres, 1941, reeditado com posfácio por Lyn Walsh et al., Londres, 1988).

Verhey, Jeffrey, *The Spirit of 1914: Militarism, Myth and Mobilization in Germany* (Cambridge, 2000).

Vermeil, Edmond, *Germany in the Twentieth Century* (Nova York, 1956).

Viereck, Peter, *Metapolitics: From the Romantics to Hitler* (Nova York, 1941).

Vogelsang, Thilo (ed.), "Neue Dokumente zur Geschichte der Reichswehr, 1930-1933", *VfZ* 2 (1954), p. 397-436.

____, "Zur Politik Schleichers gegenüber der NSDAP 1932", *VfZ* 6 (1958), p. 86-118.

____, "Hitlers Brief an Reichenau vom 4. Dezember 1932", *VfZ* 7 (1959), p. 429-37.

____, *Reichswehr, Staat und NSDAP: Beiträge zur deutschen Geschichte 1932-1933* (Stuttgart, 1962).

Völkischer Beobachter, 1933.
Volkov, Shulamit, "Antisemitism as a Cultural Code: Reflections on the History and Historiography of Antisemitism in Imperial Germany", *Year Book of the Leo Baeck Institute*, 23 (1978), p. 25-46.
____, *Jüdisches Leben und Antisemitismus im 19. und 20. Jahrhundert* (Munique, 1990).
____, *Die Juden in Deutschland 1780-1918* (Munique, 1994).
Vossische Zeitung, 1933.
Wachsmann, Nikolaus, "Marching under the Swastika? Ernst Jünger and National Socialism, 1918-33", *Journal of Contemporary History*, 33 (1998), p. 573-89.
____, "From Indefinite Confinement to Extermination: 'Habitual Criminals' in the Third Reich", in Gellately & Stoltzfus (eds.), *Social Outsiders*, p. 165-91.
____, *Hitler's Prisons*: Legal Terror in Nazi Germany (2004).
____ et al., "'Die soziale Prognose wird damit sehr trübe...': Theodor Viernstein und die Kriminalbiologische Sammelstelle in Bayern", in Michael Farin (ed.), *Polizeireport München 1799-1999* (Munique, 1999), p. 250-87.
Wagner, Cosima, *Die Tagebücher* (ed. Martin Gregor-Dellin & Dietrich Mack, Munique, 1977).
Wagner, Patrick, *Volksgemeinschaft ohne Verbrecher: Konzeptionen und Praxis der Kriminalpolizei in der Zeit der Weimarer Republik und des Nationalsozialismus* (Hamburgo, 1996).
____, *Hitlers Kriminalisten: Die deutsche Kriminalpolizei und der Nationalsozialismus* (Munique, 2002).
Waite, Robert G. L., *Vanguard of Nazism: The Free Corps Movement in Postwar Germany 1918--1923* (Cambridge, Mass., 1952).
Waldenfels, Ernst von, *Der Spion, der aus Deutschland kam: Das geheime Leben des Seemanns Richard Krebs* (Berlim, 2003).
Walter, Bruno, *Theme and Variations: An Autobiography* (Nova York, 1966).
Walter, Dirk, *Antisemitische Kriminalität und Gewalt: Judenfeindschaft in der Weimarer Republik* (Bonn, 1999).
Walworth, Arthur, *Wilson and his Peacemakers: American Diplomacy at the Paris Peace Conference, 1919* (Nova York, 1986).
Watt, Donald Cameron, "Die bayerischen Bemühungen um Ausweisung Hitlers 1924", *VfZ* 6 (1958), p. 270-80.
Watt, Richard M., *The Kings Depart: The German Revolution and the Treaty of Versailles 1918-19* (Londres, 1973 [1968]).
Webb, Steven B., *Hyperinflation and Stabilization in Weimar Germany* (Oxford, 1989).
Weber, Hermann, *Die Wandlung des deutschen Kommunismus: Die Stalinisierung der KPD in der Weimarer Republik* (2 vols., Frankfurt am Main, 1969).
Weber, Max, "Der Nationalstaat und die Volkswirtschaftspolitik", in idem, *Gesammelte politische Schriften* (3ª ed., Tübingen, 1971).
Wehler, Hans-Ulrich, *Deutsche Gesellschatfsgeschichte*, II: *Von der Reformära bis zur industriellen und politischen "Deutschen Doppelrevolution" 1815-1845/49* (Munique, 1987).
____, *Deutsche Gesellschaftsgeschichte*, III: Von der "Deutschen Doppelrevolution" bis zum Beginn des Ersten Weltkrieges 1849-1914 (Munique, 1995).

Weidenfeller, Gerhard, *VDA: Verein für das Deutschtum im Ausland: Allgemeiner Deutscher Schulverein (1881-1918). Ein Beitrag zur Geschichte des deutschen Nationalismus und Imperialismus im Kaiserreich* (Berna, 1976).
Weiland, Ruth, *Die Kinder der Arbeitslosen* (Eberswalde-Berlim, 1933).
Weindling, Paul, *Health, Race and German Politics between National Unification and Nazism 1870-1945* (Cambridge, 1989).
Weingart, Peter et al., *Rasse, Blut und Gene: Geschichte der Eugenik und Rassenhygiene in Deutschland* (Frankfurt am Main, 1992 [1988]).
Weisbrod, Bernd, *Schwerindustie in der Weimarer Republik: Interessenpolitik zwischen Stabilisierung und Krise* (Wuppertal, 1978).
____, "The Crisis of German Unemployment Insurance in 1928/29 and its Political Repercussions", in Wolfgang J. Mommsen (ed.), *The Emergence of the Welfare State in Britain and Germany, 1850-1950* (Londres, 1981), p. 188-204.
____, "Industrial Crisis Strategy in the Great Depression", in Jürgen Freiherr von Krudener (ed.), *Economic Crisis and Political Collapse: The Weimar Republic, 1924-1933* (Nova York, 1990), p. 45-62.
____, "Gewalt in der Politik: Zur politischen Kultur in Deutschland zwischen den beiden Weltkriegen", *Geschichten in Wissenschaft und Unterricht*, 43 (1992), p. 391-404.
Weiss, Sheila F., *Race Hygiene and National Efficiency: The Eugenics of Wilhelm Schallmayer* (Berkeley, 1987).
____, "The Race Hygiene Movement in Germany, 1904-1945", in Mark B. Adams (ed.), *The Wellborn Science: Eugenics in Germany, France, Brazil, and Russia* (Nova York, 1990), p. 8-68.
Weitz, Eric D., *Creating German Communism, 1880-1990: From Popular Protests to Socialist State* (Princeton, 1997).
Welch, David, "Propaganda and the German Cinema 1933-1945" (dissertação de Ph.D. não publicada, London University, 1979).
____, *Germany, Propaganda and Total War, 1914-1918: The Sins of Omission* (Londres, 2000).
____, *The Third Reich: Politics and Propaganda* (2ª ed., Londres, 2002 [1993]).
Welt am Abend, Die, 1933.
Wendt, Bernd-Jürgen, *Deutschland 1933-1945: Das Dritte Reich. Handbuch zur Geschichte* (Hanover, 1955).
Werner, Wolfram, "Zur Geschichte des Reichsministeriums für Volksaufklärung und Propaganda und zur Überliererung", in idem (ed.), *Findbücher zu Beständen des Bundesarchivs, XV: Reichministerium für Volksaufklärung und Propaganda* (Koblenz, 1979).
Wertheimer, Jack, *Unwelcome Strangers: East European Jews in Imperial Germany* (Nova York, 1987).
West, Shearer, *The Visual Arts in Germany 1890-1936: Utopia and Despair* (Manchester, 2000).
Wette, Wolfram, *Gustav Noske: Eine politische Biographie* (Düsseldorf, 1987).
Wetzell, Richard F., *Inventing the Criminal: A History of German Criminology 1880-1945* (Chapel Hill, NC, 2000).
Whalen, Robert W., *Bitter Wounds: German Victims of the Great War, 1914-1939* (Ithaca, NY, 1984).

Wheeler-Bennett, John W., *Hindenburg: The Wooden Titan* (Londres, 1936).

____, *The Nemesis of Power: The German Army in Politics 1918-1945* (Londres, 1953).

Whiteside, Andrew G., *Austrian National Socialism before 1918* (Haia, 1962).

____, *The Socialism of Fools: Georg von Schönerer and Austrian Pan-Germanism* (Berkeley, 1975).

Whitford, Frank, *The Bauhaus* (Londres, 1984).

Wickert, Christl, *Helene Stöcker 1869-1943: Frauenrechtlerin, Sexualreformerin und Pazifistin. Eine Biographie* (Bonn, 1991).

Widdig, Bernd, *Culture and Inflation in Weimar Germany* (Berkeley, 2001).

Wildt, Michael, "Violence against Jews in Germany, 1933-1939", in David Bankier (ed.), *Probing the Depths of German Antisemitism: German Society and the Persecution of the Jews 1933-1941* (Jerusalém, 2000), p. 181-209.

____, *Generation des Unbedingten: Das Führungskorps des Reichssicherheitshauptamtes* (Hamburgo, 2002).

William II, *My Memoirs 1878-1918* (Londres, 1922).

Wilson, Stephen, *Ideology and Experience: Antisemitism in France at the Time of Dreyfus Affair* (Nova York, 1982 [1980]).

Wingler, Hans, *The Bauhaus – Weimar, Dessau, Berlin, Chicago 1919-1944* (Cambridge, Mass., 1978).

Winkler, Heinrich August, "Die deutsche Gesellschaft der Weimarer Republik und der Antisemitismus", in Bernd Martin & Ernst Schulin (eds.), *Die Juden als Minderheit in der Geschichte* (Munique, 1981), p. 271-89.

____, *Von der Revolution zur Stabilisierung: Arbeiter und Arbeiterbewegung in der Weimarer Republik 1918 bis 1924* (Bonn, 1984).

Winkler, Heinrich August, *Der Schein der Normalität: Arbeiter und Arbeiterbewegung in der Weimarer Republik 1924 bis 1930* (Bonn, 1985).

____, *Der Weg in die Katastrophe: Arbeiter und Arbeiterbewegung in der Weimarer Republik 1930 bis 1933* (Bonn, 1987).

____, *Weimar 1918-1933: Die Geschichte der ersten deutschen Demokratie* (Munique, 1999).

____, *Der lange Weg nach Westen*, I: *Deutsche Geschichte vom Ende des Alten Reiches bis zum Untergang der Weimarer Republik*; II: *Deutsche Geschichte vom "Dritten Reich" bis zur Wiedervereinigung* (Munique, 2000).

____, *The Long Shadow of The Reich: Weighing up German History* (The 2001 Annual Lecture of The German Historical Institute, Londres; Londres, 2002).

Wippermann, Wolfgang, "Friedrich Meineckes 'Die deutsche Katastrophe': Ein Versuch zur deutschen Vergangenheitsbewältigung", in Michael Erbe (ed.), *Friedrich Meinecke heute: Bericht über ein Gedenk-Colloquium zu seinem 25. Todestag am 5. und 6. April 1979* (Berlim, 1981), p. 101-21.

Wirsching, Andreas, "'Stalinisierung' oder entideologisierte 'Nischengesellschaft'? Alte Einsichten und neue Thesen zum Charakter der KPD in der Weimar Republik", *VfZ* 45 (1997), p. 449-66.

____, "'Man kann nur Boden germanisieren': Eine neue Quelle zu Hitlers Rede vor den Spitzen der Reichswehr am 3. Februar 1933", *VfZ* 49 (2001), p. 516-50.

Witt, Peter-Christian, "Finanzpolitik als Verfassungs- und Gesellschaftspolitik: Überlegungen zur Finanzpolitik des Deutschen Reiches in den Jahren 1930 bis 1932", *Geschichte und Gesellschaft*, 8 (1982), p. 387-414.

Wohlfeil, Rainer, "Heer und Republik", in Hans Meier-Welcker & Wolfgang von Groote (eds.), *Handbuch zur deutschen Militärgeschichte 1648-1939*, VI (Frankfurt am Main, 1970), p. 11-304.

Wolff, Charlotte, *Magnus Hirschfeld: A Portrait of a Pioneer in Sexology* (Londres, 1986).

Woltmann, Ludwig, *Politische Anthropologie* (ed. Otto Reche, Leipzig, 1936 [1900]).

World Committee for the Victims of German Fascism (President Einstein) (ed.), *The Brown Book of the Hitler Terror and the Burning of the Reichstag* (Londres, 1933).

Wortmann, Michael, "Baldur von Schirach: Student Leader, Hitler Youth Leader, Gauleiter in Vienna", in Smelser & Zitelmann (eds.), *The Nazi Elite*, p. 202-11.

Woycke, James, *Birth Control in Germany 1871-1933* (Londres, 1988).

Wright, Jonathan, *Gustav Stresemann: Weimar's Greatest Statesman* (Oxford, 2002).

Wulf, Josef, *Musik im Dritten Reich: Eine Dokumentation* (Gütersloh, 1963).

____, *Die Bildenden Künste im Dritten Reich: Eine Dokumentation* (Gütersloh, 1963).

____, *Literatur und Dichtung im Dritten Reich: Eine Dokumentation* (Gütersloh, 1963).

____, *Theater und Film im Dritten Reich: Eine Dokumentation* (Gütersloh, 1964).

____, *Presse und Funk im Dritten Reich: Eine Dokumentation* (Gütersloh, 1964).

Zalka, Siegfried, *Polizeigeschichte: Die Exekutive im Lichte der historischen Konfliktforschung. Untersuchungen über die Theorie und Praxis der preussischen Schutzpolizei in der Weimarer Republik zur Verhinderung und Bekämpfung innerer Unruhen* (Lübeck, 1979).

Zechlin, Egmont, *Die deutsche Politik und die Juden im Ersten Weltkrieg* (Göttingen, 1969).

Zeidler, Manfred, *Reichswehr und Rote Armee 1920-1933: Wege und Stationen einer ungewöhnlichen Zusammernarbeit* (Munique, 1993).

Zeller, Joachim, "'Wie Vieh wurden Hunderte zu Getriebenen und wie Vieh begraben': Fotodokumente aus dem deutschen Konzentrationslager in Swakopmund/Namibia 1904-1908", *Zeitschrift für Geschichtswissenschaft*, 49 (2001), p. 226-43.

Zeman, Zbynek A. B., *Nazi Propaganda* (2ª ed., Oxford, 1973 [1964]).

Ziemann, Benjamin, "Fahnenflucht im deutschen Heer 1914-1918", *Militärgeschichtliche Mitteilungen*, 55 (1996), p. 93-130.

Zimmermann, Clemens, "Die Bücherverbrennung am 17. Mai 1933 in Heidelberg: Studenten und Politik am Ende der Weimarer Republik", in Joachim-Felix Leonhard (ed.), *Bücherverbrennung: Zensur, Verbot, Vernichtung unter dem Nationalsozialismus in Heidelberg* (Heidelberg, 1983), p. 55-84.

Zimmermann, Moshe, *Wilhelm Marr: The Patriarch of Anti-Semitism* (Nova York, 1986).

Zimmermann, Peter, "Literatur im Dritten Reich", in Jan Berg *et al.* (eds.), *Sozialgeschichte der deutschen Literatur von 1918 bis zur Gegenwart* (Frankfurt am Main, 1981), p. 361-416.

Zitelmann, Rainer, *Hitler: The Policies of Seduction* (Londres, 1999 [1987]).

Zürn, Gaby, "'Von der Herbertstrasse nach Auschwitz'", in Angelika Ebbinghaus (ed.), *Opfer und Täterinnen: Frauenbiographien des Nationalsozialismus* (Nördlingen, 1987), p. 91-101.

Notas

PREFÁCIO

1. Michael Ruck, *Bibliographie zum Nationalsozialismus* (2 vols., Darmstadt, 2000 [1995]).
2. Norbert Frei, *National Socialist Rule in Germany: The Führer State 1933-1945* (Oxford, 1993 [1987]); Ludolf Herbst, *Das nationalsozialistische Deutschland 1933-1945* (Frankfurt am Main, 1996). Entre muitos outros relatos mais curtos, Hans-Ulrich Thamer, *Verführung und Gewalt: Deutschland 1933-1945* (Berlim, 1986), é uma síntese fácil; Jost Dülffer, *Nazi Germany 1933-1945: Faith and Annihilation* (Londres, 1996 [1992]), e Bernd-Jürgen Wendt, *Deutschland 1933-1945: Das Dritte Reich. Handbuch zur Geschichte* (Hanover, 1995), são introduções úteis e vivazes.
3. Detlev J. K. Peukert, *Volksgenossen und Gemeinschaftsfremde — Anpassung, Ausmerze, Aufbegehren unter dem Nationalsozialismus* (Colônia, 1982); ed. inglesa, *Inside Nazi Germany: Conformity, Opposition and Racism in Everyday Life* (Londres, 1989).
4. Jeremy Noakes e Geoffrey Pridham (eds.), *Nazism 1919-1945* (4 vols., Exeter, 1983-98 [1974]).
5. William L. Shirer, *The Rise and Fall of the Third Reich: A History of Nazi Germany* (Nova York, 1960); a crítica de Klaus Epstein está em *Review of Politics*, 23 (1961), p. 130-45.
6. Karl Dietrich Bracher, *The German Dictatorship: The Origins, Structure, and Consequences of National Socialism* (Nova York, 1970 [1969]).
7. Ian Kershaw, *Hitler, I: 1889-1936: Hubris* (Londres, 1998); idem, *Hitler, II: 1936-1945: Nemesis* (Londres, 2000).
8. Michael Burleigh, *The Third Reich: A New History* (Londres, 2000).
9. Estou pensando aqui em obras como *A People's Tragedy: The Russian Revolution 1891-1924*, de Orlando Figes (Londres, 1996), ou *Peacemakers: The Paris Conference of 1919 and its Attempt to End War*, de Margaret Macmillan (Londres, 2001).
10. A começar por *Der Staat Hitlers: Grundlegung und Entwicklung seiner inneren Verfassung*, de Martin Broszat (Munique, 1969), outro livro que rende releitura repetida, e representado sobretudo pelos ensaios brilhantes de Hans Mommsen, reunidos em seus *Der Nationalsozialismus und die deutsche Gesellschaft: Ausgewählte Aufsätze* (Reinbek, 1991) e *From Weimar to Auschwitz: Essays in German History* (Princeton, 1991).
11. Isso segue e leva além a técnica já usada em meus livros anteriores *Death in Hamburg: Society and Politics in the Cholera Years 1830-1910* (Oxford, 1987) e *Rituals of Retribution: Capital Punishment in Germany 1600-1987* (Oxford, 1996).
12. Karl Marx, *The Eighteenth Brumaire of Louis Bonaparte* (1852), em Lewis Feuer (ed.), *Marx and Engels: Basic Writings on Politics and Philosophy* (Nova York, 1959), p. 360.
13. L. P. Hartley, *The Go-Between* (Londres, 1953), prefácio.

14. Ver Richard J. Evans, "History, Memory, and the Law: The Historian as Expert Witness", *History and Theory*, 41 (2002), p. 277-96; e Henry Rousso, *The Haunting Past: History, Memory, and Justice in Contemporary France* (Filadélfia, 2002 [1998]).
15. Ian Kershaw, *Popular Opinion and Political Dissent in the Third Reich: Bavaria 1933-1945* (Oxford, 1983), p. vii.
16. Konrad Heiden, *Geschichte des Nationalsozialismus: Die Karriere einer Idee* (Berlim, 1932); idem, *Adolf Hitler: Das Zeitalter der Verantwortungslosigkeit. Eine Biographie* (Zurique, 1936); Ernst Fraenkel, *The Dual State* (Nova York, 1941); Franz Neumann, *Behemoth: The Structure and Practice of National Socialism* (Nova York, 1942).
17. Friedrich Meinecke, *Die deutsche Katastrophe* (Wiesbaden, 1946), disponível em uma cômica tradução literal inglesa de Sidney B. Fay, *The German Catastrophe: Reflections and Recollections* (Cambridge, Mass., 1950). Para uma discussão altamente crítica, ver Imanuel Geiss, "Kritischer Rückblick auf Friedrich Meinecke", em idem, *Studien über Geschichte und Geschichtswissenschaft* (Frankfurt am Main, 1972), p. 89-107. Para uma defesa, ver Wolfgang Wippermann, "Friedrich Meineckes 'Die deutsche Katastrophe': Ein versuch zur deutschen Vergangenheitsbewältigung", em Michael Erbe (ed.), *Friedrich Meinecke heute: Bericht über ein Gedenk-Colloquium zu seinem 25. Todestag am 5. und 6. April 1979* (Berlim, 1981), p. 101-21.
18. Daí o catálogo de questões colocadas no início do clássico de Karl Dietrich Bracher *Stufen der Machtergreifung*, volume I de Karl Dietrich Bracher et al., *Die nationalsozialistische Machtergreifung: Studien zur Errichtung des totalitären Herrschaftssystems in Deutschland 1933/34* (Frankfurt am Main, 1974 [1960]), p. 17-8.
19. Entre discussões muito boas da historiografia do nazismo e do Terceiro Reich, ver em especial o breve exame de Jane Caplan, "The Historiography of National Socialism", em Michael Bentley (ed.), *Companion to Historiography* (Londres, 1997), p. 545-90; e o estudo mais longo de Ian Kershaw, *The Nazi Dictatorship: Problems and Perspectives of Interpretation* (4ª ed., Londres, 2000 [1985]).
20. Mark Mazower, *Dark Continent: Europe's Twentieth Century* (Londres, 1998).
21. Para um bom exame das interpretações marxistas, colocadas em seu contexto político contemporâneo, ver Pierre Ayçoberry, *The Nazi Question: An Essay on the Interpretations of National Socialism (1922-1975)* (Nova York, 1981 [1979]).
22. Para uma obra da Alemanha Oriental, ver a discussão em Andreas Dorpalen, *German History in Marxist Perspective: The East German Approach* (Detroit, 1988). Existe uma seleção representativa, com comentário judicioso, em Georg G. Iggers (ed.), *Marxist Historiography in Transformation: New Orientations in Recent East German History* (Oxford, 1992). Um dos melhores e mais sutis historiadores marxistas do Terceiro Reich foi Tim Mason; ver em especial *Nazism, Fascism and the Working Class: Essays by Tim Mason* (ed. Jane Caplan, Cambridge, 1995) e *Social Policy in the Third Reich: The Working Class and the "National Community"* (ed. Jane Caplan, Providence, RI, 1993 [1977]).
23. Shirer, *The Rise and Fall*; Alan J. P. Taylor, *The Course of German History* (Londres, 1945); Edmond Vermeil, *Germany in the Twentieth Century* (Nova York, 1956).
24. Ayçoberry, *The Nazi Question*, p. 3-15.
25. Rohan d'Olier Butler, *The Roots of National Socialism 1783-1933* (Londres, 1941), é o exemplo clássico dessa propaganda dos tempos de guerra; outro foi Fossey J. C. Hearnshaw, *Germany the Aggressor throughout the Ages* (Londres, 1940). Para uma resposta contemporânea inteligente, ver Harold Laski, *The Germans – are they Human?* (Londres, 1941).

26. Para uma discussão geral desses assuntos, ver Richard J. Evans, *Rethinking German History: Nineteenth-Century Germany and the Origins of the Third Reich* (Londres, 1987), esp. p. 1-54. Existe uma excelente coletânea curta de documentos, com comentários, em John C. G. Röhl (ed.), *From Bismarck to Hitler: The Problem of Continuity in German History* (Londres, 1970). Quando eu ainda não havia colado grau, fui introduzido a essas controvérsias pelo acessível compêndio de excertos em John L. Snell (ed.), *The Nazi Revolution – Germany's Guilt or Germany's Fate?* (Boston, 1959).
27. Isso se aplica até mesmo a obras relativamente sofisticadas de alemães exilados pelo Terceiro Reich, como Hans Kohn, especialmente *The Mind of Germany: The Education of a Nation* (Londres, 1961), e Peter Viereck, *Metapolitics: From the Romantics to Hitler* (Nova York, 1941).
28. Keith Bullivant, "Thomas Mann and Politics in the Weimar Republic", em idem (ed.), *Culture and Society in the Weimar Republic* (Manchester, 1977), p. 24-38; Taylor, *The Course*, p. 92-3.
29. Gerhard Ritter, "The Historical Foundations of the Rise of National-Socialism", em Maurice Beaumont *et al.*, *The Third Reich: A Study Published under the Auspices of the International Council for Philosophy and Humanistic Studies with the Assistance of UNESCO* (Nova York, 1955), p. 381-416; idem, *Europa und die deutsche Frage: Betrachtungen über die geschichtliche Eigenart des deutschen Staatsgedankens* (Munique, 1948); Christoph Cornelissen, *Gerhard Ritter: Geschichtswissenschaft und Politik im 20. Jahrhundert* (Düsseldorf, 2001); os argumentos de Ritter podem ser remontados a 1937, quando foram enquadrados em termos bem menos negativos (ibid., p. 524-30). Para uma variedade de outros pontos de vista, ver Hans Kohn (ed.), *German History: Some New German Views* (Boston, 1954). Uma tentativa anterior, mas apenas parcialmente bem-sucedida de quebrar o molde foi de Ludwig Dehio, *Germany and World Politics* (Londres, 1959 [1955]), que ainda enfatizou a primazia dos fatores internacionais.
30. Ver, entre muitos outros tratamentos do tópico, Karl Dietrich Bracher, *Die totalitäre Erfahrung* (Munique, 1987) e Leonard Shapiro, *Totalitarianism* (Londres, 1972). A exposição clássica e muito criticada da teoria básica é de Carl J. Friedrich e Zbigniew K. Brzezinski, *Totalitarian Dictatorship and Autocracy* (Nova York, 1963), o texto filosófico pioneiro é de Hannah Arendt, *The Origins of Totalitarianism* (Nova York, 1958).
31. Eckard Jesse (ed.), *Totalitarismus im 20. Jahrhundert* (Baden-Baden, 1996), e Alfons Söllner (ed.), *Totalitarismus: Eine Ideengeschichte des 20. Jahrhunderts* (Berlim, 1997).
32. Ver em particular as proveitosas comparações de Ian Kershaw e Moshe Lewin (eds.), *Stalinism and Nazism: Dictatorships in Comparison* (Cambridge, 1997); e a útil e bem informada discussão em Kershaw, *The Nazi Dictatorship*, p. 20-46.
33. Jürgen Steinle, "Hitler als 'Betriebsunfall in der Geschichte'", *Geschichte in Wissenschaft und Unterricht*, 45 (1994), p. 288-302, para uma análise desse argumento.
34. Karl Dietrich Bracher, *Die Auflösung der Weimarer Republik: Eine Studie zum Problem des Machtverfalls in der Demokratie* (3ª ed., Villingen, 1960 [1955]); idem *et al.*, *Die nationalsozialistische Machtergreifung*.
35. Broszat, *Der Staat Hitlers*; idem *et al.* (eds.), *Bayern in der NS-Zeit* (6 vols., Munique, 1977-83); Peukert, *Inside Nazi Germany*; ver também o proveitoso comentário sobre o desenvolvimento das pesquisas na mais recente edição da história resumida de Norbert Frei, *Der Führerstaat: Nationalsozialistische Herrschaft 1933 bis 1945* (Munique, 2001 [1987]), p. 281-304. Tentativas recentes de desacreditar o trabalho de Broszat com base em que,

como outros historiadores alemães de sua geração, ele pertenceu à Juventude Hitlerista na adolescência, e foi listado com muitos outros como membro do Partido Nazista (embora sem o seu conhecimento), falharam em convencer, quanto mais não seja porque falharam em abordar o que ele de fato escreveu como historiador (Nicolas Berg, *Der Holocaust und die westdeutschen Historiker: Erforschung und Erinnerung* (Colônia, 2003), esp. p. 613-5).

36. Entre muitos estudos e coleções, ver, por exemplo, Robert Gellately e Nathan Stoltzfus (eds.), *Social Outsiders in Nazi Germany* (Princeton, 2001); Michael Burleigh e Wolfgang Wippermann, *The Racial State: Germany 1933-1945* (Cambridge, 1991); Henry Friedlander, *The Origins of Nazi Genocide: From Euthanasia to the Final Solution* (Chapel Hill, NC, 1995); Wolfgang Ayass, *"Asoziale" im Nationalsozialismus* (Stuttgart, 1995); Peter Longerich, *Politik der Vernichtung: Eine Gesamtdarstellung der nationalsozialistischen Judenverfolgung* (Munique, 1998); Ulrich Herbert, *Hitler's Foreign Workers: Enforced Foreign Labor in Germany under the Third Reich* (Cambridge, 1997 [1985]).
37. Richard J. Evans, *In Hitler's Shadow: West German Historians and the Attempt to Escape from the Nazi Past* (Nova York, 1989); idem, *Rituals*.
38. Richard J. Evans, *Telling Lies About Hitler: The Holocaust, History, and the David Irving Trial* (Londres, 2002).
39. Peter Longerich, *Der ungeschriebene Befehl: Hitler und der Weg zur 'Endlösung'* (Munique, 2001), p. 9-20.
40. Victor Klemperer, *LTI: Notizbuch eines Philologen* (Leipzig, 1985 [1946]).

Parte 1 – O LEGADO DO PASSADO

1. As continuidades entre o Reich de Bismarck e o advento do Terceiro Reich formam a tese central de Hans-Ulrich Wehler, *Deutsche Gesellschaftsgeschichte*, III: *Von der 'Deutschen Doppelrevolution' bis zum Beginn des Ersten Weltkrieges 1849-1914* (Munique, 1995), e Heinrich August Winkler, *Der lange Weg nach Westen*, I: *Deutsche Geschichte vom Ende des Alten Reiches bis zum Untergang der Weimarer Republik* (Munique, 2000).
2. Friedrich Meinecke, "Bismarck und das neue Deutschland", em idem, *Preussen und Deutschland im 19. und 20. Jahrhundert* (Munique, 1918), p. 510-31, citado e traduzido em Edgar Feuchtwanger, *Bismarck* (Londres, 2002), p. 7.
3. Elizabeth Knowles (ed.), *The Oxford Dictionary of Quotations* (5ª ed., Oxford, 1999), p. 116.
4. Citado sem atribuição em Alan J. P. Taylor, *Bismarck: The Man and the Statesman* (Londres, 1955), p. 115.
5. Para uma boa e breve panorâmica desse período e do que se seguiu, ver David Blackbourn, *The Fontana History of Germany 1780-1918: The Long Nineteenth Century* (Londres, 1997); mais detalhes em James J. Sheehan, *German History 1770-1866* (Oxford, 1989); mais ainda em Thomas Nipperdey, *Germany from Napoleon to Bismarck* (Princeton, 1986 [1983]); e ainda mais em Hans-Ulrich Wehler, *Deutsche Gesellschaftsgeschichte*, II: *Von der Reformära bis zur industriellen und politischen "Deutschen Doppelrevolution" 1815-1845/49* (Munique, 1987).
6. Taylor, *The Course*, p. 69.
7. Para o debate sobre esse tema, ver em particular Geoff Eley, *From Unification to Nazism: Reinterpreting the German Past* (Londres, 1986), p. 254-82; David Blackbourn e Geoff Eley, *The Peculiarities of German History: Bourgeois Society and Politics in Nineteenth-Century*

Germany (Oxford, 1984); Evans, Rethinking German History, p. 93-122; Richard J. Evans (ed.), Society and Politics in Wilhelmine Germany (Londres, 1978); Jürgen Kocka, "German History Before Hitler: The Debate about the German Sonderweg", Journal of Contemporary History, 23 (1988), p. 3-16; Robert G. Moeller, "The Kaiserreich Recast? Continuity and Change in Modern German Historiography", Journal of Social History, 17 (1984), p. 655--83.

8. Bismarck foi bem servido de biógrafos. Para os dois melhores quanto à narrativa, ver Ernst Engelberg, Bismarck (2 vols., Berlim, 1985 e 1990), e Otto Pflanze, Bismarck (3 vols., Princeton, 1990).
9. Heinrich August Winkler, Der lange Weg nach Westen, II: Deutsche Geschichte vom "Dritten Reich" bis zur Wiedervereinigung (Munique, 2000), p. 645-8.
10. Heinrich August Winkler, The Long Shadow of the Reich: Weighing up German History (The 2001 Annual Lecture of the German Historical Institute, Londres, 2002). Lothar Kettenacker, "Der Mythos vom Reich", em Karl H. Bohrer (ed.), Mythos und Moderne (Frankfurt am Main, 1983), p. 262-89.
11. Karl Marx, "Randglossen zum Programm der deutschen Arbeiterpartei" (Kritik des Gothaer Programms, 1875), em Karl Marx, Friedrich Engels, Ausgewählte Schriften (2 vols., Berlim Oriental, 1968), II, p. 11-28, na p. 25.
12. Otto Büsch, Militärsystem und Sozialleben im alten Preussen 1713-1807: Die Anfänge der sozialen Militarisierung der preussisch-deutschen Gesellschaft (Berlim, 1962).
13. Horst Kohl (ed.), Die politischen Reden des Fürsten Bismarck (14 vols., Stuttgart, 1892-1905), II, p. 29-30.
14. Lothar Gall, Bismarck: The White Revolutionary (2 vols., Londres, 1986 [1980]), o destacado estudo analítico de Bismarck.
15. Para a história do recrutamento, ver Ute Frevert, Die kasernierte Nation: Militärdienst und Zivilgesellschaft in Deutschland (Munique, 2001); o militarismo germânico é tratado em um contexto mais amplo por Volker R. Berghahn, Militarism: The History of an International Debate 1861-1979 (Cambridge, 1984 [1981]), idem (ed.), Militarismus (Colônia, 1975), Martin Kitchen, A Military History of Germany from the Eighteenth Century to the Present Day (Londres, 1975), e o clássico de Gordon A. Craig, The Politics of the Prussian Army 1640-1945 (Nova York, 1964 [1955]); reflexões não convencionais em Geoff Eley, "Army, State and Civil Society: Revisiting the Problem of German Militarism", em idem, From Unification to Nazism, p. 85-109.
16. Martin Kitchen, The German Officer Corps 1890-1914 (Oxford, 1968); Karl Demeter, Das deutsche Offizierkorps in Gesellschaft und Staat 1650-1945 (Frankfurt am Main, 1962). Para a ameaça permanente de um golpe de Estado, ver Volker R. Berghahn, Germany and the Approach of War in 1914 (Londres, 1973), p. 13-5.
17. Ver Richard J. Evans, Rethinking German History, p. 248-90; idem, Rereading German History: From Unification to Reunification 1800-1996 (Londres, 1997), p. 65-86.
18. Ute Frevert, "Bourgeois Honour: Middle-class Duellists in Germany from the Late Eighteenth to the Early Twentieth Century", em David Blackbourn e Richard J. Evans (eds.), The German Bourgeoisie: Essays on the Social History of the German Middle Class from the Late Eighteenth to the Early Twentieth Century (Londres, 1991), p. 255-92; idem, Ehrenmänner: Das Duell in der bürgerlichen Gesellschaft (Munique, 1991).
19. Eley, From Unification to Nazism, p. 85-109; Wehler, Deutsche Gesellschaftsgeschichte, III, p. 873-85.

20. Michael Geyer, "Die Geschichte des deutschen Militärs von 1860-1956: Ein Bericht über die Forschungslage (1945-1975)", em Hans-Ulrich Wehler (ed.), *Die moderne deutsche Geschichte in der internationalen Forschung 1945-1975* (Göttingen, 1978), p. 256-86; Helmut Bley, *Namibia under German Rule* (Hamburgo, 1996 [1968]).
21. Gesine Krüger, *Kriegsbewältigung und Geschichtsbewusstsein: Realität, Deutung und Verarbeitung des deutschen Kolonialkrieges in Namibia 1904 bis 1907* (Göttingen, 1999); Tilman Dedering, "'A Certain Rigorous Treatment of all Parts of the Nation': The Annihilation of the Herero in German Southwest Africa 1904", em Mark Levene e Penny Roberts (eds.), *The Massacre in History* (Nova York, 1999), p. 205-22.
22. David Schoenbaum, *Zabern 1913: Consensus Politics in Imperial Germany* (Londres, 1982); Nicholas Stargardt, *The German Idea of Militarism 1866-1914* (Cambridge, 1994); Wehler, *Deutsche Gesellschaftsgeschichte* III, p. 1125-9.
23. Ulrich von Hassell, *Die-Hassell-Tagebücher 1938-1944* (ed. Friedrich Hiller von Gaertringen, Berlim, 1989), p. 436.
24. Wolfgang J. Mommsen, *Das Ringen um den nationalen Staat: Die Gründung und der innere Ausbau des Deutschen Reiches unter Otto von Bismarck 1850-1890* (Berlim, 1993), p. 439--40; David Blackbourn, *Marpingen: Apparitions of the Virgin Mary in Bismarckian Germany* (Oxford, 1993).
25. Vernon Lidtke, *The Outlawed Party: Social Democracy in Germany, 1878-1890* (Princeton, 1966); Evans, *Rituals*, p. 351-72.
26. Entre muitos relatos sobre a evolução dos social-democratas, ver Susanne Miller e Heinrich Potthoff, *A History of German Social Democracy: From 1848 to the Present* (Leamington Spa, 1986 [1983]), um proveitoso texto introdutório a partir do ponto de vista dos social--democratas alemães de hoje; Detlef Lehnert, *Sozialdemokratie zwischen Protestbewegung und Regierungspartei 1848-1983* (Frankfurt am Main, 1983), um bom relato breve; e Stefan Berger, *Social Democracy and the Working Class in Nineteenth- and Twentieth-century Germany* (Londres, 2000), um exame mais recente.
27. Alex Hall, *Scandal, Sensation and Social Democracy: The SPD Press and Wilhelmine Germany 1890-1914* (Cambridge, 1977); Klaus Saul, "Der Staat und die 'Mächte des Umsturzes': Ein Beitrag zu den Methoden antisozialistischer Repression und Agitation vom Scheitern des Sozialistengesetzes bis zur Jahrhundertwende", *Archiv für Sozialgeschichte*, 12 (1972), p. 293-350; Alex Hall, "By Other Means: The Legal Struggle against the SPD in Wilhelmine Germany 1890-1900", *Historical Journal*, 17 (1974), p. 365-86.
28. Um resumo conveniente pode ser encontrado em Gerhard A. Ritter, *Die deutschen Parteien 1830-1914: Parteien und Gesellschaft im konstitutionellen Regierungssystem* (Göttingen, 1985); o artigo clássico sobre o tema é de M. Rainer Lepsius, "Parteisystem und Sozialstruktur: Zum Problem der Demokratisierung der deutschen Gesellschaft", em Gerhard A. Ritter (ed.), *Die deutschen Parteien vor 1918* (Colônia, 1973), p. 56-80.
29. Gerhard A. Ritter, *Wahlgeschichtliches Arbeitsbuch: Materialien zur Statistik des Kaiserreichs 1871-1918* (Munique, 1980), p. 42.
30. Stanley Suval, *Electoral Politics in Wilhelmine Germany* (Chapel Hill, NC, 1985); Margaret L. Anderson, *Practicing Democracy: Elections and Political Culture in Imperial Germany* (Princeton, 2000).
31. Kurt Koszyk, *Deutsche Presse im 19. Jahrhundert: Geschichte der deutschen Presse*, II (Berlim, 1966).

32. Richard J. Evans (ed.), *Kneipengespräche im Kaiserreich: Die Stimmungsberichte der Hamburger Politischen Polizei 1892-1914* (Reinbek, 1989).
33. Breve exame introdutório em Wehler, *Deutsche Gesellschaftsgeschichte*, III, p. 961-5; mais detalhes em William W. Hagen, *Germans, Poles, and Jews: The Nationality Conflict in the Prussian East, 1772-1914* (Chicago, 1980).
34. Evans (ed.), *Kneipengespräche*, p. 361-83.
35. Volker R. Berghahn, *Der Tirpitz-Plan: Genesis und Verfall einer innenpolitischen Krisenstrategie unter Wilhelm II* (Düsseldorf, 1971).
36. Para uma avaliação recente e judiciosa da personalidade e influência do *Kaiser*, ver Christopher Clark, *Kaiser Wilhelm II* (Londres, 2000).
37. Geoffrey Hosking, *Russia: People and Empire 1552-1917* (Londres, 1997).
38. George L. Mosse, *The Nationalization of the Masses: Political Symbolism and Mass Movements in Germany from the Napoleonic Wars through the Third Reich* (Nova York, 1975).
39. Alan Milward e Samuel B. Saul, *The Development of the Economies of Continental Europe 1850-1914* (Londres, 1977), p. 19-20.
40. Ver, no geral, Hubert Kiesewetter, *Industrielle Revolution in Deutschland 1815-1914* (Frankfurt am Main, 1989).
41. Volker Ullrich, *Die nervöse Grossmacht 1871-1918: Aufstieg und Untergang des deutschen Kaiserreichs* (Frankfurt am Main, 1997); Joachim Radkau, *Das Zeitalter der Nervosität: Deutschland zwischen Bismarck und Hitler* (Munique, 1998).
42. August Nitschke et al. (eds.), *Jahrhundertwende: Der Aufbruch in die Moderne 1880-1930* (2 vols., Reinbek, 1990).
43. Para esses argumentos, ver Blackbourn e Eley, *The Peculiarities*.
44. Peter Pulzer, *The Rise of Political Anti-Semitism in Germany and Austria* (Nova York, 1964), p. 112-3; Rosemarie Leuschen-Seppel, *Sozialdemokratie und Antisemitismus im Kaiserreich: Die Auseinandersetzung der Partei mit den konservativen und völkischen Strömungen des Antisemitismus 1871-1914* (Bonn, 1978), p. 140-2; Richard S. Levy, *The Downfall of the Anti-Semitic Political Parties in Imperial Germany* (New Haven, 1975). Ver também o trabalho pioneiro de Paul W. Massing, *Rehearsal for Destruction* (Nova York, 1949).
45. Adoto aqui a proveitosa distinção de Marion Kaplan entre *assimilação*, envolvendo uma perda completa de identidade cultural, e *aculturação*, envolvendo a criação de uma identidade dual de um tipo ou outro em um ambiente multicultural: ver Marion A. Kaplan, "The Acculturation, Assimilation, and Integration of Jews in Imperial Germany", *Year Book of the Leo Baeck Institute*, 27 (1982), p. 3-35.
46. Till van Rahden, *Juden und andere Breslauer: Die Beziehungen zwischen Juden, Protestanten und Katholiken in einer deutschen Grossstadt von 1860 bis 1925* (Göttingen, 2000), p. 147-9; Peter J. G. Pulzer, *Jews and the German State: The Political History of a Minority, 1848--1933* (Oxford, 1992), p. 6-7; Shulamit Volkov, *Die Juden in Deutschland 1780-1918* (Munique, 1994); Usiel O. Schmelz, "Die demographische Entwicklung der Juden in Deutschland von der Mitte des 19. Jahrhunderts bis 1933", *Bulletin des Leo Baeck Instituts*, 83 (1989), p. 15-62, na p. 39-41; Jacob Toury, *Soziale und politische Geschichte der Juden in Deutschland 1847-1871: Zwischen Revolution, Reaktion und Emanzipation* (Düsseldorf, 1977), p. 60; Monika Richarz, *Jüdisches Leben in Deutschland*, II: *Selbstzeugnisse zur Sozialgeschichte im Kaiserreich* (Stuttgart, 1979), p. 16-7; Anthony Kauders, *German Politics and the Jews: Düsseldorf and Nuremberg 1910-1933* (Oxford, 1996), p. 26; Kerstin Meiring, *Die christlich-jüdische Mischehe in Deutschland, 1840-1933* (Hamburgo, 1998).

47. Pulzer, *Jews*, p. 106-20.
48. Dietz Bering, *The Stigma of Names: Antisemitism in German Daily Life, 1812-1933* (Cambridge, 1992 [1987]).
49. Pulzer, *Jews*, 5, p. 11.
50. Niall Ferguson, *The World's Banker: The History of the House of Rothschild* (Londres, 1998); Fritz Stern, *Gold and Iron: Bismarck, Bleichröder and the Building of the German Empire* (Nova York, 1977).
51. Robert Gellately, *The Politics of Economic Despair: Shopkeepers and German Politics, 1890--1914* (Londres, 1974), p. 42-3; Richarz, *Jüdisches Leben*, II, p. 17, 23-35.
52. Ibid., p. 31-4.
53. Peter Pulzer, "Jews and Nation-Building in Germany 1815-1918", *Year Book of the Leo Baeck Institute*, 41 (1996), p. 199-214.
54. Ver, em particular, Werner E. Mosse, *Jews in the German Economy: The German-Jewish Economic Élite 1820-1935* (Oxford, 1987), e idem, *The German-Jewish Economic Élite 1820--1935: A Socio-Cultural Profile* (Oxford, 1989); não são apenas ótimos livros pela erudição, mas também celebrações nostálgicas dos feitos do grupo social em que Mosse nasceu.
55. Pulzer, *The Rise*, p. 94-101, 113; Shulamit Volkov, *Jüdisches Leben und Antisemitismus im 19. und 20. Jahrhundert* (Munique, 1990).
56. Para Böckel e o movimento antissemita em termos mais gerais, ver David Peal, "Antisemitism by Other Means? The Rural Cooperative Movement in Late 19th Century Germany", em Herbert A. Strauss (ed.), *Hostages of Modernization: Studies on Modern Antisemitism 1870-1933/39: Germany – Great Britain – France* (Berlim, 1993), p. 128-49; James N. Retallack, *Notables of the Right: The Conservative Party and Political Mobilization in Germany, 1876-1918* (Londres, 1988), esp. p. 91-9; Hans-Jürgen Puhle, *Agrarische Interessenpolitik und preussischer Konservatismus im wilhelminischen Reich 1893-1914: Ein Beitrag zur Analyse des Nationalismus in Deutschland am Beispiel des Bundes der Landwirte und der Deutsch-Konservativen Partei* (Hanover, 1967), esp. p. 111-40.
57. Pulzer, *The Rise*, p. 53-5, 116; Wehler, *Deutsche Gesellschaftsgeschichte*, III, p. 924-34; Thomas Nipperdey, *Deutsche Geschichte 1866-1918*, II: *Machtstaat vor der Demokratie* (Munique, 1992), p. 289-311.
58. Jacob Katz, *From Prejudice to Destruction: Anti-Semitism, 1700-1933* (Cambridge, Mass., 1980), é um resumo geral clássico. Para o antissemitismo católico na Alemanha, ver Olaf Blaschke, *Katholizismus und Antisemitismus im Deutschen Kaiserreich* (Göttingen, 1997); Helmut Walser Smith, "The Learned and the Popular Discourse of Anti-Semitism in the Catholic Milieu in the Kaiserreich", *Central European History*, 27 (1994), p. 315-28. Werner Jochmann, *Gesellschaftskrise und Judenfeindschaft in Deutschland 1870-1945* (Hamburgo, 1988), tem um bom capítulo introdutório, p. 30-98. James F. Harris, *The People Speak! Anti-Semitism and Emancipation in Nineteenth-Century Bavaria* (Ann Arbor, 1994), descarta fatores socioeconômicos com excessiva facilidade; a história do antissemitismo não pode ser reduzida à influência de outro modo não explicada de um discurso solto.
59. Wilhelm Marr, *Vom jüdischen Kriegsschauplatz: Eine Streitschrift* (Berna, 1879), p. 19, citado em Pulzer, *The Rise*, p. 50; ver também o panfleto de Marr, *Der Sieg des Judenthums über das Germanenthum vom nicht konfessionellen Standpunkt aus betrachtet* (Berlim, 1873).
60. Moshe Zimmermann, *Wilhelm Marr: The Patriarch of Anti-Semitism* (Nova York, 1986), p. 89, 150-1, 154; Daniela Kasischke-Wurm, *Antisemitismus im Spiegel der Hamburger Presse während des Kaiserreichs (1884-1914)* (Hamburgo, 1997), p. 240-6.

61. Ibid., p. 77.
62. Wehler, *Deutsche Gesellschaftsgeschichte*, III, p. 925-9.
63. Evans (ed.), *Kneipengespräche*, p. 317.
64. Ibid., p. 313-21.
65. Leuschen-Seppel, *Sozialdemokratie*, esp. p. 36, 96, 100, 153, 171; Evans (ed.), *Kneipengespräche*, p. 302-6, 318-9. Essas observações, feitas em resposta às impetuosas alegações de Daniel J. Goldhagen, *Hitler's Willing Executioners: Ordinary Germans and the Holocaust* (Nova York, 1996), podem ser acompanhadas em maiores detalhes em Evans, *Rereading*, p. 119-44.
66. Stefan Scheil, *Die Entwicklung des politischen Antisemitismus in Deutschland zwischen 1881 und 1912: Eine wahlgeschichtliche Untersuchung* (Berlim, 1999).
67. Ver em especial Harris, *The People Speak!*, e Helmut Walser Smith, *The Butcher's Tale: Murder and Anti-Semitism in a German Town* (Nova York, 2002), que tem detalhes excelentes, mas exagera a importância de uma acusação de "assassinato ritual" em uma cidadezinha obscura no leste remoto da Prússia. Ver também Christoph Nonn, *Eine Stadt sucht einen Mörder: Gerücht, Gewalt und Antisemitismus im Kaiserreich* (Göttingen, 2002). Para reações hostis da imprensa a uma acusação anterior de assassinato ritual, ver Kasischke-Wurm, *Antisemitismus*, p. 175-82.
68. Evidência em David Kertzer, *Unholy War: The Vatican's Role in the Rise of Modern Anti-Semitism* (Londres, 2001), embora as alegações do autor quanto à importância desse material sejam por demais impetuosas. Para estudos sociais e culturais sobre antissemitismo católico na Alemanha, que não deixam dúvidas sobre sua difusão, ver Blaschke, *Katholizismus und Antisemitismus*; Michael Langer, *Zwischen Vorurteil und Aggression: Zum Judenbild in der deutschsprachigen katholischen Volksbildung des 19. Jahrhunderts* (Freiburg, 1994); Walter Zwi Bacharach, *Anti-Jewish Prejudices in German-Catholic Sermons* (Lewiston, Pa., 1993); David Blackbourn, "Roman Catholics, the Centre Party and Anti-Semitism in Imperial Germany", em Paul Kennedy e Anthony Nicholls (eds.), *Nationalist and Racialist Movements in Britain and Germany before 1914* (Londres, 1981), p. 106-29; e, para a dimensão internacional comparada, Olaf Blaschke e Aram Mattioli (eds.), *Katholischer Antisemitismus im 19. Jahrhundert: Ursachen und Traditionen im internationalen Vergleich* (Zurique, 2000). Para protestos camponeses e antissemitismo na comunidade católica, ver Ian Farr, "Populism in the Countryside: The Peasant Leagues in Bavaria in the 1890s", em Evans (ed.), *Society and Politics*, p. 136-59.
69. Ver, por exemplo, Norbert Kampe, *Studenten und "Judenfrage" im deutschen Kaiserreich: Die Entstehung einer akademischen Trägerschicht des Antisemitismus* (Göttingen, 1988).
70. Stephen Wilson, *Ideology and Experience: Antisemitism in France at the Time of the Dreyfus Affair* (Nova York, 1982 [1980]); John D. Klier e Shlomo Lambroza (eds.), *Pogroms: Anti-Jewish Violence in Modern Russian History* (Cambridge, 1992).
71. David Blackbourn, *Populists and Patricians: Essays in Modern German History* (Londres, 1987), p. 217-45 ("The Politics of Demagogy in Imperial Germany").
72. Julius Langbehn, *Rembrandt als Erzieher* (38ª ed., Leipzig, 1891 [1890]), p. 292; idem, *Der Rembrandtdeutsche: Von einem Wahrheitsfreund* (Dresden, 1892), p. 184, ambos citados em Pulzer, *The Rise*, p. 242; ver também Fritz Stern, *The Politics of Cultural Despair: A Study in the Rise of the German Ideology* (Nova York, 1961).
73. A peça de Lessing, publicada pela primeira vez em 1779, era um apelo à tolerância religiosa, em especial dos judeus. Para a citação, ver Cosima Wagner, *Die Tagebücher* (ed. Martin

Gregor-Dellin e Dietrich Mack, Munique, 1977), II, p. 852 (18 de dezembro de 1881); também p. 159, 309; Jacob Katz, *The Darker Side of Genius: Richard Wagner's Anti--Semitism* (Hanover, 1986), é um guia sensato através desse assunto controverso.
74. George L. Mosse, *The Crisis of German Ideology: Intellectual Origins of the Third Reich* (Londres, 1964), p. 88-107; Annette Hein, *"Es ist viel 'Hitler' in Wagner": Rassismus und antisemitische Deutschtumsideologie in den "Bayreuther Blättern" (1878-1938)* (Tübingen, 1996).
75. Winfried Schüler, *Der Bayreuther Kreis von seiner Entstehung bis zum Ausgang der wilhelminischen Ära* (Münster, 1971); Andrea Mork, *Richard Wagner als politischer Schriftsteller: Weltanschauung und Wirkungsgeschichte* (Frankfurt am Main, 1990); Houston Stewart Chamberlain, *Die Grundlagen des XIX. Jahrhunderts* (2 vols., Munique, 1899); Geoffrey G. Field, *Evangelist of Race: The Germanic Vision of Houston Stewart Chamberlain* (Nova York, 1981).
76. Ludwig Woltmann, *Politische Anthropologie* (ed. Otto Reche, Leipzig, 1936 [1900]), p. 16--7, 267, citado em Mosse, *The Crisis*, p. 100-2.
77. Woodruff D. Smith, *The Ideological Origins of Nazi Imperialism* (Nova York, 1986), p. 83--111; também Karl Lange, "Der Terminus 'Lebensraum' in Hitlers *Mein Kampf*", *Vierteljahrshefte für Zeitgeschichte* (daqui em diante *VfZ*) 13 (1965), p. 426-37.
78. Paul Crook, *Darwinism, War and History: The Debate Over the Biology of War from the "Origin of Species" to the First World War* (Cambridge, 1994), esp. p. 30, 83; Imanuel Geiss (ed.), *July 1914: The Outbreak of the First World War. Selected Documents* (Londres, 1967), p. 22; Holger Afflerbach, *Falkenhayn: Politisches Denken und Handeln im Kaiserreich* (Munique, 1994); ver Evans, *Rereading*, p. 119-44, para uma consideração geral sobre a história e a historiografia do darwinismo social alemão.
79. Ver, no geral, Paul Weindling, *Health, Race and German Politics between National Unification and Nazism 1870-1945* (Cambridge, 1989), e Peter Weingart et al., *Rasse, Blut und Gene: Geschichte der Eugenik und Rassenhygiene in Deutschland* (Frankfurt am Main, 1992 [1988]).
80. Sheila F. Weiss, *Race Hygiene and National Efficiency: The Eugenics of Wilhelm Schallmayer* (Berkeley, 1987); Evans, *Rituals*, p. 438; Roger Chickering, *Imperial Germany and a World Without War: The Peace Movement and German Society, 1892-1914* (Princeton, 1975), p. 125-9.
81. O artigo pioneiro de Jeremy Noakes, "Nazism and Eugenics: The Background to the Nazi Sterilization Law of 14 July 1933", em Roger Bullen et al. (eds.), *Ideas into Politics: Aspects of European History 1880-1950* (Londres, 1984), p. 75-94, ainda é um guia indispensável para esses vários pensadores.
82. Karl Heinz Roth, "Schein-Alternativen im Gesundheitswesen: Alfred Grotjahn (1869-1931) – Integrationsfigur etablierter Sozialmedizin und nationalsozialistischer 'Rassenhygiene'", em Karl Heinz Roth (ed.), *Erfassung zur Vernichtung: Von der Sozialhygiene zum "Gesetz über Sterbehilfe"* (Berlim, 1984), p. 31-56; em termos mais gerais, Sheila Weiss, "The Race Hygiene Movement in Germany", em Mark B. Adams (ed.), *The Wellborn Science: Eugenics in Germany, France, Brazil, and Russia* (Nova York, 1990), p. 8-68.
83. Seu verdadeiro nome era Adolf Lanz, mas ele se autodenominava Jörg Lanz von Liebenfels para causar efeito. Hans-Walter Schmuhl, *Rassenhygiene, Nationalsozialismus, Euthanasie: Von der Verhütung zur Vernichtung "lebensunwerten Lebens", 1890-1945* (Göttingen, 1987);

Wilfried Daim, *Der Mann, der Hitler die Ideen gab: Die sektiererischen Grundlagen des Nationalsozialismus* (Viena, 1985 [1958]).
84. Weiss, "The Race Hygiene Movement", p. 9-11.
85. Max Weber, "Der Nationalstaat und die Volkswirtschaftpolitik", em idem, *Gesammelte politische Schriften* (ed. J. Winckelmann, 3ª ed., Tübingen, 1971), p. 23.
86. Richard Hinton Thomas, *Nietzsche in German Politics and Society 1890-1918* (Manchester, 1983), esp. p. 80-95. Para uma tentativa recente de avaliar a obra de Nietzsche nesse contexto geral, ver Bernhard H. F. Taureck, *Nietzsche und der Faschismus: Ein Politikum* (Leipzig, 2000).
87. Steven E. Aschheim, *The Nietzsche Legacy in Germany 1890-1990* (Berkeley, 1992).
88. Mosse, *The Crisis*, p. 204-7; Walter Laqueur, *Young Germany: A History of the German Youth Movement* (Londres, 1962); Jürgen Reulecke, *"Ich möchte einer werden so wie die..." Männerbünde im 20. Jahrhundert* (Frankfurt am Main, 2001); Daim, *Der Mann*, p. 71-2.
89. Alastair Thompson, *Left Liberals, the State, and Popular Politics in Wilhelmine Germany* (Oxford, 2000).
90. Stefan Breuer, *Ordnungen der Ungleichheit – die deutsche Rechte im Widerstreit ihrer Ideen 1871-1945* (Darmstadt, 2001), fornece uma investigação temática, enfatizando (p. 370-6) o fracasso de uma síntese efetiva antes da chegada do nazismo.
91. Andrew G. Whiteside, *The Socialism of Fools: Georg von Schönerer and Austrian Pan-Germanism* (Berkeley, 1975), esp. p. 73.
92. John W. Boyer, *Political Radicalism in Late Imperial Vienna: Origins of the Christian Social Movement, 1848-1897* (Chicago, 1981).
93. Pulzer, *The Rise*, p. 207.
94. Brigitte Hamann, *Hitler's Vienna: A Dictator's Apprenticeship* (Oxford, 2000), p. 236-53, fornece um exame abrangente de Schönerer e outros ideólogos vienenses da época.
95. Carlile A. Macartney, *The Habsburg Empire 1790-1918* (Londres, 1968), p. 632-5, 653-7, 666, 680, 799; Pulzer, *The Rise*, p. 149-60, 170-4, 206-9; Carl E. Schorske, *Fin-de-Siècle Vienna: Politics and Culture* (Nova York, 1980), p. 116-80; Massing, *Rehearsal*, p. 241; Hellmuth von Gerlach, *Von rechts nach links* (Hildesheim, 1978 [1937]), p. 112-4; Andrew G. Whiteside, *Austrian National Socialism before 1918* (Haia, 1962).
96. Woodruff D. Smith, *The German Colonial Empire* (Chapel Hill, NC, 1978); Fritz Ferdinand Müller, *Deutschland-Zanzibar-Ostafrika: Geschichte einer deutschen Kolonialeroberung 1884-1890* (Berlim, 1990 [1959]).
97. Gerhard Weidenfeller, *VDA: Verein für das Deutschtum im Ausland: Allgemeiner Deutscher Schulverein (1881-1918). Ein Breitag zur Geschichte des deutschen Nationalismus und Imperialismus im Kaiserreich* (Berna, 1976).
98. Geoff Eley, *Reshaping the German Right: Radical Nationalism and Political Change after Bismarck* (Londres, 1980), p. 366; Roger Chickering, *We Men Who Feel Most German: A Cultural Study of the Pan-German League 1886-1914* (Londres, 1984), p. 24-73; Wilhelm Deist, *Flottenpolitik und Flottenpropaganda: Das Nachrichtenbüro des Reichsmarineamts 1897-1914* (Stuttgart, 1976); Richard Owen, "Military-Industrial Relations: Krupp and the Imperial Navy Office", em Evans (ed.), *Society and Politics*, p. 71-89; Marilyn Shevin Coetzee, *The German Army League: Popular Nationalism in Wilhelmine Germany* (Nova York, 1990); Richard W. Tims, *Germanizing Prussian Poland: The H-K-T Society and the Struggle for the Eastern Marches in the German Empire 1894-1919* (Nova York, 1941); Adam Galos *et al.*, *Die Hakatisten: Der Deutsche Ostmarkenverein 1894-1934* (Berlim, 1966).

99. Chickering, *We Men*, p. 128, 268-71; Coetzee, *The German Army League*, p. 19-23; Ute Planert, *Antifeminismus im Kaiserreich: Diskurs, soziale Formation und politische Mentalität* (Göttingen, 1998), p. 118-76.
100. Chickering, *We Men*, p. 102-21.
101. Ibid., p. 284-6; Wehler, *Deutsche Gesellschaftsgeschichte* III, p. 1071-81; trechos em tradução inglesa em Roderick Stackelberg e Sally A. Winkle (eds.), *The Nazi Germany Sourcebook: An Anthology of Texts* (Londres, 2002), p. 20-6.
102. Chickering, *We Men*, p. 74-97, 284-6.
103. Ibid., p. 122-32; também Klaus Bergmann, *Agrarromantik und Grossstadtfeindschaft* (Meisenheim, 1970).
104. Chickering, *We Men*, p. 253-91; Eley, *Reshaping*, p. 316-34; Dirk Stegmann, *Die Erben Bismarcks: Parteien und Verbände in der Spätphase des Wilhelminischen Deutschlands: Sammlungspolitik 1897-1914* (Colônia, 1970), p. 352-48; Fritz Fischer, *War of Illusions: German Politics from 1911 to 1914* (Londres, 1975 [1969]).
105. Iris Hamel, *Völkischer Verband und nationale Gewerkschaft: Der Deutschnationale Handlungsgehilfenverband, 1893-1933* (Frankfurt am Main, 1967); Planert, *Antifeminismus*, p. 71-9.
106. Trechos do memorando e da resposta do *Kaiser* podem ser encontrados em Röhl, *From Bismarck to Hitler*, p. 49-52, e Stackelberg e Winkle (eds.), *The Nazi Germany Sourcebook*, p. 29-30.
107. Hartmut Pogge-von Strandmann, "Staatsstreichpläne, Alldeutsche und Bethmann Hollweg", em idem e Imanuel Geiss, *Die Erforderlichkeit des Unmöglichen: Deutschland am Vorabend der ersten Weltkrieges* (Frankfurt am Main, 1965), p. 7-45; os textos das respostas de Bethmann e do *Kaiser* estão impressos nas páginas 32-9; as relações do *Kaiser* com Chamberlain estão documentadas em Röhl, *From Bismarck to Hitler*, p. 41-8.
108. Para uma excelente discussão das visões contemporâneas sobre a provável duração da guerra, ver Hew Strachan, *The First World War*, I: *To Arms* (Oxford, 2001), p. 1005-14.
109. Martin Kitchen, *The Silent Dictatorship: The Politics of the German High Command under Hindenburg and Ludendorff, 1916-1918* (Londres, 1976). O melhor levantamento geral recente é de Roger Chickering, *Imperial Germany and the Great War, 1914-1918* (Cambridge, 1998).
110. Em meio a uma enorme literatura, Figes, *A People's Tragedy*, destaca-se como o melhor estudo recente.
111. Robert Service, *Lenin: A Political Life* (3 vols., Londres, 1985-95), é a biografia-modelo; as tentativas de Lênin de estimular uma revolução na Alemanha são mais bem abordadas por meio das atividades do agente soviético Karl Radek; ver Marie-Luise Goldbach, *Karl Radek und die deutsch-sowjetischen Beziehungen 1918-1923* (Bonn, 1973), e Warren Lerner, *Karl Radek: The Last Internationalist* (Stanford, Calif., 1970).
112. Heinrich August Winkler, *Von der Revolution zur Stabilisierung: Arbeiter und Arbeiterbewegung in der Weimarer Republik 1918 bis 1924* (Bonn, 1984), esp. p. 114-34 e 468-552.
113. Arno J. Mayer, *Politics and Diplomacy of Peacemaking: Containment and Counterrevolution at Versailles 1918-1919* (2ª ed., Nova York, 1969 [1967]), para o contexto geral; Oszkár Jászi, *Revolution and Counter-Revolution in Hungary* (Londres, 1924), para um relato contemporâneo dos eventos.
114. *Berliner Tageblatt*, 1º de agosto de 1918, citado em David Welch, *Germany, Propaganda and Total War, 1914-1918: The Sins of Omission* (Londres, 2000), p. 241. Ver também Aribert

Reimann, *Der grosse Krieg der Sprachen: Untersuchungen zur historischen Semantik in Deutschland und England zur Zeit des Ersten Weltkriegs* (Essen, 2000).
115. Para o melhor relato curto recente, ver Chickering, *Imperial Germany*, p. 178-91.
116. Welch, *Germany*, p. 241-2; Wilhelm Deist, "Censorship and Propaganda in Germany during the First World War", em Jean-Jacques Becker e Stéphane Audoin-Rouzeau (eds.), *Les Sociétés européennes et la guerre de 1914-1918* (Paris, 1990), p. 199-210; Alice Goldfarb Marquis, "Words as Weapons: Propaganda in Britain and Germany during the First World War", *Journal of Contemporary History*, 13 (1978), p. 467-98.
117. Fritz Fischer, *Germany's Aims in the First World War* (Londres, 1967 [1961]), passim.
118. Bullitt Lowry, *Armistice 1918* (Kent, Ohio, 1996); Hugh Cecil e Peter Liddle (eds.), *At the Eleventh Hour: Reflections, Hopes and Anxieties at the Closing of the Great War, 1918* (Barnsley, 1998).
119. *Stenographischer Bericht über die öffentlichen Verhandlungen des 15. Untersuchungsausschusses der verfassungsgebenden Nationalversammlung*, II (Berlin, 1920), p. 700-1 (18 de novembro de 1919). Ver também Erich Ludendorff, *Kriegführung und Politik* (Berlin, 1922), e Paul von Hinderburg, *Aus meinem Leben* (Leipzig, 1920), p. 403; em termos mais gerais, Friedrich Hiller von Gaertringen, "'Dolchstoss-Diskussion' und 'Dolchstosslegende' im Wandel von vier Jahrzehnten", em Waldemar Besson e Friedrich Hiller von Gaertringen (eds.), *Geschichtsund Gegenwartsbewusstsein* (Göttingen, 1963), p. 122-60. Mais recentemente, também Jeffrey Verhey, *The Spirit of 1914: Militarism, Myth and Mobilization in Germany* (Cambridge, 2000), p. 219-23; e Chickering, *Imperial Germany*, p. 189-91.
120. William II, *My Memoirs 1878-1918* (Londres, 1922), p. 282-3. Em termos mais gerais, ver Wilhelm Deist, "The Military Collapse of the German Empire: The Reality Behind the Stab-in-the-Back Myth", *War in History*, 3 (1996), p. 186-207.
121. Friedrich Ebert, *Schriften, Aufzeichnungen, Reden* (2 vols., Dresden, 1936), II, p. 127; Ebert chegou a culpar a derrota pela "preponderância do inimigo em homens e material" (p. 127).
122. Gerhard A. Ritter e Susanne Miller (eds.), *Die deutsche Revolution 1918-1919 – Dokumente* (Frankfurt am Main, 1968), é uma excelente seleção de documentos; Francis L. Carsten, *Revolution in Central Europe 1918-1919* (Londres, 1972), é uma boa narrativa.
123. De uma vasta literatura, ver Harold Temperley (ed.), *A History of the Peace Conference of Paris* (6 vols., Londres, 1920-24), e Manfred F. Boemeke *et al.* (eds.), *The Treaty of Versailles: A Reassessment after 75 Years* (Washington, DC, 1998), uma coleção de artigos eruditos lançados no 80º aniversário do final da guerra.
124. Mayer, *Politics and Diplomacy*.
125. Arthur S. Link (ed.), *The Papers of Woodrow Wilson* (69 vols., Princeton, 1984), XL, p. 534-9; em termos mais gerais, Lloyd E. Ambrosius, *Wilsonian Statecraft: Theory and Practice of Liberal Internationalism during World War I* (Wilmington, Del., 1991), Thomas J. Knock, *To End All Wars: Woodrow Wilson and the Quest for a New World Order* (Nova York, 1992), e Arthur Walworth, *Wilson and his Peacemakers: American Diplomacy at the Paris Peace Conference, 1919* (Nova York, 1986).
126. Winkler, *Von der Revolution*, p. 94-5; Carsten, *Revolution*, p. 271-98.
127. John Horne e Alan Kramer, *German Atrocities 1914: A History of Denial* (Londres, 2001), p. 345-55, 446-50; Gerd Hankel, *Die Leipziger Prozesse: Deutsche Kriegsverbrechen und ihre strafrechtliche Verfolgung nach dem Ersten Weltkrieg* (Hamburgo, 2003).

128. Bruce Kent, *The Spoils of War: The Politics, Economics and Diplomacy of Reparations 1918--1932* (Oxford, 1989).
129. Alan Sharp, *The Versailles Settlement: Peacekeeping in Paris, 1919* (Londres, 1991).
130. Fischer, *Germany's Aims*, passim.
131. Para uma boa defesa dos tratados, ver Macmillan, *Peacemakers*.
132. Abel Testimony (daqui por diante AT) 114, em Peter H. Merkl, *Political Violence under the Swastika: 581 Early Nazis* (Princeton, 1975), p. 191.
133. AT 334, ibid., p. 192-3.
134. AT 248, ibid., p. 194-5.
135. Ver o estudo clássico, e ainda modelo, de Fischer, *Germany's Aims*.
136. Eley, *Reshaping*, p. 333, 339-42; Dirk Stegmann, "Zwischen Repression und Manipulation: Konservative Machteliten und Arbeiter- und Angestelltenbewegung 1910-1918: Ein Beitrag zur Vorgeschichte der DAP/NSDAP", *Archiv fur Sozialgeschichte*, 12 (1972), p. 351-432.
137. Heinz Hagenlücke, *Die deutsche Vaterlandspartei: Die nationale Rechte am Ende des Kaiserreiches* (Düsseldorf, 1997); Verhey, *The Spirit of 1914*, p. 178-85; Mosse, *The Crisis*, p. 218-26.
138. Ernst Jünger, *In Stahlgewittern: Aus dem Tagebuch eines Stosstruppführers* (Hanover, 1920). Para uma nova edição em inglês, ver idem, *Storm of Steel* (Londres, 2003).
139. Richard Bessel, *Germany after the First World War* (Oxford, 1993), p. 256-61.
140. Theodore Abel, *Why Hitler Came to Power* (Cambridge, Mass., 1986 [1938]), p. 21, citando *Frankfurter Zeitung*, 27 de novembro de 1918.
141. Citado em Abel, *Why Hitler*, p. 24, testemunho 4.3.4, também 2.3.2.
142. Ibid., p. 26, citando testemunho 4.1.2.
143. AT 199, em Merkl, *Political Violence*, p. 167.
144. Testemunho 2.8.5, em Abel, *Why Hitler*, p. 27-8.
145. Christoph Jahr, *Gewöhnliche Soldaten: Desertion und Deserteure im deutschen und britischen Heer 1914-1918* (Göttingen, 1998); Benjamin Ziemann, "Fahnenflucht im deutschen Heer 1914-1918", *Militärgeschichtliche Mitteilungen*, 55 (1996), p. 93-130.
146. Wolfgang Kruse, "Krieg und Klassenheer: Zur Revolutionierung der deutschen Armee im Ersten Weltkrieg", *Geschichte und Gesellschaft*, 22 (1996), p. 530-61.
147. Merkl, *Political Violence*, p. 152-72.
148. Robert W. Whalen, *Bitter Wounds: German Victims of the Great War, 1914-1939* (Ithaca, NY, 1984); Deborah Cohen, *The War Come Home: Disabled Veterans in Britain and Germany, 1914-1918* (Berkeley, 2001); Bessel, *Germany*, p. 274-9.
149. Volker R. Berghahn, *Der Stahlhelm: Bund der Frontsoldaten 1918-1935* (Düsseldorf, 1966), p. 13-26, 105-6, 286; *Stahlhelm und Staat* (8 de maio de 1927), excerto e tradução em Anton Kaes et al. (eds.), *The Weimar Republic Sourcebook* (Berkeley, 1994), p. 339-40.
150. Bessel, *Germany*, p. 283-4; também Ulrich Heinemann, *Die verdrängte Niederlage: Politische Öffentlichkeit und Kriegsschuldfrage in der Weimarer Republik* (Göttingen, 1983).
151. Frevert, *Die kasernierte Nation*; Geoff Eley, "Army, State and Civil Society" em idem, *From Unification to Nazism*, p. 85-109; e em termos mais gerais Berghahn (ed.), *Militarismus*.
152. Evans, *Kneipengespräche*, p. 31-2, 339.
153. Bessel, *Germany*, p. 256-70.
154. Sebastian Haffner, *Defying Hitler: A Memoir* (Londres, 2002), p. 10-5.
155. Michael Wildt, *Generation des Unbedingten: Das Führungskorps des Reichssicherheitshauptamtes* (Hamburgo, 2002), p. 41-52.

156. Berghahn, *Der Stahlhelm*, esp. p. 65-6; Karl Rohe, *Das Reichsbanner Schwarz Rot Gold: Ein Beitrag zur Geschichte und Struktur der politischen Kampfverbände zur Zeit der Weimarer Republik* (Düsseldorf, 1966); Kurt G. P. Schuster, *Der Rote Frontkämpferbund 1924-1929: Beiträge zur Geschichte und Organisationsstruktur eines politischen Kampfbundes* (Düsseldorf, 1975).
157. James M. Diehl, *Paramilitary Politics in Weimar Germany* (Bloomington, Ind., 1977), é um guia claro para o emaranhado dos paramilitares. Ver também Martin Sabrow, *Der Rathenaumord: Rekonstruktion einer Verschwörung gegen die Republik von Weimar* (Munique, 1994), para uma excelente investigação do mundo dos conspiradores armados.
158. Erhard Lucas, *Märzrevolution im Ruhrgebiet* (3 vols., Frankfurt am Main, 1970-78), um clássico da história politicamente comprometida; George Eliasberg, *Der Ruhrkrieg von 1920* (Bonn, 1974), um relato mais sóbrio, menos detalhado, simpático aos social-democratas moderados.
159. Ver o estudo clássico dessa literatura por Klaus Theweleit, *Male Fantasies* (2 vols., Cambridge, 1987 e 1989 [1978]); para algumas ressalvas, Evans, *Rereading*, p. 115-8.
160. Sobre as Brigadas Livres, Robert G. L. Waite, *Vanguard of Nazism. The Free Corps Movement in Postwar Germany 1918-1923* (Harvard, 1952), ainda é o melhor relato em inglês. Ver também Hagen Schulze, *Freikorps und Republik 1918-1920* (Boppard, 1969), e Emil J. Gumbel, *Verschwörer: Zur Geschichte und Soziologie der deutschen nationalistischen Geheimbünde 1918-1924* (Heidelberg, 1979 [1924]).
161. Volker Ulrich, *Der ruhelose Rebell: Karl Plättner 1893-1945. Eine Biographie* (Munique, 2000); e Manfred Gebhardt, *Max Hoelz: Wege und Irrwege eines Revolutionärs* (Berlim, 1983).

Parte 2 – O FRACASSO DA DEMOCRACIA

1. Citado em Winkler, *Von der Revolution*, p. 39; ver também o proveitoso estudo de Dieter Dowe e Peter-Christian Witt, *Friedrich Ebert 1871-1925: Vom Arbeiterführer zum Reichspräsidenten* (Bonn, 1987), e o catálogo da mostra de Walter Mühlhausen, *Friedrich Ebert: Sein Leben, sein Werk, seine Zeit* (Heidelberg, 1999). A instrutiva biografia de Georg Kotowski, *Friedrich Ebert: Eine politische Biographie*, I: *Der Aufstieg eines deutschen Arbeiterführers 1871 bis 1917* (Wiesbaden, 1963) permaneceu inacabada.
2. Anthony J. Nicholls, *Weimar and the Rise of Hitler* (4ª ed., Londres, 2000 [1968]), é um guia resumido e confiável sobre esses eventos. Entre outras histórias políticas gerais recentes, destacam-se as excelentes Hans Mommsen, *The Rise and Fall of Weimar Democracy* (Chapel Hill, NC, 1996 [1989]), e Heinrich August Winkler, *Weimar 1918-1933: Die Geschichte der ersten deutschen Demokratie* (Munique, 1993).
3. Para esse argumento, ver Theodor Eschenburg, *Die improvisierte Demokratie* (Munique, 1963). Outros estudos clássicos que ainda vale a pena ler incluem a narrativa saborosamente empírica de Erich Eyck, *A History of the Weimar Republic* (2 vols., Cambridge, 1962-4, [1953-6]), escrita de uma perspectiva liberal, e os dois volumes do socialista Arthur Rosenberg, *The Birth of the German Republic* (Oxford, 1931 [1930]) e *A History of the German Republic* (Londres, 1936 [1935]), ambos transbordantes de teses estimulantes e controversas, em particular sobre o que se seguiu a partir do período guilhermino.

4. Heinrich Hannover e Elisabeth Hannover-Drück, *Politische Justiz 1918-1933* (Frankfurt am Main, 1966), p. 76-7, 89.
5. Para visões divergentes sobre o artigo 48, ver Nicholls, *Weimar*, p. 36-7; Detlev J. K. Peukert, *The Weimar Republic: The Crisis of Classical Modernity* (Londres, 1991 [1987]), p. 37-40; e Harald Boldt, "Der Artikel 48 der Weimarer Reichsverfassung: Sein historischer Hintergrund und seine politische Funktion", em Michael Stürmer (ed.), *Die Weimarer Republik: Belagerte Civitas* (Königstein im Taunus, 1980), p. 288-309. A obra geral padrão sobre a Constituição de Weimar é de Ernst Rudolf Huber, *Deutsche Verfassungsgeschichte seit 1789*, V-VII (Stuttgart, 1978-84); ver também Reinhard Rürup, "Entstehung und Grundlagen der Weimarer Verfassung", em Eberhard Kolb (ed.), *Vom Kaiserreich zur Weimarer Republik* (Colônia, 1972), p. 218-43. O abuso do artigo 48 por Ebert já havia sido criticado por contemporâneos; ver Gerhard Schulz, "Artikel 48 in politisch-historischer Sicht", em Ernst Fraenkel (ed.), *Der Staatsnotstand* (Berlim, 1965), p. 39-71. Ludwig Richter, "Das präsidiale Notverordnungsrecht in den ersten Jahren der Weimarer Republik: Friedrich Ebert und die Anwendung des Artikels 48 der Weimarer Reichsverfassung", em Eberhard Kolb (ed.), *Friedrich Ebert als Reichspräsident: Amtsführung und Amtsverständnis* (Munique, 1997), p. 207-58, tenta uma defesa.
6. Dowe e Witt, *Friedrich Ebert*, p. 155-7.
7. Werner Birkenfeld, "Der Rufmord am Reichspräsidenten: Zu Grenzformen des politischen Kampfes gegen die frühe Weimarer Republik 1919-1925", *Archiv für Sozialgeschichte*, 15 (1965), p. 453-500.
8. Heinrich August Winkler, *Der Schein der Normalität: Arbeiter und Arbeiterbewegung in der Weimarer Republik 1924 bis 1930* (Bonn, 1985), p. 231-4.
9. Victor Klemperer, *Leben sammeln, nicht fragen wozu und warum*, II: *Tagebücher 1925-1932* (Berlim, 1996), p. 56 (14 de maio de 1925).
10. John W. Wheeler-Bennett, *Hindenburg: The Wooden Titan* (Londres, 1936), p. 250-1. O retrato notavelmente sagaz e bem informado de Wheeler-Bennett baseou-se em longas conversas com membros da comitiva de Hindenburg e muitos políticos conservadores contemporâneos alemães de destaque com quem ele mantinha bom relacionamento pessoal, como um inglês de classe alta que dirigia um haras no norte da Alemanha. Ver também Walter Hubatsch, *Hindenburg und der Staat: Aus den Papieren des Generalfeldmarschalls und Reichspräsidenten von 1878 bis 1934* (Göttingen, 1966).
11. Andreas Dorpalen, *Hindenburg and the Weimar Republic* (Princeton, 1964), vê Hindenburg como um personagem apolítico, arrastado com relutância para dentro da política pelo poder de seu mito pessoal.
12. Nicholls, *Weimar*, p. 39-40; Jürgen Falter, *Hitlers Wähler* (Munique, 1991), p. 130-5.
13. Ver o artigo clássico de Gerhard A. Ritter, "Kontinuität und Umformung des deutschen Parteiensystems 1918-1920", em Eberhard Kolb (ed.), *Vom Kaiserreich zur Weimarer Republic* (Colônia, 1972), p. 218-43.
14. Vernon L. Lidtke, *The Alternative Culture: Socialist Labor in Imperial Germany* (Nova York, 1985).
15. Horstwalter Heitzer, *Der Volksverein für das katholische Deutschland im Kaiserreich 1890--1918* (Mainz, 1979); Gotthard Klein, *Der Volksverein für das katholische Deutschland 1890-1933: Geschichte, Bedeutung, Untergang* (Paderborn, 1996); Dirk Müller, *Arbeiter, Katholizismus, Staat: Der Volksverein für das katholische Deutschland und die katholischen*

Arbeiterorganisationen in der Weimarer Republik (Bonn, 1996); Doris Kaufmann, *Katholisches Milieu in Münster 1928-1933* (Düsseldorf, 1984).
16. Wilhelm L. Guttsman, *Workers' Culture in Weimar Germany: Between Tradition and Commitment* (Oxford, 1990).
17. Lynn Abrams, *Workers' Culture in Imperial Germany: Leisure and Recreation in the Rhineland and Westphalia* (Londres, 1992).
18. Bracher et al., *Die nationalsozialistische Machtergreifung*, I, p. 41, 58-9, citando previsão de Max Weber quanto a isso.
19. Bracher, *Die Auflösung*, p. 21-7, 64-95.
20. Ver Huber, *Deutsche Verfassungsgeschichte*, VI, p. 133, e a discussão em Eberhard Kolb, *The Weimar Republic* (Londres, 1988), p. 150-1. Para críticas à representação proporcional, ver em especial Eberhard Schanbacher, *Parlamentarische Wahlen und Wahlsystem in der Weimarer Republik: Wahlgesetzgebung und Wahlreform im Reich und in den Ländern* (Düsseldorf, 1982). Falter, *Hitlers Wähler*, p. 126-35, possui certa especulação bem fundamentada que, na comparação, sustenta a visão negativa.
21. Christoph Gusy, *Die Weimarer Reichsverfassung* (Tübingen, 1997), p. 97-8.
22. Ver as úteis listas nas guardas de Hagen Schulze, *Weimar: Deutschland 1917-1933* (Berlim, 1982).
23. Ver, por exemplo, Klaus Reimer, *Rheinlandfrage und Rheinlandbewegung (1918-1933): Ein Beitrag zur Geschichte der regionalistischen Bewegung in Deutschland* (Frankfurt am Main, 1979).
24. Nicholls, *Weimar*, p. 33-6, exagera os problemas causados. Para a Prússia, ver Hagen Schulze, *Otto Braun oder Preussens demokratische Sendung* (Frankfurt am Main, 1977), Dietrich Orlow, *Weimar Prussia 1918-1925: The Unlikely Rock of Democracy* (Pittsburgh, 1986), e Hans-Peter Ehni, *Bollwerk Preussen? Preussen-Regierung, Reich-Länder-Problem und Sozialdemokratie 1928-1932* (Bonn, 1975).
25. Detalhes em Alfred Milatz, *Wähler und Wahlen in der Weimarer Republik* (Bonn, 1965) e Jürgen Falter et al., *Wahlen und Abstimmungen in der Weimarer Republik: Materialen zum Wahlverhalten 1919-1933* (Munique, 1986).
26. Schulze, *Weimar*, guardas.
27. Winkler, *Von der Revolution*; idem, *Der Schein*; idem, *Der Weg in die Katastrophe: Arbeiter und Arbeiterbewegung in der Weimarer Republik 1930 bis 1933* (Bonn, 1987), é um levantamento amplo e exaustivo, simpático aos social-democratas. Forte crítica em Bracher et al., *Die nationalsozialistische Machtergreifung*, I, p. 58-9; ênfase sobre a crescente timidez "de meia-idade" do partido em Richard N. Hunt, *German Social Democracy 1918-1933* (New Haven, 1964), esp. p. 241-59.
28. Larry Eugene Jones, *German Liberalism and the Dissolution of the Weimar Party System, 1918-1933* (Chapel Hill, NC, 1988), p. 67-80.
29. Erich Matthias e Rudolf Morsey, "Die Deutsche Staatspartei", em Matthias e Morsey (eds.), *Das Ende der Parteien 1933: Darstellungen und Dokumente* (Düsseldorf, 1960), p. 29-97, nas p. 31-54; Werner Schneider, *Die Deutsche Demokratische Partei in der Weimarer Republik, 1924-1930* (Munique, 1978); Diehl, *Paramilitary Politics*, p. 269-76; Jones, *German Liberalism*, p. 369-74; Klaus Hornung, *Der Jungdeutsche Orden* (Düsseldorf, 1958).
30. Detlef Junker, *Die Deutsche Zentrumspartei und Hitler: Ein Beitrag zur Problematik des politischen Katholizismus in Deutschland* (Stuttgart, 1969); Rudolf Morsey, *Der Untergang des politischen Katholizismus: Die Zentrumspartei zwischen christlichem Selbstverständnis und*

"Nationaler Erhebung" 1932/33 (Stuttgart, 1977); Karsten Ruppert, *Im Dienst am Staat von Weimar: Das Zentrum als regierende Partei in der Weimarer Demokratie 1923-1930* (Düsseldorf, 1992). Para o Partido do Povo Bávaro, ver Klaus Schönhoven, *Die Bayerische Volkspartei 1924-1932* (Düsseldorf, 1972). Para o contexto geral europeu, Eric Hobsbawn, *Age of Extremes: The Short Twentieth Century 1914-1991* (Londres, 1994), p. 114-5.

31. Citado em Rudolf Morsey, "Die Deutsche Zentrumspartei", em Matthias e Morsey (eds.), *Das Ende*, p. 279-453, nas p. 290-1.
32. Max Miller, *Eugen Bolz* (Stuttgart, 1951), p. 357-8, citado em Morsey, "Die Deutsche Zentrumspartei", p. 292; ver também Joachim Sailer, *Eugen Bolz und die Krise des politischen Katholizismus in der Weimarer Republik* (Tübingen, 1994).
33. John Cornwell, *Hitler's Pope: The Secret History of Pius XII* (Londres, 1999), esp. p. 96-7, 116-7, 120-51; recorrendo fortemente a Klaus Scholder, *The Churches and the Third Reich* (2 vols., Londres, 1987-8 [1977, 1985]); Morsey, "Die Deutsche Zentrumspartei", p. 301, sobre a pressão vinda do Vaticano.
34. Werner Angress, *Stillborn Revolution: The Communist Bid for Power in Germany, 1921- -1923* (Princeton, 1963); Ben Fowkes, *Communism in Germany under the Weimar Republic* (Londres, 1984), p. 148, 161; Eric D. Weitz, *Creating German Communism, 1890-1990: From Popular Protests to Socialist State* (Princeton, 1997), p. 100-31; e, sobretudo, Hermann Weber, *Die Wandlung des deutschen Kommunismus: Die Stalinisierung der KPD in der Weimarer Republik* (2 vols., Frankfurt am Main, 1969).
35. Evans, *Rituals*, p. 507-9, 574, para um entre muitos exemplos.
36. Maximilian Müller-Jabusch (ed.), *Handbuch des öffentlichen Lebens* (Leipizig, 1931), p. 442-5, citado e traduzido em Kaes *et al*. (eds.), *The Weimar Republic Sourcebook*, p. 348- -52; ver, de modo mais geral, Mommsen, *The Rise and Fall*, p. 253-60.
37. Bracher, *Die Auflösung*, p. 309-30; Friedrich Hiller von Gaertringen, "Die Deutschnationale Volkspartei", em Matthias e Morsey (eds.), *Das Ende*, p. 541-652, nas p. 543-9.
38. Henry Ashby Turner Jr., *Gustav Stresemann and the Politics of the Weimar Republic* (Princeton, 1965 [1963]), p. 250-1; Jonathan Wright, *Gustav Stresemann: Weimar's Greatest Statesman* (Oxford, 2002).
39. Broszat, *Der Staat Hitlers*, p. 19-20.
40. Diehl, *Paramilitary Politics*, p. 209-43; Berghahn, *Der Stahlhelm*, p. 103-30.
41. Francis L. Carsten, *The Reichswehr and Politics 1918-1933* (Oxford, 1966), p. 3-48; Wolfram Wette, *Gustav Noske: Eine politische Biographie* (Düsseldorf, 1987), p. 399-459.
42. Carsten, *The Reichswehr*, p. 106-7; Johannes Erger, *Der Kapp-Lüttwitz-Putsch: Ein Beitrag zur deutschen Innenpolitik 1919/20* (Düsseldorf, 1967); Erwin Könneman *et al*. (eds.), *Arbeiterklasse siegt über Kapp und Lüttwitz* (2 vols., Berlim, 1971).
43. Citado em Carsten, *The Reichswehr*, p. 401.
44. Thilo Vogelsang (ed.), "Neue Dokumente zur Geschichte der Reichswehr, 1930-1933", *VfZ 2* (1954), p. 397-436.
45. Friedrich von Rabenau, *Seeckt – aus seinem Leben 1918-1936* (Leipzig, 1940), p. 359-61, e Otto-Ernst Schüddekopf, *Das Heer und die Republik – Quellen zur Politik der Reichswehrführung 1918 bis 1933* (Hanover, 1955), p. 179-81. Ver também os estudos mais antigos de John W. Wheeler-Bennett, *The Nemesis of Power: The German Army in Politics 1918-1945* (Londres, 1953), hoje superado na maioria dos aspectos, para uma visão altamente crítica do Exército, e Harold J. Gordon, *The Reichswehr and the German Republic 1919-26* (Prin-

ceton, 1957), simpático a Seeckt. Detalhes básicos em Rainer Wohlfeil, "Heer und Republik", em Hans Meier-Welcker e Wolfgang von Groote (eds.), *Handbuch zur deutschen Militärgeschichte 1648-1939*, VI (Frankfurt am Main, 1970), p. 11-304.
46. Carsten, *The Reichswehr*, p. 276; Ernst Willi Hansen, *Reichswehr und Industrie: Rüstungwirtschaftliche Zusammenarbeit und wirtschaftliche Mobilmachungsvorbereitungen 1923-1932* (Boppard, 1978); Manfred Zeidler, *Reichswehr und Rote Armee 1920-1933: Wege und Stationen einer ungewöhnlichen Zusammenarbeit* (Munique, 1993); de modo mais geral, Michael Geyer, *Aufrüstung oder Sicherheit: Reichswehr in der Krise der Machtpolitik, 1924--1936* (Wiesbaden, 1980), e Karl Nuss, *Militär und Wiederaufrüstung in der Weimarer Republik: Zur politischen Rolle und Entwicklung der Reichswehr* (Berlim, 1977).
47. Carsten, *The Reichswehr*, p. 159-60, 168-9, 226.
48. Michael Geyer, "Professionals and Junkers: German Rearmament and Politics in the Weimar Republic", em Richard Bessel e Edgar Feuchtwanger (eds.), *Social Change and Political Development in Weimar Germany* (Londres, 1981), p. 77-133.
49. Ver o estudo clássico de Craig, *The Politics of the Prussian Army*, p. 382-467.
50. Eberhard Kolb, "Die Reichsbahn vom Dawes-Plan bis zum Ende der Weimarer Republik", em Lothar Gall e Manfred Pohl (eds.), *Die Eisenbahn in Deutschland: Von den Anfängen bis zur Gegenwart* (Munique, 1999), p. 109-64, nas p. 149-50.
51. Jane Caplan, *Government without Administration: State and Civil Service in Weimar and Nazi Germany* (Oxford, 1988), p. 8-18, 60-1.
52. Gerhart Fieberg (ed.), *Im Namem des deutschen Volkes: Justiz und Nationalsozialismus* (Colônia, 1989), p. 8.
53. Bracher, *Die Auflösung*, p. 162-72.
54. Caplan, *Government*, p. 30-6.
55. Ibid., p. 33-57; Wolfgang Runge, *Politik und Beamtentum im Parteienstaat: Die Demokratisierung der politischen Beamten in Preussen zwischen 1918 und 1933* (Stuttgart, 1965); Anthony J. Nicholls, "Die höhere Beamtenschaft in der Weimarer Zeit: Betrachtungen zu Problemem ihrer Haltung und ihrer Fortbildung", em Lothar Albertin e Werner Link (eds.), *Politische Parteien auf dem Weg zur parlamentarischen Demokratie in Deutschland: Entwicklungslinien bis zur Gegenwart* (Düsseldorf, 1981), p. 195-207; Hans Fenske, "Monarchisches Beamtentum und demokratischer Rechtsstaat: Zum Problem der Bürokratie in der Weimarer Republik", em *Demokratie und Verwaltung: 25 Jahre Hochschule für Verwaltung Speyer* (Berlim, 1972), p. 117-36; Rudolf Morsey, "Beamtenschaft und Verwaltung zwischen Republik und 'Neuem Staat'", em Karl Dietrich Erdmann e Hagen Schulze (eds.), *Weimar: Selbstpreisgabe einer Demokratie* (Düsseldorf, 1980), p. 151-68; Eberhard Pikart, "Preussische Beamtenpolitik 1918-1933", *VfZ* 6 (1958), p. 119-37.
56. Broszat, *Der Staat Hitlers*, p. 27-9.
57. AT 28, em Merkl, *Political Violence*, p. 513.
58. Ver Rainer Fattmann, *Bildungsbürger in der Defensive: Die akademische Beatemschaft und der "Reichsbund der höheren Beamten" in der Weimarer Republik* (Göttingen, 2001).
59. Sobre as metas econômicas e outras da Alemanha na guerra, embora não muito sobre as origens da guerra (de que trata apenas brevemente), Fischer, *Germany's Aims*, permanece o livro-modelo.
60. O processo de inflação durante e imediatamente depois da guerra é recontado em grande detalhe nas primeiras 150 páginas da monumental história de Gerald D. Feldman, *The*

Great Disorder: Politics, Economic, and Society in the German Inflation, 1914-1924 (Nova York, 1993). As taxas de câmbio para todo o período são dadas na tabela 1 na página 5. A obra de Feldman suplanta os relatos clássicos de Constantino Bresciani-Turroni, *The Economics of Inflation: A Study of Currency Depreciation in Post-war Germany* (Londres, 1937), e de Karsten Laursen e Jürgen Pedersen, *The German Inflation 1918-1923* (Amsterdã, 1964). Há um sucinto relatório de pesquisa em Theo Balderston, *Economics and Politics in the Weimar Republic* (Londres, 2002), p. 34-60. Stephen B. Webb, *Hyperinflation and Stabilization in Weimar Germany* (Oxford, 1989) liga o processo de inflação ao tema das reparações.

61. Feldman, *The Great Disorder*, p. 5 (tabela 1), e, de modo mais geral, com numerosas citações e exemplos, nos capítulos 1-8; também Kent, *The Spoils of War*, p. 45-6, 142-58.
62. Feldman, *The Great Disorder*, p. 837-9; de forma mais pessimista, Niall Ferguson, *Paper and Iron: Hamburg Business and German Politics in the Era of Inflation, 1897-1927* (Oxford, 1995), esp. p. 408-19.
63. Feldman, *The Great Disorder*, p. 5 (tabela 1). Para a ocupação do Ruhr, ver Conan Fischer, *The Ruhr Crisis 1923-1924* (Oxford, 2003); Hermann J. Rupieper, *The Cuno Government and Reparations 1922-1923: Politics and Economics* (Haia, 1979); e Klaus Schwabe (ed.), *Die Ruhrkrise 1923: Wendepunkt der internationalen Beziehungen nach dem Ersten Weltkrieg* (Paderborn, 1985).
64. *Berliner Morgenpost*, 251 (21 de outubro de 1923), "Zahlen-Wahnsinn, von Bruno H. Bürgel".
65. Norman Angell, *The Story of Money* (Nova York, 1930), p. 332; Haffner, *Defying Hitler*, p. 49-50.
66. Fritz Blaich, *Der schwarze Freitag: Inflation und Wirtschaftskrise* (Munique, 1985), p. 14, 31.
67. *Wirtschaftskurve*, 2 (1923), p. 1, 29 e 4 (1923), p. 21, estudando os gastos de uma família de um assalariado de ordenado mediano com um filho, citado em Carl-Ludwig Holtfrerich, *The German Inflation 1914-1923: Causes and Effects in International Perspective* (Nova York, 1986 [1980]), p. 261.
68. *Berliner Morgenpost*, 220 (15 de setembro de 1923), "Zurückgehaltene Ware: Weil der 'morgige Preis' noch nicht bekannt ist".
69. Feldman, *The Great Disorder*, p. 704-6.
70. Holtfrerich, *The German Inflation*, p. 262-3.
71. Klemperer, *Leben sammeln*, I, p. 239 (26 de fevereiro de 1920).
72. Ibid., p. 257 (28 de março de 1920).
73. Ibid., p. 262 (1º de abril de 1920).
74. Ibid., p. 697 (27 de maio de 1923), p. 700-1 (1º e 2 de junho de 1923). Para a mania da especulação, ver também Haffner, *Defying Hitler*, p. 46-7.
75. Klemperer, *Leben sammeln*, I, p. 717 (24 de julho de 1923), p. 729 (3 de agosto de 1923).
76. Ibid., p. 740 (27/28 de agosto de 1923).
77. Ibid., p. 752 (9 de outubro de 1923).
78. Ibid., p. 751 (9 de outubro de 1923).
79. Ibid., p. 757 (2 de novembro de 1923).
80. Ibid., p. 758 (7 e 16 de novembro de 1923).
81. *Berliner Morgenpost*, 213 (7 de setembro de 1923): "Nur noch dreissig Strassenbahn--Linien".

82. Kent, *The Spoils of War*, p. 245-8.
83. Feldman, *The Great Disorder*, p. 741-7.
84. Ibid., p. 778-93.
85. Ibid., p. 754-835.
86. Derek H. Aldcroft, *From Versailles to Wall Street 1919-1929* (Londres, 1977), p. 125-55.
87. Feldman, *The Great Disorder*, p. 854-88.
88. Klemperer, *Leben sammeln*, I, p. 761 (4 de dezembro de 1923), p. 763 (20 de dezembro de 1923).
89. Nikolaus Wachsmann, *Hitler's Prisons: Legal Terror in Nazi German* (2004), capítulo 2.
90. Michael Grüttner, "Working-Class Crime and the Labour Movement: Pilfering in the Hamburg Docks, 1888-1923", em Richard J. Evans (ed.), *The German Working Class 1888-1933: The Politics of Everyday Life* (Londres, 1982), p. 54-79.
91. Hans Ostwald, *Sittengeschichte der Inflation: Ein Kulturdokument aus den Jahren des Marksturzes* (Berlim, 1931), esp. p. 30-1.
92. Martin Geyer, *Verkehrte Welt: Revolution, Inflation, und Moderne. München 1914-1924* (Göttingen, 1998), *passim*.
93. Bernd Widdig, *Culture and Inflation in Weimar Germany* (Berkeley, 2001), p. 113-33.
94. Geyer, *Verkehrte Welt*, p. 243-318; de modo mais geral, os vários estudos em Gerald D. Feldman (ed.), *Die Nachwirkungen der Inflation auf die deutsche Geschichte 1924-1933* (Munique, 1985).
95. Para um estudo fascinante sobre tal embate, ver Charles Medalen, "State Monopoly Capitalism in Germany: The Hibernia Affair", *Past and Present*, 78 (fevereiro de 1978), p. 82--112.
96. Henry Ashby Turner Jr., *German Big Business and the Rise of Hitler* (Nova York, 1985), p. 3-18; Gerald D. Feldman, *Army, Industry and Labor in Germany, 1914-1918* (Princeton, 1966); idem, "The Origins of the Stinnes–Legien Agreement: A Documentation", *Internationale Wissenschaftliche Korrespondenz zur Geschichte der deutschen Arbeiterbewegung*, 19/20 (1973), p. 45-104.
97. Para um resumo do debate sobre a natureza e a extensão do investimento empresarial durante a inflação, ver Harold James, *The German Slump: Politics and Economics, 1924-1936* (Oxford, 1986), p. 125-30.
98. Peter Hayes, *Industry and Ideology: I. G. Farben in the Nazi Era* (Cambridge, 1987), p. 16--7; Gerald D. Feldman, *Hugo Stinnes: Biographie eines Industriellen 1870-1924* (Munique, 1998).
99. Mary Nolan, *Visions of Modernity: American Business and the Modernization of Germany* (Nova York, 1994).
100. Peukert, *The Weimar Republic*, p. 112-7.
101. Robert Brady, *The Rationalization Movement in Germany: A Study in the Evolution of Economic Planning* (Berkeley, 1933); James, *The German Slump*, p. 146-61.
102. Feldman, *The Great Disorder*, p. 343-4; Harold James, "Economic Reasons for the Collapse of the Weimar Republic", em Ian Kershaw (ed.), *Weimar: Why did German Democracy Fail?* (Londres, 1990), p. 30-57, nas p. 33-4; ver também Dieter Hertz--Eichenröde, *Wirtschaftskrise und Arbeitsbeschaffung: Konjunkturpolitik 1925/26 und die Grundlagen der Krisenpolitik Brünings* (Frankfurt am Main, 1982); Fritz Blaich, *Die Wirtschaftskrise 1925/26 und die Reichsregierung: Von der Erwerbslosenfürsorge zur*

Konjunkturpolitik (Kallmünz, 1977); e Klaus-Dieter Krohn, *Stabilisierung und ökonomische Interessen: Die Finanzpolitik des deutschen Reiches 1923-27* (Düsseldorf, 1974).

103. Bernd Weisbrod, *Schwerindustrie in der Weimarer Republik: Interessenpolitik zwischen Stabilisierung und Krise* (Wuppertal, 1978), p. 415-56; James, *The German Slump*, p. 162--223.
104. Richard Bessel, "Why did the Weimar Republic Collapse?", em Kershaw (ed.), *Weimar*, p. 120-52, na p. 136; Bernd Weisbrod, "The Crisis of German Unemployment Insurance in 1928/29 and its Political Repercussions", em Wolfgang J. Mommsen (ed.), *The Emergence of the Welfare State in Britain and Germany, 1850-1950* (Londres, 1981), p. 188--204; Richard J. Evans, "Introduction: The Experience of Mass Unemployment in the Weimar Republic", em Richard J. Evans e Dick Geary (eds.), *The German Unemployed: Experiences and Consequences of Mass Unemployment from the Weimar Republic to the Third Reich* (Londres, 1987), p. 1-22, nas p. 5-6; Merith Niehuss, "From Welfare Provision to Social Insurance: The Unemployed in Augsburg 1918-27", em Evans e Geary (eds.), *The German Unemployed*, p. 44-72.
105. Turner, *German Big Business*, p. 19-46; Weisbrod, *Schwerindustrie*; ver também o breve esboço de J. Adam Tooze, "Big Business and the Continuities of German History, 1900--1945", em Panikos Panayi (ed.), *Weimar and Nazi Germany: Continuities and Discontinuities* (Londres, 2001), p. 173-98.
106. Para o escândalo de Barmat, ver Bernhard Fulda, "Press and Politics in Berlin, 1924-1930" (dissertação de Ph.D. em Cambridge, 2003), p. 63-71, 87-117.
107. Dick Geary, "Employers, Workers, and the Collapse of the Weimar Republic", em Kershaw (ed.), *Weimar*, p. 92-119.
108. Karl Rohe, *Wahlen und Wählertraditionen in Deutschland* (Frankfurt am Main, 1992), p. 124.
109. Falter, *Hitlers Wähler*, p. 327-8; Kurt Koszyk, *Deutsche Presse 1914-1945: Geschichte der deutschen Presse*, III (Berlim, 1972).
110. Babette Gross, *Willi Münzenberg: Eine politische Biographie* (Stuttgart, 1967).
111. Erich Schairer, "Alfred Hugenberg", *Mit anderen Augen: Jahrbuch der deutschen Sonntagszeitung* (1929), p. 18-21, citado e traduzido em Kaes *et al.* (eds.), *The Weimar Republic Sourcebook*, p. 72-4; Dankwart Guratzsch, *Macht durch Organisation: Die Grundlegung des Hugenbergschen Presseimperiums* (Düsseldorf, 1974), p. 192-3, 244, 248.
112. Fulda, "Press and Politics", tabela 1.
113. Modris Eksteins, *The Limits of Reason: The German Democratic Press and the Collapse of Weimar Democracy* (Oxford, 1975), p. 129-30, 249-50.
114. Fulda, "Press and Politics", tabela 1, e capítulo 1 de modo mais geral.
115. Falter, *Hitlers Wähler*, p. 325-39.
116. Oswald Spengler, *Der Untergang des Abendlandes: Umrisse einer Morphologie der Weltgeschichte*, I: *Gestalt und Wirklichkeit* (Viena, 1918), p. 73-5.
117. Arthur Moeller van den Bruck, *Das Dritte Reich* (3ª ed., Hamburgo, 1931 [Berlim, 1923]), esp. p. 300, 320; Gary D. Stark, *Entrepreneurs of Ideology: Neo-Conservative Publishers in Germany, 1890-1933* (Chapel Hill, NC, 1981); Agnes Stansfield, "Das Dritte Reich: A Contribution to the Study of the 'Third Kingdom' in German Literature from Herder to Hegel", *Modern Language Review*, 34 (1934), p. 156-72. Moeller van den Bruck originalmente chamou sua utopia conservadora-revolucionária de "a Terceira Via"; ver Mosse, *The Crisis*, p. 281.

118. Edgar Jung, "Deutschland und die konservative Revolution", em *Deutsche über Deutschland* (Munique, 1932), p. 369-82, selecionado e traduzido em Kaes *et al.* (eds.), *The Weimar Republic Sourcebook*, p. 352-4.
119. Jünger, *In Stahlgewittern*; ver também Nikolaus Wachsmann, "Marching under the Swastika? Ernst Jünger and National Socialism, 1918-33", *Journal of Contemporary History*, 33 (1998), p. 573-89.
120. Theweleit, *Male Fantasies*.
121. O estudo clássico dessas e outras linhas de pensamento similares é de Kurt Sontheimer, *Antidemokratisches Denken in der Weimarer Republik* (Munique, 1978 [1962]).
122. James M. Ritchie, *German Literature under National Socialism* (Londres, 1983), p. 10-1; ver também Peter Zimmermann, "Literatur im Dritten Reich", em Jan Berg *et al.* (eds.), *Sozialgeschichte der deutschen Literatur von 1918 bis zur Gegenwart* (Frankfurt am Main, 1981), p. 361-416; e em particular Jost Hermand e Frank Trommler, *Die Kultur der Weimarer Republik* (Munique, 1978), p. 128-92.
123. Para uma boa visão geral, ver Nitschke *et al.* (eds.), *Jahrhundertwende;* sobre "pânico moral" no período guilhermino, ver Richard J. Evans, *Tales from the German Underworld: Crime and Punishment in the Nineteenth Century* (Londres, 1998), p. 166-212; Gary Stark, "Pornography, Society and the Law in Imperial Germany", *Central European History*, 14 (1981), p. 200-20; Bram Dijkstra, *Idols of Perversity: Fantasies of Female Evil in Fin-de--Siècle Culture* (Nova York, 1986); Robin Lenman, "Art, Society and the Law in Wilhelmine Germany: The Lex Heinze", *Oxford German Studies*, 8 (1973), p. 86-113; Matthew Jefferies, *Imperial Culture in Germany, 1871-1918* (Londres, 2003); sobre a cultura de Weimar, Peukert, *The Weimar Republic*, p. 164-77.
124. Hermand e Trommler, *Die Kultur*, p. 193-260.
125. Karen Koehler, "The *Bauhaus*, 1919-1928: Gropius in Exile and the Museum of Modern Art, N. Y., 1938", em Richard A. Etlin (ed.), *Art, Culture and Media under the Third Reich* (Chicago, 2002), p. 287-315, nas p. 288-92; Barbara Miller Lane, *Architecture and Politics in Germany, 1918-1945* (Cambridge, Mass., 1968), p. 70-8; Shearer West, *The Visual Arts in Germany 1890-1936: Utopia and Despair* (Manchester, 2000), p. 143-55; Hans Wingler, *The Bauhaus – Weimar, Dessau, Berlin, Chicago 1919-1944* (Cambridge, Mass., 1978); Frank Whitford, *The Bauhaus* (Londres, 1984).
126. Gerald D. Feldman, "Right-Wing Politics and the Film Industry: Emil Georg Strauss, Alfred Hugenberg, and the UFA, 1917-1933", em Christian Jansen *et al.* (eds.), *Von der Aufgabe der Freiheit: Politische Verantwortung und bürgerliche Gesellschaft im 19. und 20. Jahrhundert: Festschrift für Hans Mommsen zum 5. November 1995* (Berlim, 1995), p. 219-30; Siegfried Kracauer, *From Caligari to Hitler: A Psychological History of the German Film* (Princeton, 1947), p. 214-6.
127. Andrew Kelly, *Filming All Quiet on the Western Front – "Brutal Cutting, Stupid Censors, Bigoted Politicos"* (Londres, 1998), reimpresso em brochura como *All Quiet on the Western Front: The Story of a Film* (Londres, 2002). De modo mais geral, sobre a cultura de Weimar, ver o ensaio clássico de Peter Gay, *Weimar Culture: The Outsider as Insider* (Londres, 1969). Walter Laqueur, *Weimar: A Cultural History 1918-1933* (Londres, 1974), é bom a respeito da maioria conservadora bem como da minoria de vanguarda; ver também Hermand e Trommler, *Die Kultur*, p. 350-437, sobre artes visuais.
128. Erik Levi, *Music in the Third Reich* (Londres, 1994), p. 1-13; Hermand e Trommler, *Die Kultur*, p. 279-350.

129. Michael H. Kater, *Different Drummers: Jazz in the Culture of Nazi Germany* (Nova York, 1992), p. 3-28; Peter Jelavich, *Berlin Cabaret* (Cambridge, Mass., 1993), p. 202.
130. Peukert, *The Weimar Republic*, p. 178-90.
131. AT 43, em Merkl, *Political Violence*, p. 173.
132. Abrams, *Workers' Culture*, esp. capítulo 7.
133. Richard J. Evans, *The Feminist Movement in Germany 1894-1933* (Londres, 1976), p. 122, 141; Rudolph Binion, *Frau Lou: Nietzsche's Wayward Disciple* (Princeton, 1968), p. 447.
134. James D. Steakley, *The Homosexual Emancipation Movement in Germany* (Nova York, 1975); John C. Fout, "Sexual Politics in Wilhelmine Germany: The Male Gender Crisis, Moral Purity, and Homophobia", *Journal of the History of Sexuality*, 2 (1992), p. 388-421.
135. Ver o artigo pioneiro de Renate Bridenthal e Claudia Koonz, "Beyond *Kinder, Küche, Kirche*: Weimar Women in Politics and Work", em Renate Bridenthal *et al.* (eds.), *When Biology Became Destiny: Women in Weimar and Nazi Germany* (Nova York, 1984), p. 33-65.
136. Planert, *Antifeminismus*.
137. Evans, *The Feminist Movement*, p. 145-201; Klaus Höhnig, *Der Bund Deutscher Frauenvereine in der Weimarer Republik 1919-1923* (Egelsbach, 1995).
138. Atina Grossmann, *Reforming Sex: The German Movement for Birth Control and Abortion Reform 1920-1950* (Nova York, 1995), p. 16; Steakley, *The Homosexual Emancipation Movement*; Fout, "Sexual Politics"; Charlotte Wolff, *Magnus Hirschfeld: A Portrait of a Pioneer in Sexology* (Londres, 1986).
139. James Woycke, *Birth Control in Germany 1871-1933* (Londres, 1988), p. 113-6, 121, 147-8; Grossmann, *Reforming Sex*; Cornelie Usborne, *The Politics of the Body in Weimar Germany: Women's Reproductive Rights and Duties* (Londres, 1991).
140. Clifford Kirkpatrick, *Nazi Germany: Its Women and Family Life* (Nova York, 1938), p. 36; Elizabeth Harvey, "Serving the Volk, Saving the Nation: Women in the Youth Movement and the Public Sphere in Weimar Germany", em Larry Eugene Jones e James Retallack (eds.), *Elections, Mass Politics, and Social Change in Modern Germany: New Perspectives* (Nova York, 1992), p. 201-22; Irene Stoehr, "Neue Frau und alte Bewegung? Zum Generationskonflikt in der Frauenbewegung der Weimarer Republik", em Jutta Dalhoff *et al.* (eds.), *Frauenmacht in der Geschichte* (Düsseldorf, 1986), p. 390-400; Atina Grossmann, "'Girlkultur' or Thoroughly Rationalized Female: A New Woman in Weimar Germany", em Judith Friedlander *et al.* (eds.), *Women in Culture and Politics: A Century of Change* (Bloomington, Ind., 1986), p. 62-80.
141. Raffael Scheck, *Mothers of the Nation: Right-Wing Women in German Politics, 1918-1923* (2004); Höhnig, *Der Bund*; Ute Planert (ed.), *Nation, Politik und Geschlecht: Frauenbewegungen und Nationalismus in der Moderne* (Frankfurt am Main, 2000).
142. Merkl, *Political Violence*, p. 230-89, para testemunhos pessoais; também Peter D. Stachura, *The German Youth Movement, 1900-1945: An Interpretative and Documentary History* (Londres, 1981), opondo-se à ênfase de obras anteriores sobre os aspectos protofascitas do movimento jovem, como nos estudos clássicos de Laqueur, *Young Germany*, Howard Becker, *German Youth: Bond or Free?* (Nova York, 1946), e Mosse, *The Crisis*, p. 171-89. Ver, mais recentemente, Jürgen Reulecke, "'Hat die Jugendbewegung den Nationalsozialismus vorbereitet?' Zum Umgang mit einer falschen Frage", em Wolfgang R. Krabbe (ed.), *Politische Jugend in der Weimarer Republik* (Bochum, 1993), p. 222-43.
143. Klemperer, *Leben sammeln*, II, p. 56 (14 de maio de 1925).

144. AT 144, 173, em Merkl, *Political Violence*, p. 290-310, esp. p. 303-4; também Margret Kraul, *Das deutsche Gymnasium 1780-1980* (Frankfurt am Main, 1984), p. 127-56, um útil panorama geral; Folkert Meyer, *Schule der Untertanen: Lehrer und Politik in Preussen 1848--1900* (Hamburgo, 1976), adota uma forte visão negativa da influência política das escolas; Mosse, *The Crisis*, p. 149-70, enfatiza influências nacionalistas. Para uma boa correção a Meyer, ver Marjorie Lamberti, "Elementary School Teachers and the Struggle against Social Democracy in Wilhelmine Germany", *History of Education Quarterly*, 12 (1992), p. 74-97; e idem, *State, Society and the Elementary School in Imperial Germany* (Nova York, 1989).

145. Konrad H. Jarausch, *Deutsche Studenten 1800-1970* (Frankfurt am Main, 1984), esp. p. 117-22; Michael S. Steinberg, *Sabers and Brown Shirts: The German Students' Path to National Socialism, 1918-1935* (Chicago, 1977); Geoffrey J. Giles, *Students and National Socialism in Germany* (Princeton, 1985), um estudo sobre a Universidade de Hamburgo. A tradução literal de *AStA, Allgemeiner Studenten-Ausschuss* é "Comitê Geral de Estudantes"; as funções desses organismos eram comparáveis às das uniões estudantis dos países de língua inglesa.

146. Michael H. Kater, *Studentenschaft und Rechtsradikalismus in Deutschland 1918-1933: Eine sozialgeschichtliche Studie zur Bildungskrise in der Weimarer Republik* (Hamburgo, 1975); idem, "The Work Student: A Socio-Economic Phenomenon of Early Weimar Germany", *Journal of Contemporary History*, 10 (1975), p. 71-94; Wildt, *Generation des Unbedingten*, p. 72-80.

147. Ibid., p. 81-142.

148. Ulrich Herbert, *Best: Biographische Studien über Radikalismus, Weltanschauung und Vernunft 1903-1989* (Bonn, 1996), p. 42-68.

149. AT 96, em Merkl, *Political Violence*, p. 236 (itálicos no original).

150. Maria Tatar, *Lustmord: Sexual Murder in Weimar Germany* (Princeton, 1995) (mas ver minha crítica desse livro sob muitos aspectos inconvincente em *German History*, 14 (1996), p. 414-5); mais convencional, Birgit Kreutzahler, *Das Bild des Verbrechers in Romanen der Weimarer Republik: Eine Untersuchung vor dem Hintergrund anderer gesellschaftlicher Verbrecherbilder und gesellschaftlicher Grundzüge der Weimarer Republik* (Frankfurt am Main, 1987); Kracauer, *From Caligari*; Evans, *Rituals*, p. 531-6.

151. Patrick Wagner, *Volksgemeinschaft ohne Verbrecher: Konzeptionen und Praxis der Kriminalpolizei in der Zeit der Weimarer Republik und des Nationalsozialismus* (Hamburgo, 1996), p. 26-76, 153-79.

152. Evans, *Rituals*, p. 487-610.

153. Fieberg (ed.), *Im Namen*, p. 10-22.

154. Johannes Leeb, em *Deutsche Richterzeitung*, 1921, col. 1301, citado em Fieberg (ed.), *Im Namen*, p. 24-7.

155. Hans Hattenhauer, "Wandlungen des Richterleitbildes im 19. und 20. Jahrhundert", em Ralf Dreier e Wolfgang Sellert (eds.), *Recht und Justiz im "Dritten Reich"* (Frankfurt am Main, 1989), p. 9-33, nas p. 13-6; Henning Grunwald, "Political Lawyers in the Weimar Republic" (dissertação de Ph.D., Cambridge, 2002).

156. Fieberg (ed.), *Im Namen*, p. 24-7.

157. Emil J. Gumbel, *Vier Jahre politischer Mord* (Berlim, 1924), p. 73-5, citado e tabulado em Fieberg (ed.), *Im Namen*, p. 29-35.

158. Tentativas recentes, não totalmente convincentes, de ver os juízes de Weimar sob luz mais favorável incluem Irmela Nahel, *Fememorde und Fememordprozesse in der Weimarer Republik* (Colônia, 1991), e Marcus Böttger, *Der Hochverrat in der höchstrichterlichen Rechtsprechung der Weimarer Republik: Ein Fall politischer Instrumentalisierung von Strafgesetzen?* (Frankfurt am Main, 1998).
159. Hannover e Hannover-Drück, *Politische Justiz*, p. 182-91; Kurt R. Grossmann, *Ossietzky: Ein deutscher Patriot* (Munique, 1963), p. 195-219; Elke Suhr, *Carl von Ossietzky: Eine Biographie* (Colônia, 1988), p. 162-8.
160. Hermann Schüler, *Auf der Flucht erschossen: Felix Fechenbach 1894-1933. Eine Biographie* (Colônia, 1981), p. 171-92.
161. Ilse Staff, *Justiz im Dritten Reich: Eine Dokumentation* (2ª ed., Frankfurt am Main, 1978 [1964]), p. 22-4.
162. Gotthard Jasper, *Der Schutz der Republik* (Tübingen, 1963).
163. Evans, *Rituals*, p. 503-6.
164. Ingo Müller, *Hitler's Justice: The Courts of the Third Reich* (Londres, 1991 [1987]), p. 10--24.
165. Hannover e Hannover-Drück, *Politische Justiz*, p. 77.
166. Ralph Angermund, *Deutsche Richterschaft 1918-1945: Krisenerfahrung, Illusion, Politische Rechtsprechung* (Frankfurt am Main, 1990), p. 33-4.
167. Wehler, *Deutsche Gesellschaftsgeschichte*, III, p. 907-15, 1086-90; Thomas Nipperdey, *Deutsche Geschichte 1866-1918*, I: *Arbeitswelt und Bürgergeist* (Munique, 1990), p. 335-73; obras mais especializadas incluem Volker Hentschel, *Geschichte der deutschen Sozialpolitik (1880-1980)* (Frankfurt am Main, 1983); Gerhard A. Ritter, *Sozialversicherung in Deutschland und England: Entstehung und Grundzuge im Vergleich* (Munique, 1983); e o estudo pioneiro de Karl Erich Born, *Staat und Sozialpolitik seit Bismarcks Sturz 1890-1914: Ein Beitrag zur Geschichte der innenpolitischen Entwicklung des deutschen Reiches 1880-1914* (Wiesbaden, 1957).
168. David F. Crew, *Germans on Welfare: From Weimar to Hitler* (Nova York, 1998), p. 16-31.
169. Artigos 119-22, 151-65 da Constituição de Weimar (em Huber, *Deutsche Verfassungsgeschichte*, V-VII).
170. Ludwig Preller, *Sozialpolitik in der Weimarer Republik* (Düsseldorf, 1978 [1949]) ainda é o guia clássico indispensável; mais recentemente, houve estudos importantes de Detlev J. K. Peukert, *Grenzen der Sozialdisziplinierung: Aufstieg und Krise der deutschen Jugendfürsorge 1878 bis 1932* (Colônia, 1986); Young-Sun Hong, *Welfare, Modernity, and the Weimar State, 1919-1933* (Princeton, 1998), e Crew, *Germans on Welfare*.
171. Otto Riebicke, *Was brachte der Weltkrieg? Tatsachen und Zahlen aus dem deutschen Ringen 1914-18* (Berlim, 1936), p. 97-112.
172. Wahlen, *Bitter Wounds*, p. 156, 168.
173. Caplan, *Government*, p. 51, 60; Bessel, "Why did the Weimar Republic Collapse?", p. 120--34, nas p. 123-5.
174. As atuais leis alemãs de proteção de dados proíbem o uso do nome completo de indivíduos particulares.
175. Todos os detalhes em Crew, *Germans on Welfare*, p. 107-15.
176. Ibid., esp. p. 204-8.
177. Para a disseminação de tais ideias, ver Richard F. Wetzell, *Inventing the Criminal: A History of German Criminology 1880-1945* (Chapel Hill, NC, 2000); esp. p. 107-78; Wachsmann,

Hitler's Prisons, parte I; Regina Schulte, *Sperrbezirke: Tugendhaftigkeit und Prostitution in der bürgerlichen Welt* (Frankfurt am Main, 1979), p. 174-204; Schmuhl, *Rassenhygiene*, p. 31, 94; Evans, *Rituals*, p. 526-36.
178. Wagner, *Volksgemeinschaft*, p. 97-101.
179. Citado em Evans, *Rituals*, p. 526-7.
180. Nikolaus Wachsmann *et al.*, "'Die soziale Prognose wird damit sehr trübe...': Theodor Viernstein und die Kriminalbiologische Sammelstelle in Bayern", em Michael Farin (ed.), *Polizeireport München 1799-1999* (Munique, 1999), p. 250-87.
181. Karl Binding e Alfred Hoche, *Die Freigabe der Vernichtung lebensunwerten Lebens: Ihr Mass und ihre Form* (Leipzig, 1920); Michael Burleigh, *Death and Deliverance: 'Euthanasia', in Germany 1900-1945* (Cambridge, 1994), p. 11-42; Hong, *Welfare*, p. 29-276.
182. Victor Klemperer, *Curriculum Vitae: Erinnerungen 1881-1918* (2 vols., Berlin, 1996 [1989]).
183. Klemperer, *Leben sammeln*, I, p. 8 (23 de novembro de 1918) e p. 9 (24 de novembro de 1918).
184. Ibid., p. 97 (12 de abril de 1919), p. 109-10 (6 de maio de 1919).
185. Ver o útil esboço biográfico de Martin Chalmers, em Victor Klemperer, *I Shall Bear Witness: The Diaries of Victor Klemperer 1933-1941* (Londres, 1998), p. ix-xxi.
186. Klemperer, *Leben sammeln*, I, p. 600 (29 de junho de 1922).
187. Ibid., II, p. 377 (10 de setembro de 1927).
188. Ibid., p. 571 (3 de setembro de 1929).
189. Ibid., p. 312 (26 de dezembro de 1926).
190. Ibid., I, p. 187 (27 de setembro de 1919).
191. Ibid., I, p. 245 (14 de março de 1920).
192. Ibid., p. 248 (14 de março de 1920).
193. Ibid., p. 433-4, (20 de abril de 1921).
194. Ibid., II, p. 49 (27 de abril de 1925).
195. Ibid., p. 758 (7 de agosto de 1932).
196. Martin Liepach, *Das Wahlverhalten der jüdischen Bevölkerung: Zur politischen Orientierung der Juden in der Weimarer Republik* (Tübingen, 1996), esp. p. 211-310; mais genericamente, Wolfgang Benz (ed.), *Jüdisches Leben in der Weimarer Republik* (Tübingen, 1998), p. 271--80; e Donald L. Niewyk, *The Jews in Weimar Germany* (Baton Rouge, La., 1980), p. 11--43.
197. Klaus Schwabe, "Die deutsche Politik und die Juden im Ersten Weltkrieg", em Hans Otto Horch (ed.), *Judentum, Antisemitismus und europäische Kultur* (Tübingen, 1988), p. 255-66; Egmont Zechlin, *Die deutsche Politik und die Juden im Ersten Weltkrieg* (Göttingen, 1969), esp. p. 527-41; Saul Friedländer, "Die politischen Veränderungen der Kriegszeit und ihre Auswirkungen auf die Judenfrage", em Werner E. Mosse (ed.), *Deutsches Judentum in Krieg und Revolution 1916-1923* (Tübingen, 1971), p. 27-65. Ver, em termos mais gerais, Jochmann, *Gessellschaftskrise*, p. 99-170 ("Die Ausbreitung des Antisemitismus in Deutschland 1914-1923") e p. 171-94 ("Der Antisemitismus und seine Bedeutung für den Untergang der Weimarer Republik").
198. Stark, *Entrepreneurs*, p. 141, 208-9.
199. Jack Wertheimer, *Unwelcome Strangers: East European Jews in Imperial Germany* (Nova York, 1987), tabela IV; Wolfgang J. Mommsen, *Bürgerstolz und Weltmachtstreben: Deutschland unter Wilhelm II. 1890 bis 1918* (Berlin, 1995), p. 434-40; Steven Aschheim, *Brothers*

*and Strangers: The East European Jew in German and German Jewish Consciousness 1800-
-1923* (Madison, 1982).
200. *Vossische Zeitung*, 6 de novembro de 1923, citado e traduzido em Peukert, *The Weimar
Republic*, p. 160 (corrigido); ver também David Clay Large, "'Out with the Ostjuden': The
Scheunenviertel Riots in Berlin, November 1923", em Werner Bergmann *et al.* (eds.),
Exclusionary Violence: Antisemitic Riots in Modern Germany (Ann Arbor, 2002), p. 123-40,
e Dirk Walter, *Antisemitische Kriminalität und Gewalt: Judenfeindschaft in der Weimarer
Republik* (Bonn, 1999), esp. p. 151-4.
201. Peter Pulzer, "Der Anfang vom Ende", em Arnold Paucker (ed.), *Die Juden im nationalso-
zialistischen Deutschland 1933-1944* (Tübingen, 1986), p. 3-15; Trude Maurer, *Ostjuden in
Deutschland, 1918-1933* (Hamburgo, 1986).
202. Kauders, *German Politics*, p. 182-91; para o protestantismo, ver Kurt Nowak e Gérard
Raulet (eds.), *Protestantismus und Antisemitismus in der Weimarer Republik* (Frankfurt am
Main, 1994). Mais genericamente, ver Heinrich August Winkler, "Die deutsche Gesellschaft der Weimarer Republik und der Antisemitismus", em Bernd Martin e Ernst Schulin
(eds.), *Die Juden als Minderheit in der Geschichte* (Munique, 1981), p. 271-89, e Jochmann,
Gesellschaftskrise, p. 99-170. Para um estudo local, ver Stefanie Schüler-Springorum, *Die
jüdische Minderheit in Königsberg, Preussen 1871-1945* (Göttingen, 1996).

Parte 3 – A ASCENSÃO DO NAZISMO

1. Peter Jelavich, *Munich and Theatrical Modernism: Politics, Playwriting, and Performance
1890-1914* (Cambridge, Mass., 1985), fornece um bom relato sobre o teatro de Munique na
época.
2. Para uma descrição dramática de Eisner, baseada em leitura ampla e não convencional de
fontes contemporâneas, ver Richard M. Watt, *The Kings Depart: The German Revolution
and the Treaty of Versailles 1918-19* (Londres, 1973 [1968]), p. 312-30 e 354-81. Ver também Franz Schade, *Kurt Eisner und die bayerische Sozialdemokratie* (Hanover, 1961), e
Peter Kritzer, *Die bayerische Sozialdemokratie und die bayerische Politik in den Jahren 1918-
-1923* (Munique, 1969). Para uma biografia recente, ver Bernhard Grau, *Kurt Eisner 1867-
-1919: Eine Biographie* (Munique, 2001).
3. Allan Mitchell, *Revolution in Bavaria, 1918/1919: The Eisner Regime and the Soviet Republic* (Princeton, 1965), p. 171-2; Freya Eisner, *Kurt Eisner: Die Politik der libertären
Sozialismus* (Frankfurt am Main, 1979), p. 175-80.
4. Mitchell, *Revolution*, para esse evento e os subsequentes; ver também Winkler, *Von der
Revolution*, p. 184-90, e Heinrich Hillmayr, *Roter und weisser Terror in Bayern nach 1918:
Erscheinungsformen und Folgen der Gewalttätigkeiten im Verlauf der revolutionären Ereignisse
nach dem Ende des Ersten Weltkrieges* (Munique, 1974).
5. Watt, *The Kings Depart*, p. 312-30, 354-81; David Clay Large, *Where Ghosts Walked:
Munich's Road to the Third Reich* (Nova York, 1997), p. 76-92; é outro relato vívido.
Friedrich Hitzer, *Anton Graf Arco: Das Attentat auf Kurt Eisner und die Schüsse im
Landtag* (Munique, 1988), conta a história do assassino conforme a pesquisa para o roteiro
de um filme do autor. Para Hoffmann, ver Diethard Hennig, *Johannes Hoffmann:
Sozialdemokrat und Bayerischer Ministerpräsident: Biographie* (Munique, 1990).

6. Citado em Watt, *The Kings Depart*, p. 364; Hans Beyer, *Von der Novemberrevolution zur Räterepublik in München* (Berlim, 1957), relato alemão oriental bem documentado, esp. p. 77-8.
7. Watt, *The Kings Depart*, p. 366-8.
8. Large, *Where Ghosts Walked*, p. 70.
9. Carsten, *Revolution*, p. 218-23; Hannover e Hannover-Drück, *Politische Justiz*, p. 53-75.
10. Ver Anthony Nicholls, "Hitler and the Bavarian Background to National Socialism", em idem e Erich Matthias (eds.), *German Democracy and the Triumph of Hitler: Essays on Recent German History* (Londres, 1971), p. 129-59.
11. Para um relato detalhado das atividades de Hitler em 1918-19, ver Kershaw, *Hitler*, I, p. 116-21, e Anton Joachimsthaler, *Hitlers Weg begann in München 1913-1923* (Munique, 2000 [1989]), p. 177-319.
12. Kershaw, *Hitler*, I, p. 3-13, para peneirar os fatos das lendas, a interpretação da especulação sobre os primeiros anos de Hitler.
13. Carl E. Schorske, "The Ringstrasse, its Critics, and the Birth of Urban Modernism", em idem, *Fin-de-Siècle Vienna*, p. 24-115.
14. August Kubizek, *Adolf Hitler: Mein Jugendfreund* (Graz, 1953), fornece muitos detalhes; mas ver a crítica de Franz Jetzinger, *Hitler's Youth* (Londres, 1958 [1956]), p. 167-74.
15. A escassez de evidência confiável sobre Hitler antes de 1919 levou a intenso debate sobre sua alegação de que se tornou um extremista político antissemita na Viena pré-guerra como resultado de contatos com judeus, particularmente "judeus do leste", imigrantes da Galícia. Enquanto a versão do próprio Hitler parece exagerada, tentativas recentes de argumentar que ele não era antissemita em absoluto são todas igualmente inconvincentes. Ver Kershaw, *Hitler*, I, esp. p. 49-69, e Joachimsthaler, *Hitlers Weg*, p. 45-9.
16. Adolf Hitler, *Mein Kampf* (trad. Ralph Manheim, introd. D. C. Watt, Londres, 1969 [1925/6]), p. 39-41.
17. Ibid., p. 71, 88, 95.
18. Kershaw, *Hitler*, I, p. 81-7; Joachimsthaler, *Hitlers Weg*, p. 77-97. O relato do próprio Hitler está em *Mein Kampf*, p. 116-7. Para um relato vigoroso da vida boêmia em Schwabing, ver Large, *Where Ghosts Walked*, p. 3-42.
19. Hitler, *Mein Kampf*, p. 148-9.
20. Kershaw, *Hitler*, I, p. 87-101.
21. Hitler, *Mein Kampf*, p. 11-169.
22. Geyer, *Verkehrte Welt*, p. 278-318.
23. Hitler para Adolf Gemlich, 16 de setembro de 1919, em Eberhard Jäckel e Axel Kuhn (eds.), *Hitler: Sämtliche Aufzeichnungen 1905-1924* (Stuttgart, 1980), p. 88-90; Ernst Deuerlein, "Hitlers Eintritt in die Politik und die Reichswehr", *VfZ* 7 (1959), p. 203-5.
24. "Anton Drexlers Politisches Erwachen" (1919), reeditado em Albrecht Tyrell (ed.), *Führer befiehl...: Selbstzeugnisse aus der "Kampfzeit" der NSDAP* (Düsseldorf, 1969), p. 20-2.
25. Tyrell (ed.), *Führer befiehl, p.* 22; Kershaw, *Hitler,* I, p. 126-8, 131-9; Ernst Deuerlein (ed.), *Der Aufstieg der NSDAP in Augenzeugenberichten* (Munique, 1974), p. 56-61. Joachimsthaler, *Hitlers Weg*, p. 198-319, peneira fatos de lendas sobre a vida de Hitler nessa época e julga controvérsias passadas; Albrecht Tyrell, *Vom "Trommler" zum "Führer": Der Wandel von Hitlers Selbstverständnis zwischen 1919 und 1924 und die Entwicklung der NSDAP* (Munique, 1975), fornece um relato bem informado do início da carreira política de Hitler. Ver também Werner Maser, *Die Frühgeschichte der NSDAP: Hitlers Weg bis 1924*

(Frankfurt am Main, 1965). Para a Sociedade Thule, ver Reginald H. Phelps, "'Before Hitler Came': Thule Society and Germanem Orden", em *Journal of Modern History*, 35 (1963), p. 245-61.
26. Uwe Lohalm, *Völkischer Radikalismus: Die Geschichte des Deutschvölkischen Schutz- und Trutzbundes, 1919-1923* (Hamburgo, 1970).
27. Tyrell, *Vom Trommler*, p. 72-89; Georg Franz-Willing, *Ursprung der Hitlerbewegung 1919- -1922* (Preussisch Oldendorf, 1974 [1962]), p. 38-109.
28. Broszat, *Der Staat Hitlers*, p. 43-5.
29. Hitler, *Mein Kampf*, p. 620-1 (tradução corrigida).
30. Reginald H. Phelps, "Hitler als Parteiredner im Jahre 1920", *VfZ* 11 (1963), p. 274-330; de modo semelhante, Jäckel e Kuhn (eds.), *Hitler*, p. 115, 132, 166, 198, 252, 455, 656.
31. A frase "socialismo dos tolos" – originalmente "socialismo dos estúpidos" – com frequência é atribuída a August Bebel, líder social-democrata antes da guerra, mas provavelmente é oriunda do democrata austríaco Ferdinand Kronawetter (Pulzer, *The Rise*, p. 269 e nota). Era de uso corrente entre os social-democratas da Alemanha na década de 1890; ver Francis L. Carsten, *August Bebel und die Organisation der Massen* (Berlim, 1991), p. 165.
32. Franz-Willing, *Ursprung*, p. 120-7; Broszat, *Der Staat Hitlers*, p. 39.
33. Ernst Nolte, *Three Faces of Fascism: Action Française, Italian Fascism, National Socialism* (Nova York, 1969 [1963]), e depois, de forma diferente e mais controversa, *Der europäische Bürgerkrieg 1917-1945: Nationalsozialismus und Bolschewismus* (Frankfurt am Main, 1987), argumentaram em favor da primazia do antibolchevismo.
34. Hitler, *Mein Kampf*, p. 289.
35. Tudo citado em Longerich, *Der ungeschriebene Befehl*, p. 32-4.
36. Bruno Thoss, *Der Ludendorff-Kreis: 1919-1923. München als Zentrum der mitteleuropäische Gegenrevolution zwischen Revolution und Hitler-Putsch* (Munique, 1978), fornece detalhes exaustivos.
37. Wolf Rüdiger Hess (ed.), *Rudolf Hess: Briefe 1908-1933* (Munique, 1987), p. 251 (Hess para seus pais, 24 de março de 1920).
38. Joachim C. Fest, *The Face of the Third Reich* (Londres, 1979 [1970]), p. 283-314, para um esboço contundente do caráter de Hess; Smith, *The Ideological Origins*, p. 223-40; Lange, "Der Terminus 'Lebensraum'", p. 426-37; Hans Grimm, *Volk ohne Raum* (Munique, 1926); Dietrich Orlow, "Rudolf Hess: Deputy Führer", em Ronald Smelser e Rainer Zitelmann (eds.), *The Nazi Elite* (Londres, 1993 [1989]), p. 74-84. Hans-Adolf Jacobsen, *Karl Haushofer: Leben und Werk* (2 vols., Boppard, 1979) reedita muitos escritos de Haushofer; Frank Ebeling, *Geopolitik: Karl Haushofer und seine Raumwissenschaft 1919-1945* (Berlim, 1994), é um estudo de suas ideias.
39. Margarete Plewnia, *Auf dem Weg zu Hitler: Des völkische Publizist Dietrich Eckart* (Bremen, 1970); Tyrell, *Vom Trommler*, p. 190-4; Alfred Rosenberg (ed.), *Dietrich Eckart. Ein Vermächtnis* (4ª ed., Munique, 1937 [1928]), com uma seleção de versos de Eckart.
40. Alfred Rosenberg, *Selected Writings* (ed. Robert Pois, Londres, 1970); Fest, *The Face*, p. 247-58; Walter Laqueur, *Russia and Germany: A Century of Conflict* (Londres, 1965), p. 55-61, 116-7, 148-53; Adolf Hitler, *Hitler's Table Talk 1941-1944: His Private Conversations* (Londres, 1973 [1953]), p. 422-6; Norman Cohn, *Warrant for Genocide: The Myth of the Jewish World-Conspiracy and the Protocols of the Elders of Zion* (Londres, 1967), esp. p. 187-237; Reinhard Bollmus, "Alfred Rosenberg: National Socialism's 'Chief Ideologue'", em Smelser e Zitelman (eds.), *The Nazi Elite*, p. 183-93; Robert Cecil, *The*

Myth of the Master Race: Alfred Rosenberg and Nazi Ideology (Londres, 1972). Ver também, mais genericamente, Thomas Klepsch, *Nationalsozialistische Ideologie: Eine Beschreibung ihrer Struktur vor 1933* (Münster, 1990), e a excelente seleção de excertos de uma variedade de ideólogos nazistas em Barbara Miller Lane e Leila J. Rupp (eds.), *Nazi Ideology before 1933: A Documentation* (Manchester, 1978).

41. Hans Frank, *Im Angesicht des Galgens: Deutung Hitlers und seiner Zeit auf Grund eigner Erlebnisse und Erkenntnisse* (2ª ed., Neuhaus, 1955 [1953]), sem página, citado em Fest, *The Face*, p. 330, e ibid., p. 38-42, citado em Kershaw, *Hitler*, I, p. 148; Christoph Klessmann, "Hans Frank: Party Jurist and Governor-General in Poland", em Smelser e Zitelmann (eds.), *The Nazi Elite*, p. 39-47.
42. Citando Deuerlein (ed.), *Der Aufstieg*, p. 108-12.
43. Dietrich Orlow, *The History of the Nazi Party*, I: *1919-1933* (Newton Abbot, 1971 [1969]), p. 11-37.
44. Kershaw, *Hitler*, I, p. 160-5; Deuerlein, (ed.), *Der Aufstieg*, p. 135-41.
45. Kershaw, *Hitler*, I, p. 175-80; Deuerlein, (ed.), *Der Aufstieg*, p. 142-61.
46. Deuerlein (ed.), *Der Aufstieg*, p. 145-6.
47. Franz-Willing, *Ursprung*, p. 127.
48. Hannover e Hannover-Drück, *Politische Justiz*, p. 105-44.
49. Kershaw, *Hitler*, I, p. 170-3; Peter Longerich, *Die braunen Bataillone: Geschichte der SA* (Munique, 1989), p. 9-32.
50. Conan Fischer, "Ernst Julius Röhm: Chief of Staff of the SA and Indispensable Outsider", em Smelser e Zitelmann (eds.), *The Nazi Elite*, p. 173-82.
51. Ernst Röhm, *Die Geschichte eines Hochverräters* (Munique, 1928), p. 9, 365-6; Fest, *The Face*, p. 206, 518-9 (n. 9).
52. Röhm, *Die Geschichte*, p. 363.
53. Deuerlein (ed.), *Der Aufstieg*, p. 142-83, para relatos sobre a violência crescente do movimento nazista nesse período; Fischer, "Ernst Julius Röhm", para detalhes sobre a incômoda relação de Röhm com Hitler.
54. Kershaw, *Hitler*, I, p. 180-5.
55. Adrian Lyttelton, *The Seizure of Power: Fascism in Italy 1919-1929* (Londres, 1973), permanece o relato clássico; Denis Mack Smith, *Mussolini* (Londres, 1981), é uma biografia contundente; Richard J. B. Bosworth, *Mussolini* (Londres, 2002), é uma boa biografia recente; Franz-Willing, *Ursprung*, p. 126-7, para as origens dos estandartes do Partido Nazista. Para contatos e influências, ver Klaus-Peter Hoepke, *Die deutsche Rechte und der italienische Faschismus: Ein Beitrag zum Selbstverständnis und zur Politik von Gruppen und Verbänden der deutschen Rechten* (Düsseldorf, 1968), esp. p. 186-94 e 292-5.
56. Em meio a vasta e controversa literatura, Stanley G. Payne, *A History of Fascism 1914-1945* (Londres, 1995), é o melhor exame geral, e Kevin Passmore, *Fascism: A Very Short Introduction* (Oxford, 2002), é o relato breve mais proveitoso. Roger Griffin, *International Fascism – Theories, Causes and the New Consensus* (Londres, 1998), é um texto teórico influente; Kershaw, *The Nazi Dictatorship*, p. 26-46, fornece, como de costume, um relato sensato e equilibrado sobre a historiografia.
57. AT 567, 199, em Merkl, *Political Violence*, p. 196-7.
58. AT 206, 379, ibid.; para um ângulo incomum do caso Schlageter, ver Karl Radek, "Leo Schlageter: The Wanderer in the Void", em Kaes *et al.* (eds.), *The Weimar Republic Sourcebook*, p. 312-4 (originalmente "Leo Schlageter: Der Wanderer ins Nichts", *Die Rote*

Fahne, p. 144, 26 de junho de 1923). Para um relato detalhado da "resistência passiva", sublinhando suas raízes populares, ver Fischer, *The Ruhr Crisis*, p. 84-181; para o passado de Schlageter nas Brigadas Livres, Waite, *Vanguard*, p. 235-8; para o movimento de sabotagem organizado nos bastidores pelo Exército alemão, Gerd Krüger, "'Ein Fanal des Widerstandes im Ruhrgebiet': Das 'Unternehmen Wesel' in der Osternacht des Jahres 1923. Hingergründe eines angeblichen 'Husarenstreiches'", *Mitteilungsblatt des Instituts für soziale Bewegungen*, 4 (2000), p. 95-140.

59. Sander L. Gilman, *On Blackness without Blacks: Essays on the Image of the Black in Germany* (Boston, 1982).
60. AT 183, em Merkl, *Political Violence*, p. 193.
61. Gisela Lebeltzer, "Der 'Schwarze Schmach': Vorurteile – Propaganda – Mythos", *Geschichte und Gesellschaft*, 11 (1985), p. 37-58; Keith Nelson, "'The Black Horror on the Rhine': Race as a Factor in Post-World War I Diplomacy", *Journal of Modern History*, 42 (1970), p. 606-27; Sally Marks, "Black Watch on the Rhine: A Study in Propaganda, Prejudice and Prurience", *European Studies Review*, 13 (1983), p. 297-334. Para seu eventual destino, ver Reiner Pommerin, *"Sterilisierung der Rheinlandbastarde": Das Schicksal einer farbigen deutschen Minderheit 1918-1937* (Düsseldorf, 1979).
62. Richard J. Evans, "Hans von Hentig and the Politics of German Criminology", em Angelika Ebbinghaus e Karl Heinz Roth (eds.), *Grenzgänge: Deutsche Geschichte des 20. Jahrhunderts im Spiegel von Publizistik, Rechtsprechung und historischer Forschung* (Lüneburg, 1999), p. 238-64.
63. Kershaw, *Hitler*, I, p. 185-91; Georg Franz-Willing, *Krisenjahr der Hitlerbewegung 1923* (Preussisch Oldendorf, 1975); Helmuth Auerbach, "Hitlers politische Lehrjahre und die Münchner Gesellschaft 1919-1923", *VfZ* 25 (1977), p. 1-45; Franz-Willing, *Ursprung*, p. 266-99; Ernst Hanfstaengl, *Zwischen Weissem und Braunem Haus: Memoiren eines politischen Aussenseiters* (Munique, 1970).
64. As visões de Hitler podem ser encontradas em Hitler, *Hitler's Table Talk*, p. 154-6. Para um relato excelente, ver Robin Lenman, "Julius Streicher and the Origins of the NSDAP in Nuremberg, 1918-1923", em Nicholls e Matthias (eds.), *German Democracy*, p. 161-74 (a fonte para a opinião sobre os poemas de Streicher). Para um estudo sobre os camisas-pardas da cidade, ver Eric G. Reiche, *The Development of the SA in Nürnberg, 1922-34* (Cambridge, 1986).
65. Anthony Nicholls, "Hitler and the Bavarian Background to National Socialism", em idem e Matthias (eds.), *German Democracy*, p. 111.
66. Franz-Willing, *Krisenjahr*, p. 295-318; para as atividades de Ludendorff, ver idem, *Putsch und Verbotszeit der Hitlerbewegung November 1923-Februar 1925* (Preussisch Oldendorf, 1977), p. 9-65.
67. Fest, *The Face*, p. 113-29; Richard Overy, *Goering: The "Iron Man"* (Londres, 1984); Alfred Kube, "Hermann Goering: Second Man in the Third Reich", em Smelser e Zitelmann (eds.), *The Nazi Elite*, p. 62-73, classifica Göring de conservador imperialista tardio; ver também, do mesmo autor, *Pour le mérite und Hakenkreuz: Hermann Goering im Dritten Reich* (2ª ed., Munique, 1987 [1986]), p. 4-21; Stefan Martens, *Hermann Goering: "Erster Paladin des Führers" und "Zweiter Mann im Reich"* (Paderborn, 1985), p. 15-9; Werner Maser, *Hermann Göring: Hitlers janusköpfiger Paladin: Die politische Biographie* (Berlim, 2000), p. 13-55.

68. Franz-Willing, *Krisenjahr*, detalha o desenvolvimento do Partido em 1923. Harold J. Gordon, *Hitler and the Beer Hall Putsch* (Princeton, 1972), proporciona um relato detalhado dos antecedentes políticos: ver especialmente p. 25-184 (parte I: "The Contenders in the Struggle for Power"). Para o registro documental, ver Ernst Deuerlein (ed.), *Der Hitler- -Putsch: Bayerische Dokumente zum 8./9. November 1923* (Stuttgart, 1962), p. 153-308; mais resumidamente em Deuerlein (ed.), *Der Aufstieg*, p. 184-202.
69. Karl Alexander von Müller, depoimento de testemunha no julgamento de Hitler, citado em Deuerlein (ed.), *Der Aufstieg*, p. 192-6.
70. Entre muitos relatos desses eventos, ver Kershaw, *Hitler*, I, p. 205-12; Gordon, *Hitler and the Beer Hall Putsch*, p. 270-409; Franz-Willing, *Putsch und Verbotszeit*, p. 66-141; Deuerlein (ed.), *Der Hitler-Putsch*, esp. p. 308-417, 487-515; documentos selecionados traduzidos em Noakes e Pridham (ed.), *Nazism*, I, p. 26-34. Para Göring, ver Maser, *Hermann Göring*, p. 58-78.
71. Bernd Steger, "Der Hitlerprozess und Bayerns Verhältnis zum Reich 1923/24", *VfZ* 23 (1977), p. 441-66.
72. Deuerlein (ed.), *Der Aufstieg*, p. 203-230; Lothar Gruchmann e Reinhard Weber (eds.), *Der Hitler-Prozess 1924: Wortlaut der Hauptverhandlung vor dem Volksgericht München I* (2 vols., Munique, 1997, 1999), para a transcrição completa e o julgamento. Ver também Otto Gritschneider, *Bewährungsfrist für den Terroristen Adolf H.: Der Hitler-Putsch und die bayerische Justiz* (Munique, 1990), e idem, *Der Hitler-Prozess und sein Richter Georg Neithardt: Skandalurteil von 1924 ebnet Hitler den Weg* (Munique, 2001).
73. Citado em Tyrell, *Führer befiehl*, 67, tradução em Noakes e Pridham (eds.), *Nazism*, I, p. 34-5 (levemente retificado); declarações completas de Hitler na corte em Jäckel e Kuhn (eds.), *Hitler*, p. 1061-216; também Deuerlein (ed.), *Der Aufstieg*, p. 203-28.
74. Ver o relato de sua gênese e redação em Kershaw, *Hitler*, I, p. 240-53.
75. Hitler, *Mein Kampf*, p. 307.
76. Ibid., p. 597-9. A centralidade dessas ideias para a "visão de mundo" de Hitler foi estabelecida por Eberhard Jäckel, *Hitler's Weltanschauung: A Blueprint for Power* (Middletown, Conn., 1972 [1969]).
77. Adolf Hitler, *Hitler's Secret Book* (Nova York, 1961); Martin Broszat, "Betrachtungen zu 'Hitlers Zweitem Buch'", *VfZ* 9 (1981), p. 417-29.
78. Werner Maser, *Hitlers Mein Kampf: Geschichte, Auszüge, Kommentare* (Munique, 1966), fornece detalhes sobre o livro, sua redação e destino; Hermann Hammer, "Die deutschen Ausgaben von Hitlers 'Mein Kampf'", *VfZ* 4 (1956), p. 161-78, cobre a história da publicação. A visão de que Hitler era um oportunista com fome de poder e sem metas consistentes é central na biografia clássica de Alan Bullock, *Hitler: A Study in Tiranny* (Londres, 1953); o argumento sobre a consistência foi apresentado pela primeira vez por Hugh Trevor- -Roper, "The Mind of Adolf Hitler", em Hitler, *Hitler's Table Talk*, p. vii-xxxv. As extravagâncias da política externa de Hitler e suas metas subjacentes são analisadas em Geoffrey Stoakes, *Hitler and the Quest for World Dominion* (Leamington Spa, 1987).
79. Longerich, *Der ungeschriebene Befehl*, p. 37-9.
80. Kershaw, *Hitler*, I, p. 218-9, 223-4, 250-3; Broszat, *Der Staat Hitlers*, p. 13-6.
81. Kershaw, *Hitler*, I, p. 224-34. Para um relato detalhado sobre o Partido Nazista na sequência do julgamento e prisão de seu líder, ver Franz-Willing, *Putsch und Verbotszeit*, p. 162- -285.

82. Donald Cameron Watt, "Die bayerischen Bemühungen um Ausweisung Hitlers 1924", *VfZ* 6 (1958), p. 270-80. Em termos mais gerais, ver David Jablonsky, *The Nazi Party in Dissolution: Hitler and the Verbotszeit 1923-1925* (Londres, 1989), e Deuerlein (ed.), *Der Aufstieg*, p. 231-54.
83. Deuerlein (ed.), *Der Aufstieg*, p. 245.
84. Fest, *The Face*, p. 215; Longerich, *Die braunen Battaillone*, p. 51-2.
85. Kershaw, *Hitler*, I, p. 257-70.
86. Udo Kissenkoetter, "Gregor Strasser: Nazi Party Organizer or Weimar Politician?", em Smelser e Zitelmann (eds.), *The Nazi Elite*, p. 224-34.
87. Gregor Strasser para Oswald Spengler, 8 de julho de 1925, em Oswald Spengler, *Spengler Letters 1913-1936* (ed. Arthur Helps, Londres, 1966), p. 184.
88. Orlow, *The History of the Nazi Party*, I, p. 66-7; ver também, mais genericamente, Udo Kissenkoetter, *Gregor Strasser und die NSDAP* (Stuttgart, 1978); Peter D. Stachura, *Gregor Strasser and the Rise of Nazism* (Londres, 1983); e Klepsch, *Nationalsozialistische Ideologie*, p. 143-50.
89. Elke Fröhlich, "Joseph Goebbels: The Propagandist", em Smelser e Zitelmann (eds.), *The Nazi Elite*, p. 48-61; Ralf Georg Reuth, *Goebbels: Eine Biographie* (Munique, 1995), p. 11--75; e Michel Kai, *Vom Poeten zum Demagogen: Die schriftstellerischen Versuche Joseph Goebbels'* (Colônia, 1999). Joachim C. Fest, "Joseph Goebbels: Eine Porträtskizze", *VfZ* 43 (1995), p. 565-80, é uma reavaliação penetrante do caráter de Goebbels à luz de seu diário. Para o diário de Goebbels em si, ver Elke Fröhlich, "Joseph Goebbels und sein Tagebuch: Zu den handschriftlichen Aufzeichnungen von 1924 bis 1941", *VfZ* 35 (1987), p. 489-522. A crítica de Bernd Sösemann, "Die Tagesaufzeichnungen des Joseph Goebbels und ihre unzulänglichen Veröffentlichungen", *Publizistik*, 37 (1992), p. 213-44, não convence; as transcrições de Fröhlich não pretendem ser uma edição plenamente erudita, mas simplesmente uma forma de tornar os diários disponíveis para os historiadores.
90. Hugh Trevor-Roper, *The Last Days of Hitler* (Londres, 1947), p. 67 (também citando Speer no mesmo sentido); Fröhlich, "Joseph Goebbels", p. 48.
91. Elke Fröhlich (ed.), *Die Tagebücher von Joseph Goebbels: Sämtliche Fragmente*, parte I: *Aufzeichnungen 1924-1941*, I: 27.6.1924-31.12.1930 (Munique, 1987), p. 48 (23 de julho de 1924).
92. Fröhlich (ed.), *Die Tagebücher*, I/I, p. 134-5 (14 de outubro de 1925).
93. Ibid., p. 140-1 (6 de novembro de 1925); em termos mais gerais, ver Reuth, *Goebbels*, p. 76--147.
94. Fröhlich (ed.), *Die Tagebücher*, I/I, p. 161-2 (15 de fevereiro de 1926).
95. Kershaw, *Hitler*, I, p. 270-7; Reuth, *Goebbels*, p. 76-107; Helmut Heiber (ed.), *The Early Goebbels Diaries: The Journals of Josef Goebbels from 1925-1926* (Londres, 1962), p. 66-7.
96. Fröhlich (ed.), *Die Tagebücher*, I/I, p. 171-3 (13 de abril de 1926) e p. 174-5 (19 de abril de 1926).
97. Kershaw, *Hitler*, I, p. 277-9; Deuerlein (ed.), *Der Aufstieg*, p. 255-302. A palavra *Gau* para "região" trazia à mente de modo deliberado as divisões tribais da Alemanha no início da Idade Média.
98. Kershaw, *Hitler*, I, p. 278-9; Orlow, *The History of the Nazi Party*, I, p. 69-75.
99. Noakes e Pridham (eds.), *Nazism*, I, p. 36-56; também Erwin Barth, *Joseph Goebbels und die Formierung des Führer-Mythos 1917 bis 1934* (Erlangen, 1999).
100. Para as atividades de Goebbels em Berlim, ver Reuth, *Goebbels*, p. 108-268.

101. Citado ibid., p. 114.
102. Hoover Institution, Stanford, Califórnia: NSDAP Hauptarchiv, rolo de microfilme 6 Akte 141: carta de Max Amann para Gustav Seifert, 27 de outubro de 1925.
103. Noakes e Pridham (eds.), *Nazism*, I, p. 58.
104. Gerhard Schulz, *Zwischen Demokratie und Diktatur: Verfassungspolitik und Reichsreform in der Weimarer Republik* (3 vols., Berlin, 1963-92), II: *Deutschland am Vorabend der Grossen Krise* (Berlim, 1987), p. 149-307; Robert G. Moeller, "Winners as Losers in the German Inflation: Peasant Protest over the Controlled Economy", em Gerald D. Feldman *et al.* (eds.), *The German Inflation: A Preliminary Balance* (Berlim, 1982), p. 255-88.
105. Shelley Baranowski, *The Sanctity of Rural Life: Nobility, Protestantism and Nazism in Weimar Prussia* (Nova York, 1995), p. 120-3.
106. John E. Farquharson, *The Plough and the Swastika: The NSDAP and Agriculture in Germany, 1928-1945* (Londres, 1976), p. 3-12, 25-33; Dieter Hertz-Eichenrode, *Politik und Landwirtschaft in Ostpreussen 1919-1930: Untersuchung eines Strukturproblems in der Weimarer Republik* (Opladen, 1969), p. 88-9, 329-37.
107. Dieter Gessner, *Agrardepression und Präsidialregierungen in Deutschland 1930-1933: Probleme des Agrarkapitalismus am Ende der Weimarer Republik* (Düsseldorf, 1977), p. 191-4; idem, *Agrarverbände in der Weimarer Republik: Wirtschaftliche und soziale Voraussetzungen agrarkonservativer Politik vor 1933* (Düsseldorf, 1976), p. 234-63.
108. Rudolf Rietzler, *"Kampf in der Nordmark": Das Aufkommen des Nationalsozialismus in Schleswig-Holstein (1919-1928)* (Neumünster, 1982); Frank Bajohr (ed.), *Norddeutschland im Nationalsozialismus* (Hamburgo, 1993); e o estudo regional clássico de Jeremy Noakes, *The Nazi Party in Lower Saxony 1921-1933* (Oxford, 1971), esp. p. 104-7.
109. Noakes e Pridham (eds.), *Nazism*, I, p. 15, 61.
110. Ibid., p. 15, 61, citando Gottfried Feder, *Das Programm der NSDAP und seine weltanschaulichen Grundgedanken* (Munique, 1934), p. 15-8.
111. Rudolf Heberle, *Landbevölkerung und Nationalsozialismus: Eine soziologische Untersuchung der politischen Willensbildung in Schleswig-Holstein 1918 bis 1932* (Stuttgart, 1963), p. 160--71; ver também idem, *From Democracy to Nazism: A Regional Case Study on Political Parties in Germany* (Nova York, 1970 [1945]), um antigo clássico em sociologia eleitoral. Sobre o impulso para unificar os fazendeiros de todos os tipos como um grupo de pressão único, ver Jens Flemming, *Landwirtschaftliche Interessen und Demokratie: Ländliche Gesellschaft, Agrarverbände und Staat 1890-1925* (Bonn, 1978), p. 323-7.
112. Claus-Christian W. Szejnmann, *Nazism in Central Germany: The Brownshirts in "Red" Saxony* (Nova York, 1999), p. 50-1; Falter *et al.*, *Wahlen*, p. 98.
113. Geoffrey Pridham, *Hitler's Rise to Power: The Nazi Movement in Bavaria 1923-1933* (Londres, 1973), p. 84-6.
114. Orlow, *The History of the Nazi Party*, I, p. 173-5 (um tanto exagerado na coerência da estratégia eleitoral de Hitler); Winkler, *Weimar*, p. 344-56.
115. Tyrell, *Vom Trommler*, p. 163-73 para citações; idem (ed.), *Führer befiehl*, p. 129-30, 163-4; Kershaw, *Hitler*, I, p. 294.
116. Orlow, *The History of the Nazi Party*, I, p. 167-71.
117. Ibid., p. 171-3.
118. Claudia Koonz, *Mothers in the Fatherland: Women, the Family, and Nazi Politics* (Londres, 1987), p. 72-80.
119. Jill Stephenson, *The Nazi Organisation of Women* (Londres, 1981), p. 23-74.

120. Peter D. Stachura, *Nazi Youth in the Weimar Republic* (Santa Bárbara, Calif., 1975); Laqueur, *Young Germany*, p. 193; Arno Klönne, *Jugend im Dritten Reich: Dokumente und Analysen* (Colônia, 1982); Hans-Christian Brandenburg, *Die Geschichte der HJ. Wege und Irrwege einer Generation* (Colônia, 1968); Stachura, *The German Youth Movement*.
121. Daniel Horn, "The National Socialist *Schülerbund* and the Hitler Youth, 1929-1933", *Central European History*, II (1978), p. 355-75; Martin Klaus, *Mädchen in der Hitlerjugend: Die Erziehung zur "deutschen Frau"* (Colônia, 1980).
122. Baldur von Schirach, *Die Feier der neuen Front* (Munique, 1929). Ver Michael Wortmann, "Baldur von Schirach: Student Leader, Hitler Youth Leader, *Gauleiter* in Vienna", em Smelser e Zitelmann (eds.), *The Nazi Elite*, p. 202-11.
123. Vert Arthur D. Brenner, *Emil J. Gumbel: Weimar German Pacifist and Professor* (Boston, 2001); citação da *Deutsche Republik*, 2 de julho de 1932, em Steven P. Remy, *The Heidelberg Myth: The Nazification and Denazification of a German University* (Cambridge, Mass., 2002), p. 11.
124. Geoffrey J. Giles, "The Rise of the National Socialist Students' Association and the Failure of Political Education in the Third Reich", em Peter D. Stachura (ed.), *The Shaping of the Nazi State* (Londres, 1978), p. 160-85; Wortmann, "Baldur von Schirach", p. 204-5; Kater, *Studentenschaft und Rechtsradikalismus*; Anselm Faust, *Der Nationalsozialistische Deutsche Studentenbund: Studenten und Nationalsozialismus in der Weimarer Republik* (Düsseldorf, 1973); Giles, *Students*; Steinberg, *Sabers and Brown Shirts*; Michael Grüttner, *Studenten im Dritten Reich* (Paderborn, 1995), p. 19-42, 60.
125. Hans-Gerhard Schumann, *Nationalsozialismus und Gewerkschaftsbewegung: Die Vernichtung der deutschen Gewerkschaften und der Aufbau der "Deutschen Arbeitsfront"* (Hanover, 1958).
126. Merkl, *Political Violence*, p. 120, 208, 217, 220, 239, 244, 306, 372-3, 427, 515-6.
127. Hamel, *Völkischer Verband*.
128. AT 271, em Merkl, *Political Violence*, p. 516.
129. Orlow, *The History of the Nazi Party*, I, p. 271-6.
130. Merkl, *Political Violence*, avalia a confiabilidade dos relatos na introdução e tenta uma análise quantitativa; Abel, *Why Hitler*, avalia a confiabilidade dos "biogramas" na introdução, páginas 4-9. Para uma análise similar de ensaios autobiográficos de nazistas pré-1933 escritos em 1936-7, ver Christoph Schmidt, "Zu den Motiven 'alter Kämpfer' in der NSDAP", em Detlev Peukert e Jürgen Reulecke (eds.), *Die Reihen fast geschlossen: Beiträge zur Geschichte des Alltags unterm Nationalsozialismus* (Wuppertal, 1981), p. 21-44.
131. Merkl, *Political Violence*, p. 446-7.
132. AT 140, ibid., p. 551.
133. Ibid., p. 453, 457, 505-9; para o papel da propaganda nazista no período, ver Richard Bessel, "The Rise of the NSDAP and the Myth of Nazi Propaganda", *Wiener Library Bulletin*, 33 (1980); Ian Kershaw, "Ideology, Propaganda, and the Rise of the Nazi Party", em Peter D. Stachura (ed.), *The Nazi Machtergreifung, 1933* (Londres, 1983), p. 162-81; e, acima de tudo, Gerhard Paul, *Aufstand der Bilder: Die NS-Propaganda vor 1933* (Bonn, 1990).
134. Merkl, *Political Violence*, p. 313-63, 383-4.
135. Rudolf Höss, *Commandant of Auschwitz* (Londres, 1959 [1951]), p. 42-61.
136. Ibid., p. 61-3.

137. Jochen von Lang, "Martin Bormann: Hitler's Secretary", em Smelser e Zitelmann (eds.), *The Nazi Elite*, p. 7-17; Fest, *The Face*, p. 191-206.
138. Waite, *Vanguard*, cunhou a frase; Merkl, *Political Violence*, a rejeita com facilidade excessiva.
139. AT 493, em Merkl, *Political Violence*, p. 375.
140. AT 382, ibid., p. 440.
141. AT 434 e 464, ibid., p. 444-5.
142. AT 31, ibid., p. 544-5.
143. AT 520, ibid., p. 420.
144. AT 415, ibid., p. 400.
145. AT 59, ibid., p. 654.
146. AT 548, ibid., p. 416.
147. AT 8, 31, 32, ibid., p. 486-7.
148. AT 22, ibid., p. 602; documentação sobre o incidente no trem em Martin Broszat, "Die Anfänge der Berliner NSDAP 1926/27", *VfZ* 8 (1960), p. 85-118, nas p. 115-8.
149. Merkl, *Political Violence*, p. 617.
150. Giles, "The Rise", p. 163.
151. Merkl, *Political Violence*, p. 699.
152. Max Domarus (ed.), *Hitler: Speeches and Proclamations 1932-1945: The Chronicle of a Dictatorship* (4 vols., Londres, 1990- [1962-3]), I, p. 114 (discurso no Clube da Indústria, Düsseldorf).
153. Turner, *German Big Business*, p. 114-24. Para os comunistas, ver Weber, *Die Wandlung*, I, p. 294-318.
154. AT 38, em Merkl, *Political Violence*, p. 539.
155. AT 416 e 326, ibid., p. 540.
156. AT 4, ibid., p. 571.
157. Melita Maschmann, *Account Rendered: A Dossier on my Former Self* (Londres, 1964), p. 174-5.
158. Thomas Krause, *Hamburg wird braun: Der Aufstieg der NSDAP 1921-1933* (Hamburgo, 1987), p. 102-7; uma crítica convincente de Michael Kater, *The Nazi Party: A Social Profile of Members and Leaders, 1919-1945* (Oxford, 1983), p. 32-8. O censo de 1935 fornece a data da entrada de cada membro no Partido, de modo que é possível calcular sua composição em qualquer data determinada.
159. Detlef Mühlberger, "A Social Profile of the Saxon NSDAP Membership before 1933", em Szejnmann, *Nazism*, p. 211-9; mais genericamente, Broszat, *Der Staat Hitlers*, p. 49-53; Detlef Mühlberger, *Hitler's Followers: Studies in the Sociology of the Nazi Movement* (Londres, 1991); e Peter Manstein, *Die Mitglieder und Wähler der NSDAP 1919-1933: Untersuchungen zu ihrer schichtmässigen Zusammensetzung* (Frankfurt am Main, 1990 [1987]).
160. Josef Ackermann, "Heinrich Himmler: Reichsführer-SS", em Smelser e Zitelmann (eds.), *The Nazi Elite*, p. 98-112; Alfred Andersch, *Der Vater eines Mörders: Eine Schulgeschichte* (Zurique, 1980), sobre o pai de Himmler; Bradley F. Smith, *Heinrich Himmler 1900-1926: A Nazi in the Making* (Stanford, Calif., 1971), é a obra básica sobre os primeiros anos de Himmler.
161. Citado em Ackermann, "Heinrich Himmler", p. 103; ver também Josef Ackermann, *Himmler als Ideologe* (Göttingen, 1970).

162. Heinz Höhne, *The Order of the Death's Head: The Story of Hitler's SS* (Stanford, Calif., 1971 [1969]), p. 26-39.
163. Fest, *The Face*, p. 171-90, embora, como muitos outros escritores sobre Himmler, adote uma visão excessivamente condescendente. Fosse o que fosse, Himmler não era nem vacilante, nem pequeno-burguês, nem medíocre, como Fest afirma. Ver Höhne, *The Order*, p. 26-8, para uma amostra de descrições vívidas de Himmler, na sua maioria imbuídas de percepção tardia.
164. Ibid., p. 40-6; para Darré, ver também Gustavo Corni, "Richard Walther Darré: The Blood and Soil Ideologue", em Smelser e Zitelmann (eds.), *The Nazi Elite*, p. 18-27; e Horst Gies, *R. Walther Darré und die nationalsozialistische Bauernpolitik 1930 bis 1933* (Frankfurt am Main, 1966).
165. Höhne, *The Order*, p. 46-69; Hans Buchheim, "The SS – Instrument of Domination", em Helmut Krausnick et al., *Anatomy of the SS State* (Londres, 1968), p. 127-203, nas p. 140-3.

Parte 4 – RUMO À TOMADA DO PODER

1. Citado em Elizabeth Harvey, "Youth Unemployment and the State: Public Policies towards Unemployed Youth in Hamburg during the World Economic Crisis", em Evans e Geary (eds.), *The German Unemployed*, p. 142-70, na p. 161; ver também Wolfgang Ayass, "Vagrants and Beggars in Hitler's Reich", em Richard J. Evans (ed.), *The German Underworld: Deviants and Outcasts in German History* (Londres, 1988), p. 210-37, na p. 210.
2. Gertrud Staewen-Ordermann, *Menschen der Unordnung: Die proletarische Wirklichkeit im Arbeitsschicksal der ungelernten Grossstadtjugend* (Berlim, 1933), p. 86, citado em Detlev J. K. Peukert, *Jugend zwischen Krieg und Krise: Lebenswelten von Arbeiterjungen in der Weimarer Republik* (Colônia, 1987), p. 184; versão em inglês em idem, "The Lost Generation: Youth Unemployment at the End of the Weimar Republic", em Evans e Geary (eds.), *The German Unemployed*, p. 172-93, na p. 185.
3. Ruth Weiland, *Die Kinder der Arbeitslosen* (Eberswalde-Berlim, 1933), p. 40-2, citado em Peukert, *Jugend*, p. 184.
4. Staewen-Ordermann, *Menschen der Unordnung*, p. 92, citado em Peukert, "The Lost Generation", p. 182.
5. Peukert, *Jugend*, p. 251-84; Eve Rosenhaft, "The Unemployed in the Neighbourhood: Social Dislocation and Political Mobilisation in Germany 1929-33", em Evans e Geary (eds.), *The German Unemployed*, p. 194-227, esp. p. 209-11; idem, "Organising the 'Lumpenproletariat': Cliques and Communists in Berlin during the Weimar Republic", em Richard J. Evans (ed.), *The German Working Class 1888-1933: The Politics of Everyday Life* (Londres, 1982), p. 174-219; idem, "Links gleich rechts? Militante Strassengewalt um 1930", em Thomas Lindenberger e Alf Lüdtke (eds.), *Physische Gewalt: Studien zur Geschichte der Neuzeit* (Frankfurt am Main, 1995), p. 239-75; Hellmut Lessing e Manfred Liebel, *Wilde Cliquen: Szenen einer anderen Arbeiterbewegung* (Bensheim, 1981).
6. James, *The German Slump*, p. 132-46.
7. Ver, de modo geral, Patricia Clavin, *The Great Depression in Europe, 1929-1939* (Londres, 2000), enfatizando o fracasso da cooperação internacional.

8. Charles P. Kindleberger, *The World in Depression 1929-1939* (Berkeley, 1987 [1973]), p. 104-6.
9. Ver o vívido relato em Piers Brendon, *The Dark Valley: A Panorama of the 1930s* (Londres, 2000), p. 62-5.
10. Charles H. Feinstein *et al.*, *The European Economy between the Wars* (Oxford, 1997), p. 95--9; Theo Balderston, *The Origins and Course of the German Economic Crisis, 1923-1932* (Berlin, 1993); Balderston, *Economics*, p. 77-99, enfatiza a falta de confiança internacional.
11. Feinstein *et al.*, *The European Economy*, p. 104-9; Brendan Brown, *Monetary Chaos in Europe: The End of an Era* (Londres, 1988).
12. Ver, de modo geral, Dieter Gessner, *Agrardepression und Präsidialregierungen*, e Farquharson, *The Plough and the Swastika*, p. 1-12.
13. Dietmar Petzina, "The Extent and Causes of Unemployment in the Weimar Republic", em Peter D. Stachura (ed.), *Unemployment and the Great Depression in Weimar Germany* (Londres, 1986), p. 29-48, esp. tabela 2.3, p. 35, recorrendo à compilação muito útil de Dietmar Petzina *et al.*, *Sozialgeschichtliches Arbeitsbuch, III: Materialien zur Geschichte des Deutschen Reiches 1914-1945* (Munique, 1978).
14. Detalhes de Preller, *Sozialpolitik*, p. 440.
15. Helgard Kramer, "Frankfurt's Working Women: Scapegoats or Winners of the Great Depression?", em Evans e Geary (eds.), *The German Unemployed*, p. 108-41, esp. p. 112-4.
16. Preller, *Sozialpolitik*, p. 374, 420-1.
17. Rosenhaft, "The Unemployed in the Neighbourhood", um retrato vívido; em termos mais gerais, ver, do mesmo autor, *Beating the Fascists? The German Communists and Political Violence 1929-1933* (Cambridge, (1983), e Klaus-Michael Mallmann, *Kommunisten in der Weimarer Republik: Sozialgeschichte einer revolutionären Bewegung* (Darmstadt, 1996), p. 252-61. Para a controvérsia sobre o livro de Mallmann, ver Andreas Wirsching, "'Stalinisierung' oder entideologisierte 'Nischengesellschaft'? Alte Einsichten und neue Thesen zum Charakter der KPD in der Weimarer Republik", *VfZ* 45 (1997), p. 449-66, e Klaus--Michael Mallmann, "Gehorsame Parteisoldaten oder eigensinnige Akteure? Die Weimarer Kommunisten in der Kontroverse – eine Erwiderung", *VfZ* 47 (1999), p. 401-15.
18. Anthony McElligott, "Mobilising the Unemployed: The KPD and the Unemployed Workers' Movement in Hamburg-Altona during the Weimar Republic", em Evans e Geary (eds.), *The German Unemployed*, p. 228-60; Michael Schneider, *Unterm Hakenkreuz: Arbeiter und Arbeiterbewegung 1933 bis 1939* (Bonn, 1999), p. 47-52.
19. De modo mais geral, ver Anthony McElligott, *Contested City: Municipal Politics and the Rise of Nazism in Altona, 1917-1937* (Ann Arbor, 1998).
20. Mallmann, *Kommunisten*, p. 261-83, 381-94.
21. Jan Valtin (pseud.; i.e. Richard Krebs), *Out of the Night* (Londres, 1941), p. 3-36. Para a mistura de verdade e ficção nesse notável *best-seller*, ver Michael Rohrwasser, *Der Stalinismus und die Renegaten: Die Literatur der Exkommunisten* (Stuttgart, 1991), e em especial Dieter Nelles, "Jan Valtins 'Tagebuch der Hölle' – Legende und Wirklichkeit eines Schlüsselromans der Totalitarismustheorie", 1999: *Zeitschrift für Sozialgeschichte des 20. und 21. Jahrhunderts*, 9 (1994), p. 11-45. O livro ("um clássico socialista") foi republicado por um grupo trotskista de Londres em 1988 com um excelente "Posfácio" de Lynn Walsh e outros, contendo detalhes valiosos sobre a vida e obra do autor (p. 659-74). Ver também o estudo recente de Ernst von Waldenfels, *Der Spion, der aus Deutschland kam: Das geheime Leben des Seemanns Richard Krebs* (Berlim, 2003).

22. Valtin, *Out of the Night* (ed. de 1941), p. 36-7.
23. Ibid., p. 64-78.
24. Ibid., p. 79-328.
25. Dick Geary, "Unemployment and Working-Class Solidarity: The German Experience 1929-33", em Evans e Geary (eds.), *The German Unemployed*, p. 261-80.
26. Weber, *Die Wandlung*, p. 243-7; Fowkes, *Communism*, p. 145-70; Weitz, *Creating German Communism*, p. 284-6.
27. Hannes Heer, *Ernst Thälmann in Selbstzeugnissen und Bilddokumenten* (Reinbek, 1975); Willi Bredel, *Ernst Thälmann: Beitrag zu einem politischen Lebensbild* (Berlim, 1948); Irma Thälmann, *Erinnerungen an meinen Vater* (Berlim, 1955).
28. Klemperer, *Leben sammeln*, II, p. 721 (16 de julho de 1931).
29. McElligott, *Contested City*, p. 163.
30. Caplan, *Government*, p. 54 (tabela 2).
31. Ibid., p. 100-30.
32. Kershaw, *Hitler*, I, p. 325-9; Günther Bartsch, *Zwischen drei Stühlen: Otto Strasser. Eine Biographie* (Koblenz, 1990); Patrick Moreau, *Nationalsozialismus von 'links': Die 'Kampfgemeinschaft Revolutionärer Nationalsozialisten' und die 'Schwarze Front' Otto Strassers 1930-1935* (Stuttgart, 1984).
33. Domarus, *Hitler*, I, p. 88-114.
34. Turner, *German Big Business*, p. 191-219.
35. Para um relato detalhado, ver Bracher, *Die Auflösung*, p. 287-389; Dorpalen, *Hindenburg*, p. 163-78; Wheeler-Bennett, *Hindenburg*, p. 336-49; Winkler, *Der Schein*, p. 726-823.
36. Bracher, *Die Auflösung*, p. 229-84, para um amplo estudo da política do Reichswehr na crise; ver também Bracher *et al.*, *Die nationalsozialistische Machtergreifung*, III, p. 1-55; Carsten, *The Reichswehr*, p. 309-63; citação de Groener em Thilo Vogelsang, *Reichswehr, Staat und NSDAP: Beiträge zur deutschen Geschichte 1930-1932* (Sttutgart, 1962), p. 95.
37. Carsten, *The Reichswehr*, p. 310-1.
38. Ibid., p. 318-21; Broszat, *Der Staat Hitlers*, p. 25.
39. Kershaw, *Hitler*, I, p. 337-8; Peter Bucher, *Der Reichswehrprozess: Der Hochverrat der Ulmer Reichswehroffiziere 1929-30* (Boppard, 1967), esp. p. 237-80; Deuerlein, *Der Aufstieg*, p. 328-42; Reuth, *Goebbels*, p. 176.
40. Bucher, *Der Reichswehrprozess*, fornece todos os detalhes.
41. Carsten, *The Reichswehr*, p. 323.
42. Heinrich Brüning, *Memoiren 1918-1934* (ed. Claire Nix e Theoderich Kampmann, Stuttgart, 1970); William L. Patch, Jr., *Heinrich Brüning and the Dissolution of the Weimar Republic* (Cambridge, 1998), esp. p. 1-13; para diferentes estimativas sobre a confiabilidade dessas memórias, ver Hans Mommsen, "Betrachtungen zu den Memoiren Heinrich Brünings", *Jahrbuch für die Geschichte Mittel- und Ostdeutschlands*, 22 (1973), p. 270-80; Ernest Hamburguer, "Betrachtungen über Heinrich Brünings Memoiren", *Internationale Wissenschaftliche Korrespondenz zur Geschichte der deutschen Arbeiterbewegung*, 8 (1972), p. 18-39; Arnold Brecht, "Gedanken über Brünings Memoiren", *Politische Vierteljahresschrift*, 12 (1971), p. 607-40.
43. Patch, *Heinrich Brüning*, é uma defesa de Brüning bem informada e cuidadosamente pesquisada, atualizando Werner Conze a esse respeito; ver a crítica de Conze da primeira edição de Bracher, *Die Auflösung*, em *Historische Zeitschrift*, 183 (1957), p. 378-82; mais crítico é Bracher, *Die Auflösung*, p. 303-528, e idem, "Brünings unpolitische Politik und die

Auflösung der Weimarer Republik", *VfZ* 19 (1971), p. 113-23. Para uma avaliação equilibrada da importância de 1930, ver Hans Mommsen, "Das Jahr 1930 als Zäsur in der deutschen Entwicklung der Zwischenkriegszeit", em Lothar Ehrlich e Jürgen John (eds.), *Weimar 1930: Politik und Kultur im Vorfeld der NS-Diktatur* (Colônia, 1998). Hans Mommsen, *The Rise and Fall*, p. 291-5, tem um esboço de caráter crítico e perceptivo. Astrid Luise Mannes, *Heinrich Brüning: Leben, Wirken, Schicksal* (Munique, 1999), é uma boa biografia recente; Herbert Hömig, *Brüning: Kanzler in der Krise der Republik. Eine Weimarer Biographie* (Paderborn, 2000), é um importante estudo acadêmico da carreira política de Brüning que tenta uma visão imparcial.
44. Brüning, *Memoiren*, p. 247-8.
45. Ver Fulda, "Press and Politics", p. 234-42.
46. Bernd Weisbrod, "Industrial Crisis Strategy in the Great Depression", em Jürgen von Krudener (ed.), *Economic Crisis and Political Collapse: The Weimar Republic, 1924-1933* (Nova York, 1990), p. 45-62; Peter-Christian Witt, "Finanzpolitik als Verfassungs- und Gesellschaftspolitik: Überlegungen zur Finanzpolitik des Deutschen Reiches in den Jahren 1930 bis 1932", *Geschichte und Gesellschaft*, 8 (1982), p. 387-414.
47. Hömig, *Brüning*, p. 211-24.
48. Aldcroft, *From Versailles*, p. 156-86.
49. Kent, *The Spoils of War*, p. 322-72; Hömig, *Brüning*, p. 235-57, 270-83.
50. Preller, *Sozialpolitik*, p. 165, 440-8.
51. Kindleberger, *The World in Depression*, p. 159-76.
52. James, *The German Slump*, p. 283-323.
53. Hömig, *Brüning*, p. 345-77.
54. Barry Eichengreen, *Golden Fetters: The Gold Standard and the Great Depression, 1919--1939* (Oxford, 1992), p. 270-8, 286.
55. Sobre os planos para a reforma da Constituição, ver o imponente estudo de Schulz, *Zwischen Demokratie und Diktatur*.
56. Kent, *The Spoils of War*, p. 342-3; Patch, *Heinrich Brüning*, p. 162-4.
57. Werner Jochmann, "Brünings Deflationspolitik und der Untergang der Weimarer Republik", em Dirk Stegmann et al. (eds.), *Industrielle Gesellschaft und politisches System: Beiträge zur politischen Sozialgeschichte. Festschrift für Fritz Fischer zum siebzigsten Geburtstag* (Bonn, 1978), p. 97-112.
58. Carl-Ludwig Holtfrerich, "Economic Policy Options at the End of the Weimar Republic", em Kershaw (ed.), *Weimar*, p. 58-91, esp. p. 65-72. O ensaio clássico sobre o tópico é o muito debatido "Zwangslagen und Handlungsspielräume in der grossen Wirtschaftskrise der frühen dreissiger Jahre: Zur Revision des überlieferten Geschichtsbildes", de Knut Borchardt, publicado pela primeira vez em 1979 e reimpresso em Knut Borchardt, *Wachstum, Krisen, Handlungsspielräume der Wirtschaftspolitik* (Göttingen, 1982), p. 165-82, e idem, *Perspectives on Modern German Economic History and Policy* (Cambridge, 1991).
59. Kindleberger, *The World in Depression*, p. 174; Patch, *Heinrich Brüning*, p. 111-5, 156-64, 193, 206-13.
60. Deutsches Volkslied-Archiv, Freiburg-im-Breisgau, Gr. II (citado em Evans, *Rituals*, p. 531, n. 14).
61. Para os decretos de emergência de Brüning e as políticas econômicas da última fase de sua chancelaria, ver Hömig, *Brüning*, p. 429-68.
62. Patch, *Heinrich Brüning*, p. 13, 243-4.

63. Nicholls, *Weimar*, p. 179; Winkler, *Der Weg*, p. 178-202.
64. Wolfgang Michalka e Gottfried Niedhart, *Die ungeliebte Republik; Dokumente zur Innen- und Aussenpolitik Weimars 1918-1933* (Munique, 1980), p. 62, 262, 283-4; Noakes e Pridham (eds.), *Nazism*, I, p. 70-81; Paul, *Aufstand*, p. 90-5.
65. Hiller von Gaertringen, "Die Deutschnationale Volkspartei", em Matthias e Morsey (eds.), *Das Ende*, p. 549-54.
66. Frölich (ed.), *Die Tagebücher*, I/I, p. 603 (15 de setembro de 1930).
67. *Deutsche Allgemeine Zeitung* e *Die Rote Fahne*, 16 de setembro de 1930, citados em Falter, *Hitlers Wähler*, p. 32.
68. Ibid., p. 33.
69. Paul, *Aufstand*, p. 90-4; Richard Bessel, *Political Violence and the Rise of Nazism: The Storm Troopers in Eastern Germany 1925-1934* (Londres, 1984), p. 22-3.
70. Essa é a tese principal de Richard F. Hamilton, *Who Voted for Hitler?* (Princeton, 1981). Para uma crítica penetrante da falácia ecológica de Hamilton, ver Krause, *Hamburg wird braun*, p. 176-7; Hamilton observa uma forte correlação entre áreas com uma renda média elevada e uma votação nazista alta sem observar que essas áreas também tinham uma grande população de judeus afluentes, que era improvável ter votado no Partido; é mais provável que a votação nazista nessas áreas tenha vindo de pequenos empresários, lojistas, funcionários de escritório e assemelhados.
71. Falter, *Hitlers Wähler*, p. 99, 110, 151-4.
72. Ibid., p. 136-46; Richard J. Evans, "German Women and the Triumph of Hitler", *Journal of Modern History*, 48 (1976), p. 123-75; Helen L. Boak, "'Our Last Hope': Women's Votes for Hitler – A Reappraisal", *German Studies Review*, 12 (1989), p. 289-310; Gerhard Schulz (ed.), *Ploetz Weimarer Republik: Eine Nation in Umbruch* (Freiburg, 1987), p. 166.
73. Falter, *Hitlers Wähler*, p. 154-93. Ver também a interessante discussão sobre a "perda de legitimidade das elites conservadoras e liberais" em Rohe, *Wahlen*, p. 140-63.
74. Paul, *Aufstand*, p. 93-4.
75. Falter, *Hitlers Wähler*, p. 194-230; Falter et al., *Wahlen*, p. 44.
76. Jürgen Falter, "How Likely Were Workers to Vote for the NSDAP?", em Conan Fischer (ed.), *The Rise of National Socialism and the Working Classes in Weimar Germany* (Oxford, 1996), p. 9-45; Szejnmann, *Nazism*, p. 219-29.
77. Para um guia bom e breve através da literatura controversa, com referências adicionais, ver Dick Geary, "Nazis and Workers before 1933", *Australian Journal of Politics and History*, 48 (2002), p. 40-51.
78. Falter, *Hitlers Wähler*, p. 230-66; Hans Speier, *German White-Collars Workers and the Rise of Hitler* (New Haven, 1986).
79. Thomas Childers, *The Nazi Voter: The Social Foundations of Fascism in Germany, 1919-1933* (Chapel Hill, NC, 1981), p. 262-9.
80. Tentativas de explicar o sucesso dos nazistas em termos da reação economicamente racional de diferentes grupos ao programa deixam passar o ponto central (William Brustein, *The Logic of Evil: The Social Origins of the Nazi Party, 1925-1933* [New Haven, 1996]).
81. Rosenhaft, *Beating the Fascists?*, p. 60-4.
82. Ibid., p. 22-3 (baseado nos arquivos do processo subsequente); Reuth, *Goebbels*, p. 157-62; Thomas Oertel, *Horst Wessel: Untersuchung einer Legende* (Colônia, 1988); Bernhard Fulda, "Horst Wessel: Media, Myth and Memory" (ensaio não publicado, apresentado em novembro de 2003 no Research Seminar in Modern European History, Cambridge

University); ver também "Ein politischer Totschlag", *Berliner Tageblatt*, 447 (23 de setembro de 1930).
83. Tyrell, *Führer befiehl*, p. 296-7 (baseado no relatório da polícia de Munique sobre um comício camisa-parda em novembro de 1929, que apresentou uma versão levemente diferente da terceira linha do terceiro verso. O quarto verso, não citado aqui, é uma repetição do primeiro).
84. Reuth, *Goebbels*, p. 162 e 643, n. 109.
85. Tyrell, *Führer befiehl*, p. 288-9.
86. Rosenhaft, *Beating the Fascists?*, 6, relatando números de Adolf Ehrt, *Bewaffneter Aufstand! Enthüllungen über den kommunistischen Umsturzversuch am Vorabend der nationalen Revolution* (Berlim, 1933), p. 166; *Die Rote Fahne*, 21 de novembro de 1931; Nationalsozialistischer Deutscher Frontkämpferbund (ed.), *Der NSDFB (Stahlhelm): Geschichte, Wesen und Aufgabe des Frontsoldatenbundes* (Berlim, 1935), p. 58-61; Rohe, *Das Reichsbanner*, p. 342; mais genericamente, Diehl, *Paramilitary Politics*, passim.
87. Rosenhaft, *Beating the Fascists?*, 6, usando as mesmas fontes; Rohe, *Das Reichsbanner*, p. 342.
88. *Stenographische Berichte über die Verhandlungen des deutschen Reichstags*, 445 (1932), p. 1602-4.
89. Valtin, *Out of the Night*, p. 218.
90. Rosenhaft, *Beating the Fascists?*, 8; Diehl, *Paramilitary Politics*, p. 287.
91. Para os efeitos da anistia de 20 de janeiro de 1933 sobre a violência em uma cidade alemã, ver William S. Allen, *The Nazi Seizure of Power: The Experience of a Single German Town, 1922-1945* (Nova York, 1984 [1965]), p. 146-7.
92. Peter Lessmann, *Die preussische Schutzpolizei in der Weimarer Republik: Streifendienst und Strassenkampf* (Düsseldorf, 1989); Eric D. Kohler, "The Crisis in the Prussian Schutzpolizei 1930-32", em George L. Mosse (ed.), *Police Forces in History* (Londres, 1975), p. 131--50; Hsi-Huey Liang, *The Berlin Force in the Weimar Republic* (Berkeley, 1970); Siegfried Zalka, *Polizeigeschichte: Die Exekutive im Lichte der historischen Konfliktforschung. Untersuchungen über die Theorie und Praxis der preussischen Schutzpolizei in der Weimarer Republik zur Verhinderung und Bekämpfung innerer Unruhen* (Lübeck, 1979); Jürgen Siggemann, *Die kasernierte Polizei und das Problem der inneren Sicherheit in der Weimarer Republik: Eine Studie zum Auf- und Ausbau des innerstaatlichen Sicherheitssystems in Deutschland 1918/19-1933* (Frankfurt am Main, 1980); Johannes Buder, *Die Reorganisation der preussischen Polizei 1918/1923* (Frankfurt am Main, 1986); Johannes Schwarz, *Die bayerische Polizei und ihre historische Funktion bei der Aufrechterhaltung der öffentlichen Sicherheit in Bayern von 1919 bis 1933* (Munique, 1977). Ver também o relato interessante, mas nem sempre confiável, do ex-chefe do esquadrão da ordem civil de Hamburgo, Lothar Danner, *Ordnungspolizei Hamburg: Betrachtungen zu ihrer Geschichte 1918-1933* (Hamburgo, 1958).
93. Para um esboço breve e útil, ver Robert Gellately, *The Gestapo and German Society: Enforcing Racial Policy 1933-1945* (Oxford, 1990), p. 22-6; de maior abrangência é Robert J. Goldstein, *Political Repression in Nineteenth-Century Europe* (Londres, 1983).
94. Christoph Graf, *Politische Polizei zwischen Demokratie und Diktatur* (Berlim, 1983).
95. Otto Buchwitz, *50 Jahre Funktionär der deutschen Arbeiterbewegung* (Stuttgart, 1949), p. 129-36.
96. Thomas Kurz, *"Blutmai": Sozialdemokraten und Kommunisten im Brennpunkt der Berliner Ereignisse von 1929* (Bonn, 1988); Chris Bowlby, "Blutmai 1929: Police, Parties and Proletarians in a Berlin Confrontation", *Historical Journal*, 29 (1986), p. 137-58; pano de

fundo em Eve Rosenhaft, "Working-Class Life and Working-Class Politics: Communists, Nazis, and the State in the Battle for the Streets, Berlin, 1928-1932", em Richard Bessel e Edgar J. Feuchtwanger (eds.), *Social Change and Political Development in Weimar Germany* (Londres, 1981), p. 207-40.
97. George C. Browder, *Hitler's Enforcers: The Gestapo and the SS Security Service in the Nazi Revolution* (Nova York, 1996), p. 23-8.
98. Richard Bessel, "Militarisierung und Modernisierung: Polizeiliches Handeln in der Weimarer Republik", em Alf Lüdtke (ed.), *"Sicherheit" und "Wohlfarht": Polizei, Gesellschaft und Herrschaft im 19. und 20. Jahrhundert* (Franfurt am Main, 1992), p. 323-43; Theodor Lessing, *Haarmann: Die Geschichte eines Werwolfs. Und andere Kriminalreportagen* (ed. Rainer Marwedel, Frankfurt am Main, 1989); Evans, *Rituals*, p. 530-5, 591-610.
99. Browder, *Hitler's Enforcers*, p. 28-9; Danner, *Ordnungspolizei*, p. 223.
100. Eichengreen, *Golden Fetters*, p. 286; Hömig, *Brüning*, p. 525-36.
101. Patch, *Heinrich Brüning*, p. 148-9; Bessel, *Political Violence*, p. 54-66.
102. Höhne, *The Order*, p. 51-62.
103. Herbert, *Best*, p. 111-9; Patch, *Heinrich Brüning*, p. 225-7.
104. Ibid., p. 228-9.
105. Ibid., p. 249-51; Bessel, *Political Violence*, p. 29-31.
106. Patch, *Heinrich Brüning*, p. 251.
107. Bracher, *Die Auflösung*, p. 377-88.
108. Thomas Mergel, *Parlamentarische Kultur in der Weimarer Republik: Politische Kommunikation, symbolische Politik und Öffentlichkeit im Reichstag* (Düsseldorf, 2002), p. 179-81.
109. Carsten, *The Reichswehr*, p. 259-63, 296-308. Uma breve e útil caracterização de Schleicher em Henry Ashby Turner, Jr., *Hitler's Thirty Days to Power: January 1933* (Londres, 1996), p. 7, 19-21. Para uma avaliação sagaz da relação de Schleicher com Groener, ver Theodor Eschenburg, "Die Rolle der Persönlichkeit in der Krise der Weimarer Republik: Hindenburg, Brüning, Groener, Schleicher", *VfZ* 9 (1961), p. 1-29, esp. p. 7-13. Para a visão paradoxal de que Schleicher realmente queria preservar a democracia por meio do fortalecimento do Executivo, bastante de acordo com a linha defendida por alguns historiadores para Brüning, ver Wolfram Pyta, "Konstitutionelle Demokratie statt monarchister Restauration: Die verfassungspolitische Konzeption Schleichers in der Weimarer Staatskrise", *VfZ* 47 (1999), p. 417-41.
110. Rohe, *Das Reichsbanner*, p. 360-5.
111. Carsten, *The Reichswehr*, p. 333.
112. Otto Meissner, *Staatssekretär unter Ebert – Hindenburg – Hitler: Der Schicksalsweg des deutschen Volkes von 1918-1945 wie ich ihn erlebte* (Hamburgo, 1950), p. 215-7.
113. Rudolf Morsey, "Hitler als Braunschweiger Reigierungsrat", *VfZ* 8 (1960), p. 419-48.
114. Donna Harsch, *German Social Democracy and the Rise of Nazism* (Chapel Hill, NC, 1993), p. 179.
115. *Vorwärts*, 10 de março de 1932, citado em Winkler, *Der Weg*, p. 514.
116. Harsch, *German Social Democracy*, p. 180, citando Carlo Mierendorff, "Der Hindenburgsieg 1932", *Sozialistische Monatshefte*, 4 de abril de 1932, p. 297; também Erich Matthias, "Hindenburg zwischen den Fronten 1932", *VfZ* 8 (1960), p. 75-84.
117. Winkler, *Der Weg*, p. 519; também Alfred Milatz, "Das Ende der Parteien im Spiegel der Wahlen 1930 bis 1933", em Matthias e Morsey (eds.), *Das Ende*, p. 743-93, nas p. 761-6.

118. Falter et al., *Wahlen*, p. 46; Broszat, *Der Staat Hitlers*, p. 44-5.
119. Paul, *Aufstand*, p. 98.
120. Bracher, *Die Auflösung*, p. 511-7, examina de modo judicioso a controvérsia subsequente a respeito dessa questão.
121. Gordon A. Craig, "Briefe Schleichers an Groener", *Die Welt als Geschichte*, 11 (1951), p. 122-30; Reginald H. Phelps, "Aus den Groener Dokumenten", *Deutsche Rundschau*, 76 (1950), p. 1019, e 77 (1951), p. 26-9; Hömig, *Brüning*, p. 537-89.
122. Carta de renúncia de Papen ao Partido de Centro, publicada em Georg Schreiber, *Brüning, Hitler, Schleicher: Das Zentrum in der Opposition* (Colônia, 1932), p. 17-9, citada em Bracher, *Die Auflösung*, p. 536; ver também os comentários em Bracher, *Die Auflösung*, p. 656, e Morsey, "Die Deutsche Zentrumspartei", em Matthias e Morsey (eds.), *Das Ende*, p. 306-14. Para uma avaliação crítica de Papen, ver Joachim Petzold, *Franz von Papen: Eine deutsches Verhängnis* (Munique, 1995), e a discussão crítica de suas memórias por Theodor Eschenburg, "Franz von Papen", *VfZ* 1 (1953), p. 153-69.
123. Fest, *The Face*, p. 229-33; Richard W. Rolfs, *The Sorcerer's Apprentice: The Life of Franz von Papen* (Lanham, Md., 1996).
124. Vejas Gabriel Liulevicius, *War Land on the Eastern Front: Culture, National Identity and German Occupation in World War I* (Cambridge, 2000).
125. Ver a mordaz caracterização da ideologia do "Estado Novo" de Papen em Bracher, *Die Auflösung*, p. 536-54.
126. Papen, citado em Walter Schotte, *Der neue Staat* (Berlim, 1932), p. 110-24.
127. Evans, *Rituals*, p. 613-44.
128. Fulda, "Press and Politics", capítulo 4.
129. Edward W. Bennett, *German Rearmament and the West, 1932-1933* (Princeton, 1979), p. 63-4, 69.
130. Valtin, *Out of the Night*, p. 309-11, porém, exagerando, como faz com frequência, as intenções assassinas e o grau de preparo dos Combatentes da Frente Vermelha.
131. McElligott, *Contested City*, p. 192-5; Leon Schirmann, *Altonaer Blutsonntag 17. Juli 1932: Dichtung und Wahrheit* (Hamburgo, 1994).
132. Lessmann, *Die preussische Schutzpolizei*, p. 349-70.
133. Rohe, *Das Reichsbanner*, p. 431-5.
134. Matthias, "Die Sozialdemokratische Partei Deutschlands", em Mathhias e Morsey (eds.), *Das Ende*, p. 141-5.
135. Bracher, *Die Auflösung*, p. 559-600; Schulze, *Otto Braun*, p. 745-86; Huber, *Deutsche Verfassungsgeschichte* VII, p. 1015-25 e 1192-7; Matthias, "Die Sozialdemokratische Partei Deutschlands", em Matthias e Morsey (eds.), *Das Ende*, p. 119-50; Schulz, *Zwischen Demokratie und Diktatur*, III, p. 920-33; Broszat, *Der Staat Hitlers*, p. 89.
136. Evans, *Rituals*, p. 614-5, como um exemplo. Em termos mais gerais, ver Winkler, *Der Weg*, p. 646-81, e Rudolf Morsey, "Zur Geschichte des 'Preussenschlags' am 20. Juli 1932", *VfZ* 9 (1961), p. 436-9.
137. Joseph Goebbels, *Vom Kaiserhof zur Reichskanzlei: Eine historische Darstellung in Tagebuchblättern (vom 1. Januar 1932 bis zum 1. Mai 1933)* (Munique, 1937 [1934]), p. 131-5; Winkler, *Der Weg*, p. 542-53, para a eleição prussiana.
138. Noakes e Pridham (eds.), *Nazism*, I, p. 102-3; Martin Broszat, *Hitler and the Collapse of Weimar Germany* (Oxford, 1987 [1984]), p. 82-91; Winkler, *Der Weg*, p. 681-98.

139. Matthias, "Die Sozialdemokratische Partei Deutschlands", em Matthias e Morsey (eds.), *Das Ende*, p. 222-4 (documento nº 11: Rundschreiben des Gauvorstandes Hannover des Reichsbanners, 5 de julho de 1932); Winkler, *Der Weg*, p. 515; Harsch, *German Social Democracy*, p. 177-80; Richard Albrecht, "Symbolkampf in Deutschland 1932: Sergej Tschachotin und der 'Symbolkrieg' der drei Pfeile gegen den Nationalsozialismus als Episode im Abwehrkampf der Arbeiterbewegung gegen den Faschismus in Deutschland", *Internationale Wissenschaftliche Korrespondenz zur Geschichte der deutschen Arbeiterbewegung*, 22 (1986), p. 498-533.
140. Winkler, *Der Weg*, p. 514-6.
141. Simon Taylor, *Germany 1918-1933: Revolution, Counter-Revolution and the Rise of Hitler* (Londres, 1983), p. 112-6; e Hans Bohrmann (ed.), *Politische Plakate* (Dortmund, 1984), p. 247-62.
142. Paul, *Aufstand*, p. 178 (citando um discurso de Goebbels de 31 de julho de 1933).
143. Ibid., p. 133-76, 223-47, 253-66.
144. Para a eleição de julho de 1932, ver Winkler, *Der Weg*, p. 681-92; resumo em Jürgen W. Falter, "Die Wähler der NSDAP 1928-1933: Sozialstruktur und parteipolitische Herkunft", em Wolfgang Michalka (ed.), *Die nationalsozialistische Machtergreifung* (Paderborn, 1984), p. 47-59.
145. Falter, *Hitlers Wähler*, p. 110-3, 369-71. Para o apelo nazista entre os trabalhadores, em especial aqueles ainda sem emprego, ver Szejnmann, *Nazism*, p. 219-31.
146. Fröhlich (ed.), *Die Tagebücher*, I/II, p. 211-2 (1º de agosto de 1932).
147. Hannover e Hannover-Drück, *Politische Justiz*, p. 301-10, citações na p. 306; Paul Kluke, "Der Fall Potempa", *VfZ* 5 (1957), p. 279-97; Richard Bessel, "The Potempa Murder", *Central European History*, 10 (1977), p. 241-54. O decreto não criou nenhuma nova infração capital; assassinato, por qualquer motivo que fosse, já era tratado pela seção pertinente do Código Criminal. Assim, não passava de um exercício de propaganda.
148. Hannover e Hannover-Drück, *Politische Justiz*, p. 308.
149. Ibid., p. 310; Karl-Heinz Minuth (ed.), *Akten der Reichskanzlei: Weimarer Republik. Das Kabinett von Papen, 1. Juni bis 3. December 1932* (Boppard, 1989), p. 146, 491-5. O direito legal de Papen de comutar sentenças era extremamente dúbio, visto que o direito de comutação cabia ao comando legalmente constituído do estado prussiano, e sua reivindicação de exercer tais poderes era disputada em termos legais. Os assassinos foram soltos da prisão em março de 1933 (Evans, *Rituals*, p. 615-8, 627-8).
150. *Hitler: Reden, Schriften, Anordnungen. Februar 1925 bis Januar 1933* (5 vols., Institut für Zeitgeschichte, Munique, 1992-8), V/I: *Von der Reichspräsidentenwahl bis zur Machtergreifung, April 1932 – Januar 1933*, p. 304-9.
151. Turner, *Hitler's Thirty Days*, p. 14-5, seguindo Winkler, *Weimar*, p. 510-24.
152. Christian Striefler, *Kampf um die Macht: Kommunisten und Nationalsozialisten am Ende der Weimarer Republik* (Berlim, 1993), esp. p. 177-86; Deuerlein (ed.), *Der Aufstieg*, p. 402--4. Ver também Paul, *Aufstand*, p. 104-8.
153. Werner Jochmann (ed.), *Nationalsozialismus und Revolution: Ursprung und Geschichte der NSDAP in Hamburg 1922-1933* (Frankfurt am Main, 1963), p. 400, 402, 405, 413-4.
154. Ibid., p. 405.
155. Ibid., p. 406.
156. Ibid., p. 414, 416, 417.
157. Falter, *Hitlers Wähler*, p. 34-8, 103-7.

158. *Vorwärts*, 13 de novembro de 1932, citado em Falter, *Hitlers Wähler*, p. 37.
159. Fröhlich (ed.), *Die Tagebücher*, I/II, p. 272 (6 de novembro de 1932).
160. Falter, *Hitlers Wähler*, p. 37-8, 106-7.
161. Bracher, *Die Auflösung*, p. 644-62; Nicholls, *Weimar*, p. 163-6.
162. Para documentos, ver Thilo Vogelsang, "Zur Politik Schleichers gegenüber der NSDAP 1932", *VfZ* 6 (1958), p. 86-118.
163. Fröhlich (ed.), *Die Tagebücher*, I/II, p. 276-88 (1º de dezembro de 1932).
164. Bracher, *Die Auflösung*, p. 662-85; Stachura, *Gregor Strasser*; Kershaw, *Hitler*, I, p. 396- -403; Noakes e Pridham (eds.), *Nazism*, p. 110-5; Orlow, *The History of the Nazi Party*, I, p. 291-6; Turner, *Hitler's Thirty Days*, p. 23-8, 84-6, corrigindo relatos anteriores.
165. Turner, *Hitler's Thirty Days*, p. 61-6; Paul, *Aufstand*, p. 109-10.
166. Grüttner, *Studenten*, p. 53-5.
167. Noakes e Pridham, *Nazism*, I, p. 109-11.
168. Berghahn, *Der Stahlhelm*, p. 187-246.
169. Theodor Duesterberg, *Der Stahlhelm und Hitler* (Wolfenbüttel, 1949), p. 39, citado em Turner, *Hitler's Thirty Days*, p. 154; ver também Berghahn, *Der Stahlhelm*, p. 246-50.
170. Meissner, *Staatssekretär*, p. 247. Ver também Bracher, *Die Auflösung*, p. 707-32; Noakes e Pridham (eds.), *Nazism*, I, p. 116-20.
171. Lutz, Graf Schwerin von Krosigk, *Es geschach in Deutschland: Menschenbilder unseres Jarhunderts* (Tübingen, 1951), p. 147.
172. Ewald von Kleist-Schmenzin, "Die letzte Möglichkeit", *Politische Studien*, 10 (1959), p. 89-92, na p. 92.

Parte 5 – CRIANDO O TERCEIRO REICH

1. *Deutsche Zeitung*, 27a (edição matinal, 1º de fevereiro de 1933, primeira página, col. 2). Para uma seleção de reportagens da imprensa, ver Wieland Eschenhagen (ed.), *Die "Machtergreifung": Tagebuch einer Wende nach Presseberichten vom 1. Januar bis 6. März 1933* (Darmstadt, 1982).
2. *Berliner Illustrierte Nachtausgabe*, 26 (31 de janeiro de 1933), p. 2, col. 4; *B.Z. am Mittag* 26 (Erste Beilage, 31 de janeiro de 1933), p. 3, legenda da foto, col. 3; Peter Fritzsche, *Germans into Nazis* (Cambridge, Mass., 1998), p. 139-43; Hans-Joachim Heldenbrand, "Der Betrug mit dem Fackelzug", em Rolf Italiander (ed.), *Wir erlebten das Ende der Weimarer Republik: Zeitgenossen berichten* (Düsseldorf, 1982), p. 165.
3. Wheeler-Bennett, *Hindenburg*, p. 435. Nem é preciso dizer que Ludendorff não estava lá.
4. *Deutsche Allgemeine Zeitung*, 51 (edição matinal, 31 de janeiro de 1933), primeira página.
5. *Berliner Börsen-Zeitung*, 51 (edição matinal, 31 de janeiro de 1933), primeira página, col. 2.
6. *Deutsche Allgemeine Zeitung*, 51 (edição matinal, 31 de janeiro de 1933), primeira página, col. 3.
7. *Deutsche Zeitung*, 27a (edição matinal, 1º de fevereiro de 1933), manchete da primeira página.
8. Citado em Jochmann (ed.), *Nationalsozialismus und Revolution*, p. 429; Fritzsche, *Germans*, p. 141.
9. Herbst, *Das nationalsozialistische Deutschland*, p. 59-60.
10. Fröhlich (ed.), *Die Tagebücher*, I/II, p. 357-9 (31 de janeiro de 1933).

11. *Deutsche Zeitung*, 26a (edição matinal, 31 de janeiro de 1933), manchete da página, cols. 1-2.
12. Para dois exemplos, ver Bernd Burkhardt, *Eine Stadt wird braun: Die nationalsozialistische Machtergreifung in der Provinz. Eine Fallstudie* (Hamburgo, 1980), na pequena aldeia de Mühlacker, em Schwaben; Allen, *The Nazi Seizure of Power*, p. 153-4, na aldeia de Northeim, no norte alemão.
13. *Deutsche Zeitung*, 26b (edição noturna, 31 de janeiro de 1933), primeira página, col. 3; *Vossische Zeitung* 52 (edição noturna, 31 de janeiro de 1933), p. 3, col. 1.
14. Jochmann, *Nationalsozialismus und Revolution*, p. 423.
15. Maschmann, *Account Rendered*, p. 11-2 (tradução corrigida).
16. Citado no *Deutsche Zeitung*, 27a (edição matinal, 1º de fevereiro de 1933), primeira página, col. 1.
17. *Deutsche Zeitung*, 26b (edição noturna, 31 de janeiro de 1933), p. 3, col. 2: "Wieder zwei Todesopfer der roten Mordbestien".
18. *Berliner Börsen-Zeitung*, 52 (edição noturna, 31 de janeiro de 1933), p. 2, cols. 2-3.
19. *Welt am Abend*, 26 (31 de janeiro de 1933), p. 1-2.
20. Hans-Joachim Althaus et al., "Da ist nirgends nichts gewesen ausser hier": Das "rote Mössingen" im Generalstreik gegen Hitler. Geschichte eines schwäbischen Arbeiterdorfes (Berlim, 1982).
21. Allan Merson, *Communist Resistance in Nazi Germany* (Londres, 1985), p. 25-8; Winkler, *Der Weg*, p. 867-75.
22. Josef e Ruth Becker (eds.), *Hitlers Machtergreifung: Dokumente vom Machtantritt Hitlers 30. Januar 1933 bis zur Besiegelung des Einparteienstaates 14. Juli 1933* (2ª ed., Munique, 1992 [1983]), p. 45.
23. *Die Welt am Abend*, 27 (1º de fevereiro de 1933), manchete de página; *Die Rote Fahne*, 27 (1º de fevereiro de 1933), manchete da primeira página.
24. Jochmann, *Nationalsozialismus und Revolution*, p. 421.
25. Camill Hoffmann, anotação do diário de 30 de janeiro de 1933, citado em Johann Wilhelm Brügel e Norbert Frei (eds.), "Berliner Tagebuch, 1932-1934: Aufzeichnungen des tschechoslowakischen Diplomaten Camill Hoffmann", *VfZ* 36 (1988), p. 131-83, na p. 159.
26. Ministère des Affaires Étrangères (ed.), *Documents Diplomatiques Français, 1932-1939*, ser. I, vol. II (Paris, 1966), p. 552, François-Poncet para Boncour, 1º de fevereiro de 1933. Esse é o tema central do relato de Gotthard Jasper, *Die gescheiterte Zähmung: Wege zur Machtergreifung Hitlers 1930-1934* (Frankfurt am Main, 1986), esp. p. 126-71. A muito citada "profecia" do general Ludendorff nessa época, de que Hitler mergulharia a Alemanha no abismo (ver por exemplo Kershaw, *Hitler*, I, p. 427), foi uma invenção posterior de Hans Frank: ver Fritz Tobias, "Ludendorff, Hindenburg, Hitler: Das Phantasieprodukt des Ludendorff-Briefes vom 30. Januar 1933", em Uwe Backes et al. (eds.), *Die Schatten der Vergangenheit: Impulse zur Historisierung des Nationalsozialismus* (Frankfurt am Main, 1990), p. 319-43, e Lothar Gruchmann, "Ludendorffs 'prophetischer' Brief an Hindenburg vom Januar/Februar 1933", *VfZ* 47 (1999), p. 559-62.
27. Robert J. O'Neill, *The German Army and the Nazi Party 1933-1939* (Londres, 1966), p. 34-5.
28. Klaus-Jürgen Müller, *The Army, Politics and Society in Germany 1933-1945: Studies in the Army's Relation to Nazism* (Manchester, 1987), p. 29-44; O'Neill, *The German Army*, p. 35-45; Wolfgang Sauer, *Die Mobilmachung der Gewalt* (vol. III de Bracher et al., *Die nationalsozialistische Machtergreifung*), p. 41-84; Andreas Wirsching, "'Man kann nur Boden

germanisieren': Eine neue Quelle zu Hitlers Rede vor den Spitzen der Reichswehr am 3. Februar 1933", *VfZ* 49 (2001), p. 516-50. A versão integral do pronunciamento de Hitler aos oficiais do Exército em 3 de fevereiro de 1933, reproduzido nesse artigo, foi descoberta há pouco no arquivo da antiga KGB em Moscou e provavelmente foi fornecida pela filha de Hammerstein, que era uma simpatizante comunista. Para um outro conjunto de promessas de Hitler numa linha semelhante, mas um pouquinho anterior, ver Thilo Vogelsang, "Hitlers Brief an Reichenau vom 4. Dezember 1932", *VfZ* 7 (1959), p. 429-37.
29. Martin Broszat, "The Concentration Camps 1933-45", em Helmut Krausnick *et al.*, *Anatomy of the SS State* (Londres, 1968 [1965]), p. 397-504, nas p. 400-1; Bessel, *Political Violence*, p. 98-9.
30. Siegfried Bahne, "Die Kommunistische Partei Deutschlands", em Matthias e Morsey (eds.), *Das Ende*, p. 655-739, na p. 690; Berghahn, *Der Stahlhelm*, p. 252.
31. Matthias, "Die Sozialdemokratische Partei Deutschlands", em Matthias e Morsey (eds.), *Das Ende*, p. 101-278, na p. 101-50.
32. Winkler, *Der Weg*, p. 867-75. *Vorwärts* citado ibid., p. 867.
33. Broszat, *Der Staat Hitlers*, p. 94.
34. Grzesinski para Klupsch *et al.*, 24 de fevereiro de 1933, documento 25 em Matthias, "Die Sozialdemokratische Partei Deutschlands", em Matthias e Morsey (eds.), *Das Ende*, p. 234-5.
35. Winkler, *Der Weg*, p. 876-8.
36. Martin Kitchen, *The Coming of Austrian Fascism* (Londres, 1980), p. 202-81; Francis L. Carsten, *Fascist Movements in Austria: From Schönerer to Hitler* (Londres, 1977), p. 249--70.
37. Winkler, *Der Weg*, p. 868.
38. Domarus, *Hitler*, I. p. 247.
39. Ibid., p. 254.
40. Ibid., p. 253.
41. Morsey, "Die Deutsche Zentrumspartei", em Matthias e Morsey (eds.), *Das Ende*, p. 339--54; Broszat, *Der Staat Hitlers*, p. 95.
42. Domarus, *Hitler*, I, p. 256; Broszat, *Der Staat Hitlers*, p. 249.
43. Domarus, *Hitler*, I, p. 170.
44. Ibid., p. 249 (10 de fevereiro de 1933).
45. Ibid., p. 247-50.
46. Jochmann (ed.), *Nationalsozialismus und Revolution*, p. 431.
47. Domarus, *Hitler*, I, p. 250-1.
48. Turner, *German Big Business*, p. 330-2.
49. Paul, *Aufstand*, p. 111-3.
50. Publicado em Bahne, "Die Kommunistische Partei Deutschlands", em Matthias e Morsey (eds.), *Das Ende*, documento 3, p. 728-31, na p. 731.
51. Ibid., p. 686-96.
52. Hans Mommsen, "Van der Lubbes Weg in den Reichstag – der Ablauf der Ereignisse", em Uwe Backes *et al.*, *Reichstagsbrand: Aufklärung einer historischen Legende* (Munique, 1986), p. 33-57, nas p. 42-7.
53. Harry Graf Kessler, *Tagebücher 1918-1937* (ed. Wolfgang Pfeiffer-Belli, Frankfurt am Main, 1961), p. 707-9.

54. Horst Karasek, *Der Brandstifter: Lehr- und Wanderjahre des Maurergesellen Marinus van der Lubbe, der 1933 auszog, den Reichstag anzuzünden* (Berlim, 1980); Martin Schouten, *Marinus van der Lubbe (1909-1934): Eine Biographie* (Frankfurt, 1999 [1986]); e Fritz Tobias, *The Reichstag Fire: Legend and Truth* (Londres, 1962).
55. Mommsen, "Van der Lubbes Weg", p. 33-42.
56. Fröhlich (ed.), *Die Tagebücher*, parte I, vol. II, p. 383.
57. Rudolf Diels, *Lucifer ante Portas: Es spricht der erste Chef der Gestapo* (Stuttgart, 1950), p. 192-3.
58. Mommsen, "Van der Lubbes Weg"; Karasek, *Der Brandstifter*; Tobias, *The Reichstag Fire*. Na sequência, os comunistas tentaram provar que os nazistas estavam por trás da tentativa de incêndio criminoso, mas a autenticidade das declarações de van der Lubbe e a documentação associada parecem além da dúvida. Além disso, foram encontrados inúmeros documentos forjados e falsificações entre a evidência documental que pretendia provar o envolvimento nazista. Para tentativas de provar a responsabilidade nazista, ver Comitê Mundial para as Vítimas do Fascismo Alemão (Presidente Einstein) (ed.), *The Brown Book of the Hitler Terror and the Burning of the Reichstag* (Londres, 1933), p. 54-142; Walther Hofer e Alexander Bahar (eds.), *Der Reichstagsbrand: Eine wissenschaftliche Dokumentation* (Freiburg im Breisgau, 1992 [1972, 1978]); para a exposição das impropriedades dessa obra, ver Backes *et al.*, *Reichstagsbrand*; Karl-Heinz Janssen, "Geschichte aus der Dunkelkammer: Kabalen um dem Reichstagsbrand. Eine unvermeidliche Enthüllung", *Die Zeit*, 38 (14 de setembro de 1979), p. 45-8; 39 (21 de setembro de 1979), p. 20-4; 40 (28 de setembro de 1979), p. 49-52; 41 (5 de outubro de 1979), p. 57-60; Tobias, *The Reichstag Fire*, esp. p. 59-78, e Hans Mommsen, "Der Reichstagsbrand und seine politischen Folgen", *VfZ* 12 (1964), p. 351-413. Uma tentativa recente de sugerir que os nazistas planejaram o incêndio embasa-se em um exagero de semelhanças entre anotações de discussões anteriores sobre poderes de emergência e o Decreto do Incêndio do Reichstag: ver Alexander Bahar e Wilfried Kugel, "Der Reichstagsbrand: Neue Aktenfunde entlarven die NS-Täter", *Zeitschrift für Geschichtswissenschaft*, 43 (1995), p. 823-32, e Jürgen Schmädeke *et al.*, "Der Reichstagsbrand im neuen Licht", *Historische Zeitschrift*, 269 (1999), p. 603--51. Até aqui, a conclusão de Tobias e Mommsen de que van der Lubbe agiu sozinho não foi abalada.
59. Diels, *Lucifer*, p. 193-5.
60. Ibid., p. 180-2. Goebbels parece ter destruído os originais de seu diário para os dois últimos dias de fevereiro, fato que suscitou as suspeitas dos proponentes da ideia de que foram os nazistas que começaram o incêndio. Na versão editada, publicada como *Vom Kaiserhof zur Reichskanzlei*, ele afirmou sobre os eventos daquela noite: "O Líder não perde a compostura por um instante: admirável". Fröhlich (ed.), *Die Tagebücher*, I/II, p. 383.
61. Diels, *Lucifer*, p. 193-5.
62. Karl-Heinz Minuth (ed.), *Akten der Reichskanzlei: Die Regierung Hitler*, I: *1933-1934* (2 vols., Boppard, 1983), I, p. 123; Ulrich Kolbe, "Zum Urteil über die 'Reichstagsbrand--Notverordnung' vom 28.2.1933", *Geschichte in Wissenschaft und Unterricht*, 16 (1965), p. 359-70; Broszat, *Der Staat Hitlers*, p. 92. Para Gürtner, ver Lothar Gruchmann, *Justiz im Dritten Reich 1933-1940: Anpassung und Unterwerfung in der Ära Gürtner* (Munique, 1988), p. 70-83.
63. Minuth (ed.), *Die Regierung Hitler 1933-1934*, I, p. 128-31; Kolbe, "Zum Urteil", p. 359--70.

64. Minuth (ed.), *Die Regierung Hitler 1933-1934*, I, p. 128-31; Broszat, "The Concentration Camps", p. 400-2.
65. Minuth (ed.), *Die Regierung Hitler 1933-1934*, I, p. 131.
66. Citado em Noakes e Pridham (eds.), *Nazism*, I, p. 142. Para uma análise recente, ver Thomas Reithel e Irene Strenge, "Die Reichstagsbrandverordnung: Grundlegung der Diktatur mit den Instrumenten des Weimarer Ausnahmezustandes", *VfZ* 48 (2000), p. 413-60.
67. Jochmann (ed.), *Nationalsozialismus und Revolution*, p. 427.
68. Evans, *Rituals*, p. 618-24.
69. AT 31, em Merkl, *Political Violence*, p. 545 (retraduzido). "Tempestade" era a unidade organizacional básica das tropas de assalto.
70. Mason, *Social Policy*, p. 73-87.
71. Bahne, "Die Kommunistische Partei", em Matthias e Morsey (eds.), *Das Ende*, p. 693-4, 699-700; Winkler, *Der Weg*, p. 876-89; Weber, *Die Wandlung*, p. 246; Comitê Mundial (ed.), *The Brown Book*, p. 184; Broszat, *Der Staat Hitlers*, p. 101-2.
72. Merson, *Communist Resistance*, p. 57; Detlev J. K. Peukert, *Die KPD im Widerstand: Verfolgung und Untergrundarbeit an Rhein und Rhur, 1933 bis 1945* (Wuppertal, 1980), p. 75-8. Ver também Horst Duhnke, *Die KPD von 1933 bis 1945* (Colônia, 1972), p. 101-9; idem, *Die KPD und das Ende von Weimar: Das Scheitern einer Politik 1932-1935* (Frankfurt am Main, 1976), p. 34-42.
73. Diels, *Lucifer*, p. 222. Ver também Hans Bernd Gisevius, *To the Bitter End* (Londres, 1948).
74. "Bericht des Obersten Parteigerichts an den Ministerpräsidenten Generalfeld-marschall Göring, 13.2.1939", documento ND 3063-PS em *Der Prozess gegen die Hauptkriegsverbrecher vor dem Internationalen Militärgerichtshof, Nürnberg* (Nuremberg, 1949), XXIII, p. 20-9, na p. 26.
75. Paul, *Aufstand*, p. 111-3.
76. Allen, *The Nazi Seizure of Power*, p. 156-61.
77. Fröhlich (ed.), *Die Tagebücher*, I/II, p. 387 (5 de março de 1933).
78. Allen, *The Nazi Seizure of Power*, p. 160, para um exemplo local característico.
79. Falter et al., *Wahlen*, p. 41, 44; Falter, *Hitlers Wähler*, p. 38-9.
80. Ibid., p. 40; para os católicos, ver Oded Heilbronner, *Catholicism, Political Culture and the Countryside: A Social History of the Nazi Party in South Germany* (Ann Arbor, 1998), p. 239.
81. Bessel, *Political Violence*, p. 101-2.
82. Ulrich Klein, "SA-Terror und Bevölkerung in Wuppertal 1933/34", em Detlev Peukert e Jürgen Reulecke (eds.), *Die Reihen fast geschlossen: Beiträge zur Geschichte des Alltags unterm Nationalsozialismus* (Wuppertal, 1981), p. 45-64, na p. 51.
83. Winkler, *Der Weg*, p. 890-1; Comitê Mundial (ed.), *The Brown Book*, p. 204-5; Schneider, *Unterm Hakenkreuz*, p. 56-73.
84. Dieter Rebentisch e Angelika Raab (eds.), *Neu-Isenburg zwischen Anpassung und Widerstand; Dokumente über Lebensbedingungen und politisches Verhalten 1933-1934* (Neu--Isenburg, 1978), p. 79.
85. Gerlinde Grahn, "Die Enteignung des Vermögens der Arbeiterbewegung und der politischen Emigration 1933 bis 1945", *1999: Zeitschrift für Sozialgeschichte des 20. und 21. Jahrhunderts*, 12 (1997), p. 13-38; Broszat, *Der Staat Hitlers*, p. 118.
86. Klein, "SA-Terror", p. 51-3.
87. Broszat, *Der Staat Hitlers*, p. 256.

88. Ibid., p. 136-8.
89. Winkler, *Der Weg*, p. 888-93, p. 898-900.
90. Ibid., p. 916-8.
91. Ibid., p. 929-32; Broszat, *Der Staat Hitlers*, p. 118-9.
92. Harold Marcuse, *Legacies of Dachau: The Uses and Abuses of a Concentration Camp, 1933--2001* (Cambridge, 2001), p. 21-3; Hans-Günter Richardi, *Schule der Gewalt: Das Konzentrationslager Dachau, 1933-1934* (Munique, 1983), p. 48-87, e Johannes Tuchel, *Organisationsgeschichte und Funktion der "Inspektion der Konzentrationslager" 1933-1938* (Boppard, 1991), p. 121-58.
93. Bley, *Namibia under German Rule*, p. 151, 198; Krüger, *Kriegsbewältigung*, p. 138-44; Joachim Zeller, "'Wie Vieh wurden Hunderte zu Getriebenen und wie Vieh begraben': Fotodokumente aus dem deutschen Konzentrationslager in Swakopmund/Namibia 1904--1908", *Zeitschrift für Geschichtswissenschaft*, 49 (2001), p. 226-43.
94. Marcuse, *Legacies of Dachau*, p. 21-2; Tuchel, *Organisationsgeschichte*, p. 35-7; Andrej Kaminski, *Konzentrationslager 1896 bis heute: Eine Analyse* (Stuttgart, 1982), p. 34-8. Não existe evidência convincente de que Hitler ou Himmler tenham recorrido aos modelos dos campos de trabalho forçado da Rússia soviética (ver Evans, *In Hitler's Shadow*, p. 24-46).
95. Para o argumento de que se tratava de improviso, ver Broszat, "The Concentration Camps", p. 400-6.
96. Bessel, *Political Violence*, p. 117.
97. Friedrich Schlotterbeck, *The Darker the Night, the Brighter the Stars: A German Worker Remembers (1933-1945)* (Londres, 1947), p. 22-36. Para mais considerações sobre a violência nazista, ver Lindenberger e Lüdtke (eds.), *Physische Gewalt*, e Bernd Weisbrod, "Gewalt in der Politik: Zur politischen Kultur in Deutschland zwischen den beiden Weltkriegen", *Geschichte in Wissenschaft und Unterricht*, 43 (1992), p. 391-404.
98. Numerosos casos estão detalhados pelo Comitê Mundial (ed.), *The Brown Book*, p. 216-8; para Jankowski, p. 210-1. Ver também Diels, *Lucifer*, p. 222.
99. Günter Morsch, "Oranienburg – Sachsenhausen, Sachsenhausen – Oranienburg", em Ulrich Herbert et al. (eds.), *Die nationalsozialistischen Konzentrationslager: Entwicklung und Struktur* (2 vols., Göttingen, 1998), p. 111-34, na p. 119.
100. Tuchel, *Organisationsgeschichte*, p. 103; Karin Orth, *Das System der nationalsozialistischen Konzentrationslager* (Hamburgo, 1999), p. 23-6.
101. Bahne, "Die Kommunistische Partei Deutschlands", em Matthias e Morsey (eds.), *Das Ende*, p. 693-4, 699-700; Winkler, *Der Weg*, p. 876-89; Broszat, "The Concentration Camps", p. 406-7; Broszat et al. (eds.), *Bayern*, I, p. 240-1.
102. Fieberg (ed.), *Im Namen*, p. 68; Comitê Mundial (ed.), *The Brown Book*, p. 332, listou 500 mortos até junho.
103. Domarus, *Hitler*, I, p. 263; Mason, *Social Policy*, p. 76, apresenta a preocupação de Hitler com a desordem como genuína; também observa que a liderança nazista era mantida constantemente informada sobre a natureza e a extensão dos incidentes violentos.
104. Broszat, *Der Staat Hitlers*, p. 111.
105. Rudolf Morsey (ed.), *Das "Ermächtigungsgesetz" vom 24. März 1933: Quellen zur Geschichte und Interpretation des "Gesetzes zur Behebung der Not von Volk und Reich"* (Düsseldorf, 1992), e Michael Frehse, *Ermächtigungsgesetzgebung im Deutschen Reich 1914-1933* (Pfaffenweiler, 1985), p. 145.

106. Matthias e Morsey (eds.), *Das Ende*, p. xiii.
107. Klaus-Jürgen Müller, "Der Tag von Potsdam und das Verhältnis der preussischdeutschen Militär-Elite zum Nationalsozialismus", em Bernhard Kröner (ed.), *Potsdam – Stadt, Armee, Residenz in der preussisch-deutschen Militärgeschichte* (Frankfurt am Main, 1993), p. 435-49; Fröhlich (ed.), *Die Tagebücher*, II, p. 395-7 (22 de março de 1933); Werner Freitag, "Nationale Mythen und kirchliches Heil: Der 'Tag von Potsdam'", *Westfälische Forschungen*, 41 (1991), p. 379-430. Para o discurso de Hitler, ver Domarus, *Hitler*, I, p. 272-4.
108. Ibid., p. 270.
109. Bracher, *Stufen*, p. 213-36; também Hans Schneider, "Das Ermächtigungsgesetz vom 24. März 1933", *VfZ* 1 (1953), p. 197-221, esp. p. 207-8.
110. Junker, *Die Deutsche Zentrumspartei*, p. 171-89; Morsey, "Die Deutsche Zentrumspartei", em Matthias e Morsey (eds.), *Das Ende*, p. 281-453; Josef Becker, "Zentrum und Ermächtigungsgesetz 1933: Dokumentation", *VfZ* 9 (1961), p. 195-210; Rudolf Morsey, "Hitlers Verhandlungen mit der Zentrumsführung am 31. Januar 1933", *VfZ* 9 (1961), p. 182-94.
111. Wilhelm Hoegner, *Der schwierige Aussenseiter: Erinnerungen eines Abgeordneten, Emigranten und Ministerpräsidenten* (Munique, 1959), p. 92.
112. Becker, "Zentrum und Ermächtigungsgesetz 1933"; Konrad Repgen, "Zur vatikanischen Strategie beim Reichskonkordat", *VfZ* 31 (1983), p. 506-35; Brüning, *Memoiren*, p. 655-7; Domarus, *Hitler*, I, p. 275-85.
113. Winkler, *Der Weg*, p. 901-6; Hans J. L. Adolph, *Otto Wels und die Politik der deutschen Sozialdemokratie 1934-1939: Eine politische Biographie* (Berlim, 1971), p. 262-4; Willy Brandt, *Erinnerungen* (Frankfurt am Main, 1989), p. 96; Hoegner, *Der Schwierige Aussenseiter*, p. 93.
114. Broszat, *Der Staat Hitlers*, p. 117 e nota. Para a Lei Plenipotenciária no contexto da legislação que a permitiu na República de Weimar, ver Jörg Biesemann, *Das Ermächtigungsgesetz als Grundlage der Gesetzgebung im nationalsozialistischen Deutschland: Ein Beitrag zur Stellung des Gesetzes in der Verfassungsgeschichte 1919-1945* (Münster, 1992 [1985]).
115. Matthias, "Die Sozialdemokratische Partei Deutschlands", em Matthias e Morsey (eds.), *Das Ende*, p. 176-80; Winkler, *Der Weg*, p. 867-98; Schumann, *Nationalsozialismus und Gewerkschaftsbewegung*; Hannes Heer, *Burgfrieden oder Klassenkampf: Zur Politik der sozialdemokratischen Gewerkschaften 1930-1933* (Neuwied, 1971), muito crítico dos líderes sindicais; Bernd Martin, "Die deutschen Gewerkschaften und die nationalsozialistische Machtübernahme", *Geschichte in Wissenschaft und Unterricht*, 36 (1985), p. 605-31; Henryk Skzrypczak, "Das Ende der Gewerkschaften", em Wolfgang Michalka (ed.), *Die nationalsozialistische Machtergreifung* (Paderborn, 1984), p. 97-110.
116. *Nationalsozialistische Betriebszellenorganisation*, ou Organização da Célula Nacional-Socialista das Fábricas.
117. Winkler, *Der Weg*, p. 898-909; Gunther Mai, "Die Nationalsozialistische Betriebszellen-Organisation: Zum Verhältnis von Arbeiterschaft und Nationalsozialismus", *VfZ* 31 (1983), p. 573-613.
118. Schneider, *Unterm Hakenkreuz*, p. 76-106, p. 89 para a citação; Winkler, *Der Weg*, p. 898--909; Herbst, *Das nationalsozialistische Deutschland*, p. 68-70.
119. Wieland Elfferding, "Von der proletarischen Masse zum Kriegsvolk: Massenaufmarsch und Öffentlichkeit im deutschen Faschismus am Beispiel des 1. Mai 1933", em Neue Gesellschaft für bildende Kunst (ed.), *Inszenierung der Macht: Ästhetische Faszination im Faschismus* (Berlim, 1987), p. 17-50.

120. Peter Jahn (ed.), *Die Gewerkschaften in der Endphase der Republik 1930-1933* (Colônia, 1988), p. 888-92, 897-8, 916.
121. Dieter Fricke, *Kleine Geschichte des Ersten Mai: Die Maifeier in der deutschen und internationalen Arbeiterbewegung* (Berlim, 1980), p. 224-9; Fritzsche, *Germans*, p. 215-35.
122. Goebbels, *Vom Kaiserhof*, p. 299, e Fröhlich (ed.), *Die Tagebücher*, I/II, p. 408 (17 de abril de 1933).
123. Winkler, *Der Weg*, p. 909-29; Michael Schneider, *A Brief History of the German Trade Unions* (Bonn, 1991 [1989]), p. 204-10.
124. Fröhlich (ed.), *Die Tagebücher*, I/II, p. 416 (3 de maio de 1933).
125. Winkler, *Der Weg*, p. 929-32; Grahn, "Die Enteignung"; Beate Dapper e Hans-Peter Rouette, "Zum Ermittelungsverfahren gegen Leipart und Genossen wegen Untreue vom 9. Mai 1933", *Internationale Wissenschaftliche Korrespondenz zur Geschichte der deutschen Arbeiterbewegung*, 20 (1984), p. 509-35; Schneider, *Unterm Hakenkreuz*, p. 107-17.
126. Winkler, *Der Weg*, p. 932-40; Matthias, "Die Sozialdemokratische Partei Deutschlands", em Matthias e Morsey (eds.), *Die Ende*, p. 168-75, p. 166-75; para o suicídio de Pfülf, ver p. 254, nota 6; Broszat, *Der Staat Hitlers*, p. 120.
127. Fröhlich (ed.), *Die Tagebücher*, I/II, p. 437 (23 de junho de 1933).
128. Schüler, *Auf der Flucht erschossen*, p. 241-8.
129. Para detalhes, ver Max Klinger (pseud., isto é, Curt Geyer), *Volk in Ketten* (Karlsbad, 1934), esp. p. 96-7; Winkler, *Der Weg*, p. 943-7; Franz Osterroth e Dieter Schuster, *Chronik der deutschen Sozialdemokratie* (Hanover, 1963), p. 381; documentos em Erich Matthias, "Der Untergang der Sozialdemokratie 1933", *VfZ* 4 (1956), p. 179-226 e comentário p. 250-86; para Berlim e seus subúrbios, ver Reinhard Rürup (ed.), *Topographie des Terrors: Gestapo, SS und Reichssicherheitshauptamt auf dem "Prinz-Albert-Gelände": Eine Dokumentation* (Berlim, 1987), e Hans-Norbert Burkert et al., *"Machtergreifung" Berlin 1933: Stätten der Geschichte Berlins in Zusammenarbeit mit dem Pädagogischen Zentrum Berlin* (Berlim, 1982), p. 20-94.
130. Bessel, *Political Violence*, p. 42, 117-8; Paul Löbe, *Der Weg war lang: Lebenserinnerungen von Paul Löbe* (Berlim, 1954 [1950]), p. 221-9.
131. Beth A. Griech-Polelle, *Bishop von Galen: German Catholicism and National Socialism* (New Haven, 2002), p. 9-18.
132. Ibid., p. 31-2; Richard Steigmann-Gall, *The Holy Reich: Nazi Conceptions of Christianity, 1919-1945* (Nova York, 2003), p. 51-85.
133. Hans Müller (ed.), *Katholische Kirche und Nationalsozialismus: Dokumente 1930-1935* (Munique, 1963), p. 79.
134. Thomas Fandel, "Konfessionalismus und Nationalsozialismus", em Olaf Blaschke (ed.), *Konfessionen im Konflikt: Deutschland zwischen 1800 und 1970: Ein zweites konfessionelles Zeitalter* (Göttingen, 2002), p. 299-334, na p. 314-5; Günther Lewy, *The Catholic Church and Nazi Germany* (Nova York, 1964), p. 94-112.
135. Müller, *Katholische Kirche*, p. 168; ver, mais genericamente, Scholder, *The Churches*.
136. Morsey, "Die Deutsche Zentrumspartei", em Matthias e Morsey (eds.), *Das Ende*, p. 383--6, citando o *Kölnische Volkszeitung* de 12 de maio de 1933.
137. Broszat, "The Concentration Camps", p. 409-11.
138. Lewy, *The Catholic Church*, p. 45-79.
139. Morsey, "Die Deutsche Zentrumspartei", em Matthias e Morsey (eds.), *Das Ende*, p. 387--411; Lewy, *The Catholic Church*, p. 7-93.

140. Griech-Polelle, *Bishop von Galen*, p. 45-6, 137-9.
141. Morsey, "Die Deutsche Staatspartei", em Matthias e Morsey (eds.), *Das Ende*, p. 55-72; Jones, *German Liberalism*, p. 462-75 (também para o Partido Popular).
142. Hans Booms, "Die Deutsche Volkspartei", em Matthias e Morsey (eds.), *Das Ende*, p. 521--39.
143. Hiller von Gaertringen, "Die Deutschnationale Volkspartei", em Matthias e Morsey (eds.), *Das Ende*, p. 576-99; Larry Eugene Jones, "'The Greatest Stupidity of My Life': Alfred Hugenberg and the Formation of the Hitler Cabinet", *Journal of Contemporary History*, 27 (1992), p. 63-87; para cópia da carta de renúncia de Hugenberg, com outros documentos, ver Anton Ritthaler, "Eine Etappe auf Hitlers Weg zur ungeteilten Macht: Hugenbergs Rücktritt als Reichsminister", *VfZ* 8 (1960), p. 193-219.
144. Hiller von Gaertringen, "Die Deutschnationale Volkspartei", em Matthias e Morsey (eds.), *Das Ende*, p. 599-603.
145. Ibid., p. 607-15.
146. Berghahn, *Der Stahlhelm*, p. 253-70; Broszat, *Der Staat Hitlers*, p. 121.
147. Hiller von Gaertringen, "Die Deutschnationale Volkspartei", em Matthias e Morsey (eds.), *Das Ende*, p. 603-7; Bessel, *Political Violence*, p. 120-1; Berghahn, *Der Stahlhelm*, p. 268-74, 286.
148. Fröhlich (ed.), *Die Tagebücher*, I/II, 440 (28 de junho de 1933).
149. Hans-Georg Stümke, *Homosexuelle in Deutschland: Eine politische Geschichte* (Munique, 1989).
150. Testemunho ocular em Hans-Georg Stümke e Rudi Finkler, *Rosa Winkel, Rosa Listen: Homosexuelle und "Gesundes Volksempfinden" von Auschwitz bis heute* (Hamburgo, 1981), p. 163-6, citado e traduzido em Burleigh e Wippermann, *The Racial State*, p. 189-90. Ver também Burkhard Jellonek, *Homosexuelle unter dem Hakenkreuz: Verfolgung von Homosexuellen im Dritten Reich* (Paderborn, 1990). Testemunhos pessoais em Richard Plant, *The Pink Triangle: The Nazi War against Homosexuals* (Edimburgo, 1987).
151. Wolff, *Magnus Hirschfeld*, p. 414.
152. Grossmann, *Reforming Sex*, p. 149-50; Gaby Zürn, "'Von der Herbertstrasse nach Auschwitz'", em Angelika Ebbinghaus (ed.), *Opfer und Täterinnen: Frauenbiographien des Nationalsozialismus* (Nördlingen, 1987), p. 91-101, na p. 93; Annette F. Timm, "The Ambivalent Outsider: Prostitution, Promiscuity, and VD Control in Nazi Berlin", em Gellately e Stoltzfus (eds.), *Social Outsiders*, p. 192-211; Christl Wickert, *Helene Stöcker 1869-1943: Frauenrechtlerin, Sexualreformerin und Pazifistin. Eine Biographie* (Bonn, 1991), p. 135-40; mais genericamente, Gabriele Czarnowski, *Das kontrollierte Paar: Ehe- und Sexualpolitik im Nationalsozialismus* (Weinheim, 1991).
153. Grossmann, *Reforming Sex*, p. 136-61.
154. Hong, *Welfare*, p. 261-5, Burleigh, *Death and Deliverance*, p. 11-42; Jochen-Christoph Kaiser *et al.* (eds.), *Eugenik, Sterilisation, "Euthanasie": Politische Biologie in Deutschland 1893-1945* (Berlim, 1992), p. 100-2; idem, *Sozialer Protestantismus im 20. Jahrhundert: Beiträge zur Geschichte der Inneren Mission 1914-1945* (Munique, 1989).
155. Ayass, *"Asoziale" im Nationalsozialismus*, p. 57-60.
156. Elizabeth Harvey, *Youth Welfare and the State in Weimar Germany* (Oxford, 1993), p. 274--8; Ayass, *"Asoziale" im Nationalsozialismus*, p. 13-23, idem, "Vagrants and Beggars", p. 211-7; ver também Marcus Gräser, *Der blockierte Wohlfahrtsstaat: Unterschichtjugend und Jugendfürsorge in der Weimarer Republik* (Göttingen, 1995), p. 216-30.

157. Wagner, *Volksgemeinschaft*, p. 193-213.
158. Patrick Wagner, *Hitlers Kriminalisten: Die deutsche Kriminalpolizei und der Nationalsozialismus* (Munique, 2002), p. 57-8.
159. Nikolaus Wachsmann, "From Indefinite Confinement to Extermination: 'Habitual Criminals' in the Third Reich", em Gellately e Stoltzfus (eds.), *Social Outsiders*, p. 165-91; Wachsmann, *Hitler's Prisons*, capítulo 2.
160. Robert N. Proctor, *Racial Hygiene: Medicine under the Nazis* (Cambridge, Mass., 1988), p. 101.
161. Crew, *Germans on Welfare*, p. 208-12.
162. Broszat, "The Concentration Camps", p. 409-11.
163. Caplan, *Government*, p. 139-41.
164. Noakes e Pridham (eds.), *Nazism*, II, p. 26-31.
165. Citado em Hans Mommsen, *Beamtentum im Dritten Reich: Mit ausgewählten Quellen zur nationalsozialistischen Beamtenpolitik* (Stuttgart, 1966), p. 162.
166. Broszat, *Der Staat Hitlers*, p. 254; Jürgen W. Falter, "'Die Märzgefallenen' von 1933: Neue Forschungsergebnisse zum sozialen Wandel innerhalb der NSDAP-Mitgliedschaft während der Machtergreifungsphase", *Geschichte und Gesellschaft*, 24 (1998), p. 595-616, na p. 616.
167. Caplan, *Government*, p. 143-7; Bracher, *Stufen*, p. 244.
168. Bracher, *Stufen*, p. 245-6; Fieberg (ed.), *In Namen*, p. 87-94; Lothar Gruchmann, "Die Überleitung der Justizverwaltung auf das Reich 1933-1935", em *Vom Reichsjustizamt zum Bundesministerium der Justiz; Festschrift zum hundertjährigen Gründungstag des Reichsjustizamts* (Colônia, 1977) e Horst Göppinger, *Juristen jüdischer Abstammung im "Dritten Reich": Entrechtung und Verfolgung* (Munique, 1990 [1963]), p. 183-373.
169. Fieberg (ed.), *Im Namen*, p. 76-9, 272; Lothar Gruchmann, "Die Überleitung", em *Vom Reichsjustizamt zum Bundesministerium der Justiz*, p. 119-60.
170. Bracher, *Stufen*, p. 264-7; Hayes, *Industry and Ideology*, p. 85-9.
171. Evans, *The Feminist Movement*, p. 255-60.
172. Allen, *The Nazi Seizure of Power*, p. 218-32.
173. Haffner, *Defying Hitler*, p. 111, 114.

Parte 6 – A REVOLUÇÃO CULTURAL DE HITLER

1. Josef Wulf, *Musik im Dritten Reich: Eine Dokumentation* (Gütersloh, 1963), p. 31; Fritz Busch, *Aus dem Leben eines Musikers* (Zurique, 1949), p. 188-209; Levi, *Music*, p. 42-3; Comitê Mundial (ed.), *The Brown Book*, p. 180.
2. Michael H. Kater, *The Twisted Muse: Musicians and their Music in the Third Reich* (Nova York, 1997), p. 120-4, corrigindo o relato das memórias de Busch. Para a tomada do poder na Saxônia, ver Szejnmann, *Nazism*, p. 33-4.
3. Gerhard Splitt, *Richard Strauss 1933-1935: Aesthetik und Musikpolitik zu Beginn der nationalsozialistischen Herrschaft* (Pfaffenweiler, 1987), p. 42-59; Bruno Walter, *Theme and Variations: An Autobiography* (Nova York, 1966), p. 295-300; Brigitte Hamann, *Winifred Wagner oder Hitlers Bayreuth* (Munique, 2002), p. 117-56.
4. Peter Heyworth, *Otto Klemperer: His Life and Times*, I: *1885-1933* (Cambridge, 1983), p. 413, 415.

5. Levi, *Music*, p. 44-5; Christopher Hailey, *Franz Schreker, 1878-1934: A Cultural Biography* (Cambridge, 1993), p. 273, 288; Schreker já havia renunciado à diretoria da Escola de Música de Berlim em 1932, após persistente perseguição antissemita.
6. Wulf, *Musik*, p. 28, republicando Philharmonische Gesellschaft in Hamburg to Kampfbund für deutsche Kultur, Gruppe Berlin, 6 de abril de 1933.
7. Levi, *Music*, p. 39-41, 86, 107; ver, em termos mais gerais, Reinhold Brinkmann e Christoph Wolff (eds.), *Driven into Paradise: The Musical Migration from Germany to the United States* (Berkeley, 1999).
8. Kater, *The Twisted Muse*, p. 89-91, 120; ver também Michael Meyer, *The Politics of Music in the Third Reich* (Nova York, 1991), p. 19-26.
9. David Welch, *The Third Reich: Politics and Propaganda* (2ª ed., Londres, 2002 [1993]), p. 172-82, na p. 173-4.
10. Minuth (ed.), *Die Regierung Hitler*, I, p. 193-5. Ver Wolfram Werner, "Zur Geschichte des Reichsministeriums für Volksaufklärung und Propaganda und zur Überlieferung", em idem (ed.), *Findbücher zu Beständen des Bundesarchivs*, XV: *Reichsministerium für Volksaufklärung und Propaganda* (Koblenz, 1979).
11. Para a visão corrente de que Goebbels era um "socialista", ver, por exemplo, Jochmann (ed.), *Nationalsozialismus und Revolution*, p. 407-8.
12. Discurso de 15 de março de 1933, citado em Welch, *The Third Reich*, p. 174-5; para discussões em 1932, ver Fröhlich (ed.), *Die Tagebücher*, I/II, p. 113-4 e 393 (15 de março de 1933).
13. Fröhlich, "Joseph Goebbels", em Smelser e Zitelmann (eds.), *The Nazi Elite*, p. 55.
14. *Völkischer Beobachter*, 23 de março de 1933, citado e traduzido em Welch, *The Third Reich*, p. 22-3.
15. Citado em Reuth, *Goebbels*, p. 269.
16. Citado em Welch, *The Third Reich*, p. 175.
17. Citado ibid., p. 176.
18. Reuth, *Goebbels*, p. 271; Fröhlich (ed.), *Die Tagebücher*, I/II, p. 388 (6 de março de 1933), 393 (13 de março de 1933) e 395-7 (22 de março de 1933); Ansgar Diller, *Rundfunkpolitik im Dritten Reich* (Munique, 1980), p. 89; Zbynek A. B. Zeman, *Nazi Propaganda* (2ª ed., Oxford, 1973 [1964]), p. 40. Para a estrutura do Ministério, ver Welch, *The Third Reich*, p. 29-31.
19. West, *The Visual Arts*, p. 183-4, também para as citações.
20. Levi, *Music*, p. 246, nota 5.
21. Fred K. Prieberg, *Trial of Strength: Wilhelm Furtwängler and the Third Reich* (Londres, 1991), p. 166-9, citando correspondência e memorandos publicados e não publicados. Para a visão de Furtwängler sobre uma variedade de tópicos, ver Michael Tanner (ed.), *Wilhelm Furtwängler, Notebooks 1924-1945* (Londres, 1989).
22. Para a vida e as opiniões de Furtwängler em geral, ver Prieberg, *Trial of Strength*, passim; para reservas quanto a esse livro, ver Evans, *Rereading*, p. 187-93.
23. O diálogo foi republicado em Wulf, *Musik*, p. 81-2. Max Reinhardt era um famoso diretor de teatro.
24. Levi, *Music*, p. 199-201.
25. *Berliner Lokal-Anzeiger*, 11 de abril de 1933, republicado em Wulf, *Musik*, p. 82-3.
26. Levi, *Music*, p. 198-202; Peter Cossé, "Die Geschichte", em Paul Badde *et al.* (eds.), *Das Berliner Philharmonische Orchester* (Stuttgart, 1987), p. 10-7.

27. Kater, *Different Drummers*, p. 29-33.
28. Ibid., p. 47-110.
29. Jelavich, *Berlin Cabaret*, p. 228-58; "Hermann" está na p. 229.
30. Volker Kühn (ed.), *Deutschlands Erwachen: Kabarett unterm Hakenkreuz 1933-1945* (Weinheim, 1989), p. 335; ver, em termos mais gerais, Christian Goeschel, "Methodische Überlegungen zur Geschichte der Selbsttötung im Nationalsozialismus", em Hans Medick (ed.), *Selbsttötung als kulturelle Praxis* (Colônia, 2005).
31. Josef Wulf, *Theater und Film im Dritten Reich: Eine Dokumentation* (Gütersloh, 1964), p. 265-306.
32. David Thomson, *The New Biographical Dictionary of Film* (4ª ed., 2002 [1975]). Alegações em alguns relatos sobre a vida de Dietrich, inclusive dela mesmo, de que foi embora por motivos políticos e de que Hitler em pessoa interveio e tentou persuadi-la a voltar, devem ser tratadas com considerável ceticismo.
33. David Welch, "Propaganda and the German Cinema 1933-1945" (não publicado, dissertação de Ph.D., Universidade de Londres, 1979), apêndice I.
34. Birgit Bernard, "'Gleichschaltung' im Westdeutschen Rundfunk 1933/34", em Dieter Breuer e Gertrude Cepl-Kaufmann (eds.), *Moderne und Nationalsozialismus im Rheinland* (Paderborn, 1997), p. 301-10; Jochen Klepper, *Unter dem Schatten deiner Flügel: Aus den Tagebüchern der Jahre 1932-1942* (Stuttgart, 1956), p. 46, 65; Josef Wulf, *Presse und Funk im Dritten Reich: Eine Dokumentation* (Gütersloh, 1964), p. 277-9, 280-4.
35. Fulda, "Press and Politics", p. 231-3, 241-2.
36. Welch, *The Third Reich*, p. 46; texto da lei em Wulf, *Presse und Funk*, p. 72-3.
37. Ibid., p. 19-38.
38. Welch, *The Third Reich*, p. 43-8.
39. Grossmann, *Ossietzky*, p. 224-74.
40. Ibid., p. 267; Chris Hirte, *Erich Mühsam: "Ihr seht mich nicht feige". Biografie* (Berlim, 1985), p. 431-50. Os relatos diferem quanto a assassinato ou suicídio; o primeiro parece mais provável.
41. Dieter Distl, *Ernst Toller: Eine politische Biographie* (Schrobenhausen, 1993), p. 146-78.
42. Kelly, *All Quiet*, p. 39-56.
43. Inge Jens (ed.), *Thomas Mann an Ernst Bertram: Briefe aus den Jahren 1910-1955* (Pfullingen, 1960), p. 178 (carta de 18 de novembro de 1933) e Robert Faesi (ed.), *Thomas Mann – Robert Faesi: Briefwechsel* (Zurique, 1962), p. 23 (Mann para Faesi, 28 de junho de 1933); Klaus Harpprecht, *Thomas Mann: Eine Biographie* (Reinbeck, 1995), p. 707-50; Kurt Sontheimer, "Thomas Mann als politischer Schriftsteller", *VfZ* 6 (1958), p. 1-44; Josef Wulf, *Literatur und Dichtung im Dritten Reich: Eine Dokumentation* (Gütersloh, 1963), p. 24.
44. Ritchie, *German Literature*, p. 187-99; Wulf, *Literatur, passim*.
45. Robert E. Norton, *Secret Germany: Stefan George and his Circle* (Ithaca, NY, 2002), é hoje a biografia fundamental. Para Jünger, ver Paul Noack, *Ernst Jünger: Eine Biographie* (Berlim, 1998), p. 121-51.
46. Citado em Wulf, *Literatur*, p. 132; ver também Ritchie, *German Literature*, p. 9-10, 48-9, 111-32.
47. Frederic Spotts, *Hitler and the Power of Aesthetics* (Londres, 2002), p. 152; citações e contexto em West, *The Visual Arts*, p. 183-4; Hitler, *Mein Kampf*, p. 235.
48. Rosamunde Neugebauer, "'Christus mit der Gasmaske' von George Grosz, oder: Wieviel Satire konnten Kirche und Staat in Deutschland um 1930 ertragen?", em Maria Rüger

(ed.), *Kunst und Kunstkritik der dreissiger Jahre: Standpunkte zu künstlerischen und ästhetischen Prozessen und Kontroversen* (Dresden, 1990), p. 156-65.
49. Josef Wulf, *Die Bildenden Künste im Dritten Reich: Eine Dokumentation* (Gütersloh, 1963), p. 49-51.
50. Peter Adam, *Arts of the Third Reich* (Londres, 1992), p. 59.
51. Jonathan Petropoulos, *The Faustian Bargain: The Art World in Nazi Germany* (Londres, 2000), p. 217. Ver também Brandon Taylor e Wilfried van der Will (eds.), *The Nazification of Art: Art, Design, Music, Architecture and Film in the Third Reich* (Winchester, 1990).
52. Spotts, *Hitler*, p. 153-5.
53. Petropoulos, *The Faustian Bargain*, p. 14-6.
54. Adam, *Arts*, p. 49-50; Wulf, *Die Bildenden Künste*, p. 36; Günter Busch, *Max Liebermann: Maler, Zeichner, Graphiker* (Frankfurt am Main, 1986), p. 146; Peter Paret, *An Artist against the Third Reich: Ernst Barlach 1933-1938* (Cambridge, 2003), p. 77-92. O funeral de Liebermann foi colocado sob forte vigilância da polícia política (Petropoulos, *The Faustian Bargain*, p. 217).
55. Sean Rainbird (ed.), *Max Beckmann* (Londres, 2003), p. 157-64, 273-4; Adam, *Arts*, p. 53; Petropoulos, *The Faustian Bargain*, p. 216-21.
56. Wulf, *Die Bildenden Künste*, p. 39-45; Koehler, "The *Bauhaus*", p. 292-3; Igor Golomstock, *Totalitarian Art in the Soviet Union, Third Reich, Fascist Italy and the People's Republic of China* (Londres, 1990), p. 21; West, *The Visual Arts*, p. 83-133.
57. Ritchie, *German Literature*, p. 187.
58. Ibid., p. 189; Harpprecht, *Thomas Mann*, p. 722-50.
59. Ritchie, *German Literature*, p. 58-61; Lothar Gall, *Bürgertum in Deutschland* (Berlim, 1989), p. 466, também de modo mais geral para Bassermann e sua família. Johst foi rapidamente nomeado codiretor do teatro. Ver Boguslaw Drewniak, *Das Theater im NS-Staat: Szenarium deutscher Zeitgeschichte 1933-1945* (Düsseldorf, 1983), p. 46-7; mais genericamente, Glen W. Gadberry (ed.), *Theatre in the Third Reich, the Prewar Years: Essays on Theatre in Nazi Germany* (Westport, Conn., 1995), e John London (ed.), *Theatre under the Nazis* (Manchester, 2000).
60. Ritchie, *German Literature*, p. 58-61; "Wenn ich Kultur höre, entsichere ich meinen Browning" (Wulf, *Literatur*, p. 113).
61. Knowles (ed.), *The Oxford Dictionary of Quotations*, p. 418, citação 17; para um primeiro e detalhado relato da "guerra de aniquilação contra a cultura", ver Comitê Mundial (ed.), *The Brown Book*, p. 160-93.
62. Hugo Ott, *Martin Heidegger: A Political Life* (Londres, 1993), p. 13-139.
63. Ibid., p. 140-8.
64. Martin Heidegger, *Die Selbstbehauptung der deutschen Universität: Rede, gehalten bei der feierlichen Übernahme des Rektorats der Universität Freiburg i. Br. am 27.5.1933* (Breslau, 1934), p. 5, 7, 14-5, 22.
65. Hans Sluga, *Heidegger's Crisis: Philosophy and Politics in Nazi Germany* (Cambridge, Mass., 1993), p. 1-4; Guido Schneeberger, *Nachlese zu Heidegger: Dokumente zu seinem Leben und Denken* (Berna, 1962), p. 49-57. Ver também a biografia de Rüdiger Safranski, *Ein Meister aus Deutschland: Heidegger und seine Zeit* (Munique, 1994).
66. Ott, *Martin Heidegger*, p. 169, 198-9.
67. Citado ibid., p. 185.
68. O único professor de qualquer disciplina a fazê-lo foi o historiador Gerhard Ritter. Ver Cornelissen, *Gerhard Ritter*, p. 239.

69. Citado em Ott, *Martin Heidegger*, p. 164, com uma discussão na p. 165-6 do casuísmo empregado pelos admiradores modernos de Heidegger na tentativa de atenuar tais juízos. Para uma coleção de estudos úteis, ver Bernd Martin (ed.), *Martin Heidegger und das "Dritte Reich" Ein Kompendium* (Darmstadt, 1989).
70. Remy, *The Heidelberg Myth*, p. 14.
71. Ott, *Martin Heidegger*, p. 235-351.
72. Noakes e Pridham (eds.), *Nazism*, II, p. 249-50; e, para dois bons estudos locais, Uwe Dietrich Adam, *Hochschule und Nationalsozialismus: Die Universität Tübingen im Dritten Reich* (Tübingen, 1977), e Notker Hammerstein, *Die Johann Wolfgang Goethe-Universität: Von der Stiftungsuniversität zur staatlichen Hochschule* (2 vols., Neuwied, 1989), I, p. 171--211.
73. Klaus Fischer, "Der quantitative Beitrag der nach 1933 emigrierten Naturwissenschaftler zur deutschsprachigen physikalischen Forschung", *Berichte zur Wissenschaftsgeschichte*, 11 (1988), p. 83-104, revisando levemente números mais elevados em Alan D. Beyerchen, *Scientists under Hitler: Politics and the Physics Community in the Third Reich* (New Haven, 1977), p. 43-7, e Norbert Schnappacher, "Das Mathematische Institut der Universität Göttingen", e Alf Rosenow, "Die Göttinger Physik unter dem Nationalsozialismus", ambos em Heinrich Becker *et al.* (eds.), *Die Universität Göttingen unter dem Nationalsozialismus: Das verdrängte Kapitel ihrer 250 jährigen Geschichte* (Munique, 1987), p. 345-73 e p. 374-409.
74. Ute Deichmann, *Biologists under Hitler* (Cambridge, Mass., 1996 [1992]), p. 26.
75. Beyerchen, *Scientists*, p. 43.
76. Max Born (ed.), *The Born-Einstein Letters: Correspondence between Albert Einstein and Max and Hedwig Born from 1916 to 1955* (Londres, 1971), p. 113-4.
77. Fritz Stern, *Dreams and Delusions: The Drama of German History* (Nova York, 1987), p. 51--76 ("Fritz Haber: The Scientist in Power and in Exile"); Margit Szöllösi-Janze, *Fritz Haber 1868-1934: Eine Biographie* (Munique, 1998), p. 643-91.
78. Max Planck, "Mein Besuch bei Hitler", *Physikalische Blätter*, 3 (1947), p. 143; Fritz Stern, *Einstein's German World* (Londres, 2000 [1999]), p. 34-58.
79. Remy, *The Heidelberg Myth*, p. 17-8. Mais genericamente, ver Fritz Köhler, "Zur Vertreibung humanistischer Gelehrter 1933/34", *Blätter für deutsche und internationale Politik*, 11 (1966), p. 696-707.
80. Beyerchen, *Scientists*, p. 15-7, 63-4, 199-210.
81. Remy, *The Heidelberg Myth*, p. 24-9; ver também Christian Jansen, *Professoren und Politik: Politisches Denken und Handeln der Heidelberger Hochschullehrer 1914-1935* (Göttingen, 1992).
82. Citado em Noakes e Pridham (eds.), *Nazism*, II, p. 252.
83. Ibid., II, p. 250; Turner, *German Big Business*, p. 337.
84. Remy, *The Heidelberg Myth*, p. 20.
85. Ibid., p. 31.
86. Grüttner, *Studenten*, 71-4.
87. Ibid., 81-6.
88. Axel Friedrichs (ed.), *Die nationalsozialistische Revolution 1933* (Dokumente der deutschen Politik, I, Berlim, 1933), p. 277; Fröhlich (ed.), *Die Tagebücher*, I/II, p. 419 (11 de maio de 1933).
89. Várias versões publicadas em Gerhard Sauder (ed.), *Die Bücherverbrennung: Zum 10. Mai 1933* (Munique, 1983), p. 89-95.

90. Clemens Zimmermann, "Die Bücherverbrennung am 17. Mai 1933 in Heidelberg: Studenten und Politik am Ende der Weimarer Republik", em Joachim-Felix Leonhard (ed.), *Bücherverbrennung: Zensur, Verbot, Vernichtung unter dem Nationalsozialismus in Heidelberg* (Heidelberg, 1983), p. 55-84.
91. Wolfgang Strätz, "Die studentische 'Aktion wider den undeutschen Geist'", *VfZ* 16 (1968), p. 347-72 (atribuindo de modo equivocado a iniciativa ao Ministério da Propaganda); Jan-Pieter Barbian, *Literaturpolitik im "Dritten Reich": Institutionen, Kompetenzen, Betätigungsfelder* (Frankfurt am Main, 1993), p. 54-60, 128-42; Hildegard Brenner, *Die Kunstpolitik des Nationalsozialismus* (Hamburgo, 1963), p. 186.
92. Leonidas E. Hill, "The Nazi Attack on 'Un-German' Literature, 1933-1945", em Jonathan Rose (ed.), *The Holocaust and the Book* (Amherst, Mass., 2001), p. 9-46; Sauder (ed.), *Die Bücherverbrennung*, p. 9-16; ver também Anselm Faust, "Die Hochschulen und der 'undeutsche Geist': Die Bücherverbrennung am 10. Mai 1933 und ihr Vorgeschichte", em Horst Denkler e Eberhard Lämmer (eds.), *"Das war ein Vorspiel nur...": Berliner Kolloquium zur Literaturpolitik im "Dritten Reich"* (Berlim, 1985), p. 31-50; Grüttner, *Studenten*, p. 75-7, ressalta que não se pode encontrar instruções do recém-fundado Ministério da Propaganda nos arquivos das uniões estudantis, e em seu diário Goebbels não dá pistas de onde partiu a iniciativa.
93. Rebentisch e Raab (eds.), *Neu-Isenburg*, p. 86-7.
94. Para os eventos de Wartburg, ver Wehler, *Deutsche Gesellschaftsgeschichte*, II, p. 334-6; a famosa declaração subsequente de Heine foi feita em *Almansor* (1823), p. 245, citada em (entre muitas outras antologias) Knowles (ed.), *The Oxford Dictionary of Quotations*, p. 368. Morte na fogueira ainda era prescrita como punição para assassinato por meio de incêndio criminoso na Prússia na época, sendo usada pela última vez em Berlim em 1812 (Evans, *Rituals*, p. 213-4).
95. Michael Wildt, "Violence against Jews in Germany, 1933-1939", em David Bankier (ed.), *Probing the Depths of German Antisemitism: German Society and the Persecution of the Jews 1933-1941* (Jerusalém, 2000), p. 181-209, nas p. 181-2; Saul Friedländer, *Nazi Germany and the Jews: The Years of Persecution 1933-1939* (Londres, 1997), p. 107-10; Walter, *Antisemitische Kriminalität*, p. 236-43. Para uma documentação contemporânea, ver Comité des Délégations Juives (ed.), *Das Schwarzbuch: Tatsachen und Dokumente. Die Lage der Juden in Deutschland 1933* (Paris, 1934). Mais genericamente, ver Shulamit Volkov, "Antisemitism as a Cultural Code: Reflections on the History and Historiography of Antisemitism in Imperial Germany", *Year Book of the Leo Baeck Institute*, 23 (1978), p. 25-46.
96. Longerich, *Politik der Vernichtung*, p. 26-30.
97. Gruchmann, *Justiz*, p. 126; Longerich, *Der ungeschriebene Befehl*, p. 43-4.
98. Haffner, *Defying Hitler*, p. 125.
99. Halbmonatsbericht des Regierungspräsidenten von Niederbayern und der Oberpfalz, 30.3.1933, em Broszat et al. (eds.), *Bayern*, I, p. 432.
100. Friedländer, *Nazi Germany and the Jews*, p. 41-2.
101. Comitê Mundial (ed.), *The Brown Book*, p. 237, sobre a perseguição de judeus em geral, p. 222-69.
102. Friedländer, *Nazi Germany and the Jews*, p. 17-8.
103. Minuth (ed.), *Die Regierung Hitler*, I, p. 270-1; Longerich, *Der ungeschriebene Befehl*, p. 44-6.

104. Fröhlich (ed.), *Die Tagebücher*, I/II, p. 398 (27 de março de 1933).
105. Moshe R. Gottlieb, *American Anti-Nazi Resistance, 1933-1941: An Historical Analysis* (Nova York, 1982), p. 15-24; Deborah E. Lipstadt, *Beyond Belief: The American Press and the Coming of the Holocaust, 1933-1945* (Nova York, 1986).
106. Fröhlich (ed.), *Die Tagebücher*, I/II, p. 398-401; Reuth, *Goebbels*, p. 281; Klemperer, *I Shall Bear Witness*, p. 9-10.
107. Longerich, *Politik der Vernichtung*, p. 36-9; mais genericamente, Avraham Barkai, *From Boycott to Annihilation: The Economic Struggle of German Jews, 1933-1945* (Hanover, NH, 1989), p. 17-25; Helmut Genschel, *Die Verdrängung der Juden aus der Wirtschaft im Dritten Reich* (Berlim, 1966), p. 47-70.
108. Friedländer, *Nazi Germany and the Jews*, p. 21-2; Broszat et al. (eds.), *Bayern*, I, p. 433-5; Klemperer, *I Shall Bear Witness*, p. 10.
109. Friedländer, *Nazi Germany and the Jews*, p. 24-5; Haffner, *Defying Hitler*, p. 131-3.
110. Longerich, *Politik der Vernichtung*, p. 39-41.
111. Friedländer, *Nazi Germany and the Jews*, p. 26-31.
112. Longerich, *Der ungeschriebene Befehl*, p. 46.
113. Longerich, *Politik der Vernichtung*, p. 41-5.
114. Friedländer, *Nazi Germany and the Jews*, p. 35-7.
115. Allen, *The Nazi Seizure of Power*, p. 218-22.
116. Konrad Kwiet e Helmut Eschwege, *Selbstbehauptung und Widerstand: Deustche Juden im Kampf um Existenz und Menschenwürde 1933-1945* (Hamburgo, 1984), p. 50-6.
117. Klemperer, *I Shall Bear Witness*, p. 5-9; idem, *Tagebücher 1933-1934 (Ich will Zeugnis ablegen bis zum Letzten)*, I (Berlim, 1999 [1995]), p. 6-15. A edição alemã em brochura usada aqui também contém material não incluído na tradução inglesa.
118. Norbert Frei, "'Machtergreifung': Anmerkungen zu einem historischen Begriff", *VfZ* 31 (1983), p. 136-45. O termo "tomada de poder" de fato tornou-se corrente a partir da obra magistral de Bracher, Schulz e Sauer, *Die nationalsozialistische Machtergreifung;* mas o vasto âmbito da obra deixava claro que eles pretendiam que o conceito cobrisse o período *após* 30 de janeiro de 1933 e até o final do verão do mesmo ano.
119. O conceito de "vácuo de poder" é um aspecto central do relato clássico de Bracher em *Die Auflösung*.
120. Ver as fascinantes especulações em Turner, *Hitler's Thirty Days*, p. 172-6; parece-me que essas subestimam o racismo e o antissemitismo do corpo de oficiais alemães e seu desejo de renovar o "ímpeto da Alemanha por poder mundial", que haviam apoiado com tanta firmeza no começo do século; mas é da natureza desse tipo de história do "e-se" que no fim tudo a que tenhamos para recorrer sejam suposições, e não há como saber se minhas especulações são mais plausíveis que as de Turner. Para algumas reflexões gerais, ver Richard J. Evans, "Telling It Like It Wasn't", *BBC History Magazine*, 3 (2002), nº 12, p. 22-5.
121. Volker Rittberger (ed.), *1933: Wie die Republik der Diktatur erlag* (Stuttgart, 1983), esp. p. 217-21; Martin Blinkhorn, *Fascists and Conservatives: The Radical Right and the Establishment in Twentieth-Century Europe* (Londres, 1990); idem, *Fascism and the Right in Europe 1919-1945* (Londres, 2000); Payne, *A History of Fascism*, p. 14-9.
122. Paul, *Aufstand*, p. 255-63; Richard Bessel, "Violence as Propaganda: The Role of the Storm Troopers in the Rise of National Socialism", em Thomas Childers (ed.), *The Formation of the Nazi Constituency, 1919-1933* (Londres, 1986), p. 131-46.
123. Geoff Eley, "What Produces Fascism: Pre-Industrial Traditions or a Crisis of the Capitalist State?", em idem, *From Unification to Nazism*, p. 254-84; Gessner, *Agrarverbände in der*

Weimarer Republik; Geyer, "Professionals and Junkers"; Peukert, The Weimar Republic, p. 275-81. Para uma ênfase sobre o papel das elites pré-industriais, ver Winkler, Weimar, p. 607.
124. Erdmann e Schulze (eds.), Weimar; Heinz Höhne, Die Machtergreifung: Deutschlands Weg in die Hitler-Diktatur (Reinbeck, 1983), capítulo 2 ("Selbstmord einer Demokratie").
125. Joseph Goebbels, Der Angriff: Aufsätze aus der Kampfzeit (Munique, 1935), p. 61.
126. Bracher, The German Dictatorship, p. 246.
127. Ibid., p. 248-50.
128. Thomas Balistier, Gewalt und Ordnung: Kalkül und Faszination der SA (Münster, 1989).
129. Der Prozess, XXVI, p. 300-1 (783-PS), e Broszat, "The Concentration Camps", p. 406-23.
130. Ver, por exemplo, Lothar Gruchmann, "Die bayerische Justiz im politischen Machtkampf 1933/34: Ihr Scheitern bei der Strafverfolgung von Mordfällen in Dachau", em Broszat et al. (eds.), Bayern, II, p. 415-28.
131. Wachsmann, Hitler's Prisons, capítulo 2.
132. Haffner, Defying Hitler, p. 103-25. Dirk Schumann, Politische Gewalt in der Weimarer Republik: Kampf um die Strasse und Furcht vor dem Bürgerkrieg (Essen, 2001), esp. p. 271--368.
133. Hitler, Hitler: Reden, Schriften, Anordnungen, III, p. 434-51, na p. 445.
134. Bessel, Political Violence, p. 123-5.
135. Ludwig Binz, "Strafe oder Vernichtung?", Völkischer Beobachter, 5 de janeiro de 1929.
136. Hermann Rauschning, Germany's Revolution of Destruction (Londres, 1939 [1938]), p. 94, 97-9, 127.
137. Bracher, Stufen, p. 21-2.
138. Richard Bessel, "1933: A Failed Counter-Revolution", em Edgar E. Rice (ed.), Revolution and Counter-Revolution (Oxford, 1991), p. 109-227; Horst Möller, "Die nationalsozialistische Machtergreifung: Konterrevolution oder Revolution?", VfZ 31 (1983), p. 25-51; Jeremy Noakes, "Nazism and Revolution", em Noel O'Sullivan (ed.), Revolutionary Theory and Political Reality (Londres, 1983), p. 73-100; Rainer Zitelmann, Hitler: The Policies of Seduction (Londres, 1999 [1987]).
139. Mais notavelmente, Jacob L. Talmon, The Origins of Totalitarian Democracy (Londres, 1952).
140. Bracher, Stufen, p. 25-6.
141. Minuth (ed.), Die Regierung Hitler, I, p. 630.
142. Ibid., p. 634.
143. AT 6 e 99, em Merkl, Political Violence, p. 469.
144. Bracher, Stufen, p. 48.
145. Leon Trotsky, The History of the Russian Revolution (3 vols., Londres, 1967 [1933-4]), III, p. 289.
146. Domarus, Hitler, I, p. 487.
147. Richard Löwenthal, "Die nationalsozialistische 'Machtergreifung' – eine Revolution? Ihr Platz unter den totalitären Revolutionen unseres Jahrhunderts", em Martin Broszat et al. (eds.), Deutschlands Weg in die Diktatur (Berlim, 1983), p. 42-74.

Índice onomástico

Abel, Theodore 276, 285
África 86, 50, 278, 421, 486
Ahlwardt, Hermann 60, 62-5, 67, 206
Alemanha 15-29, 31-2, 34-5, 40-4, 46, 49-61,
  63-5, 67-71, 74, 78-9, 81, 84, 86, 88-93, 96,
  98-102, 104-5, 107-9, 111-5, 119, 123-5,
  127, 130, 134-5, 137, 139-40, 142, 146, 148,
  150-1, 155-7, 161-2, 167-8, 170, 173-5,
  177-8, 182-3, 187, 189, 191, 197-9, 204-6,
  209, 212, 220-1, 224-6, 230-32, 235, 237-8,
  240, 242-4, 247-9, 252, 254-5, 257-62, 267,
  269, 273-4, 276, 278-9, 284, 285-6, 291,
  295, 297-300, 304-5, 307, 309, 311, 313-4,
  316-20, 323, 327-9, 331-2, 334-5, 338, 341,
  343, 349, 352-3, 355, 358, 360-1, 367, 370,
  375-6, 378, 382, 387, 391, 394, 396-8, 400,
  403, 407-10, 414, 419-21, 423-5, 427-9,
  431-2, 436-8, 441, 444, 447, 454-5, 457,
  460, 469-70, 477-8, 482-3, 484-8, 490, 492,
  494-7, 500-2, 504, 506, 508-11, 513, 516-8,
  521, 524-7, 529-35, 537-40, 545, 549-50
Alexandre, o Grande 254
Alpar, Gitta 490
Alsácia-Lorena 46, 50, 55, 104
Alta Baviera 420
Alta Silésia 104, 107, 343, 366
Altona, Prússia 302, 354, 385
Amann, Max 253, 266, 493
Andreas, Willy 507
Arco-Valley, Anton, conde 210, 213, 253, 262
Argentina 288, 422, 475
Auer, Erhard 211
Augsburg 235
Auschwitz, campo de concentração 278, 531
Áustria 41-3, 46, 80, 82, 84, 88, 104-5, 107-8,
  141, 157, 201, 218-20, 224, 227, 236, 251,
  299, 429, 476, 531-3
Áustria-Hungria 57-8

Bach-Zelewski, Erich von dem 289
Bad Harzburg 309
Bad Neuheim 112
Baden 270, 278, 466, 505-7
Baden, príncipe Max von 104, 124, 133
Baixa Baviera 519
Baixa Silésia 343
Ballerstedt, Otto 236
Ballin, Albert 161
Bamberg, norte da Baviera 71, 211-2, 263
Barlach, Ernst 498-500
Barmat, Julius 165
Bartels, Adolf 171
Bassermann, Albert 502
Bauer, Gustav 165
Bauhaus 172, 499, 501
Bäumler, Alfred 79
Bavária 40, 71, 127, 129, 133, 196-7, 209-12,
  214-5, 223, 225-6, 237-9, 246-7, 249, 252,
  258-9, 286, 288, 291, 349, 370, 416, 420,
  423, 443, 492, 543
Bayreuth 71-2, 476
Bebel, August 124
Bechstein, Carl 244
Bechstein, Helene 244
Beck, colonel Ludwig 313
Beckmann, Max 203, 498, 500
Bélgica, 25, 88, 96, 107, 109, 304
Benn, Gottfried 497
Berber, Anita 174
Berg, Alban 171, 174
Bergner, Elisabeth 490
Bergsträsser, Arnold 510
Berlim 9, 61-3, 65, 67, 103, 109, 111-2, 114-5,
  118, 123, 133, 135, 144, 147, 150, 152, 156,
  158, 170, 172, 174-6, 179, 185, 194-6,
  200-1, 203, 205, 209, 231, 235, 237, 242-4,
  247-50, 252, 257, 264-6, 269, 273, 286,

296-7, 299, 301, 306, 314, 316, 333-4, 336, 338, 340-1, 353, 355, 369-70, 381, 383, 385, 387, 391-3, 396, 398, 400, 402-3, 409-11, 413, 420, 423, 429, 434-6, 438, 440, 444, 450, 454, 459, 461, 476-9, 484, 486-8, 499-2, 507-9, 513, 515-6, 518-21
Berlim-Charlottenburg 409
Berlim-Lichtenfels 283
Berlin, Irving 487
Bernhardi, general Friedrich von 74
Bertram, cardeal Adolf 441
Bertram, Ernst 79
Best, Werner 342
Bethmann Hollweg, Theobald von 74, 91-2, 109-10
Beuthen 366
Binding, Karl 197
Bismarck, Herbert von 451-2, 525
Bismarck, Otto von 22, 29, 39-40, 43-6, 50-1, 54-7, 59, 62, 84-6, 88-9, 91, 100, 103, 109, 114-5, 120, 123, 125, 129, 133, 140, 142, 170, 180, 191, 229, 321, 323, 427, 440, 444, 447, 533, 539, 550
Blech, Leo 478
Bleichröder, Gerson von 62-3
Blomberg, general Werner von 378, 388-9
Blüher, Hans 80
Böckel, Otto 64-5, 69, 206
Boêmia 46
Bolívia 259
Bolz, Eugen 139, 386, 394-5, 443-4
Bormann, Martin 279
Born, Max 508-9
Bosch, Carl 511-2
Bothe, Walter 512
Bracher, Karl Dietrich 17-9, 30
Brandenburg 64, 112, 278
Braun, Otto 347, 355-6, 419, 470
Brauns, Heinrich 131
Braunschweig 346, 417
Brecht, Bertolt 170, 174, 184, 203, 478, 490, 495
Bredow, Hans 491
Bredt, Viktor 315
Bremen 303, 337, 458
Breslau 438-9, 518

Brock, Werner 506
Broszat, Martin 30
Brüning, Heinrich 315-21, 325, 327, 341-3, 345-7, 351-3, 357, 369, 393, 395, 429-30, 442-4, 446, 531, 534, 542
Brunner, Alfred 225
Buchwitz, Otto 339-40
Budapeste 212
Bulgária 532
Bülow, Bernhard von 56
Burleigh, Michael 18
Busch, Fritz 475-6

Califórnia 304, 496
Camarões 56
Caprivi, Leo von 85-6
Carlos Magno 41, 170, 550
Cavour, Camillo 43
Chamberlain, Houston Stewart 72-3, 92, 232--3, 253, 262, 273, 277
Chaplin, Charles 175
Charlottenburg 385
Chemnitz 385, 417
Chile 422
Class, Heinrich 88, 91, 110-1, 270
Clemenceau, Georges 93
Coburg 236, 270
Colônia 297, 328, 416
Colônia-Aachen 463
Congo 89
Creglingen 519
Curtius, Julius 315

Dachau, campo de concentração 420-2, 438, 467, 543-4
Danzig 104, 531
Darré, Richard Walther 288, 464
Darwin, Charles 73, 89, 539
Dawes, Charles 156
Dessau 172, 499
Detmold 438
Dickel, Otto 235
Diels, Rudolf 404-6, 411
Dietrich, Hermann 315
Dietrich, Marlene 173, 490
Dietrich, Otto 493

ÍNDICE ONOMÁSTICO 663

Dinamarca 43, 104, 495, 506
Dingeldey, Eduard 447
Disraeli, Benjamin 43
Dix, Otto 498, 500-1
Doblin, Alfred 170, 184, 486
Doesberg, Theo van 172
Dollfuss, Engelbert 137, 393
Dortmund 300
Dostoiévski, Fiodor 262
Dresden 156, 475, 501, 528
Drexler, Anton 224-5, 234-6
Dreyfus, Alfred 70
Droysen, Gustav 67
Duesterberg, Theodor 114, 270, 347, 376, 452
Dühring, Eugen 67, 84
Duisburg, 436, 458
Dürrgoy 438
Düsseldorf 61, 184, 309, 327, 341, 385, 477, 500

Eberstein, Friedrich Karl, barão 289
Ebert, Friedrich 103, 123-7, 143, 147, 188, 201, 236, 355, 391, 420, 542
Eckart, Dietrich 232-3
Ehrhardt, Hermann 237-9
Einstein, Albert 508-9
Einstein, Alfred 175, 477
Eisleben 393
Eisler, Hanns 478
Eisner, Kurt 209-11, 213, 220, 226, 253, 262, 438
Elba, rio 328, 376
Engels, Friedrich 67
Epstein, Klaus 17
Erzberger, Matthias 119, 204, 444
Espanha 24, 57, 240, 429, 532
Esser, Hermann 259, 261, 263
Estônia 233, 532
Eupen 104
Europa 15, 21, 23-4, 27-9, 41, 44, 50, 55-9, 64-5, 70, 88, 96, 98, 102, 105, 109, 141, 150, 161-2, 202, 212, 242, 255, 263, 290, 352, 389, 429, 444, 476, 521, 532-4, 540, 547, 549
Europa central 40, 44, 74, 99, 108, 115, 255, 402, 476, 527
Europa oriental 232, 240

Falkenhayn, Erich von 74, 92
Faulhaber, cardeal Michael 441
Fechenbach, Felix 187, 210, 438
Feder, Gottfried 223, 235, 259, 269, 465
Feuchtwanger, Lion 496, 502
Fischer, Fritz 30-1
Förster, Elisabeth 79
Fraenkel, Eduard 506
Fraenkel, Ernst 22
França 43, 46-7, 50, 56-8, 70, 93, 96, 104, 107, 109, 152, 183, 201, 355, 455, 492, 496, 531, 538
Francisco Ferdinando, arquiduque 202
Francisco José I, Habsburgo 82, 84
Franck, James 509
Franco, general Francisco 137
François-Poncet, André 387
Francônia 245, 263, 269, 291, 415
Frank, Hans 234, 314, 464, 544
Frankfurt 41-2, 62, 167, 169, 175, 274, 297, 444, 500, 508, 512
Frei, Norbert 16
Freud, Sigmund 176, 515
Frick, Wilhelm 378, 389, 392, 406, 418, 420, 422, 437-8, 524
Friedrichshain, distrito de Berlim 333
Friedrichsruh 50
Fritsch, Theodor 64-5, 245, 277
Fritsche, Hans 491
Furtwängler, Wilhelm 476, 483-6

Galen, Clemens August von, bispo católico de Münster 440-1, 445
Garibaldi, Giuseppe 57, 241, 242
Gayl, Wilhelm, barão 353
Gebsattel, Konstantin von 91-2
George, Stefan 496
Gerecke, Gunther 449
Gershwin, George 487
Gessler, Otto 133, 313
Girmann, Ernst 467-9
Glaeser, Ernst 515
Glauer, Adam (barão von Sebottendorf) 213
Gobineau, Joseph Arthur de 66, 72, 76, 233, 539
Goebbels, Paul Joseph 30, 261-6, 269, 277, 290, 309, 314, 321, 323, 327, 333-6, 341,

347, 349, 357, 360-1, 365, 369-70, 372-3, 375, 381-3, 398-9, 404, 408, 413, 415, 425, 427, 434-7, 443, 453, 476, 479-82, 484-6, 489, 491-3, 499-502, 513, 516, 520-1, 523, 529, 537, 540
Goethe, Johann Wolfgang von 125
Goldberg, Szymon 484
Göring, Hermann 247-8, 250-1, 265, 269-70, 290, 310, 335, 337-8, 366-7, 369, 378, 382--3, 388-90, 392, 398, 404-8, 413, 419, 429, 437, 443, 445, 447-8, 453, 461-3, 478, 488, 502-3, 541-3
Gotha 188
Gottschewski, Lydia 466
Grauert, Ludwig 406
Grécia 240, 422, 504
Griesheim 162
Grimm, Hans 232
Groener, general Wilhelm 96, 143-45, 313, 343-4, 351, 371
Groh, Wilhelm 507
Gropius, Walter 172, 501
Grosz, George 184, 203, 498-500
Grotjahn, Alfred 76
Gruber, Kurt 272
Grzesinski, Albert 148, 282, 392, 419
Gumbel, Emil Julius 186-7, 274, 516
Günther, Hans Friedrich Karl 79
Gürtner, Franz 252, 258, 378, 406, 544

Haarmann, Fritz 184, 320, 341
Haase, Hugo 119
Haber, Fritz 508-9
Habsburgo 27, 43, 82, 84-6, 99, 105, 108, 216-20, 240
Haeckel, Ernst 75
Hallgarten, George (Wolfgang Friedrich) 287
Hamburgo 31, 61, 68, 119, 158, 225, 285-6, 295, 300, 302-6, 341-2, 349, 354, 369, 383, 385, 419, 455, 458, 477-8, 494
Hammerstein, general Kurt von 377, 389
Hanfstaengl, Ernst (Putzi) 244, 251, 253, 314, 404
Hanover 46, 266, 341, 349, 522
Harlan, Veit 502-3
Harvey, Lilian 490

Hassell, Ulrich von 50
Hauptmann, Gerhart 497
Haushofer, Karl 231-2
Hearst, William Randolph 314
Heidegger, Martin 504-7, 512
Heidelberg 261, 274, 507, 510, 512, 515
Heiden, Konrad 22
Heine, Heinrich 517
Heines, Edmund 438-9
Heisenberg, Werner 510
Held, Heinrich 257
Heldenbrand, Hans-Joachim 381
Heligolândia 86
Helm, Brigitte 490
Henrici, Ernst 63
Hentig, Hans von 243
Herbst, Ludolf 16
Herder, Johann Gottfried von 26
Hertz, Gustav 508
Hess, Rudolf 231-3, 253, 265, 271, 290
Hesse 64, 342, 417, 419
Heuss, Theodor 446
Hevesy, Georg von 506
Hiedler, Johann Georg, *ver* Hitler (Hiedler), Johann Georg 215
Himmler, Heinrich 30, 286-90, 420-1, 443, 520, 544
Hindemith, Paul 173, 203
Hindenburg, Oskar von 345, 375
Hindenburg, Paul von 93, 96, 99-100, 103, 127-8, 202, 248, 312, 315-6, 321, 343-7, 349, 351-3, 355-6, 366-7, 369, 371-2, 375--8, 382, 388-9, 393, 407, 427-8, 432, 451, 453, 470, 524, 530-1, 539, 542
Hirschfeld, Magnus 178-9, 454-5, 515
Hitler, Adolf 10, 18, 22, 27-8, 30, 33, 50, 100, 202, 215, 217-37, 239-55, 257-66, 269-71, 273-7, 279, 283-5, 288-91, 307-11, 314, 321, 323, 331, 335-6, 341-3, 346-7, 349, 351, 354, 358-9, 361, 365-7, 369-70, 372-3, 375, 377-8, 381, 383-90, 394-401, 404-5, 407, 410-1, 413, 415, 418, 422, 424-32, 434, 436-7, 440-2, 444, 446-9, 451-3, 461, 463-8, 473, 479, 480, 482-3, 485-6, 489-91, 493-4, 496-7, 499-500, 502, 507, 509-11, 518-20, 523-5, 527, 529-33, 535, 537-42, 544-50
Hitler, Alois (pai de Hitler) 215

Hitler (Hiedler), Johann Georg (avô de Hitler) 215
Hitler, Klara (mãe de Hitler) 215
Hitler, Paula (irmã de Hitler) 215
Hoche, Alfred 197
Hoegner, Wilhelm 430
Hoffmann, Johannes 211-2, 214
Hohenlohe, Chlodwig 85
Hohenzollern 83, 141, 538
Höhler, Albrecht Ali 334
Hohnstein, campo de concentração, Saxônia 544
Hollaender, Friedrich 174
Hollywood 490, 495
Höltermann, Karl 419
Hölz, Max 119
Horenstein, Jascha 477
Horthy, general Miklós 99, 532
Höss, Rudolf 278-80, 288
Huber, Florian 196
Huch, Ricarda 495
Hugenberg, Alfred 86, 110, 141-2, 165-6, 168-9, 173, 270, 284, 309, 325, 369, 375, 377-8, 386-7, 393, 447-52, 464, 470, 479, 489, 491
Hungria 43, 82, 99, 105, 108, 114, 157, 206, 211, 241, 532-3
Husserl, Edmund 504, 506-7

Idar-Oberstein 282
Inglaterra, *ver também* Reino Unido 288
Isherwood, Christopher 185
Itália 24, 27-8, 43, 57-8, 105, 137, 141, 145, 240-2, 244, 251, 255, 373, 385, 429, 492, 532, 541

Jankowski, Marie 423
Jannings, Emil 173
Jellinek, Walter 510-1
Jiaozhou, China 56
Jöel, Curt 147
Johst, Hans 503
Jünger, Ernst 112, 171, 496

Kaas, Ludwig 137, 139, 316, 429, 442, 444
Kahr, Gustav Ritter von 237-8, 246, 249-50, 257, 287

Kalter, Sabine 477
Kandinsky, Wassily 171-2, 221, 500
Kantzow, Karin von 247
Kapp, Wolfgang 110, 144, 147, 149, 151, 188, 201, 231, 313, 357, 432, 534
Kästner, Erich 515
Kaufmann, Karl 264
Kautsky, Karl 515
Keim, August (oficial do Exército) 87
Keppler, Wilhelm 464
Kershaw, *Sir* Ian 18, 21, 35
Kessler, Harry, conde 401
Ketteler, bispo 440
Kirchner, Ernst Ludwig 171, 498, 500
Klee, Paul 172, 221, 498-500
Klemperer, Otto 476-7, 484-5
Klemperer, Victor 30, 34, 127, 154-6, 158, 181, 198-204, 307, 476-7, 527
Klemt, Eduard 513
Klepper, Jochen 491
Knilling, Eugen Ritter von 246
Koblenz-Trier 463
Koch-Weser, Erich 136, 262
Kokoschka, Oskar 499
Königsberg 416, 518
Köpenick 423, 438
Kollwitz, Käthe 500
Koussevitsky, Serge 483
Krebs, Hans 508
Krebs, Richard (Jan Valtin) 303-5, 337, 354
Krefeld 395
Kreisler, Fritz 478
Krenek, Ernst 174
Krupp, Friedrich Alfred 75, 87, 161, 166, 168
Kun, Bela 99, 532
Kürten, Peter 184, 341

Lagarde, Paul de 277
Landauer, Gustav 211, 213, 220
Landgraf, Georg 417
Landshut 260, 287, 519
Lang, Fritz 184, 490
Langbehn, Julius 71, 89, 277
Lanz von Liebenfels, Jörg 77, 80, 539
Leber, Julius 392
Legien, Carl 161
Lehmann, Lotte 478

Leiden 402-3
Leipart, Theodor 433, 435-6
Leipzig 107, 252, 392, 476, 513, 518, 545
Lênin, Vladimir Ilitch 53, 97-9, 117, 211-2, 229, 233
Lenz, Fritz 76, 457
Lessing, Gotthold Ephraim 72
Letônia 532
Leuschner, Wilhelm 433
Levien, Max 212
Leviné, Eugen 204, 212-3
Libermann von Sonnenberg, Max 63
Liebermann, Max 499, 500
Liebknecht, Karl 98, 117-8, 204, 302, 400
Liège 93
Lieser, Karl 512
Lippe 373, 438
Lituânia 104, 532
Lloyd George, David 93
Löbe, Paul 436-7, 439
Lochner, Louis P. 520
Lorena 151
Lorre, Peter 490
Lossow, general Otto Hermann von 246, 249--50, 257
Lübeck 392
Lüdecke, Kurt 244
Lüdemann, Hermann 438-9
Ludendorff, general Erich 93, 96, 99-100, 103-4, 203-4, 231, 244, 247, 249-53, 257-9, 262, 284
Lüderitz, baía, sudoeste da África 421
Ludwig, Emil 515
Lueger, Karl 83-4, 218, 222
Luís XIV 44
Lutero, Martinho 26, 29, 516
Luxemburgo, Rosa 98, 117, 204, 302

Macke, August 171, 221, 499
Mahler, Gustav 478
Malmédy 104
Mann, Heinrich 173, 495, 502, 515
Mann, Thomas 26, 160, 495, 502
Mannheim 385
Marc, Franz 221, 499
Marr, Wilhelm 66-7, 71
Marx, Karl 20, 45, 515

Marx, Wilhelm 127, 137, 283, 444
Maschmann, Melita 285, 384
Maurice, Emil 253
Mecklenburg 270, 279
Meinecke, Friedrich 22-3, 29, 40, 136
Meissner, Otto 345, 375
Memel 104
Mendelssohn-Bartholdy, Felix 478
Metternich, Clemens Wenzel Lothar 41, 517
Meyer, Hannes 172
Mies van der Rohe, Ludwig 172, 501
Moeller van den Bruck, Arthur 170
Moholy-Nagy, László 172
Mommsen, Hans 30
Mommsen, Theodor 67
Moresnet 104
Moringen 468
Moscou 97-8, 140, 211, 284, 304-6
Mühsam, Erich 211, 220, 494
Müller, Georg Alexander von 74
Müller, Hermann 307, 312, 315
Müller, Karl Alexander von 223
Müncheberg 385
Munique 80, 119, 154, 171, 187, 199, 204, 209-15, 220-1, 223-5, 229, 231-4, 236-8, 244, 249-50, 252-3, 260-4, 273, 279, 286-8, 325, 341, 385, 411, 420-1, 438, 492, 494, 511, 522
Münster 445
Münzenberg, Willi 168-9
Mussolini, Benito 27-8, 34, 57, 137, 145, 239--42, 385, 429, 541

Nagy, Kaethe von 490
Namíbia 50, 56, 247
Napoleão Bonaparte 41
Napoleão III 43
Neithardt, Georg 252
Neu-Isenburg 516
Neukölln 403
Neumann, Franz 22
Neumann, Heinz 333
Neurath, Konstantin von 378, 451, 520
Nicolau II, tsar 96
Niederstetten 519
Nietzsche, Friedrich 78-9, 89, 233, 253, 262
Nikolaus, Paul 488

ÍNDICE ONOMÁSTICO 667

Noakes, Jeremy 16
Nolde, Emil 171, 498, 499
Northeim 414, 466-9, 525-6
Noske, Gustav 144, 302
Nova Guiné 56, 79
Nuremberg 244, 247, 271, 284
Nuschke, Otto 446

Oberfohren, Ernst 449-50
Oberhausen 395
Oldenburg 131, 269, 329, 343
Oppenheimer, Max (Max Ophüls) 490
Oranienburg, campo de concentração 423, 491, 494
Ossietzky, Carl von 170, 187, 493, 494, 515

Pabst, G. W. 490
Pacelli, Eugenio (posteriormente papa Pio XII) 137
Países Baixos 88
Papen, Franz von 352-6, 358, 361, 365-7, 369, 371-2, 375-8, 387-8, 390, 393, 398, 406-7, 418, 420, 425, 427, 439, 443-4, 451, 461, 525, 531, 535, 538-9, 541-3
Paris 41, 490, 551
Pasewalk, hospital militar, Pomerânia 221
Pavlov, Ivan 358
Peters, Carl 85, 86
Petrogrado 551
Peukert, Detlev 16
Pfeffer von Salomon, Franz 264, 341
Pfitzner, Hans 174-5
Pfülf, Antonie 437
Pieck, Wilhelm 410
Pietzuch, Konrad 366
Pilsudski, general 532
Pio XI 137
Pio XII, papa, *ver* Pacelli, Eugenio 137
Planck, Max 509-10
Plättner, Karl 119
Ploetz, Alfred 75-6
Plötzensee, prisão de 158
Pomerânia 60, 63, 221, 349
Portugal 532
Posen 104
Potempa 366

Potsdam 427-8, 435, 449, 549
Praga 437
Pretzel, Raimund (Sebastian Haffner) 116, 153, 470, 519
Preuss, Hugo 135
Prússia 41-3, 46-7, 52, 54-5, 60, 82, 88, 93, 104, 133, 135-6, 147-9, 178, 181, 197, 223, 258, 282, 309, 328, 335, 338-40, 349, 353, 355-6, 378, 387-8, 390-2, 406, 416, 418-20, 423, 450, 459, 461-3, 488, 518, 531, 541-3
Puppe, (líder camisa-parda) 417

Radek, Karl 305
Rathenau, Emil 161
Rathenau, Walther 119, 203, 237
Rauschning, Hermann 546
Reich, Wilhelm 455
Reichenau, coronel Walther von 389
Reiner, Fritz 483
Reinhardt, general Walther 144
Reinhardt, Max 484-5
Remarque, Erich Maria 173, 495, 515
Renânia 104, 109, 119, 243, 262-3, 499
Reno, distrito do 410
Reno, rio 102
Richthofen, Manfred, barão (Barão Vermelho) 247
Riezler, Kurt 74
Ritter von Epp, coronel Franz 212
Ritter von Seisser, Hans 249
Rohlfs, Christian 499
Röhm, Ernst 238-9, 246-8, 250-1, 257, 259, 287, 289-90, 341, 453
Romênia 89, 105, 108, 527, 532
Rosenberg, Alfred 233-4, 257-8, 277, 290, 498, 500, 507
Rothschild, família 62
Rousseau, Jean-Jacques 547
Ruck, Michael 16
Rückert, Erwin 334
Rüdin, Ernst 76
Ruhr 118, 125, 135, 144, 152, 156, 162-4, 166, 182-3, 242-3, 247, 249, 255, 260, 264, 269, 286, 299, 309, 336, 410, 424, 433, 499
Rumbold, *Sir* Horace 443
Rüsselsheim 297

Rússia 21, 24, 27-8, 47, 56-8, 70, 97-8, 104, 117, 145, 157, 171, 187, 193, 205-6, 229, 234, 254, 391, 402, 527, 541
Rust, Bernhard 480, 511

San Quentin 304
São Petersburgo 97-8
Sarre 104, 109, 243
Sax, Adolphe 486
Saxônia 40, 125, 270, 286, 355, 420, 475-6, 544
Saxônia-Anhalt, 349
Schacht, Hjalmar 156, 398, 451
Schemann, Ludwig 72
Scheubner-Richter, Max Erwin von 244, 251
Schicklgruber, (Hitler), Alois (pai de Hitler) 215
Schicklgruber, Maria (avó paterna de Hitler) 215
Schiele, Martin 315
Schiff, Else 502
Schinkel, Karl Friedrich 481
Schirach, Baldur von 273-4, 290
Schlageter, Albert Leo 242, 503
Schleicher, general Kurt von 145, 313-5, 342, 344-5, 351-5, 371-3, 375-8, 389, 530, 535, 539
Schlemmer, Eva 200
Schlemmer, Oskar 172, 499-500
Schleswig 104
Schleswig-Holstein 43, 269, 327, 329, 349, 415
Schlotterbeck, Friedrich 422-3
Schmidt-Rottluff, Karl 499-500
Schmitt, Carl 450
Schnabel, Artur 478
Schoenberg, Arnold 171, 174, 477-8
Scholtz-Klink, Gertrud 466
Schönerer, Georg Ritter von 82-5, 105, 217--20, 222, 539, 550
Schrader, Karl 434
Schreck, Julius 289
Schreker, Franz 477
Schrödinger, Erwin 508
Schuler, Alfred 80
Schultze-Naumburg, Paul 172
Schumacher, Kurt 386

Schurtz, Heinrich 80
Schuster, Joseph 484
Schütz, Walter 416
Schwerin von Krosigk, Lutz, conde 378, 451
Schwesing 327
Seeckt, general Hans von 144-5, 249, 344
Seldte, Franz 114, 270, 376, 378, 387, 393, 452-3
Selz, Otto 519
Serkin, Rudolf 477
Severing, Carl 148, 282, 340, 355-7, 462, 470
Shirer, William L. 16-9, 25
Siebeck, Richard 510
Silésia 151, 238, 299, 339
Sollmann, Wilhelm 416
Solmitz, Louise 369-70, 382-4, 387, 397, 408
Sonnemann, Emmy 502
Sonnenburg 494
Spahn, Martin 451
Spandau 385, 439
Spengler, Oswald 170, 260, 262, 277
Stálin, Josef 21, 27-8, 140, 306, 373, 551
Stassfurt 392
Staudinger, Hermann 506
Stegerwald, Adam 395
Steinmann, vigário-geral 442
Stelling, Johannes 438
Stennes, Walther 341-2
Stinnes, Hugo 161-2
Stöcker, Adolf 63, 66, 224
Stöcker, Helene 79, 455
Strasser, Gregor 260-1, 263-6, 269, 271-2, 275, 288, 310, 372-3, 535
Strasser, Otto 260, 308-9, 314
Strauss, Richard 173, 476, 486
Streicher, Julius 245, 251, 258-9, 262-3, 290, 520
Stresemann, Gustav 142-3, 156, 248-9, 291, 312, 446
Stumm, Karl Ferdinand von 161
Suécia 231, 251, 478
Suíça 88, 93, 211, 494-5, 500
Swakopmund 421

Tanganica 56, 86
Taylor, Alan 25, 42
Tchakhotine, Serge 358

ÍNDICE ONOMÁSTICO 669

Tchecoslováquia 105, 108, 227, 496
Tempel, Wilhelm 273
Thälmann, Ernst 305-7, 346-7, 349, 409
Thurn e Taxis, Gustav-Franz, príncipe 213
Thyssen, Fritz 58, 161, 310
Tietjen, Heinz 478
Tietz, família 62
Tille, Alexander 76
Tirol 255
Tirpitz, Alfred von 74, 110
Togo 56
Toller, Ernst 211, 220, 494, 502
Torgler, Ernst 407, 409
Toscanini, Arturo 483
Treblinka, campo de concentração 531
Treitschke, Heinrich von 67, 89
Trier, bispo de 51
Trótski, Leon 97, 344, 373, 550
Tucholsky, Kurt 170, 502, 515
Turíngia 125, 197, 355, 372, 420, 499, 516

Ulbricht, Walter 306, 410

Van der Lubbe, Marinus 402-5, 407
Vaticano 69, 137, 429, 442
Verdi, Giuseppe 24, 475
Vermeil, Edmond 25
Viena 72, 82-4, 105, 171, 212, 217-21, 226, 333, 393, 484, 532
Viernstein, Theodor 197
Virchow, Rudolf 67

Wäckerle, Hilmar 421
Wagener, Otto 464
Wagner, Adolf 420
Wagner, Cosima 72
Wagner, Richard 71-2, 78, 103, 173, 217-8, 222, 244, 420, 476-8
Wagner, Robert 505
Waldoff, Claire 488
Walter, Bruno 476, 484-5
Wartburg 516
Weber, Helene 443

Weber, Max 78
Webern, Anton von 171
Wedekind, Frank 171
Weill, Kurt 174, 478, 490
Weimar 15, 17, 30-1, 44, 117, 120, 123, 125-31, 133-7, 139-40, 142-3, 146-50, 159-60, 163-72, 178, 181-2, 184-7, 189, 191-5, 198, 200-4, 206, 229, 243, 253, 257-8, 265, 267, 272-3, 279, 282, 284, 290-1, 297, 303, 305, 307-8, 311-2, 316-7, 319-20, 323, 325, 329, 332, 338, 341, 346, 349, 352-3, 356, 358, 361, 371, 390-1, 394, 396-7, 406-7, 411, 416, 422, 424-5, 428-32, 438, 440-1, 444, 446, 453, 455-6, 458-60, 462, 476, 480, 482-3, 487, 490, 492-3, 495-6, 499, 501, 504, 510-1, 516, 525, 533, 537-40, 542, 544, 546, 548, 550
Weiss, Bernhard 265
Weissenfels 385
Wels, Otto 419, 430-2, 436-7
Weng 519
Wertheim, irmãos 62
Wessel, Horst 266, 333-6, 383, 434, 469, 494, 497, 502, 505, 515-6
Westarp, Heila von, condessa 213
Westarp, Kuno, conde 141
Westfália 264, 395, 440
Wheeler-Bennett, John 382
Wiefelstede 327
Wiesbaden 519
Wilder, Billy 490
Wilson, Woodrow 103, 105
Wirth, Josef 315, 430
Woltmann, Ludwig 73, 75, 78
Worms 385
Wuppertal 416-8
Württemberg 139, 197, 211, 349, 385-6, 394, 419, 443

Zander, Elsbeth 271-2
Zanzibar 86
Zemlinsky, Alexander von 171
Zweig, Arnold 496

LEIA TAMBÉM OS OUTROS DOIS TÍTULOS DA SÉRIE

RICHARD J. EVANS
TERCEIRO REICH
NO PODER
O relato mais completo e fascinante do regime
nazista entre 1933 e 1939

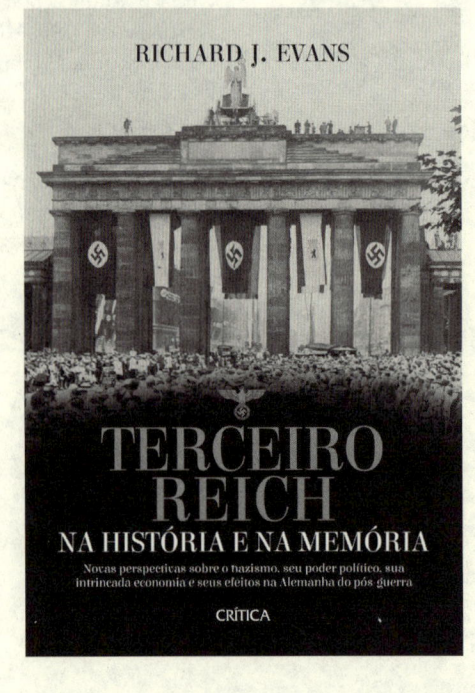

CRÍTICA

RICHARD J. EVANS
TERCEIRO REICH
EM GUERRA
Como os nazistas conduziram a Alemanha
da conquista ao desastre (1939-1945)

CRÍTICA

RICHARD J. EVANS
TERCEIRO REICH
NA HISTÓRIA E NA MEMÓRIA
Novas perspectivas sobre o nazismo, seu poder político, sua
intrincada economia e seus efeitos na Alemanha do pós-guerra

CRÍTICA

Conheça também outros títulos do selo Crítica

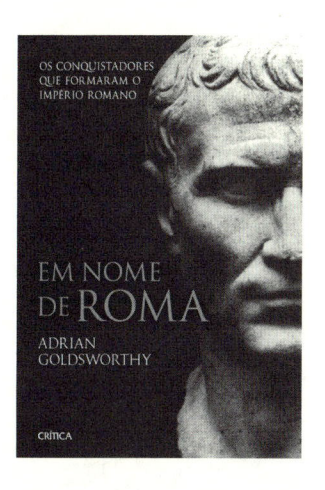

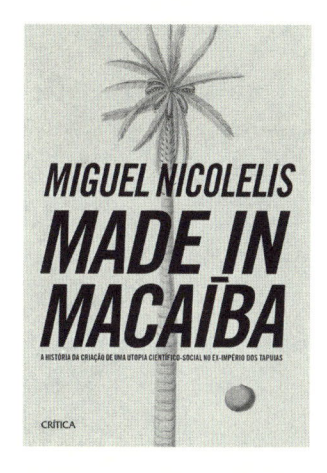

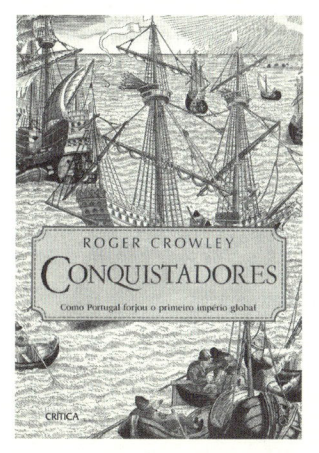

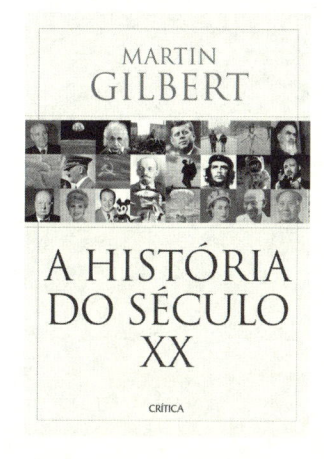

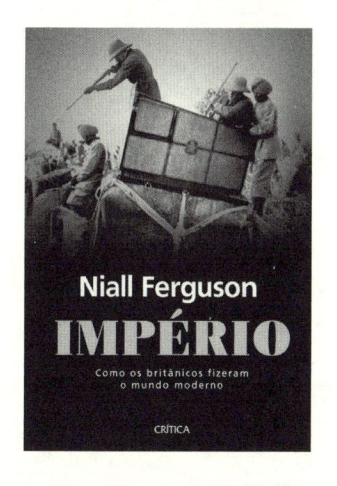

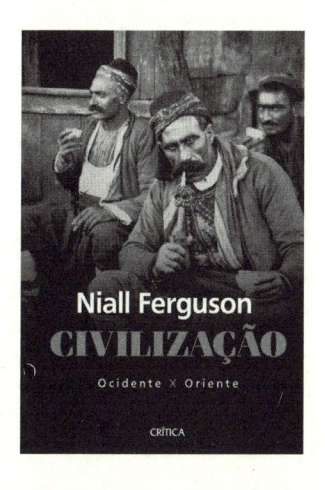

**Acreditamos
nos livros**

Este livro foi composto em Horley Old
Style MT e impresso pela Geográfica para a
Editora Planeta do Brasil em março de 2022.